LEXIKON MISSIONS-THEOLOGISCHER GRUNDBEGRIFFE

Herausgegeben von
Karl Müller und Theo Sundermeier

DIETRICH REIMER VERLAG

Redaktion: Hans-Jürgen Findeis

CIP-Kurztitelaufnahme der Deutschen Bibliothek

Lexikon missionstheologischer Grundbegriffe /
hrsg. von Karl Müller u. Theo Sundermeier. –
Berlin : Reimer, 1987.
  ISBN 3-496-00911-X

NE: Müller, Karl [Hrsg.]

Umschlag Thomas Rode u. Werner Ost / Frankfurt am Main

Unter Verwendung des Linolschnittes »Sermon on the Mountain«
von Azariah Mbatha mit freundlicher Genehmigung des
Hammer-Verlages, Wuppertal.

© 1987 Dietrich Reimer Verlag
Dr. Friedrich Kaufmann
Unter den Eichen 57
1000 Berlin 45

VORWORT

Innere und äußere, theologische und situative Gründe haben in den letzten Jahren eine Neubesinnung der Mission notwendig gemacht. Der Erosionsprozeß des Christentums in traditionell christlichen Ländern, das Ende der Vorherrschaft des Abendlandes und seiner Kultur, das Erstarken des Selbstbewußtseins der Religionen und ihres politischen Einflusses, das ökonomische Nord-Süd-Gefälle, das nicht nur das Leben der Menschen in der Dritten Welt gefährdet, sondern auch die Kirchen stark beeinflußt, ferner neue exegetische Einsichten, Aussagen des Vaticanum II über die Heilsmöglichkeit in anderen Religionen und die der Weltmissionskonferenzen zur sozialen Verantwortung der Kirchen, und schließlich die neuen theologischen Einsichten der Kirchen der Dritten Welt, haben eine Neuorientierung der Missionstheologie notwendig gemacht. Die missionstheologischen Positionen müssen neu bedacht werden. Da sie in den meisten Lexika zu kurz behandelt werden, die Zeit auch passé ist, in der ein einzelner Wissenschaftler die Fülle der Informationen und Einsichten in einer Missionstheologie zusammenfassen kann, die interkulturelle Geltung beansprucht, schien es uns notwendig zu sein, in einem spezifischen Lexikon die Sachinformationen zu bündeln und die missionstheologischen Neuansätze sichtbar zu machen.

Damit ist die Richtung angedeutet, in die wir gehen wollten. Bewußt verzichteten wir auf Länderberichte und eingehende missionsgeschichtliche Darlegungen. Unsere Empfehlungen an die Autoren gingen dahin, die Artikel systematisch-theologisch anzulegen und die Antworten auf theologische Probleme in Modellen zusammenzufassen. Dem Leser soll rasterartig ein Überblick über die Fragen vermittelt werden. Ein relativ ausführliches Literaturverzeichnis[1] soll es ermöglichen, den einzelnen Meinungen und Auffassungen gründlicher nachzugehen und sie zu prüfen.

Bei der Bearbeitung der Artikel fiel uns auf, wie die Kirchen sich auf dem missionstheologischen Sektor nahestehen. Evangelische und katholische Autoren sind zahlenmäßig gleich vertreten. Leider finden sich nur wenige Autoren der orthodoxen Kirchen unter den Mitarbeitern. Selbstverständlich setzen die einzelnen Autoren aufgrund ihrer jeweiligen Tradition besondere Akzente. Wir stellten aber fest, daß das kaum je die Glaubenssubstanz berührte. Die interkonfessionelle Zusammenarbeit machte Freude!

Wir hoffen, daß das Buch vielen eine Hilfe sein wird: den Theologen Anregung zu weiterer Forschung, den Missionspraktikern Orientierung, allen aber tiefere Begegnung mit dem, der gesagt hat: Geht, macht alle Völker zu Jüngern!

Es bleibt uns die angenehme Pflicht, allen zu danken, die zum Entstehen des Buches beigetragen haben: Herrn Dr. Kaufmann vom Dietrich Reimer Verlag für sein stetiges verlegerisches Interesse, Herrn Dr. H. J. Findeis für wichtige Redaktionsarbeit, den Mitarbeiterinnen und Mitarbeitern am Missionswissenschaftlichen

---

[1] Den Literaturverzeichnissen wurde das von S. v. Schwertner zusammengestellte Abkürzungsverzeichnis zur *Theologischen Realenzyklopädie* (TRE, 1976) zugrundegelegt.

Institut in St. Augustin, in besonderer Weise Frau M. Ludwig. Am Wissenschaft-
lich-Theologischen Seminar in Heidelberg sind insbesondere mag. theol. A.
Grünschloß, cand. theol. Th. Weiß und J. Anhegger, stud. theol. V.Küster und L.
Schmidtke zu nennen, die zusammen mit Frau G. Rauscher in vielfacher Hinsicht
und mit Engagement dafür gesorgt haben, daß das Gesamtmanuskript unter Einsatz moderner elektronischer Datenverarbeitung und mit der freundlichen Unterstützung des Rechenzentrums der Universität Heidelberg termingerecht für den
Druck fertiggestellt werden konnte. Unser Dank gilt den Autoren für ihre vorzügliche Zusammenarbeit, und - last but not least - der Deutschen Gesellschaft für
Missionswissenschaft, der Evangelischen Kirche von Westfalen, dem Internationalen Institut für Missionswissenschaftliche Forschungen und dem Steyler Missionswissenschaftlichen Institut für großzügige finanzielle Unterstützung.

Ostern 1987   Karl Müller

                                                              Theo Sundermeier

INHALT

ABENDMAHL (= EUCHARISTIE)

1. Begriff. 2. Biblisch. 3. Systematisch-theologisch.

1. Abendmahl (= Eucharistie) ist die gemeinchristliche Bezeichnung für das zentrale liturgisch-sakramentale Geschehen, vom II. Vatikanum „die Quelle und der Höhepunkt des ganzen christlichen Lebens" genannt und als die Grundkraft gewertet, „aus der die Kirche immerfort lebt und wächst" (Lumen gentium 11; 26). Synonyme Bezeichnungen der älteren Zeit („Brotbrechen"; 1Kor 10,16; Apg 2,46; „Herrenmahl": 1Kor 11,20; „Opfer": bei Cyprian und Augustin; Versammlung = collecta) wichen nach dem Konzil von Trient (1545-1563) in der katholischen Kirche dem Ausdruck „Meßopfer". Heute wird dafür bevorzugt „Eucharistie" (erstmals bei Justin) verwendet zur Kennzeichnung der im Kern der Handlung stehenden lobenden und opfernden Danksagung. Der Begriff Abendmahl besitzt den Vorzug, daß er den unmittelbaren Anschluß des kirchlichen Kultgeschehens an das letzte Mahl Jesu Christi verdeutlicht und so dieses Sakrament als direkte Stiftung Christi ausweist.

2. Auch wenn in der Exegese die Frage nach dem Charakter des Mahles Jesu als eines Paschamahles diskutiert wird, so ist doch seine Verbindung mit dem Pascharitus nicht zu bestreiten (bes. in den Deuteworten zu den Gaben des Mahles), zugleich aber auch seine schöpferische Umprägung nicht zu verkennen; denn Jesus deutet die Mahlgaben auf sich selbst („Das ist mein Leib - das ist der Kelch meines Blutes") und bringt damit zum Ausdruck, daß er sich stellvertretend für die Jünger (wie für die ganze Menschheit) in den Tod gibt. Dabei ist nicht zu übersehen, daß die sog. „Einsetzungsberichte" in manchen Einzelheiten voneinander abweichen. So liegt in der (wohl älteren) paulinischen (antiochenischen) Fassung der Nachdruck mehr auf der Mahlhandlung als solcher (1Kor 11,23-24; Lk 22,19-20), während in der sog. petrinischen Form (Mk 14,22-24 Mt 26,26-28) die Betonung auf die Mahlelemente zu liegen kommt und vor allem das Blut als Opfermaterie (→ Opfer) hervorgehoben erscheint. Indessen handelt es sich dabei nicht um sich widersprechende oder inkompatible Vorstellungen. Beide Traditionsstränge lassen erkennen, daß Jesus in der Nacht vor seinem Leiden nicht ein einfaches Abschiedsmahl feierte (im Sinne der aus dem AT bekannten Abschiedsmähler der Patriarchen), sondern daß er mit den über die Gaben gesprochenen Worten und mit den begleitenden Handlungen den Akt der Selbsthingabe vollzog, der am Kreuz seine höchste Ausdrücklichkeit erreichte und der (in Entsprechung zu Ex 24,8) den neuen Bundesschluß besiegelte. Auch evangelische Exegese gibt (bei Vorhandensein mancher Probleme der historisch-kritischen Forschung) zu: „Jesus bezeichnet sich (in den Abendmahlsworten) als ein Opfer, und zwar als das eschatologische Paschalamm (vgl. 1Kor 5,7), dessen Tod den neuen Bund in Kraft setzt, der in der Bundesschließung am Sinai vorgebildet (Ex 24,8) und für die Heilszeit geweissagt (Jer 31,31-34) war. Sein Tod ist stellvertretendes Sterben" (J. Jeremias).

Wie aber sein Sterben kein privates religiöses Geschehen war, so auch nicht das Geschehen des Abendmahls. Die inhaltliche und zeitliche Universalität dieses Geschehens kommt vor allem im Gedächtnis - oder Anamnesebefehl zum Ausdruck: „Tut dies zu meinem Andenken" (1Kor 11,24.25b; Lk 22,19). Damit wird das Gedächtnis oder das Angedenken zur umfassenden Struktur des Abendmahls, aber nicht nur im Sinne einer bloß nach rückwärts gerichteten Erinnerung, sondern, wie der sog. „eschatologische Ausblick" zeigt („bis das Reich Gottes kommt": LK 22,15f), auch im Sinne einer prospektiv gerichteten Erstreckung auf das Vollendungsmahl im Reiche Gottes.

3. Mit dem Anamnese- oder Stiftungsbefehl hat Jesus die Kirche verpflichtet, aber auch ermächtigt, in der Vollmacht des Stifters sein Tun im Sakrament der Eucharistie nachzuvollziehen, und zwar in wesentlicher Gleichheit des Ursprungsgeschehens, das ein Opfer in der Gestalt einer Mahlhandlung war. Trotz des nicht geringen Wandels, dem die Eucharistie als rituell-liturgisches Geschehen in der Geschichte unterworfen war (er reichte von den schlichten häuslichen Gemeinschaftsfeiern der jungen Kirche über die feierlichen Pontifikalgottesdienste des Mittelalters bis zu den wieder einfacheren Gestaltungen der neueren Liturgie - eine Vielfalt, die sich auch heute noch in der Verschiedenheit der anerkannten Riten spiegelt), blieb die Kirche sich der Verpflichtung zur Erhaltung des ursprünglichen Wesens des Herrenmahles bewußt und suchte diese Identität vor allem in der dogmatischen Lehrentwicklung zu festigen. Dabei trat die überragende Stellung der Eucharistie unter den Sakramenten immer deutlicher hervor; denn in der Eucharistie geschieht sakramental die Vergegenwärtigung des ganzen, in Kreuz und Auferstehung gipfelnden Heilswerkes zusammen mit seinem Träger und Subjekt, Jesus Christus.

So ist die Eucharistie in besonderer Weise auf Vergegenwärtigung und Gegenwart ausgerichtet, dies aber nicht in einer gänzlich einfachen und uniformen Weise. Während die traditionelle Theologie das Hauptaugenmerk auf die Gegenwart Christi unter den Gestalten von Brot und Wein legte, hat die tiefere Reflexion über die biblischen und kulttheologischen Zusammenhänge die Einsicht in die Differenziertheit der Gegenwartsweisen vertieft. Danach ist Christus gegenwärtig als der (himmlische) Herr und Haupthandelnde des Mahles (in der sog. prinzipalen Aktualpräsenz); als solcher setzt er das Opfergeschehen am Kreuze gegenwärtig (in der sog. memorialen Aktualpräsenz, die, vermittels des Priesters, in Worten und Zeichen geschieht); er gibt sich aber auch in diesem mit dem Kreuzesopfer identischen Akt als Gabe hin (in der sog. substantialen Gegenwart der somatischen Präsenz).

Zeigen so auch die miteinander gegebenen Gegenwartsweisen den Reichtum eines Heilsgeschehens an, das in seiner Geheimnishaftigkeit vom menschlichen Denken nicht gänzlich durchdrungen werden kann, so ist doch dem Glauben verständlich, daß der Scopus der Eucharistie und ihr Proprium in der Vergegenwärtigung des Leibes und Blutes (und damit der ganzen Person Christi) unter den Gestalten von Brot und Wein, also in der sog. somatischen Präsenz, gelegen ist; denn die Gegenwart des minister principalis ist in allen Sakramenten gegeben; ebenso geschieht in jedem Sakrament (wenn auch nicht in je gleicher Weise) Vergegenwärtigung des Heilstuns Christi. Allein in der Eucharistie wird mit der Vergegenwärtigung des vollendeten Heilswerkes, des sieghaften Kreuzesgeschehens, zugleich die Opfergabe am Kreuz gegenwärtig, der Christus passus.

In diesem Geschehen liegt zugleich auch der tiefste, herausfordernde Geheimnischarakter des Abendmahl-Glaubens begründet, dessen Verständnis dem gläubigen Denken in der Frühzeit mit dem Begriff der Wandlung (Metabolismus), seit dem Mittelalter und dem Tridentinum mit dem Begriff der Wesensverwandlung (Transsubstantiation) nahegebracht werden sollte. Danach ist Christus nach der Wandlung des Wesens von Brot und Wein (bei Verbleib der äußeren Erscheinungen) „wahrhaft, wirklich und wesentlich" zugegen.

Die hier verwandte Begrifflichkeit („Transsubstantiation") ist in neuerer Zeit wegen ihrer Verhaftung an vergangene kosmologische und weltbildbedingte Vorstellungen der Kritik unterworfen worden. Als moderne Ersatzvorstellung wurde „Transsignifikation" (Neubestimmung der Zeichen) oder „Transfinalisation" (Sinn-, Bedeutungswandel) in Vorschlag gebracht, die jedoch nicht den ganzen Gehalt der ursprünglichen Bezeichnung aufnehmen, welche auch als „Seinswandlung" bezeichnet werden kann. Für das ökumenische Gespräch bezüglich der Eucharistie ist die Feststellung von Belang, daß Luther (trotz Ablehnung der Transsubstantiation) an der somatischen Realpräsenz Christi festhielt, woraus sich heute weitere Konvergenzmöglichkeiten auch bezüglich des Opfercharakters dieses Sakramentes ergeben. Calvin dagegen sah das Verhältnis der Zeichen von Brot und Wein zum Leibe Christi nicht in der Weise einer Identität, sondern einer dynamischen Anteilnahme am Leibe Christi beim gläubigen Empfänger, während Zwingli eine rein zeichenhafte, figürliche Deutung von Brot und Wein vertrat.

Wenn so auch das Wesen der Gegenwart Christi sich einer durchgreifenden begrifflichen Erklärung entzieht, so treten doch Sinn und Ziel dieser Vergegenwärtigung deutlich hervor. Sie liegen nicht in dem „Wunder" der Gegenwärtigsetzung als solcher, sondern in ihrer Applikation auf die Gläubigen, d.h. in der Zuwendung des Heilswerkes Christi an die Gläubigen, im „Nehmen" der Gaben durch sie, in der Annahme des Opfers. Eine solche Annahme kann aber nicht in rein passiver Haltung geschehen, sondern nur in einer gleichgerichteten personalen Entsprechung. Deshalb ist das „Opfer Christi" immer auch als „Opfer der Kirche" verstanden worden, nicht als ob die Kirche dem Opfer Christi etwas hinzufügen könnte. Aber sie nimmt das Opfer Christi gleichsam in die Hand, schließt sich ihm innerlich und äußerlich an und bringt es „durch Ihn und mit Ihm und in Ihm" dem Vater dar. So geht das ganze christliche Dasein in die Bewegung Christi zum Vater ein. Die eucharistische Wandlung geschieht dann nicht nur an den materiellen Dingen von Brot und Wein, sondern in bestimmter Weise auch an den Gläubigen. Diese aber empfangen aus dem Abendmahl die Befähigung und Verpflichtung zur Umgestaltung der Welt in Christus. So vermittelt die Eucharistie als höchstes Zeichen der Einheit nicht nur wesentliche Kräfte zum Einswerden der Kirche, sondern auch Impulse für den christlichen Weltauftrag.

Lit.: *Averbeck, W.*, Der Opfercharakter des Abendmahls in der neueren evangelischen Theologie, 1966. - *Betz, J.*, Eucharistie in Schrift und Patristik, in: HDG IV/4a, 1979. - *Feld, H.*, Das Verständnis des Abendmahls, 1979. - *Gerken, A.*, Theologie der Eucharistie, 1973. - *Jeremias, J.*, Die Abendmahlsworte Jesu, ⁴1967. - *Koch, O.*, Gegenwart oder Vergegenwärtigung Christi im Abendmahl, 1965. - *Marxen, W.*, Das Abendmahl als christologisches Problem, 1963/65. - *Ders.*, Zur Traditionsgeschichte des Abendmahls innerhalb des Neuen Testaments, in: ÖR.B5, 1967. - *Neuenzeit, P.*, Das Herrenmahl. Studien zur paulinischen Eucharistieauffassung, 1960. - *Powers, J.*, Eucharistie in neuer Sicht, 1968. - *Sasse, H.*, Kirche und Herrenmahl. Ein Beitrag zum Verständnis des Altarsakramentes, in: BeKi 59/60, 1938. - *Ders.*, Vom Sakrament des Altares, 1941. - *Scheffczyk, L.*, Die Heilszeichen von Brot und Wein, 1973. - *Seybold, M./Gläser, A.*, Das „Lima Papier", 1985.

L. Scheffczyk

ABSOLUTHEITSANSPRUCH

1. Der Anspruch; seine Formulierungen. 2. Herkunft und Geschichte. 3. Der Absolutheits-anspruch und die Religionen. 4. Infragestellungen. 5. Sachgerechte theologische Interpretation.

1. Der Absolutheitsanspruch ist ein philosophischer Terminus, mit dem christliche Theologie für das Christentum den *Anspruch* auf alleinige universale, unbedingte und bleibende Gültigkeit, absolute Wahrheit und absolutes Heil reklamiert. „Mit dem Thema ... ist die Frage nach dem heilsgeschichtlichen und weltgeschichtlichen Ort des Christentums gestellt. In diesem Thema geht es um die Frage, wie sich Christentum und die Religionen, Christentum und die weltlichen Sachbereiche (Wissenschaft, Kultur, Politik u.a.), Christentum und die modernen Ideologien und Utopien zueinander verhalten" (W. Kasper). „Absolut" steht gleichbedeutend für „einzig", „unverwechselbar", „unableitbar", „unüberholbar". „Christentum" steht für „christliche Botschaft", „christliche Religion", „Kirche". Der Anspruch besagt also: Das Christentum als Religionsgemeinschaft sagt durch seine Botschaft der Welt, wo allein Wahrheit und Heil zu finden sind; die Kirche (und in der Theologiegeschichte vor allem die römisch-katholische Kirche) beansprucht, in ihrer Geschichte, Gemeinschaft und Verkündigung dies zu vermitteln. Der Anspruch ist groß; und er ist - obwohl der Begriff neu ist - in der Sache alt: Er ist angesprochen im Apostolischen Glaubensbekenntnis, wo sich die Kirche als „katholisch" = allumfassend bekennt; und er hat eine lange Tradition in dem in der Kirchen- und Theologiegeschichte stark umkämpften, höchst mißverständlichen Satz „Extra ecclesiam nulla salus".

2. Der Begriff „Absolutheitsanspruch" stammt aus Hegels Religionsphilosophie. Er ist - wie Hegels ganzes philosophisches Werk - Ausdruck der erfahrenen Überlegenheit abendländischen Denkens, den Hegel geistesgeschichtlich deutet: In allen geistigen Vorgängen verwirklicht sich nach Hegel der absolute Geist, der Geist Gottes. In Kunst, Religion und Philosophie ist dies der Fall. Die → Religion als Verwirklichungsstufe des Geistes kennt drei Stufen: Naturreligion, Religion der geistigen Individualität, christliche Religion. Andererseits kann, da der absolute Geist sich entwickelt, alles in der Welt als Religion gedeutet werden. Wo alles als Werk des Geistes Gottes erkannt wird, da ist die Stufe erreicht, auf der nach Hegels Worten das „Selbstbewußtsein des absoluten Geistes" offenbar wird. Diese Stufe ist das Christentum; Religion ist hier absolut geworden. Denn in der

Idee und Gestalt des Gottmenschen ist die Verbindung von Gott und Mensch zur höchsten Möglichkeit und Wirklichkeit gelangt.

Die ansonsten der Philosophie des Deutschen Idealismus nicht aufgeschlossene Apologetik der *Neuscholastik* hat dieses Hegelsche Axiom als wissenschaftlich erweisbare, objektive Aussage über das Christentum im Sinn der Allgemein- und Alleingültigkeit gern aufgegriffen und verschärft: „Wie Jesus Christus Priester, Lehrer, Führer ist, so ist auch seine Kirche Priesterin, Lehrerin und Führerin der Menschheit. Als Lehrerin und Führerin erhebt sie im Namen ihres Stifters einen Absolutheitsanspruch in allem, was Glaube und Sitten betrifft. Diesen Anspruch aber könnte sie nicht mit Erfolg erheben, wenn ihr Jesus Christus nicht auf diesem Gebiete die Gabe der absoluten Unfehlbarkeit geschenkt hätte. Die Kirche beweist ihre göttliche Sendung als Stellvertreterin Christi durch göttliche Zeichen" (S. Tromp).

Das Zitat zeigt besonders deutlich, daß der Absolutheitsanspruch im abendländischen Denken verhaftet bleibt: die Philosophie, die anderen Kirchen sind die Institutionen, denen gegenüber der Anspruch geltend gemacht wird. Die Religionen sind nicht eigentlich Thema, daher richtet sich der Anspruch nicht ausdrücklich gegen sie; wo sie aber in den Blickpunkt treten, wird ohne größere Reflexion der Anspruch auch und selbstverständlich ihnen gegenüber geltend gemacht.

Das gilt auch vom alten Axiom, daß es „außerhalb der Kirche kein Heil" gebe. Origenes im Osten und Cyprian im Westen formulieren nahezu gleichzeitig (3. Jh.), daß das Wissen um die frohe Botschaft vom Heil an die kirchliche Vermittlung gebunden ist. Cyprian ebenso wie später Augustinus appellieren damit an die Häretiker ihrer Zeit, in der Situation des Umbruchs und der Unsicherheit an der klaren Lehre und Führung der Bischöfe festzuhalten; denn sie seien die Garanten der wahren Überlieferung und damit der Ausrichtung der Kirche an ihrem apostolischen Ursprung; in den Geheimlehren der Gnosis sei die Wahrheit nicht bewahrt. In der *mittelalterlichen* und *neuzeitlichen* Verwendung des Begriffs erfolgen weitere Verengungen: Nach Bonifaz VIII soll es zum Heil notwendig sein, sich der Autorität des Papstes unterzuordnen; „Mystici Corporis" (Pius XII) betont vorwiegend den Universalitätsanspruch der katholischen Kirche gegenüber den reformatorischen Kirchen.

3. Das Wort wird immer innerchristlich verwendet. Dennoch bleibt es nicht aus, daß es auf das Verhältnis zu den *Religionen* ausgeweitet wird, wenn diese in den Blick treten. Im Mittelalter geht etwa Hand in Hand mit der Überzeugung, daß mit zunehmender Evangelisierung die Religionen (Judentum, Islam, „Heidentum") an Bedeutung verlieren und schließlich ganz verschwinden werden, die Gewißheit, daß der einzelne sich aus seiner Religion zur einsichtigen Wahrheit des christlichen Glaubens bekehren wird. Die Religionen vermögen dabei aufgrund ihrer Unzulänglichkeit dieses Sehnen des einzelnen zu wecken - so in typologischer Interpretation: Thomas v. Aquin. Lediglich der unwissende „puer in silvis" kann nicht von der Größe des Christentums wissen. - Erst bei Nikolaus von Kues kommt - erstmalig und für lange einmalig - der Gedanke einer Konvergenz der Religionen auf das Christentum hin auf. - Hier ist, wie zu Recht bemerkt worden ist, „das Sachprinzip, nämlich die absolute Notwendigkeit der Heilsgnade Gottes

durch Jesus Christus, ... verwechselt (worden) mit dem Personalprinzip, der angeblich absoluten Notwendigkeit der Mitgliedschaft in der Kirche" (N. Klaes).

4. Es kann nicht verwundern, daß *seit der Aufklärung* dieser Absolutheitsanspruch in Frage gezogen wird: im Namen des Menschen und seiner Religion, seiner Vernunft, seiner Freiheit. Im Namen auch der Religionen und ihrer Sinnange-
bote. Und schließlich auch im Wissen um die geschichtliche Bedingtheit jeder,
auch der christlichen Ausprägung von Lehr- und Heilsaussagen. So wird auch in-
nertheologisch der Alleinvertretungsanspruch problematisiert. In klassischer Weise
hat dies E. Troeltsch getan. Für ihn ist es fraglich, ob Absolutheit in geschicht-
lich-endlicher Gestalt möglich sein kann. Das Christentum ist geschichtliche Religion wie andere auch; sein wie aller Religionen Wert liegt in der „mystischen Tiefe". Die Geltung des Christentums kann höchstens darauf beruhen, daß es anhand eines religionsgeschichtlichen Vergleichs in einer letzten persönlichen Entscheidung als „Höhe und Konvergenz der Religionen" erwiesen wird. Absolutheit
„deckt sich mit der Heilsgewißheit, die als Glaube auf der geschichtlichen Person
Jesu als dem fleischgewordenen Wort beruht und allen Menschen zugänglich ist.
Im lebendigen Zeugnis und der Verantwortung für die Welt bewährt sich der dem
Glauben als eschatologischem Geschehen immanente Absolutheitsanspruch" (J.
Klein). - Darüber hinaus erschüttert die *Religionswissenschaft* den Beweis für die
Absolutheit des Christentums in vielfältiger Weise: durch den Nachweis der vielen
religiösen Parallelen, durch konkurrierende Absolutheitsansprüche, durch den
Nachweis, daß in den Religionen nicht nur „Unwesen" am Werk sei, wie die Dia-
lektische Theologie (K. Barth, H. Kraemer) meinte.

5. Was also bleibt vom Absolutheitsanspruch? Das christliche Grundver-
ständnis von der Hl. Schrift an konvergiert in der Grundüberzeugung, daß Gott
in Jesus, und nur in ihm, endgültig und unüberholbar das in der Sehnsucht der
Menschheit (ihren Religionen) erwartete Heil realisiert hat. Jesus als der Christus
ist dieses Heil: Extra Christum nulla salus. Das Evangelium davon ist die Frohbotschaft der Errettung aller Menschen von Tod und Verlorenheit an das Böse.
Die Kirche hat durch die Zeiten und an allen Orten dieses Bewußtsein lebendig
zu erhalten und sakramental zu vergegenwärtigen. Sie steht damit in besonderer
Nähe zum Heil in Christus, in der Funktion der Stellvertretung; aber sie ist dieses
Heil nicht selbst. Dieser Anspruch ist ein bleibender, durch Philosophie und Religionen nicht erschütterter Anspruch des christlichen Glaubens. Ist er als *Wahrheit
beweisbar*? In der wissenschaftstheoretischen Diskussion kann jeder Wahrheitsanspruch so lange als wahr gelten, bis er durch sein Gegenteil als unwahr erwiesen
ist. Den entsprechenden (etwa von W. Pannenberg geforderten) Vergleich der Religionen braucht die Theologie nicht zu fürchten. Aber als rein theoretischer Anspruch würde er nichts beweisen; er kann und muß sich aus dem *Glaubens- und
Lebenszusammenhang* als wahr erweisen; die Christen müssen ihn vorleben. Dazu
gehören u.a. die Lösung des Christentums aus seiner bisherigen geistigen und kulturellen Engführung und Europazentrierung, ferner die Ermöglichung pluraler,
„kontextueller" Ausdrucksformen (→ Kontextuelle Theologie) christlichen Glaubens und Lebens in Bekenntnissen, Theologien, Liturgien und Strukturformen;
dazu zählt die Einsicht in die Endlichkeit jeder theologischen und jeder Bekennt-
nisformulierung. Und schließlich zählt dazu auch die Anerkennung, daß die ande-

ren Religionen Anteil an Heil und Wahrheit Gottes haben, mögliche Heilswege im Heilsplan Gottes sind. Das Wie dieser Zuordnung ist Aufgabe einer → „Theologie der Religionen".

Lit: *Barth, K.*, Der Römerbrief, ²1922. - *Fries, H.*, Art. Absolutheitsanspruch des Christentums, in: LThK 1, ²1957, 71-74. - *Hegel, G. F. W.*, Vorlesungen über die Philosophie der Religion (1817 u.ö.), 1966. - *Kasper, H.* (Hrsg.), Absolutheit des Christentums, 1977. - *Klaes, N.*, Absolutheitsanspruch und Universalität des christlichen Glaubens, Probleme der Kirche in Indien, in: ZfM 12, 1986, 22-33. - *Klein, J.*, Art. Absolutheit des Christentums, in: RGG 1, ³1957, 76 bis 78. - *Klinger, E.* (Hrsg.), Christentum innerhalb und außerhalb von Kirche, 1976. - *Kolakowski, L./Welte, B., u.a.*, Christlicher Glaube in moderner Gesellschaft, Bd. 26, 1980. - *Kraemer, H.* Die christliche Botschaft in einer nichtchristlichen Welt, 1940. - *Pannenberg, W.*, Wissenschaftstheorie und Theologie, 1973. - *Schlette, H. R.*, Die Religionen als Thema der Theologie, 1963. - *Troeltsch, E.*, Die Absolutheit des Christentums und die Religionsgeschichte (Ges. Schriften 2) 1913, 386-451. - *Tromp, S.*, Art. Absolutheitsanspruch des Christentums, in: F. König (Hrsg.), Religionswissenschaftliches Wörterbuch, 1956, 9-12. - *Wolfinger, F.*, Das Christentum und die Weltreligionen, in: Stimmen der Zeit 198, 1980, 45-54. - *Ders.*, Religion und christlicher Glaube, 1959. -

F. Wolfinger

AFRIKANISCHE THEOLOGIE

1. Standortbestimmung. 2. Geschichte. 3. Afrikanität und christliche Formen. 4. Das Zeugnis der Afrikaner. 5. Hauptthemen. 6. Worte und Begriffe.

1. E. W. Smith schreibt in seinem Vorwort für G. Parrinders Buch „West African Religion" (1947), er hoffe, daß „eines Tages Dr. Parrinder oder ein anderer, ebenso qualifizierter Wissenschaftler dieser Untersuchung einer heidnischen Religion eine Studie der Religion folgen lassen wird, die die Afrikaner entwickeln werden, wenn sie - sicher in sehr unterschiedlichen Formen - das Christentum angenommen haben." Er fragt dann: „Stellen sich Prediger und Lehrer der Aufgabe, die neue Religion behutsam mit der alten zu verbinden?"

Dies ist das *Anliegen* Afrikanischer Theologie: Sie will die Offenbarung Gottes in Jesus Christus aus der Wirklichkeit afrikanischen Seins und Erlebens heraus verstehen und auslegen. Sie ist darum eine Theologie im Kontext (→ Kontextuelle Theologie); ihr Kontext ist Afrikanität. Sie ist ebenso eine kulturelle Theologie, denn sie setzt voraus und macht deutlich, daß jedes → Volk die Wirklichkeit - und damit Gott - kulturell versteht und interpretiert. Afrikanische Theologie entlarvt damit die allgemein akzeptierte, sogenannte ökumenische Theologie als eine Theologie, die die Themen der christlichen Offenbarung verdunkelt, weil sie sie auf dem Hintergrund der westlichen, über Jahrhunderte entwickelten Kultur und Weltanschauung interpretiert und diese Interpretation nun mit dem Anspruch christlicher Orthodoxie zu universeller Geltung bringen will.

2. Die Missionare waren die ersten, die der afrikanischen Religiosität Aufmerksamkeit schenkten, stellte sie doch ein Hindernis dar für ihren Auftrag, das

Evangelium zu verkündigen. Viele Missionare waren von der aufkommenden sozialen Anthropologie so fasziniert, daß sie das religiöse Phänomen lange Zeit nicht als → Religion anerkennen wollten. Aus diesem Grund wurden ihre Studien in öffentlichen Bibliotheken durchweg unter „Ethnographie", nicht aber unter „Religion" eingeordnet (z.B. W. C. Willoughby, Nature Worship and Taboo, 1932; ders., The Soul of the Bantu, 1928). Noch immer ist viel Material über die religiösen Bräuche der Afrikaner in Missionsschriften wie Biographien und Reiseberichten verborgen (z.B. Backhouse, A Narrative of a Visit to Mauritius and South Africa, 1844 J. T. Brown, Among the Bantu Nomads, 1926; usw.).

Besonders wertvolle und aufschlußreiche Informationen liefern die Berichte der ersten Missionare. Sie haben den Grund gelegt für die sozialanthropologische Forschung, z.B. R. Moffat, Missionary Labours and Scenes in South Africa, 1842; G. MacKenzie, Ten Years North of the Orange River, 1871, und S. Broadbent, The Introduction of Christianity Among the Barolong Tribes of South Africa, 1865.

Auch die späten zwanziger Jahre dieses Jahrhunderts waren reich an literarischen Berichten über afrikanische religiöse Bräuche. So wurden etwa Willoughbys Bücher in dieser Zeit publiziert. Der erste jedoch, der das originär afrikanische Phänomen unter den Völkern des südlichen Afrikas als Religion anerkannte, wenn auch als eine „Religion der niederen Rassen", war E. W. Smith. Gestützt auf die Internationale Missionskonferenz von Le Zoute, Belgien, im Jahr 1926, schrieb er: „Derjenige, der vom Wirken des Ewigen Geistes in der afrikanischen Vergangenheit überzeugt ist, wird bedrängt von der Frage: Wie kann ich die mir Anvertrauten so unterweisen, daß sie wahre Jünger Christi werden und doch wahre Afrikaner bleiben können?" (The Christian Mission in Africa, 1926)

Daß die „Sitten" und „Bräuche", die das Leben der Afrikaner vor dem Kommen des Christentums bestimmten, als Ausdruck von Religion und deshalb des Studiums wert anerkannt wurden, ist eine Entwicklung, die wir der Kennedy School of Missions, Hartford/USA, verdanken. Sie errichtete einen Lehrstuhl für Afrikanische Mission, auf den sie aus Afrika so hervorragende Missionare wie W. C. Willoughby und E. W. Smith berief. In dieser Periode wissenschaftlicher Arbeit, die beide dort verbrachten, entstanden mehrere ihrer Veröffentlichungen: The Golden Stool, 1927; The Shrine of a People's Soul, 1929 und, wesentlich später publiziert: African Ideas of God, 1950.

Aus dem frankophonen Afrika ist vor allem Placide Tempels zu nennen, dessen „Bantu Philosophie" (1959) zuerst in französisch erschien. Der irreführende Titel erklärt sich von dem thomistischen Hintergrund des Autors her, in dem Religion nur in dem Maß Zustimmung findet, in dem sie philosophisch begründet und analysiert werden kann.

3. Einige der ersten afrikanischen Mitarbeiter der Mission erhielten die Möglichkeit, im Ausland zu studieren. Sie müssen es als Herausforderung empfunden haben, den afrikanischen Glauben sozusagen von außen her zu analysieren. Zwei wertvolle Beiträge aus dieser Zeit kommen von Afrikanern, die der Mission der Kirche von Schottland angehören: Soga, The AmaXhosa: Life and Custom, 1931; und J. B. Danquah, The Akan Doctrine of God, 1944. Dagegen sind die Arbeiten von S. M. Molema, The Bantu: Past and Present, 1920; und Soga, The

South Eastern Bantu, mehr von ethnographischem Interesse. J. Kenyatta, Facing Mount Kenya, folgt sehr viel später derselben Linie.

Von Mitte der dreißiger bis Mitte der vierziger Jahre ist die Literatur unergiebig. Das mag daran liegen, daß in dieser Zeit der Internationale Missionsrat im Anschluß an die Konferenz in Tambaran/Indien (1938) mit Afrika Kontakt aufnahm. Seit dem Entstehen des *Äthiopianismus* wurde zudem intensiv über Wesen und Form der Kirche in Afrika nachgedacht und diskutiert, so etwa in dem Briefwechsel zwischen B. Ross und E. Jacottet in „The Christian Express" (SA), und Leas, The Separatist Church Movement in South Africa, 1927. B. Sundklers Buch „Bantu Prophets in South Africa", 1948 (deutsch: 1964) galt als epochemachend, weil es eine eher soziologische als religiös-kirchliche Studie war. Darin lag auch der Schaden, den das Buch anrichtete: Es lenkte die Aufmerksamkeit ab von der noch jungen Erforschung der Religionen Afrikas, die, aufbauend auf den Arbeiten von Smith und Willoughby, die Inhalte afrikanischer Religiosität vom theologischen Standpunkt her untersucht hatten. An der Westküste arbeitete indes G. Parrinder weiter. Er publizierte etwa um die gleiche Zeit wie Sundkler sein Buch „West African Religion", das die Tradition einer wohlwollenden christlich-missionarischen Einschätzung fortsetzte. Doch erst J. V. Taylors Primal Vision, 1963, ließ das Thema der afrikanischen Religiosität in Kirchen- und Missionskreisen wieder aufleben. „Primal Vision" traf zusammen mit dem großen spirituellen Erwachen des afrikanischen Kontinents. Es war die Zeit, in der Senghors „Négritude" sich durchsetzte, in der die Afrikanische Persönlichkeit überall im gesellschaftlichen und politischen Leben geltend gemacht wurde und dem Feuer des afrikanischen Nationalismus gegen den → Kolonialismus Nahrung gab.

4. Hinsichtlich der Gültigkeit des Materials läßt sich J. V. Taylors Buch nicht mit G. Parrinders Arbeiten vergleichen. Taylors Bedeutung liegt einerseits in der Provokation, die sein Buch darstellte, andererseits in der Wertschätzung, die er als angesehener Theologe der *afrikanischen Spiritualität* zuteil werden ließ. Taylors Buch und Parrinders Werke bereiteten den Boden für Bolaji Idowu, Olodumare: God in Yoruba Belief, 1962. Mit diesem Werk machte sich Idowu einen Namen als „Vater der Afrikanischen Theologie". Seine Veröffentlichungen: Towards an Indigenious Church, 1965, und: African Traditional Religion - A Definition, 1973, gleiten allerdings ab in kirchliche und theologische Polemik. Idowu hatte - als Nachfolger Parrinders - an der Universität von Ibadan den ersten Lehrstuhl Afrikas für *Afrikanische Theologie* inne. Die Makerere-Universität, Kampala/Uganda, folgte mit John Mbiti und seinen Büchern: African Religions and Philosophy, 1969, und: Concepts of God in Africa, 1979. Im frankophonen Afrika führte etwa um die gleiche Zeit Vincent Mulago die Einsichten P. Tempels' von der *„Lebenskraft" (Force Vitale)* weiter mit seinem Buch: Un visage africain du christianisme, 1965. Er deutet darin leidenschaftlich und umfassend die „Teilhabe an einem gemeinsamen Leben" als Haupt-, wenn nicht einzige Grundlage des Gemeinschaftslebens und aller sozialen Einrichtungen des Bashi-Volkes. Mit Bolaji Idowu, Vincent Mulago und John Mbiti verwirklichten zum erstenmal afrikanische christliche Wissenschaftler, was E. W. Smith gehofft hatte: Sie führten die traditionelle afrikanische Religion als legitime *praeparatio evangelica* ein. Das christliche Afrika, mitgerissen von dem Gefühl der Négritude, dem Bewußtsein

der Afrikanischen Persönlichkeit, und beflügelt durch den afrikanischen Nationalismus - sie alle hatten zu der Zeit ihren Höhepunkt erreicht -, nahm ihre Arbeiten begeistert auf.

Die Gründung der All-Afrikanischen Kirchenkonferenz in Kampala im Jahr 1963 bot eine Plattform und ein Medium für die künftige Entwicklung. Schon bei der Eröffnungsversammlung wurde die Kommission für theologische Studien als erste von fünf Kommissionen genannt. Sie begann ihre Arbeit mit der Konsultation afrikanischer Theologen, die Idowu 1966 nach Ibadan einberief. Das Ergebnis publizierten K. Dickson/P. Ellingworth 1969 unter dem Titel „Biblical Revelation and African Beliefs". Der französische Titel drückt Absicht und Ziele der Konferenz weit besser aus: Pour une théologie africaine, 1969.

Inzwischen wurde Afrikanische Theologie auf dem ganzen Kontinent diskutiert. Harry Sawyerr und Fashole-Luke (Sierra Leone), Seth Nomenyo (Togo) und andere leisteten ihre Beiträge. Überall in Afrika wurde das afrikanische Verständnis des Christentums interpretiert. Das Thema wurde Gegenstand theologischer Forschung in afrikanischen und ausländischen Universitäten. Mitte der siebziger Jahre war Afrikanische Theologie so anerkannt, daß sie die Tagesordnung der Sitzung der Kommission für Glaube und Kirchenverfassung des Ökumenischen Rates der Kirchen in Accra/Ghana, 1974, bestimmte.

Im *frankophonen* Afrika waren neben Mulago sehr bekannt Engelbert Mveng (Kamerun), Seth Nomenyo (Togo) und - wesentlich später - Ngindu Mushete (Zaire). Mushete setzte Mulagos Arbeit am Centre d'Etude des Religions Africaines, Université Lovanium, Kinshasa, fort.

Das *südliche Afrika* war in diesem → Dialog zwischen afrikanischem kulturellem Erbe und Christentum vernachlässigt worden. Das war vor allem in der gesellschaftlich-politischen Lage begründet: Weiße Herrschaft machte alle afrikanischen theologischen Bemühungen zunichte, einen Lichtstrahl der → Befreiung in und durch → Schwarze Theologie zu erkennen. Nichtsdestoweniger wurden besonders laute Stimmen hier und dort gehört, z.B. S. P. Ledigas Beitrag „A Relevant Theology for Africa" und der Vortrag des Autors, „The Selfhood of the Church", vor der Vollversammlung der All-Afrikanischen Kirchenkonferenz in Kampala, 1963.

5.1 *Umntu-Motho und die Vorfahren.* Menschen aus anderen Kulturkreisen nehmen vor allem Anstoß an dem Element der Afrikanischen Theologie, das sich mit den Vorfahren beschäftigt. Darauf nehmen bisher alle afrikanischen Theologen Rücksicht. Sie gehen in ihrem Bemühen, Fremden diese Lehre zu erklären, so weit, daß sie sich neue Namen für die Vorfahren ausdenken. John Mbiti z.B. spricht von den „Lebend-Toten".

Das Konzept der Vorfahren ist eng verbunden mit dem afrikanischen Verständnis von *Umntu-Motho*, d.h. der afrikanischen Wertschätzung des Menschen. Dieses Verständnis ist verankert in der Auffassung, daß der Mensch unvergänglich ist und nach dem körperlichen Tod fortlebt. Der Glaube, daß der Mensch teilhat an der Gottheit, wird in der Afrikanischen Theologie sehr viel stärker betont und praktisch anerkannt als in der westlichen Theologie. Offenbar scheut letztere diese Vorstellung, weil sie an den Humanismus erinnert, der heute in der westlichen Theologie als eine Art Irrlehre aus dem vorigen Jahrhundert empfunden wird.

Afrikaner erklären einfach: *Motho ke Modimo* - der Mensch ist etwas Heiliges oder eben Göttliches, d.h. er hat teil an der Gottheit, ohne notwendigerweise Gleichheit mit ihr zu beanspruchen.

Afrikanische Theologie sieht von der traditionellen afrikanischen Religion her das menschliche Wesen - Umntu-Motho - dynamisch. Der Mensch ist *„force vitale"*, Lebenskraft (Tempels); als solcher besitzt er *Seriti-Isithunzi*, eine magnetische Energie, die ihn in *„vital participation"*, Lebensteilhabe (Mulago), in Beziehung setzt zu vergleichbaren Wesen, die menschlich sein können, aber nicht müssen. Daß diese menschliche Lebenskraft, Seriti-Isithunzi, von der alldurchdringenden, ursprünglichen, bestimmenden *Lebenskraft, Modimo*, das die *Quelle allen Seins* ist, abstammt, begründet die menschliche Unzerstörbarkeit und damit Fortdauer in lebendiger Teilhabe als Vorfahren nach dem leiblichen Tod. Dieses Leben des Menschen nach dem Tod existiert nicht um seiner selbst willen, sondern um des künftigen Wohlergehens der physisch Lebenden willen und aus ethisch-moralischen Gründen, nämlich um gerechte Beziehungen zwischen Menschen wie auch zwischen Menschen und anderen Wesen der Natur, belebt oder unbelebt, zu sichern. Vorfahren sind die „Wächter der Moral" (Daryl Forde) der Gruppe, d.h. der Gemeinschaft in der Familie, im Stamm oder in der Nation. Sie nehmen diese Verantwortung außerordentlich wirksam wahr, weil sie *Badimo, Va-dimu, Wazimu* sind, wörtlich: die Leute *Modimos* (der Gottheit), Übermittler von *Modimos* Wesen, Energie, Lebenskraft (H. Sawyerr; G. M. Setiloane, 1976).

5.2 *Gemeinschaft.* Afrikanische Theologie mißt der Gemeinschaft großen Wert bei. Der Wert eines Menschen ist begründet und verwurzelt in der Zugehörigkeit. „Ich gehöre zu, darum bin ich" (Mbiti). Sein ist zugehören, und nichts ist, das nicht zugehört. Am Ende gehören *alle* zu Mongo (Sotho), Tsoci (Nupe), dem *Eigentümer.* Dieses Zugehören ist dynamisch, da das Sein auf andere Seinsformen in und mit dem Kosmos einwirkt. „Für den Bantu (wie auch für andere Afrikaner) unterhalten die Seinsformen eine innige ontische Beziehung untereinander" (Mulago). Die Lebenden stärken ihre Toten, indem sie ihnen „Dienst" (*dini* - Nuguni, *Tirelo* - Tswana) anbieten; die Toten ihrerseits üben einen realen, lebendigen Einfluß auf die Lebenden und ihr Schicksal aus. Die sichtbare Welt ist eins mit der unsichtbaren, es gibt zwischen beiden keinen Bruch. Darum ist die Gemeinschaft zu jeder Zeit mehr als die Gesamtheit der physischen Elemente, die sie bilden. Gemeinschaft ist wie ein großes Becken, ein geschlossener Stromkreis, in dem alle Mitglieder - nicht nur die menschlichen - in wechselseitiger Abhängigkeit voneinander leben.

Weil Afrikaner diesen reichen Sinn für Gemeinschaft in die ökumenische Gemeinschaft mitbringen, können ihre Erwartungen und Anforderungen an andere, mit denen sie zu tun haben, recht anstrengend sein - gerade in der christlichen Kirche, wo *koinonia* als erstrebtes Ziel so hoch gehalten wird. Das führte gelegentlich zu Enttäuschungen über die „christlichen" Formen (etwa bei der Bewegung der einheimischen Kirchen). Die ökumenische christliche Gemeinschaft könnte ihre eigenen Voraussetzungen wesentlich vertiefen, wenn sie in diesem afrikanischen Verständnis ein Muster dessen erkennen würde, was die frühe Christenheit angestrebt hat (vgl. Apg 2).

5.3 *Gott.* **5.3.1** *Gottesbegriff und Gottesbild.* Der originäre Beitrag der Afrikanischen Theologie liegt in ihrem Beharren darauf, daß *Gottheit-Modimo* eine *force vitale, Lebenskraft* ist. Afrikanische Theologie, die am Höhepunkt der Gott-ist-anders-, Gott-ist-tot-Theologie in die theologische Debatte eintrat, sprengte diese Linie des Denkens, die nur aus der historischen Entwicklung der westlichen christlichen Theologie (→ Europäische Theologie) heraus hatte entstehen können. Afrikanische Theologie hat ein Gespür für die Gegenwart, das „Hier" Gottes, trotz seiner *Hoheit* und seines *Andersseins*, weil der Gott, den die Afrikaner mit dem von den Missionaren gelehrten Gott assoziiert haben, mit den zahlreichen Vorstellungen von Göttern und Gottheiten des traditionellen afrikanischen Denkens in Konkurrenz hatte treten müssen. Folglich brachten die afrikanischen Theologen, als sie selbst zu vergleichen begannen, in das theologische Gespräch die Überzeugung ein, daß die westlichen christlichen Gottesvorstellungen nicht angemessen seien, sondern eine Schmälerung und Entwertung ihrer ererbten afrikanischen Vorstellungen darstellten (Kibicho, C. Gaba (Ghana), Setiloane). Die etymologische und ethnographische Forschung zeigt etwa, daß der Begriff, die Vorstellung von Gott, die Sotho- Tswana haben, die einer *Macht* ist, einer *Kraft*, einer *Gegenwart* im Universum (E. W..Smith, P. Tempels), die *alles* Sein völlig durchdringt und erfüllt (Setiloane - *dima*), ihm Form und Leben gibt, weil sie unauflösbarer Teil allen Seins ist, d.h. teilhat an allem Sein (Mulago). Sie - genauer: *Es*, denn es ist ganz und gar unangemessen, *Modimo* persönliche Fürwörter zuzuschreiben, ordnet darum religiöse Erfahrung unausweichlich und unwiderstehlich *Modimo-Gottheit* zu, *Es* ist in allem und alles ist in *Modimo*. Darum ist Leben eine Ganzheit, und eine Trennungslinie zwischen dem Heiligen und dem sogenannten Säkularen kann es nicht geben. Deswegen geht Afrikanische Theologie von einer monistischen Weltsicht her auf das Christentum zu und beansprucht, darin durch die Lehre → Jesu im Neuen Testament bestätigt zu werden.

In der westafrikanischen Religion der verschiedenen Völker lebt eine Vielzahl von kleineren Gottheiten, denen man sich bei verschiedenen Gelegenheiten nähern und die man anbeten muß. Das ist kein gesamtafrikanisches Phänomen. Von universeller Bedeutung für Afrika aber sind die *Vorfahren*, „die sehr wichtig sind im religiösen Glauben und Leben" des ganzen Kontinents, „immer nah und fast immer aufmerksam" (E. W. Smith), und die Idee eines *höchsten Gottes* über all den anderen Gottheiten.

5.3.2 *Der Höchste Gott.* „Hinter afrikanischen Glaubensvorstellungen und Handlungsweisen liegt eine fundamentale Erfahrung, ein Ahnen der Existenz von Etwas oder Jemand (?), das nicht gesehen werden kann und nicht völlig verstanden wird, das aber in der Welt wirkt" (McVeigh, 1974). Für dieses Phänomen gibt es in den verschiedenen Regionen Afrikas verschiedene Namen, die alle dieselbe Erfahrung und Wirklichkeit beschreiben. Die Übersetzer an den verschiedenen Orten haben diese Namen benutzt, um das biblische Gotteskonzept damit zu benennen. In jedem Fall war die Gottheit, deren Name benutzt wurde, über allem angesiedelt, sie stand über all den Gottheiten, die zu dem Pantheon eines bestimmten Volkes gehören mochten. Daher kommt es, daß *Es* mit dem alttestamentlichen *Yahwe* assoziiert wird.

5.3.3 Wenn auch die Namen unterschiedlich sein mögen bzw. von Gruppe zu Gruppe unterschiedlich sind, überschneiden sich doch die Eigenschaften oder Merkmale, die diesem Gott zugeschrieben werden, auf dem ganzen Kontinent: „Sie schreiben Ihm die Eigenschaften allmächtig und allgegenwärtig zu; sie glauben, Er schuf das Universum" (W. Bolsman, 1905). Darum ist Gott bekannt als „Schöpfer, Besitzer von Atem und Geist, Wohltäter, gnädig, lebendig, Herr der Herrlichkeit, still, jedoch wirksam, Richter (die Vorstellung der Vergeltung), König der Himmel" (Parrinder, 1949); „dessen Ursprünge nicht bestimmt werden können, der alles Sein durchdringt und erfüllt, der Unkennbare (ein Rätsel), die Quelle des Seins" (Setiloane, 1976).

Eine Auswahl-Übersicht von Namen der *Gottheit* bei den verschiedenen Göttern Afrikas soll die Einhelligkeit des Konzepts illustrieren.

6. Es wäre ein Unterfangen zu versuchen, eine vollständige Liste der Worte und Begriffe zusammenzustellen, die in der Afrikanischen Theologie gebräuchlich sind, jedoch aus der traditionellen afrikanischen Religion stammen und aus ihr die Nuancen ihrer Bedeutung mitbringen. Im folgenden nenne ich nur wenige, häufig benutzte Begriffe:

Motho - Umntu - Umuntu: (Person, pl. Batho, Abantu, Wantu). Abgeleitet von der Ur-Bantu-Wurzel, dem Wortstamm -ntu für Person, menschliches Wesen; davon abgeleitet ist auch „Bantu" (Volk), mit dem ein Teil der afrikanischen Völker vor allem südlich der Sahara bezeichnet wird. Das Konzept (-ntu) ist dynamisch (Janheinz Jahn, 1958; Tempels, Smith, Setiloane).

Botho - Ubuntu: Der Kern des Motho-, Umntu-Seins. Das, was eine Person zur Person macht Persönlichkeit, Charakter, Erziehung, gute Manieren.

Ngaka (pl. Dingaka) - *Inyanga*: Doktor, normalerweise übersetzt „Zauberdoktor", angemessener jedoch: „Priester". Es gibt verschiedene Arten und Kategorien: bezogen auf die Gemeinschaft, der Gemeinschaft in ihrem Haupt, z.B. dem Häuptling oder Vater dienend, umfaßt der Begriff Wahrsager, Kräuterkundige, Medien, Regenmacher. Sie erfreuen sich direkter mystischer Kommunikation mit den Vorfahren - Badimo - und deshalb mit *Modimo*. Ihre Berufung gilt prinzipiell der ganzen Gemeinschaft. Im südlichen Afrika konnte die Ausbildung zum voll anerkannten Ngaka fünf oder sechs Lehrjahre umfassen (Gelfand, 1964). Frauen haben eine natürlich Eignung zum Ngaka.

Isangoma (Zulu): Ein Sonderfall der Inyanga, der ohne Hilfsmittel wahrsagt, häufig nachdem er *Umoya* (den Geist) durch Trommeln, Tanzen und Singen bearbeitet hat. Sein Gegenstück bei den Sotho-Tswana ist *Lethugela*. Dieser Spezies der Bongaka (Therapie, Behandlung) wenden sich mehr Frauen als Männer zu.

Badimo (Sotho-Tswana): Vorfahren, etymologisch: „die Menschen *Modimos*" (der Gottheit). Bei den Zulu heißen sie: Amadlhozi, bei den Xhosa: Iminyanya. Badimo-Amadhlozi-Iminyanya kann auch eine Form von Krankheit bedeuten, die aus dem Mißfallen und Unwillen der Vorfahren über verwandtschaftliches Verhalten herrührt.

Modimo (Sotho-Tswana): Gott, Höchstes Wesen, Gottheit (vom Christentum übernommener Begriff). Sowohl *Modimo* als auch *Badimo* benutzen die Tswana-Wurzel *dima, go dima* (vb.), mit der Bedeutung: durchdringen, erfüllen, so wie Öl auf Löschpapier gegossen, dieses durchdringt und erfüllt (Smith, 1950);

Gebiet	Volk	Name	Bedeutung
Kamerun	Basa	Hilolombi	Vorfahr der Tage. Einer, der von Beginn an gewesen ist
Ghana	Akan	Nyame	Der Höchste, das Allmächtige Wesen, der Bestimmende
Guinea	Tenda	Hounounga	Der Unbekannte
Dahomey	Ewe	Mawu	Besitzer der Götter, Versorger
Nigeria	Ibo	Chineke	Schöpfer, Kontrolleur des Lebens
		Chuku	Großer Geist
	Nupe	Tsoci	Unser Besitzer, unser Herr
	Urkobo	Uku	Der Große Eine
	Yoruba	Elemi	Der Besitzer des Lebens
		Olokun/ Olodumare	Allmächtiger, Höchster
Sierra Leone	Madi	Leve	Höchster Schöpfer, der hoch und erhaben ist
		Ngewa	Großer Geist
	Kono	Meketa	Einer, der bleibt und nicht stirbt; der Immerwährende
		Yataa	Der Eine, den du überall triffst
Süd-Afrika	Sotho/ Tswana	Modimo	Er, der alles Sein durchdringt und erfüllt
		Mothlodi	Die Quelle des Seins
		Hlaahlaha	Dessen Ursprung unbekannt ist
		Macholo	Alter der Tage
		Mong	Besitzer, unser Besitzer
	Zulu	Umveling- qangi	Dessen Erscheinen unbekannt ist, der Alte der Tage
		Unkulun- kulu	Der Große, große Eine
Zimbabwe	Shona	Mwari	Der Große und höchste Eine

-*dima* in *Modimo* (ebenso wie in Badimo) ist deshalb P. Tempels' *force vitale*, E. W. Smith's „Höchste Energie", auch *Yataa* (Sierra Leone), „einer, den du überall triffst". Alle Wörter mit -*dimo* kommen her von der Ur-Bantu-Wurzel „zimu", die verbunden ist mit „Geist" (S. Johnson), etwa Mu-zimu (Swahili), Mu-dzimu (Venda, Shona). Von dieser Wurzel her haben -*dima*, *Modimo*, Badimo eine weitreichende Tradition im afrikanischen Konzept. - zimu mit „Geist" zu übersetzen ist ungenau und verwirrend; es sollte eher heißen: „zur Gottheit gehörend, die Gottheit betreffend", alles Göttliche.

Mosima: Höhle, Loch. „Die ersten Menschen kamen aus einem Loch im Boden" (Moffat, 1842(. „... o o sa tlaleng": „Loch, das niemals voll wird", eine unterirdische Höhle, vorgestellt als Wohnung Modimos und der Badimo, von der die ersten Menschen kamen, zu der im Tod alle zurückkehren, um Badimo zu werden.

Uhlanga: Schilf, Ried, ein Bett von Ried. Der Nguni-Mythos berichtet: „Die ersten Menschen traten aus dem Ried hervor". Darum wird in Kwa Swazi und Kwa Zulu zur Erinnerung an dieses erste Hervorkommen *Uhlanga*, das Riedfest, gefeiert. Höhepunkt des Festes ist der Tanz junger Mädchen an der Schwelle zum Frausein, die als künftige Mütter das erste Erscheinen des Menschen mit jeder Geburt neu vollziehen. Bei den Sotho-Tswana wird der entsprechende Ausdruck, *Letlhaka* - „Ka mo lethlakeng", „hinter dem Ried", angewandt auf Frauen, die sich nach der Geburt eines Kindes für einige Zeit nur in einem begrenzten Bereich bewegen dürfen. Die Geburt als Wiederholung des Hervorkommens der ersten Menschen ist mit dem Numinosen behaftet. Darum ist der Ort, an dem sie geschieht (die Hütte) tabu und mit einem Ried geschützt, das quer vor die Türöffnung gelegt wird.

Loowe (Tswana): Mythische Gestalt, Beauftragter *Modimos*, der die ersten Menschen aus der „Höhle im Boden" führte, selbst aber wieder zurückkehrte nach Mosima, um niemals wieder hervorzukommen. Er hatte nur ein Bein und eine Körperseite - ein Hinweis auf *Modimos* Zielstrebigkeit, Gerechtigkeit und Wahrhaftigkeit. Sotho-Namen für *Loowe* lauten *Tintinbane* und *Thobega*.

Thwasa (vb.), go thwasa (Sotho-Tswana): uku thwasa (Nguni): besessen sein, z.B. vom „Geist", den Vorfahren. *Thwasa* verursacht häufig Krankheit, Trauma und Irrsinn. Etymologisch bedeutet „go-uku thwasa": blühen wie eine Blume, herauskommen oder ins Sein springen wie die Jahreszeiten (vor allem der Frühling), lebendig werden oder erscheinen aus dem Nicht-gesehen-werden wie die Sonne in der Morgendämmerung oder der Mond. Go-uku thwasa ist die Methode, durch die die Vorfahren jemanden zum Ngaka berufen.

Tsenwa (vb.): etymologisch „betreten sein", wird von Wahnsinnigen und Geisteskranken gesagt. Se-tsenwa: wahnsinnig, wörtlich:; eine/r, der/die betreten worden ist (von einem „Geist"), besessen. Da Geist die Gottheit betrifft - *Modimo* und Badimo -, werden solche Menschen mit großem Respekt und mit Fürsorge behandelt. Deshalb beobachtete Casalis: „Die BaRolong beten ihre Wahnsinnigen an". So jemand kann schließlich zum Ngaka werden, mit anderen Worten: es gibt kaum eine Unterscheidung zwischen *go thwasa* und *go tsenwa*. Beide Begriffe werden mit „besessen" korrekt übersetzt.

Seriti (Sotho-Tswana) - *Isithunzi* (Nguni): abgeleitet von den Wurzeln „-riti" und „-thunzi", von denen auch „Moriti" und „Unthunzi", Schatten, gebildet sind. *Seriti-Isithunzi* macht die Essenz, das Wesen des Seins aus. Alle Seinsformen - menschlich, belebt oder unbelebt - haben *Seriti*: Es ist das, was ihnen ihre Einmaligkeit, ihren Charakter, ihre Persönlichkeit gibt. Häufig ist *Seriti-Isithunzi* übersetzt worden mit „Würde"; tatsächlich aber ist es dynamischer, kann fast körperlich empfunden werden wie ein Magnet in einem magnetischen Feld. „Aura" kommt dem Konzept am nächsten. Sein Sitz ist das Blut und es strahlt durch den Körper. P. Tempels' „Lebenskraft" ist die westliche Beschreibung, die ihm am ehesten entspricht. In der hebräisch-biblischen Weltanschauung entspricht ihm „Chabod". Das westafrikanische Konzept des „Menschseins" ist sehr viel komplexer und komplizierter, doch kommt aus dieser Vorstellungswelt „susum" *Seriti-Isithunzi* am nächsten.

Laola (vb.), (Sotho-Tswana): Wahrsagen. Es kann mit Hilfe von Gegenständen, Di-taola, aber auch ohne geschehen.

Rapela (vb.), (Sotho-Tswana) - *aThandaza* (Nguni): Beten. Rapela kann ausschließlich an *Modimo* - Gott gerichtet werden. Den *Badimo* - *Amadlozi* - *Iminyana* dient man nur bzw. sie werden bedient (tirela oder ukukonza) wie jede andere ältere oder geachtete Persönlichkeit.

Lit.: *Dickson, E./Ellingworth, P.*, Biblical Relevation and African Beliefs, 1969. - *Idowu, B. E.*, Olodumare. God in Yoruba Belief, 1962. - *ders.*, African Traditional Religion - A Definition, 1973. - *Lediga, S. P.*, A Relevant Theology for Africa, in: H.-J. Becken (Hrsg.), A Relevant Theology for Africa, 1973. - *Mbiti, J.*, Afrikanische Religion und Weltanschauung, 1974. - *Ders.*, The Concepts of God in Africa, 1970. - *McVeigh, M. I.*, God in African Traditional Religion and Christianity, 1974. - *Opoka, K. A.*, West African Traditional Religion, 1978. - *Paauw, B. A.*, Religion in a Tswana-Kingdom, 1964. - *Parrinder, G.*, African Traditional Religion, 1954. - *Pobee, J. S.*, Grundlinien einer afrikanischen Theologie, ThÖ 18, 1981. - *Ray, B. E.*, African Religion, 1976. - *Sawyerr, H.*, God. Ancestor or Creator, 1979. - *Setiloane, G. M.*, African Theology - An Introduction, 1986. - *Ders.*, The Image of God among the Sotho-Tswana, 1976. - *Shorter, A.*, African Christian Theology, 1975. - *Smith, E. B.*, African Ideas of God, 1960. - *Sundermeier, T.*, Zwischen Kultur und Politik. Texte zur Afrikanischen und Schwarzen Theologie (Zur Sache 15), 1978. - *Taylor, J. V.*, Du findest mich, wenn du den Stein aufhebst. Christliche Präsenz im Leben Afrikas, 1965.

G. M. Setiloane

AFRIKANISCHE UNABHÄNGIGE KIRCHEN

1. Bezeichnung. 2. Entstehung. 3. Wesensmerkmale.

Vor rund hundert Jahren entstand in Afrika eine bemerkenswerte christliche Bewegung, die seither lawinenartig anwächst. Südlich der Sahara gehören bereits 10% der einheimischen Bevölkerung, in Südafrika sogar 30% der Schwarzen, zu den Glaubensgemeinschaften dieser in der Geschichte der Mission einzigartigen „Afrikanischen Reformation" (Barrett), die eine so starke missionarische Aus-

strahlung entwickelt hat, daß nach Ansicht von Futurologen Afrika um die Jahr-
tausendwende die Hochburg des Christentums auf der Erde sein wird.

1. Das Auftreten dieses *neuen Phänomens* hat das Interesse vieler Forscher
geweckt, die es dann in den letzten Jahrzehnten mit verschiedenen Bezeichnungen
zu charakterisieren versuchten. Politologen sprechen von Revolutionskulten, rebellierenden Propheten und protonationalistischen Bewegungen. Psychologen reden von Krisen- oder Deprivationskulten und Reform- oder Revitalisationsbewegungen. Soziologen nennen diese Erscheinungen Separatisten, Sekten, freiwillige
Religionsgemeinschaften oder Volksbewegungen. Anthropologen sehen in ihnen
Anpassung und Akkulturation und bezeichnen sie als Nativismus, Revivalismus
oder Transformationsbewegungen. Frühe Missionare brandmarkten sie als häretische, synkretistische oder prophetische Bewegungen, eschatologische, chiliastische
oder messianische Kulte und pfingstliche oder visionäre Sekten. Alle diese Bezeichnungen verkürzen die Sicht auf interessenbezogene Teilaspekte, berücksichtigen immer nur einen Teil der Bewegung, können umfassender auch auf andere
Phänomene angewendet werden und erfassen daher nicht das Spezifische dieser
Bewegung. Vor allem nehmen sie keine Notiz vom Selbstverständnis der betroffenen Menschen. So ist es für den Missionswissenschaftler angemessen, von ihnen
mit der Übersetzung ihrer Selbstbezeichnung als „Afrikanische Unabhängige Kirchen" (AUK) zu reden. Ihre organisierten Gruppen, die nach Namen und Aufbau unterschieden werden können und deren Größe von einem Familienverband
bis zur Millionenkirche variieren kann, nennen wir „Gemeinschaften", um sie von
westlich organisierten Kirchenkörperschaften zu unterscheiden. Mit dieser Benennung wird aber nicht bestritten, daß sie Kirche im neutestamentlichen Sinne sind.

2. AUK entstanden aus der *Begegnung von Angehörigen der ursprünglichen
afrikanischen Religionen mit westlich geprägten Christen*, die als Missionare, Kauf-
leute, Siedler oder Kolonialbeamte nach Afrika gekommen waren (→ Kolonialismus). Dabei traf eine schriftlose Kultur mit einer schriftgebundenen zusammen,
kleine Sippenverbände sahen sich einer westlichen Großgesellschaft gegenüber,
traditionsverbundene Stammeskrieger wurden mit unternehmungsfreudigen Vertretern einer mächtigen Zivilisation konfrontiert, die anders dachten und redeten
als sie selber. Anfänglich reagierten die afrikanischen Religionen darauf durch Widerstand (z.T. militanten Rückzug auf ihre traditionelle Identität) oder durch Unterwerfung (Übernahme westlich geprägter Formen des Christentums). Erst in einer späteren Phase wurde die Begegnung in vielen Gebieten Afrikas gleichzeitig
und ohne erkennbare gegenseitige Beeinflussung aufgearbeitet. Daraus entwickelten sich AUK mit Schwerpunkten in Südafrika, Zaire, Nigeria, Ghana und
Kenya. Die von protestantischen Missionen betont geförderte Übersetzung der
Bibel in die Stammessprachen wirkte dabei als Katalysator. AUK sind also ein
(wenn auch so nicht geplantes) Ergebnis christlicher Mission.

1862 wurde an der Goldküste (heute Ghana) die *Methodist Society* als erste
AUK-Gemeinschaft selbständig. Andere folgten. Auslösende Faktoren für die
Trennung waren Konflikte mit den Missionaren, Naturkatastrophen (z.B. Rinder-
pest oder Seuchen), das Auftreten afrikanischer Charismatiker oder starker kolo-
nialer Druck. Doch viele AUK entwickelten sich voll erst nach der politischen
Befreiung ihrer Länder. Sie sind ihrem Wesen nach etwas Neues, das weder mit

den Formen traditioneller afrikanischer Religionen noch mit den westlichen Ausprägungen des Christentums identifizierbar ist.

3. Über AUK entstand eine kaum noch zu überschauende *Literatur* (Turner), doch ist eine einleuchtende Typologie bisher noch nicht gelungen. Sundklers
Einteilung in äthiopische und zionistische Gemeinschaften (messianische hat er
inzwischen widerrufen) hilft zum Verstehen früher Einflüsse auf die Entstehung
von AUK, nicht aber ihres heutigen Wesens. So läßt sich, ungeachtet vieler loka-
ler Varianten, die AUK-Bewegung grundsätzlich wie folgt *charakterisieren*:

● AUK sind die *religiöse Bewegung* einer großen Zahl von Gemeinschaften,
die eine afrikanische Antwort auf die christliche Botschaft geben und unter afrikanischer Leitung ihr kirchliches Leben nach afrikanischen Formen gestalten wollen.

● AUK sind eine *ganzheitliche* Bewegung, die afrikanischem Denken gemäß
auch die im Westen als säkular betrachteten Dimensionen in die Religion einbezieht. AUK haben daher auch eine große gesellschaftliche, wirtschaftliche und politische Bedeutung für ihre Glieder wie für ihre Völker.

● AUK unterscheiden sich von den Missionskirchen nicht durch ein anderes
Dogma, sondern durch ihr *Zeugnis* als afrikanisch geprägte christliche Gemeinschaft, die sich um das Heil des ganzen Menschen kümmert. Für westliche Beobachter ist dabei ihr heilendes Handeln am einzelnen und an der Gesellschaft (nicht
zu verwechseln mit „Gesundbetern") besonders eindrücklich.

● AUK werden von *charismatischen* Männern und Frauen geleitet, deren
göttliche Berufung aufgrund von außergewöhnlichen Erfahrungen und geheiligtem
Leben von ihrer Gemeinschaft anerkannt wurde. Der Leiter steht seiner Gemeinschaft als „Maske Gottes" (Sundkler) gegenüber und ist als „Heiler" (Becken) der
AUK-spezifische Typ unter den afrikanischen Propheten.

● AUK haben eine eigene *Symbolik* der ganzheitlichen Zuwendung des
Heils in Elementen, Farben und Zeichen entwickelt, die den Menschen in Afrika
verständlich und bedeutsam ist, sich aber deutlich von den traditionellen Religionen Afrikas absetzt.

● AUK sind *Hauskirchen*, die ihre Verbundenheit zum Alltagsleben und zur
Umwelt dadurch ausdrücken, daß sie ihre Gottesdienste überwiegend in ihren
Wohnstätten, an Flüssen, auf Bergen und seit kurzem auch am Strand des Meeres
feiern.

● AUK pflegen selbstverfaßte *Lieder* und *Chorusse* nach einheimischen
Weisen zu singen. Obwohl sie aus einer schriftlosen Kultur kommen, stellen sie
eigene Gesangbücher zusammen, die Kleinode zeitgenössischer afrikanischer Dichtung enthalten.

● AUK betonen neben *Umkehr* und *Rettung* auch *Segen* und *Frieden*. Ihre
Gebete um Bewahrung und ihre apotropäischen Riten gehen zwanglos in vorbeu-
genden Gesundheitsdienst über. Der Tod ist für sie keine Bankrotterklärung ihres
heilenden Dienstes, sondern der Eingang in den ewigen Frieden.

● AUK sind in ihrer *Ethik* in manchen Bereichen rigoros (z.B. Enthaltsam-
keit von Tabak und Alkohol), im ganzen aber durch die Betonung von Friedfer-
tigkeit, Fleiß und Reinheit förderlich für die Entwicklung der Gesellschaft. Sie be-

rufen sich dabei auf die Bibel, die bei AUK nach ihrem schlichten, wörtlichen Verständnis die Grundlage ihrer Theologie ist.

• AUK sind dazu fähig, sich auf die *Bedürfnisse* einzustellen, die aus der schnellen Urbanisierung und Industrialisierung in Afrika resultieren. Sie kümmern sich um Arbeitslosigkeit und Familientrennung und nehmen auch das Anliegen gesellschaftlicher und politischer Befreiung auf, wenn auch in anderer Weise als die politischen Parteien.

• AUK sind sich ihrer *ökumenischen Verantwortung* bewußt und arbeiten mit anderen AUK und mit Missionskirchen zusammen. Sie betrachten ihre kontextuelle Theologie als einen Beitrag zum Denken der weltweiten Kirche.

• AUK haben eine starke *missionarische Ausstrahlung* auch über Stammes- und Ländergrenzen hinweg, was in den ursprünglichen Religionen Afrikas, wo Kultgemeinschaft mit Blutsgemeinschaft identisch war, nicht vorstellbar gewesen wäre.

Mit der AUK-Bewegung ist Christus in die Religionen Afrikas eingetreten und hat sie in christliche Gemeinschaften verändert, die in einer für ihre Umwelt relevanten Weise seine Mission treiben. Die anfänglich kritische Haltung der Missionskirchen gegenüber den AUK hat sich in den letzten Jahrzehnten grundsätzlich gewandelt. Eine Reihe von AUK gehören heute Nationalen Christenräten an, einige Großkirchen auch dem ÖRK, z.B. die *Kirche Jesu Christi auf Erden durch den Propheten Simon Kimbangu* in Zentralafrika (→ Ekklesiologie).

Lit.: *Sundkler, B.*, Bantupropheten in Südafrika, 1964. - *Barrett, D. B.*, Schism and Renewal in Africa. An Analysis of six thousand contemporary movements, 1976. - *Turner, H. W.*, Bibliography of New Religious Movements in Primal Societies. Volume I: Black Africa, 1977. - *Becken, H.-J.*, Wo der Glaube noch jung ist. Afrikanische Unabhängige Kirchen im Südlichen Afrika, 1985. - *Tembe, B.*, Integrationalismus und Afrikanismus. Zur Rolle der kirchlichen Unabhängigkeitsbewegungen in der Auseinandersetzung um die Landfrage und Bildung der Afrikaner in Südafrika 1880-1960, 1985. - *Oosthuizen, G. C.* (Hrsg.), Religion Alive. Studies in the New Movements and Indigenous Churches in Southern Africa, 1986.

H.-J. Becken

AHNENVEREHRUNG (I. ALLGEMEIN)

1. Theologische Relevanz der Ahnenverehrung. 2. Lösungsversuche. 2.1 Theologisch-biblische. 2.2 Ekklesiologische. 2.3 und 2.4 Christologische.

Die Ahnenverehrung, eine der Konstanten der Religionsgeschichte, ist ein vielschichtiges Phänomen, das bei vielen Völkern Afrikas, Asiens und Ozeaniens sehr verbreitet ist und das ganze religiös-gesellschaftliche und private Leben bestimmt sie stellt eine Gesamtdarstellung all dessen dar, was einer bestimmten Gesellschaft heilig ist und setzt den Glauben an ein Weiterleben nach dem Tode voraus.

1. Die Ahnenverehrung als verschiedene Vorstellungen und Praktiken, die die Verbindung zwischen den Lebenden und den Toten betreffen, ist dort, wo sie auftritt, von unmittelbarer theologischer Relevanz für die Kirche. Die katholische Missiologie hält die Christianisierung (Kontextualisierung) der Ahnenverehrung für lebensnotwendig. Hierfür gibt es katholischerseits aber noch keine befriedigende und umfassende Bearbeitung oder Lösung.

Im AT war die Ahnenverehrung mit dem Glauben an Jahwe unvereinbar. Der Ahnenkult war streng verboten (Lev 19,28; Dtn 14,1). In dieser Tradition lehnten die Missionare die Ahnenverehrung ab und griffen sie als Magie, Idolatrie oder Polytheismus an (mit wenigen Ausnahmen, z.B. der Jesuitenmission in China). Man verwechselte Ahnen- und Geisterglauben. Die Ahnenverehrung wurde von den Missionaren dogmatisch im Lichte des 1. Gebotes beurteilt, moralisch aber dem 4. Gebot gegenübergestellt und galt als Hindernis bei einer Bekehrung. Alle bisherige Ablehnung der Ahnenverehrung und auch die zunehmende Urbanisierung vermochten sie jedoch nicht zu erschüttern und werden es kaum vermögen, denn die Ahnenverehrung ist das wichtigste Werkzeug der Tradition.

Die offizielle Haltung der katholischen Kirche zur Ahnenverehrung ist in den römischen Entscheidungen über die chinesischen, japanischen und malabarischen Riten sowie die Ehre, die dem Konfuzius erwiesen wird, dargestellt. Der chinesische → *Ritenstreit* ist bzgl. der Ahnenverehrung zum Paradigma geworden. Clemens XI. (Ex illa die, 1715) und Benedikt XIV. (Ex quo singulari, 1742) verboten die chinesischen Riten (u.a. die Ahnenverehrung). Die „Propaganda" erlaubte erst 1935/36, die Ahnentafeln aufzustellen und unter bestimmten Bedingungen auch Verneigungen vor ihnen. Heute werden z.B. am chinesischen Neujahr eigene kirchliche Zeremonien zur Verehrung des Himmels und der Ahnen vorgenommen und gefördert. In Afrika und Ozeanien werden die Ahnen bei wichtigen Festen in Gedenken und Gebet einbezogen (Begräbnis, Allerseelen). Die Kontroversen um die Riten ermöglichten es, in der katholischen Kirche Prinzipien und Handlungsnormen zu entfalten, auf die sich jedoch das afrikanische Schrifttum zu diesem Thema kaum bezieht (→ Ahnenverehrung II. in Afrika). Die römisch-katholische Kirche unterscheidet zwischen Akten, deren Ziel es ist, einen religiösen Kult auszuüben, und der Ehrerbietung, die man berühmten Persönlichkeiten (Ahnen) schuldet und die als bürgerlicher Akt eingeschätzt wird. Hier zeigt sich aber die Kluft zwischen einer ethnologischen bzw. religionswissenschaftlichen und einer theologischen Interpretation der Ahnenverehrung. Die Grenzen zwischen Kult und Verehrung sind schwer zu ziehen und die Gefahr des Synkretismus ist groß. Die Kirche muß immer berücksichtigen, wie die mit der Ahnenverehrung verbundenen Handlungen in dem jeweiligen Kontext verstanden werden. Wenn die Verbindung mit den Ahnen darin besteht, daß die Gemeinschaft zwischen den Mitgliedern einer Familie durch den Tod nicht zerstört wird, sondern über ihn hinaus fortbesteht, dann widerspricht hierin nichts dem christlichen Glauben. Im allgemeinen gilt hier die Haltung der katholischen Kirche zu den nichtchristlichen Religionen nach dem II. Vatikanum (Nostra aetate, Ad gentes, Evangelii nuntiandi, Africae terrarum).

2. Die Ahnenverehrung nimmt jedoch jeweils komplexe Formen an und beinhaltet auch mit dem kirchlichen Glauben unvereinbare Elemente. Theologie

und → Liturgie bemühen sich im Geiste des Dialogs, die Ahnenverehrung mit dem christlichen Glauben zu versöhnen (dabei ist die theologische Reflexion über die Ahnenverehrung besonders in Afrika lebendig). Grundsätzlich lassen sich in der Frage nach der Ahnenverehrung folgende *Richtungen* feststellen:

2.1 Eine theologisch-biblische Lösung wird anhand von 2 Makk 12,44f; Weish 3,1-9; 1Joh 3,2f; Lk 16,19-31; Joh 11,26 14,1-14; 1Kor 15,12-52; Hebr 11,39-12; 1Thess 4,13f,18 u.a. erstellt.

2.2 Eine nicht unumstrittene ekklesiologische Antwort gründet auf den Begriff der „lebensnotwendigen Partizipation". Die Ahnenverehrung wurzelt in dem Verhältnis zwischen Lebenden und Toten, was vor allem in der Heiligenverehrung zum Ausdruck kommt. So wird die Ahnenverehrung mit der katholischen Lehre über die Gemeinschaft der Heiligen vereinbart (Lumen gentium 49-51). Die Lebenden und Toten bilden eine enge Gemeinschaft (communio), und die Gemeinschaft der Heiligen schließt die Gemeinschaft mit den Ahnen ein (Eph 1,10).

2.3 Christologisch hat man versucht, die Ahnenverehrung im Umfeld einer Versöhnungslehre zu behandeln. Die Ahnenverehrung kann eine „memorativ-narrative Soteriologie" (B. Bujo) darstellen, denn Jesus hat sich mit den Ahnen guten Willens solidarisiert (descensus ad inferos), so daß sie ihren Lebensgrund und ihre Vitalität nur in ihm finden. D.h., daß sie, obwohl sie nie von ihm gehört haben, in Christus entschlafen sind und daß sie Gemeinschaft mit ihm teilen. Alle rechtschaffenen Ahnen sind in Christus geborgen und haben nur von ihm ihre Kraft für die Nachkommen. Der Ahnenverehrer kann demnach nur über Christus zu seinen Vorfahren beten und sie als Fürbitter anflehen. Die Ahnenverehrung ist somit ein Ausdruck der Solidarität im Corpus Mysticum jenes Christus, der allein die Zukunft ausmacht (→ Christologie).

2.4 Ein weiterer christologischer Versuch beruht auf dem Grundsatz, daß Christus durch Inkarnation und die Erlösungstat der einzige Bruder und Ahn ist. Hierbei wird die Gemeinschaft der Heiligen, die pneumatologisch gesehen auch Ahnen sind, und die Bruderschaft der Menschen mit dem Erlöser als Grundlage der christlichen Ahnenverehrung betrachtet. Die heilige Messe wird als „Ahnenritual" gefeiert (→ Abendmahl). Die Möglichkeiten, die das II. Vatikanum den jungen Kirchen im Bereich des Pluralismus von Theologie und Liturgie geboten hat, machen es möglich, Versuche im Bereich der Kontextualisierung der Ahnenverehrung zu wagen. Jede Absicht aber, die Ahnenverehrung zu christianisieren, soll immer die kontextbedingten Gegebenheiten berücksichtigen. Die Aufgabe der Missiologen und Missionare wäre es, das ganze Spektrum der Perspektiven auszuloten, das der Kontext der Ahnenverehrung eröffnet.

Lit.: AAS: 28, 1936, 406-409 (Pluries instanterque. - 32, 1940, 24-26 (Plane compertum). - 59, 1967, 1073-1097 (Africae terrarum). - Collectanea S. Congr. de Prop. Fide Romae 1839-1841, I, 130-141 (Ex quo singulari, 1742). - Ahnen, Heranwachsende und das Absolute: Eine Einübung in die Kontextualisierung, Pro Mundi Vita Bulletin, Sept.-Okt. 1977, Nr. 68, (Lit.). - *Bujo, B.*, Der afrikanische Ahnenkult und die christliche Verkündigung, in: ZMR 64, 1980, 193-306. - *Daneel, M.L.*, The Christian Gospel and the Ancestor Cult, in: Missionalia 1, 1973, 46-73. - *Ela, J.-M.*, Die Ahnen und der christliche Glaube, eine afrikanische Frage, in: Conc 13, 1977, 84-94. - *Huonder, A.*, Der chinesische Ritenstreit, 1921. - *Hwang, B.*, Ancestor Cult Today, in: Missiology 5, 1977, 339-366. - *Ishola, A. A.*,

Ancestors or saints, in: Euntes Docete 36, 1983, 267-282. - *Janssen, H.*, Ancestor Veneration in Melanesia. A Problem of Syncretism in Pastoral Work, in: NZM 31, 1975, 181-191. - *Kollbrunner, F.*, Auf dem Weg zu einer christlichen Ahnenverehrung?, in NZM 31, 1975, 19-29, 110-123. - *Metzler, J.*, Die Synoden in China, Japan und Korea 1570-1931, 1980. - *Ders.*, Die Synoden in Indochina 1625-1934, 1984. - *Mbiti, J.*, Afrikanische Religion und Weltanschauung, 1974. - *Mulago, V.*, Die lebensnotwendige Teilhabe, in: *H. Bürkle* (Hrsg.), Theologie und Kirche in Afrika, 1968, 54-72. - *Nyamiti, C.*, Christ as Our Ancestor. Christology from an African Perspective, 1984. - *Ohm, Th.*, Ahnenglaube und Mission in Afrika, in: ZMR 24, 1934, 324-335. - *Ders.*, Ex contemplatione loqui, 1961, 257-271. - *Ratzinger, J.*, Jenseits des Todes, in: Communio 1, 1972, 231-244. - *Reinhard, P.*, Jésus fête la pâque au séjour des ancêtres, in: Spiritus 22, 1981, 424-430. - *Rükker, H.*, Afrikanische Theologie. Darstellung und Dialog, 1984 (Lit.). - *Schatz, K.*, Inkulturationsprobleme im ostasiatischen Ritenstreit des 17./18. Jahrhunderts, in: StdZ 197, 1979, 593-608. - *Yang, D.K.*, Religion in Chinese Society, 1961 (Lit.).

R. Malek

AHNENVEREHRUNG (II. IN AFRIKA)

1. Verehrung oder Anbetung? 2. Stellung der Ahnen in der traditionalen Religion. 3. Neuere anthropologische Interpretation. 4. Missionswissenschaftliche Interpretation. 5. Ahnenverehrung und afrikanische Kirchen.

1. In seiner herkömmlichen englischen Form *„ancestor worship"* ist das Wort selber seit geraumer Zeit unter Afrikanern umstritten. Zum einen umfaßt das Verhältnis des traditionellen Afrikaners zu den Toten gewöhnlich mehr als nur die Vorfahren im engsten verwandtschaftlichen Sinne, also die Väter und Mütter, von denen er blutsmäßig abstammt. J. S. Mbiti etwa ersetzt darum die Ahnen durch die „Lebend-Toten", welche nicht eigene Ahnen sein müssen, andererseits aber unterschieden sind von den namenlosen, weiter als fünf Generationen entfernten Toten, die nicht mehr namentlich in Erinnerung sind und auch nicht mehr verehrt werden. Noch umstrittener ist zum zweiten die kultische und affektive Einstellung der Lebenden gegenüber ihren Toten im vorchristlichen Afrika: War es wirklich „worship", d.h. haben sie, wie die klassische Animismustheorie bei Tylor und Spencer voraussetzte und die christliche Mission es weithin übernahm, zu den Ahnen im eigentlichen Sinne gebetet und solchermaßen sie zu Göttern gemacht? Die neuere wissenschaftliche Darstellung der traditionalen Religion, wie sie von, zumeist christlich geprägten, afrikanischen Gelehrten gegeben wird, bestreitet dies weitestgehend und sieht darin ein westlich tendenziöses Mißverständnis. Nie sei das im Vierten Gebot geforderte „Ehren" von Vater und Mutter auf der menschlichen Ebene in Konflikt geraten mit der im Ersten Gebot fixierten „Anbetung", dem Kult des einen Gottes, von dem man auch in Afrika immer und überall wußte. Man differenziert darum, nicht nur unter Katholiken, *adoratio*, die allein Gott, und *veneratio*, die Ahnen und ehrwürdigen Lebenden, wie im Westen den Heiligen, zuteil wird (so schon J. Kenyatta, 1938).

Ahnenverehrung in diesem umgrenzten Sinne steht in natürlichem Zusammenhang mit den *Todesritualen* und *Trauergebräuchen*, ohne jedoch mit ihnen deckungsgleich zu sein: zwischen dem physischen Tod eines Menschen und dem Beginn seiner Verehrung als des neuesten, jüngsten Ahnen liegt eine rituell bestimmte feste Zwischenzeit. Während bei den Ahnenfesten das freudige Vertrauen und der Wunsch der gegenwärtigen Anteilnahme der Toten am Geschick der Lebenden überwiegt, ist bei den eigentlichen Todesritualen die Abwehr und die Furcht vor dem noch nicht förmlich verabschiedeten Totengeist stärker. Die stark ausgebildeten Todes- und Trauerrituale bleiben in Afrika auch dort unvermindert aktuell, wo die kultische Ahnenverehrung durch christlichen und säkularen Einfluß längst Vergangenheit ist.

2. Bei allem Streit um „Verehrung" oder „Anbetung" der Ahnen ist auch bei afrikanischen Gelehrten unbestritten, daß die Ahnen in der traditionalen Religion eine starke, ja *zentrale Rolle* spielten. Nur zusammen mit ihrer Herkunft vermochten die Lebenden, sich als Menschen zu verstehen. Die Ahnen waren wichtiger als Zauber, Magie und machtgeladene Objekte. Obwohl Gräber und z.T. Schädel eine gewisse Rolle spielen, gibt es künstlerische Darstellung der namentlich bekannten Ahnen relativ selten: das Verhältnis zu ihnen ist - wie das Verhältnis zum einen Gott, von dem es ebenfalls keine Bilder und Statuen gibt - ein immaterielles, geistiges. Aber zu Gott redete man nur ausnahmsweise, zu den Ahnen regelmäßig. In vielen westafrikanischen Sprachen ist das Wort für Gott der Singular des Ausdrucks, der im Plural für die Ahnen gebraucht wird. Zwei Nigerianer, E. B. Idowu und V. Uchendo, wiesen dem allgemeinen Trend entgegen nach, daß es über die menschliche Verehrung hinaus bei den Yoruba bzw. Ibo eine Anbetung der Ahnen als Gottheiten auch gegeben habe und noch gibt. Desgleichen sei Mbitis Einschränkung der namentlichen Ahnen auf maximal fünf Generationen dort nicht anwendbar (Uchendo). Die Ahnen sind allgemein *Mittler* zwischen Göttlichem und Menschlichem, Überbringer der Gaben Gottes an die Lebenden und deren Schutzengel, nicht aber selber Schöpfer oder absolute Herren der Welt. Zu ihrer Menschlichkeit gehört auch ihre stammesmäßige Beschränkung: nur Gott ist universal; die Ahnen sind jeder Gruppe eigen und darum der wesentliche Grund, warum ein Fremder - es sei denn als Sklave oder als Frau durch Einheirat in die patrilineare Familie - sich zu afrikanisch-traditionaler Religion, anders als zu einer Weltreligion, niemals im Ernst „bekehren" kann (Mbiti).

Der *praktische Kult* der Ahnen kann individuell, im Familienverband oder - je nach politischer Ordnung der traditionellen Gesellschaft - auf Dorf-, Stammes- oder auch nationaler Ebene stattfinden (Häuptlings- und Königsgräber mit periodisch wiederkehrenden Festen in Nigeria, Ghana, Südafrika). Einzelne suchen in Krisen- und Übergangszeiten (Pubertät, Eheschließung, Krankheit, Jugendliche heute auch in Schul- und Berufsnöten) Segen und Beistand der persönlich nahen Ahnen, um im gesellschaftlichen Konkurrenzkampf der Lebenden bestehen zu können. Speise- und Trankopfer, besonders die auf den Boden ausgeschüttete Palmwein-Libation, sind dabei ebenso unentbehrlich wie die verbale Anrufung. Mit den Ahnen kann man, anders als mit Gott, verhandeln. Zuweilen sind sie habgierig oder verärgert und müssen versöhnt werden; im allgemeinen stehen sie aber den lebenden Nachkommen eher wohlwollend gegenüber. Wesenhaft böse und rachsüchtige Totengeister, deren man sich durch Gegenzauber zu erwehren hat, werden nur ausnahmsweise zu den Ahnen gerechnet.

3. Die *neuere* westliche *anthropologische Interpretation* der Ahnen in Afrika bewegt sich auf sozialwissenschaftlicher und psychologischer Bahn. J. Goody (1962) stellte in Ghana in grundlegenden Analysen den wesenhaften Zusammenhang zwischen „Ahnen und Eigentum" heraus: nur solchen Ahnen - Müttern wie Vätern - wird familiäre Ehrung zuteil, von denen man Besitz und Status erbt, und die als solche Ansprüche an ihre lebenden Platzhalter behalten. Ahnenverehrung ist, zumindest auch, soziale Ideologie, symbolischer Überbau realer Besitz- und Machtverhältnisse. M. Fortes (1965 und 1976) geht in der psychologisch ambivalenten Haltung der Lebenden zu den Toten in Afrika der Ödipus-Problematik, allgemeiner der Generationenspannung in allen menschlichen Gesellschaften nach: die aufstrebenden Jungen dürfen den Tod ihrer jetzt die Verhältnisse bestimmenden Väter nicht wünschen und müssen es doch zugleich um ihrer eigenen - begrenzten und selber sterblichen - äußeren Selbstverwirklichung willen. Ahnenverehrung schließt darum, wie alle menschliche Trauer um Tote, neben der Pietät auch ein indirektes Eingeständnis von Schuld durch Todeswünsche mit ein. - Gegenwärtig gehen von der afrikanischen Ahnenforschung mehr Anstöße auf ihre Erforschung in Asien (→ Ahnenverehrung I.) aus als umgekehrt; in Afrika sind die Grundgegebenheiten direkter zu fassen; es gibt keine Bürokratisierung der Ahnen durch schriftliche Fixierung; der Zyklus ihrer Feste orientiert sich am Jahreslauf und an den Begrenzungen des Gedächtnisses einer schriftlosen Kultur.

4. In der westlichen *Missionswissenschaft* ist heute ebenso wie in den christlich-theologischen Deutungen der Afrikaner selber anerkannt, daß der einfache Kampf gegen den Ahnenkult als „Götzendienst" sowie die Reduktion afrikanischer Religion auf „nichts als die Ahnen" ein Irrtum waren. Ebenso sicher ist jedoch, daß von den Ahnen weiterhin in den afrikanischen Kirchen eine Versuchung zum Synkretismus ausgeht (Beyerhaus). Auch manche Formen der „veneratio" widerstreiten dem tieferen Verständnis der alleinigen Mittlerschaft Jesu Christi. Freilich dürften insgesamt die Ahnen für die afrikanischen Christen heute ein geringeres Glaubensproblem sein als die Furcht vor Zauber- und Hexenwesen bzw. die aktive Teilnahme an magischem Selbstschutz. - Die westliche Theologie will ihrerseits auch für den rechten Umgang mit den Toten die Afrikaner nicht nur belehren, sondern zugleich von ihnen lernen: im Verständnis von personaler Auferstehung (H. Häselbarth), im therapeutischen Wert der Todesriten (T. Sundermeier) und in den afrikanischen Ahnen als möglichem Zugang zu neuem „symbolischem" Denken (H. Rücker).

5. Für die *afrikanischen Kirchen* sind die Ahnen ein seelsorgerliches und liturgisches Problem, bevor sie zum theologischen Thema werden (→ Afrikanische Theologie). Die Antworten gestalten sich verschieden nach Konfession und Kirchentyp. Die unabhängigen Kirchen des zionistischen Typs räumen - bei ausdrücklicher Abwehr des „heidnischen" Ahnenkults - dem Gedenken ihrer Gründer, ihren Gräbern und den Stätten ihres Wirkens einen kultischen, teilweise auch lehrmäßigen Platz ein, der in verwandelter Form die hilfreiche Nähe und Mächtigkeit des guten und frommen Ahnen wieder aufleben läßt. In der *katholischen Mission* wurden die afrikanischen Ahnen früh mit den *Heiligen* parallelisiert, sowohl positiv wie auch im Wissen um den faktisch-volkstümlichen Polytheismus. Neuere Erfahrungen haben jedoch auch den strukturellen Unterschied zwi-

schen Ahnen und Heiligen weiter verdeutlicht: am öffentlichen Kult der Dorfah-
nen hängt unmittelbar die Ordnung der Gesellschaft der Lebenden, die durch den
Import westlicher Heiliger und ihrer Feste in Afrika in keiner Weise zu substituie-
ren ist (J.M. Ela). Auch die der sozialen entgegengesetzte, individualisierende
Funktion des Ahnen wird afrikanisch-katholisch neu bedacht: nur der erwachsene
Mensch, der mit seinem toten Vater in ein geistlich-persönliches Verhältnis gelangt ist, kann in ein solches auch zu Jesus Christus gelangen (P. Tchouanga).
Die *protestantischen* afrikanischen Theologen sehen sich bei der „Christianisie-
rung" der Ahnenverehrung exemplarisch mit dem dogmatischen Problem „Schrift
und Tradition" konfrontiert (Mbiti, Idowu, Dickson, Fashole-Luke): Obwohl das
NT für eine christliche Pflicht zur Verehrung der Ahnen nichts hergibt, besteht
sie für den Afrikaner dennoch weiter als ein zuinnerst empfundenes menschliches
Sollen, sowohl in der Beistandserwartung an die christlich Verstorbenen wie auch,
umgekehrt, in der Sorge und Fürbitte um das Heil der Vorfahren, zu denen das
Evangelium noch nicht gekommen war.

Lit.: *Diangienda Kuntima*, Histoire du Kimbanguisme, 1984. - *Goody, J.*, Death, Property
and the Ancestors, 1962. - *Häselbarth, H.*, Die Auferstehung der Toten in Afrika, 1972
(Lit.). - *Idowu, E. B.*, African Traditional Religion, 1973. - *Kenyatta, J.*, Facing Mount
Kenya, 1938. - *Newell, H.* (Hrsg.), Ancestors. World Anthropology Series, The Hague
1976 (Lit.). - *Mbiti, J. S.*, African Religions and Philosophy, 1969. - *Ders.*, Bible and
Theology in African Christianity, 1986. - *Rücker, H.*, Afrikanische Theologie, 1985. (Lit.).

H. Balz

AMT

1. Grundsätzliches. 2. Amt in den jungen Kirchen.

Angestoßen durch das II. Vatikanische Konzil und durch verschiedene Dia-
logbemühungen zwischen den christlichen Kirchen, kam in den letzten Jahrzehnten viel Bewegung in die Theologie über das kirchliche Amt. Bis vor gut zwanzig
Jahren galten die Positionen der katholischen und orthodoxen Kirchen auf der
einen und der reformatorischen Kirchen auf der anderen Seite als grundverschie-
den und unvereinbar. Inzwischen hat sich gezeigt, daß man einen Konsens im
Grundsätzlichen erreichen kann.

1. Dieser *grundlegende Konsens* bezieht sich auf folgende Punkte: Gesandt
von Jesus Christus und befähigt durch den Hl. Geist hat die ganze Kirche den
Auftrag, in der Welt wirksames Zeichen des durch Christus erworbenen → Heils
zu sein. Jeder Christ hat sein Charisma innerhalb dieses Volkes, um an diesem
Auftrag mitzuwirken. Christus gibt durch seinen Geist seiner Gemeinde auch vielfältige Ämter zum Dienst, zum Aufbau des Leibes.

Das besondere Amt in der Kirche steht in der Nachfolge der Apostel. Es ist
nicht nur praktische Einrichtung der Gemeinde oder Delegation einer Vollmacht,
die der Gemeinde zukommt, sondern Stiftung Christi. Der Amtsträger steht daher

nicht nur in der Gemeinde, sondern er steht ihr auch gegenüber, mit Vollmacht im Namen Christi ausgerüstet. Diese Vollmacht ist aber nur in Abhängigkeit von Christus zu verstehen. Jesus Christus ist der eigentlich Handelnde, der den Amtsträger in seinen Dienst nimmt. Der Amtsträger ist so personales Zeichen des gegenwärtig wirkenden Herrn in seiner Gemeinde.

Die Bezeichnung der Amtsträger als Priester in der katholischen Tradition kann deshalb nur den Sinn haben, daß sie im Hl. Geist Anteil erhalten an dem einen Priestertum Jesu Christi und es vergegenwärtigen. Die reformatorische Tradition vermeidet lieber den Titel Priester, um das Verständnis von der Einzigkeit des Priestertums Christi nicht zu gefährden.

Das so gefaßte geistliche Amt ist für die Kirche notwendig (iure divino); aber in seiner konkreten Ausgestaltung muß es für immer neue Formen, je nach geschichtlicher Situation, offen sein.

Bezüglich der Funktion des ordinierten Amtsträgers formuliert die Gemeinsame Römisch-katholische/Evangelisch-lutherische Kommission 1981: „So können unsere Kirchen heute gemeinsam sagen, daß die wesentliche und spezifische Funktion des ordinierten Amtsträgers darin besteht, die christliche Gemeinschaft durch die Verkündigung des Wortes Gottes sowie durch die Feier der Sakramente zu sammeln und aufzuerbauen und das Leben der Gemeinschaft in seinen liturgischen, missionarischen und diakonischen Bereichen zu leiten."

Das Amt wird durch Ordination übertragen, die durch Handauflegung und Gebet gespendet wird. Dadurch wird der Ordinierte in die Gemeinschaft der Amtsträger aufgenommen, und es wird ihm die Gabe des Hl. Geistes zur Ausübung seiner Sendung zugesprochen und zuteil. Ob die so verstandene Ordination Sakrament genannt wird oder nicht, ist eine Frage des verschiedenen Sakramentenbegriffs.

Die Ordination kann nur einmal gespendet werden und nimmt den Ordinierten für immer in Dienst. Dies ist auch der wesentliche Inhalt der katholischen Lehre vom character indelibilis, daß der Amtsträger für dauernd in Dienst genommen ist und daß Gott zu seiner Verheißung steht und durch den Erwählten wirkt, auch wo dieser existentiell hinter seinem Auftrag zurückbleibt.

Es wird allgemein anerkannt, daß sich die Aufgliederung in das dreistufige Amt von Bischof, Presbyter, Diakon erst in einem längeren Prozeß im Lauf der ersten Jahrhunderte herausgebildet hat, dann aber zur allgemein akzeptierten Struktur in der Kirche der frühen Jahrhunderte wurde. Wenn auch nicht alle Kirchen diese Struktur beibehalten haben, wird doch anerkannt, daß die Kirchen in irgendeiner Form diese verschiedenen Aspekte des Amtes brauchen (Lima-Dokument).

Das Amt des Papstes bildet noch einen schwierigen Punkt. Es ist jedoch von Bedeutung, daß in der katholischen Kirche das Kollegium der Bischöfe neue Aufmerksamkeit und Bedeutung erlangte und in anderen Kirchen das Verständnis für die Notwendigkeit eines Amtes der Einheit wächst.

Freilich werden in allen Kirchen auch Meinungen vertreten, die ganz erheblich von dem so skizzierten Konsens abweichen, und es ist immer noch eine Frage, wieweit die von offiziellen Kommissionen erarbeitete Konsensmeinung von den Kirchen wirklich rezipiert wird. Außerdem hat sich die Frage der Ordination von Frauen zu einem neuen Kontroverspunkt entwickelt, in dem verschiedene Kirchen sich noch konträr gegenüberstehen.

2. Für die aus der Missionsbewegung hervorgegangenen *jungen Kirchen* bietet dieser theologische Konsens die Chance einer Orientierung für die anstehende Aufgabe, die kirchlichen Dienstämter ihren gegebenen sozialen und kulturellen Verhältnissen entsprechend zu gestalten. Auf jeden Fall sollte man bemüht sein, diese theologische Grundlage nicht in der Praxis unnötig zu unterlaufen, denn so bietet sich die Chance praktischer Annäherung zwischen den Kirchen dort, wo die verschiedenen Kirchen ähnlichen Problemen der Neugestaltung gegenüberstehen: in den Ländern der Dritten Welt.

Die *katholische* Kirche mit ihrem fest geprägten und rechtlich genau festgelegten Amt hatte in diesen Ländern schon immer unter großem Mangel an Priestern zu leiden, und so spielten von Anfang an, eher aus praktischer Notwendigkeit als aus theologischen Überlegungen, → Laien eine große Rolle im Leben der Gemeinden. Diese Laien wurden meist Katechisten genannt. Sie waren anfangs vielfach nur einfach gebildet, hatten aber großen apostolischen Eifer und haben in der Missionsbewegung unschätzbare Dienste geleistet. Entsprechend der vorkonziliaren Ekklesiologie waren sie ganz und gar als Helfer des Priesters konzipiert. Aufgrund der veränderten politischen und bildungsmäßigen Lage in den betreffenden Ländern und der Betonung der eigenständigen Rolle der Laien in der Ekklesiologie des II. Vatikanischen Konzils setzte in den 60er Jahren die Suche nach einem neuen Berufsbild der Katechisten ein. In vielen Ländern wurden Akademien zur Ausbildung von qualifizierten Katechisten eingerichtet, gemäß der Empfehlung des Konzils in Ad gentes 17.

Das II. Vatikanische Konzil hat auch eine neue Aufmerksamkeit für die christliche Gemeinde im allgemeinen - für die Basis - bewirkt. Vor allem in den jungen Kirchen mit ihren weitausgedehnten, unüberschaubaren Pfarreien wurden *Basisgemeinschaften* gegründet, in denen die Christen ihren Glauben gemeinsam leben können. In diesen Gemeinschaften bilden sich eine ganze Reihe von Diensten heraus, ganz im Sinn des obigen theologischen Konsenses, der betont, daß der Geist seiner Kirche eine Fülle von Diensten, je nach ihrem Bedarf, schenkt. Da sind Leiter von kleinen Gruppen, Leiter von Bibelkreisen, Beauftragte für Liturgie, vor allem auch für soziale gegenseitige Hilfe in Solidarität mit den Armen, und andere. Der Aspekt der Solidarität mit den Armen, die den kirchlichen Dienst prägen muß, wird vom Ökumenischen Rat der Kirchen stark betont.

In der katholischen Kirche erkennt man immer mehr, daß der Mangel an Priestern nicht nur ein vorübergehendes Problem des Anfangs ist, sondern ein *Strukturproblem*, da das derzeitige „Priestermodell" vielfach nicht paßt. In den meisten jungen Kirchen finden wir kleine Gemeinden von Christen weit verstreut mit schlechten Verkehrsverbindungen. So leben z.B. die ca. vier Millionen Katholiken Indonesiens in annähernd 10.000 Seelsorgestellen. Zur Zeit gibt es in Indonesien ca. 1000 Priester in der Pfarrseelsorge, man bräuchte aber ca. 10.000 Priester, damit jede Gemeinde einen Pastor am Ort hat. Dies ist aber mit dem Typ des hauptamtlichen, akademisch gebildeten, zölibatär lebenden Priesters nicht möglich. Er ist für eine kleine Gemeinde auch viel zu hoch qualifiziert. So bildet sich überall, wenn auch in verschiedener Form, der *Dienst des Gemeindeleiters*.

Im allgemeinen werden zwei Theorien zur Legitimation und weiteren Gestaltung dieses Dienstes vorgetragen. Die einen gehen davon aus, daß die Priesterweihe die Vollmacht zum Vollzug der Eucharistie (→ Abendmahl) und zur Absolution verleiht, alle anderen Aufgaben können als Laiendienste angesehen werden. Sie sehen den Gemeindeleiter als Krönung der Laiendienstämter. Die anderen sehen die Weihe als Befähigung zum Leitungsdienst im Namen Christi mit dem Höhepunkt im Vorsitz der Eucharistiefeier. Sie folgern, diejenigen, die de facto als Leiter einer Gemeinde eingesetzt werden, sollen auch durch die Weihe die nötige Bevollmächtigung und geistliche Hilfe erhalten. Aufgrund des obigen theologischen Konsenses muß man letzterer Meinung zustimmen. Nach dieser Meinung sollte es in Zukunft neben den Priestern jetziger Art auch solche geben ohne akademische → theologische Ausbildung, verheiratet und mit einem profanen Beruf neben ihrer Tätigkeit als Pastor einer kleinen Gemeinde. Sie würden unter der Leitung der besser qualifizierten Priester arbeiten. Das Problem zweier Klassen wäre bei großer Verschiedenheit nicht gravierend, da sehr unterschiedliche Dinge nicht leicht verglichen werden.

Diese neue Form von ordinierten Pastoren wurde schon von verschiedenen Gremien gefordert, jedoch von der Römischen Bischofssynode 1971 mit knapper Mehrheit zurückgewiesen. Es dürfte aber das letzte Wort in dieser Sache noch nicht gesprochen sein.

Die vom Konzil in Ad gentes 16 ausgesprochene Anregung des Einsatzes von Diakonen hat bisher wenig Widerhall in den jungen Kirchen gefunden. Das ist verständlich, da durch sie das Problem der eucharistielosen Gemeinden nicht gelöst wird, auf der anderen Seite in der gegebenen Situation eventuelle Diakone unmittelbar in die Situation der „Not-Pastore" kämen und kein eigenes Berufsbild entwickeln könnten.

Die *reformatorischen* Kirchen haben weniger starre Regelungen und tun sich daher leichter in der neuen Gestaltung von Diensten. Sie können in manchen Bereichen der katholischen Kirche als Anregung dienen, und die Katholiken können von ihren Erfahrungen lernen, wie es z.B. in Südafrika schon ganz dezidiert geschehen ist (Lobinger, Hirmer). Sie müssen vielfach noch größeres Gewicht auf qualifiziertere, besser ausgebildete Stufen des kirchlichen Amtes legen und können dabei von der Erfahrung der katholischen Kirche profitieren.

Die *Neugestaltung* der kirchlichen Dienste in den jungen Kirchen ist ein ganz bedeutender Faktor im Bemühen, die Kirchen bodenständig zu machen (→ Inkulturation) und von zu großer Abhängigkeit vom Ausland zu befreien. Eigenständigkeit der Kirchen in personellen und finanziellen Belangen muß bei allen Überlegungen eine ganz herausragende Rolle spielen, nur so können die jungen Kirchen gesund wachsen.

Lit.: *de Achutegui, P. S.* (Hrsg.), Asian Colloquium on Ministries in the Church, Hongkong, February 27-March 5, 1977, 1977. - *Amalorpavadass, D. S.* (Hrsg.), Ministries in the Church in India, Research Seminar and Pastoral Consultation, 1976. - *Antoniazzi, A.,* Os Ministérios na Igreja, hoje, [2]1977. - Arbeitsgemeinschaft ökumenischer Universitätsinstitute, Reform und Anerkennung kirchlicher Ämter, 1973. - Conferência Nacional dos Bispos do Brasil, Encontro Nacional sobre Estruturas Eclesiais e Diversificação dos Ministérios. Comunicado Mensal 219, 1970. - *Cordes, P. J.,* Sendung zum Dienst. Exegetisch-historische und systematische Studien zum Konzilsdekret „Vom Dienst und Leben der Priester", 1972. - Die Gemischten Pastoralteams, in: Pro Mundi Vita Bulletin 78, 1979. - *Hickey, R.*, Africa: The case for an auxiliary priesthood, 1980. - *Hirmer, O.*, Die Funktion des Laien in der katholischen Gemeinde, 1973. - *Lobinger, F.*, Auf eigenen Füßen: Kirche in Afrika, Bearbeitung und Einführung von A. Exeler, 1976. - *Marins, J./Trevisan, T. M.*, Comunidades Eclesiales de base, 1975. - *Meyer, H./Urban, H. J./Vischer, L.*, Dokumente wachsender Übereinstimmung. Sämtliche Berichte und Konsenstexte interkonfessioneller Gespräche auf Weltebene 1931-1982, 1983. - *Monsengwo Pasinya, L.*, Die Gemeindeleiter: ein Experiment der Evangelisation in Zaire, in: Bertsch-Schlösser (Hrsg.), Evangelisation in der Dritten Welt, 1981, 30-43. - Neue Formen des Amtes in christlichen Gemeinschaften, in: Pro Mundi Vita Bulletin 50, 1974. - Römische Bischofssynode, Dokument über das priesterliche Dienstamt, in: HerKorr 25, 1971, 584-591. - Sacra Congregatio pro Gentium Evangelizatione, Catéchistes en Afrique, en Asie et en Océanie, Etude Synthétique, Commission pour la Catéchèse et les Catéchistes, 1972. - *Schütte, H.*, Amt, Ordination und Sukzession im Verständnis evangelischer und katholischer Exegeten und Dogmatiker der Gegenwart sowie in Dokumenten ökumenischer Gespräche, 1974.

G. Kirchberger

ARMUT

Die Aufmerksamkeit, die die Bibel der Armut schenkt (Ps 72; Jer 22,13-17; Jes 58,1-12; 61; Lk 4,17ff; 6,20ff; 16,19ff; Jak 5), ist von vielen ihrer Leser nicht immer geteilt worden. Aber dem Ausmaß an Armut, das heute am Ende eines wirtschaftlich scheinbar so erfolgreichen Jahrhunderts herrscht, vermag sich kaum jemand zu entziehen. Weltweit gelten 800 Millionen Menschen als arm, etwa 40.000 sterben täglich an den Folgen der Armut. Für die Europäische Gemeinschaft werden 30 Millionen Arme genannt (EG-Kommission 1983). Mit 30 Millionen wird auch in den USA gerechnet. Armut wird dabei gemessen an den Grundbedürfnissen: Nahrung, Kleidung, Wohnung und Bildung oder, weitergehend, an gesellschaftlichen Teilhabechancen (physisches oder soziokulturelles Existenzminimum). Es konnte nicht ausbleiben, daß der gesellschaftliche Kontext den biblischen Text neu zur Sprache brachte und so die Kirchen weltweit zu einer neuen, intensiven Beschäftigung mit dem Problem der Armut führte.

Hier ist vor allem die Arbeit des Ökumenischen Rates der Kirchen (ÖRK) und seiner Kommission für den Kirchlichen Entwicklungsdienst (CCPD) zu nennen, die - angeregt durch die Vollversammlung des → Ökumenischen Rates der Kirchen in Nairobi 1975 - seit 1976 einen folgenreichen, an der Praxis ausgerichteten Studienprozeß über „Die Kirche und die Armen" durchführte (vgl. de Santa Ana 1977, 1978, 1979). Das Scheitern bisheriger Entwicklungsanstrengungen stand dabei ebenso im Hintergrund wie die mit dem Ende des Nachkriegsmodells kapitalistischen Wachstums auch in den Industrieländern verstärkt wieder sichtbar gewordene Armut. Entscheidende Anstöße kamen aus der „Dritten Welt" und ihrer sich in Basisgemeinden und der → Theologie der Befreiung (nicht nur in Lateinamerika) ausdrückenden „Kirche der Armen". Das Abschlußdokument des Studienprozesses „Für eine mit den Armen solidarische Kirche" wurde vom ÖRK 1980 entgegengenommen und den Kirchen als Diskussions- und Handlungsgrundlage weitergegeben. Zum ersten Mal wird hier in einem repräsentativen kirchlichen Dokument nicht nur „das Los der Armen" (Teil I) wahrgenommen, sondern „der Kampf der Armen" (Teil II) um Veränderung, seine Ziele (Kontrolle der wirtschaftlichen Mechanismen, Eigenständigkeit, soziale Gerechtigkeit, Gleichheit und Partizipation) und Methoden (Bewußtseinsbildung, Widerstand, Organisierung) beschrieben und gewürdigt. Ebenso neu, bedeutsam und kennzeichnend für die Arbeit des ÖRK ist die ökonomisch-politische Analyse der Ursachen der Armut („transnationale Gesellschaften und neokolonialistische Kräfte", „asymmetrische Herrschafts- und Abhängigkeitsverhältnisse"). Auf diesem Hintergrund spricht das Dokument von der Reaktion der Kirchen auf die Herausforderung durch die Armen (Teil III). Theologische Leitgedanken, die aus dem in der Ökumene vorherrschenden unmittelbaren Hören auf die Bibel entwickelt werden, sind die besondere Zuwendung Gottes für die Armen (III,38.43) und die Berufung der Kirche Christi zur Überwindung der Schranken, die die Menschen trennen (III,42.43). „Eine Theologie, die die Geschichte der Armen einbezieht" wird beschrieben (III, 54-64) und eine Kirche, die am Kampf der Armen teilnimmt und versucht, „den Reichen die Probleme bewußt zu machen, sie herauszufordern und zu bekehren" (III,67). Elf „Vorschläge für Aktionen" (Teil IV) werden unterbreitet, z.B. solle die Kirche „jeden Aspekt ihres Lebens aus der Sicht der Armen beurteilen" (IV,1), „im Freiheitskampf eine kräftige Stütze", „Freiraum" und „Zufluchtsort" sein (IV,10) oder durch „freiwillige Armut und alternativen Lebensstil das Engagement von Christen für den Kampf der Armen fördern" (IV,11).

Nicht unerheblich dürfte die Arbeit des ÖRK durch die Entwicklungen in der römisch-katholischen Kirche, vor allem in Lateinamerika, beeinflußt worden sein. Hier wäre vor allem die 2. Generalkonferenz des lateinamerikanischen Episkopats (CELAM) in Medellin 1968 zu nennen, wo die auf dem 2. Vatikanischen Konzil erfolgte Öffnung zur Welt für das Zeugnis der Kirche im lateinamerikanischen Kontext des Ringens um Befreiung konkretisiert wurde. In der Entschließung 14 „Armut der Kirche" wird Armut in dreifacher Weise unterschieden: 1. als „Mangel an den Gütern dieser Welt", als ein „Übel", eine „Frucht der Ungerechtigkeit und der Sünde" (Dokumente von Medellin, Adveniat Essen 1970, 134), weshalb sich die Bischöfe zum „christlichen Kampf gegen die unerträgliche Situation, die der Arme häufig erleiden muß", verpflichten, zu einer Solidarität mit den Armen, in der sie sich „ihre Probleme und Kämpfe zu eigen machen und für sie sprechen müssen" (137); 2. als „geistige Armut", „als Haltung der geistigen Kindschaft und Öffnung zu Gott" (134) und 3. als freiwillige Armut der Kirche und ihrer Mitglieder, „Zeichen des unschätzbaren Wertes der Armen in den Augen Gottes und Verpflichtung zur Solidarität mit denen, die leiden" (136). Diese Position wurde auf der 3. Generalkonferenz in Puebla 1979 trotz Widerständen mit der Formel von der „vorrangigen Option für die Armen mit Blickrichtung auf deren umfassende Befreiung" bestätigt. Daß solche Stimmen nicht auf die „Dritte Welt" beschränkt bleiben, zeigt der die Armen zum Maßstab nehmende Hirtenbrief der katholischen Bischofskonferenz der USA „Wirtschaftliche Gerechtigkeit für alle" (Endfassung 1986, Publik-Forum-Dokumentation Frankfurt 1987).

Der ökumenische Studienprozeß hat vor allem die Missionskonferenz (→ Weltmissionskonferenzen) von Melbourne 1980 entscheidend bestimmt und über die Vor- und Nacharbeit der Konferenz weite Beachtung gefunden. Der Sektionsbericht I „Gute Nachricht für die Armen" bekräftigt die Formel von Gottes „Vorliebe für die Armen" (127), den damit verbundenen „Ruf zur Buße" für die Reichen als Ruf in die Nachfolge Jesu (128), den die Kirchen zunächst an sich selbst gerichtet sehen, und die Vorstellung einer „totalen → Befreiung des ganzen menschlichen Lebens" (129). Ein neues Missionsverständnis wird beschrieben: „Die meisten Menschen auf der Erde sind arm und warten auf ein Zeugnis vom Evangelium, das wirklich ‚gute Nachricht' ist. Die Kirche Jesu Christi ist beauftragt, die Völker zu Jüngern zu machen, so daß andere erkennen können, daß das → Reich Gottes nahe herbeigekommen ist und daß seine Zeichen und Erstlingsfrüchte in der Welt im Umfeld der Kirchen, wie auch in ihrem eigenen Leben gesehen werden können. Die Mission, die sich des Reiches bewußt ist, wird um Befreiung und nicht um Unterdrückung bemüht sein; um Gerechtigkeit, nicht Ausbeutung; um Fülle, nicht Verarmung; um Freiheit, nicht Versklavung; um Gesundheit, nicht Krankheit; um Leben, nicht Tod. Ganz gleich, wie die Armen bestimmt werden mögen, diese Mission gilt ihnen" (132). Den Armen wird „eine Führungsrolle bei der Aufgabe der Evangelisation und Mission" (134) zugeschrieben. Es gilt, auf sie zu hören, sie zu respektieren und sie in ihren bereits stattfindenden Kämpfen zu unterstützen.

Auch in der evangelikalen Bewegung ist der Armut zunehmend Beachtung geschenkt worden. Schon in der Lausanner Verpflichtung von 1974 ist von „Gottes Sorge um Gerechtigkeit und Versöhnung" die Rede, die auf „die Befreiung der Menschen von jeder Art von Unterdrückung" ziele. Es wurde bekräftigt, „daß Evangelisation und soziale wie politische Betätigung gleichermaßen zu unserer Pflicht als Christen gehören". Viel beachtete Einzelbeiträge (J. R. Sider, R. Padilla u.a.), weitere Konferenzen und Konsultationen (Pattaya 1980, Grand Rapids 1982, Wheaton 1983) haben diese evangelikale Position vertieft und verbreitet. Im Bericht „Antwort der Kirche auf menschliche Not" von Wheaton 1983 wird Armut als Folge von „Ungerechtigkeit, Ausbeutung und Unterdrückung" gesehen und eine „Identifikation mit den Armen nach dem Vorbild Christi" begründet, die „einen hohen Preis kostet und für uns Verfolgung, ja sogar den Tod mit sich bringen kann." Im „Dienst unter den Armen" in biblischer Sicht, der sich auch auf den „Fremden" (Mt 4,43-48) erstrecke und wirtschaftliches und politisches Handeln einschließe, gehörten Gerechtigkeit und Barmherzigkeit eindeutig zusammen (Jes 11,1-5; Ps 113, 5-9).

Es ist offensichtlich, wie sich sogenannte „ökumenische" und sogenannte „evangelikale" Positionen über der Armut als Herausforderung an das Christusbekenntnis angenähert haben. Darin liegt auch die Bedeutung der wichtigen Erklärung „Mission und Evangelisation" des ÖRK von 1982. In ihrem Abschnitt V „Gute Nachricht für die Armen" wird festgestellt: „Ein wachsender Konsens unter Christen heute spricht von Gottes Vorliebe für die Armen" (21). Betont wird dabei die dankbar erfahrene aktive Rolle der Armen in der Evangelisation, gerade auch der Reichen. „Was wir heute neu lernen, ist, daß Gott durch die Niedergetretenen, die Verfolgten, die Armen dieser Erde wirkt. Und von da aus ruft er die ganze Menschheit, ihm zu folgen" (21).

Unter den Kirchen in der Bundesrepublik Deutschland hat die Frage der Armut bis jetzt nicht die Priorität gefunden, zu der im weltweiten Lernprozeß aufgerufen wurde. Um die Vor- und Nacharbeit der Missionskonferenz von Melbourne hat sich das Evangelische Missionswerk (EMW) verdient gemacht und ist dabei auf Widerstand gestoßen. Der Konflikt auf der EKD-Synode von Garmisch-Partenkirchen 1980 führte zu einem Konsenspapier „Zur Frage nach dem Missionsverständnis heute" (EMW-Informationen 21/1981), das allerdings die ökumenische Diskussion nur unzureichend berücksichtigte. Sie ist eher von den Gruppen der ökumenischen Netzwerke aufgegriffen worden. Auch die zunehmende Beschäftigung mit der „Neuen Armut" in der BRD, z.B. durch den Kirchlichen Dienst in der Arbeitswelt (KDA) oder einzelne Diakonische Werke, ist durch die ökumenische Diskussion beeinflußt worden. Der Bund der Ev. Kirchen in der DDR hat 1981 beschlossen, die Frage nach der guten Nachricht für die Armen zu einem Kristallisationspunkt ökumenischer Aktion und Reflexion zu machen.

Galt Armut zunächst eher als eine sozialethische Frage, so hat die Herausforderung durch die Armen dort, wo man sich ihr stellte, außer der bereits erwähnten Auswirkung auf das Missionsverständnis, auch andere theologische Themen stark beeinflußt. So hat in der Exegese die sozialgeschichtliche Auslegung an Bedeutung gewonnen. Hermeneutische Probleme sind neu bedacht worden. Das interkonfessionelle Gespräch über das Abendmahl wurde, wie das Dokument von Lima zeigt, davon beeinflußt. Die „Kirche der Armen",. wie sie in den Basisgemeinden erscheint, oder kirchliche Initiativgruppen ökumenischer Solidarität haben die Lehre von der Kirche befruchtet. Das mit der Armutsdiskussion immer verbundene Nachdenken über die Rolle der freiwilligen Armut hat zu einer breiten Diskussion über den Lebensstil von Christen und Kirchen geführt.

Erhebliche Probleme wirft die Behandlung des biblischen Zeugnisses zur Armut in der → Predigt auf, vor allem in „reichen" Kirchen. Neben einer auf didaktische Schwächen zurückzuführenden Überforderung der Gemeinden kommt es noch häufiger zur Verbürgerlichung, Spiritualisierung oder anderweitigen Verkürzung der Textbotschaft, so daß die Predigt daran beteiligt ist, die Armen und ihre Hoffnung zu verraten. Dies geschieht z.B. dort, wo statt der geforderten Umkehr eine selbstgefällige Unentbehrlichkeit wohlmeinender Reicher bei der Lösung der Probleme der Armen gepredigt wird. Dies führt nicht selten dazu, daß Analyse, Forderungen und Aktionsmodelle, die die Armen selbst entwickeln und die im ökumenischen Zusammenhang aufgrund der „vorrangigen Option für die Armen" gewürdigt werden, verdächtigt und abqualifiziert werden.

Undeutlich bleibt häufig auch das theologische Verständnis für die im biblischen Zeugnis wiederentdeckte Vorliebe Gottes für die Armen. Sie wird oft etwas verkürzt mit dem Vorbild Jesu oder der prophetischen Parteinahme für die Armen begründet und provoziert damit leicht den Protest derer, die nach der Liebe Gottes zu denen fragen, die nicht zu den Armen gehören. Oder sie wird in einer neuen Gesetzlichkeit an Bedingungen bei den Armen geknüpft, die außerhalb ihrer Armut und Unterdrückung liegen, z.B. in einem vorausgesetzten Bewußtsein ihres Angewiesenseins auf Gott oder ihrer Sehnsucht nach Gottes Eingreifen. Damit wird die freie Gnade Gottes in seiner Zuwendung zu den Armen jedoch verdunkelt. Gottes Vorliebe für die Armen muß demgegenüber vor allem im Rahmen der Versöhnungslehre gesehen werden. Armut und Unterdrückung, wie sie in der Armutsdiskussion aufrüttelnd beschrieben werden, kennzeichnen die unversöhnte Gesellschaft, die von Klassen- und Rassenherrschaft, von Sexismus und Militarismus, von Weltmachtstreben und Wachtumsideologie geprägt ist. Weil Gottes Versöhnung auf ein gemeinsames Leben für alle zielt, beginnt sein Versöhnungswerk bei und mit denen, die in der unversöhnten Gesellschaft an den Rand gedrängt und ausgegrenzt werden. Gott macht aus dem Rand die Mitte, beschämt damit die Großen und Mächtigen (1 Kor 1,26-29) und entzieht sich ihnen (Lk 14,15-24). „Gott wirkt durch die Armen der Erde, um das Bewußtsein der Menschheit für seinen Bußruf, für Gerechtigkeit und Liebe zu wecken" (Mission und Evangelisation, 22). Gottes Vorliebe für die Armen ist gerade ein Kennzeichen dafür, daß es ihm um alle geht.

Insgesamt kann die Bedeutung der neuen Armutsdiskussion in den Kirchen darin gesehen werden, daß die Armen aus der ihnen letztlich immer wieder zugewiesenen Rolle von Objekten kirchlicher Verkündigung und Liebestätigkeit, wie aufrichtig und mutig das oft auch gemeint war, entlassen sind. Es ist wichtig, daran weiter zu arbeiten und damit ein Stück der alten, letztlich auf ein feudalistisches Denken zurückgehenden theologischen Aussagen und der davon abgeleiteten kirchlichen Praxis zu überwinden. Nur so werden die Kirchen der Herausforderung durch die Armen gerecht werden können, die in Zukunft immer lauter werden wird.

Lit.: Adveniat Essen (Hrsg.), Dokumente von Medellin, 1970. - Commission on the Churches Participation in Development (CCPD), Für eine mit den Armen solidarische Kirche, in: epd-Dokumentation 25a/1980. - Ev. Missionswerk, Arme und Reiche in der Mission, in: EMW-Informationen 30/1981. - Fenger, A.-L./de Almeida, R., Art. Armut in: NHthG I, 25-61. - Katholische Sozialakademie Österreichs und Publik-Forum (Hrsg.), Wirtschaftliche Gerechtigkeit für alle. Katholische Soziallehre und die US-Wirtschaft. Hirtenbrief der katholischen Bischofskonferenz der USA, Publik-Forum-Dokumentation 1987. - Kirchlicher Dienst in der Arbeitswelt (KDA), Armut in einer reichen Gesellschaft, in: epd-Dokumentation 14/1986. - Leibfried, St./Tennstedt, F. (Hrsg.), Politik der Armut und die Spaltung des Sozialstaates, 1985. - Lehmann-Habeck, M. (Hrsg.), Dein Reich komme. Weltmissionskonferenz in Melbourne 1980, 1980. - Missionswissenschaftliches Institut Missio (Hrsg.), Herausgefordert durch die Armen, Dokumente der Ökumenischen Vereinigung von Dritte-Welt-Theologen 1976-1983, 1983. - Ökumenischer Rat der Kirchen, Mission und Evangelisation. Eine Ökumenische Erklärung (1982), hg. v. EMW, 1982. - Roth, J., Zeitbombe Armut. Soziale Wirklichkeit in der Bundesrepublik, 1985. - Samuel, V./Sugden, Chr. (Hrsg.), Evangelism and the Poor. A Third World Study Guide, ²1983. - de Santa Ana, J., (Hrsg.), Gute Nachricht für die Armen. Die Herausforderung der Armen in der Geschichte der Kirche, 1979. - Ders. (Hrsg.), Separation without Hope? Essays on the Relation between the Church of the Poor during the Industrial Revolution and the Western Colonial Expansion, 1978. - Ders. (Hrsg.), Towards a Church of the Poor. The Work of an Ecumenical Group on the Church and the Poor, 1979. - Schottroff, L./Stegemann, W., Jesus von Nazareth - Hoffnung der Armen, 1978. - Sider, J. R., Der Weg durchs Nadelöhr. Reiche Christen und Welthunger, 1978. - The Poor and Third

World Theology, Voices from the Third World, 9, 1986, 1-132. - World-Evangelical-Fellowship, Ich will meine Gemeinde bauen, Wheaton 1983, in: EMW- Informationen Nr. 50/1983.

G. Reese

BEFREIUNG

1. Der Begriff. 2. Befreiung im AT. 3. Befreiung im NT. 4. Patristik bis Neuzeit. 5. „Politische Theologie" von Metz. 6. Entwurf Moltmanns. 7. Befreiungstheologie in Lateinamerika. 8. Kritische Würdigung der Entwürfe. 9. Stellungnahme der Glaubenskongregation.

1. Das Stichwort „Befreiung" ist in der *christlichen Theologie* erst in der Neuzeit und vor allem in der → Theologie der Befreiung des 20. Jahrhunderts zu einem theologischen Begriff geworden. Der traditionelle Begriff ist der der Erlösung. Inhaltlich geht es um die Frage: Was hat das Christusgeschehen gebracht? Gibt der Begriff „Befreiung" mit seinen Konnotationen diesem Geschehen heute einen adäquateren Ausdruck als der Begriff „Erlösung"? Was fügt er diesem Begriff hinzu? Ist er heute überflüssig?

2. In der *Soteriologie des AT* spielt das Thema „Befreiung" eine zentrale Rolle. Es wird vor allem in der Exodus-Tradition, in der Zeit nach dem Exil, bei Deuterojesaia und auch in den Gebetstexten, etwa dem Psalter, zur Sprache gebracht.

Es geht um die Überwindung einer Unheilsituation, die Jahwe herbeiführt und nicht der Mensch. Das Heil als Ergebnis der Befreiungstat ist ein diesseitiges Heil. Allerdings gibt es im AT auch die Jenseitshoffnung. In der Zeit nach dem Exil gibt es Texte (Deuterojesaia), die vielleicht auf eine Veränderung der Gesellschaft, der Strukturen hindeuten. N. Lohfink weist jedoch darauf hin, daß man bei der Interpretation der Texte mit Vorsicht vorgehen muß. Er kritisiert, daß manche Befreiungstheologen das AT oberflächlich handhaben.

3. „Freiheit" und „Befreiung" sind nicht die zentralen Begriffe im *NT*, um das „befreiende" Handeln Jesu zu verdeutlichen. Dies sind eher die Begriffe „Erlösung", „Errettung", „Freilassung" und „Vergebung". Der Begriff „Freiheit" besitzt keine unmittelbare politische Bedeutung. Bei Paulus ist der Begriff der Freiheit eher in individuell-existentialer Begrifflichkeit zu sehen.

Der Wirklichkeit von Befreiung und Freiheit kommt man näher, wenn man das befreiende Handeln Jesu untersucht sowie seine Botschaft von der Gottesherrschaft. Jesus hat die Menschen von der Knechtschaft der Sünde befreit. Dies hat aber auch seine Auswirkungen auf die menschlich-gesellschaftlichen Verhältnisse.

4. Von der *patristischen* Zeit an wird das Thema überwiegend unter dem Stichwort „Erlösung" behandelt.

Die Patristik selbst kennt verschiedene Erlösungsvorstellungen: die neue Erkenntnis, Lehre, Weisung und Vorbildlichkeit Christi.

Zu verstehen sind diese Vorstellungen auf dem Hintergrund der platonischen Auffassung der *Paideia*: In einem Prozeß der Reifung gelangt der Mensch durch die Schattenbilder zur eigentlichen Wirklichkeit. Durch Nachahmung derselben (Mimesis) gelangt er zum wahren Sein. Diese Nachahmung des wahren Seins-Gottes läßt den Menschen teilhaben am Leben Gottes (Methexis).

Die Erkenntnis und Verbindlichkeit Christi ermöglichen dem Menschen Mimesis und Methexis und so die Teilhabe am Leben Gottes und die Eigentlichwerdung des Menschen.

Aufgrund des verschiedenen sozio-kulturellen Hintergrundes finden wir in der lateinisch-westlichen Kirche eine andere Erlösungsvorstellung. Hier geht es mehr um die praktische Lebensführung sowie um die rechtliche Ordnung des Gemeinwesens. Im Vordergrund stehen die Fragen nach Verantwortung, Schuld und Lohn.

Der lateinischen Erlösungsvorstellung geht es so um die Frage nach der Heilung des Rechtsbruches zwischen Gott und Mensch. Es geht um die Wiederherstellung des rechtlichen Ordo, der durch die Schuld des Menschen zerstört ist (Satisfaktionslehre).

Bei all diesen Erlösungsvorstellungen geht es darum, wie der Mensch seine Freiheit wiedererlangen kann: sei es durch die Teilhabe am Leben Gottes, sei es, daß in der Wiederherstellung der rechtlichen Ordnung der Mensch seine Würde und Freiheit Gott gegenüber wiedererlangt.

In der Neuzeit steht das Thema der Subjektivität im Vordergrund. Das Subjekt sucht, sich von allem Umgreifenden zu emanzipieren und will sich selbst bestimmen und durch sich selbst verwirklichen. Gott wird in diesen Prozeß der Selbstwerdung des Menschen einbezogen als ein Moment in der Freiheitsgeschichte der Subjektivität.

Hier setzt nun die heutige Theologie ein, indem sie nach den welthaften und gesellschaftlichen Bedingungen der menschlichen Freiheit fragt.

5. Der *politischen Theologie* (J. B. Metz) geht es um das Subjektsein des Menschen vor Gott in der konkret-geschichtlichen Situation. Wird der Mensch Subjekt seiner Geschichte, erhält er seine Freiheit. Man darf aber nicht die neuzeitliche Emanzipation mit der christlichen Erlösung kritiklos in Verbindung bringen. Die Erlösungsgeschichte ist nicht einfach als Überbietung der Emanzipationsgeschichte anzusehen. Erlösung bedeutet nicht nur Befreiung von politischer und gesellschaftlicher Unterdrückung, sondern vor allem Befreiung von Schuld und Tod. Erlösung schließt auch die Gescheiterten ein, auch die Toten.

Die Aufklärung brachte das bürgerliche Subjekt hervor. Es handelt sich um den autonomen, vernünftigen, mündigen Menschen. Von den umfassenden geistigen und religiösen Traditionen hat er sich freigemacht. Gerade im Kampf gegen sie hat er sich seine Freiheit erkämpft (Feudalismus, Absolutismus). Sein gesamtes gesellschaftliches Leben ist vom Prinzip des Tausches geregelt. So lehnt er alles ab, was keinen Tauschwert besitzt. Bestimmend sind die Gesetze der rechnenden Vernunft, des Marktes und des Profits. Alle übrigen Werte gehören in den Bereich des Privaten. Die Religion wird zur Service-Religion. Am deutlichsten zeigt sich der Traditionsverlust im Verhältnis zu den Toten. Sie passen nicht in die Tauschgesellschaft, und so geht der Sinnzusammenhang mit ihnen verloren. Das Verhältnis zu ihnen wird privatisiert. Was für sie Befreiung bedeutet, kann nicht verdeutlicht werden. Der Traditionsverlust führt auch zur Entwertung traditioneller Haltungen, für die es keinen Gegenwert gibt, wie Freundlichkeit, Dankbarkeit und Treue.

So wird in der Aufklärung der Besitzbürger zum Träger der Vernunft. Mündigkeit und Subjekt werden jetzt für ihn gefordert. Hierbei geht es nicht um eine Befreiungspraxis, sondern um eine Herrschaftspraxis: Herrschaft über die Natur, Herrschaft im Interesse des Marktes.

Die politische Theologie stellt nun fest, daß dieser neuzeitliche Prozeß der Emanzipation, Mündigkeit und Freiheit nicht einfach mit dem Christlichen identisch ist. Das Christliche wäre dann eine Kanonisierung der faktischen Entwicklung. Der bürgerliche Begriff von Freiheit verdrängt den genuinen christlichen Freiheitsbegriff, der gesellschaftskritisch ist.

Man darf nicht kritiklos die neuzeitlichen Begriffe Subjekt, Existenz, Person mit ihrer Privatisierungstendenz übernehmen. Es muß um das solidarische Subjektsein aller gehen.

Der Gottesgedanke ist subjektkonstituierend und identitätsbildend. Die Religion ist in der Bibel kein zusätzliches Phänomen, sondern am Aufbau des Subjektseins beteiligt. Ein Beispiel ist die Subjektwerdung Israels beim Exodus. Das Gottesverhältnis bringt keine Versklavung des Menschen, sondern läßt den Menschen angesichts seiner Gefährdung zum Subjekt werden. Der Kampf um Gott und der Kampf um das freie Subjektwerden verläuft in der gleichen Richtung. Das Subjekt, um das es geht, ist nie der einzelne allein, sondern immer in seinen Erfahrungen mit anderen. So ist „universale Solidarität" die Form, in der Subjekte vor Gott existieren.

Erinnerung und Erzählung bilden in diesem Zusammenhang Kategorien der Befreiung. Die Zerstörung von Erinnerung verhindert Identität, Subjektwerden und -bleiben. Die Deportation der Sklaven z.B. diente der Zerstörung von Erinnerung und so der Befestigung ihrer Unterwerfung. Das Durchstoßen des „offiziellen" Geschichtsbewußtseins bringt Befreiung. Der politischen Theologie geht es also um das Subjektsein aller. Es geht weder um das bürgerliche noch um das sozialistische Subjekt, sondern gegen jegliche Unterdrückung. Der Name Gottes steht für die Befreiung aller zu menschenwürdigen Subjekten. Christliche Praxis muß immer kritisch den bestehenden Verhältnissen gegenüber sein: um des Subjektseins willen.

6. J. Moltmann entwirft seinen Begriff der Befreiung von der *Kreuzestheologie* aus.

Der geschichtliche Weg Jesu zum Kreuz zeigt den konkreten Weg zur Befreiung des Menschen. Er motiviert die Aktivität des Menschen auf Befreiung hin. Moltmann hebt die Aspekte dieses Kreuzweges hervor.

• Jesus wird als Gesetzesbrecher und Gotteslästerer verurteilt, weil er seinen Gott der Verheißung und Hoffnung dem Gott des Gesetzes entgegengestellt hat. Wo das Kreuz durch die Auferweckung bestätigt wird, wird es zu einem Protest gegen das Bestehende und zu einem Zeichen der Hoffnung für Gottes neue Welt.

• Jesus wird mit einer politischen Strafe belegt. Er stirbt als Aufrührer gegen die politischen Mächte seiner Zeit, die er mit seiner Botschaft von der alleinigen Herrschaft Gottes in Frage gestellt hat. Die Auferweckung wird so zum Protest gegen jede religiöse Begründung politischer Macht.

• Jesus stirbt in äußerster Gottverlassenheit. Die Auferweckung zeigt, daß Gott im Leiden Jesu anwesend war. Gott ist hineinverwoben in die Leidensgeschichte der Menschheit. So gibt er dem geschundenen Menschen Hoffnung für eine neue, endgültige Zukunft.

6.1 Auf dem Hintergrund dieser Kreuzestheologie entwirft Moltmann eine „politische Hermeneutik der Befreiung". Was bedeutet die Gegenwart des gekreuzigten Gottes für die menschliche Gesellschaft? Hierbei geht es nicht nur um eine abstrakte Verhältnisbestimmung von Glauben und politischem Handeln, sondern es geht konkret um die religiösen Probleme der Politik, um die Teufelskreise im ökonomischen und sozialen Leben, welche eine wahre Menschlichkeit hemmen und unmöglich machen. Die Situation des gekreuzigten Gottes macht menschliche Situationen der Unfreiheit bewußt und zeigt, wie sie durchbrochen werden können. Es handelt sich nicht um eine Reduktion der Kreuzestheologie auf eine politische Theologie, sondern es geht um ihre „Interpretation in politischer Nachfolge". Die politische Hermeneutik will die sozioökonomischen Bedingungen der theologischen Institutionen und Sprachen deutlich machen, um ihren befreienden Gehalt in den unmenschlichen Situationen zur Geltung zu bringen.

Christliche Freiheit und Befreiung dürfen nicht im Abstrakten und Grundsätzlichen verbleiben, weil sonst die konkrete Freiheit im Möglich-Beliebigen steckenzubleiben droht. Die befreiende Gegenwart Gottes muß vielmehr in den Teufelskreisen menschlichen Elends erfahrbar gemacht werden.

6.2 Was versteht Moltmann nun unter Befreiung? Politische Hermeneutik will eine Hermeneutik des Lebens sein in der Leidensgeschichte Gottes. Darum schließt sie Praxis und eine Veränderung der Praxis ein. Befreiung muß immer in konkreten Teufelskreisen praktiziert werden, die Menschen nicht Menschen sein lassen. Es gibt hoffnungslose Systeme im ökonomischen, sozialen und politischen Bereich, die zum Tode führen. In der konkreten Situation gibt es immer mehr Teufelskreise, die zusammenwirken. Deshalb spricht Moltmann nicht von Befreiung, sondern von Befreiungen im Plural. Die Befreiung muß in mehreren Bereichen zugleich vorangetrieben werden, da die verschiedenen Teufelskreise sich· gegenseitig bedingen.

Im ökonomischen Bereich spricht Moltmann vom Teufelskreis der → Armut. Er besteht aus Hunger, Krankheit usw. und wird hervorgerufen durch Ausbeutung und Klassenherrschaft. Diese Verhältnisse gibt es in den einzelnen Nationen wie auch zwischen den Nationen.

Mit dem Teufelskreis der Armut ist der der Gewalt verbunden. Hier heißen die Stichworte: Diktatur, Unterdrückung der → Menschenrechte und der Selbstbestimmung, Rüstungswettlauf usw. Im Teufelskreis der Armut und der Gewalt steckt der Teufelskreis rassischer und kultureller Entfremdung. Die Menschen werden ihrer Identität beraubt und manipuliert.

Heute kommt es in diesem Zusammenhang zum Teufelskreis der industriellen Naturzerstörung.

All diese Teufelskreise führen schließlich zur Sinnlosigkeit und Gottverlassenheit.

Diese Teufelskreise, die innerlich zusammenhängen, führen zu Unmenschlichkeit und zum Tod. Befreiendes Handeln muß in diesen Teufelskreisen wirksam werden. Im ökonomischen Bereich heißt Befreiung demnach Befriedigung der materiellen Bedürfnisse, soziale Gerechtigkeit, Mitbestimmung. Im politischen Bereich heißt Befreiung Demokratie, d.h. Partizipation an und Kontrolle der Macht.

In der kulturellen Dimension des Lebens heißt Befreiung Identitätsfindung und Anerkennung der Rechte der anderen.

Im Verhältnis zur Natur bedeutet Befreiung Frieden mit der Natur.

Im Bereich der Sinnlosigkeit heißt Befreiung Glaube an den Sinn des ganzen Lebens. Hier ist der Mensch davon überzeugt, daß Gott als der Sinn schlechthin in unserem Leben anwesend ist. Dieser Glaube gibt Mut zum Sein und schenkt Hoffnung.

Da die Teufelskreise innerlich zusammenhängen, gibt es den → Frieden zwischen den Menschen und zwischen Menschen und Natur nur, wenn der Mensch an die Gegenwart des Sinnes des Ganzen glaubt. Umgekehrt wird es zur Gegenwart des Sinnes nur kommen, wenn Befreiung aus den übrigen Nöten gesucht wird. M.a.W., wo Befreiung abstrakt verstanden wird, wird sie nicht Wirklichkeit. Für den theologischen Begriff der Befreiung heißt dies, daß die Befreiung, die Gott bringt, nur Wirklichkeit wird, wenn sie sich in den genannten Nöten realisiert, d.h., das Eschatologische ereignet sich nur im Konkret-Geschichtlichen.

7.1 Die *lateinamerikanische Theologie der Befreiung* (→ Lateinamerikanische Theologie) entwickelte sich aus den Entwicklungsprogrammen der sechziger Jahre. Diese werden abgelehnt, und es kommt zum Programm der Befreiung.

Namen wie H. Camara oder N. Paz markieren den radikalen Wandel vieler Christen hinsichtlich der Einschätzung der eigentlichen Verhältnisse und den sich daraus ergebenden Möglichkeiten von Veränderung. Die zu Anfang der sechziger Jahre vorherrschende diffuse Hoffnung, dem lateinamerikanischen Massenelend mit technologischen Lösungen und Entwicklungsprojekten (→ Entwicklung) begegnen zu können, hat angesichts des totalen Mißerfolgs viele Lateinamerikaner zu der Überzeugung gelangen lassen, daß solche Scheinlösungen im Grunde nur die überkommene soziale Mischung festigen, die Ursachen der Unterentwicklung aber nicht angehen. Die Fehlschläge dieser Entwicklungsprogramme haben besonders die Christen an der Basis die Notwendigkeit eines Bruches mit dem herrschenden System erkennen lassen. Zur gleichen Zeit bewirkten auch die Ergebnisse des II. Vatikanischen Konzils (→ Vaticanum II) und die Enzyklika „Populorum progressio" bei vielen Christen ein Erwachen.

So greift CELAM die Anregungen des Konzils auf. Den Bischöfen folgen viele Theologen, die auf verschiedenen Treffen Konzilsaussagen mit der grausamen Wirklichkeit ihres Kontinentes konfrontieren.

7.2 Die Theologie der Befreiung geht von der konkreten *Situation* in Lateinamerika aus. Sie tut dies aber nicht in einem theoretischen Sinne, sondern sie thematisiert die konkreten *Erfahrungen*, die Christen im Befreiungsprozeß machen. Diese artikulieren ihre Probleme, ihre Glaubenserfahrungen und ihre Einsichten in die Wirklichkeit des Christentums. Die Reflexion geschieht nicht im Studierzimmer, sondern dort, wo der Puls der Geschichte schlägt, im Befreiungsprozeß. Der Ausgangspunkt dieser Theologie ist die Praxis der Befreiung, d.h. der konkrete Einsatz für die unterdrückten Menschen und Völker.

Der Ausgangspunkt der Theologie der Befreiung ist also die konkrete und praktische Entscheidung für die Armen und Unterdrückten. Von hier aus wird die ganze Wirklichkeit gesehen und auch das → Wort Gottes verstanden.

So ist die Theologie nicht das erste, und die Pastoral nicht eine Folgerung aus der Theologie. Die Theologie ist Reflexion über die Tätigkeit der Kirche und hat in ihr die Gegenwart des Geistes zu entdecken. Sie darf aber nicht nur auf das Leben der Kirche achten, sondern sie muß sich auch von den Fragen der Welt und der Geschichte inspirieren lassen. Nur so kann sie wirklich Gottes Wort für die jeweilige Zeit neu aussagen; sie ist dann nicht statisch und steril, als ob sie von „ewigen" Wahrheiten ausginge.

7.3 Befreiung ist nun der Schlüsselbegriff dieser Theologie. Was versteht man unter diesem Begriff? Wie verhält er sich zum theologischen Begriff der *Erlösung*?

7.3.1 Die menschliche Geschichte wird als ein *Prozeß der Befreiung* des Menschen verstanden. In diesem Prozeß entsteht allmählich eine neue Gesellschaft mit einem neuen Menschen.

Es handelt sich um eine permanente „Kulturrevolution", an deren Ende schließlich eine Welt steht, „in der die Menschen ohne Rücksicht auf ihre Rasse, Nationalität und Religion ein wirklich menschliches Leben führen können, frei von Versklavung von seiten der Menschen oder durch eine Natur, die noch nicht voll beherrscht wird" (Populorum progressio Nr. 47).

Man unterscheidet drei *Bedeutungsstufen* im Begriff der Befreiung:

• Befreiung besagt die Aspirationen sozialer Klassen und unterdrückter Völker. Es handelt sich hier um eine konfliktgeladene Wirklichkeit, die durch einen Prozeß der Entwicklung nicht gelöst werden kann. Dies ist nur in der radikalen Perspektive der Befreiung möglich.

• Auf einer tieferen Ebene besagt Befreiung einen Prozeß des Menschen, in dem der Mensch sein Geschick selbst in die Hand nimmt. Befreiung ist ein dynamischer Prozeß, in dem der Mensch allmählich all seine Dimensionen entfaltet. Dies bringt eine permanente Kulturrevolution mit sich, an deren Ende der neue Mensch in einer qualitativ anderen Gesellschaft steht.

• Schließlich hat der Prozeß der Befreiung einen theologischen Inhalt. Die Bibel beschreibt Christus als Retter und Befreier. Er befreit den Menschen von der Sünde, welche die letzte Ursache eines jeden Bruches von Freundschaft, Ungerechtigkeit und Unterdrückung ist. Christus macht in Wahrheit frei, d.h., er ermöglicht ein Leben der Gemeinschaft mit ihm, die Grundlage aller Brüderlichkeit ist.

Diese drei Prozesse laufen nicht nebeneinander, sondern schließen sich gegenseitig ein und finden ihre volle Verwirklichung im Erlösungswerk Christi.

7.3.2 Wir kommen zum selben Ergebnis, wenn wir vom Begriff der Erlösung ausgehen. Die Theologie der Befreiung stellt einen *Wandel im Erlösungsbegriff* fest. Der hergebrachte Begriff verstand unter Erlösung Vergebung der Sünden im gegenwärtigen Leben und als Folge davon das überirdische Heil. Der neue Erlösungsbegriff geht davon aus, daß der Mensch, der sich auf die anderen hin öffnet, im Heil steht, selbst wenn ihm diese Dinge nicht in letzter Wirklichkeit bewußt sind.

Wer aber so von der Gegenwart der Gnade in allen Menschen spricht, wertet im christlichen Sinne jedes menschliche Handeln. Unter dieser Rücksicht zeigt Erlösung eine Seite, die vorher nicht in Erscheinung getreten war. Heil wird nicht mehr als etwas „Überirdisches" verstanden. Es ist schon jetzt konkret wirksam in der Geschichte, verwandelt sie und führt sie zu ihrer Vollendung.

7.3.3 In diesem Zusammenhang ist auch der Begriff der *Sünde* von besonderer Bedeutung. Sünde wird nicht nur als individuelle, persönliche, private und innerliche Wirklichkeit gesehen, die nur einer „geistigen" Erlösung bedarf, ohne die Ordnung, in der wir leben, zu tangieren. Vielmehr ist Sünde eine soziale und geschichtliche Wirklichkeit. Sie wird greifbar in unterdrückerischen Strukturen, in der Ausbeutung des Menschen durch den Menschen, in der Beherrschung und Versklavung von Völkern, Rassen und sozialen Klassen. Sünde fordert so eine radikale Befreiung, die politische Befreiung mit einschließt. Das → Heil ist also eine innergeschichtliche Wirklichkeit. Erlösung als Gemeinschaft der Menschen mit Gott und untereinander orientiert die Geschichte, verwandelt sie und bringt sie zu ihrer Vollendung.

7.3.4 Diese Aussagen über Befreiung gehören in den größeren Zusammenhang des Verhältnisse von *Fortschritt* im Zeitlichen und → *Reich Gottes*.

Die Befreiung des Menschen und das Wachstum des Gottesreiches sind beide ausgerichtet auf die vollkommene Gemeinschaft des Menschen mit Gott und der Menschen untereinander. Beide haben dasselbe Ziel. Ihre Wege verlaufen jedoch nicht parallel nebeneinander, noch laufen sie aufeinander zu. Das Wachsen des Reiches Gottes ist ein Prozeß, der sich in der geschichtlichen Befreiung verwirklicht, insofern diese eine größere Verwirklichung des Menschen mit sich bringt und die Bedingungen für eine neue Gesellschaft schafft. Die Befreiung schöpft aber das Reich Gottes nicht aus. Das Reich Gottes nimmt in den geschichtlichen Befreiungsversuchen Gestalt an, weist aber zugleich auf ihre Grenzen und Doppeldeutigkeiten hin. So wird das Reich Gottes nicht mit den geschichtlichen Befreiungen identifiziert. Es ist Geschenk Gottes, das erst am Ende der Geschichte voll da sein wird.

8. J. B. Metz weist kritisch auf die vorschnellen Identifizierungen von Befreiung und neuzeitlicher Emanzipation hin. Religiöse Befreiung muß sich immer kritisch den bestehenden Verhältnissen in Kirche und Gesellschaft gegenüber zeigen. Befreiung heißt Subjektsein aller vor Gott in Vergangenheit, Gegenwart und Zukunft.

J. Moltmann entwirft seinen Begriff von Befreiung von der Kreuzestheologie aus. Weil Gott im Leiden der Menschen anwesend ist, ist er der Garant endgültiger Befreiung.

Die *Theologie der Befreiung* geht von der konkreten Praxis aus und kommt so zu ihrem Begriff von Befreiung.

Alle drei Entwürfe betonen, daß man nicht abstrakt von einem Begriff der Befreiung ausgehen darf, sondern daß man die konkrete Geschichte beachten muß, will man wissen, was Befreiung ist. In der konkreten Vorgehensweise unterscheiden sie sich.

Wie gezeigt, weist Moltmann den Weg zur Befreiung des Menschen über die Kreuzestheologie, die ihrerseits in der Trinitätslehre verankert ist.

Metz wendet sich gegen die Hineinnahme der Leidensgeschichte des Menschen in die trinitarische Gottesgeschichte. Nach ihm ist eine begrifflich-argumentative Vermittlung zwischen der geschehenen Erlösung einerseits und der menschlichen Leidensgeschichte andererseits ausgeschlossen.

Er versucht das Problem zu lösen mit Hilfe der Kategorien „Erinnerung" und „Erzählung". Die Theologie der Befreiung schließlich muß sich noch intensiver mit der Frage nach ihrem Verhältnis zu den Sozialwissenschaften auseinandersetzen, mit deren Hilfe die Situationsanalyse vorgenommen wird. Ebenso bedarf das Verhältnis zwischen menschlichem Wohl und dem Reich Gottes einer vertieften Reflexion.

9. Am 22. März 1986 nahm die *Römische Kongregation für die Glaubenslehre* zum Thema „Befreiung" Stellung. Sie veröffentlichte eine Instruktion über die christliche Freiheit und die Befreiung.

Das Thema wird in den Kontext der Freiheitsgeschichte seit dem Beginn der Neuzeit gestellt, und es wird eine Situationsbeschreibung der Freiheit in der Welt von heute gegeben. Es werden die Fortschritte in der Verwirklichung der Freiheit aufgezeigt, aber auch die Zweideutigkeiten des modernen Befreiungsprozesses.

Die Gefahren für die Freiheit können nur gebannt werden durch die Wahrheit und die Liebe, die Christus gebracht hat. So wird der christliche Begriff der Freiheit herausgestellt. Die menschliche Freiheit ist darin begründet, daß er als freie Person geschaffen ist, die berufen ist, in die Gemeinschaft mit Gott einzutreten. Freiheit ist geschöpfliche Freiheit. Als Geschöpf ist er Abbild Gottes. Dieses Abbild Gottes im Menschen begründet die Freiheit und die Würde der menschlichen Person. Dieser Begriff der Freiheit bestimmt den Begriff der irdischen Befreiung: Es handelt sich um die Gesamtheit der Vorgänge, die darauf abzielen, die Bedingungen zu schaffen, welche für die Verwirklichung einer wahrhaft menschlichen Freiheit erforderlich sind.

Die Sünde ist die Quelle aller Unterdrückung und Entfremdung. Sie schafft auch ungerechte Strukturen. Deshalb besteht die christliche Befreiung darin, daß Gott den Menschen durch Jesus Christus von der Sünde befreit hat und ihm so ein Leben in wahrer Freiheit wieder ermöglicht. Das Ziel der Befreiung ist die endgültige Begegnung mit Christus. Diese Hoffnung schwächt aber nicht den Einsatz für den Fortschritt im Irdischen, sondern sie gibt ihm im Gegenteil Sinn und Kraft.

Die *befreiende Mission* der Kirche erstreckt sich auf das umfassende Heil der Menschen und der Welt. Die Kraft des Evangeliums nämlich dringt in die menschliche Geschichte ein, reinigt und belebt sie. Hier wird vor allem auf die Liebe, die den Armen den Vorzug gibt, hingewiesen. Strukturelle Veränderungen in der Gesellschaft sind unbedingt herbeizuführen.

Die Instruktion stellt das Thema „Befreiung und Freiheit" im umfassenden Sinn dar. Es wird die soziale, politische und kulturelle Dimension von Freiheit herausgestellt. Ferner wird auf die Bedeutung der Veränderung von Strukturen hingewiesen. Nicht zu übersehen ist auch die positive Würdigung der vorrangigen Option für die Armen.

Kritisch ist zu sagen, daß die Instruktion einen ungeschichtlichen Begriff von

Freiheit verwendet. So wird auch der Einsatz für Befreiung als eine ethische Forderung dargestellt und nicht als eine theologische Dimension.

Lit.: *Baur J.*, Freiheit und Emanzipation. Ein philosophisch-theologischer Traktat, 1974. - *Bettscheider, H.* (Hrsg.), Theologie und Befreiung, 1974. - *Boff, C.*, Theologie und Praxis. Die erkenntnistheoretischen Grundlagen der Theologie der Befreiung, 1983. -*Boff, L.*, Die Neuentdeckung der Kirche. Basisgemeinden in Lateinamerika, 1980. - *Ders.*, Aus dem Tal der Tränen ins Gelobte Land. Der Weg der Kirche mit den Unterdrückten, 1982. - *Ders.*, Kirche, Charisma und Macht, 1985. - *Bonino, J. M.*, Theologie im Kontext der Befreiung, 1977. - *Fischer, G. D.*, Befreiung. Zentralbegriff einer neuorientierten lateinamerikanischen Theologie, in: ThGl 63, 1-23. - *Greshake, G.*, Geschenkte Freiheit. Einführung in die Gnadenlehre, 1977. - *Ders.*, Der Wandel der Erlösungsvorstellungen in der Theologiegeschichte, in: L. Scheffczyk (Hrsg.), Erlösung, 69-101. - *Gutiérrez, G.*, Theologie der Befreiung, 1973. - Instruktion der Kongregation für die Glaubenslehre über einige Aspekte der „Theologie der Befreiung", 6. August 1984, in: Sekretariat der Deutschen Bischofskonferenz (Hrsg.), Verlautbarungen des Apostolischen Stuhls 57. - Instruktion der Kongregation für die Glaubenslehre über die christliche Freiheit und die Befreiung, 22. März 1986, in: Sekretariat der Deutschen Bischofskonferenz (Hrsg.), Verlautbarungen des Apostolischen Stuhls 70. - *Kertelge, K.*, Jesus als Befreier, in: H. Bettscheider (Hrsg.), Theologie, 51-68. - *Kessler, H.*, Erlösung als Befreiung, 1972. - *Lohfink, N.*, Heil als Befreiung in Israel, in: L. Scheffczyk, 30-50. - *Metz, J. B./Moltmann, J./Oelmüller, W.*, Kirche im Prozeß der Aufklärung, 1970. - *Metz, J. B.*, Erlösung und Emanzipation, in: L. Scheffczyk, 120-140. - *Ders.*, Glaube in Geschichte und Gesellschaft, 1977. - *Moltmann, J.*, Der gekreuzigte Gott, ²1973. - *Peukert, H.*, Wissenschaftstheorie - Handlungstheorie - Fundamentale Theologie. Analysen zu Ansatz und Status theologischer Theoriebildung, 1976. - *Ders.* (Hrsg.), Diskussion zur „politischen Theologie", 1969. - *Scheffczyk, L.* (Hrsg.), Erlösung und Emanzipation, 1973. - *Schnackenburg, R.*, Befreiung nach Paulus im heutigen Fragehorizont, in: L. Scheffczyk, 51-68.

H. Bettscheider

BEKEHRUNG

1. Religionswissenschaftlich. 2. Missionstheologisch.

Der Vorgang der Bekehrung gehört unmittelbar zum Leben religiöser Gemeinschaften und der Individuen in ihnen (Religionswissenschaft). Für die Missionswissenschaft ist Bekehrung ein zentraler Begriff, als diese den geistgewirkten Ruf zum Glauben an Jesus Christus und die menschliche Antwort auf diesen Ruf zu reflektieren hat. Nach wie vor gilt der Satz von W. Freytag: „Nichts kann im biblischen Sinne Mission genannt werden, das ... nicht auf Bekehrung und Taufe abzielt."

1. Das Grunderlebnis von Bekehrung ist religionswissenschaftlich als „Eintritt einer neuen Mächtigkeit in das Leben" zu beschreiben, „die als ganz andere erlebt wird, so daß das Leben einen neuen Grund erhält, von neuem anfängt" (v.d. Leeuw). Dieser Vorgang wird in traditionellen Religionen als → Initiation = Wiedergeburt erlebt. Es ist durchaus sachgemäß, auch dort von Bekehrung zu sprechen, wo kein Religionswechsel vollzogen, sondern der Mensch vom Heiligen ergriffen wird und dieser sich seiner Religion vergewissert (Goldammer). Religionswechsel kommt dort in den Blick, wo eine erfahrene Bekehrung im werbenden Zeugnis auf andere abhebt und somit Bekehrung unter dem Aspekt der Entscheidung gesehen wird. Je mehr eine Religion sich als Lehre artikuliert (z.B. Buddhismus, Christentum, Islam), desto leichter verschiebt sich Bekehrung vom Ergriffenwerden auf den Akt willentlicher Übernahme eines neuen lebensbestimmenden Verhaltensgrundmusters, ohne freilich den Aspekt des Überwältigtwerdens ganz aufzugeben.

2. Der religionswissenschaftlich allgemein feststellbare Vorgang von Bekehrung ist innerhalb des Christentums eindeutig bestimmt: es handelt sich um das Widerfahrnis von Menschen, denen das Wort von der Versöhnung (2Kor 5) gesagt worden ist und die auf solche Einladung zum Glauben mit ihrem ganzen. Sein antworten.

2.1 Konstitutiv für den Begriff der Bekehrung ist somit das *Handeln Gottes für den Menschen.* So wahr Bekehrung auch glaubende Antwort des Menschen beinhaltet, ist diese doch nicht denkbar ohne Gottes zuvorkommendes, gnädiges Handeln für ihn. „Gott wirkt die Bekehrung, wie er den Glauben wirkt" (K. Müller). Der so Bekehrte wird damit in die Freiheit des Glaubens gestellt. So ergibt sich eine klare Zäsur zwischen dem „früher" und dem „jetzt" (Eph 2,13) und läßt zugleich auf das zukünftige Heil ausschauen. Bekehrung ist die „Neugeburt", die antizipatorisch das ganze Sein des Menschen erfaßt. Dazu gehört auch die neue Gemeinschaft, in die sich der Bekehrte von Gott eingefügt weiß (Taufe).

2.2 Die Frage des Zusammenwirkens von göttlichem und menschlichem Handeln im Vorgang der Bekehrung (Synergismus) wurde in spätreformatorischer Zeit hinreichend beantwortet (Formula Concordiae II). Unter volkskirchlichen Verhältnissen, wo Kindertaufe und religiöse Sozialisation den Vorgang der Bekehrung beinahe unsichtbar machen, konnte die Frage der bewußt erlebten Bekehrung (Methodismus) und der dauernden immer neuen Bewegung (Althaus) erneut zum theologischen Problem werden. Bekehrung als erstmaliger *Akt* glaubender Hinwendung zu Gott in Christus (Missionssituation, Freiwilligkeitskirchen) kann aber nicht ausgespielt werden gegen die lebenslange Bekehrung als *Prozeß* der Vertiefung und der Vergewisserung (Volkskirche, Erweckung), in dem der Glaubende immer neu in die Freiheit zum Handeln in der Welt gerufen wird.

2.3 In der christlichen Tradition wurde Bekehrung fast ausschließlich als Vorgang im einzelnen reflektiert; dementsprechend wurde auch die lebensverändernde Erneuerung in Kategorien der Individualethik ausgedrückt. Ein Wandel vollzog sich seit Mitte der 60er Jahre, als christlicher Glaube sich zunehmend als gesellschaftsverändernde Kraft verstand (Weltkonferenz für Kirche und Gesellschaft, Genf 1966). Demnach gilt es, Bekehrung zu entprivatisieren und auf soziale Veränderung hin (E. Castro) zu interpretieren. Aus dem berechtigten Anliegen, daß auch gesellschaftliche Strukturen zu verändern, „zu bekehren" (E. Müller) sind, wurde die Ersatzgleichung „Soziale Revolution ist selbst schon der Vollzug von Bekehrung" (T. Rendtorff). Sie findet sich in ähnlichen provokativen Forderungen in der neueren politischen Theologie. Die ökumenische Diskussion hat diese *gesellschaftliche Erweiterung* des Begriffs der Bekehrung wohl angestoßen, ist inzwischen aber zur biblischen Basis einer „persönlichen, vom Hl. Geist bewirkten Begegnung mit dem lebendigen Christus, Empfang seiner Vergebung und

persönlichen Annahme des Rufs zur Nachfolge und einem Leben im Dienst"
(Ökumenische Erklärung, 10) zurückgekehrt, ohne darüber den gesellschaftlichen
Bezug zu vernachlässigen.

2.4 Eine Vorschattung dieser jüngeren ökumenischen Diskussion bildete die
Auseinandersetzung um *Gruppenbekehrungen* in der Mission zu Beginn des Jahr-
hunderts. Kulturell sensitive Missionare (B. Gutmann, Ch. Keyßer, D.
McGavran, J. W. Pickett) erkannten bald, daß der moderne europäische Indivi-
dualisierungsprozeß nicht überall vorausgesetzt werden kann. Dementsprechend
wird der gruppenmäßige Entscheid eines Stammes für die Taufe die „persönliche"
Bekehrung und Nachfolge nicht ausschließen. Massentaufen hat es in diesem
Umfeld nicht mehr gegeben. Es handelte sich vielmehr darum, daß der soziale
Verband, der über die wichtigen Entscheidungen seiner Glieder zu befinden hatte,
die Taufe einzelner seiner Angehörigen freigab. Dadurch war freilich der Weg zur
Bekehrung und Taufe aller beschritten.

2.5 Nach wie vor ist der Begriff „conversion" in Ländern mit de facto einge-
schränkter Religionsfreiheit negativ besetzt, insbesondere dort, wo eine Geburtsre-
ligion jeden *Religionswechsel* politisch verdächtigt. Mit der Negativwendung „pro-
selytizing" wird jede auf Bekehrung ausgerichtete christliche Missionstätigkeit abgelehnt. Vor allem in Indien und in den arabischen Ländern erhebt sich immer
wieder die Frage, ob Bekehrung zur selben Zeit auch Religionswechsel bedeuten
müsse. Diese Frage wird allerdings von den betreffenden Religionen selbst beantwortet, wenn sie den Empfang der Taufe als definitiven Bruch mit der angestammten Religion beurteilen. Heimliches Taufen oder gänzlicher Verzicht auf die
Taufe können den ganzheitlichen Charakter der Bekehrung nur verschleiern, nicht
aber beseitigen. Bekehrung zu Christus schließt die Zugehörigkeit zur neuen Gemeinschaft notwendigerweise mit ein. Sie kann nicht verheimlicht werden.

2.6 Mit zunehmendem ökumenischen Bewußtsein werden „Konversionen"
innerhalb der ökumenischen Gemeinschaft der Kirchen seltener. So sehr die neueren ökumenischen Dokumente die Religionsfreiheit auch als Freiheit des einzelnen zum *Konfessionswechsel* respektieren, wird innerkirchlicher Proselytismus
(Konfessionswechsel unter Druck oder aus Motiven des persönlichen Vorteils)
strikt abgelehnt.

Lit.: *Althaus, P.*, Die Bekehrung in reformatorischer und pietistischer Sicht, in: NZSyTh 1,
1959, 3-25. - *Burkhardt, H.*, Die biblische Lehre von der Bekehrung, [2]1985. - *Castro, E.*,
Conversion and Social Transformation, in: J. C. Bennett (Hrsg.), Christian Ethics in a
Changing World, 1966, 348-366. - *Freytag, W.*, Zur Psychologie der Bekehrung, in: Reden
und Aufsätze I, 1961, 170-193. - *Gensichen, H.-W.*, Glaube für die Welt. Theologische
Aspekte der Mission, 1971. - Gemeinsames Zeugnis und Proselytismus. Berichte der Gemeinsamen Arbeitsgruppe zwischen der Röm.-kath. Kirche und dem Ökumenischen Rat
der Kirchen, 1970, in: ÖR 20, 1971, 176-185. - *Hausammann, S.*, Buße als Umkehr und
Erneuerung von Mensch und Gesellschaft, 1974. - *James, W.*, Die religiöse Erfahrung in
ihrer Mannigfaltigkeit, dt. [4]1925. - *van der Leeuw, G.*, Phänomenologie der Religion,
[4]1977. - *Löffler, P.*, Der biblische Begriff der Bekehrung, ÖD 12, 1965, 109-119. - *Müller,
E.*, Bekehrung der Strukturen, 1973. - *Müller, K.*, Missionstheologie, 1985. - Ökumenische
Erklärung Mission und Evangelisation, 1982. - *Rendtorff, T.*, Der Aufbau einer revolutionären Theologie, in: Rendtorff/Tödt, Theologie der Revolution, [3]1969, 41-75. - *Rom-
men, E.*, Die Notwendigkeit der Umkehr, 1987. - *Schniewind, J.*, Das biblische Wort von

der Bekehrung, 1948. - *Triebel, J.*, Bekehrung als Ziel der missionarischen Verkündigung, 1976. - *Wolff, H. W.*, Das Thema „Umkehr" in der alttestamentlichen Prophetie, in: Gesammelte Studien zum Alten Testament, [2]1973, 130-150.

H. Wagner

BEKENNTNISBILDUNG

1. Bekenntnis und Glaubenserklärung. 2. Bekennen und Identität. 3. Bekennen, Einheit und Nachfolge. 4. Authentisches Bekennen als Werk des Geistes.

In den evangelischen Kirchen Afrikas, Asiens und Lateinamerikas stellt die Bekenntnisbildung eine Klärung der eigenen Position dar - sowohl im Blick auf den jeweiligen Kontext als auch in Hinsicht auf die innerchristlichen konfessionellen Traditionen. In der Regel erfolgten Bekenntnisbildung und Kirchwerdung dabei in Anlehnung an die reformatorische und nachreformatorische Lehre. Auch im Bereich der Entwicklung einer *confessio scripta* gibt es unterschiedliche Ausprägungen.

1. *Präambeln* von Kirchenverfassungen enthalten Lehraussagen und konfessionelles Selbstverständnis. Die meisten Kirchen anerkennen mit einer derartigen, gewissermaßen für den innerchristlichen Gebrauch bestimmten Basisformel das apostolische Bekenntnis, die Bibel, einen reformatorischen Katechismus und häufig auch das Nicänum. Mit der Glaubenserklärung der Vereinigung evangelisch-lutherischer Kirchen in Indien, 1947, versuchten europäische Missionare, indischen Kirchen neben der biblischen Lehre die westliche - wenn auch neuformulierte - Konfessionalität zu überliefern. Daß eine Kirche im Aufbruch auf den eigenen Weg auch ihr Bekenntnis *selbst und kontextuell zu bilden* hat, wurde bei den Missionsträgern seit den 50er Jahren zunehmend anerkannt. In dieser noch andauernden Phase entscheiden Kirchen über die Rezeption historischer Bekenntnisse, wobei die ökumenischen Symbole meistens aufgenommen werden, nicht immer jedoch innerchristliche Lehrbekenntnisse des 16. Jahrhunderts, wie z.B. das Augsburgische Bekenntnis. Das Bemühen um ekklesiale *Selbstfindung* verbindet sich mit der Einsicht in die regionale, historische Bedingtheit der reformatorischen Bekenntnisse. Hervorhebenswert ist an diesem Vorgang die Erkenntnis, daß die Überlieferung nicht rezipiert werden kann, ohne neu für die eigene Zeit und den eigenen Kontext bekannt zu werden. Auch von der *transkulturellen Überlieferung* des Glaubens gilt, daß Neues nicht werden kann, ohne daß Altes vergeht (2Kor 5,17). Kirchen und Missionsträger im Westen erreichen nur zögernd die Einsicht, daß Kirchen in anderen Kulturkreisen ein historisches Bekenntnis aus Europa aus Gründen der Fremdheit ablehnen mußten. Am Christus praesens entscheidet sich die Antwort auf die kritische Frage nach „alt" und „neu". Zudem tritt in solcher Infragestellung europäisch-konfessioneller Überlieferungen durch Kirchen anderer Kulturkreise eine verheißungsvolle Umkehrung zutage. Die alten Kirchen werden vor die Frage gestellt, ob sie sich Christus von neuem anvertrau-

en wollen, das heißt, ob sie ihrerseits mit Entschiedenheit neu und kontextuell bekennen wollen.

2. *In dieser Epoche der Identitätssuche* treten mehrere Bekenntnisse in je verschiedener Weise hervor. Die Unionsgrundlage der Kirche von Südindien, 1947, verbindet die Traditionen der Mitgliedskirchen, das Bekenntnis zur universalen Kirche in Indien und zur Bedeutung der indischen Kultur. Das Bekenntnis der Batak-Kirche in Indonesien (HKBP), 1951, zeichnet sich durch reformatorische Grundpositionen und durch kontextuelle Verwerfungen aus. In der Form ist es ein Lehrbekenntnis zur Aufnahme in den Lutherischen Weltbund (L.W.B.). Es transzendiert westlich-konfessionelle Grenzen, wie die EACC (East Asian Christian Conference) Vollversammlung in Bangkok 1964 bestätigt hat. Als Unionsbekenntnis ist auch das Bekenntnis der Kirche Jesu Christi in Madagaskar, 1958, auf Eigenständigkeit gegenüber den Missionsträgern und auf Überwindung denominationeller Grenzen ausgerichtet. Mit einer Auslegung des apostolischen Glaubensbekenntnisses wird in der Kyodan in Japan 1954 ein Minimalkonsens der Mitgliedskirchen umschrieben. Das „Glaubensbekenntnis der Presbyterianischen Kirche in Taiwan", 1985, nimmt ausdrücklich auf den kulturanthropologischen und gesellschaftlich-politischen Kontext der Kirche Bezug. Herausgefordert durch das Apartheidsystem, nahm die Presbyterianische Kirche in Südafrika 1979 eine Glaubenserklärung an, die die Apartheid zur „ideologischen Häresie" erklärt. Von seinem sozialistischen Kontext her versteht sich das Glaubensbekenntnis der presbyterianisch-reformierten Kirche in Cuba, 1977.

3. Hervorhebenswert ist das Drängen auf Einheit der Christen und *Einheit der Kirchen* (→ Union/en) als Motivation zur Bekenntnisbildung. Sie wirkt sich nicht nur in Lehrkonvergenzen aus, sondern vor allem in der Grundform der Bekenntnisbildung, im aktuellen „Bekennen des Glaubens" gegenüber der Umwelt der Andersgläubigen. Gerade die Erfahrung als gespaltene Christenheit und in der Minorität ruft die Kirchen auf, im gemeinsamen Bekennen des Glaubens das faktische Getrenntsein zu überwinden. Sowohl die EACC-Studie „Bekennen des Glaubens heute" 1963-1966, wie auch die Entwicklung in Südafrika zeigen das Schwergewicht existentiellen Bekennens als der für diese Christenheit typisch werdenden Bekenntnisbildung. Das hängt einerseits mit der Antwort auf den Kontext zusammen, andererseits damit, daß sie die Einheit nicht primär durch einen Lehrkonsens suchen. Der Kontext der Bekenntnisbildung ist in anderen Kulturkreisen als dem westlichen wesentlich das ganzheitliche Zeugnis gegenüber Andersgläubigen, das informativ, berichtend und missionarisch ist und in *gelebter Nachfolge* seine Verbindlichkeit bewährt (Manas Buthelezi). Zugespitzt: Nicht so sehr die Lehre unterschiedlicher theologischer und konfessioneller Positionen, sondern das Zeugnis christlicher Existenz ist der Kontext der Bekenntnisbildung in diesen Kirchen.

4. Ähnliche Impulse kommen für ein *gemeinsames Bekennen des apostolischen Glaubens* (Studie des ÖRK) aus Ostasien. C. S. Song (1980) unterscheidet: (a) „Vorkonfessionell" ist „die objektive, historische und theologische" Erklärung über Jesus (Mt 16,13-14). (b) „Bekennend" ist die existentielle Antwort auf die Frage Jesu (Mt 16,16). Der Wechsel von der sachlichen Feststellung zum entscheidenden Zeugnis kennzeichnet authentisches Bekennen als Werk des Geistes

(Mt 16,7). Bekenntnisbildung und Gegenwart des Geistes gehören zusammen. Denn echtes Bekennen steht nicht in menschlicher Verfügung. (c) Vielmehr zerbricht es in der „nachkonfessionellen Situation" menschlicher Argumentationsweise, wie an Petrus' Begegnung mit Christus deutlich wird (Mt 16,22). Nachkonfessionelles Bekennen übersieht die Folgen in der Leidensgemeinschaft mit Christus. Christliche Kirchen sollen je ihre „Bekenntnis-Situation" erkennen und ihr den Vorzug geben gegenüber einem vorkonfessionellen und einem nachkonfessionellen Bekennen. Da Gott selbst in der „bekennenden Situation" handelt (Mt 16,17), ist sie darum nicht „der logische Ort, an dem Christen und Kirchen ihre Einheit wiedergewinnen könnten" (C. S. Song)?

Lit.: *Bolewski, H.,* Bekenntnisbildung und Unionstendenzen in den Jungen Kirchen, in: LR 3, 1953, 316-317. - Confessing the Faith in Asia today. Statement EACC, 1966. - Confessing our Faith Around the World, I. (Faith and Order Paper 104) 1980, mit einem Vorwort v. C. S. Song, II. (Faith and Order Paper 120), hg. v. H. G. Link, 1983 (Lit.). - *Dankbaar, W. F.,* De ontwikkeling van de belijdenis in de jonge kerken, in: Ned ThT 2, 1947/48. - Declaration of Faith Approved for Use in the Presbyterian Church of Southern Africa, ET 83, 1974. - Erklärung bezüglich des gemeinsamen Verständnisses des christlichen Glaubens in Indonesien, Inform. Brief EMS 2/1986, 1986. - *Estborn, S.,* Das Bekenntnis in den lutherischen Kirchen in Indien, in: Das Bekenntnis im Leben der Kirche, hg. v. V. Vajta/H. Weissgerber, 1963, 170f. - *Fleming, J.* (Hrsg.), Confessing the Faith in Asia Today. Special EACCb Faith and Order Issue, SEAJTH Singapore Vo. 8.1./2. 1966. - *Freytag, J./Margull, H.-J.* (Hrsg.), Junge Kirchen auf eigenen Wegen, 1972. - Glaubensbekenntnis der Presbyterianischen Kirche in Taiwan, in: Barmer Theologische Erklärung 1934-1984 (Unio und Confessio 10) hg. v. W. Hüffmeier/M. Stöhr, 1984, 207. - *Kellerhals, E.,* Die Bekenntnisfrage auf dem Missionsfeld (Die Sammlung der Gemeinde 2), 1940. - *Lislerud, G.,* Das Bekenntnis in den lutherischen Kirchen Südafrikas, in: Das Bekenntnis im Leben der Kirche, hg. v. V. Vajta/H. Weissgerber, 1963, 181f. - *Meyer, H.,* Bekenntnisbindung und Bekenntnisbildung in Jungen Kirchen, 1953. - *Ders.,* Randbemerkungen zur Entwicklung des Bekenntnisses in asiatischen und afrikanischen Kirchen, in: Basileia (FS W. Freytag), hg. v. J. Hermelink/H.-J. Margull, 1959, 271-77. - *Oosthuizen, G. C.,* Theological Discussions and Confessional Developments in the Churches of Asia and Africa, 1958. - *Scherer, J. A.,* Mission and Unity in Lutheranism, 1969. - *Schreiner, L.,* Das Bekenntnis der Batak-Kirche, 1966. - *Ders.,* Wie wird in den Kirchen Asiens und Afrikas mit Autorität gelehrt?, Verbindl. Lehren der Kirche heute, in: Beiheft 33 ÖR 1978, 60ff. - *Simatupang, T. B.,* The Confessing Church in Contemporary Asia, SEAJTH 8, 1967, 53ff. - *Sovik, A.,* Confessions and Churches - an Afro-Asian Symposium, LW, V, 1958-59. - *Spindler, M. R.,* Creeds and Credibility. The New Statement of Faith of the Church of Jesus Christ in Madagascar, in: Missio 7, 1979, 112-113. - *Steubing, H.* (Hrsg.), Bekenntnisse der Kirche. Bekenntnistexte aus zwanzig Jahrhunderten, 1970, 21985. - *Stock, K.* (Hrsg.), Cubanisches Glaubensbekenntnis, 1980. - *Vischer, L.* (Hrsg.), Reformed Witness Today, 1982.

L. Schreiner

BERUFUNG

1. Biblisch. 2. Missionstheologisch.

In einer ersten Annäherung verweist der Begriff auf jemanden, der ruft, einen Adressaten anspricht, ihn eventuell bei seinem Namen nennt. Berufung geschieht nicht um ihrer selbst willen. Der Gerufene steht nicht im Mittelpunkt des Geschehens. Den Rufenden leitet ein konkretes Interesse. Er hält eine Aufgabe für den Angesprochenen bereit.

1. Das *AT* illustriert und entfaltet den Berufungsvorgang am deutlichsten. Am eindeutigsten sind die Eigenberichte prophetischer Gestalten (Jesaja, Jeremia, Ezechiel). Immer ist es Gott, der ruft. Er ruft, um zu senden. Er spricht Menschen an und nimmt sie ganz in Anspruch für seinen Dienst, für die Durchführung seines Heilsplanes. Zugrunde liegt jeder Berufung die nicht mehr hinterfragbare, souveräne Liebe Gottes. Die Berufung ist eng gebunden an Erwählung (Dtn 7,7; Jes 41,9). Sie läßt sich begreifen als Konkretisierung einer vor aller Zeit bereits geschehenen Erwählung durch Gott. Der angesprochene Mensch muß zum Hören gewillt sein (1Sam 3). Er reagiert entweder mit Bereitschaft und fraglosem Gehorsam (Ez 2) oder äußert Bedenken (Jer 1). Wichtig ist die ermutigende Zusage der stützenden und erleuchtenden Nähe des Berufenden bei der Durchführung des Aufgetragenen. Trotzdem: Zum Geschick des Berufenen und Gesandten gehören nicht selten Isolierung, Einsamkeit, die Erfahrung von Fremdheit und Verständnislosigkeit von seiten derer, zu denen er von Gott gesandt ist (Jer 15; Ez 2f).

Inhaltlich begegnet Berufung schon in der Indienstnahme Abrahams (Gen 12,1-4). Hier schon wird deutlich, daß der Berufene zum Segensvermittler, zum Heilswerkzeug in Gottes Hand wird: gestaltgewordener Segen. Sein eigenes Leben wird gesegnet dadurch, daß er sich einläßt auf die Segensverheißung, die Gott durch ihn den Völkern zuspricht und übermitteln will. Bei Abraham wird auch deutlich, daß Berufung nicht im vorhinein diskutiert und in ihrer Echtheit bewiesen wird. Einzig in dem Sicheinlassen auf Gottes berufendes Wort erweisen sich Gottes Treue und die Wirklichkeit der Berufung.

Das Volk Israel begriff in exilischer Zeit zunehmend tiefer, daß im Geschick Abrahams seine eigene Sendung, auch seine eigene Berufung als Volk Gottes vorgezeichnet und vorgelebt war. Vor allem im Deuteronomium begegnet die Vorstellung: Gott hat dieses Volk erwählt als sein besonderes Eigentumsvolk; er hat es „in sein Herz geschlossen" (Dtn 7), einfach weil er Israel liebt, ohne Vorleistung von seiten des Volkes. In diesem Zusammenhang wird ein weiteres Element des Berufungsgeschehens deutlich: die eifersüchtige Liebe und Zuwendung Gottes. Darauf soll das berufene Gottesvolk mit der ganzen Kraft seiner Liebe und Treue antworten (Dtn 6,5; 10,12 u.ö.).

Die *ntl. Bedeutung* von Berufung, berufen und berufen sein wurzelt zum guten Teil im atl. Mutterboden. Ein Berufungserlebnis Jesu im Sinne einer Messiasweihe in den synoptischen Taufberichten Mk 1,10f par. entdecken zu wollen (Michel, Jeremias), dürfte dem Textbefund kaum gerecht werden, was nicht ausschließt, daß Jesu Selbstverständnis ein einzigartiges Sendungsbewußtsein erkennen läßt. Das ausgeprägte Vollmachtsbewußtsein wird vor allem deutlich in den Perikopen der Jüngerberufungen Mk 1,16-20 par. Ausdrücklich ist von Berufung zwar nur Mk 1,20 die Rede. Auch wird die inhaltliche Füllung des Gemeinten nicht sehr deutlich ausgesprochen. Nicht zu übersehen sind aber die entschiedene Anrede der Männer am See durch Jesus, das Fehlen jeder Bemerkung über ein Zögern oder Hinterfragen des Rufes und das sofortige Gehorchen. Mag auch die Szene nach einem alten Schema (1Kön 19) redigiert sein: an ihrer Gewichtigkeit im Verständnis des Evangelisten ist kaum zu zweifeln. Das Aufgeben des bisherigen Berufes und der Familienbande ist Teil des Nachfolgegeschehens, das hier durch den Ruf Jesu ausgelöst wird. In Mk 3,13ff sind die Einzelelemente des Berufungsvorganges eher noch verstärkt: Jesus ist bei der Wahl der Zwölf der souverän Tätige. Er ruft die Menschen seiner Wahl. Er will sie in seiner Nähe haben und sie zurüsten für den Dienst, den sie tun sollen in seiner Gefolgschaft. Mk 6,7ff unterstreicht, daß dieser Dienst Teilhabe meint an Jesu eigener Sendung.

Die Berufungsthematik begegnet bei den Synoptikern noch in einer weiteren Variation: als Einladung zum Gastmahl (Lk 14,15-24 par.). Ferner ist die Rede von der Berufung des Zöllners Levi und der Tischgemeinschaft Jesu mit Zöllnern und Sündern (Mk 2,13-17 par. u.ö.). Jesus verteidigt seine Mahlgemeinschaft mit Ausgestoßenen als anfanghafte Verwirklichung der Gottesherrschaft (→ Jesus).

Am dichtesten findet sich die Berufungsthematik bei → *Paulus* und in der paulinischen Tradition. Paulus versteht sich nach Gal 1,15 als von Gott berufen. Vorbild seiner äußerst knappen Schilderung ist das prophetische Berufungsgeschehen nach Jes 49,1: „... der mich schon im Mutterschoß auserwählt und durch seine Gnade berufen hat." Gottes berufendes Handeln an ihm schenkt nicht nur den Glauben und die Begegnung mit dem lebendigen Herrn, er nimmt ihn auch in Dienst als Apostel der → Heiden. Bei Paulus ist fast ausschließlich Gott der Rufende (Röm 4,17; 9,12.24; 1Kor 1,9.26 u.ö.). Berufen sein ist nicht Privileg allein der Apostel und → Missionare. Alle an Christus Glaubenden sind berufen (1 Kor 1,2). Sie bilden nach Gottes Willen sein Volk (Röm 9,25). Röm 8,28-30 zeichnet der Apostel ein großartiges Bild seines Heilsoptimismus': „Die er vorher bestimmte, die berief er auch. Und die er berief, die sprach er auch gerecht; die er aber gerecht sprach, die verherrlichte er auch". Hier läßt sich „die Summe der paulinischen Berufungsaussagen" greifen (Eckert).

Die Berufung zur Christusgemeinschaft drängt für Paulus nach einem entsprechenden Wandel und Verhalten des Christen (1Kor 7,17-24; 1Thess 4,7). In 1Thess 2,12 mahnt der Apostel die Gemeinde, würdig zu wandeln des Gottes, der zu seinem Reich und zur Herrlichkeit beruft. Er hat uns auch zur Freiheit berufen (Gal 5,13). Dieser Gott ist treu; er steht zu den mit der Berufung zugesprochenen Verheißungen (1Thess 5,24). Es gilt, würdig zu wandeln der Berufung, die uns zuteil wurde (Eph 4,1); in der einen Hoffnung zu leben, zu der wir alle, Glieder seines Leibes, berufen sind (Eph 4,4).

Durchgehend gilt auch bei Paulus wie in den übrigen Aussagen zur Berufungsthematik in der Hl. Schrift: Berufung ist immer Ausdruck der zeitlos gültigen und unwiderruflichen Liebe Gottes. Alles Verhalten des erwählten, eingeladenen Menschen kann nur Antwort sein in Liebe, Entschiedenheit und Verfügbarkeit.

2. Berufung im missionstheologischen Kontext läßt einige weitere Perspektiven mit bedenken: Mission ist wesenhaft missio Dei. Die Kirche und der in ihr zur Teilhabe an Gottes Mission berufene Mensch können ihre Existenz nur christologisch begreifen. „Man kann nicht an Christus teilhaben, ohne teilzuhaben an seiner Mission an der Welt" (Willingen). In der Mission geschieht Aktualisierung des eschatologischen Christusereignisses in seinem Bezug zur Welt. Das gilt auch für das Selbst- und Sendungsverständnis der Kirche (Margull). Vaticanum II drückt das lapidar aus: „Die pilgernde Kirche ist in ihrem Wesen nach ‚missionarisch‘, (d.h. als Gesandte unterwegs), da sie selbst ihren Ursprung aus der Sendung des Sohnes und der Sendung des Heiligen Geistes herleitet gemäß dem Plane Gottes des Vaters" (Ad Gentes 2; vgl. Lumen gentium 48). Der durch die Taufe in Christus eingepflanzte Mensch ist eingebunden in die Lebens-, Sendungs- und Schicksalsgemeinschaft mit dem Herrn. Dies bedeutet für ihn Hinbewegung zur Sammlung in Gemeinde und Kirche, die ihrerseits ausmündet in neue Sendung. Vielgestaltig sind die Geistesgaben zum Aufbau der Gemeinde (1Kor 12-14). Auch in unseren und künftigen Tagen mit reifen Teilkirchen in sechs Kontinenten wird es die eigene und ausdrückliche Berufung zum Missionsdienst in anderen Teilkirchen geben, welche Aufgabe das auch immer konkret beinhaltet. Der Kyrios nimmt durch seinen Geist Menschen in seinen Dienst und wirkt durch diese Werkzeuge am integralen → Heil der Welt bis zur Vollendung der Basileia.

Lit.: Ad gentes, Dekret über die Missionstätigkeit der Kirche, in: LThK, EB III, 9-125. - *Eckert, J.*, Art. rufen, berufen, Berufung, in: Exegetisches Wörterbuch zum NT, II, 1981, 592-601. - *Fichter, J./Michel, O.*, Art. Berufung im AT und NT, RGG³ 1, 1086-1088. - *Jeremias, J.*, Neutestamentliche Theologie, 1973. - *Kilian, R.*, Die prophetischen Berufungsberichte, in: Theologie im Wandel, 1967, 356-376. - *Long, B. O./Wagner, F.*, Art. Berufung, in: TRE V, 676-688. - Lumen entium, Dogmatische Konstitution über die Kirche, in: LThK, EB I, 137-347. - *Margull, J.*, Art. Mission, III A. Begründung und Ziel, in: RGG³ 4, 980-984. - *Neuhäusler, E.*, Art. Berufung, in: LThK II, 280-283. - *Pesch, R.*, Berufung und Sendung, Nachfolge und Mission. Eine Studie zu Mk 1,16-20, in: ZThK 91, 1969, 1-31. - *v. Rad, G.*, Theologie des Alten Testamentes II, ⁵1968.

J. Kuhl

BIBEL

1. Grundsätzliches. 2. Die biblische Begründung der Mission. 3. Kontextuelle Interpretation der Bibel.

1. Das → Wort Gottes ist Quelle und Norm christlichen Glaubens und Handelns. Dieser allgemein christliche Grundsatz gilt auch für die Missionstheologie und -praxis (→ Theologie der Mission). → Wort Gottes und Bibel stehen in einer Verbindung miteinander, allerdings ist die Darstellung dieser Verbindung in der heutigen Fundamentaltheologie und Dogmatik sehr unterschiedlich. Das Spektrum reicht von der Annahme einfacher Identität bis zur These eines breiten

Grabens, der möglicherweise durch eine bestimmte Hermeneutik zu überbrücken ist. Schließlich gibt es in der Bibelwissenschaft eine Tendenz, dieses Problem als unlösbar oder gar irrelevant aufzufassen: der wissenschaftliche Umgang mit der Bibel zielt ja zunächst auf Wissen, nicht unmittelbar auf Glauben und Handeln. Ein anderes Problem entsteht in Auseinandersetzung mit anderen, nichtbiblischen heiligen Schriften, die möglicherweise auch Wort Gottes vermitteln könnten (→ Theologie der Religionen; Dialog). Eine Bejahung dieser Möglichkeit trifft man z.B. bei einigen indischen Theologen hinsichtlich der Upanischaden an. Ein missionstheologischer Versuch, die Beziehung von Wort Gottes und Bibel zu bestimmen, geht davon aus, daß das Wort Gottes in der missionarischen Verkündigung oder im praktischen Umgang mit der Bibel zum Leben kommt. Die Brücke von der Bibel zum Wort Gottes ist damit das Geschehen der Verkündigung des Evangeliums (→ Kommunikation).

2. Die meisten missionstheologischen Entwürfe beginnen mit einer biblischen Begründung. Bei den ersten Missionswissenschaftlern (G. Warneck, J. Schmidlin) soll die Bibel die Möglichkeit und die Notwendigkeit der Mission beweisen. Die Bibel lehrt die → Schöpfung aller Menschen durch die Tat des einigen Gottes; darum sind alle Menschen für die Verkündigung faßbar und für → Gott bestimmt. Die Bibel lehrt auch eine einzige, einmalige Erlösung durch den Sohn Gottes: damit ist der Weg der Erlösung (→ Heil) geöffnet. Die Notwendigkeit der Mission wird nun verschieden begründet, meistens mit Berufung auf biblische Schlüsseltexte. Der bekannte „Missionsbefehl" (Mt 28,18-20) spielt hier eine große Rolle, besonders in der evangelischen Missionstheologie. Der Wille Gottes, daß alle Menschen gerettet werden (1Tim 2,4), gilt besonders als missionsbegründendes Element, wenn auch einige Missionstheologen gerade in diesem Vers eine Öffnung auch für andere Heilswegen sehen. Weitere biblische Voraussetzungen sind einerseits, daß der Glauben an das Evangelium das einzige Mittel zum Heil ist (Eph 2,8), andererseits, daß der Glauben aus dem verkündigten Wort Gottes hervorkommt (Röm 10,8). Dieser deduktive Bibelgebrauch, der meistens von einzelnen Texten abhängt, tritt in der modernen Missionstheologie zurück. Zunächst bietet sie die Wahl eines allgemeinen Motivs, das die Mission sinnvoll macht, etwa das heilsgeschichtliche Motiv. Die Missionstheologie des Ökumenischen Rates der Kirchen war im Anfang durchaus heilsgeschichtlich orientiert. Andere Motive sind später auf den Plan getreten: Hoffnung, → Befreiung, Leben (in Fülle) oder einfach Sinngebung. Diese Motive sind jeweils in verschiedenen Entwürfen und auch auf großen Konferenzen in Erscheinung getreten (→ Weltmissionskonferenz).

Ein *zweiter* Weg ist die Suche nach dem etwaigen Missionsgedanken in den biblischen Büchern selbst. Eine Vielheit biblischer Missionsverständnisse ersetzt heute die frühere Einfachheit des Motivs. Hier ist der Ertrag der modernen Bibelwissenschaft für die Missionstheologie angewandt.

Damit wird ein *dritter* Weg angedeutet. An die Stelle einer deduktiven Begründung der Mission tritt eine in der Praxis gewonnene Orientierung für den missionarischen Prozeß. Obgleich das Wort „Begründung" hier öfters gebraucht ist, geht es eher um biblische Modelle, die jeweils eine missionarische Situation erhellen oder ein missionarisches Programm inspirieren können. Die Bibel begründet und erklärt dabei die Verschiebungen der missionarischen Prioritäten je nach der Situation der Gemeinde und der Beschaffenheit der Umwelt. Verschiedene Typen missionarischen Handelns lassen sich so biblisch begründen. Man spricht hier eher von missionarischer Spiritualität.

3. Man kann die These verteidigen, daß jede Interpretation der Bibel kulturell bedingt und kontextverhaftet ist. Trotzdem ist der Verzicht auf eine allgemein gültige Hermeneutik keineswegs allgemein. Eine immer noch virulente bibelwissenschaftliche Richtung will die Bibel als den eigentlichen Kontext der biblischen Texte betrachten. Die Bibel erklärt sich danach selbst, und der jeweilige Ausleger ist gewissermaßen in der biblischen Welt daheim, wenn er auch Bürger einer Nation oder selbst heimatlos sei. Eine solche Intimität mit der Bibel ist übrigens eine Voraussetzung für eine gute Bibelübersetzung. Die Mission in allen Kontinenten, die Bibelgesellschaften, und schließlich die Kirchen und die Völker brauchen solche Menschen, die in der Bibel heimisch sind.

Mit der kontextuellen Interpretation der Bibel ist im allgemeinen jedoch etwas anderes gemeint. Sie entspricht einer Forderung der Kirchen in der Dritten Welt. Einerseits wollen sie vom Druck der westlichen Interpretationen befreit werden; andererseits wollen sie aus ihren eigenen Quellen trinken und ihrer Begegnung der Bibel und dem Wort Gottes begegnen und dieser Begegnung eine eigene Gestalt geben, in einem aktiven Verhältnis zu ihrer eigenen Tradition, zu ihrem aktuellen Streit und zu ihrem eigenen Zukunftsbild (→ Inkulturation). Die Kontextualisierung der Bibelauslegung ist im allgemeinen auf eine besondere Tradition abgestimmt. In Indien trifft man mindestens drei große Strömungen an: eine kontextuelle Interpretation im Geiste der advaita-Tradition, eine andere in Anschluß an die bhakti-Tradition, eine dritte, die die Erfahrung der Armut und der Ausbeutung als hermeneutischen Schlüssel nimmt (→ Indische Theologie). Letzteres ist auch der Ausgangspunkt der Befreiungstheologie in Lateinamerika und in Europa (→ Theologie der Befreiung). Neue Bibelkommentare und -übersetzungen, auch „aktualisierende Bibelübersetzungen" (R. Parmentier), beginnen zu erscheinen.

Als letzte Initiative aus der Dritten Welt sei die interkulturelle Lesung der Bibel erwähnt. Die Bibel wird von Menschen aus verschiedenen Kulturen gemeinschaftlich gelesen. Die Begrenzung durch den eigenen Kontext soll aufgebrochen werden, um eine wirkliche Partnerschaft zwischen Kirchen der Ersten und Dritten Welt zu fördern. Es ist ein Programm der Evangelischen Gemeinschaft für Apostolische Aktion (CEVAA) unter der Leitung des Pfarrers A. Nomenyo aus Togo.

Lit.: *Anderson, G. H.*, Bibliographie of the Theology of Missions in the Twentieth Century, ³1966. - *Blauw, J.*, Gottes Werk in dieser Welt. Grundzüge einer biblischen Theologie der Mission, 1961. - *Bosch, D. J.*, Mission in Biblical Perspective, in: IRM 74, 1985, 531-538. - *Croatto, J. S.*, Befreiung und Freiheit. Biblische Hermeneutik für die Theologie der Befreiung, in: Theologie in der Dritten Welt. Beiträge aus Sri Lanka und Argentinien, 1979, 40-55. - *DuBose, F. M.*, God Who Sends: A Fresh Quest for Biblical Mission, 1983. - Guiding Principles for Interconfessional Co-operation in Translating the Bible, 1968. - *Kertelge, K.* (Hrsg.), Mission im Neuen Testament, 1982. - - *Nomenyo, S.*, L'Afrique à lecoute du message biblique, Flambeau no. 36, nov. 1972, 202-219. - *Senior, D./Stuhlmueller, C.*,

The Biblical Foundations for Mission, 1983. - *Spindler, M. R./Middelkoop, P. R.*, Bible and Mission. A Partially Annotated Bibliography 1960-1980, 1981. - *Spindler, M. R.*, Recent Indian Studies of the Gospel of John: Puzzling Contextualization: Exchange 9, 1980, no. 27, 1-55 (Lit.). - *Ders.*, The Biblical Factor in Asian Theology: Exchange 11, 1982, no. 32-33, 77-101 (Lit.).

M. R. Spindler

CHINESISCHE THEOLOGIE

1. Ortung der Chinesischen Theologie. 2. Panorama heutiger Chinesischer Theologie. 3. Theologisch noch unberührtes Potential. 4. Mögliche Entwicklungslinien und Schwerpunkte chinesischer Theologie in der nahen Zukunft.

„Chinesische Theologie" ist sowohl eine Zielvorstellung für die Zukunft als auch eine bereits sich anzeigende Wirklichkeit. „Chinesisch" deutet eher eine ethnische Größe (chinesische Menschen) als eine geographische Einheit (chinesisches Territorium) an. Der Begriff „Chinesische Theologie" wird hier zunächst im weiteren Sinn einer „Theologie in Chinesisch" verstanden, also einer Theologie, die sich zumindest in der sprachlichen Ausdrucksform vom fremden Idiom (Latein, Englisch u.ä.) entbunden hat und die Gedankenwelt einer heute gängigen internationalen Theologie in chinesischer Sprache zu sagen versucht. Im engeren Sinn besagt Chinesische Theologie jene Formen einer wachsenden bodenständigen Theologie, die von der chinesischen Denk- und Lebenswelt inspiriert werden.

In einem ersten Schritt geht es um die Ortung der Chinesischen Theologie im Prozeß der → Inkulturation-Kontextualisierung anhand eines Modells von vier Phasen. Anschließend soll ein Panorama heutiger Chinesischer Theologie entworfen werden. Ein dritter Schritt wird das theologisch noch unberührte Potential chinesischen Denkens und Erlebens aufzeigen. Abschließend geht es darum, mögliche Entwicklungslinien und Schwerpunkte Chinesischer Theologie in der nahen Zukunft darzustellen.

1. Christliche Theologie ist (nur) eines der vielen Momente im Gesamtwachstumsprozeß der Kirche in China. Ein Modell von *vier* Phasen erlaubt, Chinesische Theologie heute in diesem größeren Lebenszusammenhang zu sehen. Die vier Phasen überschneiden sich und dürfen nicht streng in zeitlicher Folge voneinander abgehoben werden.

In der *ersten* Phase tritt das Christentum mit seinen nicht-chinesischen Formen in die chinesische Lebenswelt. Die ganze Spannbreite westlicher Theologie wird in chinesischer Sprache dargelegt. In dieser Phase dient das chinesische Idiom mit seiner je eigenen Denkform dem verstehbaren Ausdruck von theologischen Gedanken, die nicht autochthon gewachsen sind. Mitunter fühlen sich chinesische Theologen (Lehrer und Studenten) wie „Ausländer" im eigenen Land.

Die *zweite* Phase bringt vermehrte Kontakte zwischen Christentum und chinesischem Denken. In der Theologie erscheinen darum vergleichende Studien zu Begriffen wie z.B. „Himmel" (Tian), „Sünde" (Zui), „Leben" (Sheng). Bei genauerem Zusehen entdeckt man eine zweifache Stoßrichtung dieser Denkbewegung. Einerseits verwenden die christlichen Theologen chinesische Begriffe, interpretieren und integrieren sie in den Gesamtrahmen des ursprünglich (nicht genuin chinesischen) christlichen Denkens. Einige bodenständige Begriffe oder Kategorien erscheinen unannehmbar und werden - zumindest in dieser Phase - abgelehnt, so z.B. der vieldeutige Begriff der „Re-inkarnation". Andererseits zeigt sich schon in dieser Phase eine denkerische Gegenbewegung vom chinesischen Ansatz her: Gewisse christliche Begriffe (zumindest in der herkömmlichen Darstellung) scheinen tiefstem chinesischem Weltempfinden zu widersprechen, so z.B. die gängige Erklärung der „Erbsünde" als Sündenfall Adams und Evas, durch den die menschliche Natur verdorben wurde. Dagegen wehrt sich die chinesische Urauffassung vom Gutsein der menschlichen Natur.

Der interkulturelle Dialog dieser vergleichenden Begriffsstudien führt mit logischer Konsequenz zur *dritten* Phase, in der die Theologie eine radikalere Einwurzelung im realen Kontext des chinesischen Volkes vollzieht. Die Theologie sucht jetzt nach den der begrifflich-kategorialen Ebene zugrundeliegenden Elementen der Weltvision und der Urlebensauffassung chinesischer Menschen. Die theologische Denkbemühung entdeckt dann z.B., daß christliches Denken aufgrund der besonderen Offenbarung des dreipersonalen Gottes zutiefst von der Kategorie der „Person" geprägt wurde, während chinesisches Welt- und Menschenverständnis primär von der Totalität des Universums her empfindet. Jetzt prallen nicht mehr nur Begriffe, sondern verschiedenartige Weltsichten aufeinander: Da im Grunde ein *Monismus*, der alle Dinge letztlich in *einer* eher a-personalen, homogenen Ganzheit zusammenschaut; dort ein *Theismus*, der - im Lichte der geschichtlichen Offenbarung - die personale, freie, schöpferische Liebestätigkeit Gottes betont und darin das freie, personale, kontingente Mit-wirken der Geschöpfe erklärt.

Auf dem Gebiet der → Eschatologie, um ein zweites Beispiel anzuführen, stellen westliche Theologen die eschatologische Wirklichkeit mit Vorliebe im *Zeitrahmen* dar, in dem die *lineare* Bewegung auf ein zukünftiges Ziel die leitende Grundidee bildet. Chinesische Weltanschauung, die das Hier und Jetzt des Heils in einer deutlich artikulierten Anthropozentrik betont, stellt folgende Anfrage: Ist der biblische Zeitrahmen wesentlich für ein echtes Verständnis des Kerns christlicher Eschatologie oder ließe sich das dort Gesagte auch in Begriffen der wachsenden Intensität oder Qualität des menschlichen In- und Mitseins im absoluten Geheimnis der Liebe denken? Chinesische Eschatologie verwendet weniger das Modell der langgestreckten Zeit, der personalen Ich-Du-Begegnung oder des ausdrücklichen Gerichts, sondern vielmehr Begriffe wie: Fülle des Lebens, Eins-werdung, *Qualität, Harmonie* des ganzen Menschen, die Stimme des Gewissens als präsent-eschatologisches Gericht.

Die theologische Denkarbeit der ersten drei Phasen wird Jahrzehnte und Jahrhunderte in Anspruch nehmen. Das Ziel des ganzen Werdeganges wäre die *vierte* Phase: Eine inkulturierte, im Kontext des chinesischen Volkes tief verwurzelte einheimische Kirche und in ihr eine Chinesische Theologie, die weltoffen denkt, d.h. einerseits eine Gesamtschau aus der Perspektive und dem Lebensstrom des eigenen Kulturkontextes versucht, andererseits aber auch den → Dialog führt mit anderen, nichtchristlichen Religionen und Weltanschauungen. Vom Ziel fällt der Blick zurück zur Gegenwart.

2. Aufgrund der je einmaligen Missionsgeschichte und der vielschichtigen Kultursituation Chinas heute lassen sich *fünf* Arten der Chinesischen Theologie voneinander abheben. Zusammengenommen bilden sie ein lebendiges, plurales theologisches Denkgeschehen der Lokalkirche Chinas.

2.1 *Die Theologie der Theologischen Fakultäten in China.* Sowohl in der Volksrepublik China als auch in Hongkong und Taiwan findet sich das ganze Spektrum von Theologie, die an katholischen und protestantischen Theologischen Fakultäten des Westens gelehrt und publiziert wird. Die Chinesische Theologie katholischer Prägung folgt in Festland-China noch mehr der scholastischen Tradition, während Hongkong und Taiwan stärker von der modernen Theologie des Westens geprägt sind. Die Befreiungstheologie Lateinamerikas und anderer Länder der Dritten Welt sagt dem theologischen Genius chinesischer Menschen im Grunde nicht sehr zu, sie findet jedoch (sowohl in der Volksrepublik als auch) in Hongkong und Taiwan langsam etwas mehr Gehör (→ Theologie der Befreiung).

2.2 *Die theologische Reflexion in der Volksrepublik China.* Man weiß wenig von der theologischen Reflexion in der Volksrepublik China angesichts eines atheistisch-kommunistischen Staatssystems, aber es gibt sie, sonst wären die heroischen Zeugnisse christlichen Glaubens im Laufe jahrzehntelanger Verfolgung nicht denkbar. Diese kontextuelle, fast rudimentäre Glaubensreflexion gleicht dem Betonrahmen eines Rohbaus. Sie schreibt noch sehr wenig, sie konzentriert sich auf wesentliche Fragen des Überlebens in einem glaubensfeindlichen Milieu, sie liest theologische Literatur aus Taiwan und Hongkong. Die Begegnung mit der Ideologie des Marxismus-Kommunismus prägt auch ihre theologischen Lehrpläne. Wissenschaftstheoretisch hat diese Theologie noch enorme Anstrengungen vor sich.

2.3 *Theologie im Kontext der traditionellen chinesischen Kultur, vor allem des Konfuzianismus.* Die Theologie im Kontext der traditionellen chinesischen Kultur, vor allem des Konfuzianismus, beginnt mit Versuchen, den Kern der christlichen Botschaft mit einem der Schlüsselbegriffe chinesischer Weltanschauung theologisch zu durchdenken, so z.B. mit dem Grundwort „Kindesehrfurcht" (xiao/hsiao), „Menschlichkeit" (ren/jen), „Weg" (dao/tao) und „Leben" (sheng). Die Chinesische Theologie darf aber bei diesen tastenden und manchmal eine Synthese erzwingen wollenden Versuchen nicht stehenbleiben. Auf einer radikaleren Stufe nimmt sie die grundlegende Frage nach der chinesischen Denkform als Ganzheit auf. Hier kommt die Kategorie der Einheit (i-ti) in Sicht, die - als Ergänzung zur christlich-personalistischen Sichtweise - dem chinesichen Christen einen Weg zu einem eigenständigen und integrierten Selbstverständnis zu öffnen und der christlichen Meditation im chinesischen Kulturraum eine gediegene Basis zu schaffen vermag. Die konkrete Anwendung der Kategorie der Einheit auf den kosmischen Christus - als den universalen Menschen, dem Homo Nobilis, in dem die Harmonie des ganzen Kosmos aufgipfelt und der zugleich der einmalige Punkt ist, an dem das göttliche unsagbare Mysterium sichtbar wird und in den Universalrhythmus „aller Dinge unter dem Himmel" eintritt - mag u.a. auch deshalb von großem Interesse sein, weil ja Teilhard de Chardin lange Jahre in China lebte und viele Inspirationen aus dem chinesischen Geistesleben aufnahm. Die Kategorie der Einheit führt auch im Bereich der Sakramententheologie zu beglückenden Ergebnissen: Der sakramentale Gesamtvollzug erscheint als ein Lebensvollzug der ganzen Gemeinschaft. Dabei sollen die Aspekte des Spenders und Empfängers als einzelne Personen nicht geleugnet werden; worauf es vor allem ankommt, ist die theologische Begründung der aktiven Teilnahme der ganzen gläubigen Gemeinschaft. Eng verbunden mit der Kategorie der Einheit - sozusagen als Blick in die lebendige, innerste Mitte dieser Alleinheit - kommt ein weiteres Element zum Vorschein, das Qi (ch'i): Energie, geheimnisvolles Kräftefeld auf allen Ebenen des Universums, élan vitale, alles bewegende Inspirationskraft, theologisch: → Heiliger Geist.

Diese Art von Theologie wird solange ihren Wert haben, wie die klassische Kultur lebendigen Einfluß auf chinesische Menschen auszuüben vermag. Sie darf allerdings nicht den Anspruch erheben, die einzige Form Chinesischer Theologie zu sein, denn sie berücksichtigt kaum die Kontexte chinesischer Subkulturen, z.B. die konkrete, sozio-politische Problematik eines modernen Taiwan.

2.4 *Die „Homeland-Theologie" unter Taiwanesen.* In der „Homeland-Theologie" kommt die Lebenserfahrung der Taiwanesen (Chinesen, die seit Jahrhunderten ihre Heimat - homeland - auf Taiwan gefunden haben) theologisch zur Sprache. Diese Theologie spricht vom Volk, vom Exodus Israels und der Vorfahren (aus dem Festland-China), von der Landsuche, von der Sehnsucht nach einer starken Nationalbildung, von der Erfahrung des Zerriebenwerdens von den Großmächten, von der endgültigen Selbstfindung im Christus des Paschageheimnisses. In diesem theologischen Suchen formt sich langsam eine Art „taiwanesische Befreiungstheologie".

2.5 *Die Theologie integraler Lebensqualität.* Die Theologie integraler Lebensqualität arbeitet interdisziplinär, ökumenisch, in einem integrierten Arbeitsrhythmus. Sie reflektiert auf den Gesamtvollzug der Gesellschaft Taiwans (Republik China). Aus der Perspektive theologischer Anthropologie - die den Menschen als Beziehungsfeld, Struktur und Prozeßwerdegeschehen versteht - werden alle wichtigen Felder menschlichen Lebensvollzugs (das ökonomische, soziale, politische, intellektuell-geistige, psychologische, ästhetische, moralische und religiöse Feld) auf ihre innere Kohärenz und Integration als *Lebensgeheimnis* befragt. Als tiefste Mitte dieses Geheimnisses erscheint Jesus Christus und in Ihm der dreipersönliche Gott.

Auch diese Theologie hat noch - wie die vorausgehenden Formen - einen weiten Arbeitsweg vor sich. Das chinesische Denken und Erleben bietet reiches, bislang noch ungehobenes Potential für theologische Reflexion.

3. Aus dem Reichtum chinesischer Denk- und Erfahrungswelt sollen *drei* theologisch noch unausgewertete Potentiale als Beispiele umrissen werden:

Die *Bipolarität* in der Einheit des Yin und Yang durchzieht die gesamte Schöpfung. Yang bedeutet: Stärke, Aktivität, Geben, Himmel, Sonne, Feuer, das Männliche. Yin hingegen: Weichheit, Anmut, Empfangen, Erde, Mond, Wasser, das Weibliche. Diese kostbare Tiefsicht in die Mitte des Lebensgeheimnisses darf in analoger (!) Weise auf das Geheimnis des dreifaltigen Gottes angewandt werden. Der „Vater" erscheint dann im Antlitz des „Yang", der „Sohn" im Antlitz des „Yin" und der „Heilige Geist" als die geheimnisvoll einende Kraft der Liebe. Auf diese Weise wird das chinesische Yin-Yang-Denken auf beste Weise in christlicher Theologie „aufgehoben".

Das *Dao-de-jing* (Tao-te-ching) blickt tief in das Geheimnis von Schwäche und Kraft, von Tod und neuem Leben. Im 78. Kapitel sagt es u.a.: „Schwaches besiegt das Starke. Weiches besiegt das Harte. ... Wer auf sich nimmt den Schmutz im Land ... wer des Landes Unheil auf sich nimmt, der ist zum König des Erdreiches bestimmt ...". Das Antlitz des leidenden Gottesknechtes entsteht vor dem christlichen Leser. Jesu Antlitz trägt Züge des Wassers, der Nichteinmischung, der Erniedrigung, der Leere, des Schwachen (bis zum Kreuz) und gerade darin aber auch die Züge der alles überwältigenden Liebe Gottes. Bei Jesus ist das Dunkel des Todes aufgehoben in die geheimnisvolle Stärke der lebensschaffenden Liebe Gottes. Der Auferstandene Herr möchte, wie das Dao(!), ganz nahe, aber unaufdringlich, bei den Menschen sein.

Der Mensch als *ens ethicum* (im Kontrast zur westlichen Auffassung vom Menschen als ens rationale) gibt der Theologie das vielschichtige Problemfeld der Beziehung von „Theorie und Praxis" auf. In logischer Folge wird sich die Chinesische Theologie als chinesische Theologie um eine integralere Sicht von Theorie (Vision) und Praxis (Aktion) mühen müssen.

4. Auf *methodologischem* Gebiet drängt sich die Notwendigkeit einer differenzierten Reflexion auf die Beziehung von Theorie und Praxis auf. Chinesische Theologie muß sich der Wirklichkeit und den Anfragen des Marxismus (vor allem in der Form des Neo-Marxismus) stellen. Sie kommt nicht an einer intensiveren Artikulierung der Grundstrukturen chinesischer Denkform und Lebensanschauung vorbei. Chinesische Theologie wird - wie jede andere Theologie - langsam lernen, die immer unübersehbarere Fülle modernen Denkens von Heute und Morgen im Teamwork anzugehen.

Die Dimension der *Spiritualität* wird eine sehr wichtige Rolle spielen, denn es kommt dem chinesischen Genius ja gerade auf die Totalität und die Praxis der christlichen Existenz in Gemeinschaft und im individuellen Leben an. Es geht um die Problemfelder von eigener Leistung und Gnade, von rational begründeter Moral und religiöser Fundierung, von Immanenz und Transzendenz, von anthropozentrisch-impliziter Religiosität und theozentrisch-expliziter Gotteserfahrung und schließlich um die Frage vom heilsgeschichtlichen Stellenwert der großen Weisen Chinas (z.B. Konfuzius, Laotze, Menzius) im Blick auf Jesus Christus.

Die Chinesische Theologie wird den *Dialog* mit den einzelnen christlichen Traditionen außerhalb des katholischen Raumes (→ Ökumene) und den Dialog mit den nichtchristlichen Religionen (→ Theologie der Religionen) viel ernster nehmen, denn die Grundüberzeugung, daß der lebendige Gott im Laufe der Heilsgeschichte wertvolle Einsichten in den einzelnen Religionen aufgespeichert hat, zwingt zu einer radikaleren Begegnung mit diesen Traditionen, es gibt keinen Weg an ihnen vorbei. Die chinesische Theologie wird - so bleibt ernsthaft zu hoffen - auch einen konstruktiven Anteil leisten an der *Identitätsfindung* chinesischer Menschen von morgen.

Wenn die chinesische Lokalkirche ihre Weisheit und Denkform in einer authentischen chinesischen Theologie zum Ausdruck bringen wird, dann eröffnet
sich auch die Möglichkeit, das *Glaubensbekenntnis* in einer chinesischeren Weise
zu formulieren. Werden dann nicht Themen wie „Yang Yin", Leben, Qi (Ch'i),
Harmonie, Weg (Dao) und Einheit aufklingen? Geht die Weltkirche in den einzelnen Teilkirchen nicht einer neuen hermeneutischen Situation entgegen, in der die
je spezifischen Glaubensformeln vielleicht nicht mehr ganz zur Deckungsgleich-
heit gebracht werden können? Hier kommt die bedeutsame Rolle des Magisteriums der Kirche (universal und lokal) im theologischen Unternehmen deutlich
zum Vorschein. Müßte die lehrende Kirche in Vorbereitung auf die künftige Situation nicht mit noch größerer Feinfühligkeit einen vornehmen Stil des Hinhö-
rens und der diskreten Sprachregelung einüben? Die vom Magisterium der Kirche
zu vollziehende Sprachregelung hätte dann ihre primäre Aufgabe nicht in der Erhaltung eines uniformen dogmatischen Sprechens, sondern eher in der Erhaltung
der Offenheit der einzelnen Lokalkirchen und ihrer Theologien gegenüber den·je
anders gefaßten Glaubensbekenntnissen und theologischen Entwürfen, durch eine
immer wieder betonte Rückkehr (metanoia) zum Heilsmysterium Jesu Christi.

Lit.: *Capra, F.*, Das Tao der Physik. Die Konvergenz von westlicher Wissenschaft und
östlicher Philosophie, 1984. - *Chang Ch'un-shen, A. B.*, Die chinesische Kirche und Christologie, in: Collectanea Theologica Universitatis Fujen 37, Okt. 1978, 435-451 (chin.). -
Ders., Dann sind Himmel und Mensch in Einheit. Bausteine chinesischer Theologie,
Theologie der Dritten Welt 5, 1985. - *Ch'eng Shih-kuang*, Zwischen Himmel und Menschen, 1974 (chin.). - *Chih-jung, F.*, Ein Vergleich zwischen dem konfuzianischen Begriff
des „Himmels" und der biblischen Idee „Gottes", in: Collectanea Theologica Universitatis
Fujen 31, Apr. 1977, 15-40 (chin.). - *Ders.*, Ein Versuch, mit dem Hexagramm des Himmels im Buch der Wandlungen die „Imitatio des Himmels" im Matthäus-Evangelium zu
erklären, in: Collectanea Theologica Universitatis Fujen 29, Sept. 1976, 329-346 (chin.). -
Gutheinz, L., Chinesische Weltanschauung und christliche Eschatologie, in: NZM 39,
1983, 241-266. - *Ders.*, Theologie im chinesischen Kontext, Internationale Missionsstudi-
entagung „Kirche auf eigenen Füßen", Theologie im Kontext, in: Ordensnachrichten, 19,
Heft 6, 1980, 367-379. - *Ders.*, China im Wandel. Das chinesische Denken im Umbruch
seit dem 19. Jahrhundert, Fragen einer neuen Weltkultur 1, 1985. - *Lau, M. G./Tong, J.*,
Quelques Tendances Théologiques dans l'Eglise Chinoise, in: Spiritus 24, 1983, 91,
202-212. Engl. Version: Indian Theological Studies 19, 1982, 339-350. - *Lokuang*, Form
und Sinn der Sünde in chinesischer Kultur, in: Collectanea Theologica Universitatis Fujen
8, Juni 1971, 265-285 (chin.). - *Song, C. S.*, Third-Eye Theology. Theology in Formation,
in: Asian Settings, 1979. - *Ders.*, The Compassionate God, 1982. - *Welte, P.*, Schwerpunkte des theologischen Denkens im Kontext der chinesischen Kultur, in: ZMR 65, 1981,
161-172.

L. Gutheinz

CHRISTOLOGIE

1. Lateinamerika. 2. Asien. 3. Afrika.

Die Kirchen der Dritten Welt werden sich heute ihrer Eigenständigkeit gegenüber den Kirchen Europas und Amerikas und ihrer inneren Bezogenheit auf die kulturelle und sozio-ökonomische Wirklichkeit ihrer jeweiligen Länder und Erdteile immer tiefgehender bewußt. Aufgrund der Ansprüche der Weltreligionen (→ Theologie der Religionen) und angesichts der Herausforderungen wirtschaftlicher Ausbeutung und sozialer Unterdrückung entstehen allmählich in allen Kontinenten eigenständige, aber nur selten systematisch ausgearbeitete theologische Studien (→ Kontextuelle Theologie), die sich vorwiegend als Reflexion kirchlicher *Praxis* in den jeweiligen Kontexten verstehen und die in Jesus Christus Grund und Kriterium des zumeist situationsgebundenen christlichen Handelns sehen. Diese theologischen Entwürfe und damit auch die christologischen Beiträge hatten anfangs unterschiedliche Tendenzen: Verallgemeinernd gesagt, wurde in Lateinamerika die *soziale* Befreiung der Gesellschaft angezielt (Theologie der Veränderung, Befreiung), in Asien das Einheimischwerden der zumeist kleinen europäisierten Kirchen (Theologie der → Inkulturation) und - im → Dialog mit den Religionen - die *religiöse* Befreiung, in Afrika im Kontext kolonialer Unterwerfung vorrangig die *kulturelle* Befreiung. In den letzten Jahren - besonders durch die Vermittlung der Ökumenischen Vereinigung der Dritte-Welt-Theologen (EATWOT) - wurden sowohl die kulturell-religiösen wie auch die sozialpolitischen Lebensfragen von allen Kirchen der Dritten Welt aufgegriffen.

1. In *Lateinamerika* (→ Lateinamerikanische Theologie) gingen die entscheidenden Impulse für eine eigenständige Befreiungstheologie und Christologie von der Generalversammlung der katholischen Bischöfe in Medellin (1968) aus. Hier und in der folgenden Zeit ergab sich aus der Situationsanalyse lateinamerikanischer Wirklichkeit (Dependenztheorie) immer deutlicher als vordringlichste christliche Aufgabe der Befreiungskampf gegen jegliche persönliche und strukturelle Unterdrückung und die Option für die Armen (→ Armut). Die sich allmählich entwickelnde → Theologie der Befreiung (G. Gutiérrez, H. Assmann, S. Galilea, der Methodist J. M. Bonino) betont den Primat der Praxis und versteht Theologie als kritische Reflexion der Praxis im Licht der Offenbarung in Jesus Christus. Aus diesem Ansatz heraus ist verständlich, daß christologische Beiträge vorwiegend in bestimmten Befreiungssituationen aus Arbeitskreisen, Meditationsgruppen und dergleichen entstanden sind und es bis heute wohl eine Reihe christologischer Reflexionen (G. Gutiérrez, H. Assmann, H. Borrat, M. van Caster, R. Cabello, J. Ellacuria, S. Galilea, R. Vidales u.a.), aber nur wenige Gesamtdarstellungen (L. Boff, S. Trinidad Camargo, H. Echegaray, J. Sobrino) gibt. Hermeneutisch gesehen wird in all den verschiedenen christologischen Entwürfen die jeweilige lateinamerikanische Situation der Unterdrückung und Befreiung von Jesus Christus her interpretiert, wie auch umgekehrt Inkarnation, Tod und Auferstehung Christi von der Situation der befreienden Praxis her verstanden werden. Aus der je unterschiedlichen Einschätzung der lateinamerikanischen Wirklichkeit ergibt sich für die Theologen somit auch ein verschiedenartiges *christologisches Interesse:* So

wird beispielsweise gefragt nach der Begründung des Sinns der Hingabe (bis in den Tod) in der Befreiungspraxis (Assmann), nach christlich politischen Verhaltensweisen in Lateinamerika und nach dem Zusammenhang von Kampf gegen die Sünde, Reich-Gottes-Botschaft und menschlichem Befreiungskampf (Gutiérrez), nach der Zusammengehörigkeit von Kontemplation und Engagement (Galilea). Den Befreiungstheologen der zweiten Generation geht es nicht mehr in erster Linie um die Umwandlung der lateinamerikanischen Gesellschaft, sondern zuallererst um die Veränderung der Kirche (Wichtigkeit der Volksreligiosität, ganzheitliche Befreiung). L. Boff fordert aus diesem Anliegen heraus für eine lateinamerikanische Christologie die folgenden spezifischen Merkmale: das anthropologische Element - vor dem ekklesiologischen (die Menschlichkeit Jesu), das utopische Element - vor dem faktischen (Verwirklichung einer versöhnten Welt in Christus), das kritische Element - gegenüber verkrusteten dogmatischen Positionen (das Eigentliche der Botschaft Jesu), das Gesellschaftliche - vor dem Persönlichen (Parteinahme Jesu für die Entrechteten) und die Orthopraxie (Nachfolge Christi) - vor der Orthodoxie (Verhaltensweisen Jesu). In seiner großangelegten Christologie zeigt Boff im ersten Teil von der heutigen Erfahrung der Unterdrückung her, daß Jesus nichts anderes unternahm, als alle Menschen umfassend zu befreien. Der Kreuzestod ist die Folge dieser gottgewollten befreienden Praxis Jesu, ist in diesem Sinn Folge der Inkarnation und damit wirksamster Ausdruck göttlicher Solidarität mit den gekreuzigten Armen dieser Welt (zweiter Teil). In der Auferstehung dieses Jesus Christus wird der Mensch offen-bart als der wirkliche Mensch, so wie ihn Gott wirklich wollte. Wie Boff beziehen sich auch andere Befreiungstheologen vorwiegend auf den historischen Jesus und seine befreiende Praxis. Schlüsselstellen sind unter anderen Jesu Predigt in Nazareth (Lk 4,16-30), die Bergpredigt und das Gerichtsgleichnis (Mt5 25,31-46). Im Mittelpunkt stehen Tod und Auferstehung Jesu. Zentral ist die Botschaft vom Reich Gottes, das in Jesus antizipiert und universalisiert wird.

2. In *Asien* ähneln die Verhältnisse auf den *Philippinen* (→ Philippinische Theologie), dem einzigen „christlichen" asiatischen Land, am meisten denen der lateinamerikanischen Völker. So wundert es nicht, daß hier auch die christologischen Themen aus Lateinamerika aufgegriffen werden. Im allgemeinen aber sind die großen Religionen Asiens Kontext der theologischen Reflexion. Wie unterschiedlich allerdings dabei die christologischen Beiträge ausfallen, zeigen die Beispiele Indiens, Koreas und Japans.

2.1 *Indische* christologische Entwürfe (→ Indische Theologie) waren bis Anfang der siebziger Jahre vornehmlich Beiträge zur Inkulturation der indischen Theologie im Kontext des Hinduismus. Herausgefordert wurden die christlichen Theologen bereits durch christologische Impulse hinduistischer Reformer ab dem 19. Jahrhundert, die im Kontext des gesellschaftlichen Niedergangs und der kolonialen Unterdrückung Indiens und in Auseinandersetzung mit europäischen sozialen und religiösen Einflüssen Jesus Christus als den größten Propheten und Morallehrer, als Avatar, Yogi, orientalischen Mystiker und universales Christus-Prinzip darstellten (R. Roy, K. C. Sen, Vivekananda, später M. Gandhi, S. Radhakrishnan und an Vivekananda anschließend Akhilananda und Abhedananda). Auf christlicher Seite gab es die ersten eigenständigen christologischen Entwürfe im

Kontext des Hinduismus durch die Südinder J. J. Appasamy (Christus im Kontext der Bhakti-Tradition), V. Chakkarai (Jesus als Avatar) und P. Chenchiah (Christus als Beginn eines neuen Kosmos - in Anlehnung an Aurobindo). Erst in den sechziger Jahren beginnt eine gründlichere Auseinandersetzung mit hinduistischer philosophischer Tradition in bezug auf das Christusereignis (R. Panikkar) und mit der neueren indisch-hinduistischen Geschichte und deren Stellung zu Jesus Christus (S. Samartha, M. M. Thomas, wichtige Anstöße von S. Devanandan). Panikkar fragt nach der Möglichkeit eines hinduistisch-christlichen Dialogs angesichts der universalen Ausrichtung beider Religionen (Christus als Gottesgeheimnis für die ganze Welt im Christentum, die fundamentale Gleichheit aller Religionen als Wege zum einen brahman im Hinduismus). Da nur Gott selber und nicht die jeweilige Auffassung von Gott Treffpunkt der Religionen sein kann, geht es um die Entdeckung dieses Treffpunktes von Gott selber, der in der konkreten Menschheitsgeschichte unter verschiedenen Namen anwesend ist; „Christus" ist dabei die christliche Kategorie dieser Gottespräsenz. Ähnliche Ansätze einer „kosmischen Christologie" finden sich übrigens auch in Sri Lanka im Kontext des Buddhismus. Von diesem Ansatz unterscheidet sich die eher sozialpolitische Fragestellung Samarthas und Thomas. Kontext der Christologie ist nicht der Hinduismus mit seiner religiösen Erfahrung, sondern die konkrete indische Lage im 19. Jahrhundert als religiöse, soziale und politische Aufgabe des Hinduismus. Bis heute werden sowohl die sich wandelnde indische Gesellschaft (Theologie der Veränderung) wie auch der Hinduismus vorwiegend in der Form des Advaita-Vedanta (Theologie der Inkulturation - z.B. Abhishiktananda, B. Griffiths) als Kontexte einer kommenden Christologie angesehen und neuerdings auch zusammengesehen (z.B. D. S. Amalorpavadass, G. M. Prabhu Soares, F. X. D'Sa). In den letzten Jahren wird in Anlehnung an lateinamerikanische Befreiungstheologie immer mehr an einer christologischen Grundlegung einer gesamtmenschlichen Befreiung der Armen und Marginalisierten (gegen den Kastenhinduismus!) der indischen Gesellschaft gearbeitet (z.B. M. M. Thomas, S. Rayan, J. Desrochers, S. Kappen). Eine jesuanische Theologie - die Solidarität und das Mitleiden Jesu mit den Unterdrückten - steht dabei im Vordergrund (bes. Kappen).

2.2 In *Korea* (→ Koreanische Theologie) ist in den siebziger Jahren aus dem Kontext der politischen Unterdrückung des Volkes und dem Überlebenskampf kirchlicher Gruppen die Minjung-Theologie entstanden. In ihr wird die tiefste Eigenart des Volkes und seiner Kultur (Bedeutung des Schamanismus!) - vor allem in der Teilnahme am Leiden des Volkes (viele Theologen verbüßen Gefängnisstrafen!) - zu entdecken versucht und theologisch fruchtbar gemacht. Eine christologische Gesamtdarstellung gibt es aber (noch) nicht. Das geknechtete und entrechtete Volk (als Subjekt) erhält seine theologische Bedeutsamkeit durch die kollektiv-korporative Interpretation des Leidensweges Jesu (Byung-Mu Ahn). Jesu bedingungslose Annahme des Volkes (ochlos-plebs, nicht laos!) ist grundlegend. Jesu Tod ist nicht *für* die Menschen, sondern ist *Teilnahme* am Schicksal des Volkes. Dabei wird Jesu Ertragen seines Leidens und Sterbens als Handeln Gottes erkennbar, in dem Haß und Gewalt überwunden wird. In der Auferstehung fordert Christus die Jünger zum Aufbruch (Hebr 13,13ff) zum unterdrückten Volk (Galiläa) auf und zum Exodus aus jeder Form von Beherrschung und Unterdrükkung. In der Geschichte muß die Kirche Christi für die Befreiung kämpfen, hoffen und leiden bis zur Verwirklichung des messianischen Reiches (Yong-Bock Kim).

2.3 In *Japan* (→ Japanische Theologie) sind die christologischen Beiträge wichtiges Moment des Einheimischwerdens der christlichen Kirchen. Sie wollen darüber hinaus aber mit Hilfe von shintoistischen, konfuzianischen und buddhistischen Grundgedanken für Japan und die Menschheit einen neuen gegenüber den westlichen Theologien vertieften Zugang zur Christusbotschaft vermitteln. Letztlich geht es dabei immer um die *Erfahrung* der *Un*mittelbarkeit Gottes zu den Menschen und zwischen den Menschen. Bei K. Kitamori (in Anlehnung an buddhistische Vorstellungen und Geisteshaltungen der Samurai) offenbart sich diese als „Schmerz Gottes", in dem die Liebe Gottes den göttlichen Zorn über den Widerspruch der Menschheit zu ihm überwindet. Im Kreuz Christi wird offenbar, daß die alles bestimmende Gottesliebe von jeher leidende Liebe, Schmerz über den in sich ausweglosen Schmerz der Welt ist. Gegenüber Kitamoris Christologie „von oben" geht es dem katholischen Schriftsteller S. Endo um die Erfahrung der Unermeßlichkeit der mitleidenden Liebe Jesu. In dem Roman „Schweigen" ist in der Situation der japanischen Christenverfolgung selbst der Kreuzesverrat noch von der Liebe Christi umgriffen. Im Augenblick, wo der Priester abtrünnig wird, auf das Kreuz tritt und damit seinen eigenen letzten Halt aufgibt, erfährt er in sich die befreiende Liebe Christi. Endo betont die mütterliche Liebe Gottes, den mitleidenden, nicht den vom Leid befreienden Christus und eine Christuserfahrung, die nur in Anlehnung an zenbuddhistische Satorierfahrung voll erfaßt werden kann. Auch bei anderen japanischen christologischen Impulsen geht es unter dem Einfluß buddhistischer Vorstellungen um die Erfahrung der Entäußerung des erlösenden Gottes in Christus und die daraus erwachsende volle Menschwerdung. K. Koyama erinnert an den auferstandenen Christus, der am „grifflosen Kreuz" starb und der „uns nicht in den Griff" nahm (Koyama, 111). Der Theologe und Philosoph Takizawa betont die erleuchtende Erfahrung des Immanuel, des Gottes, der schon von Ewigkeit her als „Urfaktum" ein Gott-der-Menschen ist, der *mit* jedem Wesen dieser Schöpfung zutiefst *ist*, auf dessen Anruf Jesus in vollkommener Weise - sein Leben verlierend - geantwortet hat, und der deshalb zum Maßstab aller menschlichen Antworten geworden ist. Verständlicherweise sind in dem wirtschaftlich erfolgreichen Japan die christologischen Entwürfe nicht aus der Erfahrung sozialer und wirtschaftlicher Unterdrückung des Volkes entstanden. Sie nehmen aber die Armuts- und Leidensfrage in der Thematik der Selbstentäußerung auf.

3. In *Afrika* folgte auf die physische Vernichtung durch Sklaverei die Unterdrückung afrikanischer Kultur und damit afrikanischen Selbstbewußtseins durch den europäischen Kolonialismus. Im Kontext dieser „anthropologischen Armut" (E. Mveng) versucht die → *Afrikanische Theologie*, das Christentum und Christus durch das Aufgreifen ursprünglicher afrikanischer Denkweise und Kultur einheimisch zu machen. So wird in Analogie zu afrikanischen Vorstellungen Christus dargestellt als Stammeshäuptling (P. de Fueter, J. Pobee); als Initiationsmeister (E. Mveng; → Initiation); als ältester Bruder - in Analogie zu dessen beschützender und vermittelnder Rolle in der Großfamilie (H. Sawyerr, J. W. Z. Kurewa);

als Urahne, der wie die Vorfahren für das Wohlergehen der Kommunität und des einzelnen sorgt, der schützt und Mut für den Kampf um Frieden schenkt (D. Lwasa, C. Nyamiti, J. W. Z. Kurewa); schließlich im Einklang mit Vorstellungen der Unabhängigen Kirchen als Heiler und Offenbarer, dessen Hl. Geist bisweilen als „Medizin" verstanden wird (B. Kibongi, A. Shorter). In all diesen Anschauungen ist die soteriologische Funktion Christi von größter Bedeutung. Der siegreiche, nicht der leidende Christus steht im Vordergrund. Eine christologische Gesamtdarstellung gibt es bisher noch nicht. Es bleibt bei wertvollen christologischen Impulsen. Allerdings sind manche von ihnen nach Meinung afrikanischer Kritiker (z.B. J. S. Ukpong) nur Adaptation von Elementen einer westlichen systematischen Christologie an afrikanische Verhältnisse und führen kaum zu einer eigenständigen afrikanischen Christologie. Neben der Afrikanischen Theologie hat sich im südlichen Afrika aus dem Befreiungskampf gegen weiße Vorherrschaft und rassistische Unterdrückung die → *Schwarze Theologie* herausgebildet (M. Buthelezi, B. Goba, T. A. Mafokeng, A. Boesak, S. Dwane u.a.). Ausgangspunkt dieser Befreiungstheologie ist die Neuschöpfung eines positiven „schwarzen Bewußtseins" in der Situation völliger Ausbeutung und Entfremdung. Im Kontext dieser Erfahrungen wird im Rückgriff auf den biblischen Jesus der Armen der weiße Jesus der Missionare entlarvt als der, der in der Geschichte Afrikas grundsätzlich auf der Seite der weißen Unterdrücker war und schwarze Untertänigkeit sanktonierte. Da aber Christus ein Gott der Entrechteten und Versklavten ist, muß dieser in Umkehrung zum bisherigen theologischen Bewußtsein ein Schwarzer sein (Boesak). Dieser Jesus Christus nimmt in seinem Leiden teil am Schicksal aller Leidenden. Darin werden alle diese Leidenden geliebt und aus ihrer Passivität neugeschaffen als solche, die selber als „Kreuzesträger" (Mafokeng) für ein volles Menschsein kämpfen. Viele dieser christologischen Gedanken klingen auch in der Theologie des „Schwarzen Christus" (J. H. Cone) aus dem afro-amerikanischen Raum an, die heute in enger Verbindung mit der südafrikanischen Theologie steht. In West- und Ostafrika wird neben einer einseitig an afrikanischer Kultur orientierten Christologie bisweilen im Anschluß an lateinamerikanische Befreiungstheologie auch der Widerstand gegen die heutigen Formen sozio-ökonomischer Unterdrückung theologisch reflektiert (C. B. Okolo, Z. Nthamburi, L. Magesa, Appiah Kubi u.a.). Armut und Demütigungen Jesu werden mit denen der Afrikaner identifiziert. Jesu Auferstehung ist Erlösung von all der Wirklichkeit, in der Gerechtigkeit und Brüderlichkeit abgelehnt wird.

In fast allen christologischen Entwürfen aus der Dritten Welt wird zumindest indirekt die überkommene *westliche Theologie angegriffen* (→ Europäische Theologie). Grundlage der Anklage ist die Erkenntnis, daß die lokalen sozio-ökonomischen Formen der Ausbeutung als jeweilige Kontexte der Dritte-Welt-Theologien untrennbar mit westlichem Hegemoniestreben und westlicher Wirtschaftsmacht verknüpft sind, ohne daß diese Problematik im Westen als Kontext westlicher Theologie entdeckt und christologisch aufgegriffen würde. In ihrer *Kontextlosigkeit universalisiert* europäische Theologie Christus und sein Versöhnungshandeln und *neutralisiert* damit Jesu Option für die Armen in seiner konkreten Teilnahme am Schicksal der Unterdrückten. Damit wird das Inkarnationsgeschehen idealisiert. Zugleich wird übersehen, daß der universalisierte Christus des Abendlandes selber wieder einem kontextgebundenen westlichen Verständnis entspringt und damit *eine* geschichtlich gewachsene Theologie zum Maßstab aller theologischen Entwicklungen der Welt gemacht wird. Konsequenz der Geschichtslosigkeit westlicher traditioneller Theologie ist die individualistische Sicht des Erlösungshandelns Jesu als einsamer Gehorsamstat dem Vater gegenüber und die dementsprechend individualistische Frömmigkeit der Christen. Gegenüber dieser grundlegenden Kritik weisen europäische Theologen auf die Gefahr der meisten christologischen Entwürfe aus der Dritten Welt hin, das Geschichtshandeln Gottes heute mit bestimmten historischen Vorgängen gleichzusetzen.

Lit.: *Ahn, B. M.*, The Korean Church's Understanding of Jesus, in: Voices from the Third World 8, 1985, 49-58 (Lit.). - *Balasuriya, T.*, Third World's Rediscovery of Jesus Christ, in: Voices from the Third World 8, 1985, 1-8, 116. - *Bettscheider, H.* (Hrsg.), Das asiatische Gesicht Christi, 1976 (Lit.). - *Boff, L.*, Rettung in Jesus Christus und Befreiungsprozeß, in: Conc 10, 1974, 419-426. - *Ders.*, Jesus Christus, der Befreier, 1986. - *Bonino, J. M.*, Theologie im Kontext der Befreiung (ThÖ 15) 1977, bes. 116-133. - *Boshoff, C.*, Christ in Black Theology, in: Missionalia 9, 1981, 107-125. - *Boyd, R.*, An Introduction to Indian Christian Theology, 1969 ([3]1979) (Lit.). - *Bussmann, C.*, Befreiung durch Jesus? Die Christologie der lateinamerikanischen Befreiungstheologie, 1980 (Lit.). - *Chikane, F.*, The Incarnation in the Life of the People in Southern Africa, in: Journal of Theology for Southern Africa 51, 1985, 37-50. - *Chung, H. E.*, Das koreanische Minjung und seine Bedeutung für eine ökumenische Theologie, 1984 (Lit.). - *Cone, J.*, Gott der Befreier. Eine Kritik der weißen Theologie, 1982. - *Dehn, U.*, Indische Christen in der gesellschaftlichen Verantwortung, 1985 (Lit.). - *Desrochers, J.*, Christ the Liberator, 1977. - *Dickson, K.*, Theology in Africa, 1984. - *Echegaray, H.*, Practica de Jesus, 1980. - *Elwood, D.* (Hrsg.), Wie Christen in Asien denken, 1979. - *Endo, S.*, Schweigen, 1977. - *Ders.*, A Life of Jesus, [2]1980. - *Goldstein, H.*, Brasilianische Christologie: Jesus, der Severino heißt, 1982 (Lit.). - *Gutiérrez, G.*, Theologie der Befreiung, 1973 ([5]1980). - *Kappen, S.*, Jesus and Freedom, 1977. - *Kitamori, K.*, Theologie des Schmerzes Gottes, 1972 (jap. 1946). - Kontextuelle Theologie der Dritten Welt, in: VF 30, 1985, Heft 1 (Lit.). - *Koyama, K.*, Das Kreuz hat keinen Handgriff, (ThÖ 16) 1978. - *Mofokeng, T. A.*, The Crucified among the Crossbearers. Towards a Black Christology, 1983 (Lit.). - *Moltmann, J.* (Hrsg.), Minjung, Theologie des Volkes Gottes in Südkorea, 1984 (Lit.). - *Nyamiti, C.*, Christ as Our Ancestor. Christology from an African Perspective, 1984. - *Oguro-Opitz, B.*, Analyse und Auseinandersetzung mit der Theologie des Schmerzes Gottes von K. Kitamori, 1980. - *Panikkar, R.*, Salvation in Christ: Concreteness and Universality, the Supername, 1972. - *Ders.*, Der unbekannte Christus im Hinduismus, 1986. - *Pieris, A.*, Theologie der Befreiung in Asien (Theologie der Dritten Welt 9), 1986. - *Pobee, J.*, Grundlinien einer afrikanischen Theologie, 1981, bes. 78-96. - *Rayan, S.*, The Anger of God, 1982. - *Ritschl, D.*, Christologie in der Dritten Welt, in: E. Fahlbusch u.a. (Hrsg.), Evangelisches Kirchenlexikon I., 1986, 732-735 (Lit.). - *Rücker, H.*, Afrikanische Theologie, 1985 (Lit.). - *Samartha, S. J.*, Hindus vor dem universalen Christus, 1970. - *Sobrino, J.*, Christologia desde América Latina, 1976 ([2]1977) (engl.: Christology at the crossroads, [6]1984). - *Ders.*, Der Glaube an den Sohn Gottes aus der Sicht eines gekreuzigten Volkes, in: Conc 18, 1982, 171-176. - *Sundermeier, T.*, Das Kreuz als Befreiung. Kreuzesinterpretationen in Asien und Afrika, 1985 (Lit.). - *Ders.* (Hrsg.), Zwischen Kultur und Politik, 1978. - *Takayanagi, H. S.*, Christologie in der japanischen Theologie der Gegenwart, in: J. Pfammatter, F. Furger (Hrsg.), Theologische Berichte II, 1973, 121-133 (Lit.). - *Takizawa, K.*, Das Heil im Heute, (ThÖ 21) 1987. - *Terazono, Y.*, Die Christologie Karl Barths und Takizawas, Diss. 1976. - *Thomas, M. M.*, The acknowledged Christ of the Indian Renaissance, 1970. - *Vekathanam, M.*, Christology in the Indian Anthropological Context, 1986 (Lit.).

N. Klaes

DIALOG

1. Inhaltliche Bestimmung. 2. Motivierung. 3. Modus. 4. Hindernisse.

1. (1) Der Glaubensdialog ist ein sich gegenseitiges Öffnen, aus dem Verlangen heraus, vom anderen zu lernen und sich von ihm bereichern zu lassen. (2) Ein solcher Dialog ist zu unterscheiden vom Bezeugen der Wahrheit, so wie sie für mich als Gemeinschaft und für mich als einzelner evident ist. (3) Dialog und Zeugnis schließen sich nicht aus, vielmehr sind beide für die Lebensfülle einer Religionsgemeinschaft notwendig. (4) Da keiner der beiden Glaubenden auf sein Bezeugen verzichten kann, wird der Dialog zu einer Art von wechselseitigem Zeugnis, wobei jeweils eine Phase des „Predigens" mit der eines „sich mit weißer Flagge unter die Höhrer Mischens" (Schleiermacher) alterniert. (5) Ein solches angstloses Sich-Ausliefern ist dem möglich, der spürt, daß das Bezeugen des wahren Lichtes nicht voraussetzt, daß überall anderswo Dunkelheit herrschen müsse und der deshalb die Möglichkeit nicht ausschließt, daß Gott für ihn auch außerhalb des Bereichs seiner eigenen positiven Offenbarung Zeichen aufrichtet. Bezeichnenderweise nennt der Islam die Koranverse „Zeichen" (ayat), was Verwandtschaft andeutet mit anderen Zeichen, die Gott „draußen" setzt, damit der Glaubende sich an ihn erinnere. (6) Ein derartiges wechselseitiges Bezeugen hic et nunc schließt also bei den Dialogpartnern immer wieder Momente des sich Gott-Auslieferns ein, gerade auch dann, wenn dieser mir in Form eines Zeugnisses entgegenkommt, welches die übliche Ausdruckform meiner eigenen Glaubensgemeinschaft ausschließt. Zeit- und raumraffend faßt es dabei die ganze Geschichte der wechselseitigen Beziehungen zweier Glaubensgemeinschaften zusammen, in der das Verlangen, die Wahrheit bis an die Enden der Erde zu tragen und das - gewollte oder ungewollte - Erleiden des Einflusses des anderen im Phasenwechsel immer wieder koexistiert haben. (7) Kenneth Cragg beschreibt einen solchen Befund mit dem Bild des Ausziehens der christlichen Schuhe vor der Moschee (sandals at the mosque), um in sie einzutreten und sich dort eine Zeitlang freiwillig islamisieren zu lassen, um dort z.B. den Gott anzubeten, der zu mir spricht, daß der Gedanke, einen Sohn zu zeugen, fern von ihm sei. Beim Herauskommen zieht der Christ dann seine Schuhe wieder an und liefert, im Phasenwechsel, erneut sein christliches - nunmehr aber verbessertes - Zeugnis.

2. *(1) Falsche Vorstellungen korrigieren:* Der Dialog bringt jahrhundertelange Mißverständnisse und Feindklischees zum Verschwinden; er bringt die wahren Ähnlichkeiten und die wahren Verschiedenheiten ans Licht, die zwei Gemeinschaften einen und trennen. Dialog fördert echtes Verstehen.

(2) Zwischenmenschliche Beziehungen verbessern: Der Dialog legt all denen das Handwerk, die die → Religion dazu mißbrauchen, um große oder kleine Kriege zu rechtfertigen, deren wahre Motive mit Religion nichts zu tun haben. Er verteidigt → Gott, der solche Kämpfe nicht will und prangert all die an, die ihre unedlen Motive hinter den angeblich edlen Motiven eines Gottes, der für die Wahrheit streitet, verbergen.

(3) Von Angst befreien: Der Dialog wagt es, sich auf das Territorium des anderen zu begeben, um ihn in seiner Menschlichkeit zu entdecken; er bricht den

Teufelskreis der Angst und des sich Verschanzens, ermutigt dazu, sich nicht mit dem schlechten Zustand der Welt abzufinden. Durch ihn kommt man auf die Idee, mit dem anders Glaubenden zusammenzuarbeiten: humanitär, wirtschaftlich, politisch, intellektuell und spirituell.

(4) Den eigenen Glauben vertiefen: „Das Wort meines muslimischen Bruders kann für mich zum Wort Gottes werden" (H. Teissier). Der anders Glaubende kann zur Ikone werden, durch die „mein" Gott in fremder Gestalt zu mir kommt und so meinen Glauben seiner wahren Dimension zuführt. Denn die „Lichter" draußen gehören zu dem „Licht", das ich von „meiner" Offenbarung her kenne. K. Barth sagt in KD IV/3, daß es deshalb nicht nur erlaubt sei, → Christus draußen zu suchen, sondern eine Pflicht, die, wenn man ihr nachkommt, vom Provinzialismus befreit.

(5) Auf den Weg der Einheit führen: Wenn der Dialog die Glaubenden einander näher bringt, dann werden diese zu Einheitsstiftern, denn die Glaubenden sind die Erstlinge einer Welt, die im Omega so eines werden soll, wie sie es im Alpha war.

3. *(1) Gelebt*: Wer wirklich in der Welt von heute lebt, die durch die Interpenetration verschiedener Gesellschaftsgruppen gekennzeichnet ist, *lebt* vor allem den Dialog (→ Theologie der Mission). Die Angst vor dem Fremden ist jedoch Wasser auf den Mühlen der falschen Hüter des „reinen" Glaubens und der „wahren" Lehre. Diese können so zu Agenten der Entmischung der Menschen und der Kompartimentierung der Erde werden, die zwischen Juden, Muslimen und Christen im Nahen Osten und zwischen Muslimen und Hindus in Indien z.B. die Welt grundlegend verändert und verschlechtert haben. So kann es dazu kommen, daß die Welt heute mit ihren Kommuniaktionsmitteln weniger den Dialog lebt als etwa Juden, Christen und Muslimen es taten im mittelalterlichen Spanien oder noch vor fünfzig Jahren in der arabisch-islamischen Welt, vor der Gründung des Staates Israel und der damit eingeleiteten Zerstörung alter und fruchtbarer interreligiöser Beziehungen. Die Abschirmung der Industrienationen vor Einwanderern aus der Dritten Welt gehört zu diesem traurigen Kapitel. Dennoch scheint die Macht der auch interreligiösen gegenseitigen Durchdringung der Menschheit unaufhaltbar, was z.B. in Mischehen zum Ausdruck kommt, die de facto Menschen doppelter religiöser Zugehörigkeit entstehen läßt. Im gelebten Dialog nimmt die mündliche Bezeugung die Form einer nachträglichen Erklärung der eigenen Motivation an zwischen Menschen, die zuvor schon in einer gemeinsamen Aktion engagiert waren: also das gerade Gegenteil von z.B. in Evangelischen Akademien veranstalteten Dialogen.

(2) Theologisch und philosophisch: Die notwendige Ergänzung des „an der Basis" gelebten Dialogs ist das auch geistige Sich-Öffnen und die Erfassung der Welt des anderen in dessen kultur- und philosophiegeschichtlichen Dimensionen. Man kann dabei entdecken, daß aus der eigenen Dogmengeschichte bekannte Probleme auch beim anderen behandelt wurden und werden, wenn auch mit anderen Begrifflichkeiten (vgl. z.B. die christologischen Streitigkeiten mit der Diskussion im Islam um die Frage, ob der Koran geschaffen oder ungeschaffen sei). Organisierte Dialogveranstaltungen (Dialogabteilung des Weltkirchenrates, Sekretariat für Nicht-Christen beim Vatikan usw.) haben hier ihre Berechtigung. Des

öfteren meinen Veranstalter, die „schwierigen und uns trennenden theologischen Fragen" ausklammern und sich auf anthropologische Fragen und gemeinsame humanitäre Aktionen beschränken zu sollen. Dies ignoriert jedoch den Ganzheitscharakter der Religionen und trägt letztlich nichts bei zur Einheit der Menschheit.

(3) Geistlich: Da der Glaubende bei seiner Einkehr zu Gott sich im allgemeinen nach innen wendet und da niemand mehr als eine Religion wirklich in der Tiefe leben kann, bleibt das Herz der einen Religion der anderen weitgehend unbekannt. Die sogenannte „objektive" Kenntnis der Religionen ist weitgehend der Oberfläche verhaftet. Schlimmer noch: der glaubende Religionsgeschichtler kennt seine eigene Religion von innen, die der anderen aber nur von außen. Der Religionsvergleich gerät so von vornherein in ein falsches Licht. Ein in die Tiefe gehender geistlicher Dialog - der gesucht werden muß - kann da abhelfen und eine oberflächliche „objektive" → Religionswissenschaft durch eine intersubjektive dialogische Religionswissenschaft ersetzen (→ Theologie der Religionen).

4. Der Mensch als Individuum und als Gemeinschaftswesen neigt dazu, sich für selbstgenügsam (vgl. Koran, Sure 96,6) zu halten und sich zum Mittelpunkt der Welt zu machen, was ihn in Konflikt mit ähnlichen Bestrebungen seiner Mitmenschen bringt, die sich ebenfalls in eine Sphäre einschließen. So wie China hält sich ein jeder für das „Reich der Mitte", oder wie Israel für das „auserwählte Volk". Von seinem eigenen Zentrum her sucht ein jeder seinen anders glaubenden Mitmenschen entweder ins eigene System einzuverleiben oder aber ihn „ins Dunkel draußen" abzudrängen. Albert Camus beschreibt in „la chute" diesen Vorgang. Viele mit Freude begrüßte „Fortschritte" im Dialog (wie etwa die Beschlüsse des → Vatikanum II) sind letztlich nur die Umgestaltung eines Monologs: anstatt die Andersglaubenden nach außen hin abzudrängen, zieht man sie zu sich heran, macht sie zu anonymen Christen, anonymen Muslimen, anonymen Hindus ... (Erweiterung eines von Karl Rahner geprägten Begriffes) und erfreut sich daran, daß diese ja dasselbe glauben wie man selbst. Anstatt den anderen reden zu lassen, so wie er wirklich ist, verwandle ich seine Stimme in das Echo meiner eigenen Stimme. Die Unmöglichkeit, ein Kriterium der Wahrheit zu finden, das außerhalb meines eigenen Bezugssystems liegt, spielt dem Dialog hier einen bösen Streich: Im allgemeinen erkenne ich als freudig zu begrüßende, von Gott kommende Wahrheit nur das an, was meiner eigenen Norm entspricht. Ihr Widersprechendes muß mir dann als Irrtum oder gar als teuflisch erscheinen (→ Heiden). Auch einer feinfühligeren Kunst der „Scheidung der Geister" (vgl. 1Kor 12,10 und 1Joh 4,1, die aufgrund dialektischer Denkstrukturen Widersprüchliches als aus *einem* Quell kommend auffassen kann, fehlt es immer noch an festen, über die Intuition hinausgehenden Kriterien, die es erlauben, die Stimme des mich von außen her in seiner fremden Form Rufenden von der des Nichtigen zu unterscheiden. Von daher ist es zu verstehen, daß dem Angebot eines Dialogs viel berechtigtes Mißtrauen entgegengebracht wird, insbesondere, wenn ein solches Angebot von seiten eines Starken kommt (z.B. des Christentums), der sich noch bis in die jüngste Vergangenheit hinein nur sehr wenig dialogisch verhielt oder sich weitgehend immer noch so verhält. Das Mißtrauen wird durch folgende Beobachtung noch verstärkt: Industrienationen, die sich „an der Basis" gegen die Flut aus der

Dritten Welt durch handfeste Ausländergesetze abschirmen, meinen, sich dem
Dialog zu öffnen. In Wirklichkeit reden sie sich dabei nur ein, daß sie weltoffen
seien und nicht in ein Gefängnis eingeschlossen. Diesem Befund („unten zu, oben
offen") wird dann folgender Rat beigefügt: „*Lebt* zuerst den Dialog an der Basis,
dann wollen wir auch in den Dialog des Redens mit euch eintreten!".

Lit.: *Askari, H.*, Inter-religion, 1977. - Christliche Grundlagen des Dialogs mit den Weltre-
ligionen (Questiones disputatae 98), hg. v. W. Strolz und H. Waldenfels, 1983. - *Cragg, K.*,
Sandals at the mosque, 1959. - Offenbarung als Heilserfahrung im Christentum, Hinduis-
mus und Buddhismus (Schriftenreihe zur großen Ökumene 8), hg. v. W. Strolz und Sho
Ueda, 1982. - *Schoen, U.*, Das Ereignis und die Antworten, 1984. - *Teissier, H.*, Eglise en
Islam, 1984.

U. Schoen

EKKLESIOLOGIE

1. Die ekklesiologische Grundkategorie des „Sakraments". 2. Die Integration anderer ekklesiologischer Modelle. 3. Die Bedeutung der Ekklesiologie für die Mission.

In den einschlägigen Texten des II. Vatikanischen Konzils versteht sich die
Kirche u.a. (communio, Volk Gottes, Leib Christi usw.) als Sakrament, d.h. als
„Zeichen und Werkzeug für die innigste Vereinigung mit Gott wie für die Einheit
der ganzen Menschheit" (Lumen gentium 1). Ausgehend von der Klärung dieser
zentralen Selbstbezeichnung (1.) läßt sich sowohl die Frage nach der Integrationsmöglichkeit anderer, gegenwärtig vertretener und dem ersten Augenschein nach
vielleicht sogar konkurrierender ekklesiologischer Modelle beantworten (2.), als
auch die dezidiert missionstheologische Relevanz der sakramentalen Konzeption
in den Blick bekommen (3.).

1. Die Kirche als Sakrament im Sinne des wirksamen Heilszeichens zu verstehen, ermöglicht zunächst eine ausgewogene Bestimmung des Verhältnisses von
göttlichem und menschlichem Element hinsichtlich der kirchlichen Wirklichkeit.
Einerseits wird durch diese Grundkategorie eine undifferenzierte Identifikation
beider Dimensionen bzw. Elemente verhindert, wie sie von einigen traditionellen
Formulierungen nahegelegt zu werden scheint. Der Eindruck eines ekklesiologischen „Monophysitismus", der die Kirche in genuin theologischen und christologischen Kategorien (etwa als Verlängerung der Inkarnation) zu interpretieren versucht, führt nicht nur zu triumphalistischen und statischen Kirchenbildern und
-modellen, er belastet darüber hinaus auch den ökumenischen Dialog teilweise bis
in die Gegenwart hinein (→ Ökumene). Demgegenüber gilt es klarzumachen, daß
die Kirche weder mit Christus selbst noch mit dem in ihm definitiv und unüber-
bietbar zugesagten Heil identisch ist. Andererseits verbietet der Sakramentsbegriff
eine dem neuzeitlichen Denken sich aufdrängende Reduktion des Ekklesialen auf
das empirisch, historisch oder soziologisch Zugängliche und Greifbare. Zwar ist

die Kirche nicht zuletzt auch eine geschichtlich und gesellschaftlich bedingte und verfaßte Gemeinschaft mit äußeren, sichtbaren und wandelbaren Strukturen, Institutionen und Organisationen. Ihr Ursprung und ihr bleibend gegenwärtiger Quellgrund lassen sich indes in solchen Kategorien nicht erschöpfend beschreiben, weil sie ohne Zweifel in ihrem Sein an der Welthaftigkeit alles Geschaffenen partizipiert, darüber hinaus jedoch der Welt gegenüber als Zeichen des eschatologischen Heils bzw. der Erlösung fungiert, welche das Sein der Welt transzendieren. Insofern vermag der Sakramentsbegriff die „Spannungseinheit" zwischen Göttlichem und Menschlichem zum Ausdruck zu bringen. Wenn die Kirche sowohl in ihrer Zeichen- als auch in ihrer Werkzeugfunktion dem von Gott in Jesus Christus zugesagten Heil dient, muß der konstitutive Bezugspunkt der Ekklesiologie in der → Christologie liegen. Während Christus das Wurzelsakrament als einziger Mittler zwischen Gott und den Menschen genannt wird, ist die Kirche nur Heilssakrament, weil sie den Vermittlungsraum des Heilsgeschehens absteckt. Von daher läßt sich das Verhältnis von Ekklesiologie und Christologie nicht in identifizierenden, sondern in analogen Kategorien bestimmen: „Wie nämlich die angenommene Natur dem göttlichen Wort als lebendiges, ihm unlöslich geeintes Heilsorgan dient, so dient auf eine ganz ähnliche Weise (analogo modo) das gesellschaftliche Gefüge der Kirche dem Geist Christi, der es belebt, zum Wachstum seines Leibes" (Lumen gentium 8). Die Dignität des Sichtbaren hängt also von seiner Funktion für das Unsichtbare ab, das es in Dienst nimmt: Die kirchliche Institution steht als die konkret verfaßte Kirchengemeinschaft unter dem Anspruch, wirksames Zeichen der göttlichen Gnade zu sein. Die offenkundige Ambivalenz im Sakramentsbegriff - als Zeichen *und* Werkzeug, als bloßer zeichenhafter Ausdruck und als instrumenteller Realisierungsfaktor - stellt keinen Widerspruch dar, so daß etwa nur einer Bedeutungsalternative die ausschließliche Betonung zukommen würde. Auch wenn unterschiedliche theologische Richtungen jeweils einen Aspekt besonders hervorheben (etwa die transzendentaltheologische eher den zeichenhaften, die dialogisch-heilsgeschichtliche mehr den werkzeuglichen), gehört zum wirklich sakramental (und nicht nur im gewöhnlichen Sinn symbolisch) begriffenen Zeichen wesentlich die Mächtigkeit, das Bezeichnete auch realiter zu vermitteln und nicht etwa nur darzustellen. Aufgrund der so verstandenen Zeichenhaftigkeit läßt sich das durch die Kirche Bezeichnete (Heil, Gnade, Erlösung) nicht nur als innerhalb ihrer sichtbaren Grenzen Existierendes oder Vermittelbares behaupten. Daraus ergeben sich dann selbstverständlich Konsequenzen für die Bedeutung des Begriffs der Kirchengliedschaft: Sofern die Kirche universales Heilszeichen ist, gehört zwar im engeren Sinn zu ihr, wer ihr „durch die Bande des Glaubensbekenntnisses, der Sakramente und der kirchlichen Leitung und Gemeinschaft" eingegliedert ist (Lumen gentium 14), im weiteren Sinn gehören indes alle Menschen zur Kirche, „die durch die Gnade Gottes zum Heil berufen sind" (Lumen gentium 13). Dabei handelt es sich nicht um eine ideologische Einverleibung der Menschheit in die Kirche, sondern - im Gegenteil - um das Zugeständnis, daß Gottes Heilshandeln nicht nur in den Grenzen einer sichtbaren Institution oder Gemeinschaft am Werk ist, also um eine selbstkritisch zu verstehende und anzuwendende Formulierung. Was demnach in der Kirche seinen sichtbaren Ausdruck findet, liegt, wenn auch vielleicht nur in rudimentären Ansätzen, bereits

in der gesamten Menschheits- und insbesondere Religionsgeschichte verborgen
(→ Religion). Die Heilsnotwendigkeit der Kirche („extra ecclesiam nulla salus")
kann deshalb auch nicht mehr in dem Sinn verstanden werden, als ob die Mitgliedschaft in der sozial verfaßten Kirche die conditio sine qua non hinsichtlich
der Heilsmöglichkeit wäre, vielmehr will diese Aussage so interpretiert werden,
daß sich darin ausdrückt, wodurch Gottes Gnade in der Welt manifest wird.
Letztlich ist „Kirche" überall dort präsent, wo die Liebe Gottes die Menschen erreicht und in der Liebe der Menschen untereinander wirksam wird. Von dieser
universalen Perspektive wird der Anspruch der katholischen Kirche nicht berührt,
daß in ihr die Kirche im weiteren Sinn „subsistiert" (Lumen gentium 8).

    2. Zu bewähren hat sich die sakramentale Grundlegung des Ekklesiologi-
schen an ihrer Fähigkeit, andere - alternative oder konkurrierende - Konzeptionen
zu integrieren. Dies gilt sowohl für solche nichttheologischer als auch innertheologischer Herkunft. Zunächst läßt sich eine theologisch verantwortbare Indienstnahme sozialwissenschaftlicher Betrachtungsweisen durchaus mit einer sakramentalen
Ekklesiologie vereinbaren. Weil „die mit hierarchischen Organen ausgestattete Gesellschaft und der geheimnisvolle Leib Christi, die sichtbare Versammlung und die
geistliche Gemeinschaft, die irdische Kirche und die mit himmlischen Gaben be-
schenkte Kirche ... nicht als zwei verschiedene Größen zu betrachten (sind), sondern ... eine einzige komplexe Wirklichkeit (bilden), die aus menschlichem und
göttlichem Element zusammenwächst" (Lumen gentium 8), drängt sich eine Integration außertheologischer Methoden zum Begreifen der Kirche geradezu auf: So
kann die Kirche durchaus in kommunikationstheoretischer Sicht als Kommunikationsgemeinschaft des Glaubens (→ Kommunikation), in wissenssoziologischer
Sicht als Plausibilitätsstruktur desselben oder in systemtheoretischer Sicht als
Sinn- und Handlungssystem interpretiert werden. Die Organisationsblindheit, die
der traditionellen Ekklesiologie zuweilen mit Recht vorgeworfen wurde, kann auf
diesem Wege ebenso überwunden werden wie das Abblenden anderer für ein angemessenes Verständnis des kirchlichen Handelns notwendiger Dimensionen. Bei
alldem besteht kein Anlaß, eine Relativierung des Selbstverständnisses durch die
Außenbetrachtung anderer Wissenschaften zu befürchten, weil diese nicht den
Anspruch auf eine Totalerklärung erheben können, ohne ihrerseits unter den Verdacht einer Grenzüberschreitung zu gelangen, und weil ja die Kirche selbst „in ihren Sakramenten und Einrichtungen ... die Gestalt dieser Welt" trägt (Lumen
gentium 48). Die Frage nach der Integrationsmöglichkeit genuin theologischer
Modelle sieht sich gegenwärtig mit dem vor allem in der sogenannten Dritten
Welt praktizierten basisgemeindlichen Selbstverständnis konfrontiert. Obwohl sich
die Interpretation, Realisierung und Intention des basisgemeindlichen Kirchenmo-
dells in den verschiedenen Kulturen unterscheidet, kann insgesamt doch von einem „neuen" Modell gesprochen werden, dessen Impulse und Motive freilich nur
im einzelnen zu würdigen wären. Von einer damit einhergehenden Sprengung der
sakramentalen Konzeption oder einem Gegensatz dazu kann jedoch nicht die
Rede sein: Es ist nämlich nicht einzusehen, warum sich der Sakramentsbegriff nur
auf die Universalkirche, nicht aber auch auf die Ortskirchen, ja sogar Ortsgemeinden anwenden lassen sollte, stellen letztere doch Konkretisierungen und Realisierungen der Gesamtkirche dar. Die Ortsgemeinde „vergeschichtlicht" die universale

Ekklesia und stellt sich somit als Zeichen und Werkzeug in denselben Dienst, in dem auch diese steht. Einheit und Vielfalt des Wesens der Kirche, welche sich in den unterschiedlichen Kirchenbildern ausdrücken, können so sinnvoll integriert werden. Außerdem läßt sich auch die teilweise vorgetragene Institutions- und Autoritätskritik vom Begriff des Sakramentalen her würdigen. Wenn Institution, Struktur, Hierarchie und Organisation selbstverständlich auch in ihrer Zeichenhaftigkeit und Werkzeuglichkeit zu sehen sind, so stehen sie unter der legitimen Kritik seitens dessen, dem sie zu dienen haben, nämlich dem Ereignis und Geist Christi. Einer Verselbständigung des Institutionellen ist deshalb genauso entgegenzuwirken wie umgekehrt der Forderung nach einem institutions- und herrschaftsfreien oder anarchischen Kirchenmodell, das in der legitimen und notwendigen Funktion des Sichtbaren nur Entartung und Verfall diagnostizieren will.

In ökumenischer Sicht läßt sich die ekklesiologisch zentrale Frage nach dem Verhältnis von „Institution" und „Ereignis" ebenfalls im Rahmen des sakramentalen Schlüsselbegriffs einer Lösung näherbringen, vermag dieser doch zum einen der geschichts- und gestaltlosen Verabsolutierung des Ereignisses und zum anderen einem geistlosen Institutionalismus vorzubeugen, indem er die Verleiblichung des Ereignisses in der Institution und die Funktionalisierung derselben im Dienst am Ereignishaften zum Ausdruck zu bringen hilft. So kann letztlich eine radikale Trennung sowie eine zur Gleichsetzung neigende Vermischung vermieden und die rechte Inbeziehungsetzung bei bleibender Unterscheidung erreicht werden. Gleichzeitig gilt es zu betonen, daß daraus keine - im klassischen Sinn - ideologische Rechtfertigung des Bestehenden resultiert. Vielmehr impliziert der Sakramentsbegriff durchaus auch eine normative, zielkritische Relevanz und unterstreicht dadurch die Forderung nach einer ecclesia semper reformanda. Darin dürfte seine ökumenische Dynamik zu sehen sein. Die aufgezeigte Bewährung der sakramentalen Konzeption führt - wie dies die Texte des II. Vatikanischen Konzils verdeutlichen - nicht zu einem Anspruch auf exklusive Deutung der Kirche, sondern liegt in ihrer Fähigkeit, eine Vielfalt anderer Ansätze als eigenständige gelten zu lassen, ohne zu einer kontradiktorischen oder auch nur beziehungslos nebeneinanderliegenden Vielheit zu führen.

3. Das Wesen der Kirche läßt sich nicht ohne ihren Weltbezug beschreiben. Die der Kirche immer wieder drohende Gefahr einer nach innen gewendeten Blickverengung wird grundsätzlich durch die Funktionalisierung ihres Seins im Hinblick auf das Heil der Welt überwunden. Durch Wort, Sakrament und Caritas dient die Kirche dem Auftrag ihres Herrn. Das „eigentliche Ziel ... (der) missionarischen Tätigkeit (ist) ... die Evangelisierung und die Einpflanzung der Kirche bei den Völkern und Gemeinschaften, bei denen sie noch nicht Wurzel gefaßt hat" (Ad gentes 6). Der Vorwurf einer ekklesiozentrischen Betrachtung des Missionsbegriffs, der an der Formel von der „plantatio Ecclesiae" Anstoß nimmt, übersieht, daß es der Kirche in diesem Verständnis nicht darum geht, sich um ihrer selbst willen in der Welt zu verbreiten (→ Theologie der Mission). Sie will sich vielmehr als Werkzeug Christi im Dienst an seiner Sache „fortpflanzen". So verstanden bringt Mission nicht einfachhin das → Heil zu einer vordem rettungslos verlorenen Menschheit. Sie bringt die siegreich erschienene Gnade Gottes, die in der gesamten Menschheitsgeschichte schon am Werk ist, zu ihrer Sichtbarkeit und

Greifbarkeit und bezeugt dadurch die Irreversibilität des in Christus erschienenen Erbarmens Gottes (K. Rahner).

Lit.: *Beinert, W.*, Die Sakramentalität der Kirche im theologischen Gespräch, in: Theologische Berichte IX, 1980, 13ff. - *Boff, L.* Die Neuentdeckung der Kirche. Basisgemeinden in Lateinamerika, 1980. - Dekret über die Missionstätigkeit der Kirche „Ad gentes", in: LThK, Das Zweite Vatikanische Konzil III, 1968. - *Döring, H.*, Grundriß der Ekklesiologie. Zentrale Aspekte des katholischen Selbstverständnisses und ihre ökumenische Relevanz, 1986 (Lit.). - Dogmatische Konstitution über die Kirche „Lumen Gentium", in: LThK, Das Zweite Vatikanische Konzil I, 1966. - *Kühn, U.*, Kirche. Handbuch Systematischer Theologie, 10, hg. v. C. H. Ratschow, 1980. - *Küng, H.*, Die Kirche, 1967. - *Rahner, K.*, Grundkurs des Glaubens. Einführung in den Begriff des Christentums, 1976. - *Ratzinger, J.*, Das neue Volk Gottes. Entwürfe zur Ekklesiologie, 1969.

H. Döring

ENTWICKLUNG

1. Begriff. 2. Entwicklungstheorien. 3. Entwicklungsziele. 4. Entwicklungsdenken und -handeln der Kirchen. 5. Entwicklung und Mission. 6. Theologie der Entwicklung?

1. Entwicklung ist ein normativer Begriff, der praktisch relative Bedeutung hat. Er „bezeichnet, weit gefaßt, den erwünschten sozialen und wirtschaftlichen Fortschritt - und es wird immer unterschiedliche Auffassungen darüber geben, was erwünscht ist" (Das Überleben sichern, 64). Entwicklung ist daher nicht statisch, sondern abhängig von den jeweiligen Wertvorstellungen zu Raum und Zeit. Wie die sozialen, wirtschaftlichen und kulturellen Verhältnisse, von denen er spricht, ist er ständigen Veränderungen unterworfen.

Bedeutungsgeschichtlich bezeichnet seit Ende des 18. Jahrhunderts die Entfaltung von Individuen, Gruppen, Völkern und Gesellschaften. M. Weber hat die Entfaltung des Menschen in den Zusammenhang von Kultur, Religion und Ökonomie gestellt, indem er die Entwicklung rationaler, wirtschaftlicher Lebensführung durch die betreffende Religion determiniert sah (Weber, Bd. 1, 1ff). 1912 nennt J. A. Schumpeter jedes innovative technisch-wissenschaftliche Phänomen, das den kapitalistischen „Kreislauf" durchbricht und einen neuen Prozeß einleitet, „Entwicklung". C. Clark spricht 1940 von Fortschritt als dem Weg zum Wohlstand, den arme Länder durch Industrialisierung beschreiten müssen (vgl. Gutiérrez, 23-27: auch: Guitard zur Bandung Konferenz 1955). Seit etwa 1950 gilt Entwicklung als ökonomisch-kultureller Gradmesser für Zivilisation und Durchkapitalisierung sowie Industrialisierung einstiger Kolonialländer, soweit sie dem Leitbild europäisch-nordamerikanischer Gesellschaften folgten. Durch diese Engführung ist der Begriff Entwicklung in den sechziger Jahren zunehmend fragwürdig geworden, denn wer vermag zu behaupten, daß der Weg bestimmter Gesellschaften normativ für andere sei? Dritte-Welt-Vertreter sprachen von der „andersartigen Entwicklung" als der Besinnung jeder Kultur und Gesellschaft auf die eigenen Traditionen, die einst den Ruch des Unterentwickelten an sich trugen. Die Absa-

ge an die ungeprüfte Übernahme fremder Modelle initiierte oder verstärkte in
Ländern der Dritten Welt die geistig-politische Entkolonisierung. Daraus entstandene Beispiele autozentrierter Entwicklung legten ihre Priorität auf „menschliche"
Entwicklung, auf die hin wirtschaftliches Wachstum auszurichten sei: „Entwicklung bringt nur dann Freiheit, wenn es sich um die Entwicklung *von Menschen*
handelt. Menschen aber können nicht entwickelt werden - sie können sich nur
selbst entwickeln ... Auf Befehl oder sogar durch Sklaverei kann man Pyramiden
und großartige Straßen bauen, man kann größere Flächen Land kultivieren und
die Warenmenge, die in den Fabriken erzeugt wird, steigern. All dies und vieles
mehr kann mit Hilfe von Zwang erreicht werden - aber nichts davon führt zur
Entwicklung von Menschen" (Nyerere, Freiheit und Entwicklung 16f). Humanität und Eigenständigkeit bedingen einander und machen die Zwiespältigkeit wirtschaftlichen Wachstums als des Primats von Entwicklung bewußt (vgl. Bericht
aus Uppsala 68, 51-57).

2. Heute stehen sich relativ unversöhnlich zwei Gruppen von Entwicklungstheorien gegenüber:

2.1 Die Gruppe der Modernisierungstheorien gehen vom Entwicklungspara-
digma westlich-kapitalistischer Gesellschaften aus, d.h. die unterentwickelten Länder seien auf dem Weg von der Tradition in die Moderne zurückgeblieben und
müßten nun die Entwicklungsstufen „aufholen", um wirtschaftlich konkurrenzfä-
hig zu sein (vgl. Rostow). Institutionen werden aufgebaut, die der industriell-ur-
banen Infrastruktur entsprechen; als Träger der Moderne wird vorrangig die städtische Mittelschicht gefördert. Traditionelle Einrichtungen und Wirtschaftssekto-
ren müssen zurücktreten. „So entsteht die Infrastruktur einer Gesellschaft unter
Modernisierungszwang" (Habermas, 71). Teil der Modernisierungstheorien ist
auch die „Dualismus-These", nach der ein unterentwickelter, feudaler und „vorkapitalistischer" Sektor mit weitgehender Subsistenzwirtschaft einem entwickelten
mit kapitalistischer Produktionsweise gegenübersteht. Es komme nun darauf an,
durch „Trickle-down"-Prozesse, d.h. durch das Heruntertröpfeln wirtschaftlichen
Wohlstandes von den entwickelten in die unterentwickelten Regionen hineinzu-
wirken (vgl. Bouke). Die grundlegende Interdependenz zwischen beiden Sektoren
durch Arbeitskraft und Güterverkehr bleibt außer acht. Besonders in Lateinamerika hat sich durch die 1962 von J. F. Kennedy gegründete „Allianz für den Fortschritt" die Modernisierung durch den „desarrollistischen" Ansatz niedergeschlagen (desarrollismo: Ideologie des schnellen Wirtschaftswachstums; vgl. Prebisch,
Pinto, Knakal). Industrieller Aufschwung durch unternehmerische Initiative im
Inneren solle eine autozentrierte Entwicklung beschleunigen, um den ausländischen Impuls allmählich zu ersetzen. Der „desarrollismo" ist in den Demokratien
wie autoritären Regimen Lateinamerikas gescheitert. Auch in den Militärdiktatu-
ren hat sich die „desarrollistische" Hoffnung auf eine forcierte Entwicklung der
Industrie durch selbstbewußte Integration in die Weltwirtschaft nicht realisiert.
Das Resultat sowohl des autozentrierten wie auch des nach außen hin orientierten „desarrollismo" ist eine Gesellschaft, in der die Bevölkerung in wachsendem
Maße „marginalisiert", an den Rand gedrängt und unterdrückt wird.

2.2 Die Gruppe der modernen Imperialismus- und Dependenztheorien ist als
Gegenbewegung zu den Modernisierungstheorien Mitte der sechziger Jahre ent-

standen. Ihnen zufolge ist Unterentwicklung nicht ein früheres Stadium der Geschichte der entwickelten Länder, sondern ist entstanden aus der strukturellen Abhängigkeit der Länder der Dritten Welt („Peripherie" oder „Satelliten") von den
sie dominierenden Industrieländern („Zentrum" oder „Metropolen"; vgl. Frank).
J. Galtungs Theorie des „strukturellen Imperialismus" weist besonders auf die
strukturelle Gewalt zwischen Zentrum und Peripherie. Die rohstoffreichen Länder
des Südens werden ausgebeutet durch die Industriezentren des Nordens. In den
Dritte-Welt-Ländern gibt es von den Zentren der Industrieländer abhängige „Sub-
zentren" in den Großstädten und Ballungsgebieten - auch „Entwicklungsinseln"
genannt (Strahm, 27) -, die durch Industrieansiedlung auf Kosten der ländlichen
Peripherie wachsen und die Gesellschaft des jeweiligen Landes durch Kommuni-
kationssysteme und westliche Kultur beherrschen. Das Hinterland liefert der Stadt
billige Arbeitskräfte (Landflucht) und Rohstoffe; die Landbewohner müssen teure
Waren aus der Stadt beziehen. Marginalität ist die negative Konsequenz dieser
„strukturellen Heterogenität", die für den peripheren Kapitalismus in der Dritten
Welt typisch ist (vgl. Cordova/Silva Michelena): Die Mehrheit der Bevölkerung
muß auf politische Teilhabe, gerechte Entlohnung und soziale Sicherheit verzichten und ist auf Gelegenheitsarbeit, Tagelöhnerdasein sowie an den Rand physischen Existenzminimums zurückgedrängt. Dieser Prozeß bedeutet „transnationale
Integration der Zentren und nationale Desintegration" (Sunkel, in: Strahm, 27).
Die strukturelle Abhängigkeit von außen haben einige Dritte-Welt-Länder mit
„Dissoziation", d.h. mit Abkoppelung in ausgewählten Wirtschaftsbereichen beantwortet (vgl. Senghaas). Durch selektive Abkoppelung versuchen sie, so weit
wie möglich einen internen Markt für billige Massenkonsumgüter, besonders für
Grundnahrungsmittel aufzubauen. Beziehungen zu den Industrieländern werden
nur insoweit aufrechterhalten, als sie der Eigenständigkeit des internen Wirt-
schaftssystems dienen (Birma, China, u.a.).

    3. Angesichts des zunehmenden Hungers und der wachsenden Massenarmut
in der Dritten Welt ist unumstritten, daß Entwicklung mit der Befriedigung von
materiellen Grundbedürfnissen - Nahrung, Kleidung und Behausung - einsetzen
muß. Ohne die Befriedigung auch der sozialen Grundbedürfnisse ist die Befriedigung der materiellen nicht von Bestand: Bildung, soziale Sicherheit, sinnvolle Arbeit, gesunde Umwelt, kulturelle Identität und politische Partizipation. Mehrere
Gruppen und Institutionen haben die Grundbedürfnisstrategie eingebracht als
Kritik an der Ideologie des schnellen Wirtschaftswachstums, die die ärmsten
Schichten nicht in Wohlstand, sondern in noch größere Verelendung hineinführte.
Diese Strategie eingebracht haben: die Erklärung von Cocoyoc/Mexiko 1974 der
Welthandelskonferenz (UNCTAD) und des UN-Umweltprogramms (UNEP); der
1975 vorgelegte Bericht „What Now?" der schwedischen Dag-Hammarskjöld-Stif-
tung das 1976 von der argentinischen Bariloche-Stiftung entworfene Modell „Ca-
tastrophe or New Society", das den „Grenzen des Wachstums" (Club of Rome)
die „Grenzen des Elends" entgegenstellte; schließlich das 1976 von der Weltbe-
schäftigungskonferenz verabschiedete Aktionsprogramm über „Beschäftigung,
Wachstum und Grundbedürfnisse". In Cocoyoc heißt es: „Ein Wachstumsprozeß,
der nur der wohlhabendsten Minderheit nutzt und die Gefälle zwischen den Län-

dern und innerhalb der Länder noch vergrößert, ist keine Entwicklung. Es handelt sich vielmehr um Ausbeutung" (in: Jonas/Tietzel, 209ff).

In der Zieldiskussion wird die Frage nach den Ursachen von Hunger, → Armut und Massensterben eingeschlossen werden müssen. Eine Unterscheidung zwischen kurz- und langfristigen Zielen würde zu leicht verdecken, daß das Massensterben um so ungehinderter fortgeht, wenn die Bekämpfung der Ursachen zweitrangig erscheint. D.h.: Nur sozial gerechte Strukturen und deren Voraussetzung - das Gleichheitsprinzip in politischen Entscheidungen - werden ein Land befähigen, materielle und soziale Grundbedürfnisse der Bevölkerung dauerhaft zu befriedigen. Nohlen und Nuscheler haben beide Aspekte in ein „magisches Fünfeck von Entwicklung" eingetragen mit den Elementen Wachstum, Arbeit, Gleichheit/Gerechtigkeit, Partizipation und Unabhängigkeit. Jedes Element bedingt das andere, z.B. gibt es kein Wachstum, ohne den Armen Arbeit zu geben, sie gerecht teilhaben zu lassen am Wohlstand und ohne zur Unabhängigkeit des Landes beizutragen. Sowohl die 1964 gegründete Welthandelskonferenz - bis 1983 fanden sechs Tagungen statt - wie auch der von der Weltbank initiierte „Pearson-Bericht" von 1969 haben die Mittel zu diesen Zielen beschrieben und von den Industrieländern gefordert, sie mögen die Diskriminierung der Dritten Welt im internationalen Handel aufheben: 1. die Rohstoffe an die Industriegüterpreise anpassen und dadurch die Austauschverhältnisse zwischen Export und Import („terms of trade") verbessern; 2. durch günstige Kredite die Schuldenlast abtragen helfen; 3. das Volumen öffentlicher Entwicklungshilfe auf 0,7 Prozent des Bruttosozialproduktes anheben. Auch UNCTAD IV 1983 in Belgrad hat die Industrieländer nicht dazu veranlassen können, den Berg der Auslandsschulden aller Entwicklungsländer abzutragen (1984: 895 Mrd. US-Dollar) oder Ausgleichszahlungen für Exporterlösausfälle im Rohstoffbereich zu zahlen. Auch ist bisher der „Gruppe der 77", der 1967 gegründeten Vertretung von heute etwa 130 Entwicklungsländern, nicht gelungen, feste Preise und Übernahmegarantien von Rohstoffen durchzusetzen, um die Dominanz großer transnationaler Konzerne auf den Warenmärkten zu verringern. Die beiden Lomé-Handelsabkommen der Europäischen Gemeinschaft (EG) aus den Jahren 1975 und 1979 mit 58 AKP-Staaten (d.h. Afrikas, der Karibik und des Pazifik) sollten hierzu beitragen. Noch ist umstritten, inwieweit die wirtschaftliche Gleichstellung der AKP-Staaten damit gefördert wird. Für eine „Neue Weltwirtschaftsordnung" ist wenig Hoffnung, solange der Druck der Industrieländer auf die Dritte Welt anhält: 26 Prozent der Weltbevölkerung in den Industrieländern in Ost und West verfügen über 78 Prozent der Produktion, 81 Prozent des Energieverbrauchs, 70 Prozent des Kunstdüngers und 87 Prozent der Welt-Rüstungsaufwendungen (vgl. Strahm, 13). Für Dreiviertel der Menschheit bleibt ein Fünftel der Produktion und der Güter der Erde.

4. Die katholischen wie die protestantischen Kirchen haben übereinstimmend in der Mitte der sechziger Jahre der wirtschaftlichen Aufholstrategie eine Absage erteilt und das Streben nach Gerechtigkeit in den Mittelpunkt ihres Denkens, ihrer entwicklungsbezogenen Bildung und ihrer praktischen „Hilfe zur Selbsthilfe" gestellt. Die katholische Kirche trug dazu bei durch die Entwicklungsenzyklika „Über den Fortschritt der Völker" 1967 sowie bereits durch die Pastoralkonstitution des II. Vaticanums „Gaudium et Spes". Auch die 2. Lateinameri-

kanische Bischofskonferenz in Medellin/Kolumbien 1968 hat beiden Kirchen die
Augen geöffnet für die ekklesiologischen Konsequenzen des Kampfes für Gerechtigkeit: Kirche als das neue → Volk Gottes verändert sich und erhält basisge-
meindliche Gestalt, wo sie die Einheit von Heilsgeschichte und Menschheitsgeschichte bezeugt und daher die Sehnsucht der Armen nach Befreiung zentral in
ihre Verkündigung einbezieht. Der → Ökumenische Rat der Kirchen hat 1966 auf
der Weltkonferenz für Kirche und Gesellschaft in Genf sowie 1968 auf seiner 4.
Vollversammlung in Uppsala den in Amsterdam 1948 geprägten Begriff der „Verantwortlichen Gesellschaft" aufgenommen und Gerechtigkeit als das Konstituti-
vum einer „verantwortlichen Weltgesellschaft" hervorgehoben. Uppsala forderte
die Kirchen auf, fünf Prozent der kirchlichen Haushaltsmittel für Entwicklungs-
aufgaben bereitzustellen. Der von der päpstlichen Kommission „Justitia et Pax"
und dem ÖRK 1967 gemeinsam gebildete Ausschuß für Gesellschaft, Entwicklung und Frieden (SODEPAX) veranstaltete in Beirut 1968 eine Entwicklungskonferenz und griff die Forderungen der Dritte-Welt-Länder auf, den Weltmarkt
für deren Halb- und Fertigfabrikate zu öffnen. Beirut sprach von der „gerechten
Aufteilung unserer Talente, Mittel und Reichtümer" als dem praktischen Zeichen
der „Liebe zu den Menschen" (Weltweite Entwicklung, 18f). Durch die Gründung der Entwicklungsabteilung des ÖRK 1970 steht die Eigeninitiative besonders der ländlichen Armen in der Dritten Welt im Vordergrund: Tagelöhner, land-
lose Arbeiter, Wanderarbeiter in Afrika, Campesinos in Lateinamerika, Kastenlo-
se in Indien. Der indische Wirtschaftswissenschaftler Samuel Parmar nannte 1970
auf der 1. Konferenz des ÖRK zu Entwicklungsfragen in Montreux drei wechsel-
seitig abhängige Bedingungen für Entwicklungsarbeit, die von unten nach oben
wirken soll: Eigenständigkeit der Betroffenen, soziale Gerechtigkeit in den Ar-
beits- und Besitzverhältnissen sowie in Bildung und politischer Teilhabe, wirtschaftliches Wachstum, das die Lebensqualität der Ärmsten erhöht; der Forderung nach Gerechtigkeit kommt Priorität zu (Ungerechte Fesseln öffnen, 43-67).
Dies hatte auch Konsequenzen für die Beziehungen zwischen den Kirchen im
Norden und im Süden: Die neu gewonnene Eigenständigkeit vieler Dritte-Welt-
Kirchen wurde auf der Weltmissionskonferenz in Bangkok 1973 („Das Heil der
Welt heute") radikalisiert zum Ruf nach einem Moratorium für die Entsendung
von Missionaren und Finanzhilfe aus dem Westen. Kirchen im Süden wollten mit
einem Moratorium die Möglichkeit bekommen, ganzheitliche Kirche zu werden,
gleichermaßen Empfänger und Geber zu sein und dadurch die ökumenischen Beziehungen geistlich zu festigen - „daß Geld nicht mehr die einzige Achse ist, um
die sich die Mission dreht" (John Gatu, in: Leere Hände, 19). Zwar blieb der Ruf
nach dem Moratorium im wesentlichen ohne praktische Folgen, doch hat er die
reichen Kirchen zum Bedenken ihrer zwischenkirchlichen Beziehungen veranlaßt.
Für die Dritte-Welt-Kirchen nicht minder als für deren Gesellschaften ist „wichtig, daß wir (i.e. die reichen Kirchen und Länder) von ihren Schultern steigen und
aus ihren Köpfen verschwinden. Sie brauchen das Recht zu definieren, wer sie
sind und wohin sie gehen wollen, und zwar ohne gutes Zureden oder Zwang
durch uns" (Cox, 81f). Der argentinische Theologe Jose Miguez Bonino machte
1974 bei der 2. Entwicklungskonferenz des ÖRK in Montreux kirchliche Existenz
weltweit abhängig von der Parteilichkeit von Kirche: „Die Kirche, die nicht Kir-

che der Armen ist, setzt ihren kirchlichen Charakter aufs gefährlichste aufs Spiel" (Die reichen Kirchen ..., 29). Der Kampf der Armen um → Befreiung aus Unterdrückung ist seit „Montreux II" der neue Name für Entwicklung sowie integrativer Bestandteil ökumenischer Ekklesiologie. Die westlichen Kirchen sind daher nicht länger gefragt, was sie für die Armen tun können, sondern ob sie am Kampf der Armen teilnehmen (ÖRK-Studienprozeß 1968-1980: „Für eine mit den Armen solidarische Kirche"). Bei der 5. ÖRK-Vollversammlung in Nairobi 1975 bezeichnete der indische Theologe und ÖRK-Zentralausschußvorsitzende M. M. Thomas eine in diesem Sinne gesetzliche „Spiritualität des Kampfes" als konstitutiv für die Einheit der Kirche und die Einheit der Menschheit gleichermaßen. Die nach Nairobi entfaltete Forderung nach einer „gerechten, partizipatorischen und überlebensfähigen Gesellschaft" („Just, participatory and sustainable society", kurz: JPSS) versucht den ÖRK-Mitgliedskirchen nüchterne sozialethische Maßstäbe an die Hand zu geben, nach denen die Machtausübung in ihren Gesellschaften - gerade angesichts neuer technologischer Möglichkeiten - rechenschaftspflichtig zu machen sei. Die 6. Vollversammlung in Vancouver 1983 machte den Kampf für Gerechtigkeit zum integrativen Bestandteil eines ökumenischen „Bundesschlusses für Gerchtigkeit, Frieden und Bewahrung der Schöpfung", der auch eine Trennung von Theologie und Entwicklungsethik überwinden helfen soll. Der südafrikanische Theologe A. Boesak beklagte diese Trennung: „Wir haben noch nicht begriffen, daß jeder unmenschliche Akt, jedes ungerechte Gesetz, jeder vorzeitige Tod jede Rechtfertigung von Gewalt und Unterdrückung ein Opfer ist, das auf dem Altar der Todesgötzen dargebracht wird; es ist eine Verleugnung des Herrn des Lebens" (Bericht aus Vancouver 83, 235f). Gerade die Bemühungen der ÖRK-Entwicklungsabteilung, die sozialen Folgen der Investitionen von transnationalen Unternehmen in Billiglohnländern zu untersuchen und für die Opfer Partei zu nehmen, sind ein genuiner theologischer Beitrag dazu (vgl. Churches and the Transnational Corporations).

Die katholische und die evangelische Kirche in der Bundesrepublik haben sich seit 1959 durch ihre Hilfswerke „Misereor" und „Brot für die Welt", aber auch durch ihre staatlich geförderten „Zentralstellen" an der Beseitigung von Hunger, Armut und Ungerechtigkeit beteiligt. Ländliche Genossenschaften, die zur Befreiung aus Abhängigkeit vom Großgrundbesitz beitragen, und andere Selbsthilfeinitiativen der einheimischen Bevölkerung werden besonders gefördert. Dabei ist durchaus umstritten, inwieweit die westlichen Kirchen ihren Partnern in der Dritten Welt das Vertrauen entgegenbringen, wie es unter gleichgestellten Geschwistern angemessen ist (→ Partnerschaft), und inwieweit sie auch Entscheidungsprozesse ökumenisch miteinander teilen und durchsichtig machen (ÖRK-Programm „Ecumenical Sharing of Resources", vgl. Leere Hände). Beide Kirchen haben in Synodalbeschlüssen zwischen 1968 und 1975, die evangelische Kirche besonders in ihrer Denkschrift zum kirchlichen Entwicklungsdienst 1973, einschneidende politische, wirtschaftliche und strukturelle Maßnahmen in den Industrieländern gefordert. Der „Entwicklungspolitische Kongreß" beider Kirchen im Jahre 1979 sowie die „Gemeinsamen Erklärungen" zu den Welthandelskonferenzen sind Ausdruck des Bemühens um „die soziale Frage unseres Jahrhunderts" (Erklärung zur 3. UNCTAD-Konferenz 1972).

5. So wenig Mission eine „empirsche Sendungsveranstaltung" (Gensichen, 205) bleiben kann, derzufolge die Ausführung von Mission einer ungeschichtlichen und unkritischen menschlichen Initiative unterworfen ist, so wenig dürfen Entwicklung und ein kirchlich verantworteter Entwicklungsdienst einem blinden technokratischen Fortschrittsoptimismus zu Dienste sein. Der Missionsbefehl Mt 28,18-20 korrigiert beide: Das „Geht hin" und das „Darum" lassen sich nicht voneinander trennen. Der Geist, in dem gegangen wird, ist der Geist des Gekreuzigten, der „gekreuzigte Geist", der sich fortschrittsgläubigen Patentlösungen ebenso entzieht wie einer ehrgeizig institutionalisierten Missio gloriae. Die Gangart bestimmt sich durch den Geist dessen, der für die Welt leidet, der mit und an ihr leidet, weil er sie einzigartig erleidet. Die Zentren von Mission und Entwicklung sind die Orte am Rande, die Wegesränder, an denen er gelitten und mitgelitten hat, die unscheinbaren Plätze, an denen er die Jünger stehenbleiben heißt. Den Rändern hat er neues Leben geschenkt und den Toden, die dort gestorben werden, den Aufstand erklärt. Gilt nur das „Geht hin", gerät der Geist christlicher Sendung zum Geist wider den Geist Christi (vgl. Koyama, 101). In seinem Geist sich senden und verändern, entwickeln und gestalten lassen meint: sich auf unsere Geschichte einlassen, wie Jesus Christus es tut (Röm 5,8). Maßgeblich für beide - Entwicklung und Mission - ist das Heilsgeschehen in Christus in seiner direkten Bezogenheit auf die Welt. In ihm manifestiert sich Gottes Parteinahme für die Menschheit als ganze und für den ganzen Menschen (Joh 3,16); in ihm gehören Heil und Heilung, Versöhnung und Befreiung untrennbar zusammen. So gewiß in Person und Werk Christi Gott seine Herrschaft über das ganze Leben und nicht nur über einen religiösen Sonderbereich proklamiert, so gewiß ist die Kirche Jesu Christi gewesen in alle Lebensbereiche hinein (Barmen II; vgl. Gollwitzer, 69f). Nicht der Entwicklungsdienst der Kirche schafft demnach das Heil, sondern umgekehrt: Gottes Heil, wie es Israel in der Befreiung aus Ägypten erfuhr und was in Christus für alle Welt zur Geltung kommt, setzt die Kirche in Bewegung, die diesem Heil innewohnende Liebe und Gerechtigkeit Gottes in befreiender Tat nicht weniger als im fürbittenden und solidarischen Wort zu bezeugen und so ganzheitlich Rechenschaft abzulegen von der brennenden Hoffnung auf das kommende Gottesreich. „Das Christentum muß sein herrscherliches Verhältnis zur Welt aufgeben zugunsten eines liebenden Verhältnisses ... (Die Jünger Jesu) dürfen die Welt nicht fallen lassen, sondern sie müssen sie liebhaben in der Liebe Gottes, welche will, daß die Welt ihre Lüge hergebe und sterbe, damit sie neu werde" (Blumenhardt, in: Pfeiffer, 24f). Kirchlicher Entwicklungsdienst wird sich davor hüten, Herrschaftsverhältnisse der Welt idealisierend zu vergötzen; ebenso ist es kirchlicher Mission versagt, den Zivilisationsprozeß des Abendlandes mit dem Befreiungshandeln Christi zu identifizieren, wie es in der Verknüpfung mit kolonialem Imperialismus geschah. Wird Gottes Wirken nicht nur auf die Kirche begrenzt, sondern seine Herrschaft universal verstanden, dann werden Zeichen des kommenden Gottesreiches und Träger des Geistes Gottes gesichtet auch zu Zeiten und an Orten, die der Christenheit noch verschlossen sind. Für den Entwicklungsdienst gilt daher wie für das missionarische Zeugnis der Kirche: Gott selbst holt sich seine ursprünglich gute Schöpfung zurück (Dein Reich komme, 120), und wo es geschieht, sind es nicht Menschen, Missionen und Entwicklungsagenturen, sondern einzig er, der dem unbeachteten, geschmähten und bedrückten Volk verheißt, sich „auszubreiten zur Rechten und zur Linken" (Jes 54,3). Die Weltmissionskonferenz in Melbourne 1980 hat die Vision von einer Kirche entworfen, die Anwalt und Hoffnung der Armen ist und darin ihren Sendungsauftrag erfüllt. Melbourne rief die reichen Kirchen zur Umkehr: „Der gekreuzigte und auferstandene Christus richtet seichte Lebensstile und fordert die Kirchen zur Buße auf und zu neuem Leben ... Das Gericht muß im Hause Gottes beginnen" (Dein Reich komme, 148.171). D.h. an der Sorge für das Wohl der Armen entscheidet sich das Heil der Kirche. Wer sich von ihnen trennt, trennt sich vom Heil in Christus.

6. Nicht nur die Zweideutigkeit des Begriffes, seine wachstumstheoretische Prägung sowie die prozeßhafte Bewegung des Gemeinten, auch jegliche mißzudeutende theologische Legitimation von Entwicklungsprozessen besonders durch die jeweiligen Machtträger erschwert es, Entwicklung theologisch zu deuten (vgl. Arevalo). „Frieden" (Populorum progressio), „soziale Gerechtigkeit" (Parmar) und „Befreiung" (Bonino) sind konzeptionsgebundene und kontextuelle Synonyme und Bedingungen für Entwicklung zugleich, die zwar einer theologischen Deutung zugänglicher sind als Entwicklung, aber den Bereich des Begrifflichen nicht verlassen. Wesentlich für die von struktureller Abhängigkeit und Unterentwicklung Betroffenen ist, wer mit welcher Intention welchen Begriff legitimiert; das wahre Gesicht des Gesprochenen wird endgültig erst im politischen und ökonomischen Vollzug erkennbar. Es waren zuerst vor allem Basisgruppen und Gemeinwesensinitiativen in Asien, zusammengeschlossen im ökumenischen Netzwerk der → „Urban Industrial Mission" in Asien, die 1973 „Entwicklung" mißbraucht sahen von politischen Führern, die unter Verletzung der Menschenrechte und auf Kosten der ärmsten Schichten ihre Macht mißbrauchten (vgl. People's Forum). „Entwicklung" wurde für die Armen zum Synonym für den Götzen „nationale Sicherheit", dem unter dem Vorwand angeblich äußerer Bedrohung Menschen zu Tausenden geopfert werden. Kirchen und Theologen in Asien haben an die Stelle einer „Theologie der Entwicklung" eine politische „Theologie des Volkes Gottes" gesetzt, um das Subjekt und dessen Gehorsam auf dem Weg zu einer humanen Gesellschaft zu determinieren: Die Entrechteten - Kleinbauern ohne Land, Fischer ohne Wasser, Arbeiter ohne Lohn, Familien ohne Wohnung - sind als Träger der Verheißung Gottes Subjekt einer gerechten Entwicklung (vgl. Song; Minjung) (→ Koreanische Theologie). Erst eine Entwicklung, die sich auf sie als ihr Subjekt, auf die „Lieblinge Gottes" (Avila, 15f). einläßt, verdient diesen Namen und bereitet dem Verstehen göttlicher Erwählung den Weg (1Kor 1,27-28). Das bedeutet nicht, → „Volk" und „Volk Gottes" zu identifizieren, das leidende Volk zu ideologisieren oder es doch wieder den Interessen bestimmter Machtgruppen zu unterwerfen (vgl. Blaser, 14-18). „Volk Gottes" ist auch und vor allem die Bewegung derer, die in der Nachfolge Christi die „Zeichen der Zeit" (Mt 16,3; Lk 19,42) erkennen und ihre Gesellschaften mit der alle Mächte entwaffnenden Wahrheit konfrontieren, wie sie vor Gott und seiner Gerechtigkeit Bestand hat. Dann wird eine Gesellschaft nicht in Apathie verharren und sich zufrieden geben mit „Entwicklungsprojekten", die ein Alibi der Mächtigen für ungerechte Verhältnisse sind. Dann werden Reiche sich aus gottlosen Bindungen und abstumpfender Gefangenschaft des Mammons befreien lassen auf eine Zukunft hin, die Gott für sie bereithält (vgl. Thomas, in: Weltweite Partnerschaft, 50-60). Eine um Einheit bemühte Christenheit wird den Riß, der durch die Teilung in Mächtige und Ohnmächtige, Arme und Reiche durch sie hindurch geht, nicht übersehen können. Ihre Einheit wird vielmehr erst hergestellt sein, wo sie sich in ihrer ekklesiologischen Gestalt vor Gott verantwortet und sich als „Volk Gottes" behaften läßt (Lev 26,12; Jes 55,3-5), die Gründe für diesen Riß zu erkennen und ihn durch Veränderung der eigenen wie auch durch Einflußnahme auf weltwirtschaftliche Strukturen zu überwinden. Insofern vermag eine „Theologie des Volkes Gottes" zur Einheit von Menschheit und Kirche verheißungsvoller beizutragen, da sie die Kirche Jesu Christi auf ihre Sozialgestalt hin befragt und diese in Beziehung setzt zu ihrer Verantwortung für ein lebensfähiges Gemeinwesen weltweit (vgl. Duchrow). In der Chicago-Declaration von 50 einflußreichen evangelikalen Christen in den USA vom November 1973 heißt es: „... wir haben die Liebe Gottes nicht genügend denjenigen gezeigt, die unter sozialen Mißständen leiden ... Aber wir rufen die Verantwortlichen und Brüder unseres Landes zu der Gerechtigkeit auf, die ‚ein Volk erhöht'" (Weltmission heute, 80).

Lit.: Appell an die Kirchen der Welt, Dokumente der Weltkonferenz für Kirche und Gesellschaft 1966, 1967. - *Arevalo, C. G.*, Wie Christen in Asien denken, 1979, 267-288. - *Avila, Ch.*, Fische, Vögel und die Gerechtigkeit Gottes, 1981. - Bericht aus Uppsala 68, hg. v. H. Krüger/W. Müller-Römheld, 1976. - Bericht aus Vancouver 83, hg. v. W. Müller-Römheld, 1983. - *Blaser, K.*, Die erste Barmer These im aktuellen theologischen Kontext, in: Barmen und die Ökumene, hg. v. Ev. Missionswerk, 1984, 5-18. - *Bouke, J. H.*, Economics and Economics Policy of Dual Societies, 1953. - Churches and the Transnational Corporations. An Ecumenical Programme. Ed. by the Commission on the Churches' Participation in Development, World Council of Churches, 1983. - *Clar, C.*, The conditions of economic progress, 1940. - Club of Rome, Reshaping the International Order (RIO-Report), 1976. - *Cordova, A.*, Strukturelle Heterogenität und wirtschaftliches Wachstum, 1973. - *Ders./Michelena, H. S.*, Die wirtschaftliche Struktur Lateinamerikas, ⁵1979. - *Cox, H. G.*, Barbie Doll and the spectre of cultural imperialism, in: Christianity and Crisis, 27.4.1970, 81-82. - Dag Hammarskjöld Foundation (Hrsg.), What now? Auszugsweise abgedruckt in: Friedensanalysen für Theorie und Praxis 3, 1975, 3-44. - *Dams, Th.* (Hrsg.), Entwicklungshilfe - Hilfe zur Unterentwicklung?, 1974. - Das Heil der Welt heute, 1973, hg. v. Ph. Potter, 1973. - Das Überleben sichern. Bericht der Nord-Süd-Kommission, 1980. - *Datta, A.*, Ursachen der Unterentwicklung, 1982. - Dein Reich komme, hg. v. M. Lehmann-Habeck, 1980. - *Dejung, K. H.*, Die Ökumenische Bewegung im Entwicklungskonflikt 1910-1968, 1973. - Der Entwicklungsdienst der Kirche - ein Beitrag für Frieden und Gerechtigkeit in der Welt, Denkschrift der EKD-Kammer für Kirchl. Entwicklungsdienst, 1973. - *Dickinson, R. D. N.*, Entwicklung in ökumenischer Sicht (texte zum kirchlichen Entwicklungsdienst 12) 1975. - *Ders.*, Poor, yet making many rich. The poor as agents of creative justice, 1983. - *Ders.*, Richtschnur und Waage, 1968. - Die „reichen" Kirchen - und die Solidarität mit den Armen in der Welt. Texte der ÖRK-Entwicklungskonsultation 1984, („Montreux II"), in: epd-Dokumentation 35/1975. - *Duchrow, U.*, Weltwirtschaft heute - ein Feld für Bekennende Kirche?, 1986. - EKD und Kirchl. Entwicklungsdienst, epd-Dok. 9, 1973. - Entwicklung - Gerechtigkeit - Frieden, Kongreß der Kirchen in Bonn 1979, 1979. - *Eppler, E.*, Wenig Zeit für die Dritte Welt, 1971. - *Erler, B.*, Tödliche Hilfe, 1985. - Ermutigung zum Leben. Kirchl. Hilfe in der Dritten Welt, epd-Dokumentation 17, 1977. - *Fanon, F.*, Die Verdammten dieser Erde, 1966. - *Frank, A. G.*, Kapitalismus und Unterentwicklung in Lateinamerika, 1969. - *Fröbel, F./Heinrichs, J./Kreye, O.*, Die neue internationale Arbeitsteilung, 1977. - Für eine mit den Armen solidarische Kirche, in: epd-Dokumentation 25a/1980. - *Galtung, J.*, Strukturelle Gewalt,

1975. - Gemeinsame Konferenz Kirche und Entwicklung (Hrsg.), Partner in der Weltwirtschaft. Kirchl. Erklärungen zur internationalen Wirtschaftsordnung aus Anlaß der 3. bis 5. UNCTAD-Konferenz, 1983. - *Gensichen, H.-W.*, Mission und Kultur, 1985. - *Gern, W.*, Art. Dritte Welt, EKL[2] 1, 923-941 (Lit.). - Global 2000. Der Bericht des Präsidenten, 1980. - *Gollwitzer, H.*, Die Weltverantwortung der Kirche in einem revolutionären Zeitalter, in: Die Zukunft der Kirche und die Zukunft der Welt. Die Synode der EKD 1968, 1968, 69-96. - Grundlagen einer gerechten, partizipatorischen und verantwortbaren Gesellschaft. Vorlage der ÖRK-Zentralausschußsitzung in Jamaica 1979, in: epd-Dokumentation 7/1979, 35-54. - *Guitard, O.*, Bandoung et le réveil des peuples colonisés, 1961. - *Gutiérrez, G.*, Theologie der Befreiung, [4]1979. - *Habermas, J.*, Technik und Wissenschaft als Ideologie, [6]1973. *Herrera, A. O./Scolnik, H. D. u.a.*, Grenzen des Elends. Das Bariloche-Modell: So kann die Menschheit überleben, 1977. - *Horowitz, I. L.*, Three Worlds of Development: The Theory and Practice of International Stratification, 1966. - *Hürni, B.*, Der Beitrag des Ökumenischen Rates der Kirchen zur Entwicklungshilfe, 1973. - *Illich, I.*, Almosen und Folter. Verfehlter Fortschritt in Lateinamerika, 1970. - *Ders.*, Forschrittsmythen, 1978. - *Jonas, R./Tietzel, M.* (Hrsg.), Die Neuordnung der Weltwirtschaft, 1976. - Kirchl. Entwicklungsdienst, in: epd-Dok. 2/1970. - *Koyama, K.*, Das Kreuz hat keinen Handgriff, 1978. - *Kunst, H./Tenhumberg, H.* (Hrsg.), Soziale Gerechtigkeit und internationale Wirtschaftsordnung, 1976. - Leere Hände. Eine Herausforderung für die Kirchen. Arbeitsheft zum ökumenischen Austausch von Ressourcen, 1980. - *Meadows, D., u.a.*, Grenzen des Wachstums, 1973. - Minjung. Theologie des Volkes Gottes in Südkorea, hg. v. J. Moltmann, 1984. - *Myrdal, G.*, Ökumenische Theorie und unterentwickelte Regionen. Weltproblem Armut, 1974. - *Nohlen, D./Nuscheler, F.* (Hrsg.), Handbuch der Dritten Welt, 8 Bde, 1982f (Lit.). - *Nürnberger, K.*, Die Relevanz des Wortes im Entwicklungsprozeß, 1982 (Lit.). - *Nyerere, J.*, Afrikanischer Sozialismus (texte zum kirchlichen Entwicklungsdienst 5), 1979. - *Ders.*, Freiheit und Entwicklung (texte zum kirchlichen Entwicklungsdienst 10), 1975. - *Parmar, S.*, Entwicklung mit menschlichem Gesicht (texte zum kirchlichen Entwicklungsdienst 17), 1979. - Der Pearson-Bericht, 1969. - People's Forum. Asia Focus No. 4, 1973, ed. by Christian Conference of Asia, 1973. - *Pfeiffer, A.*, Reich Gottes - Kirche - Ökumene - Mission bei Chr. Blumhardt, in: Materialdienst der Ev. Akademie Bad Boll 20/79, 15-25. - *Pinto, A./Knakal, J.*, America Latina y el cambio en la economica mundial (America Problema 8), hg. v. Instituto de Estudios Peruanos, 1973 . - *Prebisch, R.*, Hacia una dinámica del desarrollo latinoamericano, 1963. - *Rossel, J.*, Teilen in der ökumenischen Gemeinschaft. (texte zum kirchlichen Entwicklungsdienst 32), 1983. - *Rostow, W. W.*, The Stages of Economic Growth, 1960. - *Rudersdorf, K. H.*, Das Entwicklungskonzept des Weltkirchenrates, 1975. - *Schober, Th., u.a.* (Hrsg.), Ökumene - Gemeinschaft einer dienenden Kirche, 1983. - *Schumpeter, J. A.*, Theorie der wirtschaftlichen Entwicklung, 1912. - Sekretariat der Deutschen Bischofskonferenz (Hrsg.), Die Kirche Lateinamerikas. Dokumente der II. und III. Generalversammlung des Lateinamerikanischen Episkopats in Medellin und Puebla, 1979. - *Santa Ana, J. de*, Gute Nachricht für die Armen, 1979. - *Ders.* (Hrsg.), Separation without hope?, 1978. - *Ders.* (Hrsg.), Towards a Church of the Poor, 1979. - *Senghaas, D.*, Weltwirtschaftsordnung und Entwicklungspolitik. Plädoyer für Dissoziation, 1977. - SODEPAX, In Search of a Theology of Development. A SODEPAX-Report, 1969. - *Song, C. S.*, Die Tränen der Lady Meng. Ein Gleichnis für eine politische Theologie des Volkes, 1982. - *Strahm, R. H.*, Warum sie so arm sind, 1985. - *Tévoèdjré*, Armut - Reichtum der Völker, [2]1982. - *Thimme, H./Wöste, W.* (Hrsg.), Im Dienst für Entwicklung und Frieden, 1982. - Towards A Theology of People (I), hg. v. Urban Rural Mission of Christian Conference of Asia, 1977. - Towards the Sovereignty of the People, hg. v. Commission on Theological Concerns of Christian Conference of Asia, 1983. - Transnationale Unternehmen als Thema der Entwicklungspolitik. Ein Diskussionsbeitrag der EKD-Kammer für Kirchl. Entwicklungsdienst (texte zum kirchlichen Entwicklungsdienst 34), 1985. - Ungerechte Fesseln öffnen. Bericht der Konferenz über ökumenische Unterstützung für Entwicklungsprojekte in Montreux 1970 („Montreux I"), ÖRK 1970. - *Weber, M.*, Gesammelte Aufsätze zur Religionssoziologie, Bd. 1, 1920. - Weltmission heute. Thesen und Texte zur 3. Tagung der 5.

Synode der EKiD, 1974. - Weltweite Entwicklung. Die Herausforderung an die Kirchen. Konferenz für weltweite Zusammenarbeit in Entwicklungsfragen in Beirut 1968, 1968. - Weltweite Partnerschaft (texte zum kirchlichen Entwicklungsdienst 19, 1979. - *Wöhlcke, M., u.a.*, Die neuere entwicklungstheoretische Diskussion, 1977 (Lit.).

W. Gern

ESCHATOLOGIE

1. Ausgangslage: atomisierte eschatologische Inhalte. 2. Innertheologische Strukturierung. 3. Existentiell-praktischer Bezug. 4. Differenzierte Integration.

Der Wandel der Eschatologie ist nicht zuletzt durch die missionarische Situation und die Mission des Glaubens in der Welt bestimmt. In der Ausgangslage ist Eschatologie nur eines der inhaltlichen *Objekte* missionarischer Verkündigung und Praxis, zunehmend wird Mission aber zu einem konstituierenden *Subjekt* christlicher Hoffnung und ihrer praktischen und theologischen Gestalt als Eschatologie.

1. Vor der Erneuerung der systematischen Eschatologie durch ihre biblische Begründung und ihre existentiell-praktische Gestaltung stellte der Traktat Eschatologie eine wenig geordnete Sammlung unterschiedlicher Inhalte dar: Tod, Gericht, Himmel, Fegefeuer, Hölle, Auferstehung der Toten, Weltgericht und Vollendung des Kosmos usw. standen nebeneinander in einer wenig strukturierten Auflistung, zudem noch in einer Mischung unterschiedlichster Vorstellungen, Bilder, mythologischer Ausschmückungen usw., die nicht durch methodische Interpretation (Hermeneutik der eschatologischen Aussagen) zueinander vermittelt wurden. Gering war die innere theologische Strukturierung vom Christusgeheimnis her, gering auch die Verwurzelung der objektivierten Inhalte in der Praxis christlicher Hoffnung des einzelnen und der Glaubens- und Hoffnungsgemeinschaft. Mission selbst, als Zeugnis und tätige Weitergabe christlicher Hoffnung war kaum ein Thema der Eschatologie, umgekehrt gehörte die Verkündigung von den „letzten Dingen" zum Vollbestand der missionarischen Predigt und Katechese, mit einer größeren Dringlichkeit angesichts der Heils- und Unheilssituation des → „Heiden". So wurden die Aussichten der „Ewigkeit" als abschreckende und einladende Motive für die Bekehrung besonders akzentuiert; Mission als Akt und Moment der Heils- und Geschichtsvollendung trat noch nicht ins Bewußtsein.

2. Die zerstreuten Fragmente rückten in eine innere Zuordnung, sobald das Christusgeheimnis (Reich-Gottes-Verkündigung, Tod und Auferstehung, Wiederkunft und Heilsvollendung) systembildende Wirkung ausübte. Dadurch ordneten sich die Fragmente zu zusammenhängenden „Magnetfeldern": in Christus hat die eschatologische Vollendung mit Gottes Heilszuwendung zwar schon begonnen, die aber noch die geschichtliche Zeitigung erbringen soll in der Glaubens- und Hoffnungsgeschichte der Menschheit. In Tod und Auferweckung ist die eindeutige, überwiegende Entscheidung Gottes zum ewigen Heil des Menschen und der Welt getroffen und geschichtlich eingestiftet. Diese zentrale und nicht mehr überholbare Entscheidung bezieht alle und alles ein: die Menschheit, die → Geschich-

te und den Kosmos. Umgekehrt verleiht diese eschatologische Perspektive dem Christusgeschehen und dem Wesen und Handeln der Kirche Ganzheitlichkeit und Universalität. Die Kirche und ihr verkündigendes, liturgisches und diakonisches Handeln erhalten einen eschatologischen Horizont. Damit öffnet sich die vorher individualisierte und jenseitige Mission auf das soziale und universale, diesseitige und innergeschichtliche Zeichengeschehen: Mission handelt jetzt nicht nur von der Eschatologie, sondern ist selbst ein wesentliches Moment der Eschatologie. In der Verkündigung von Jesus Christus geschieht Ansage und Anbruch der Gottesherrschaft, von ihr her und auf sie hin ist Mission im wörtlichen Sinn re-lativ, abkünftig und vorausweisend. Die Gottesherrschaft begründet *und* begrenzt die Kirche und ihr missionarisches Handeln: es ist realisierende Ansage der Vollendung, aber auch nicht mehr als deren Anbruch. Entscheidend bewirkt diese Begründung und Öffnung einen Wechsel von einer neutralen und heilsindifferenten „Weltgerichtsstimmung" zu einem eindeutigen Übergewicht des Heils; an die Stelle der Ängste tritt wieder die zuversichtliche Hoffnung, ohne daß Anspruch und Entscheidung verlorengingen.

3. In ihrer atomisierten und desintegrierten Gestalt fügte sich die Eschatologie zusätzlich und ohne deutlichen Bezug auf Existenz und Geschichte des Menschen an die diesseitige Welt als „Jenseits" an. Die Themen der Eschatologie betrafen die Zeit nach dem Tod und am Ende der Geschichte; das einzige Scharnier zu diesen postmortalen Vorgängen und „Räumen" bestand in der Relation von Lohn und Strafe für die diesseitige und prämortale Lebensführung. Die Gewährung der seligen Anschauung Gottes, Gericht, Beseligung oder Verdammnis, ewiges Leben und Auferstehung standen zur jetzigen Welt und Geschichte in einer qualitativen Diskontinuität. Diesseits wirkte der Mensch, jenseits aber in gnadenhafter Intervention Gott allein ohne Mitwirkung des Menschen. Der Beziehungslosigkeit der Eschata oder des Eschatons entsprach umgekehrt die Beziehungs- und Bedeutungslosigkeit innerweltlichen und -geschichtlichen Handelns. Die Bedeutung des irdischen und innerweltlichen Lebens ging über die juridische Verdienstlichkeit oder Strafbarkeit im Jenseits nicht hinaus; einen inneren, konstitutiven und bleibend in die Vollendung eingebrachten Beitrag stellten sie nicht dar. Immerhin wurde dieser theoretische Dualismus oft durch eine integrierende Praxis in glücklicher Inkonsequenz gemildert.

Die Annäherung vollzog sich von beiden Seiten her, angetrieben durch die biblische Erneuerung, aber ebensosehr durch die bewußte Konstellierung der glaubenden und hoffenden Eschatologie um das glaubende Subjekt, um die personale und soziale Existenz des Menschen und seine Geschichte. Als Leitidee und Kristallisation der Heilsvollendung liegt das biblische Symbol des → „Reiches Gottes" näher als die abstrakte und private Vorstellung der „Anschauung Gottes", weil es die leib-seelische Ganzheit des Menschen und die soziale und kosmische Dimension der Heilsvollendung mit einbringt, ohne die personale Kommunikation zwischen Gott und Mensch zu verlieren. Von der Verkündigung Jesu in den Gleichnissen der Gottesherrschaft her sichert es den Zusammenhang zwischen der jetzigen Glaubens- und Umkehrentscheidung und der ausstehenden Vollendung durch Gott. Ähnlich umfassend und integrierend wird gerade von der missionarischen Kirche und der gewachsenen Weltkirche in allen Kontinenten der alttestamentliche Schalom wiederentdeckt, wobei die Beziehungen zu Gott und zwischen den Menschen und Menschengruppen eine unlösbare Einheit bilden. Diese und andere eschatologische Integrationskerne wachsen über die Grenzziehung zwischen Jenseits und Diesseits hinaus, öffnen sich auf die jetzige Menschheitsgeschichte, auf die umfassende Gemeinschaft und ihre gesellschaftliche Komplexität.

Umgekehrt erffährt die innerweltliche und -geschichtliche Praxis des Menschen auf Zukunft hin in der spezifisch christlichen Hoffnung und in der „anonymen" Gestalt humaner und sozialer Zukunftsverantwortung eine Aufwertung. Die eschatologische Qualität solcher Praxis ist begründet in der Geschichte Jesu, in der Gabe des Geistes und in der neuen pneumatischen Wirklichkeit des erlösten Menschen und der Heilsgemeinschaft der Kirche. Gleiche eschatologische Dignität kommt dem erlösten und erlösenden Handeln des Menschen zu, aber auch die „Objektivierungen" dieses Handelns bilden einen integrierenden Bestandteil der erlösten Welt.

Bezeichnenderweise brachte die europäische Theologie als Vertreter und Typus einer solchen universalen und geschichtlichen Eschatologie die Vision von P. Teilhard de Chardin hervor: Inkarnation, Umgestaltung der Materie durch das technische Handeln der Menschen, wachsende Sozialisierung der Menschheit usw. fügen sich ein in eine evolutive Dynamik, die zugleich eschatologische Dynamik der Schöpfung, der Menschwerdung und Auferstehung ist auf die gleiche unteilbare Vollendung hin („Omega").

Die doch näherliegende und vordringlichere Konkretisierung der Hoffnung in der Überwindung der sozialen und politischen Unheilssituation der Welt und der Menschen wird maßgeblich von den jungen Kirchen in der Dritten Welt vertreten. Sie greifen damit den Wahrheitsgehalt der vorher ausgesperrten säkularisierten marxistischen Eschatologie auf, die bei ihrer Entstehung als Spitze der Religionskritik formuliert und praktiziert worden ist. Die Utopie der Gottesherrschaft und die Verheißung des Schalom leisten zwar noch nicht die begriffliche oder praktische Vermittlung der einzelnen Zukunfts- und Vollendungsinhalte, bilden aber starke Kristallisations- und Integrationsstrukturen. Sie leiten eine Eschatologie ein, in der die Dualismen überwunden werden, die die traditionelle abendländische Eschatologie kennzeichnen, aufspalten und lähmen; materielles und spirituelles → Heil, Auferstehung des Leibes und Unsterblichkeit der Seele, individuell-personale Seligkeit und sozial-menschheitliche Versöhnung, ethische Zukunftsverantwortung und gnadenhafte Vollendung. Dies zieht auch die Öffnung einer ekklesio-zentrischen Verengung nach sich und stellt die eschatologische Zeichenhaftigkeit der Kirche vor einen universalen Welthorizont (Rütti). Darin erlangt die missionarische Sendung einen anderen Stellenwert: Mission war und ist hier nicht mehr ein Nebenthema der Eschatologie, sondern jener Vollzug der Kirche, in dem sie am meisten und intensivsten eschato-praktisch und eschato-logisch existiert. Vorübergehend mochte dies zu partiellen Verkürzungen oder allzu weitgehenden Annäherungen und Identitätstrübungen führen - so der Marxismusvorwurf des Lehramtes an die Befreiungstheologie (→ Theologie der Befreiung) -, dennoch überwiegt der positive Ertrag der ganzheitlichen Evangelisierung und Befreiung.

4. Die Kritik und Korrektur an diesem Typus einer integrierten Eschatologie kam nicht nur von innertheologischer Seite, sondern war in gleichem Maß angestoßen durch den „Wettersturz" der siebziger Jahre. Verdankten sich die euphorisch-optimistisch gestimmten Eschatologien neben den innertheologischen Anregungen auch der gleichzeitigen geistes- und gesellschaftsgeschichtlichen Aufbruchstimmung, den wissenschaftlichen und technischen Entwicklungen und dem erstmaligen globalen Bewußtsein der Weltgesellschaft, so wirkte wiederum die Abkühlung und Ernüchterung des Zukunftsklimas auf die Eschatologie zurück. Die Beschleunigung des technischen Fortschritts geriet ins Stocken und zeitigte Aporien in der Schädigung und Gefährdung des ökologischen Gleichgewichts, in der möglichen Zerstörung der menschlichen Lebensbedingungen auf der Erde. Die Steigerung der Energien durch die Atomtechnik schlug um in die apokalyptische Möglichkeit des mehrmaligen totalen Vernichtungsschlages durch die neuen Waffen. Die globale Weltgesellschaft sah sich mit ungelösten Problemen gleichen Ausmaßes konfrontiert: wirtschaftliches und soziales Nord-Süd-Gefälle, Hungerkatastrophen und Versorgungsengpässe, erdrückende Verschuldung und Verarmung der Drittweltländer (→ Entwicklung), abrupte und krisenhafte Ablösungen letzter Kolonialrelikte in neuen, bürgerkriegsähnlichen Spannungen und Konflikten, Rassenunruhen mit gleichzeitiger weltpolitischer Polarisierung usw.: in diesem Klima konnten nicht mehr die euphorische Eschatologie des Teilhard de Chardin oder die messianischen Schalomvisionen der außereuropäischen Theologien und Kirchen betrieben werden. Dazu kam das erschreckende Wissen und die unüberhörbare Vergegenwärtigung von namenlosem Leiden durch Unterdrückung, Elend, Ausbeutung und Rechtlosigkeit. Die euphorische Eschatologie mußte sich dem Vorwurf stellen, nicht nur den individuellen Tod des einzelnen Menschen und seine ewige Zukunft über den Tod hinaus zu unterschlagen, sondern auch das unabgegoltene Leiden und das nicht eingeklagte, verweigerte Recht von ungezählten Menschen und Menschengruppen (→ Menschenrechte) verdrängt und verschwiegen zu haben. In einer Selbstkritik, die aus der Mitte des christlichen Glaubens und dem Umfeld der ernüchterten Gesellschaft kam, traten an die Stelle einer evolutiven Eschatologie andere Modelle, die die biblische Apokalyptik, die Brechung der Kreuzestheologie und die Wahrnehmung der Rechtlosen und Vergessenen in neuzeitliche Dimensionen umsetzte. Die Frage nach dem unverlierbaren einzelnen, nach den Unterlegenen, Leidenden und Gescheiterten nötigt sich als unverzichtbares Thema einer christlichen Eschatologie auf, die ihre Identität nicht verlieren will (Metz). Die nähergerückten Grenzen der innergeschichtlichen und - weltlichen Entwicklung und Zukunftsgestaltung lassen erneut nach dem Horizont einer transzendierenden Vollendung ausblicken, die zwar von menschlicher Verantwortung nicht dispensiert, aber nach wie vor auf die freie, unverfügbare und gnadenhafte Macht des totenerweckenden Gottes angewiesen bleibt. Der unerlösten Geschichte als „eschatologischem Vorbehalt", als makroskopischer Signatur des Kreuzes und Karfreitags, stehen nur kleine Vorgaben und Vorrealisierungen des Heils von Ostern gegenüber. Jetzt gilt es, die christliche Hoffnung auch ohne den Rückenwind der Zukunftseuphorie im widersprüchlichen und anfechtenden Gegenwind der Angst und Ohnmacht aufrechtzuerhalten. In der missionarischen Situation darf die christliche Hoffnung in ihrer Praxis und ihrem Zeugnis nicht aus der Solidarisierung mit allen Menschen guten Willens und guter Hoffnung aussteigen, aber sie muß innerhalb dieser Kooperation für eine gerechte Zukunft die eigene Stimme und Identität finden. Ohne Preisgabe der menschlichen Ganzheit und Gemeinschaftlichkeit hat sie jedem Menschen eine eigene, unverlierbare personale Hoffnung zuzusprechen; ohne Verdünnung des materiellen, ja materialistischen Heils muß sie die qualitative Transzendenz des Menschen und seiner Personalität („Seele") aufrechterhalten; ohne Rückfall in die Jenseitsvertröstungen und mit vollem Engagement für innergeschichtliche Veränderungen und Verbesserungen muß sie sich der Todesgrenze stellen und an ihr die Hoffnung bezeugen; ohne Absentierung aus der ethischen Verantwortung und im tätigen Kampf für Gerechtigkeit und Brüderlichkeit muß sie eigenes und fremdes Scheitern und Unvermögen eingestehen und darin auf Gottes freie und gnädige Vollendung hoffen; ohne von der Bemühung abzulassen, den Anspruch des Evangeliums in der gesellschaftlichen anklagenden Prophetie öffentlich zu vergegenwärtigen, muß sie das Urteil und die Herstellung endgültiger Gerechtigkeit dem „Tag des Herrn" anheimstellen (→ Theologie der Mission). Immer aber verwirklicht sich das Hoffnungszeugnis der Kirche, bei aller Abhebung, nicht im Rückfall in eine schlechte Jenseitigkeit, sondern in nicht mehr zurückzunehmender Solidarität und Mitverantwortung als „Rechenschaft von unserer Hoffnung", vom Heil Gottes für unsere Welt.

Lit.: *Breuning, W.* (Hrsg.), Seele. Problembegriff christlicher Eschatologie, 1986. - *Collet, G.,* Das Missionsverständnis der Kirche in der gegenwärtigen Diskussion, 1984. - *Congar, Y.,* Un peuple messianique. L'Eglise, sacrament du salut. Salut et libération, 1975. - Der Weg des erlösten Menschen in der Zwischenzeit und die Vollendung der Heilsgeschichte, 1976, MySal 5, Ergänzungsband 1981, 364-371. - *Dexinger, F.* (Hrsg.), Tod - Hoffnung - Jenseits. Dimensionen und Konsequenzen biblisch verankerter Eschatologie, 1983. - Die Evangelisierung Lateinamerikas in der Gegenwart und Zukunft. Dokument der III. Generalkonferenz des lateinamerikanischen Episkopats in Puebla, 13. Februar 1979, hg. v. Sekretariat der Deutschen Bischofskonferenz, 1979. - Gemeinsame Synode der Bistümer in der Bundesrepublik Deutschland. Offizielle Gesamtausgabe, I, [5]1982, v.a. „Unsere Hoffnung". - *Greinacher, N.* (Hrsg.), Konflikt um die Theologie der Befreiung. Diskussion und Dokumentation, 1985. - *Greshake, G./Lohfink, G.,* Naherwartung - Auferstehung - Unsterblichkeit, 1975. - *Gutiérrez, G.,* Theologie der Befreiung, [8]1985. - *Kehl, M.,* Eschatologie, 1986. - *Knörzer, W.,* Reich Gottes. Traum - Hoffnung - Wirklichkeit, 1969. - *Kramm, Th.,* Analyse und Bewährung theologischer Modelle zur Begründung der Mission. Entscheidungskriterien in der aktuellen Auseinandersetzung zwischen einem heilsgeschichtlich-ekklesiologischen und einem geschichtlich-eschatologischen Missionsverständnis, 1979. - *Küng, H.,* Ewiges Leben?, [3]1983. - *Lehmann-Habeck, M.* (Hrsg.), Dein Reich komme. Bericht der Weltkonferenz für Mission und Evangelisation in Melbourne 1980, 1980. - *Metz, J. B.,* Glaube in Geschichte und Gesellschaft. Studien zu einer praktischen Fundamentaltheologie, [4]1984. - *Moltmann, J.,* Theologie der Hoffnung. Untersuchungen zur Begründung und zu den Konsequenzen einer christlichen Eschatologie, [11]1980. - *Mußner, F.,* Christus vor uns. Studien zur christlichen Eschatologie, 1966. - Paul VI., Apostolisches Schreiben „Über die Evangelisierung in der Welt von heute" vom 8. Dezember 1975. Lateinisch-Deutsch. Mit einer Einführung und Kommentar von A. Brandenburg, 1976. - *Ders.,* Über den Fortschritt der Völker. Die Entwicklungsenzyklika Papst Pauls VI. „Populorum Progressio". Mit einem Kommentar sowie einer Einführung von H. Krauss, 1967. - *Rütti, L.,* Zur Theologie der Mission. Kritische Analysen und neue Orientierungen, 1972. - *Rzepkowski, H.,* Der Welt verpflichtet. Text und Kommentar des Apostolischen Schreibens Evangelii Nuntiandi - Über die Evangelisierung in der Welt von heute, 1976. - *Sauter, G.*, Zukunft und Verheißung. Das Problem der Zukunft in der gegenwärtigen theologischen und philosophischen Diskussion, [2]1973. - *Shaull, R.*, Befreiung durch Veränderung. Herausforderungen an Kirche, Theologie und Gesellschaft, 1970. - *Vorgrimler, H.*, Hoffnung auf Vollendung. Aufriß der Eschatologie, [2]1984. - *van de Walle, A. R.*, Bis zum Anbruch der Morgenröte. Grundriß einer christlichen Eschatologie, 1983. - *Wiedenmann, L.*, Mission und Eschatologie. Eine Analyse der neueren Deutschen Evangelischen Missionstheologie, 1965.

D. Wiederkehr

ETHIK

1. Unterschiedliche Ansätze. 2. Problem der Verbindlichkeit. 3. Frage einer christlichen Ethik. 4. Geschichtlichkeit als Grenze. 5. Notwendigkeit der Konfrontation. 6. Ethik und Mission.

1. Man unterscheidet zwischen dem aktualen Vollzug sittlichen Lebens (Sittlichkeit) und der Reflexion über das Sittliche (Sittenlehre). In dieser Reflexion gibt es mehrere Ansätze. Der *positivistische* Ansatz geht davon aus, daß Werte und Normen Teil der kulturellen Gestaltungen einer sozialen Gruppe sind. Als solche sind sie nicht hinterfragbar. Gruppenmitglieder haben sie im Sozialisierungsprozeß internalisiert und akzeptieren sie als verbindlich. Religiöse Überzeugungen gehören zum gleichen kulturellen Bestand und können Werte und Normen legitimieren, begründen sie aber nicht grundsätzlich. Für die objektivierende Betrachtung sind sie geschichtlich und kulturell bedingt und deshalb relativ. Positivistische Ethik ist deskriptiv, nicht normativ. Der *metaphysische* Ansatz deduziert Werte und Normen aus letzten Prinzipien oder Grundvoraussetzungen bzw. deren logisch erstellten Implikationen. Sie werden als allgemein verbindlich gehalten. Metaphysische Ethik ist daher normative Ethik. Beispiele erstrecken sich von der griechischen Klassik bis zu Marxismus und Evolutionstheorie. Der *metaethische* Ansatz hinterfragt den Sinn ethischer Aussagen grundsätzlich, ist daher weder deskriptiv noch normativ, sondern kritizistisch. Der *religiöse* Ansatz schließlich sieht Werte und Normen als mit einer Offenbarung oder mit anderen übernatürlich erschlossenen Einsichten mitgegeben. Nicht die Vernunft, sondern die Autorität des Göttlichen oder Absoluten konstituiert ihre Verbindlichkeit. Religiöse Ethik ist deshalb normativ.

Eine wichtige weitere Unterscheidung ist die zwischen Axiologie (Reflexion von Werten), Deontologie (Reflexion von Normen) und Teleologie (Reflexion von Folgen oder Zielen).

2. Umstritten ist die Frage, ob *ethische Verbindlichkeit* in (religiöser, philosophischer, ideologischer) Überzeugung gründet oder autonom ist. Sie ist für das politische Zusammenleben in einer pluralistischen Gesellschaft von großer Bedeutung. Die ethische Tradition kennt die Vorstellung eines „Naturrechts", das alle Menschen, unabhängig von ihren jeweiligen Überzeugungen, im Gewissen als verbindlich erfahren. Völkerkundliche Forschungen haben dagegen die außerordentliche Variabilität und Relativität ethischer Werte und Normen herausgestellt. Man kommt also ohne ethische Postulate nicht aus, und diese sind nur als verbindlich plausibel zu machen, wenn sie in Überzeugungen gründen. Überzeugungen verschleiern oder legitimieren aber häufig soziale, wirtschaftliche und politische Interessen, denen die als verbindlich ausgegebenen Werte und Normen insgeheim dienen. Das ist das Phänomen der Ideologie als Rechtfertigung der Interessen sozialer Gruppen. Ausschlaggebend sind dabei meist die Machteliten, welche nicht nur imstande sind, die sozialen Strukturen, sondern auch das Bewußtsein der Bevölkerung in eigenem Interesse zu manipulieren. Zugleich hängen von der erfolgreichen Propagierung allgemeingültiger gesellschaftlicher Zielsetzungen, Werte und Normen die Legitimität der Gesetzgebung, die akzeptierten Handlungsmuster und damit die Stabilität der Gesellschaft ab - ob das nun Respekt den Eltern und Ahnen gegenüber, Gehorsam gegen die (feudale) Obrigkeit, Einsatz für die nationale Befreiung, demokratische Institutionen, freie Marktwirtschaft, soziale Verantwortung, Klassenkampf, gesellschaftliche Entwicklung oder was auch sonst sei. Davon abgesehen hat jede Gesellschaft einen gewissen Bestand an kulturellen Gemeinsamkeiten, zu denen auch ethische Selbstverständlichkeiten gehören, die nicht hinterfragt oder eigens begründet werden müssen. Besitz wird in Stammeskulturen gemeinschaftlich, in liberalen Gesellschaften individuell, in sozialistischen Gesellschaften kollektiv verwaltet, und jedermann akzeptiert das. Werden solche Normen dann allerdings begründungsbedürftig, können sie von sehr verschiedenen Überzeugungskomplexen her interpretiert werden. Gehorsam gegen autoritäre Herrschaft kann man vom Ahnenkult, vom christlichen Glauben oder vom Marxismus her legitimieren. Umgekehrt kann der gleiche Überzeugungskomplex entgegengesetzte Normen legitimieren. So haben christliche Ethiker den Absolutismus und die Demokratie, den Feudalismus, den Liberalismus und den Sozialismus theologisch-ethisch deduzieren bzw. legitimieren können. Auch kann man beobachten, daß scheinbar gleichlautende Normen, die aus verschiedenen Überzeugungskomplexen her begründet werden, sehr verschiedene inhaltliche Füllungen erhalten können. Demokratie bedeutet jeweils etwas anderes in Tanzania (Ujamaa), in England (Liberalismus) und in der Sowjetunion (Marxismus-Leninismus). Klassische Beispiele liefern dabei die jeweiligen Auslegungen der → Menschenrechte. Das gleiche gilt aber auch für Normen wie Keuschheit oder das Verbot des Diebstahls, die inhaltlich außerordentlich verschieden gefüllt werden können.

3. Ein Sonderfall der oben besprochenen Frage ist, ob es eine *spezifisch christliche Ethik* gibt oder nicht. Der christliche Fundamentalismus bejaht das mit der Forderung, die verbal inspirierten biblischen Gebote als zeitlos gültig anzuerkennen. In einer gewissen Spannung dazu steht die Überzeugung, daß Einsicht in den eigentlichen Willen Gottes nur für Glaubende (bzw. Wiedergeborene) zugänglich sei. Auf der anderen Seite gibt es die christlich-theologische Tradition eines Naturrechts, das grundsätzlich allen Menschen zugänglich ist, auch wenn die göttliche Gnade durch die Sünde verursachte Verzerrungen richtigstellen muß. Sowohl biblisches Gesetz wie Naturrecht als zeitloses Normengefüge wird von den geschichtlichen bzw. existentialen Ansätzen her abgelehnt. Man weist darauf hin, daß auch das biblische Gebot kulturell und historisch bedingt und wandelbar ist. Das Kontinuum wird allein durch die Motivation des Rechts bzw. der Liebe dargestellt. Besondere ethische Forderungen können von dieser Motivation her in besonderen geschichtlichen Situationen letzte Verbindlichkeit beanspruchen, diese Verbindlichkeit läßt sich aber nicht ohne weiteres auf andere Situationen übertragen. Auch können bestimmte in der Gesellschaft gültige Normen vom Glauben her als verbindlich anerkannt werden, ohne damit Absolutheit beanspruchen zu dürfen. Schon immer in der lutherischen Tradition üblich, hat dieser Ansatz in der Situationsethik J. Fletchers eine radikale und in angelsächsischen Ländern sehr umstrittene Neufassung erfahren. Das Problem ist, daß Leitbegriffe wie Gerechtigkeit oder Liebe Abstrakta sind, die ganz verschieden gefüllt werden können. Es gibt keine Handhabe gegen Willkür und unbewußte Manipulation durch Begehren und Interessen. Der Versuch, Werte und Normen aus bestimmten Dogmen abzuleiten, ist jedoch der gleichen Zweideutigkeit ausgesetzt. Karl Barth hat Demokratie und Sozialismus christologisch begründet; aber man hat ja auch den Absolutismus aus der Gottheit Gottes und den ökonomischen Liberalismus aus der christlichen Freiheit abgeleitet. Eine weitere Schwierigkeit der Situationsethik ist, daß sie in bezug auf die im 20. Jahrhundert besonders notvollen sozial-strukturellen Probleme nicht leistungsfähig genug ist. Hier hat der jüngste Versuch der politischen Theologie bzw. der → Theologie der Befreiung, mit dem Reich-Gottes-Gedanken als einer umfassenden Neustrukturierung der Wirklichkeit gültige Kriterien zu finden, seinen Ort. Die sozialgeschichtliche Bedingtheit aller ethischen Aussagen ist jedoch ein bisher nicht bewältigtes Problem geblieben.

4. Weil das Problem seinen Ursprung in der *Geschichtlichkeit* menschlichen Seins hat, ist es auch nur geschichtlich zu lösen. Und zwar so, daß die jeweilige Lösung selbst jeweils in ihrer geschichtlichen Einbettung gesehen werden muß. Ethische Werte und Normen leiten sich nicht nur von Überzeugungen, sondern auch von Interessen her. Das Wechselspiel zwischen Überzeugungen und Interessen erlaubt es, daß Überzeugungen bewußt oder unbewußt dazu mißbraucht werden, Interessen zu verschleiern oder zu legitimieren. Hinzu kommt, daß sich sowohl Überzeugungen wie Interessen zwischen einzelnen, Gruppen und sozialen Schichten im Konflikt befinden. Die Herausbildung einer konkreten sittlichen Gestalt findet deshalb durch Konfrontationen statt, die von der ethischen Besinnung nachvollzogen werden müssen, wenn sie Relevanz gewinnen will. Das ist auch der Grund, warum die ethische Problematik in verschiedenen religiösen, kulturellen, sozialen, wirtschaftlichen und politischen Kontexten so verschieden gelagert ist. Christen in Indien befinden sich in einer Minderheitssituation, brasilianische Katholiken bilden die Mehrheit im Lande. Schon das Selbstverständnis, mit denen sie jeweils auf gesellschaftliche Probleme zugehen, muß hier und da verschieden sein. Das Gegenüber des Christentums in Indonesien ist der Islam, in China der Marxismus. Die jeweils vorherrschende Begründung staatlicher Autorität ist hier und da völlig anders. Christen in den Vereinigten Staaten gehören zur hochprivilegierten Weltelite, in Tanzania zu den Ärmsten der Armen. Das muß sich auf die Haltung dem Besitz und der gesellschaftlichen Verantwortung gegenüber auswirken. Afrikanische Traditionalisten leben rückwärts auf die transzendente Vergangenheit der Ahnen (→ Ahnenverehrung, → Afrikanische Theologie) zu, lateinamerikanische Revolutionäre sind vorwärts auf die transzendente Zukunft der

klassenlosen Gesellschaft gerichtet. Das wirkt sich auf die Haltung zum Landbesitz oder auf den Umgang mit dem Viehbestand aus. Wenn der westliche Entwicklungshelfer ohne Rücksicht auf diese Einbettung in Gesamtkonstellationen die grüne Revolution hier oder da als rein technisches Verfahren einführen möchte, kann es zu gefährlichen Fehlleistungen kommen (→ Entwicklung). Schon der Begriff des „rein technischen Problems" gehört in den säkularisierten, industrialisierten und kommerzialisierten Westen.

5. Es ist also unmöglich, eine operationalisierbare Ethik zu gewinnen, abgesehen von notvollen Konfrontationen. Diese Konfrontationen spielen sich auf den oben angedeuteten drei Ebenen ab, und zwar in einem dauernden Wechselspiel miteinander:

5.1 *Zwischen Überzeugung und Überzeugung.* Theologisch ist das die Ebene der → Evangelisation, des missionarischen Gesprächs, aber auch des systematisch-theologischen Ringens um die Wahrheit in der Auseinandersetzung mit anderen Wahrheitsansprüchen. Auf dieser Ebene kommt es darauf an, daß sich die jeweils formulierte Gestalt des → Wortes Gottes anderen Wahrheitsansprüchen aussetzt und daß sich die Wahrheit als eine menschlich unverfügbare im Gewissen des Menschen selbst durchsetzt. Welche Wahrheit das ist, läßt sich nicht vorher entscheiden; sie ergibt sich aus der Konfrontation zwischen konkurrierenden Wahrheitsansprüchen. → Toleranz als ethische Norm liegt auf dieser Ebene nicht in der Leugnung der Unduldsamkeit eines Wahrheitsanspruchs, sondern in der Bereitschaft, sich dem notvollen Ringen der Wahrheitsansprüche miteinander nicht zu verschließen. Auch die Wahrheit Christi ist nicht verfügbar, sondern muß sich selbst in der existentiellen Konfrontation beweisen (→ Absolutheitsanspruch).

5.2 *Zwischen Interessen und Interessen.* Dieses ist das Gebiet der ethischen Bemühung um soziale Gerechtigkeit. Es gibt in der Bibel und im Vollzug des Glaubens drei sich ablösende Phasen, die immer wieder durchlaufen werden müssen: Überleben des Stärkeren (wobei die eigenen Interessen wichtiger sind als die Interessen anderer), Recht (wobei die Interessen aller gleich schwer wiegen) und Fürsorge (wobei die Interessen der anderen Vorrang vor den eigenen genießen). Das Motiv des Rechts hebt das Motiv des Überlebens auf, wie das Motiv der Fürsorge das Motiv eines mechanisch gleichschaltenden Rechtes aufhebt.

5.3 *Zwischen Überzeugung und Interesse.* In der traditionellen Theologie geht es hier um den Problemkomplex der → Rechtfertigung und Heiligung, er muß nur gesellschaftlich erweitert werden, um Ideologie als kollektive Selbstrechtfertigung (bzw. Interessen als kollektives Begehren) mit abzudecken. Weil Ideologie, wie alle Selbstrechtfertigung, weitgehend unbewußt geschieht, kommt Rechtfertigung und Heiligung nur in der Begegnung zwischen verschieden interessengebundenen bzw. ideologisierten Gruppen zustande. Konträre Begehren und Selbstrechtfertigungen decken sich gegenseitig im Ringen um gültige Werte und Normen auf und werden im gegenseitigen Zuspruch der bedingungslosen Annahme in das neue Sein Christi überwunden. Das ist die Bedeutung des ökumenischen Miteinander im aktualen gesellschaftlichen Prozeß: das Sünde aufdeckende und Gerechtigkeit erschließende Wort kommt immer von außerhalb der eigenen Befindlichkeit und Interessenlage, vermittelt durch andere, die ihrerseits des Wortes von außen bedürfen (vgl. den reformatorischen Begriff des Verbum externum).

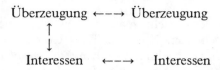

Überzeugung ←−→ Überzeugung

Interessen ←−→ Interessen

6. Diese drei Konfrontationstpyen konvergieren in der Spannung zwischen dem gegenwärtigen Äon und dem kommenden → Reich Gottes. *Missionarische Verkündigung* ist Ankündigung des Reiches, Aufforderung sich darauf einzulassen, Zuspruch der Partizipation am eschatologischen Sein Christi schon jetzt, trotz aller Zweideutigkeit des „gerechtfertigten Sünders" und der gerichteten und doch geliebten Welt Gottes (→ Theologie der Mission). *Christliche Ethik* ist Antizipation des Reiches unter den Bedingungen dieser Welt im weltangehenden und weltumgestaltenden Handeln. Das missionarische Wort ohne die ethische Tat entbehrt der Wirklichkeit; die ethische Tat ohne das verkündete Wort entbehrt der Wahrheit. In einer christlichen Ethik kann es darum auch nicht nur um Werte, Normen, Handlungsmuster, Strukturmodelle und dergleichen gehen. Alttestamentliche Ethik wurzelt im Bund, neutestamentliche im Leben, Wirken, Tod und Auferstehen Jesu als eschatologischem Geschehen. Christliche Ethik umfaßt nicht nur das moralische, sondern auch das soteriologische Problem: Nicht nur: Was sollte geschehen?, sondern grundlegender: Wie werden wir befreit und motiviert, es geschehen zu lassen? Mission ist deswegen immer beides: Proklamation und Vollzug des Wortes, Zeugnis und Dienst, Zuspruch und Gemeinschaft. So gesehen ist das gesamte Sein der Kirche Vollzug der Mission.

Lit.: *Böckle, F.*, Fundamentalmoral, 1977. - *Bonino, J. M.*, Towards a Christian Political Ethics, 1983. - Ethik der Religionen - Lehre und Leben, hg. v. M. Klöcker und U. Tworuschka, 5 Bde, 1984-1986. - *Fletcher, J.*, Moral ohne Normen?, 1967. - Handbuch der christlichen Ethik, hg. v. A. Hertz u.a., 3 Bde, 1978-1982. - *Honecker, M.*, Das Recht des Menschen 1978. - *Merks, K.-W.*, Theologische Grundlegung der sittlichen Autonomie, 1978. - *Pannenberg, W.*, Ethik und Ekklesiologie, 1977. - *Rendtorff, T.*, Ethik, 2 Bde, 1980-81. - *Rich, A.*, Wirtschaftsethik, [3]1987. - *Schrey, H. H.*, Einführung in die Ethik, [2]1977. - *Schinzer, R.*, Ethik ohne Gesetz, 1986. - Sozialismus und Ethik, hg. v. der Akademie für Gesellschaftswissenschaften, Berlin (DDR), 1984. - *Thielecke, H.*, Theologische Ethik, I-III, [2]1968-[5]1986. - *Trillhaas, W.*, Ethik, [3]1970.

K. Nürnberger

ETHNOLOGIE

1. Richtungen. 2. Objekt. 3. Kulturbegriff. 4. Zweck.

Unter *Ethnologie* oder *Völkerkunde* versteht man die systematische Erforschung und Beschreibung der menschlichen Kulturen, ihrer Geschichte und Struktur. Gelegentlich findet sich die Unterscheidung zwischen *Ethnographie* und Ethnologie, wobei der Schwerpunkt der Ethnographie auf Materialsammlung und Beschreibung, der Schwerpunkt der Ethnologie auf theoretischer Deutung der ethnographischen Gegebenheiten liegt. Da es keine theoriefreie Ethnographie gibt, ist eine scharfe Grenzziehung nicht möglich. Im deutschen Sprachgebiet werden die Fachbezeichnungen Ethnologie und Völkerkunde weitgehend synonym verwendet. Ihnen entsprechen in etwa im Englischen die Ausdrücke *Cultural Anthropology* (USA und beeinflußte Gebiete) und *Social Anthropology* (Großbritannien und beeinflußte Gebiete). *Kulturanthropologie* als Entsprechung von Cultural Anthropology taucht in jüngeren deutschsprachigen Publikationen immer häufiger auf.

1. Als wissenschaftliches Fach etablierte sich die Ethnologie in der zweiten Hälfte des 19. Jahrhunderts an Universitäten und Museen. Verbindende Grundrichtung war in dieser Zeit die Idee des *Evolutionismus*. Im Rückgriff auf Gedankengut der Aufklärung und in ablehnender Reaktion auf zeitgenössische rassistische Strömungen wurde die Einheit der Menschen postuliert. Alle Völker und Kulturen durchlaufen, so wurde behauptet, eine unilineare, gleichartige Entwicklung in dieselbe Richtung. Die Entstehung kultureller Formen wurde in ein Entwicklungsschema gebracht (Wildheit - Barbarei - Zivilisation). Der Evolutionismus wurde abgelöst und überwunden durch verschiedene Richtungen einer *Historischen Völkerkunde*. Im *Diffusionismus* (Kulturkreislehre, Heliolithische Schule) wurde versucht, die Entwicklung und Verbreitung von Kulturen in zeitlichen und räumlichen Dimensionen zu erforschen. Gegenüber unilinearen Entwicklungen von Kulturen wurde die Übertragung von Kulturelementen betont. Dies führte zur Entstehung von weltumspannenden Kulturkreisen. Der *Historische Empirizismus* (Kulturareal-Lehre) bemühte sich um die Erforschung der Geschichte schriftloser Völker in abgegrenzten geographischen Regionen. Historisch orientiert sind Richtungen der Ethnologie, die sich mit Kulturwandel, Problemen der Akkulturation befassen. Im scharfen Gegensatz zu evolutionistischen und historischen Forschungsansätzen stand der *Funktionalismus* (Strukturfunktionalismus). Er untersucht auf synchroner Ebene die Beziehungen zwischen einzelnen Elementen oder Institutionen einer → Kultur und die Funktion dieser Elemente für das Gesamtsystem einer Kultur, für die Struktur einer Gesellschaft. Der *Strukturalismus* ging davon aus, daß hinter den empirisch faßbaren Erscheinungsformen der Kultur eine allgemeingültige Struktur liegt.

2. Im Laufe der Geschichte der Ethnologie wandelte sich der Gegenstand dieser Wissenschaft je nach dem vorherrschenden theoretischen Ansatz. Die Ethnologie evolutionistischer Richtungen untersuchte die Kulturen *primitiver*, d.h. ursprünglicher Völker, die nach der Grundannahme der Evolutionisten als Beispiele früherer Stadien der Entwicklung menschlicher Kultur angesehen wurden.

Naturvölker als Gegenstand der Ethnologie war eine Bezeichnung, die sich vor allem bei deutschsprachigen Ethnologen viele Jahre hindurch großer Beliebtheit erfreute. Mit diesem Begriff verbanden sich mehrere theoretische Ansätze: die Idee der Naturnähe, der Natürlichkeit (des „edelen Wilden") mit ihrem zivilisationskritischen Aspekt; zum anderen sah man im Studium „einfacherer" Völker die Chance, Gesetzmäßigkeiten des Lebens der Völker leichter erkennen zu können; ein weiterer Ansatz sah in den sog. Naturvölkern solche Völker, die sich in größerer Naturabhängigkeit befinden, Völker also von geringerer Technologiebeherrschung. *Schriftlose* Völker waren der Gegenstand historisch ausgerichteter Tendenzen der Ethnologie; Völker also, deren Geschichte aus anderen als schriftlichen Quellen dargestellt werden mußte. Ethnologie sah sich als die Wissenschaft, die die Geschichte schriftloser Völker aufhellt. Bis heute ist die Idee des *Fremden* für den Gegenstand der Ethnologie bestimmend geblieben. Ethnologie wird so zur Wissenschaft, die fremde Völker verstehen will, die fremde Kulturen und Subkulturen Menschen mit anderem kulturellem Hintergrund verständlich machen will.

3. Kennzeichnend für die Ethnologie als Wissenschaft ist weiterhin der *holistische Kulturbegriff*, der die unterschiedlichen Richtungen der Ethnologie verband und verbindet: → Kultur wird begriffen als das erworbene und mit anderen geteilte Wissen, das Menschen einer Gruppe dazu dient, ihre Erfahrungen zu interpretieren und ihr gesellschaftliches Verhalten zu bestimmen. Kultur ist der einer Gruppe gemeinsame geistige Horizont, die gemeinsame kognitive Orientierung, die die Mitglieder einer Gruppe sich so verhalten läßt, wie die Gruppe es erwartet. Diese kognitive Orientierung, die erworben und nicht angeboren ist, umfaßt: Sprache, Weltanschauung, Wertvorstellungen, Vorurteile, technische Fertigkeiten, Verhaltensweisen. Der umfassende Kulturbegriff macht die Ethnologie zu einer Wissenschaft, die alle Bereiche menschlichen Lebens und menschlicher Aktivität erfaßt, z.B. politische und gesellschaftliche Strukturen, → Religion, Wirtschaft, Kunst, Recht, → Sprache usw. Ethnologie als integrative, fächerübergreifende Wissenschaft hebt sich eher durch ihren Forschungsgegenstand als durch ihre Methode von benachbarten Disziplinen (Soziologie, Religionswissenschaft, Sprachwissenschaft usw.) ab, abgesehen von der teilnehmenden Beobachtung der Feldforschung, die die Ethnologie in besonderer Weise kennzeichnet.

4. Als Kultur- und Sozialwissenschaft ist Ethnologie nicht wertfrei oder wertneutral. Zwar ist sie nicht gefeit gegen Mißbrauch ihrer Forschungsergebnisse für besondere politische oder wirtschaftliche Interessen (z.B. → Kolonialismus, Wirtschaftsimperialismus). Ihr eigentlicher Zweck aber ist es, das Fremde verstehbar und verständlich zu machen und damit Voraussetzungen zu schaffen für eine humane Begegnung der Kulturen. In der Situation der Feldforschung wird vom Ethnologen menschliches Verhalten verlangt, Wertverhalten, Subjektivität nach der eigenen Sozialisation. Die Objektivität der Beobachtung verbindet sich mit persönlichen Beziehungen zu konkreten Menschen der untersuchten Kultur. Die verschiedenen Spielarten der angewandten Ethnologie lassen Ethnologen zu Vermittlern zwischen den Kulturen werden. Im Bereich der Evangelisierung der Kulturen, der → Inkulturation zum Beispiel, gibt die *Pastoralethnologie* (→ Ethnologie und Mission) unverzichtbare Anregungen und Hilfestellungen, da das Studium

der eigenen und der fremden Kultur eine der wichtigsten Voraussetzungen für eine verantwortbare Missionstätigkeit ist.

Lit.: *Bargatzky, T.,* Einführung in die Ethnologie. Eine Kultur- und Sozialanthropologie, 1985. - *Fischer, H.* (Hrsg.), Ethnologie. Eine Einführung, 1983. - *Hirschberg, W.* (Hrsg.), Wörterbuch der Völkerkunde, 1965. - *Lindig, W.* (Hrsg.), Völker der vierten Welt. Ein Lexikon fremder Kulturen in unserer Zeit, 1981. - *Mühlmann, W. E.,* Geschichte der Anthropologie, 2. verb. und erw. Aufl., 1968. - *Müller, E. W.,* et. al. (Hrsg.), Ethnologie als Sozialwissenschaft, Kölner Zeitschrift für Soziologie und Sozialpsychologie, Sonderheft 26, 1984. - *Panoff, M./Perrin, M.,* Taschenwörterbuch der Ethnologie. Begriffe und Definitionen zur Einführung, 2. verb. und erw. Aufl., 1982 (franz. 1973). - *Schmied-Kowarzik, W./Stagl, J.* (Hrsg.), Grundfragen der Ethnologie. Beiträge zur gegenwärtigen Theorie-Diskussion, 1981. - *Stöhr, W.,* Lexikon der Völker und Kulturen, 3 Bde, 1972. - *Thiel, J. F.,* Grundbegriffe der Ethnologie. Vorlesungen zur Einführung, Collectanea Instituti Anthropos, Bd. 16, 4. erw. und überarb. Aufl., 1983. - *Ders.,* Religionsethnologie. Grundbegriffe der Religionen schriftloser Völker, Collectanea Instituti Anthropos, Bd. 33, 1984. - *Vivelo, F. R.,* Handbuch der Kulturanthropologie. Eine grundlegende Einführung, 1978 (engl. 1981).

A. Quack

ETHNOLOGIE UND MISSION

1. Missiologisch orientierte Anthropologie. 2. Geschichte. 3. Neuere Missionsanthropologie. 4. Gegenwärtige Tendenzen.

1. Missionsanthropologie könnte man am besten als eine Sonderform angewandter Anthropologie bezeichnen. Ihr eigentliches Ziel ist missiologisch; ihr allgemeiner Ausblick und ihre Methode sind anthropologisch. Die Missiologie liefert die theologischen Themen und Ziele. Die Anthropologie sorgt für die wissenschaftlichen Arbeitsweisen und Methoden. Genauer gesagt, sucht die missiologisch orientierte Anthropologie (1) die verschiedenen Begriffe, Einsichten, Prinzipien, Theorien, Methoden und Ausführungsarten der Anthropologie zusammenzubringen, die sich auf die Mission der Kirche beziehen, und (2) zu zeigen, wie man einen solchen Reichtum an Wissen für ein besseres Verständnis und die Verwirklichung dieser Mission verwenden kann. Die grundlegenden Bereiche sind die Ethnologie und die Ethnographie. Andere Sektionen der Anthropologie können ebenfalls von Nutzen sein, wie z.B. die Ethnohistorik, die psychologische Anthropologie und die Soziolinguistik.

Die theoretische Ethnologie kann vor allem für eine *kulturüberschreitende* Missionstätigkeit nützlich sein. Sie hat es mit allen Ortskirchen der Welt zu tun, einschließlich der Kirchen des Westens, wenn es z.B. um die Entwicklung einheimischer Liturgien, um religiöse Bildungsprogramme und um die Lösung sozialer Fragen geht.

2. Die Bedeutung des ethnographischen Wissens in der Geschichte: seit frühester Zeit hat man in der Kirche ethnographisches Wissen angewandt, vor allem, wo es um das gegenseitige Verstehen und die Anpassung ging. Paulus widersetzte sich entschieden judaisierenden Tendenzen in der Urkirche. Einige praktische Anweisungen Gregors des Großen (gest. 604) wie auch mancher anderer Päpste zeigen eine einfühlsame Wertschätzung für die politische, soziale und kulturelle Situation bestimmter Völker. Auch während der stärksten ethnozentrischen Perioden der Kirchengeschichte gab es immer wieder einzelne Persönlichkeiten, die sich für eine Indigenisierung eingesetzt haben. Man braucht nur an Cyrillus und Methodius im neunten Jahrhundert, die Apostel der slawischen Völker, zu denken. Ferner sei an Ramón Lull (gest. 1316), Ricci (gest. 1610), de Nobili (gest. 1566) (→ Ritenstreit), de las Casas (gest. 1566) und Lafitau (gest. 1740) erinnert. Nachdem bei den Protestanten die Missionsarbeit begonnen hatte, gab es auch bei ihnen Denker und Führungspersönlichkeiten wie Ziegenbalg (gest. 1719), Venn (gest. 1873) und Anderson (gest. 1855). Im Mittelalter und im Zeitalter der Entdeckungen waren Missionare die vorzüglichsten Ethnographen und Volkskundler. Einige von ihnen werden selbst heute noch anerkannt, wie z.B. Sahagún (gest. 1474) und Lafitau. Gelegentlich wird sogar gesagt, die Anthropologie verdanke den Missionaren ihre Existenz.

3. Die Ethnographie, die es schon immer in verschiedenen Graden von Feinheit und Zuverlässigkeit gab, erlangte mit der Entstehung einer modernen katholischen Missiologie neue missiologische Bedeutung. Sie legte besonderen Wert auf missionarische Anpassung. Es gab einen neuen Schritt nach vorn, als Missionare unter der Führung von P. Wilhelm Schmidt, S.V.D., und seiner Zeitschrift „Anthropos" begannen, sich direkt mit der Ethnologie zu befassen.

Die ersten Handbücher und Leitfäden für die kulturüberschreitende Missionsarbeit in jüngerer Zeit waren in ihrer Reichweite recht bescheiden. Mehrheitlich handelte es sich um kleine ethnographische und linguistische Hilfsmittel, bis dann die Arbeiten von Eugene A. Nida erschienen. Zu diesen gehören vor allem „Customs and Cultures", „Anthropology for Christian Missions" (1954) und „Message and Mission: The Communication of the Christian Faith" (1960). Im Jahre 1960 veröffentlichte der Anthropologe P. Martin Gusinde, S.V.D., sein missionsanthropologisches Werk „Die völkerkundliche Ausrüstung des Missionars". Wichtig war ebenfalls die Zeitschrift „Practical Anthropology " (1952-1972), die ausdrücklich für Missionare herausgegeben worden war. Im Jahre 1963 erschien das Buch „Church and Cultures: An Applied Anthropology for the Church Worker" von P. Louis J. Luzbetak, S.V.D. Dabei handelt es sich um eine systematische Einführung in die angewandte Missionsanthropologie.

4. In den Jahren nach dem Zweiten Weltkrieg konnte man in der Dritten Welt und in den sogenannten Missionsländern ein plötzliches Aufflammen des Nationalstolzes, verbunden mit einem intensiven Verlangen nach Gleichberechtigung und Selbstbestimmung, beobachten. Diese wiederum waren die Ursache einer allgemeinen kulturellen Überempfindlichkeit, wie man sie nie vorher in der Welt und den christlichen Kirchen hatte erleben können. In dieser Hinsicht waren die internationalen Versammlungen des Weltrates der Kirchen und der im Kongreß der Evangelikalen in Lausanne zusammengeschlossenen Denominationen von besonderer Bedeutung. Mehr noch war das II. Vatikanische Konzil ein Wendepunkt in der Geschichte der katholischen Kirche. Hier erklärte sie sich zur *Weltkirche*, nicht mehr wie bisher nur theoretisch, geographisch und latent, son-

dern in der Tat und in der Wahrheit als asiatisch, afrikanisch und europäisch. Es wird heute in den christlichen Kirchen ziemlich allgemein anerkannt, daß bloße Anpassung nicht mehr genügt. Christus muß sich inkarnieren, inkulturieren, kontextualisieren - und nicht mehr nur einpflanzen oder übersetzen. Dieses neue Selbstverständnis ruft nach einer Neuinterpretation dessen, was man Mission nennt und nach einer neuen Arbeitsbeschreibung der Missionsanthropologie.

Eine Missionsanthropologie als voll entwickeltes, akademisches Fach gibt es noch nicht, obwohl die Begriffe, Theorien, Prinzipien und Feldmethoden der heutigen Anthropologie in der theoretischen wie praktischen Missiologie Verwendung finden. Wir brauchen heute eine Missionsanthropologie im strikten Sinne des Wortes. Damit meinen wir ein festes System von ethnologischen Begriffen, Theorien, Methoden sowie ihre praktische Handhabung, die so organisiert werden müssen, daß dieses Gesamt wissenschaftlicher Kenntnisse bei seiner Weiterentwicklung dauernd geprüft werden kann. Dabei sollen sich die kulturellen Zusammenhänge der Missionstätigkeit immer mehr klären und sollen zu einem zuverlässigen Werkzeug für missionarische Experimente, Kontrollen und Voraussagen werden.

Die Hauptanliegen der heutigen Missionsanthropologie sind (1) die kulturüberschreitende → Kommunikation, (2) die soziale Tätigkeit und (3) das, was Missiologen heutzutage → Inkulturation, Kontextualisierung, Inkarnation, Evangelisierung der → Kulturen und Entwicklung einheimischer Theologien nennen. Der eigentliche Beitrag, den heute die Ethnologie zu leisten hat, ist die Klärung des soziokulturellen Kontextes, in dem das Evangelium gesehen, verstanden, verkündigt und gelebt werden muß.

Lit.: *Chupungco, A.*, Cultural Adaption of Liturgy, 1982. - *Engel, J. F.*, Contemporary Christian Communication. Its Theory and Practice, 1979. - *Gusinde, M.*, Die völkerkundliche Ausrüstung des Missionars, 1958. - *Hesselgrave, D. J.*, Communicating Christ Cross-Culturally. An Introduction to Missionary Communication, 1978. - *Hiebert, P. G.*, Anthropological Insights for Missionaries, 1985. - *Holland, J./Henriot, P.*, Social Analysis. Linking Faith and Justice, 1983. - *Kraft, Ch. H.*, Christianity in Culture. A Study in Dynamic Biblical Theologizing in Cross-Cultural Perspective, 1979. - *Ders.*, Communication Theory for Christian Witness, 1983. - *Luzbetak, L. J.*, The Church and Cultures. An Applied Anthropology for the Religious Worker, [4]1984. - *Ders.*, Cross-Cultural Missionary Preparation, in: Trends and Issues, 1985, 61-79. - *Mayers, M. K.*, Christianity Confronts Culture. A Strategy for Cross-Cultural Evangelism, 1974. - *Nida, E. A.*, Customs and Cultures. Anthropology for Christian Missions, 1954. - *Ders.*, Message and Mission. The Communication of the Christian Faith, 1960. - *Rahner, K.*, Towards a Fundamental Theological Interpretation of Vatican II, in: ders., Theological Studies, 1979, 716-727. - *Salamone, F. A.*, Missionaries and Anthropologists, II, in: Studies in Third World Societies, 26, 1985. - *Schreiter, R. J.*, Constructing Local Theologies, 1985. - *Stott, J./Coote, R. T.* (Hrsg.), Gospel and Culture, 1979. - *Whiteman, D. L.*, Missionaries, Anthropologists and Cultural Change, in: Studies in Third World Societies, 25, 1985.

(Übers.: H. Gräf)   L. J. Luzbetak

EUROPÄISCHE THEOLOGIE

1. Begriff. 2. Charakteristik. 3. Biblische Theologie. 4. Systematische Theologie (evangelisch, katholisch). 5. Rückblick.

1. Der *Begriff* „Theologie" stammt aus dem Griechischen und bedeutete bei Platon die Interpretation der Mythen mit Blick auf das staatsbürgerliche Verhalten. Bei Aristoteles ist sie die Aufgipfelung der Reflexion über das Sein, „nóesis noéseos" oder „Gott" genannt. Die Stoiker sahen in der Theologie die Lehre über die bürgerlichen Pflichten; gleichzeitig vermittelten sie ein kritisches Urteil über die Göttergeschichten. Im frühen Christentum vermied man zunächst das Wort und nannte die Sache gelegentlich „vera philosophia". Es dauerte jedoch nicht lange, bis man das Wort Theologie für die Christologie reservierte, während die Heilsgeschichte zur „oikonomîa" erklärt wurde. Doch im 6. Jahrhundert sprach man schon einheitlich von Theologie, die einmal philosophisch oder mystisch, dann affirmativ bzw. *kataphatisch* oder negativ bzw. *apophatisch*, je nachdem ob sie Gott mit unseren menschlichen Vorstellungen benennt oder ihn als den ganz anderen erfährt, sein kann. Bei Augustinus wiederum ist die Theologie das philosophische Sprechen von Gott, während die Glaubenslehre „doctrina sacra" oder „christiana" heißt. Die ganze bisher erwähnte Epoche kennzeichnet sich durch ein eifriges Suchen nach Weisheit, das von zeitgenössischen Vorstellungen aus Stoa und Neuplatonismus geprägt und vorgeformt ist. Der heutige Begriff als verantwortliche oder wissenschaftliche Reflexion aus und über den Glauben stammt aus dem Hochmittelalter, als man nämlich den aristotelischen Wissenschaftsbegriff anzuwenden begann. Bei Thomas von Aquin gelangt diese Glaubensreflexion zu einem bisher unerreichten Höhepunkt. Er bringt die durch das Glaubenslicht erkannten Wahrheiten in einem diskursiven Verfahren miteinander und mit gesicherten Vernunftwahrheiten in Beziehung und ordnet sie zu einer (systematischen) Summe. Parallel hierzu haben wir die franziskanische Schule (besonders unter Bonaventura), die sich vom neuplatonischen Illuminismus eines Augustinus beraten läßt und in Christus das Medium der Gotteserkenntnis sieht. Jahrhunderte später konstatieren wir bei den Reformatoren, besonders bei Luther, ein tiefes Mißtrauen gegen die Ratio des Sünders und demzufolge eine Theologie, die rein aus dem Glauben unter der besonderen Rücksicht der Torheit des Kreuzes sich versteht. In der Neuzeit entstehen die Spezialtheologien (Biblische Theologie, Dogmatik bzw. Systematische Theologie, Moral oder Ethik, Apologetik oder Fundamentaltheologie, dazu Kirchengeschichte und Liturgik). In jüngster Zeit registrieren wir eine Reihe von „Genetivtheologien" (Theologie der Hoffnung, der Befreiung, der Umwelt, der Frau usw.), die sich mehr der Orthopraxie als der Orthodoxie zuwenden. Nicht zu vergessen sind die Theologien, die einer bestimmten Zeit oder Richtung verpflichtet sind, wie z.B. die liberale, die fundamentalistische, die pietistische, die neuscholastische und schließlich die politische Theologie. Die Gott-ist-tot-Theologie des vergangenen Jahrzehnts war eine Erscheinung, die im Gefolge der Sprach- und Gesellschaftsanalyse entstand.
2. Charakteristisch für die europäische Theologie, einschließlich der orthodoxen, ist ihr *Universalismus*, d.h., sie will Aussagen für alle machen. Denn Gott,

über den sie spricht, ist Herr und Vater aller Menschen. Ferner ist sein Sohn um
unser aller Heil willen zur Erde gekommen, und schließlich ist Gottes Reich und
dessen eschatologische Zielrichtung für jedermann bestimmt. Hinzu kommt noch
das aristotelische Wissenschaftsmodell, gemäß welchem es kein eigentliches Wissen über das Partikuläre und Einzelne gibt. Nur Universalien, die aus dem Zufäl-
ligen und Geschichtlichen ausgesiebt wurden, können allgemeingültige Aussagen
vermitteln. Auf diese Weise erhielt man eine *abstrakte* Theologie, die für alle in
gleicher Weise zutreffend ist. Der spätmittelalterliche Nominalismus versuchte
schon, die daraus entstehenden Probleme zu lösen (z.B. durch die Devotio moderna). Doch war es Luther vorbehalten, die Unzulänglichkeit der bisherigen
Theologie aufzudecken und die Geschichtlichkeit einzubringen. Die neuere Theologie ist gekennzeichnet durch ihre *Aktualität.* Die Glaubensaussagen beziehen
sich nicht einfach auf ihre vergangene Bedeutsamkeit, vielmehr müssen sie immer
neu Ereignis werden. Darum sind sie auf die geschichtliche Situation, auf den kulturellen Kontext und auf die Nöte und berechtigten Erwartungen der Gläubigen
zu beziehen. Systematische Darstellungen im Sinne der mittelalterlichen Summen
sind nicht mehr möglich. Die zitierte Aktualität bedingt auch den Kontakt und
den Dialog mit den Wissenschaften, vor allem mit den Humanwissenschaften.
Große Anstrengungen hat man daher in der Auseinandersetzung mit dem Fort-
schrittsglauben, mit der Soziologie und mit dem Marxismus der verschiedenen
Prägungen gemacht. Bei alledem geht es letztlich um die Erarbeitung einer theologisch tragbaren Anthropologie. Ein weiteres Merkmal europäischer Theologie
ist die *Grundlagenforschung.* Sie beschäftigt sich mit der Geschichtlichkeit des Lebens Jesu, mit der biblischen Sprache und Sprachmitteln (Symbole, Mythen,
Gleichnisse) und mit einer sachgemäßen Hermeneutik. Dies alles hat dazu beigetragen, daß wir die Bücher der Schrift als typische Glaubensbücher ansehen, die
den Glauben bezeugen und fördern wollen, nicht aber sonstiges Wissen zu vermitteln beabsichtigen. Auf diese Weise wurde der Rationalismus in der Exegese
wirksam bekämpft. Weil nun die Bibel die norma non normata ist, kommt der
Biblischen Theologie eine besondere Bedeutung zu.

   3. *Biblische Theologie* will sich nicht zwischen den gläubigen Leser und die
Schrift schieben, denn Gott offenbart sich selber nach Maßgabe seines Wohlgefal-
lens. Das II. Vatikanische Konzil hat darum den Katholiken das stete Lesen und
Bedenken der Schrift empfohlen (vgl. Dei Verbum 22ff). Evangelischen Christen
war dies eine Selbstverständlichkeit. Die Früchte des Konzils zeigen sich in Europa in Wortgottesdiensten und Meditationen; in der Dritten Welt bewirkte die Bi-
bellesung ein echt christliches Erwachen. Um aber der Gefahr einer subjektivisti-
schen Interpretation in etwa zu entgehen, entwickelte sich die moderne Exegese.
Sie bedient sich der historisch-kritischen Methode (Erforschung der zeitbedingten
Merkmale des biblischen Textes). Sie ist nicht nur bei den Wort- und Satzanaly-
sen hilfreich, sondern gestattet auch umgreifende Verbindungen zwischen der Ein-
zelaussage und dem Gesamt des betreffenden Buches bzw. anderer Bücher. Dies
ist nicht ganz neu, denn schon in der Väterzeit und besonders im Mittelalter bemühte man sich um den dreifachen (bzw. vierfachen) Sinn der einzelnen Stelle.
Dies besagt, daß man den Literalsinn nicht für sich allein stehen läßt, sondern ihn
überschreitet in Richtung auf Christologie, christliches Leben und Eschatologie.

Diese Kunst des Transzendierens ist Gabe des Geistes und des Glaubenssinns, den die Gläubigen empfangen und ohne den auch der Theologe seine Aufgabe nicht erfüllen kann. In unserer Zeit hat man die besondere Zusammengehörigkeit von AT und NT erkannt; sie ist weit tiefer als man gemeiniglich angenommen hatte. Die Systematische Theologie nun übernimmt die Ergebnisse der Biblischen Theologie und stellt ihrerseits Fragen an den biblischen Text, die sich aus dem konkreten Christenleben und seinem Kontext ergeben. Sie wird sich davor hüten, Modeströmungen nachzugehen, welche das ursprüngliche Kerygma verfälschen.

   4. *Systematische Theologie* (evangelische Autoren in Auswahl). Der erste Weltkrieg machte das Versagen der liberalen Theologie offenkundig. Man begann sich radikal auf die biblische Offenbarung zu besinnen. Karl Barth (1886-1968) war der Wortführer einer Gruppe von Theologen, die sich unter dem Namen „Dialektische Theologie" zusammenschlossen. Dabei war die zweite Auflage von Barths Römerbrief (1922) der springende Funke. Barth machte darin radikal Ernst mit der reformatorischen Lehre vom alleinigen Gott, der sich in Jesus Christus offenbart hat. Dieser Gott ist und bleibt unerreichbar für die menschliche Ratio und für das religiöse Gefühl. Wir finden ihn im Wort der Bibel, wo er uns zugleich seinen Zorn ob unserer Sünde, wie auch sein Erbarmen aus reiner Gnade mitteilt. Wer sich unter dieses Wort stellt, erfährt zugleich Gottes Nein und sein Ja zu uns. Der Mensch steht somit unter einer dialektischen Spannung zwischen diesem Gott und seiner eigenen Diesseitigkeit. Die Theologie wird dies zum Ausdruck bringen und vor der Welt Gottes Anspruch auf sie mutig vertreten. Sie wird gesellschaftskritisch ihr gegenüber sein, im eigenen Bereich aber muß sie die Theologia Crucis (negative Theologie) ernst nehmen. Rudolf Bultmann (1884-1976) war Weggenosse Barths in der Zeit des Römerbriefs, doch wandelte er das reformatorische Grundanliegen im Sinne der Existentialanalyse von Martin Heidegger ab. Er wollte den unverzichtbaren Faktor der Geschichte deutlich machen, in der sich unser Ja zu Gott allein vollziehen kann. Emil Brunner (1889-1966) ist ein weiterer Vertreter dieser dialektischen Theologie. Auch er mußte sich von Barth trennen, weil ihn die Frage umtrieb, wie Gottes Wort bei uns - bei den Arbeitern insbesondere - ankommen kann. Dabei machte er Bekanntschaft mit der Philosophie von Martin Buber. Dessen Darlegungen über den Dialog (Ich-du-Beziehungen) wurden für Brunner zum Schlüsselerlebnis seiner theologischen Bemühungen. Wenn nämlich das göttliche Ich zu uns spricht, trifft es immer auf ein Du, das ihm (durch die Vernunft bzw. Gottebenbildlichkeit) gleichgestaltet ist und ihm in (geschenkter Freiheit) antworten kann und muß. Es besteht nun eine dialektische Spannung zwischen Gottes Ansprache und unserer Antwort, da der Mensch immer wieder versucht, sich selbst in Szene zu setzen und Gott die Gefolgschaft zu versagen. Theologie soll daher nicht (primär) Lehrsätze vortragen, sondern Wege aufzeigen, wie Gottes Wort für uns zum Ereignis werden kann. Was daraus sich ergibt, ist „responsorische Aktualität" bzw. „personale Korrespondenz". Diesen und anderen Theologen geht es darum, den Menschen neu zu orientieren und von Gott her zu motivieren, damit er den großen Anforderungen der Zeit besser gewachsen ist. Zu erwähnen sind noch Jürgen Moltmann (geb. 1926), dessen Anthropologie sich besonders mit der menschlichen Zukunft, dem Leid und der Ökologie befaßt. Ferner Paul Tillich

(1886-1965), der den entfremdeten Menschen von heute in seiner Not und Verzweiflung aufrichten möchte; weiter Wolfhart Pannenberg (geb. 1928), dessen Bemühungen um Sinnerhellung der Geschichte durch Jesu Kreuz und Auferstehung Beachtung gefunden haben, und schließlich Gerhard Ebeling (geb. 1912), der in der Gefolgschaft von Dietrich Bonhoeffer sich um die Durchsetzung des Evangeliums in unserer profanen Welt bemüht.

Auf *katholischer* Seite wurde der theologische Aufbruch, vorbereitet schon seit der Jahrhundertwende durch intensive Väter- und Liturgiestudien, durch das II. Vatikanische Konzil bestimmt. Es handelte sich wesentlich um die Überwindung der neuscholastischen Methoden und um die Neuinterpretation der überkommenen Lehrformeln. Hierin hat sich Karl Rahner (1904-1984), dessen theologische Laufbahn mit den Ignatianischen Exerzitien begann, besonders hervorgetan. Trotz der sprachlichen Schwierigkeiten hat sein Werk wie kaum ein anderes zum „aggiornamento" beigetragen und ihm weltweite Beachtung verschafft. Er bediente sich der transzendentalen Methode (aus Kants Kritik der reinen Vernunft) und fragte demgemäß nach den Bedingungen, die erfüllt sein müssen, wenn Gott sich in absoluter Freiheit offenbart und mitteilt. Und er findet, daß dies die unbegrenzte Offenheit des menschlichen Geistes ist, die er das übernatürliche Existential (in Anschluß an Heideggers Terminologie) nennt. Rahner findet seine These weiterhin gestützt durch die hochscholastische Lehre vom Vorgriff des Geistes auf das Sein als Ganzes. Demnach ist der Mensch immer schon auf dem Weg zu Gott, dem ens summum; mehr noch, dieser Gott gehört in die Definition des Menschen. Von hieraus fällt Licht auf die Inkarnation von Gottes Sohn. Wenn es nämlich Gott gefällt, sich zu ent-äußern und ins „Andere-seiner-selbst" zu gehen, kann er nur Mensch werden. Der Gottmensch ist dann die unüberbietbare Form des Menschseins, und jeder Mensch ist der mögliche Bruder Jesu Christi. Das Göttliche in Jesus verdrängt nicht das Menschliche, sondern verhilft ihm zu seiner Fülle. Betreffs der Anthropologie wäre noch zu vermerken, daß der Mensch als Leerform immer das von sich weggewiesene, das ek-sistente Wesen ist, das auf Kommunikation mit Mensch und Welt angewiesen ist. Auf diese Weise gelingt es Rahner, die Schöpfungslehre in seine Vorstellungen zu integrieren. Einen anderen Weg ist Hans Urs von Balthasar (geb. 1904), ein früher Weggenosse Rahners und später sein unermüdlicher Mahner, gegangen. Er versuchte es mit der phänomenologischen Methode und bemühte sich in seinem ganzen Schaffen, die Herrlichkeit der sich mitteilenden und opfernden Liebe Gottes aufzuweisen. Wir brauchen uns nicht von der (griechischen) Tragik noch vom Weg des Scheins (vgl. Buddhismus) bestimmen zu lassen, sondern sollen uns von der göttlichen Liebe erfassen lassen, die allein in der Lage ist, unsere Kerkermauern zu sprengen und die wahre Freiheit der Gotteskinder zu schenken. Das Kreuz ist dabei sicherer Wegweiser. Andere Theologen haben sich auf sehr verschiedene Weise dem Christsein zugewandt, so Hans Küng (geb. 1928), Eduard Schillebeeckx (geb. 1914) und Johann Baptist Metz (geb. 1928). Letzterer unterstreicht besonders die gesellschaftliche Dimension der Theologie. Er wird darum in seiner „politischen Theologie" nicht müde, den bürgerlichen Selbstbehauptungswillen und Selbstabsicherungsdrang anzuklagen. Ebenso wichtig ist ihm die „memoria passionis", kraft derer es nie mehr ein Auschwitz oder ein anderes menschenverachtendes Tun geben darf. Bei alledem suchen wir eine humanere Welt im Vertrauen auf Gottes Verheißungen, wenngleich der eschatologische Vorbehalt immer im Auge zu behalten ist. Metz steht mit seinen Vorstellungen der Befreiungstheologie (→ Theologie der Befreiung) sehr nahe und hat ihr Anliegen uns Europäern zu verdeutlichen gesucht.

5. *Rückblick.* In Europa gab es und gibt es verschiedene Theologien. Was sie untereinander verband, war die Reflexion über den einen Gott, der uns in seinem Sohn Jesus Christus durch den Geist erlöst hat. Alle weiteren Überlegungen stammen aus einem bestimmten Kontext, der durch Geschichte, Gesellschaft und Kultur vorgegeben war und ist. Bei dem großen und steten kulturellen Austausch auf unserem kleinen Kontinent entstand so etwas wie eine Kultursynthese, die sich von anderen Kontinenten unterscheidet und die man Europäismus nennen kann (Troeltsch/Rendtorff). Er hat die Merkmale einer starken Individualisierungstendenz und Selbstverabsolutierung. Gerade letzteres ist u.a. der Anlaß dafür, daß viele Dritte-Welt-Theologen (vgl. EATWOT) europäische Theologie jeder Art ablehnen und verunglimpfen. Andere Theologen hingegen (vgl. L. Boff) erkennen, daß ihre Theologie ohne die europäische nicht bestehen kann. Beide sind aufeinander angewiesen und müssen voneinander lernen (Karl Rahner).

Lit.: *Balthasar, H. U.*, Karl Barth, 1976. - *Ders.*, Verbum Caro, 1960. - *Bauer, B.*, Entwürfe der Theologie, 1985. - *Beinert, W.*, Wenn Gott zu Wort kommt. Eine Einführung in die Theologie, 1978. - *Eicher, P.*, Die anthropologische Wende, 1970. - *Ders.*, Theologie. Eine Einführung in das Studium, 1980. - *Ders.* (Hrsg.), Neues Handbuch theologischer Grundbegriffe, 5 Bde, 1984. - *Fischer, K. P.*, Der Mensch als Geheimnis, 1974. - *Fries, H.* (Hrsg.), Handbuch theologischer Grundbegriffe, 2 Bde, 1963. - *Kantzenbach, E.*, Aktion und Reaktion. Katholizismus evangelisch gesehen, 1978. - *Kaufmann, G.*, Tendenzen der katholischen Theologie nach dem 2. Vatikanischen Konzil, 1979. - *Klinger, E./Wittstadt, K.*, Glaube im Prozeß, 1984. - *Lonergan, B.*, Theologie im Pluralismus heutiger Kulturen, 1975. - *Nörenberg, K.*, Analogia imaginis, Der Symbolbegriff in der Theologie Paul Tillichs, 1966. - *Rahner, K.*, Schriften zur Theologie IX, 1970. - *Ders.*, Schriften zur Theologie XV, 1983. - *Rendtorff, T.*, Gott im alten Kontinent, Europäismus als geschichtlicher Kontext der Theologie, in: EK 12, 1979, 327-330. - *Ders.* (Hrsg.), Europäische Theologie, Versuche einer Ortsbestimmung, 1980. - *Sauter, G.*, Theologie als Wissenschaft, 1971. - *Schulz, H. J.*, Tendenzen der Theologie im 20. Jahrhundert, 1966. - *Seckler, M.*, Im Spannungsfeld von Wissenschaft und Kirche, 1980. - *Simons, E.*, Philosophie der Offenbarung, Auseinandersetzung mit K. Rahner, 1966. - *Verweyen, H. J.*, Ontologische Voraussetzungen des Glaubensaktes, 1969. - *Vorgrimmler, H.*, Rahner verstehen, 1985. - *Wernsdörfer, T.*, Die entfremdete Welt. Eine Untersuchung zur Theologie Paul Tillichs, 1968. - *Zahrnt, H.*, Die Sache mit Gott, 1966.

H. Dumont

EVANGELISATION, EVANGELISIERUNG

1. Modelle. 2. Evangelisation als Mission der Kirche.

Der Begriff Evangelisation ist von dem griechischen Verb *euangelizein* bzw. *euangelizesthai* abgeleitet. Seine Grundbedeutung im NT ist die Proklamation des anbrechenden Reiches Gottes in Person und Dienst Jesu und der Ruf zu Buße und Glaube (Mk 1,15). *Euangelizesthai*, häufig von Lukas gebraucht, ist im wesentlichen ein Synonym für *keryssein* (Matthäus, Markus) und *martyrein* (Johannes). Am besten wird *Evangelisation* verstanden als a) jene Aktivitäten, die mit der Ausbreitung des Evangeliums zusammenhängen (wie man dies auch definiert, s.u.) und b) als die theologische Reflexion über diese Aktivitäten, während *Evangelisierung* sich auf den *Prozeß* der Ausbreitung des Evangeliums bezieht, oder auf das *Ausmaß*, in welchem es verbreitet wurde (z.B. „Die Evangelisierung der Welt").

Freilich gibt es gegenwärtig mehrere verschiedene oder sich gar widersprechende Verständnisse von Evangelisation:

1.1 Sie wird manchmal nach *Methode* und *Stil* definiert. Dann wird Evangelisation vornehmlich als öffentliche Erweckungspredigt verstanden, die vor großen Zuhörerschaften (oft im Freien oder über das Fernsehen) von speziell begabten „Evangelisten" gehalten wird. Sie zielt auf die Entlarvung der Rebellion des Sünders gegen Gottes gerechten Anspruch, ruft zu einer „Entscheidung für Christus" auf und manifestiert sich in einer persönlichen, geistlichen Erfahrung der Vergebung und des neuen Lebens. Der Zeitpunkt dieses Ereignisses erhält oft große Bedeutung. Die durch diese Form der Evangelisation vermittelte Erlösung manifestiert sich als zukünftige, ewige Seligkeit (bzw. die Garantie dafür) oder als „Rettung der Seele".

Es bedeutet aber einen gefährlichen Reduktionismus, die Evangelisation primär von ihrer Methode her in individuellen, geistlichen und transzendentalen Kategorien zu beschreiben.

1.2 Andere definieren Evangelisation im Hinblick auf ihre *Resultate*: Evangelisation bedeutet „Menschen bekehren". Das berühmteste Beispiel dieses Verständnisses ist die folgende Formulierung aus *Towards the Conversion of England*: „Evangelisieren heißt, Jesus Christus in der Kraft des Heiligen Geistes so zu präsentieren, daß Menschen dazu kommen, Gott zu vertrauen ...". Diese Definition, in der Folge von verschiedenen Gremien übernommen und immer noch im Gebrauch - besonders in evangelikalen Kreisen - tendiert jedoch dazu, Evangelisation mit ihrem Ziel oder einem ihrer Ziele zu verwechseln. Hier wird der Dienst der Christusverkündigung nur dann zur Evangelisation, wenn er positive Resultate zeigt. Das aber ist unakzeptabel. Der Dienst der Evangelisation bleibt Evangelisation, ob Menschen nun positiv antworten oder nicht.

1.3 Noch häufiger wird Evangelisation im Blick auf ihre „*Objekte*" bestimmt. Wo dies geschieht, wird sie gewöhnlich von Mission unterschieden. Diese hat es dann mit solchen Menschen zu tun, die *noch nicht* Christen sind (insbesondere in der „Dritten Welt"), Evangelisation mit solchen, die *nicht mehr* Christen sind (vor allem im Westen). Mission befaßt sich mit Umkehr, Christianisierung, Anfang, *vocare*, den Fremden. Evangelisation mit Rückkehr, Rechristianisierung, Neuanfang, *revocare*, den Entfremdeten (Th. Ohm, K. Barth, weniger absolut auch bei H.-J. Margull). Ein konstituierender Faktor dieser Unterscheidung ist der Gedanke des *corpus Christianum* und die Idee vom *charakter indelibilis* der Taufe. Vor diesem Hintergrund werden Innere Mission und Volksmission als von der Äußeren Mission theologisch unterschieden beurteilt. „Objekt" der Volksmission ist „jedes Glied der Volkskirche, das als getauft erst ein Christ werden muß".

1.4 Die obige Unterscheidung ist seit dem Zweiten Weltkrieg zunehmend kritisiert worden, wenngleich heute noch in protestantischen und römisch-katholischen Kreisen (Ad gentes ist an diesem Punkt unklar) weitgehend daran festgehalten wird. Bei der Gründungsversammlung des ÖRK (Amsterdam 1948) erkannten die Delegierten, dank des Einflusses von Hendrik Kraemer u.a., „daß die Probleme der Verkündigung des Evangeliums in Ost und West grundsätzlich dieselben sind und daß die alten Unterscheidungen überholt sind". Die Versammlung des IMR in Willingen (1952) schloß sich der Position von Amsterdam an. Diese Sicht ist seither im großen und ganzen beibehalten worden. Philip Potter, der vormalige Generalsekretär des ÖRK, hatte darum recht, als er 1968 sagte, daß „die ökumenische Literatur seit Amsterdam (1948) die Worte ‚Mission', ‚Zeugnis' und ‚Evangelisation' austauschbar benutzt hat". Dasselbe geschah in evangelikalen Kreisen, abgesehen davon, daß Mission-Evangelisation hier enger gefaßt wurde als in der Ökumene (→ Evangelikale Theologie). Um mit Arthur Johnston zu sprechen: „Historisch gesehen ist die Mission der Kirche allein die Evangelisation", wobei Mission-Evangelisation fast exklusiv als „Gewinnung von Seelen" verstanden wird. Im Gegensatz lautet das ökumenische Verständnis von Mission-Evangelisation: „Die ganze Kirche bringt das ganze Evangelium der ganzen Welt"; mit anderen Worten: der totale Dienst der Christen an der Welt außerhalb der Kirche.

1.5 Margull (und zu einem gewissen Grad auch Verkuyl) spricht sich für eine Sichtweise zwischen den Positionen 3 und 4 aus. Er unterscheidet zwischen „missionarischer Verkündigung" (ein Ausdruck, den er dem der Evangelisation vorzieht), die im Westen ihren Ort hat, und „heidenmissionarischer Verkündigung", deren Proprium „besteht in der Verkündigung dort, wo noch keine Kirche ist, wo die Herrschaft Gottes - historisch - noch nie ausgerufen wurde". Gleichwohl behauptet Margull die Notwendigkeit einer „‚Synchronisierung' beider missionarischer Tätigkeiten, wobei die missionarische Verkündigung (Evangelisation) in die heidenmissionarische hineingenommen wird", und er fügt in Klammern hinzu: „Man spricht am besten von Zusammengehörigkeit".

2. Gewiß ist es ratsam, zwischen Evangelisation und Mission zu unterscheiden, nicht jedoch so, wie Margull es vorschlägt, sondern so, daß *Mission* als *umfassende Aufgabe* verstanden wird, die Gott der Kirche um der Erlösung der Welt willen gestellt hat. Oder als Dienst der Kirche, aus sich selbst herauszutreten in die größere Welt, wobei sie in diesem Prozeß geographische, soziale, politische, ethnische, kulturelle, religiöse, ideologische und andere Schranken und Grenzen überschreitet. Evangelisation kann dann andererseits als eine der verschiedenen *Dimensionen* der umfassenden Mission der Kirche gesehen werden, noch genauer als der Kern, das Herz und Zentrum der Mission. Vor dem Hintergrund der *Mis-*

sion - „die ganze Kirche bringt das ganze Evangelium der ganzen Welt" - dürfte das Proprium der Evangelisation u.a. in folgendem liegen:

2.1 Evangelisation ist die *Proklamation* der Erlösung in Christus für alle Nichtgläubigen, die Verkündigung der Sündenvergebung, der Aufruf an Menschen, Buße zu tun und an Christus zu glauben und zum Beginn eines neuen Lebens in der Kraft des → Heiligen Geistes. „Als Kernstück und Mittelpunkt seiner Frohbotschaft verkündet Christus das Heil, dieses große Gottesgeschenk, das in der Befreiung von allem, was die Menschen unterdrückt, besteht, vor allem aber in der Befreiung von der Sünde und vom Bösen, in der Freude, Gott zu erkennen und von ihm erkannt zu werden, ihn zu schauen und ihm anzugehören" (Evangelii nuntiandi 9; vgl. Ad gentes 13). Aber Evangelisation ist mehr als die „Gewinnung von Seelen", als ob ihre größte Sorge der Rettung von Seelen gelte, die fortbestehen müssen, wenn alle Welt vergangen ist. Evangelisation betrifft die Rettung der Menschen (nicht allein ihrer „Seelen") hinsichtlich aller ihrer Verhältnisse.

2.2 Evangelisation zielt darauf, Menschen in die *sichtbare Gemeinschaft* der Glaubenden zu bringen (vgl. Ad gentes 13). „Es gehört zum Kern christlicher Mission, die Vermehrung der Ortsgemeinden in jeder menschlichen Gemeinschaft zu fördern" (Mission und Evangelisation, 25). Aber Evangelisation sollte niemals mit Proselytenmacherei verwechselt werden. Evangelisation ist keine Form kirchlicher Propaganda und sollte niemals als ihr oberstes Ziel die Vergrößerung der Mitgliederzahl einer bestimmten Kirche oder die Verbreitung partikulärer Lehren haben. Solch ein Unternehmen ist nicht Evangelisation, sondern Propaganda.

2.3 Evangelisation beinhaltet das Zeugnis von dem, was *Gott* getan hat, tut und tun wird. „Christen empfehlen nicht sich selbst, sondern die Liebe Gottes, wie sie in Christus offenbar wird ..." (Nationwide Initiative in Evangelism, 3). Und Christen tun dies in Wort *und* Tat, Verkündigung *und* Präsenz, Erklärung *und* Beispiel.

2.4 Evangelisation bedeutet *Einladung*. Sie soll keinesfalls in Überredungskunst oder Drohgebärden ausarten. Sie ist kein Angebot eines psychologischen Wundermittels gegen die Frustrationen und Enttäuschungen der Menschen, kein Einimpfen von Schuldgefühlen, damit sich die Menschen (tief verzweifelt) Christus zuwenden. Und sie will den Menschen nicht mit Geschichten über die Schrecken der Hölle Angst machen, damit sie Buße tun und sich bekehren. Weil sie von seiner Liebe angezogen werden, sollten sich Menschen Gott zuwenden, nicht weil sie zu ihm getrieben werden von der Angst vor der Hölle.

2.5 Evangelisation ist nur möglich, wenn die evangelisierende Gemeinschaft - die Kirche - ein leuchtendes *Beispiel* des christlichen Glaubens ist und einen gewinnenden Lebensstil pflegt. „Das Medium ist die Botschaft" (Marshall McLuhan). Wenn die Kirche der Welt eine Botschaft der Liebe und der Hoffnung, von Glauben, Gerechtigkeit und Frieden mitzuteilen hat, so sollte sie selbst etwas davon sichtbar, hör- und fühlbar werden lassen (Apg 2,42-47; 4, 32-35). H.-W. Gensichen nennt fünf Merkmale einer evangelisierenden Kirche: a) Auch Außenstehende sollten sich in sie einbezogen fühlen; b) Sie sollte sich selbst nicht in erster Linie als Gegenstand pastoraler Betreuung verstehen, wobei der Pfarrer das Amtsmonopol innehat; c) Sie sollte durch ihre Mitglieder mit der Gesellschaft verwoben sein; d) Sie sollte in ihren Strukturen flexibel und anpassungsfähig sein; e) Sie sollte nicht die Privilegien einer einzelnen Gruppe von Menschen verteidigen.

2.6 Evangelisation bietet den Menschen die Erlösung als ein gegenwärtiges *Geschenk* an, mit der Versicherung immerwährender Seligkeit. Indes, wenn dem Angebot all dessen die Hauptrolle in unserer Evangelisation zukommt, so wird das Evangelium zu einer Konsumware degradiert. Dann fördert die Evangelisation das Streben nach frommer Egozentrik. Dagegen muß betont werden, daß persönliche Erfahrung der Erlösung an keiner Stelle das zentrale Thema biblischer Bekehrungsgeschichten wird (K. Barth). Nicht allein, um Leben zu *empfangen*, werden die Menschen aufgerufen, Christen zu werden, vielmehr, um Leben zu *geben*. Darum, „Berufen werden heißt einen Auftrag bekommen" (ders.); anders gesagt: Evangelisation bedeutet, Menschen in die Nachfolge Jesu zu rufen; Evangelisation heißt Menschen für die Mission (im umfassenden Sinn des Wortes) zu werben.

Zusammenfassend kann also die Evangelisation als jene Dimension und Aktivität der kirchlichen Mission definiert werden, die jedem Menschen an jedem Ort durch Wort und Tat eine wirkliche Gelegenheit bietet, sich zu einer radikalen Neuorientierung herausfordern zu lassen. Diese beinhaltet u.a. die → Befreiung von der Sklaverei der Welt und ihrer Mächte und die Übergabe an Christus als Retter und Herr. Der Mensch kann Mitglied der Gemeinschaft Christi, der Kirche, werden, mithineingenommen werden in seinen Dienst der Versöhnung, des Friedens und der Gerechtigkeit auf Erden, integriert in Gottes Plan, alle Dinge unter die Herrschaft Christi zu stellen (→ Theologie der Mission).

Lit.: *Anderson, G. H./Stransky, T. F.* (Hrsg.), Evangelization (Mission Trends 2) 1975. - *Armstrong, J.*, From the Underside. Evangelism from a Third World Vantage Point, 1981. - *Castro, E.*, Freedom in Mission. The perspective of the Kingdom, 1985. - *Dhavamony, M.* (Hrsg.), Evangelization, Dialogue and Development (Documenta Missionalia 5) 1972. - *Gensichen, H.-W.*, Glaube für die Welt, 1971. - *Greinacher, N./Müller, A.* (Hrsg.), Evangelization in the World Today (Concilium 114) 1979. - *Johnston, A.*, The Battle for World Evangelism, 1978. - *Hollenweger, W. J.*, Evangelisation gestern und heute, 1973. - *Krass, A. C.*, Evangelizing neo-pagan North America, 1982. - *Margull, H. J.*, Theologie der missionarischen Verkündigung, 1959. - Mission und Evangelisation. Eine ökumenische Erklärung, 1982. - Nationwide Initiative in Evangelism, Evangelism: Convergence and Divergence, 1980. - *Ohm, Th.*, Machet zu Jüngern alle Völker!, Theorie der Mission, 1962. - *Poetsch, H.-L.*, Theologie der Evangelisation, 1967. - *Shivute, T.*, The Theology of Mission and Evangelism in the International Missionary Council from Edinburgh to New Delhi, 1980. - *Stevenson, W. T.* (Hrsg.), Evangelism. A Consultation, AThR, Supplementary Series, Nr. 8, 1979. - *Verkuyl, J.*, Inleiding in de Evangelistiek, 1978.

(Übers.: T. Weiß)   D. J. Bosch

EVANGELISCHE BRUDERSCHAFTEN,
KOMMUNITÄTEN, ORDEN

1. Entstehung. 2. Beispiele. 3. Ziel.

1. Die gleichen geistesgeschichtlichen Anregungen, das Vorbild und der Einfluß des anglikanischen Englands führten wie bei den → Missionsgesellschaften auch zum Entstehen der Bruderschaften und Kommunitäten innerhalb der evangelischen Kirchen. Der Pietismus entwickelte neue Formen des gemeinsamen Lebens und den Gedanken der Bruderschaften. Einige der Kommunitäten und Bruderschaften haben im Bereich der Äußeren Mission Aufgaben und Verantwortung übernommen, andere konzentrieren sich auf die Innere Mission. Es geht bei allen Bewegungen nicht vorrangig um eine Neubelebung des Ordenslebens (→ Mönchtum), sondern um neue Formen des Apostolates. Die Erschütterungen des Zweiten Weltkrieges lösten eine erneute Bewegung aus, so daß in der vollen Breite der ganzen → Ökumene, vielfach ohne Verbindung untereinander, in den verschiedenen Konfessionen neue Bruderschaften und Kommunitäten entstanden. Vergleicht man sie mit den in der katholischen Kirche vorhandenen Formen des Gemeinschaftslebens, so sind sie nicht in die Nähe der Orden und Kongregationen und Gemeinschaften zu rücken. Sie haben eine Nähe zu den Säkularinstituten oder auch zu den Kleinen Schwestern und Brüdern Jesu.

2. Die „Evangelisch-ökumenische St. Johannesbruderschaft" wurde 1929 zunächst unter dem Namen „Evangelisch-katholische eucharistische Gemeinschaft" von Friedrich Heiler (1892-1967) gegründet: eine hochkirchliche Bewegung, die ihre Mitglieder zu einem tieferen liturgischen und christlichen Leben anleiten will. Vorausgegangen war der Humilitatenorden (1921), eine hochkirchliche Bewegung mit zeitlichen Gelübden. Mit G. A. Glinz zusammen gründete F. Heiler einen evangelischen franziskanischen Drittorden (Evangelische Franziskusbruderschaft der Nachfolge Christi, 1927 in Marburg). Die Evangelische Michaelsbruderschaft entstand in Marburg durch K. B. Ritter, W. Stählin u.a. (1.10.1931). Es ging hier um eine Erneuerung der evangelischen Kirche im liturgischen und theologischen Bereich. Die Jesusbruderschaft (1961) suchte die Verwirklichung des gemeinsamen Lebens innerhalb der lutherischen Kirche. Der Pastor Eugen Weschke gründete die Gabriels-Gilde als lutherische Bewegung (5.7.1958), um ein religiöses Leben im alltäglichen Umfeld zu führen. Die Christusbruderschaft (1949) von Hanna und Walter Hümmer wurde in Selbitz als gemischte evangelische Bruderschaft begründet. Auch die Communität von Imshausen ist eine gemischte Gemeinschaft (1949) mit Gelübden in der Art und Form von Taizé (1955 die ersten Gelübde). Die Sydower-Bruderschaft (1922) ist ein Zusammenschluß lutherischer Pastoren, die Timotheus-Bruderschaft eine Gemeinschaft ehemals kirchlicher Jugendarbeiter und die Kornelius-Brüder (auch Bruderschaft) eine Vereinigung ehemaliger Offiziere. Von den Bruderschaften sind natürlich die Gruppen zu unterscheiden, die gemeinschaftliches Leben durch klosterähnliche Gründungen zu verwirklichen suchen.

Schon 1936 fanden sich in Darmstadt junge Frauen zu einem Gebets- und Bibelkreis zusammen, woraus dann die Gemeinschaft der Ökumenischen Marienschwestern unter der Leitung von Paul Rieding mit den Schwestern Basilea (Klara) Schlink und Martyria (Erika) Madauß entstand. Die Gemeinschaft der Schwestern des Gebetes (1944) und der Irenenring, Evangelische Schwesterngemeinschaft für alleinstehende Frauen (1947), sind Zusammenschlüsse für alleinstehende Frauen über 21 Jahre zu einer evangelischen Glaubens- und Lebensgemeinschaft. Angegliedert ist dem Irenenring ein großer Freundeskreis. In der Bruderhof-Gemeinschaft (Society of Brothers, zeitweise auch Arnold-Leute genannt) werden die Erfahrungen des gemeinschaftlichen Lebens der Hutterer eingebracht, einschließlich der Gütergemeinschaft. Gegründet durch Eberhard Arnold (1883-1935) 1920 in der Rhön, ist sie heute in Deutschland, Liechtenstein, Großbritannien, Paraguay, Uruguay und den USA vertreten (1934 durch den Nationalsozialismus verboten). Arnold wurde 1930 in die hutterische Gemeinschaft aufgenommen.

In den skandinavischen Ländern kam es durch Nathan Söderblom (1866-1931) zu einer Reihe von Gründungen: Die Societas S. Brigittae, gegründet 1920 zur Förderung des liturgischen Lebens unter den Pastoren und Laien (Männer und Frauen) in der lutherischen Kirche Schwedens, der Ordo Crucis in Norwegen für Pastoren und Laien (Männer) 1933. Weitere Gründungen im nordischen Raum sind das Teologisk Oratorium (1926) durch Thomas Lönborg-Jensen; die Fraternitas Sancti Ansgarii 1933 in Dänemark, seit 1946 mit einem weiblichen Zweig; die Kleinen ökumenischen Schwestern und die Töchter Mariens von Kollund (Dänemark) (Den Evangeliske Mariavej = Der evangelische Marienweg), 1936 durch Gunvor Norman (dann Mutter Paulina) angeregt und 1958 offiziell gegründet mit Hilfe von Pastor Harritsoe. Sie leben in kleinen Gruppen unter den drei Gelübden. Die Heilig-Geist-Schwestern (1954) haben Ordensgelübde und leben nach der Benediktinerregel als eine lutherische Gemeinschaft. In Schottland wurde durch George MacLeod 1938 die Iona-Community (Jona-Bewegung) begründet. Sie umgreift Pastoren und Laien, Männer und Frauen. Sie leben nach einer Regel, haben aber keine ewigen Gelübde, ziehen sich zeitweise zum Gebet auf einer Insel in einen alten Klosterbereich zurück. Es besteht keine Verpflichtung zum gemeinsamen Leben - das eigentliche „Ordensleben" ist das bewußte christliche Lebenszeugnis in der alltäglichem Umgebung. Eine andere Gründung nennt sich „Sodalitium confessionis apostolicae". Im französischen Raum leben eine Reihe von Gemeinschaften, die in der gesamten Ökumene Auswirkungen haben. Die Vigilanti (1923) wurden unter dem Einfluß von Wilfred Monod zur Pflege christlichen Lebens - als eine Art franziskanischen Dritt-Ordens - gegründet. Die „Communauté de Promeyrol" ist eine Schwesterngemeinschaft in der reformierten Kirche, die gegen Ende der zwanziger Jahre in Paris durch Antonietta Butte gegründet wurde, dann siedelte man nach Promeyrol über. Sie haben ewige Gelübde, wurden stark durch W. Mondol gefördert und haben eine ständige Verbindung und Leitung durch die Theologische Fakultät von Montpellier. Die ersten Anfänge der Communauté du Taizé gehen bis 1939 zurück auf die „Grande Communauté" in Lausanne - eine Verbindung von Studenten zum Studium und Gebet unter Roger Schutz. 1944 erfolgt die Niederlassung in Taizé, 1949 ist die erste Versprechensablegung, 1952/53 wird die Regel erarbeitet. In der Schweiz besteht die Schwesterngemeinschaft von Grandchamp

(Communauté du Grandchamp). Einige Frauen trafen sich 1931 zu mehrtägigen Einkehrtagen. Aus dem ständigen Kontakt und dem Dienst für andere erwuchs eine Gemeinschaft von Schwestern unter der Oberin Sr. Geneviève Micheli. Die Schwestern werden betreut und geleitet von Taizé. 1952 wurden die ersten Versprechen abgelegt und 1953 übernahm man die Regel von Taizé. Die Communauté du Villemétrie wurde 1954 gegründet. Man lebt ohne Gelübde, um nicht die christliche Freiheit des reformatorischen Christseins einzuengen, hat aber eine Regel für das gemeinsame Leben. Aufgabe der Gemeinschaft ist Forschungsarbeit im Bereich der gegenwärtigen Theologie und Ethik. In der Schweiz wurde 1923 durch W. Monod der reformierte Drittorden „Tiers Ordre Protestante des Veilleurs" gegründet. Zur „Chiesa Evangelica Valdese" gehört die „Communità di Agape-Riesi", die durch Tullio Vinay 1961 gegründet wurde und deren Anfänge bis 1946/47 zurückreichen. Für die in der Gemeinschaft lebenden Mitglieder gibt es eine Regel.

　　3. Alle Gemeinschaften haben die Durchchristlichung des Lebens zum Ziel durch das eigene missionarische Zeugnis und den Dienst am anderen. Darüber hinaus haben einige Gruppen Aufgaben im Dienst überseeischer Kirchen übernommen.

Lit.: *Alvarez, J.*, La vida religiosa en las iglesias protestantes, in: VidRel. 36, 1974, 227-238. - *Barrie, W.*, The Franciscan Revival in the Anglican Communion, 1982. - *Biot, F.*, Communautés protestantes. La renaissance de la vie régulière dans le protestantisme continental, 1961 (dt.: Evangelische Ordensgemeinschaft, 1962). - *Bracht, H.*, Luthers „Urteil über die Mönchsgelübde" in ökumenischer Betrachtung, in: Cath. (M), 21, 1967, 222-251. - *Edel, G.*, Die evangelische Bruderschaftsbewegung in Europa, in: ZRGG 12, 1960, 302-322. - *Halkenhäuser, J.*, Kirche und Kommunität. Ein Beitrag zur Geschichte und zum Auftrag der Kommunitären Bewegungen in den Kirchen der Reformation, 1978. - *Hoffmann, J. G.*, Nathan Söderblom. Prophète de l'Oecuménisme, 1948 (Lit.). - *Ispert, B.*, Mönchtum und Protestantismus, in: EuA 49, 1973, 312-319. - *Lohse, B.*, Mönchtum und Reformation. Luthers Auseinandersetzung mit dem Mönchsideal des Mittelalters, 1963. - *Mudge, B. Th.*, Monastic Spirituality in Anglicanism, in: RevRel 37, 1978, 505-515. - *Mumm, R.* (Hrsg.), Ökumene im bruderschaftlichen Leben, 1971. - *Perchenet, A.*, Renouveau communautaire et unité chrétienne, 1967. - *Präger, L.*, Frei für Gott und die Menschen, 1959. - *Scharffenorth, G.*, Schwestern: Leben und Arbeiten evangelischer Schwesterngemeinschaft. Absage an Vorurteile, 1984. - *Stamm, H.-M.*, Luthers Stellung zum Mönchsleben, 1980. - *Vinay, V.*, Protestantésimo, in: Dizinario degli istituti di perfezione, 1983, vol VII, 1024-1030.

H. Rzepkowski

FRAU

1. Die Frauenfrage heute. 2. Frau und Kirche. 3. Frauen in der Ökumene und in der Dritten Welt. 4. Bewertung.

　　1. Die heutige Diskussion um die Frauenfrage geschieht vor dem Hintergrund weitreichender *Veränderungen*, die seit der Aufklärung, in besonderer Weise aber im letzten Jahrhundert, stattfanden. Kirche und Gesellschaft des Abendlandes gingen von einer angeborenen Andersartigkeit und damit verbundenen Minderwertigkeit der Frau gegenüber dem Manne aus. Dualistisches Denken hatte der Frau die Bereiche Körper/Natur zugewiesen, während der Mann im Bereich Geist/Kultur gesehen wurde. Der Status der Frau war durch ihr biologisches Ergehen der Mutterschaft und durch Unterordnung und Gehorsam dem Manne gegenüber gekennzeichnet. Entscheidende Veränderungen ergaben sich erstens durch den Zugang der Frauen zu Bildung und Studium (Frauenbildungsstätten, Zulassung zum Universitätsstudium) und damit verbunden durch den Kampf um das Frauenstimmrecht. Damit war der „Ausgang der Frauen aus ‚fremdverschuldeter‘ Unmündigkeit" eröffnet. Zweitens ergaben sich Veränderungen durch die Einbeziehung der Frauen, besonders der Unterschicht, in den industriellen Arbeitsprozeß. Die bäuerlichen und bürgerlichen Familienstrukturen zerbrachen und machten eine Neuorganisation der häuslichen Arbeit notwendig. Meistens jedoch endete dies mit der Doppelbelastung der Frauen durch Familie und Beruf, zugleich aber auch mit wenigstens teilweiser ökonomischer Unabhängigkeit. Drittens wurde durch medizinische Fortschritte auf dem Gebiet der Müttersterblichkeit (Semmelweis entdeckte den Erreger des Kindbettfiebers) und durch die Entwicklung von Methoden zur Empfängnisverhütung („Pille") dem biologischen Schicksal der Frau das Schicksalhafte genommen und mehr Selbstbestimmung ermöglicht.

In der ersten Phase der *Frauenbewegung* des 20. Jahrhunderts ging es in erster Linie um Gleichberechtigung (gleiche Bildung, gleiche Löhne, gleiche Chancen, gleiche Rechte). In der zweiten, feministischen Phase wollten sich die Frauen nicht mehr einfach an den Werten der Männerkultur (Patriarchat) orientieren, sondern die Eigenwertigkeit einer Frauenidentität und Frauenkultur entdecken und postulieren. Hierin trifft sich die Frauenbewegung mit anderen Autonomiebewegungen (Kampf gegen den Rassismus in den USA und Südafrika, Entkolonialisierung der Dritten Welt, Minderheitenbewegungen), insofern die Unterwerfung unter „fremde Werte" und „Herrschaft" in Frage gestellt und abgelehnt wird. Mit anderen zeitkritischen Bewegungen hat die Frauenbewegung die Infragestellung des herrschenden kulturellen Ungleichgewichts gemeinsam (Ökologiebewegung, Friedensbewegung), sieht aber die Besonderheiten ihres Beitrages darin, daß sie die Krisen der Gegenwart (Ökologie, Rüstung, Ungerechtigkeit) als Resultat des Patriarchats und seiner Wertvorstellungen von Herrschaft, Hierarchie und Gewalt ansieht. Sie analysiert Gewalt als Mittel der Beherrschung gegen Frauen, die Natur und andere „minderwertige" Völker als Konsequenz patriarchalischer Machtvorstellung, in welcher Macht in erster Linie „über" und nicht miteinander ausgeübt wird. Sie strebt einen radikalen „Paradigmenwechsel" an, weg von den starren, hierarchischen Modellen zu Modellen des emphatischen, sich einfühlenden und befähigenden Miteinanders an. Die Offenlegung weiblicher Unterdrückung und weiblicher Identität geschieht in den Bereichen Körper, Menstruation, Geburt, Sexualität, Naturverhältnis, Symbole und Mythen, aber auch in bezug auf die Diskriminierung in der Arbeit und Bildung, bei der Rollenverteilung in der Familie, Gewalt gegen Frauen, Vergewaltigung, Frauensprache, -kunst, -geschichtsschreibung, -literatur, -forschung u.a.m. Die westliche Frauenbewegung wurde angeführt durch die Schriften von Simone de Beauvoir (Das andere Geschlecht), Betty Friedan (Der Weiblichkeitswahn), Kate Millet (Sexus und Herrschaft) und auch durch die Wiederentdeckung Virginia Woolfs. Das beachtliche Anwachsen der Literatur zum Thema Frauen und der Frauenliteratur zeigt, wieviele verborgene Talente und unbetretene Forschungsfelder es noch zu erschließen gilt.

2. Die säkulare Frauenbewegung weist den Kirchen, besonders der katholischen, einen beträchtlichen Anteil an *Schuld* an der Aufrechterhaltung unterdrükkender Frauenpraxis zu und kritisiert die christliche Tradition als Ausdruck patriarchalischer Macht; „Wenn Gott männlich ist, ist das Männliche Gott" (Mary Daly). Tatsächlich ist die Frauenordination einer der wenigen Bereiche beruflichen Lebens, in denen die Gleichberechtigung noch nicht allgemein durchgesetzt ist. Die dafür angeführten theologischen und traditionsgemäßen Argumente werden von diesen Frauen als Teil einer frauenfeindlichen Ideologie gekennzeichnet. Die *Kritik* der feministischen Bewegung an der Theologie erstreckt sich auf folgendes: (1) Gottesbild: Die ausschließlich männlichen Gottesbilder geben Frauen keine Möglichkeit einer positiven Identifikation, ohne ihre weibliche Identität teilweise verleugnen zu müssen. Männliche Gottesbilder wie König, Richter, Herr und Krieger werden als Projektionen männlicher Machtvorstellungen abgelehnt. (2) Sexualität: Die Abwertung weiblicher Sexualität und ihre Verbindung mit der Erbsünde sowie die Reduzierung auf Funktionen der Fortpflanzung verhindert eine gesunde Entwicklung weiblicher Sexualität. (3) Patriarchalische Sprache und Bilder: → Liturgie und Spiritualität der Kirchen sind gekennzeichnet von einer die Frauen ausschließenden Sprache (Bruder, Vater, Sohn). Besonders kritisch ist der Gebrauch militaristischer Sprache (Waffen des Glaubens, himmlische Heerscharen, Krieger Christi usw.). (4) Kreuzesverständnis: Zunehmend erschwert ist Frauen der Zugang zu einem angemessenen Verständnis der Kreuzessymbolik, in der viele Frauen das Symbol einer lebenfeindlichen Einstellung sehen und seinen „sadomasochistischen Charakter" (E. Sorge) ablehnen. (5) Die Struktur der Kirche ist hierarchisch und frauenfeindlich, insofern sie kaum Frauen in Entscheidungsgremien hat und Frauen hauptsächlich untergeordnete Funktionen zuweist. Es ist daher eine klare Trennung von der christlichen Tradition unter den Frauen feststellbar, die sich in ein „nachchristliches Zeitalter" eintreten sehen (Mary Daly) und in der Göttinnenbewegung neue Identifikationsmöglichkeiten und Inspiration suchen.

Angesichts dieser Entwicklungen haben es in erster Linie Frauen unternommen, auf diese Herausforderungen zu antworten. Innerhalb der Männer-Theologie finden sich, von wenigen Ausnahmen abgesehen, keine Auseinandersetzungen mit der feministischen Kritik. *Feministische Theologie* versucht, die Kritik der säkularen Frauenbewegung ernst zu nehmen und teilt sie zu weiten Teilen. Allerdings sieht sie in der pauschalen Ablehnung der christlichen Tradition und der Wiedererschaffung des Göttinnenkultes keine Alternativen. Verschiedene Zugänge zu einem neuen, aus fraulicher Sicht gewonnenen Verständnis der → Bibel werden versucht: die Neuinterpretation biblischer *Texte, die über Frauen* sprechen, die Neubewertung von *zentralen biblischen Themen* im Lichte der feministischen Kritik, die *Entwicklung einer feministischen Hermeneutik*, die die patriarchalische Überfremdung der christlichen Tradition sichtbar macht und ihre evangeliumsgemäße Wiederherstellung fordert. Diesen Aufgaben haben sich Elisabeth Schuessler-Fiorenza, Rosemary Radford Ruether, Letty Russel, Virginia Mollenkott u.a. in den USA gewidmet, in Europa besonders Elisabeth Moltmann-Wendel, Katharina Halkes u.a. Feministische Kritik und Exegese verbunden mit sozialkritischer Orientierung vertreten Luise Schottroff und Dorothee Sölle. Zentrale theologische Ausgangspunkte sind die Gottebenbildlichkeit von Frau und Mann, die Exodusgeschichte, Frauen um Jesus und die Paulusstelle Gal 3,28: In Christus ist weder Mann noch Frau.

3. Die Situation von Frauen in der Dritten Welt ist gekennzeichnet durch eine doppelte und dreifache *Unterdrückung*: durch → Armut, Rassismus, Sexismus. Kennzeichen solcher Unterdrückung sind: Prostitutionstourismus, Niedrigstlöhne in der industriellen Arbeit, häusliche Gewalt, Vergewaltigung und Inzest, Mangel an Ausbildung und Gesundheitsfürsorge, ökonomische Abhängigkeit, Armut, Last der Feldarbeit und der häuslichen Versorgung. Mit wenigen Ausnahmen werden den Frauen in den meisten Kulturen untergeordnete Rollen zugewiesen, sie sind z.B. in Indien der völligen Verfügung der Männer anheimgestellt, zuerst des Vaters, dann des Mannes, dann des Sohnes. Die christlichen Missionen haben in der Regel die untergeordnete Stellung der Frauen nicht in Frage gestellt, wie sie es mit anderen kulturellen Werten taten, sondern bestärkt (→ Inkulturation). In gewissen matriarchalischen Gesellschaften haben sie sogar die führende Rolle der Frauen als Priesterinnen gebrochen. Die Errungenschaften in Bereichen der Erziehung und des Gesundheitswesens haben allerdings vielen Frauen auch Fortschritt und Befreiung beschert. In vielen *Kirchen* der Dritten Welt wird die untergeordnete Rolle der Frauen noch ungebrochen aufrechterhalten von Frauen und Männern. Der → Ökumenische Rat der Kirchen hat seit seiner Gründung 1948 die Frage nach dem Status und der Rolle der Frau auf die Tagesordnung der Kirchen gesetzt und vielfältige Studien über diese Fragen in den Mitgliedskirchen initiiert. Die Frauenfrage und die Frauenordination sind ökumenische Kontroversthemen höchsten Grades, besonders im Gespräch mit den orthodoxen Kirchen und der römisch-katholischen Kirche. Die ÖRK-Konferenz „Sexismus in den siebziger Jahren" 1974 in Berlin hat die benachteiligte Rolle der Frauen in den Mitgliedskirchen in aller Schärfe herausgestellt, gleichzeitig aber auch den Dialog der westlichen Frauenbewegung mit den Frauen der Zweiten und Dritten Welt initiiert. Die daraus erwachsene „Studie über die Gemeinschaft von Frauen und Männern in der Kirche" ermutigte den Dialog in den Kirchen zwischen Frauen und Männern über Fragen der Identität, Ekklesiologie und des Bibelverständnisses. Die in der Sheffield-Konferenz 1981 zusammengetragenen Ergebnisse machten deutlich, daß Frauen in der Dritten Welt über die drängenden Probleme des Überlebens hinaus der Frauenfrage einen anderen Stellenwert gaben als Frauen der reichen Industrieländer. Das Netz der Unterdrückung, so formulierte sie, ist aus Rassismus, Klassenstruktur und Sexismus gewoben. Die 6. Vollversammlung des ÖRK in Vancouver 1983 erbrachte eine beachtliche Teilnahme von Frauendelegierten (ein Drittel aller Delegierten) und wesentliche Beiträge zu allen Themen der Vollversammlung, nicht nur zur Frauenfrage. Auf der vielbeachteten Frauenvorkonferenz wurden die Fragen einer „weltweiten Schwesterlichkeit" und das „Verlassen der Frauenecke" angesprochen. „Dritte-Welt-Frauen" beklagen in der westlichen Frauenbewegung oft einen Mangel an Sensibilität gegenüber der

sozialen und politischen Unterdrückung, während westliche Frauen oft einen
Mangel an Bewußtsein über Fragen des Sexismus beklagen. Unter dem Stichwort
der „weltweiten Schwesterlichkeit" haben aber Frauen in Dritte-Welt-Ländern begonnen, ihre eigenen Analysen der Frauensituation und -unterdrückung zu machen. Schon im Verlauf der „Gemeinschaftsstudie" des ÖRK war es zu regionalen Konferenzen in Asien, Afrika, Lateinamerika und im Mittleren Osten gekommen. Im Rahmen der Ökumenischen Vereinigung von Dritte-Welt-Theologen
(EATWOT) kam es zur Planung und Durchführung regionaler Frauenkonferen-
zen mit dem Ziel einer Weltkonferenz der Frauen. Asiatische Frauen haben sich
ein eigenes Organ feministischer Theologie und Spiritualität geschaffen (In God's
image); kritische Publikationen zur Rolle der Frauen in den Kirchen der Dritten
Welt erscheinen vermehrt (z.B. „The emerging christian women" in Indien). Die
Frauenabteilung des ÖRK hat eine Sammlung von Frauengebeten, Frauenbibel-
arbeiten und feministischen Beiträgen von Dritte-Welt-Frauen veröffentlicht. Elsa
Tamezu (Costa Rica), Marianne Katoppo (Indonesien), Mercy Oduoye (Nigeria),
Sun Ai Park (Korea), Aruna Gnanadason (Indien), Marie Therese Parcile (Uru-
guay) sind einige der hier zu nennenden Namen.

4. Die Frauenfrage ist ein entscheidender Prüfstein für die Erneuerungsbereit-
schaft und das missionarische Handeln der Kirchen. Werden sich die Kirchen den
Anfragen der Frauen öffnen und die Kritik an Struktur, Sprache und Theologie
der Kirche ernstnehmen, oder werden sie - wie im 19. Jahrhundert die Arbeiter -
im 20. Jahrhundert die Frauen verlieren? Wird der Dialog unter den Frauen der
Ersten, Zweiten und Dritten Welt die Frauenbewegung vor sektiererischer Engführung und dem Schicksal der Marginalisierung retten? Mission und → Entwicklung werden von den reichen Ländern aus noch immer unter Ausschluß der Betroffenen, besonders der Frauen, abgewickelt. Für den ökumenischen Dialog der
Zukunft wird die Frauenfrage beständiger, wenn auch kontroverser Gesprächsstoff
bleiben. Da sich diese Aufgabe nicht einfach von selbst erledigen wird, ist es besser, wenn sich die Kirchen ihr in voller Ehrlichkeit und Bereitschaft stellen.

Lit.: *Blinn, H.-J.*, Emanzipation und Literatur, 1984. - *Børressen, K.*, Männlich-Weiblich.
Eine Theologiekritik, in: US 35, 1980, 325-334. - *Bornemann, E.*, Das Patriarchat, 1979. -
Brooten, B./Greinacher, N., Frauen in der Männerkirche, 1982. - *Burgo, E./Menchu, R.*,
Leben in Guatemala, 1984. - *Capra, F.*, Wendezeit. Bausteine für ein neues Weltbild,
1982. - *Daly, M.*, Jenseits von Gottvater, Sohn und Co., 1980. - *Dies.*, Gyn/ökologie. Eine
Meta-Ethik des radikalen Feminismus, 1980. - Der Scheffield-Report: Die Gemeinschaft
von Frauen und Männern in der Kirche, 1985. - *Fabella, V./Torres, S.*, Doing theology in
a divided world, 1985. - *Faria, S. u.a.*, The emerging christian women, 1984. - *Gerber, U.*,
Feministische Theologie. Selbstverständnis - Tendenzen - Fragen, in: ThLZ 109, 1984,
561-592. - *Göttner-Abendroth, H.*, Die Göttin und ihre Heros, 1980. - *Halkes, C. J. M.*,
Gott hat nicht nur starke Söhne. Grundzüge einer feministischen Theologie, 1980. - *Dies.*,
Suche, was verloren ging. Beiträge zur feministischen Theologie, 1985. - *Herzel, S.*, A
voice for women. The women's department of the world council of churches, 1981. -
Heyward, C., Und sie rührte sein Kleid an. Eine feministische Theologie der Beziehung,
1986. - *Janssen-Jurreit, M. L.*, Sexismus, 1976. - *de Jesus, C. M.*, Tagebuch der Armut,
1983. - *Kaper, C. u.a.*, Eva, wo bist du? Frauen in internationalen Organisationen der
Ökumene, 1981. *Krattiger, U.*, Die perlmutterne Mönchin. Reise in eine weibliche Spiritualität, 1983. - *Langer, H./Leistner, H./Moltmann-Wendel, E.*, Mit Miriam durchs Schilf-
meer, 1982. - *Dies.*, Wir Frauen in Ninive. Gespräche mit Jona, 1984. - *Mollenkott, V.*,

The Divine Feminine. The biblical Imagery of God as female, 1984. - *Moltmann-Wendel, E.*, Freiheit, Gleichheit, Schwesterlichkeit, 1977. - *Dies.*, Ein eigener Mensch werden. Frauen um Jesus, 1980. - *Dies.*, Frauenbefreiung. Biblische und theologische Argumente, 1982. - *Dies.*, Frau und Religion, Gotteserfahrung im Patriarchat, 1983. - *Dies.*, Das Land, wo Milch und Honig fließt. Perspektiven einer feministischen Theologie, 1985. - *Mulack, C.*, Die Weiblichkeit Gottes. Matriarchale Voraussetzungen des Gottesbildes, 1983. - *Dies.*, Maria. Die geheime Göttin im Christentum. - *Radford Ruether, R.*, Frauen für eine neue Gesellschaft. Frauenbewegung und menschliche Befreiung, 1970. - *Dies.*, Maria, Kirche in weiblicher Gestalt, 1980. - *Dies.*, Womensguide. Readings toward a Feminist Theology, 1985. - *Dies.*, Sexismus und die Rede von Gott. Schritte zu einer anderen Theologie, 1986. - *Russel, L.*, Feminist Interpretation of the Bible, 1985. - *Schottroff, L./Sölle, D.*, Die Erde gehört Gott, 1985. - *Schottroff, L.*, Maria Magdalena und die Frauen am Grabe Jesu, in: EvTh 42, 1982, 3-25. - *Schottroff, W./Stegemann, W.*, Traditionen der Befreiung, II. Frauen in der Bibel, 1980. - *Schuessler-Fiorenza, E.*, In Memory of Her. A Feminist Theological Reconstruction of Christian Origins, 1983. - *Sölle, D.*, Sympathie, 1978. - *Dies.*, The Strength of the Weak, Toward a Christian Feminist Identity, 1984. - *Sorge, E.*, Religion und Frau. Weibliche Spiritualität im Christentum, 1985. - *Tamez, E.*, The Bible of the Oppressed, 1982. - *Trible, P.*, God and the Rhethoric of Sexuality, 1978. - *Wartenberg-Potter, B.*, Wir werden unsere Harfen nicht an die Weiden hängen. Engagement und Spiritualität, 1986. - *Dies./Pobee, J.*, New eyes for reading. Biblical and theological reflections by women from the third world, 1986. - *Weiler, G.*, Ich verwerfe im Lande die Kriege. Das verborgene Matriarchat im Alten Testament, 1984. - *Wolf, C.*, Macht und Ohnmacht der Frauen in der Kirche, 1983.

B. v. Wartenberg-Potter

FRIEDEN

1. Frieden und Entwicklung. 2. Begegnung der Religionen. 3. Frieden ist der Frieden Gottes.

Frieden wird in der Missionstheologie (→ Theologie der Mission) gewöhnlich ebensowenig thematisiert wie Mission in der Friedensforschung. Dafür gibt es gute und weniger gute Gründe. Zum einen sind offensichtlich die Zeiten vorbei, da beispielsweise der Missionar C. F. Schwartz versuchen konnte, im Krieg zwischen der britischen Kolonialmacht in Indien und dem Sultan Haider Ali einen Frieden zu vermitteln (1780). Zum anderen wird häufig, zu Recht oder zu Unrecht, angenommen, daß der Frieden des Herzens und Gewissens, den der christliche Glaube verheiße, der Bedrohung der Menschheit durch den nuklearen Krieg nichts entgegenzusetzen habe; im übrigen könne von der Missionstheologie billigerweise nicht erwartet werden, daß auch sie das ebenso weite wie umstrittene Problemfeld der Friedensethik bearbeite. Die Frage bleibt also, ob und wie - von missionsgeschichtlichen Einzelbefunden und allfälliger Friedenssympathie einmal abgesehen - eine zeitgemäße Missionstheologie in ihrem Bereich den „Friedenshorizont" (R. Friedli) wahrnehmen und daraus Konsequenzen ziehen könne.

1. Erster Anhaltspunkt ist die Beziehung von Frieden und → Entwicklung, wie sie heute durchweg ökumenisch akzeptiert ist. Schwartz, der lutherische Missionar in Indien, hat auf seine Weise diese Beziehung bereits markiert, als er seine

Friedensmission betont als Kontrastaktion gegen die ausbeuterische Politik der Kolonialmacht interpretierte (W. Germann, 306ff). Die Vollversammlung des Lutherischen Weltbundes in Dar-es-Salaam 1977 hat den gleichen Akzent für heute gesetzt: „Anwaltschaft der Gerechtigkeit ist ein wesentlicher, integraler Teil der Sendung der Kirche"; denn „Gerechtigkeit unter dem Gesetz Gottes ist ein Zeugnis für die universale Herrschaft von Gottes Gesetz über seine ganze Schöpfung". Ohne diese Gerechtigkeit gibt es auch keinen Frieden. Schon im AT ist Frieden ja nicht nur Abwesenheit von Krieg und Gewalt, sondern ein Zustand, in dem „Huld und Treue sich treffen, die Gerechtigkeit und die Friedensfülle (shalom) sich küssen" (Ps 85,11), in dem also ganzheitliches Heilsein des Menschen in der Gemeinschaft unter Gott zur Erfüllung kommen soll. Daß der ganze Dienst der Christen den Menschen gilt, die Gottes Ebenbild sind, und daß er ihnen ganz gilt, ist die Konsequenz einer Konzeption, in der „Entwicklung der neue Name für Frieden" ist.

2. Ein zweiter Bereich, in dem die Friedensfrage als missionarisches Problem erscheint, ist die Begegnung der Religionen. Trat das Christentum als Religion radikaler Friedensliebe in die antike Welt, eine Religion, deren Anziehungskraft nicht zuletzt im Verzicht auf kriegerische Gewalt beruhte, so ist in der späteren Entwicklung das christliche „Evangelium des Friedens" nur zu oft von den historischen Realitäten widerlegt worden: Heiliger Krieg, direkter oder indirekter Missionskrieg, gerechter Krieg, moderner „Bellizismus", aber auch Kompromisse mit Mechanismen sozialen Unfriedens (Kaste!). Dies alles sind Realitäten der Christentumsgeschichte, die auch durch die Wirksamkeit der historischen Friedenskirchen oder moderner Friedensbewegungen nicht aus der Welt zu schaffen sind, sondern die missionarische Glaubwürdigkeit der christlichen Botschaft nachhaltig belasten. In anderen Religionen ist das Bild freilich nicht weniger ambivalent. Keine von ihnen erweist sich als Friedensmacht schlechthin. Keine hat bisher den neuen Menschen und die neue Gesellschaft zu schaffen vermocht, die die Zwänge zur Gewaltanwendung überwinden könnten. Keiner von ihnen kann man aber auch die Mitverantwortung für die Minimalform des Friedens absprechen, die heute allein das Überleben zu sichern vermag. Jede muß bei sich selbst anfangen, „auf den Frieden hin zu denken" (T. Rendtorff), um dem Bewußtseinswandel vorzuarbeiten, ohne den es keinen Frieden gibt. Indem auch das Christentum seinen geschichtlichen Rückstand aufzuholen sucht und auf jegliche religiöse Legitimierung von Krieg und Gewalt zu verzichten lernt, kann es in Solidarität mit anderen Religionen die Umkehr zum Frieden einleiten helfen, ohne die ein Leben in Gerechtigkeit für alle Illusion bleibt. Der Arbeit der „Weltkonferenz der Religionen für den Frieden" (WCRP, 1970) kommt dabei wegweisende Bedeutung zu, die auch für eine Neubesinnung auf die christliche Weltsendung nicht zu ignorieren ist.

3. Die eigentliche Mitte dessen, was die christliche Mission und den Friedensauftrag verbindet, wird erst dort erreicht, wo der Wille zum Frieden „an den Glauben zurückgebunden" wird (H. E. Tödt), also an den Frieden Gottes, der höher ist als das Kalkül der Vernunft, und vor dem das aufgedeckt wird, was alles Handeln für den Frieden belastet: die Realität der Sünde, die auch im religiösen Bereich wirksam bleibt, und die Unzulänglichkeit allen menschlichen „Frieden-

Machens" in dieser Welt. Auch von den Religionen ist ja nicht zu erwarten, daß sie gleichsam als ideologische Wunderwaffen die Probleme von Krieg und Frieden zu lösen vermöchten, im Sinne einer absoluten Friedensethik, deren Durchschlagskraft doch schon an den Unterschieden der tragenden Glaubensüberzeugungen zu scheitern droht. So wenig damit zu rechnen ist, daß etwa Hindus, Muslime oder Atheisten sich um des Weltfriedens willen auf christliche Glaubenspositionen festlegen lassen, so wenig kann doch christliches Friedenshandeln auf die Begründung im Glauben an Gottes Rechtfertigung des Sünders verzichten. Wie sollte es sonst damit fertig werden, daß sich der Weg der „Friedensmacher" in der Praxis nicht als eine via triumphalis, sondern als ein Weg des Verzichts und des Leidens erweist? Wie könnte es sonst auch den bleibenden Widerspruch zwischen konsequentem Gewaltverzicht einerseits und der Notwendigkeit, gewaltsamer Unterdrückung und Entrechtung mit Gegengewalt zu begegnen, andererseits bewältigen? Keine Theorie des gerechten Kriegs, aber auch kein Konzept des gerechten Friedens ist diesen Ambivalenzen gewachsen. Was Augustinus noch wußte, muß für die Relation von christlicher Sendung und christlichem Friedenshandeln aufs neue bedacht werden: Nur sub specie aeternitatis, über die Relativität aller Friedensbemühungen hinaus, darf man ein Ende der „Absurdität des Kriegs" und einen dauernden gerechten Frieden erhoffen.

Lit.: *Friedli, R.*, Frieden wagen, 1976. - *Gensichen, H.-W.*, Weltreligionen und Weltfriede, 1985 (Lit.). - *Germann, W.*, Missionar C. F. Schwartz, 1870. - *Lorentz, E.* (Hrsg.), Kirchen für den Frieden, 1983.

H.-W. Gensichen

FUNDAMENTALISMUS (EVANGELIKALE MISSION)

1. Fundamentalismus. 2. Evangelikale Mission. 2.1 Grundsätze und historische Wurzeln. 2.2 Einheitsverständnis. 2.3 Abgrenzungen und Organisationen.

1. Der Begriff Fundamentalismus hat in den vergangenen Jahrzehnten einen entscheidenden Bedeutungswandel durchgemacht.

Der Anfang dieses Jahrhunderts entstandene Begriff Fundamentalismus bezeichnete damals die Theologie, die gegenüber der historisch-kritisch geprägten „liberalen" Theologie an den fundamentalen Wahrheiten des evangelischen Glaubens festhalten wollte (wie Autorität und Unfehlbarkeit der Schrift, Jungfrauengeburt, sühnende Bedeutung des Todes Jesu, leibliche Auferstehung, reale Wiederkunft Jesu usw.). Der Fundamentalismus der Zeit zwischen den beiden Weltkriegen ist heute weitgehend als evangelikal zu bezeichnen und fand und findet seinen weltmissionarischen Ausdruck in den interdenominationellen → Glaubensmissionen und in den Missionen der evangelikalen Denominationen.

Nach 1950 kam es in den USA zu einer Spaltung zwischen dem evangelikalen Mehrheitsflügel des klassischen Fundamentalismus und dem im engeren Sinne fundamentalistischen Minderheitsflügel über der Frage der Separation von der Irrlehre und vom Bösen. Die evangelikale Theologie ist damit zufrieden, daß sie recht lehrt, während der Fundamentalismus darüber hinaus die organisatorische Trennung von aller falschen Lehre verlangt. Damit wird die Separation zum entscheidenden Grundsatz des Fundamentalismus, der beim „stillen" Fundamentalismus zum Rückzug auf „independent bible churches" führt und beim „kämpferischen" Fundamentalismus zu heftiger Polemik gegen die ökumenische Bewegung und gegen die Evangelikalen, die sich nicht völlig von ihr trennen.

Im Bereich der Weltmission ist der Fundamentalismus nur schwach vertreten. Er hat in USA in zwei kleineren Organisationen übergreifende Gestalt gewonnen: für den kämpferischen Fundamentalismus in „The Associated Missions of the International Council of Christian Churches (TAM-ICCC)" und für den stillen Fundamentalismus in der „Fellowship of Missions (FOM)".

Der Fundamentalismus ist theologisch streng calvinistisch und gedeiht deswegen nur auf presbyterianisch oder baptistisch-calvinistischem Hintergrund. Seine Pneumatologie ist dispensationalistisch (bestimmte Geistesgaben gehören nicht in die gegenwärtige Heilsperiode/Dispensation der Kirche), deswegen ist im Fundamentalismus für Pfingstler und Charismatiker kein Raum. Die Missionen des Fundamentalismus sind vorwiegend denominationell oder independentistisch. Das Einheitsverständnis ist stark organisatorisch geprägt. Die Bibel wird weniger als lebendige Stimme verstanden, eher als zeitloses System festgefügter Wahrheiten.

2.1 Seit den vierziger Jahren in Nordamerika und seit den sechziger Jahren in Europa gibt es eine spezifisch evangelikale Missionstheologie, die sich genauso wie die eher ökumenisch orientierte „konziliare" Missionstheologie auf das missionstheologische Erbe des „Großen Jahrhunderts" (Latourette) beruft, dieses Erbe aber anders interpretiert.

Trotz der vielfältigen Ausprägungen der Evangelikalen Missionstheologie und trotz der fließenden Übergänge zur konziliaren Missionstheologie ist die Evangelikale Missionstheologie durch wesentliche Gemeinsamkeiten geprägt: (1) Durch die enge Beziehung zur Heiligen Schrift, die als inspiriert und als für Leben und Lehre maßgebend und ausreichend angesehen wird, (2) durch die Betonung des Erlösungswerkes Christi, (3) durch die Betonung der Notwendigkeit der persönlichen Glaubensentscheidung (Bekehrung) und daraus abgeleitet, (4) durch den Vorrang der Evangelisation (in Europa genauso wie in Übersee) und des Gemeindeaufbaus gegenüber allen anderen Tätigkeiten im Bereich der Mission.

Die historischen Wurzeln der Evangelikalen Missionstheologie liegen in der Erweckungsbewegung der 2. Hälfte des 19. Jahrhunderts, während die konziliaren Missionen ihre historischen Wurzeln eher in den Erweckungsbewegungen der 1. Hälfte des 19. Jahrhunderts haben. Die Erweckungen der 2. Hälfte des 19. Jahrhunderts waren meist interdenominationell (Moody gründete 1864 in Chicago die erste bedeutendee interdenominationelle Gemeinde) oder nichtdenominationell (wie die Brüderbewegung) und fanden, was die Weltmission angeht, ihren typischsten Ausdruck in den → Glaubensmissionen. Aus diesem geschichtlichen Hintergrund ist die starke Soteriologie und die schwache Ekklesiologie der evangelikalen Missionstheologie zu erklären. Die Soteriologie ist überwiegend calvinistisch geprägt, aber ausgehend von der aus dem Methodismus hervorgegangenen Heiligungsbewegung stark arminianisch beeinflußt.

Neben den genannten Grundüberzeugungen spielen zwei Punkte eine wesentliche Rolle, die beide die Notwendigkeit weltweiter Mission und immer neuen Vordringens zu vom Evangelium unerreichten Menschen begründen: (1) Die Überzeugung, daß alle, die nicht an Christus glauben, ewig verloren sind. (2) Die realistische Erwartung der nahen Wiederkunft Christi, vor der das Evangelium allen Völkern gepredigt werden muß.

Aus den Grundüberzeugungen läßt sich leicht ableiten, daß die Evangelikale Missionstheologie der historisch-kritischen Exegese, der liberalen Theologie, dem Social Gospel, den Befreiungstheologien und jedem Gedanken einer Pluralität der Heilswege kritisch gegenübersteht.

Die Evangelikale Missionstheologie ist individualistisch geprägt. Deshalb hat ihr starkes soziales Engagement eine eher konkret-personale als gesellschaftlich-politische Gestalt. Parallel dazu wird die Ortsgemeinde stärker betont als die Gesamtkirche.

2.2 Das Einheitsverständnis der Evangelikalen Missionstheologie ist personal (der gemeinsame Glaube *ist* Einheit, strukturelle Einheit ist sekundär), Kontinuität wird als Kontinuität desselben Glaubens und derselben Lehre verstanden, nicht als Kontinuität derselben kirchlichen Strukturen, deren Glaube und Lehre sich ändern mag.

2.3 Graduell unterschiedliche Einstellungen gibt es in der Evangelikalen Missionstheologie zur Frage der Separation. Wenn auch ein wachsender Prozentsatz der evangelikalen Missionare, besonders in den USA, aus denominationell nicht gebundenen Ortsgemeinden und aus evangelikalen Denominationen kommt, gehört die Mehrzahl doch zu Kirchen mit theologischem Pluralismus und denkt (anders als der Fundamentalismus) auch bei schwerwiegenden theologischen Differenzen nicht an Separation.

Von Land zu Land ist die Stellung zur Pfingstbewegung unterschiedlich. Während sie in Skandinavien das stärkste Element der evangelikalen Missionsbewegung ausmacht, ist in Deutschland umstritten, ob sie überhaupt dazugehört. Offen erscheint noch, ob die charismatische Bewegung eine eigenständige Missionstheologie entwickeln wird.

In Deutschland und in der Schweiz sind die meisten evangelikalen Missionen in der jeweiligen Arbeitsgemeinschaft Evangelikaler Missionen (AEM) organisiert, in Großbritannien in der Evangelical Missionary Alliance, in USA in EFMA und IFMA.

Evangelikale Missionstheologie hat in verschiedenen Erklärungen Ausdruck gefunden, u.a. Wheaton 1966, Frankfurt 1970, Lausanne 1974, Seoul 1975, Willowbank 1978 u.a.m.

Lit.: Alle Welt soll sein Wort hören. Lausanner Kongreß für Weltevangelisation (2 Bde), 1976. - *Barr, J.*, Fundamentalismus 1981. - *Beyerhaus, P.*, Art. Evangelikale Missionen, in: EKL², 1191-1194. - *Flood, R.*, The Story of Moody Church, 1985. - *Geldbach, E.*, Art. Evangelikale Bewegung, in: EKL², 1186-1191. - *Gasper, L.*, The Fundamentalist Movement 1930-1956, 1963. - *Gensichen, H.-W.*, Erwartungen an eine evangelikale Missionswissenschaft, in: Evangelikale Missiologie 3/1985, 7-11. - *Glasser, A. F.*, The Evolution of Evangelical Mission Theology since World War II, IBMR 9, 1985, 9-13. - *Gundry, N.*, Love them in. The Life and Theology of D. L. Moody, 1976. - *Hauzenberger, H.*, Einheit

auf evangelischer Grundlage. Vom Werden und Wesen der Evangelischen Allianz, 1986. -
Hay, I., Unity and Purity: Keeping the Balance, 1983. - *Keyes, L.*, The Last Age of Missions. A Study of Third World Mission Societies, 1983. - *Marybeth, R.*, The Emergence of
the Independent Missionary Agency as an American Institution 1860-1917, 1974. -
McGavran, D. (Hrsg.), The Conciliar - Evangelical Debate: The Crucial Documents
(1964-1976), 1977. - *McQuilkin, R.*, The Great Omission, 1984. - *Nicholls, B. J.* (Hrsg.),
In Word and Deed. Evangelism and Social Responsibility, 1985. - *Padilla, R.*, Zukunftsperspektiven, 1977. - *Peters, G. W.*, Evangelisation: Total - durchdringend - umfassend, 1971. - *Ders.*, Evangelische Missionswissenschaft, in: Evangelikale Missiologie
1/1985, 3-8. - *Ders.*, Gemeindewachstum. Ein theologischer Grundriß, 1982. - *Ders.*, Missionarisches Handeln und biblischer Auftrag, 1977. - *Pommerville, P.*, The Third Force in
Mission, 1984. - *Quebedeaux, R.*, The Young Evangelicals, 1983. - *Sauter, G.*, Heilsgeschichte und Mission, 1985. - *Selvidge, M.* (Hrsg.), Fundamentalism Today. What Makes
It So Attractive?, 1984. - *Shriver, P.*, The Bibel Vote, 1981.- *Stott, J.*, Christian Mission in
the Modern World, [2]1986. - *Ders.*, Einheit der Evangelikalen. Gegen die falschen Polarisierungen, 1975. - *Tulga, C.*, The Foreign Missions Controversy in the Northern Baptist
Convention, 1950. - *Wagner, H.*, Evangelikale Kontraste, in: Warum Mission? Theologische Motive in der Missionsgeschichte der Neuzeit, 1984. - *Weber, T.*, Living in the Shadow of the Second Coming, 1983.

K. Fiedler

GEBET

1. Christliches Gebet. 2. Das Gebet in den Religionen. 3. Vom Beten. 4. Gebet und Mission.

„... Mission und Gebet ist nur ein Teil der Gebetsvielfalt, wie sie die Heilige
Schrift und die Gebetsliteratur der Kirche bietet" (Vicedom). Durch das Gebet
haben wir Anteil am Handeln Gottes mit der Welt und den Menschen. Aus dem
NT kennen wir das Missionsgebet (Apg 4,23-31; 12,5.12). Im Laufe der Geschichte haben sich die großen Gestalten der Missionsgeschichte immer an ihre
Herkunftsländer um die Gebetshilfe für die Mission gewandt. So kann man bei
Bonifatius (Winfrid) eine rege Aufmerksamkeit für das Gebet beobachten. „Gebet
erscheint ihm als Anfang und Ende aller Missionshilfe" (Flaskamp).

In der aufbrechenden neuen Missionsbewegung kam es zur Gründung von
Gebetsvereinen für besondere Missionsanliegen, für bestimmte Missionsländer
und besondere Standesgruppen und einzelne → Religionen (Islam- und Judenmission).

1. In der *evangelischen* Kirche wurde der Gedanke des besonderen Missionsgebetes besonders von den britischen und amerikanischen Gesellschaften gepflegt.
In den monatlichen Veröffentlichungen wurden besondere Anliegen dem Missionsgebet empfohlen. Viele Missionsgruppen und -vereine trafen sich an bestimmten Tagen zur Missionsfürbitte. Eine Reihe von Missionsvereinen hatte neben der
Sammeltätigkeit und der konkreten Missionshilfe als tragende Idee das Gebetsanliegen in ihrem Gedankengebäude.

In der *katholischen* Kirche wird immer in den großen päpstlichen Missionsrundschreiben auf das Missionsgebet hingewiesen. Es geht darum, die göttliche

Hilfe für das Missionswerk zu erlangen. Als ein Mittel dazu wird der Beitritt zum Missionsgebetsapostolat dringlich empfohlen (Maximum illud und später). Seit 1927 wurden die monatlichen Gebetsanliegen des Gebetsapostolats (gegründet 1844) hinzugefügt und mit den allgemeinen Gebetsanliegen veröffentlicht. Dieser Bezug von Mission und Gebet wurde in der katholischen Kirche gestalthaft deutlich in der Erklärung der französischen Karmelitin Theresia von Lisieux zur Hauptpatronin aller Missionen (14.12.1927). In der evangelischen Kirche wurde diese theologische Einheit im Missionssonntag deutlich, der auf den „Rogate-Sonntag" gelegt wurde.

2. Jede *Religion* hat die Kenntnis und das Bewußtsein von einer Beziehung des Menschen zu Gott, von der Hinwendung des Absoluten zum Menschen und der Antwort des Menschen und seine Hinwendung zum Absoluten im Gebet. Im Grunde ist es eine Bejahung seiner kreatürlichen Bedingung und seines kreatürlichen Bewußtseins. Die ganze Menschheit steht durch das Gebet im Austausch mit Gott, wenn auch Sachverhalte und Vorgänge unterschiedlich benannt und beschrieben werden. Letztlich meinen alle den gleichen Vorgang. Alle Menschen und Religionen bewegen sich im Gebet auf Gott hin. Es ist hier eine Einheit der religiösen Menschheit „über alle Verschiedenheiten des theologischen Denkens hinweg" sichtbar (Karrer). Es liegt eine Gottesweisheit und eine Herzenserkenntnis vor, die durch den Geist Gottes selber bewirkt wird und zugleich Offenbarung und Sprechen Gottes besagt, was als Gebet bezeichnet wird. In der ganzen Geschichte der Menschheit und in allen Religionen ist die Tradition des Gebetes niemals abgebrochen. Wollte die Evangelisierung und die christliche Verkündigung nicht auf diese gemeinsamen Formen und die gemeinsamen Anlagen und das gemeinsame Streben der Menschen achten, so würde sie „das Edelste mißachten, was die Völker, auch heidnische, besitzen" (Heiler).

Das Gebet bildet die entscheidende *Grundlage des → Dialogs* zwischen den Religionen. Das Gebet des Menschen ist immer nur durch das Wirken des → Heiligen Geistes möglich. Die tragende Bedingung des Heilshandelns und des Gebetes ist der Heilige Geist. Die Religionen sind die Lehrer des Gebetes für „Generationen von Menschen" (Evangelii nuntiandi 53) und bereiten so die Grundlage für den Dialog und das Wirken des Hl. Geistes „in der Welt, ehe Christus verherrlicht wurde" (Ad gentes 4; Apg 10,44-47; Ad gentes 13; Dei Verbum 5).

3. Somit wird die Frage nach dem *Unterscheidenden* zwischen christlichem und nichtchristlichem Gebet nicht zwischen den Religionen und ihren ausgeprägten Gottesbildern zu suchen sein, sondern eher im unterschiedlichen menschlichen Verhalten. Die Trennungslinie verläuft durch alle Religionen einschließlich des Christentums und betrifft die Einstellung des Menschen zu seiner Bedingtheit und zu Gott. Vertrauen und Freiheit sind Kennzeichen des echten und christlichen Gebetes. Sie finden ihre Norm in dem Gebet Jesu, das eine Vertiefung des Vertrauens, eine umfassende Hinwendung zur Gemeinschaft und Welt bedeutet. Die welthafte Wirklichkeit, die Weltverantwortung und die Solidarität mit allen Menschen im Brudersein aller sind Merkzeichen des christlichen und echten Betens. Christsein lebt in der Spannung von „Gebet und Treue zur Erde" (Bonhoeffer).

4. Mit Recht heben die Dokumente der Kirchen vor aller Organisation das Gebet als wichtigsten *Antrieb zur missionarischen Arbeit* hervor. Das Gebet hat man als das „Missionsphänomen par excellence" (F. Ménégoz) bezeichnet, und die Sendung der Kirche und der missionarischen Gemeinde ist immer und zuerst „Sendung zum Gebet für das Heil der Welt" (K. Rahner). Das Gebet für die Mission ist geradezu der Prüfstein für die Gemeinde, daß sie die Mission Gottes und sein Anliegen betreibt und nicht ihr eigenes Werk. Das Gebet für die Mission kann nur auf das „Opfer des Sohnes für das Heil der Welt" bezogen werden (K. Rahner) und bindet damit die Mission theologisch zurück ins Zentrum der Sendung und der theologischen Grundlegung. In allen Phasen und in allen Stadien des konkreten Missionsvollzugs ist das Gebet die eigentliche Begleitung der Mission und für die Verkündigung die eigentliche Vorbereitung der Evangelisierung. Missionsarbeit und Gebet sind zwei sich gegenseitig bedingende Größen. Für die missionarische Existenz ist das Gebet nicht nur die Grundlegung, sondern zugleich die Verankerung in der „missio Dei".

Lit.: *Archer, J. C.,* Missionary Education and the Local Parish, in: IRM 14, 1925, 333-343. - *Arens, B.,* Die katholischen Missionsvereine, Darstellung ihres Werdens und Wirkens, ihrer Satzungen und Vorrechte, 1922. - *Barth, H. M.,* Wohin - Woher mein Rufen? Zur Theologie des Bittgebetes, 1981. - *Bieder, W.,* Das Mysterium Christi und die Mission, 1964. - *Bryant, D.,* With Concerts of Prayer: Christians Joint for Spiritual Awakening and World Evangelism, 1984. - *Cabral, J.,* A oração ao serviço das missôes, in: Actas do I Congresso Nacional da UMC, 1948, 148-158. - *Dhavamony, M.* (Hrsg.), Prayer - in Christianity and other Religions, 1975. - *Feldkämpfer, L.,* Der betende Jesus als Heilsmittler nach Lukas, 1978. - *Flaskamp, F.,* Die Missionsmethode des hl. Bonifatius, in: ZMR 15, 1925, 18-100. - *Handmann, R.,* Das Gebet als Missionsmacht, 1912. - *Heiler, F.,* Das Gebet, [5]1923. - *Karrer, O.,* Das Religiöse in der Menschheit und das Christentum, [3]1936. - *Kornke, H.,* Die Kranken im Dienste der kath. Heidenmissionen. Die Missionshilfe der Kranken, 1935. - *van Melkebeke, C./van Keerberghen, P.,* La prière de l'église primitive pour la Propagation de la Foi, in: Bulletin de l'Union du Clergé 3, 1923, 121-133; ebd. 4, 1924, 3-19. - *Monloubou, L.,* Saint Paul et la prière: prière et évangélisation, 1982. - *Nilles, P.,* Apostolisches Beten, in: Priester und Mission 20, 1936, 27-51. - *Passeri, V.,* Pregi della tattica di evangelizzazione al tempo degli Apostoli, in: ders., Evangelizzazione, Antica e Moderna, 1930, 27-33. - *Plathow, M.,* Geist und Gebet, in: KuD 29, 1983, 47-65. - *Rahner, K.,* Sendung zum Gebet, in: ders., Schriften zur Theologie III, 249-261. - *Rzepkowski, H.,* Die Sicht der nichtchristlichen Religionen nach „Evangelii Nuntiandi", in: H. Waldenfels (Hrsg.), „... denn Ich bin bei euch", 1978, 339-350. - *Schaller, H.,* Das Bittgebet, 1979. - *Scherer, G.,* Reflexion - Meditation - Gebet. Ein philosophischer Versuch, 1973. - *Schilling, D.,* De oratione pro infidelium conversione, in: Promptuarium Canonico-Liturgicum 31, 1935, 72-74. - *Seumois, A. V.,* Missionary Prayer in the Early Church, in: Worldmission 4, 1953, 282-308. - *Spindler, M.,* La mission, combat pour le salut du monde, 1967. - *Thielike, H:,* Das Gebet, das die Welt umspannt, 1961. - *Ulrich, F.,* Gebet als schöpferischer Grundakt, 1973. - *Underhill, M. M.,* Women's Work for Missions: Three Home Base Studies, in: IRM 14, 1925, 379-399. - *Vicedom, F. G.,* Gebet für die Welt. Das Vater-unser als Missionsgebet, 1965. - *Zanetti, G.,* „Rogate Dominum Messis". Preghiere Missionarie, 1939.

H. Rzepkowski

GEISTLICHE ERNEUERUNG

1. Katechumenat für Getaufte. 2. Umkehrliturgie. 3. Gemeinde-Erneuerung. 4. Mission und Charisma.

1. Nach einer Phase der Entkolonialisierung und Entpolitisierung der Missionstätigkeit der Kirche und im Zuge eines neuen Verhältnisses der Weltreligionen zueinander (→ Dialog) bedarf es einer Besinnung auf die tieferen geistlichen Ursprünge aller Missionierung und Evangelisierung. Missionarische Spiritualität erwächst aus der personalen, freudigen und entschiedenen Begegnung des Verkünders mit Gott und ist in ihrem Kern persönliches Zeugnis von dieser Begegnung. Die heutige Welt „fordert Verkünder, die von einem Gott sprechen, den sie kennen und der ihnen so vertraut ist, als sähen sie den Unsichtbaren (vgl. Hebr 11,27)" (Paul VI., Evangelii nuntiandi 76). Die ganze Kirche als „Träger der Evangelisierung" muß sich deshalb durch eine „beständige Bekehrung und Erneuerung selbst unter das Evangelium stellen, um es der Welt glaubwürdig verkünden zu können" (Paul VI., Evangelii nuntiandi 15, 60). Begegnung mit Gott und die Gewißheit, daß Jesus lebt (vgl. Apg 2,32.36) können nicht methodisch angezielt werden, sondern erwachsen - entsprechend der jeweiligen lebensgeschichtlichen Situation - aus der je neuen Annahme des sakramentalen und charismatischen Gnadenangebotes Gottes. Das von drei mitteleuropäischen Bischöfen herausgegebene Dokument: „Erneuerung aus dem Geist Gottes" (→ Heiliger Geist) beschreibt auf dem Hintergrund unterschiedlicher Epochen der Glaubens- und damit auch der Missionsgeschichte die theologischen und pastoralen Grundlagen einer solchen umfassenden geistlichen Erneuerung der Kirche.

Die Taufe ist das Grundsakrament der Umkehr und des Neubeginns. Das in ihm geschenkte geistliche Leben wächst nur in dem Maße, als die Grundentscheidung für Gott und die Kirche von Zeit zu Zeit erneuert und vertieft wird (Tauf- und Firmerneuerung). Durch die Praxis der Kindertaufe bezeugt die Kirche, daß Gott den ersten Schritt tut und die Taufgnade nicht Lohn für unsere Leistung ist. Zur lebendigen Begegnung mit Gott aber kommt es erst, wenn der Mensch das Gnadenangebot Gottes ausdrücklich und bewußt annimmt, denn es kommt in ihm zur Auswirkung „entsprechend der eigenen Bereitung und Mitwirkung" (DS 1529). Deshalb antworten seit der Neuordnung der Kindertaufe vom Jahre 1969 die Eltern und Paten nicht mehr anstelle des Kindes, sondern bekennen ihren eigenen Glauben an Gott aufgrund der Taufe, die sie selber empfangen haben und übernehmen die Pflicht, dem Kind die spätere persönliche Glaubensentscheidung möglich zu machen. Während Erwachsene sich auf die → Taufe durch ein Katechumenat vorbereiten, fehlen entsprechende Angebote für getaufte Christen. Es wird zunehmend deutlich, daß viele „in christlichen Ländern und Orten, sogar in soziologisch christlicher Umgebung geboren, aber nie in ihrem Glauben weitergebildet wurden und so als Erwachsene noch wirkliche Katechumenen sind" (Johannes Paul II., Catechesi tradendae 44). Ein Katechumenat für Getaufte lädt alle dazu ein, bewußt und personal jenen Weg nachzugehen, den sie in ihrer Jugend durch Katechese und Sakramente geführt worden sind. In neueren geistlichen Bewegungen haben sich verschiedene Formen herausgebildet, die sich gegenseitig ergänzen. Der „Cursillo" ist ein kleiner Kurs von drei Tagen, die „Katholische Charismatische Erneuerung" bietet siebenwöchige Glaubensseminare an, das „Neokatechumenat" erstreckt sich über acht bis zehn Jahre.

2. Aus verschiedenen liturgischen Elementen hat sich eine Umkehrliturgie herausgebildet, die ein alle grundlegenden Glaubensvollzüge einbeziehender Ausdruck von Kirche in einer veränderten geschichtlichen Situation ist und den einzelnen tiefer in die Gemeinde oder geistliche Gemeinschaft eingliedert, in der er lebt. Sie ist nicht Kennzeichen einer bestimmten geistlichen Bewegung.

Die Liturgie der Taufe ist der öffentliche und zeichenhafte Nachvollzug von Tod und Auferstehung Jesu. Er selbst ist es, der beim Übergießen mit Wasser (Eintauchen) und der dabei gesprochenen Taufformel den Menschen tauft (opus operatum). Die für die Wirksamkeit notwendige Antwort (opus operantis) kommt bei der Taufe Erwachsener zum Ausdruck im Taufbekenntnis sowie in der Handauflegung des Paten. Taufbekenntnis und Handauflegung gehören zum liturgischen Kern der Antwort des Täuflings und der Kirche auf das Gnadenangebot Gottes. Deshalb ist es angemessen, wenn die Taufentscheidung des Erwachsenen, der als kleines Kind getauft wurde, in einer ähnlichen Weise zum Ausdruck kommt. Nach einer entsprechenden Vorbereitung (in einem Katechumenat für Getaufte, in Glaubensseminaren und Exerzitien) tritt der einzelne vor die Anwesenden und bittet Gott in einem zumeist persönlich formulierten Gebet (es werden auch entsprechende Vorlagen aus dem „Gotteslob" benutzt: 5; 50,2; 52,5) um eine neue Ausgießung seines Heiligen Geistes. Die Anwesenden legen unter Gebeten des Lobpreises, der Danksagung und der Fürbitte die Hände auf. „Das Auflegen oder Ausbreiten der Hände bei der Segnung von Personen bringt die Bitte um den Segen Gottes über sie und die Mitteilung des Segens durch die Kirche besonders stark zum Ausdruck" (Benediktionale 31).

Dieser Schritt kann vollzogen werden im Zusammenhang mit der Feier der Sakramente, innerhalb der Eucharistiefeier vor der Gabenbereitung und nach der Kommunion, oder im Rahmen einer eucharistischen Anbetung. Er kann aber auch geschehen in der „Hauskirche", im Rahmen eines seelsorglichen Gespräches oder wo immer zwei oder drei im Namen Jesu versammelt sind („Erneuerung" 134-140).

Je nach Lebensgeschichte und geistlicher Reife treten für den einzelnen bestimmte Aspekte des Gesamtgeschehens der Umkehrliturgie in den Vordergrund:

• Persönliche Glaubensentscheidung für Gott und die Kirche. Umkehr beginnt mit dem gläubigen Hören des in der Kirche überlieferten → Wortes Gottes. Die in ihr sich vollziehende Grundentscheidung führt zur Annahme der sakramentalen Gnaden und der Geistesgaben. Hinwendung zu Gott ist untrennbar verbunden mit der Hinwendung zur Kirche, die in der konkreten Wort- und Altargemeinde anwesend ist. Häufig bedarf die Beziehung zur konkreten Kirche der Heiligung durch den Geist Gottes. Grundentscheidung für Gott schließt auch die Absage an den Satan, an neuheidnische Kulte und pseudoreligiöse Erlebnisse ein.

• Erneute Annahme des sakramentalen Gnadenangebotes Gottes. Es gehört zum Wesen der Sakramente, die der Mensch nur einmal in seinem Leben empfängt (Taufe, Firmung, Priesterweihe), daß er die in ihnen von Gott angebotenen Gnaden von Zeit zu Zeit ausdrücklich annimmt. Deshalb kann der liturgische

Ausdruck einer bewußten oder vertieften Antwort der Spendung dieser Sakramente zeitlich nachfolgen. Entscheidend ist nicht das Tauf- oder Firmalter, sondern der Prozeß des Hineinwachsens in die Antwort auf das Gnadenangebot Gottes. Ehegatten sehen sich durch die erneute Treuebindung an Gott dazu befähigt, in der Erneuerung des Eheversprechens neu Ja zueinander zu sagen, Ordenschristen erneuern ihre Ordensprofeß.

- Offenheit für die Gaben des Geistes. Gott achtet die Freiheit des Menschen so sehr, daß er auf unsere Bitte um den Heiligen Geist wartet (Lk 11,9-13; Joh 14,13-16). Wachsende Reife des geistlichen Lebens läßt den Christen immer klarer erkennen, welche Gaben ihm Gott für den Dienst in Kirche und Gesellschaft geben will („Erneuerung" 141-145).

Für viele ist der Vollzug der Umkehrliturgie verbunden mit einer inneren Wahrnehmung der Zuwendung Gottes und der Kirche, mit „Geist-Erfahrung" (vgl. „Erneuerung" 76). Dies hängt ab von der Ernsthaftigkeit der Vorbereitung in der Kraft der zuvorkommenden Gnade Gottes, von Lebensgeschichte und Charakter des einzelnen und letztlich vom freien Gnadenhandeln Gottes. Für viele ist das ihnen geschenkte ganzheitliche Erlebnis dem der Erwachsenentaufe ähnlich. So richtet der Heilige Geist die menschliche Erlebnisfähigkeit auf Jesus Christus (vgl. 1Kor 12,2f) und auf den tätigen Einsatz in Kirche und Gesellschaft hin. Er befreit von einer Überbewertung der Rationalität des Lebens ebenso wie von einem Interesse an den Angeboten der Freizeit- und Vergnügungsindustrie oder pseudoreligiösen Erlebnissen („Erneuerung" 129, 148-151).

Umkehrliturgie ist die Verleiblichung der mit der Taufe geschenkten Beziehung des einzelnen zu Gott und zur Kirche sowie die Verleiblichung der Beziehung der Kirche zu ihm. Sie hat deshalb eine andere geistliche Struktur als die Liturgie der Taufe selbst, ist aber aus ihr erwachsen. Sie hat kultur-, konfessions- und rassenüberschreitende Bedeutung und ist zugleich „missionarische Liturgie" im Sinne von 1Kor 14,23ff, da alle Anwesenden in dieses Geschehen einbezogen sind. Sie ist eine Form der Neu-Evangelisierung, ein Weg zur Intensivierung der gemeinsamen → Spiritualität der ganzen Kirche und deshalb nicht Ausdrucksform einer bestimmten geistlichen Bewegung („Erneuerung" 297-302).

3. „Erneuerung aus dem Geist Gottes" ist aus den geistlichen Impulsen des → II. Vatikanischen Konzils erwachsen und ein fortdauernder Prozeß konziliarer Erneuerung, ein für alle gangbarer Weg zum Christsein. Sie ist offen für alle Kundgaben des Heiligen Geistes, wo immer sie sich finden: in geistlichen Bewegungen, in den getrennten Kirchen, in der Gesellschaft. Bei der Übernahme und Integration dieser Impulse ist leitend,

- daß Gemeinde von ihrem Auftrag her offen sein muß für die ganze Breite geistlicher Erfahrungen und Wege, für Distanzierte und Nichtpraktizierende ebenso wie für Intensivgruppen, und deshalb keiner Gruppe zugestehen darf, das Leben der Gemeinde ausschließlich nach ihren Vorstellungen zu gestalten,

- daß geistliche Bewegungen einen je unersetzbaren Beitrag zur Gemeinde-Erneuerung geben, Gemeinde aber nicht von einer einzigen Bewegung und den in ihr wirksamen Zielen, Methoden, Charismen und pastoralpsychologischen Akzenten geprägt sein kann („Erneuerung" 9, 286-289).

4. Evangelisierung ist die „wesentliche Sendung der Kirche", „ihre eigentliche Berufung" und ihre „tiefste Identität" (Paul VI., Evangelii nuntiandi 14; „Erneuerung", 37, 163). Die gemeinsame Spiritualität der ganzen Kirche und aller pastoralen Dienste ist deshalb von ihrem Wesen her missionarisch nach innen und nach „außen". Für den einzelnen ist Spiritualität das seine ganze Existenz erfassende, für andere wahrnehmbare, in Kirche und Welt sich auswirkende, geistgewirkte Verhalten vor Gott („Erneuerung" 290). Auch die Spiritualität des einzelnen ist ihrem Wesen nach missionarisch: „Es ist undenkbar, daß ein Mensch das Wort Gottes annimmt und in das Reich eintritt, ohne auch von sich aus Zeugnis zu geben und dieses Wort zu verkünden" (Paul VI., Evangelii nuntiandi 24). Evangelisierung (→ Evangelisation) ist deshalb das Grundcharisma der ganzen Kirche und jedes einzelnen Christen, das alle anderen Charismen trägt, durchformt und zu einem organischen Ganzen zusammenfügt („Erneuerung" 163). Charisma ist eine aus der Gnade (charis) erfließende, jeweils vom Geist besonders zugeteilte Befähigung zum Leben und Dienen in Kirche und Welt. Häufig entsprechen den Charismen natürliche Fähigkeiten des Menschen. Charismen sind aus ihnen aber nicht ableitbar, sondern entspringen der freien Gnadenwahl Gottes. Natürliche Fähigkeiten werden vom Heiligen Geist geläutert, entfaltet und in Dienst genommen. Charismen sind dem Wort, den Sakramenten und dem → Amt zugeordnet, werden als ereignishafte und situationsbezogene Wirkungen des Heiligen Geistes aber nicht in demselben Sinn wie diese in der Kirche „überliefert". Sie können nur in jeweils aktueller Hingabe an Gott empfangen und ausgeübt werden („Erneuerung" 40f, 155-160).

Das Grundcharisma der Evangelisierung hat unterschiedliche Formen:

• Das „Zeugnis ohne Worte" in einem aus der Kraft des Heiligen Geistes gelebten Leben ist im allgemeinen das erste in der Evangelisierung (Paul VI., Evangelii nuntiandi 21, vgl. 41). Diese „indirekte" Mission erweist sich auf die Dauer jedoch als unwirksam, wenn sie nicht erklärt, begründet und durch eine klare und eindeutige Verkündigung des Herrn Jesus Christus entfaltet wird.

• Dies geschieht nicht nur in → Predigt und Katechese, sondern auch in einer Mitteilung der eigenen Glaubenserfahrung „von Person zu Person" (Paul VI., Evangelii nuntiandi 21f, 46f). In einem solchen „persönlichen Zeugnis" berichtet der einzelne „bescheiden und ehrfürchtig" (1Petr 3,16), knapp und nüchtern von seinem eigenen Glaubensweg (vgl. Lk 1,49; Mk 5,19). Der Geist Gottes kann durch ein solches Zeugnis im Zuhörer die „Zustimmung des Herzens" zum Heilsangebot Gottes bewirken (vgl. Apg 2,37), die mehr ist als eine intellektuelle Zustimmung zu den Glaubenswahrheiten (vgl. Paul VI., Evangelii nuntiandi 23). Einigen ist in besonderer Weise das Charisma der „Erstverkündigung" gegeben, das den anfänglichen Glauben weckt und die Voraussetzung der Katechese ist.

• Das Katechumenat ist eine „Einführung und genügend lange Einübung in das ganze christliche Leben" (Ad gentes 14) und getragen von den Charismen des Glaubens und des prophetischen Wortes, des Gebetes und der Lehre, der Heilung und der Befreiung, der Leitung und der Unterscheidung („Erneuerung" 164-190).

Lit.: Apostolisches Schreiben „Evangelii nuntiandi" Seiner Heiligkeit Papst Paul VI. an den Episkopat, den Klerus und alle Gläubigen der Katholischen Kirche über die Evangelisierung in der Welt von heute (Verlautbarungen des Apostolischen Stuhls 2), 1975. - *Kunter, F./Stimpfle, J./Wüst, O.* (Hrsg.), Erneuerung aus dem Geist Gottes. Mit einem Kommentar von H. Mühlen, 1987. - Les mouvements dans l'Eglise, préface du Cardinal Suenens, 1983. - *Mühlen, H.,* Grundentscheidung, 1983.

H. Mühlen

GESCHICHTE

1. Mission und Geschichte. 2. Missionsgeschichte als Kirchengeschichte. 3. Kirchengeschichte als Missionsgeschichte.

1. Schon im weiteren, dimensionalen Verständnis der Mission als „Unterwegssein der Botschaft" in die Welt (J. Ratzinger) ist die Beziehung zur Geschichte der Mission gleichsam eingestiftet. Die grundlegenden biblischen Zeugnisse vom eschatologischen Heilshandeln Gottes in Jesu Kreuz und Auferstehung sind ja nicht bloß Berichterstattung von vergangenem Geschehen, sondern Werkzeuge der Vermittlung gegenwärtiger Geschichte Gottes mit der Welt. So gewiß zwar das Evangelium nicht von Welt und Geschichte abzuleiten ist, so gewiß werden diese doch „mitkonstitutive" Elemente der Verkündigung. Das dialektische Verhältnis von Mission und Geschichte manifestiert sich mithin auch und erst recht im intentionalen Vollzug der Sendung, und zwar in doppelter Weise: Einerseits kann die Mission als Sendung in und an die Welt nicht nur in einem aus der übrigen Geschichte ausgegrenzten „heilsgeschichtlichen" Bereich operieren, sondern muß sich auf ständig neue geschichtliche Kontexte einlassen, auf Kulturen und Sprachen, in denen das Evangelium „zelten" soll (Joh 1, 14), ohne doch ihrer Hinfälligkeit und Vergänglichkeit unterworfen zu sein. Andererseits kann die Sendung sich mit keinem der geschichtlichen Kontexte auf Dauer identifizieren oder dessen Gegebenheiten so sanktionieren, wie sie jeweils sind. Die Freiheit des Geistes gegenüber der Geschichte muß sich gerade darin erweisen, daß durch die Sendung „sowohl die kontextuelle Verkündigung des Evangeliums in allen Kulturen als auch die verändernde Kraft des Evangeliums in jeder Kultur" zur Wirkung kommt (Bericht aus Vancouver 1983, 1983, 261). Unter diesem Doppelaspekt sind auch Aufgabe und Funktion der Missionsgeschichtsschreibung in Relation zur Kirchengeschichtsschreibung zu bestimmen.

2. Stephen Neill, einer der wenigen Meister der Missionshistoriographie, hat in seinem letzten Werk die Missionsgeschichte allgemein als eine „recht langweilige Angelegenheit" bezeichnet - es sei denn, daß sie, wie Neill es selbst noch für Indien getan hat, die gesamte Geschichte des jeweils behandelten geographischen Raums im Hinblick auf die Präsenz und das Wachsen der christlichen Gemeinde „als eines Teils *seines* Lebens" betrachte (A History of Christianity in India, I, 1984, xi). Missionsgeschichte ist demnach nicht mehr nur als Geschichte der jeweiligen Sendungsveranstaltungen, ihrer Träger und Methoden, also als bloße Verlängerung westlicher Kirchengeschichte zu schreiben, sondern primär als die Geschichte des Werdens und der Entwicklung der einheimischen Christenheit in

ihrem Kontext - ein Verfahren, das mit der Einsicht von Walter Freytag ernst
macht: „Unter der Verkündigung entsteht immer ein Neues ... Es wird immer andere Kirche" (Reden u. Aufsätze, II, München 1961, 121). Missionsgeschichtsschreibung verfehlt ihr Ziel, wenn sie die äußere Expansion westlichen Kirchen-
tums dem inneren Wachstum des Glaubens in anderer Umgebung überordnet
und somit im Provinzialismus ihrer eigenen Vergangenheit gefangen bleibt. Der
Altmeister der Disziplin, K. S. Latourette (1884-1968), hat wohl als erster Missi-
onshistoriker bewußt und ausdrücklich auch die Frage nach der Wirkung des
Christentums auf seine Umgebung und der Umgebung auf das Christentum unter
seine Darstellungsprinzipien aufgenommen und durchgehend in seiner sieben-
bändigen Geschichte der Ausbreitung des Christentums berücksichtigt. Von anderen Fachkollegen läßt sich dies nicht im gleichen Maß sagen, mögen die Gründe
dafür auch von Fall zu Fall verschieden sein. Daß faktisch die Quellen für die Geschichte der Kirchen in der Dritten Welt meist in westlichen Archiven liegen,
kann nicht als Vorwand dafür dienen, daß kontextuelle Faktoren in der Historiographie vernachlässig werden. Daß grundsätzlich nur westliche Historiker die Objektivität und Neutralität für die Geschichtsschreibung der „Missionskirchen" aufbringen könnten, ist eine unhaltbare Fiktion. Vollends verbietet sich der Rekurs
auf diese Fiktion, wenn der westliche Missionar auch als Historiker von seinen eigenen Vorstellungen von Kontextualität geleitet ist, die er, bewußt oder unbewußt, auch für seine einheimischen Gemeinde- bzw. Kirchenglieder verbindlich
macht.

Wäre demnach kontextuelle Kirchengeschichte ausschließlich von Einheimischen zu schreiben, da - wie es z. B. von westafrikanischen Kirchenhistorikern betont worden ist - nur sie „das innere Leben der afrikanischen Kirche in seiner
Wechselwirkung mit der afrikanischen Gesellschaft verstehen" könnten (LR 26,
1976, 304)? Etwa in diese Richtung wies bereits vor über hundert Jahren die Forderung des Bremer Missionsinspektors F. M. Zahn, die Missionsgeschichtsschreibung müsse auch „die Revolution, welche durch die Predigt der einheimischen
Christen sich vollzieht, darzustellen versuchen" (AMZ 4, 1877, 540). Tatsächlich
wird diese Historie erst dann völlig zu sich selbst kommen, wenn sie sich von allen fremden Aufsichts- und Kontrollansprüchen frei weiß, wenn sie selbst Teil des
Emanzipationsprozesses wird, durch den jene Kirchen ihrer eigenen Identität bewußt werden.

3. Die theologische Ausbildung ist der Ort, an dem zuerst das „doing church
history" in der Dritten Welt, die eigene Kirchengeschichte in Aktion, eingeübt
werden kann. Hier sind, wenn Phantasie und Sachverstand verfügbar sind, Modelle kirchenhistorischer Praxis zu entwickeln, die auf die ganze Kirche einer Region ausstrahlen. Mit Hilfe des Theological Education Fund sind z. B. in Ost-
und Westafrika schon vor zwanzig Jahren Projekte dieser Art eingeleitet worden.
Mittlerweile gibt es auch große Vorhaben einheimischer Kirchengeschichtsschreibung, die überwiegend von einheimischen Forschern getragen werden, so etwa die
1973 von der Church History Association of India konzipierte sechsbändige Gesamtdarstellung der Geschichte des Christentums in Indien. Die bisher erschienen
Bände lassen zweierlei erkennen: Hier liegt wirklich, wie es das Programm vorsieht, der Akzent auf „den indischen Christen, wie sie waren und sich selbst ver-

standen, auf ihren Beziehungen zu Gesellschaft, Kultur, Religion, Politik in Indien, auf den Veränderungen, die diese Beziehungen bei ihnen selbst, bei ihrer Annahme des Evangeliums und auch innerhalb der Kultur und Gesellschaft, der sie angehören, bewirkt haben". Zugleich ist die Perspektive eine wahrhaft ökumenische, so daß die indische Christenheit und ihre Geschichte stets auch im Horizont der gesamten Christenheit und ihrer weltweiten Sendung gesehen und beschrieben werden. F. M. Zahn hatte von der Missionsgeschichtsschreibung u. a. auch verlangt, daß sie den Prozeß der „Erweckung und Belebung" reflektiere, der in der Geschichte häufig der eigentliche Auslöser missionarischer Aktion gewesen sei (aaO, 532). Zusätzlich wäre heute zu wünschen, daß von der kontextuellen Kirchengeschichtsschreibung Rückwirkungen auf die Gesamtchristenheit ausgehen, die die missionarische Dimension verstärkt bewußt machen: Mission als „die eine Kirche Gottes in ihrer Bewegung" (W. Löhe), als „Selbstvollzug der Kirche" insgesamt (K. Rahner), sofern diese nicht als Selbstzweck, sondern nur im Nachvollzug des universalen apostolischen Dienstes existiert. Schließlich wäre auf diese Weise auch dafür gesorgt, daß alle triumphalistischen Ansprüche, die nur zu oft die ältere Missionshistoriographie belastet haben, korrigiert und durch das Konzept einer „dialogischen Mission" (W. Ustorf) aufgehoben werden können.

Lit.: *Frohnes, H./Gensichen, H.-W./Kretschmar, G.*(Hrsg.), Kirchengeschichte als Missionsgeschichte, I, Die Alte Kirche, 1974. - Bd. II, Die Kirche des früheren Mittelalters, 1.Hlbbd., 1978. - *Gensichen, H.-W.*, Kirchengeschichte im Kontext. Die Historiographie der jungen Kirchen auf neuen Wegen, LR 26, 1976, 301-313. - *Latourette, K. S.*, A History of the Expansion of Christianity, 7 Bde, 1973-45. - *Ustorf, W.*, Missionsgeschichte als theologisches Problem, ZMiss 9, 1983, 19-29. - *Vischer, L.*, (Hrsg.), Kirchengeschichte in ökumenischer Perspektive, III. ThZ 38, 1982, 367-472.

H.-W. Gensichen

GLAUBE

1. Theologiegeschichtlich. 2. Verschiedene Modelle.

1. Nach der Heiligen Schrift ist der Glaube die totale und integrale Antwort des Menschen gegenüber Gott. Im AT handelt es sich um die Haltung zum Bundesgott und im NT zu Gott, wie er sich in Jesus Christus geoffenbart hat.

Diese Haltung des ganzen Menschen impliziert verschiedene Elemente, vor allem das des Vertrauens - der Mensch baut sein Leben ganz auf Gott und sein Wort - aber auch das Element der Anerkennung von Heilswahrheiten.

Im Verlaufe der *Geschichte* hat die Kirche in verschiedenen Situationen ihr Glaubensverständnis artikuliert. Die Väter hatten gegen die ersten Häresien die regula fidei zu schützen. So trat der dogmatische Aspekt des Glaubens mehr in den Vordergrund. Augustinus behandelte das Thema im Kontext des Verständnisses der römischen Autorität und seiner persönlichen Erfahrung. Hier wird nach einer

Lösung des Verhältnisses von Glaube und Vernunft gesucht: „credo ut intelligam".

Von der beginnenden *Scholastik* an tritt dieses Problem von Glaube und Vernunft immer mehr in der Vordergrund des theologischen und philosophischen Interesses.

Es genügt, hier an die Formel Anselms von Canterbury zu erinnern: „fides quaerens intellectum" und seine Methode der notwendigen Gründe innerhalb des Glaubens; an den Streit zwischen Dialektikern und Antidialektikern; an die Lösung der Frage bei Thomas von Aquin, der Glaube und Vernunft sehr viel harmonischer miteinander verbindet; an die Auflösung der Synthese von Glaube und Vernunft im Nominalismus.

Zur Zeit der *Reformation* steht das Verständnis des Glaubens in einem anderen Kontext: Jetzt geht es vor allem um das Verhältnis von Glaube und Rechtfertigung (Fiduzialglaube).

Das Verständnis des Glaubens in der *Neuzeit* ist von der Tatsache der Existenz zweier Kirchen und vom Verhältnis zur neuzeitlichen Philosophie sowie den Naturwissenschaften und der Geschichtswissenschaft geprägt. Die katholische Theologie verlegte sich mehr auf die gesicherte Beweisbarkeit des Glaubens, während die protestantische Theolologie das Verständnis des Fiduzialglaubens weiterentwickelte.

2. In der Gegenwart zeigt sich das Bemühen um ein Verstehen des Glaubens in verschiedenen Modellen.

2.1 Zunächst werden Problemstellungen des vorigen Jahrhunderts aufgegriffen, so z.B. im *neuscholastischen Modell*. Man geht von den Ausführungen des Thomas von Aquin in seiner quaestio disputata „De Veritate" aus und bestimmt die Natur des Glaubensaktes auf deduktive Weise. Der Glaube liegt nicht auf der ersten Stufe der Tätigkeit des Verstandes, sondern auf der zweiten Stufe, der Ebene des Urteils. Er wird als Akt des Verstandes ohne Evidenz verstanden; er wird nicht vom eigenen Formalobjekt des Verstandes bestimmt, sondern vom Willen, der den Verstand bestimmt. Darüber hinaus macht man sich ausführliche Gedanken über die Entstehung des Glaubens (Gardeil). So wird der Glaube als Akt des Verstandes bestimmt, der einem bestimmten Glaubenssatz zustimmt, nicht aufgrund der inneren Einsicht, sondern aufgrund der Autorität des sich offenbarenden Gottes.

Kritisch ist zu dieser Theorie anzumerken, daß der Glaube fast ausschließlich als ein Akt des Verstandes betrachtet wird, während die anderen Elemente dieses ganzheitlichen Aktes weniger berücksichtigt werden. Vor allem aber wird der personale Aspekt des Glaubens nicht genügend beachtet: der Glaube erscheint im Vergleich mit anderen Akten des Verstandes, die eine Evidenz enthalten, als ein Akt minderer Erkenntnis. Er wird zu sehr am Ideal der unpersönlichen Erkenntnis gemessen. Nach der Hl. Schrift aber ist der Glaube ein personaler Akt, ein Akt des ganzen Menschen.

2.2 Diese Kritik nimmt das *personale Modell* des Glaubens auf (E. Brunner, Ebeling, Tillich, Welte u.a.). Man geht zunächst von einer Phänomenologie des personalen zwischenmenschlichen Glaubens aus. Hier lautet die fundamentale Formel: Ich glaube dir. Abhängig davon gibt es die Formel: Ich glaube etwas. In

Analogie zu diesem zwischenmenschlichen Glauben versucht man nun, den christlichen Glauben zu verstehen. Auch hier lautet die fundamentale Formel: Ich glaube Gott. Abhängig von diesem personalen Glauben werden auch hier die Wahrheiten des Glaubens angenommen. Dabei handelt es sich nicht um die Vermittlung von indifferenten Wahrheiten, sondern um das Sich-schenken Gottes selbst. Das Problem der Gewißheit des Glaubens kann nur richtig gelöst werden, wenn man die personale Struktur des Glaubens berücksichtigt. Die Gewißheit hängt letztlich von der göttlichen Person ab und nicht von der vorhergehenden Erkenntnis der Glaubwürdigkeitsgründe. Diese haben eher die Bedeutung von Zeichen. Die Struktur des personalen Glaubens zeigt ferner, daß es falsch ist, den personalen Glauben vom dogmatischen Glauben zu trennen, den Du-Glauben vom Daß-Glauben. Der personale Glaube und der dogmatische Glaube hängen nach der gezeigten Struktur eng zusammen. Aus dem Gesagten ergibt sich auch, daß es ungenügend ist, wenn man den Glauben einzig in einer Opposition zum Wissen und zum Verstand bestimmt, wie es in der scholastischen Analyse geschieht. Dort werden nämlich seine personale Struktur und sein eigentlicher Wert nicht genügend erkannt. Der Glaube erscheint vielmehr als eine mindere Art des Erkennens.

2.3 K. Rahner hat ein *transzendental-theologisches Modell* des Glaubens vorgelegt, das hilfreich ist, die Heilsbedeutung des Glaubens in den Religionen (→ Theologie der Religionen) aufzuzeigen.

Er fragt zunächst nach den Bedingungen der Möglichkeit unserer kategorialen Erkenntnis. Die grundsätzliche Bedingung liegt in der Öffnung unseres Geistes auf den unbegrenzten Horizont des Seins. In dieser Öffnung unseres Geistes erkennen wir auch implizit Gott selbst: „desiderium naturale videndi Deum". Diese unbegriffliche Erkenntnis Gottes macht alle begrifflichen Aussagen über Gott erst möglich. Wenn der geschaffene Geist nicht konstitutiv in der apriorischen Perspektive des Absoluten wäre, so könnte er niemals das Absolute finden, ja, noch nicht einmal das Problem des Absoluten haben. Dennoch ist diese Gegenwart Gottes keine menschliche Aussage über Gott, sondern die Voraussetzung für diese Aussage. Gott wird von uns wirklich gewußt allein in der begrifflichen Setzung.

All dies ist entscheidend, um zu verstehen, wie der Gott der Offenbarung den religiösen Glauben ermöglicht. Durch die Gnade treten keine neuen kategorialen Objekte in unser Bewußtsein, sondern die transzendentale Bewegung unseres Geistes wird durch die Gnade übernatürlich modifiziert und auf Gott, wie er in sich selbst ist, ausgerichtet. Unsere Erkenntnisfähigkeit wird als solche durch die Gnade erhoben. Das Formale unserer Erkenntnisfähigkeit besteht in ihrem Gerichtetsein auf das Sein. Dieses Gerichtetsein wird nun übernatürlich erhoben zum Gerichtetsein auf Gott in sich. D.h. der dreifaltige Gott tritt in das Innerste des menschlichen Geistes ein und spricht ihn an und lädt ihn zur Gemeinschaft ein.

Auf dem Hintergrund dieses Verständnisses von Glaube kann nun die Frage nach dem Glauben in den → Religionen angegangen werden. Aufgrund des allgemeinen Heilswillens muß man davon ausgehen, daß dem Menschen die Gnade konkret angeboten wird und er sie annehmen oder ablehnen kann. Dieses reale Angebot der Gnade wird nun erklärt als eine übernatürliche Modifikation der Transzendenz des Menschen. Aufgrund dieser übernatürlichen Modifikation, die

das Bewußtsein des Menschen in seiner letzten Tiefe berührt, kann in einem weiten Sinn schon von einer übernatürlichen Offenbarung Gottes an den Menschen
die Rede sein. Es handelt sich hier nicht um die kategoriale Offenbarung eines bestimmten Objektes, sondern um die unbegriffliche Modifikation der menschlichen
Transzendenz, die dennoch eine reale Mitteilung Gottes als reales Angebot an die
Freiheit des Menschen mit sich bringt. So ist die übernatürliche Offenbarung mit
der Geschichte der Menschheit koextensiv.

2.4 Die christliche Theologie darf aber nicht nur auf der abstrakt-theoreti-
schen Ebene über Glauben in den Religionen nachdenken, sondern sie muß sich
auch mit dem Glauben in den konkreten Religionen auseinandersetzen. H. Waldenfels spricht von der meditativ-mystischen Versenkung, die von Asien herkommt und viele Menschen bei uns zur Selbstfindung und Selbstverwirklichung
einlädt. Diese asiatische Religiosität tritt oft an die Stelle des christlichen Glaubens, um dem naturwissenschaftlich geprägten Menschen eine Antwort auf Fragen zu geben, die ihm die Wissenschaft nicht geben kann. Die Auseinandersetzung des christlichen Glaubens mit dem Glauben in den Religionen hat erst begonnen (→ Dialog).

2.5 Im Anschluß an den evangelischen Theologen Paul Tillich spricht man
vom *Modell der Korrelation*. Katholischerseits hat vor allem K. Rahner in seiner
anthropozentrischen Ausrichtung der Theologie mit diesem Modell argumentiert.
Es geht hier um einen Versuch, den Glauben dem neuzeitlichen Menschen zu ermöglichen.

Daher legt dieses Modell großen Wert auf die subjektive Vernunft. Es geht
hier darum, die Bedeutung des christlichen Geheimnisses in seiner Ganzheit für
den heutigen Menschen verstehbar zu machen. Das Wort Gottes setzt immer bei
der Erfahrung des Menschen an und bringt ein neues Verständnis des Menschen
mit sich. So versucht man, eine Dialektik der menschlichen Existenz zu entwik-
keln, auf deren Grundlage dann der christliche Glaube als Sinn und Vollendung
derselben erfaßt wird (transzendentale Anthropologie). Diese Methode der Glaubensbegründung besteht also darin, den Zusammenhang zwischen dem christlichen Glauben und der menschlichen Selbsterfahrung reflex zu thematisieren. Allzu häufig hat der heutige Mensch deshalb Schwierigkeiten mit dem Glauben und
erscheinen ihm die Aussagen des Glaubens als mythisch, weil er keinen Bezug zu
seiner Erfahrung sieht. Hierbei besteht aber die Gefahr, daß man den Glauben auf
das Maß des Menschen reduziert. Die menschliche Erfahrung droht den Glauben
zu bestimmen. K. Rahner weist deshalb in diesem Zusammenhang auf den radikal „theozentrischen" Charakter der Offenbarung hin. Er distanziert sich ausdrücklich von einer neuen Form des Modernismus. Der Glaube darf nicht ent-
leert und auf das Selbstverständnis des Menschen reduziert werden. Der theozen-
trische Charakter des Glaubens weist darauf hin, daß Gottes Offenbarung das
Selbstverständnis des Menschen unter ihr Gericht stellt, verwandelt und vertieft.
Diese mögliche Gefahr darf aber nicht dazu führen, die anthropologische Orientierung der heutigen Philosophie zu vernachlässigen und es zu versäumen, den
Glauben auf dem anthropozentrischen Verständnishorizont zu begründen.

2.6 Das anthropozentrische Modell der Glaubensbegründung hat zu sehr den
Einzelmenschen im Blick. Als Kritik und Weiterführung versucht das *politische*

Modell die gesellschaftliche Dimension ins Spiel zu bringen (J. B. Metz, J. Molt-mann). Die Rechenschaft des Glaubens hat sich mit dem christlichen Glauben und seiner Beziehung zur Welt auseinanderzusetzen. Daß dies die vordringliche Aufgabe des Glaubens heute ist, hat das II. Vatikanische Konzil in seiner Pasto-ralkonstitution „Die Kirche in der Welt von heute" (Gaudium et spes) betont. Der Glaube hat vor den bedrängenden Fragen der Menschen von heute seine Re-chenschaft abzulegen. Es geht hier vor allem um die gesellschaftlichen Fragen so-wie um die Fragen des Friedens, der Abrüstung, der Erhaltung der Schöpfung usw. Es geht heute also nicht mehr so sehr um Glaube und Vernunft, sondern verstärkt um Glaube und Praxis. Hier wäre vor allem auch die lateinamerikani-sche → Theologie der Befreiung zu nennen. In der konkreten Praxis des Glau-bens geschieht seine Begründung. In dem Maße, in dem das Christentum diese „politischen" Implikationen des Glaubens reflektiert und im Leben verwirklicht, empfiehlt es sich dem Menschen von heute als eine sehr angemessene Lebens-form. So wird die Gegenwart aus der „gefährlichen Erinnerung" an Leben, Ster-ben und Auferstehung Jesu auf Zukunft hin gestaltet.

Lit.: *Alfaro, J.*, Glaube, Glaubensmotiv, in: SM II, 390-409, 409-412. - *Aubert, R.*, Le Problème de l'acte de foi, ³1958. - *von Balthasar, H. U.*, Fides Christi, in: Sponsa Verbi. Skizzen zur Theologie II, 1960. - *Brunner, A.*, Glaube und Erkenntnis, 1951. - *Buber, M.*, Zwei Glaubensweisen, 1950. - *Cirne-Lima, C.*, Der personale Glaube, 1959. - *Dewart, L.*, Grundlagen des Glaubens, 1971. - *Ebeling, G.*, Wort und Glaube 1, ³1967. - *Ders.*, Wort und Glaube 3, 1975. - *Ders.*, Das Wesen des christlichen Glaubens, ⁴1977. - *Eschweiler, K.*, Die zwei Wege der neueren Theologie, 1926. - *Fries, H.*, Herausgeforderter Glaube, 1968. - *Ders.*, Glaube und Kirche auf dem Prüfstand, 1970. - *Gerber, U.*, Katholischer Glaubensbegriff. Die Frage nach dem Glaubensbegriff vom Vatikanum I bis zur Gegen-wart, 1966. - *Kerstiens, F.*, Die Hoffnungsstruktur des Glaubens, 1969. - *Knauer, P.*, Ver-antwortung des Glaubens. Ein Gespräch mit G. Ebeling aus katholischer Sicht, 1969. - *Löhrer, M.*, Der Glaubensbegriff des hl. Augustinus in seinen ersten Schriften bis zu den Confessiones, 1955. - *Metz, J. B.*, Glaube in Geschichte und Gesellschaft, 1977. - *Molt-mann, J.*, Theologie der Hoffnung, 1965. - *Pieper, J.*, Über den Glauben, 1962. - *Rahner, K.*, Theologie und Anthropologie, in: ders., Schriften zur Theologie 8, 1967, 43-65. - *Ders.*, Grundkurs des Glaubens, 1976. - *Ratzinger, J.*, Einführung in das Christentum, ³1977. - *Seckler, M.*, Instinkt und Glaubenswille nach Thomas von Aquin, 1961. - *Tillich, P.*, We-sen und Wandel des Glaubens, 1961. - *Ders.*, Offenbarung und Glaube (GW VIII) 1970. - *Trütsch, J./Pfammater, J.*, Der Glaube, in: MySal I, 791-903. - *Türk, H. J.* (Hrsg.), Glau-be-Unglaube, 1971. - *Waldenfels, H.*, Kontextuelle Fundamentaltheologie, 1985. - *Welte, B.*, Religionsphilosophie, 1978. - *Ders.*, Was ist Glauben?, 1982.

H. Bettscheider

GLAUBENSMISSIONEN

Der Begriff Glaubensmissionen (engl.: Faith Missions) umgreift eine große Zahl von meist interdenominationellen und oft internationalen evangelikalen Mis-sionen, deren Missionstheologie und -methode auf Hudson Taylor (1832-1905) zurückgeht, der 1865 die China Inland Mission (heute Überseeische Missionsge-meinschaft) gründete. Die Bezeichnung Glaubensmissionen spielt auf die Finanzierungsweise der Missionen an: Die Missionare bekommen kein Gehalt. Sie erbitten von Gott die nötigen Mittel für ihren Unterhalt und sind überzeugt, daß „Gottes Werk, getan auf Gottes Weise, der Versorgung Gottes nicht ermangeln wird" (Taylor). In der Praxis gibt es sehr unterschiedliche Verständnisweisen dieser von allen geteilten Auffassung.

Bedeutender, wenn auch im Namen nicht erwähnt, ist die ekklesiologische Seite der Glaubensmissionen, die interdenominationell und kirchengründend zugleich sind. Interdenominationell bedeutet, daß ihre Missionare aus den unterschiedlichsten evangelischen Denominationen kommen können, sofern sie nur in den wesentlichen Glaubensgrundsätzen (zu denen die Ekklesiologie nicht gehört) übereinstimmen. So kommt es, daß zu den Glaubensmissionen Missionare aus Kirchen mit sich gegenseitig ausschließender Ekklesiologie gehören. In der Missionsarbeit entstehen dann meist Kirchen mit baptistischer Taufpraxis und presbyterianischer Kirchenordnung.

Die Glaubensmissionen sind theologisch eher konservativ. Die Bibel wird zuerst als persönliche Ansprache (Auftrag und Verheißung) des dreieinen Gottes verstanden, dann als Darstellung des Heilshandelns Gottes für alle Menschen und danach als Grundlage der christlichen Lehre, wobei eine beträchtliche Variationsbreite möglich ist, besonders in Ekklesiologie, Eschatologie und Pneumatologie.

Die Glaubensmissionen haben meist einen geographischen Namen, der ihr Arbeitsgebiet nennt, oft mit einem Zusatz versehen, der ausdrückt, daß sie bei ihrer Gründung noch unerreichte Gebiete erreichen wollten: Central America Mission, Afrika Inland Mission, Sudan Pionier Mission; allgemeiner auch: Regions Beyond Missionary Union, Unevangelized Fields Mission usw. Die Ausbildung der Missionare erfolgt meist in Bibelschulen. Die Eschatologie der Glaubensmissionen ist nicht spekulativ, sondern applikativ. Bevor Christus wiederkommt, gilt es, alle Menschen mit dem Evangelium zu erreichen.

Eine bedeutende Rolle haben die Glaubensmissionen im Einsatz von Gruppen gespielt, die sonst in der Weltmission weniger Raum hatten: Hudson Taylor war der erste, der den ledigen Frauen der China Inland Mission eine ganze Provinz zu selbständiger Arbeit anvertraute, und in den Glaubensmissionen insgesamt haben Frauen oft eine evangelistische Pionierarbeit aufgebaut (z.B. Malla Moe, Südafrika; Johanna Veenstra, Nigeria; Alma Doering, Zaire). Da das Sakramentsverständnis weniger ausgeprägt ist, haben Laien mehr Möglichkeiten zur geistlichen Arbeit als in vielen denominationellen Missionen, und auch weniger ausgebildeten Missionaren wird in Glaubensmissionen eher die Möglichkeit zur Mitarbeit geboten. Die meisten Missionare der Glaubensmissionen sind in interdenominationellen Bibelschulen ausgebildet, deren akademisches Niveau allerdings ständig steigt.

Die Glaubensmissionen waren bis zur Jahrhundertwende vorwiegend ein angelsächsisches Phänomen, faßten dann stärker auf dem europäischen Festland Fuß und seit etwa zwanzig Jahren auch zunehmend in der Dritten Welt. Letzte Stufe der Missionsarbeit ist für die Glaubensmissionen nicht der „Zweibahnverkehr", sondern das Entstehen neuer Missionen (denominationell und interdenominationell) im Bereich der nichtwestlichen Kirchen.

Lit.: *Bacon, D.*, From Faith to Faith. The influence of Hudson Taylor on the faith missions movement, 1984. - *Broomhall, A. J.*, Hudson Taylor and China's Open Century, 5 Bde, 1981ff. - *Fiedler, K.*, Der deutsche Beitrag zu den interdenominationellen Glaubensmissionen, in: FS G. W. Peters, 1987. - *Lindsay, H.*, Faith Missions since 1938, in: Frontiers of the Christian World Mission, FS Latourette, 1962. - *McKay, M.*, Faith and Facts in the History of the China Inland Mission 1832-1905, 1981. - *Schirrmacher, B.*, Baumeister ist der Herr, 1978. - *Taylor, H./Taylor, G.*, Biography of James Hudson Taylor, 1965. - *Diess.*, Hudson Taylor's Spiritual Secret, 1932. - *Taylor, H.*, Retrospect 1900.

K.Fiedler

GOTT

1. Interreligiöse Hermeneutik des Wortes „Gott". 2. „Gott" in den nichbiblischen Religionen. 3. „Gott" im Judentum. 4. „Gott" im Christentum. 5. Der monotheistische Auftrag zur Einigung der Menschheit.

1. Die in den Religionen begegnende Pluralität der Gottesvorstellungen zeigt an, daß das Wort „Gott" bzw. „das Göttliche" seine Bedeutung nicht durch Definition findet, die in Begrenztes einordnet, denn vor aller Theologie steht das Ereignis einer die Endlichkeit des Menschen sprengenden Begegnung. Parusie Gottes geschieht als Relativierung der Endlichkeit des Menschen. Der Bericht solchen Geschehens ist der Name des erfahrenen Gottes. Das Wort „Gott" - und seine vielfältigen Parallelen - ist deshalb eine vertretungsweise für die ursprünglichen Namen stehende Chiffre für die über Leben und Tod erfahrene Macht, der gegenüber der ganze Mensch (Körper und Geist) und mit ihm seine Welt („Denken und Sein") sterblich sind. Das fundamentale Urgeschehen der Begegnung mit dem Theos ist die uneinholbare Relativierung der menschlichen Welt im Tod des Menschen - irrational, aber real.

Um dieses „Wissen" zentrieren sich die klassischen → Religionen; es bildet auch den Hintergrund der Theologien der „jungen Kirchen" außerhalb Europas (→ Theologie der Befreiung), wo es Schlüsselthemen wie → „Symbol", „Erfahrung", „Praxis" oder → „Befreiung" bestimmt.

Muß infolgedessen das Anliegen von Theo-logie das grundsätzliche Problem beinhalten, das Göttliche, das nicht unter die Strukturen des Sterblichen fällt, trotzdem in seiner Unbedingtheit in der Begrifflichkeit menschlicher Wirklichkeitsinterpretation anzusagen, so muß heute im interreligiösen und theologischen → Dialog gelernt werden, mit einer Relativität des klassischen Seinshorizontes umzugehen, weil das Relativierende der Theos ist, der, indem er Ereignis wird, nur im Widerspruch gegen die Seinsprinzipien zur Sprache kommt.

Relativität des Seinshorizontes vor dem Gott meint weder Negation noch nur jenes „semper major" Gottes, das die abendländische Theologie stets vertreten hat. Relativierung des Seinshorizontes durch den Gott meint die Ungebundenheit Gottes gegenüber der universalen Wahrheit der Onto-logik, welche im Widerspruchsverbot nicht nur die eigene Relativität und zugleich den diskursiven Zugang zum Bewußtsein um das Göttliche (zur Religion) verhindert, sondern die

Geschöpfe Gottes auf den Seinshorizont einschränkt und Geister und Götter der Religionen ächtet. Die universalen Seinsprinzipien bzw. Wahrheitskriterien übernehmen dann eine vermeintliche Wächterfunktion *über* den Monotheismus und legitimieren implizit (Kolonial-)Macht. Solcher Verlust des Themas „Gott" tritt konsequent - die Verdrängung des Todes verschleiernd - als „Tod Gottes" auf und der absoluten Gültigkeit des Seinshorizontes entsprechen die perspektivisch verengten Klassifikationen der religiösen Gottesbilder als „Pantheismus", „Dualismus", „Polytheismus", „Anthropomorphismus", „Diesseitigkeit" u.v.a.m. und die mit ihnen im interreligiösen Dialog auftretenden Problemstellungen. Kommt das Göttliche als Begegnung mit dem Unsagbaren - aber grundsätzlich der Verfaßtheit des menschlichen Bewußtseins gemäß - zu Wort, so besteht eine Differenz zwischen dem das menschliche Bewußtsein hervorbringenden und relativierenden Göttlichen einerseits und andererseits dem durch das menschliche Bewußtsein zur Aussage gebrachten Göttlichen. Dem entspricht die Differenz zwischen dem „Schöpfer der Welt" und der Welt als Gegenstand menschlicher Erfahrung. Was auch immer das Weltbild sei - die Welt ist „Symbol": Ihre endlichen Bedingungen bringen das Göttliche zu Wort, und das diesbezügliche Bewußtsein gestaltet als Strukturprinzip die „Religion", welche folglich die sichtbare Gestalt ihres Gottes ist.

Eine solchermaßen im Ereignis der Sprengung menschlicher Endlichkeit gründende Gesamtsicht der Wirklichkeit interpretiert die Sprengung nicht als Irrtum der Erkenntnis, sondern als Relativierung der metaphysisch oder transzendental erfaßten Wahrheitskriterien von Erkenntnis, wodurch sich die subjektive Erfahrung des Menschen ihre Freiheit gegenüber den Kriterien des Objektiven oder Ontologischen bewahrt. Da die letzteren nur als Reflexionsergebnis auftreten, besitzen sie gegenüber der Begegnung mit Göttlichem keinen Gültigkeitsanspruch. Dementsprechend begegnet Göttliches in Erfahrungskomponenten, die in den wissenschaftlichen Erfahrungsbegriff keinen Eingang finden, sondern ihm widersprechen („Wunder", „Geister", „Götter"). Dadurch unterscheidet sich das Göttliche grundsätzlich vom Reflexionsergebnis, Religiosität sich von Philosophie und Wissenschaft. Die Erfahrungswelt des religiösen Menschen ist um die Begegnung mit dem alles relationierenden Göttlichen weiter als die Welt wissenschaftlicher Rationalität und metaphysischer Vernunft.

Damit das Göttliche zur Sprache komme, ist ganzmenschliche Erfahrung maßgeblich und unüberholbar. Indem die Erzählung einer Begegnung mit dem Göttlichen dieses *konkret* benennt, hält sie dem theoretischen Zugriff entweder Widersprüche entgegen oder „pure" geschichtliche Fakten, so daß ein sich objektiven Kriterien verpflichtendes Urteil über Sein oder Existenz des Göttlichen abschlägig entscheiden muß.

Aus der religiösen Perspektive gesehen aber *ist* das Konkretum das Sein des Göttlichen, wobei dieses „Ist" keine Realidentifikation beinhaltet, sondern im Seinshorizont objektiver Aussage diejenige Stelle bezeichnet, die das Unsagbare als seine maßgebliche Gegenwart und damit als seine „Sage" erwählt hat. Da das „Ist" also eine Relativität des Seinshorizontes impliziert, liegt ein Widerspruch vor, der in religiöser Sicht anzeigt, daß das Göttliche durch die Vernunft nicht einholbar ist. Diesen Widerspruch zu glätten hieße, auf die Rede von Gott zu verzichten. Solcher Verzicht besteht folglich in all jenen Interpretationen, die aristotelisch das Göttliche nicht als Relativierung des Seinshorizontes akzeptieren, darum bei einem neuplatonischen Dualismus ansetzen müssen (im Gegensatz zu Platon!) und dann entweder vermischen, verwandeln oder aufteilen, bedeuten, repräsentieren oder aber identifizieren („Pantheismus"; vgl. das Chalkedonense 451).

Indem die menschliche Endlichkeitserfahrung der Onto-logik die Exklusivität nimmt, wird die Welterfahrung janusköpfig: Erfahrung des Lebenfördernden (des „Guten") oder Erfahrung des Lebenverneinenden („Bösen"). Aus der bei der Endlichkeitserfahrung ansetzenden Verehrung einer Macht über Leben und Tod folgt logisch die Gegenwart dieser göttlichen Macht im „Ja" zum Leben („Vater"), was für die gegenteiligen Erfahrungen eine Umdeutung verlangt. Dadurch wird die Notwendigkeit, das aus vergangener Lebensweitergabe bekannte Göttliche weiterhin als lebenfördernd erfahrbar sein zu lassen, zum Prinzip der → Ethik. In diesem Dienst stehen Kult und Opfer auf einer funktionalen Basis, die sie ideologieanfällig macht. Prinzipiell findet die grundsätzliche Ambivalenz der religiösen Wirklichkeitsdeutung eine menschliche, an die (gruppen-)eigenen Lebensinteressen gebundene Entscheidung, die letztlich evolutiv-egozentrisch bleibt.

2. Die skizzierte Hermeneutik erlaubt es, die Vielfalt der Stammesreligionen in allen Erdteilen als je kontextgebundene Manifestation des Göttlichen zu begreifen: phänomenologisch ein Pantheon, mißverstanden ein „Polytheismus". Nach gleichem Prinzip sind „Weltreligionen" Ansage ihres Gottes:

So findet sich im *Hinduismus* die Wertung der pluriformen Welt als menschlich bedingte (und durch die Egoismen gestörte) Seinsgestalt (maya) des Göttlichen (brahman); entsprechend ist nicht der empirische Mensch, sondern dessen Seele (das Selbst: atman) mit dem Göttlichen eins (nicht zwei). Insoweit der einzelne Mensch das Ziel, zur Seinsgestalt seines *wahren* Selbst zu werden, erreicht, trägt er dazu bei, daß die Menschheit bzw. Welt zur Einheit des Brahman heranreife. Dieser Einheit näherzukommen erhält die Seele im Kreislauf der Wiederverkörperungen (samsara) Gelegenheit.

Unter Kritik an ideologischer Manipulation göttlicher Ansage predigt *Buddha* den Weg einer Befreiung vom „Leiden" (dukkha) als einer Erlösung vom Ausgeliefertsein an die Begrenztheit des sterblichen Menschen, d.h. im „großen Tod", in der Nicht-Zweiheit von Atman und Brahman. Durch kontemplative Ausschaltung auch des Wollens entfällt die Verhaftung am Kategorialen und damit die ambivalente Seinsgestalt eines Göttlichen. Das durch derartige Überwindung der Todesschranke erreichbare, auch als „Nichts" oder „Leere" bezeichnete Nirvana ist in seiner erlösenden Unbedingtheit folglich in keiner Weise Gegenstand der Vernunft, kein Begriff, namen- und seinslos, weshalb der Buddhismus oft als „atheistische Religion" bezeichnet wird.

Muhammad predigt den richtenden und barmherzigen Herrn aller Menschen, dessen Unbedingtheit, Transzendenz, Einheit, Wirklichkeit im hermeneutischen Horizont der religiösen, die ontologische relativierenden Perspektive steht (vgl. die islamische Mystik). Da dem symbolischen Prinzip jedoch keine Bedeutung zukommt im Koran, ist dieser die „vorgetragene" Offenbarung. Allah (nur „Gott ist Gott") gibt nicht sich als geschichtlich erfahrbare (symbolische) Präsenz, sondern

sein Wort in Gestalt von „klaren" Sätzen, denen insofern bedingungslose Unterwerfung (Islam) gebührt, als jede Bedingung Götzendienst (shirk) treibt. Islamischer Monotheismus versteht sich deshalb als befreiende (weil nicht symbolische,
darum notwendig „fundamentalistische") Kritik an allen Göttern. Weil Allah der
Macht niemandes ent-spricht, ist er „Person" und Vorgabe von Einheit und Frieden.

3. Mit der Voraussetzung des *Judentums*, Gott habe sich selbst geoffenbart,
ändert sich die Bedeutung des Wortes „Gott": „JHWH" ist der, der sich - laut biblischer Tradition - als derjenige geoffenbart hat, den sein Volk je und je erfahre
(Ex 3,14f), so daß er nicht einer der - aus menschlicher Endlichkeitserfahrung abgeleiteten - Götter ist, sondern diese Götter für Jahwes heiliges Volk seine
(Jahwes) Gegenwartsweisen sind.

Jahwes Name ist (dem Prinzip des Symbols gemäß) das das geknechtete
Volk Israel aus Katastrophen befreiende Geschehen von der Zeit der Väter an.
Das vergangene Befreiungsgeschehen (facta bruta) wird dadurch als Handeln
Jahwes bekannt, daß eine gegenwärtige für Mit- und Umwelt engagierte befreiende Lebensweise zum Symbol wird, nämlich als Dasein (Schechina) eines rettenden Göttlichen erfahren wird, - eines Gottes, welcher dadurch als der *eineinzige*
Gott angesagt wird, daß der Befreiung grundsätzlich kein anderer Wert (z.B. das
eigene Überleben) vorgezogen wird (zkr/Anamnese). Solche Grundsätzlichkeit beinhaltet die unbegrenzte Universalität der Befreiung/Liebe, welche die Identität
Jahwes ist; und deshalb ist der Monotheismus die partikulare Beauftragung (Israels) mit universaler Perspektive: „Höre Israel, Jahwe (ist) unser Gott, Jahwe allein" (Dtn 6,4). Das menschliche Verhalten ist für das jeweilige Zur-Sprache-
Kommen Jahwes konstitutiv, nämlich die jeweilige Tat der Entscheidung für
Jahwe (Leben nach der Tora), dessen An-spruch durch die Tradition vorgegeben
ist: eine Entscheidung, die ihn *erkennen* läßt (d.h. Gottes*liebe*), und nicht ein Begriff, über dessen fixierte Identität mit ihm zu·rechten wäre. Hier wäre ein ontolo-
gischer Gottesbegriff (dem gegenüber Ethik zur letztlich unmaßgeblichen Konsequenz verflacht) ebenso verfehlt wie eine existentialistisch-subjektivistische Deutung. In der Bibel findet sich keine ontologische Zusage, daß Gott existiere, wohl
aber ein „daß" der Verläßlichkeit der Verheißung: „Höret auf meine Stimme,
dann will ich euer Gott (Elohim!) sein, und ihr sollt mein Volk sein" (Jer 7,23).

Die Bibel unterscheidet Jahwe, den Gott der Väter, und Elohim: dessen Er-
fahrbarkeit, die allen Menschen offensteht. Wo Menschen die universalen Gesetze
des Lebens achten bzw. Religionen ihren Gott als Gott aller Menschen verehren,
da würdigen sie unter partikularen Namen das Wirken Jahwes, auch wenn sie ihn
nicht kennen. Demgemäß fordert der biblische Gott nicht die Mißachtung solcher
Götter, sondern deren Relativierung vor ihm; denn sind sie auch sein Handeln, so
sind sie, an seiner statt verehrt, doch Nichtse. Es gibt keine andere Erfahrung
Jahwes als diejenige der Elohim. Aber die Elohim bleiben ein Pantheon von
Göttern, wenn die menschliche Entscheidung sich nicht einmischt und die Götter
relativiert auf den eineinzigen Gott hin: Erst durch die Glaubens-Tat kommt
Jahwe in der Welt vor.

4. Mit der frohen Botschaft, dies sei vor den Augen der Jünger Jesu geschehen, beginnt die neu-testamentliche Tradition: *„Jesus ist der Christus."* Gemäß

dem Urteil der Jünger hat Jesus die Liebe Jahwes in solcher Ausschließlichkeit gelebt, daß er sterben mußte; denn nur der Einsatz des eigenen Lebens für das Leben der anderen relativiert alle (im Symbol präsenten) Lebensgötter bzw. Ziele vor Jahwe. Diese Tat bezeugt ein Vertrauen auf Jahwe gegen den (daher als machtlos verstandenen) Tod, wodurch Jahwe als wahrhaft Allein-Einziger zu Wort kommt. Deshalb ist der Tod (der Kreuzweg) der Grund des Heils (der Auferweckung), während anders in der Bevorzugung des Lebens gegen Jahwes Angesicht die Botschaft vom biblischen Gott hinter den vielfältigen partikularen Göttern (den eigenen und den fremden, z.B. dem Götzen Kapital) verhallt (Sünde).

Das Bekenntnis zu Jesus Christus, dem Gottmenschen (Inkarnation), enthält als Basis und normativen Anspruch das allgemein religiöse Prinzip des Symbols (Hypostatische Union), dessen Gotteskriterium sich nun jedoch nicht im menschlichen Lebenswillen, sondern in der allumfassenden Liebe des einen Gottes findet und deshalb das am menschlichen Leben orientierte Smybol in der Ausrichtung an Jahwe relativiert. Das entspricht der Einheit der Götter/Religionen in ihrer Relativierung durch den Einen. Das dabei geltende „Prinzip der Einheit" ist folglich die symbolische Sprengung menschlichen Begriffsvermögens in der Orientierung durch den Monotheismus: der Heilige Geist, der Geist der Freiheit. Indem dieser den Kreuzweg führt, unterscheidet er sich von den Geistern. Wenn sich die religiöse (symbolische) Perspektive bei der Begegnung mit → Jesus von Nazareth in die Orientierung der hebräischen Bibel und dabei in die letzte Relativierung des eigenen Selbst hineinnehmen läßt („Glaube"), steht sie dem Gott neutestamentlicher Verkündigung gegenüber. Wenn diese Glaubensrelation auf das Sein Gottes hin befragt werden soll, gilt: Jesus ist die Gegenwart des aus der vergangenen Weltgeschichte schon bekannten Vatergottes, der je und je menschliche Begrenztheit sprengend auf den Menschen liebend zukommen wird (Heiliger Geist). In dieser Bekenntnistradition ist Jesus „der Christus", *ist* er Gott. Besonders hervorzuheben ist bei dieser trinitarischen Gottesaussage, daß der biblische Gott bei Ausfall der Nennung einer der drei „Personen" nicht zur Aussage kommt. Gott *ist* deshalb trinitarisch. Seine Einheit jedoch ist keine ontologische - denn der Geist sprengt den Seinshorizont (und auch die symbolische Hermeneutik) -, sondern ereignet sich in der Tat des Kreuzweges: das Dasein des biblischen Gottes. Mit Tritheismus, Modalismus usw. hat dies nichts zu tun.

Weil Gott kein anderes Sein hat als dasjenige seiner Zeugen, tradiert sich die Botschaft vom am Kreuz wohnenden Rettergott nicht anders als im konsequenten Gehen des Weges zu Einheit und Frieden der Menschen, ein „Leiden um der Gerechtigkeit willen". Die Tat der Nachfolge (Märtyrer), die einzige ontologische Heilszusage, die der Glaube kennt, ist somit Konstitutiv und Korrektiv des neuen Gottesvolkes „Kirche". Als erfahrbare Präsenz Gottes inmitten der Menschheit (Sakrament) ist die Kirche der Name ihres Gottes („mystischer Leib").

5. Weil ein *Vergleich* der Götter auf einem Oberbegriff basieren müßte, welcher zugleich die *Einheit* der Götter bzw. den „höchsten Gott" darstellte, scheitert er an der Relativierung von Theorie durch das Göttliche. Die Partikularität der Götter ist durch Reflexion nicht überwindbar. Entsprechend kann die Seinsweise des Göttlichen im Dialog oder in Konkurrenz mit einem anderen Entwurf nicht

geopfert werden, weil das Göttliche über seine Gestalt hinaus keine Stimme hat. Die Religion muß im Interesse an ihrer Wahrheit sich selbst erhalten (Fanatismus): Weil die Götter selbst menschlich sind, ermöglichen sie keine Einheit der Menschheit.

Nur die Bibel bekennt eine nicht menschliche, dem Menschen anvertraute göttliche Perspektive, die sie auch als Verhältnis von Schöpfer und Geschöpf ausdrückt. Damit ist zugleich die Begründung des sogenannten → Absolutheitsanspruchs gegeben, welcher nicht auf der (Todes-)Erfahrung des Menschen (und damit auf dem Menschen) basiert, sondern auf der unvordenklichen Anrede Gottes an den Menschen, worin die spezifische Bedeutung des auf den biblischen Gott angewandten Personbegriffs beruht. Diesem persönlichen Gott ist ausschließlich auf dem riskanten Weg der Lebensermöglichung und Friedensvermittlung zwischen den partikularen Interessen zu begegnen (Universalität); ansonsten gibt es nur ein Pantheon. Bezüglich dessen letzter Einheit kennt der Mythos der Religionen zwar Metatheorien (z.B. Bhagavadgita 9,23f); der Mythos ist aber anthropologisch reduzierbar (auch der biblische) und vor dem Gott biblischen Glaubens schon insofern relativiert, als die Einheit des Pantheons religiös (nicht nur theoretisch) zu bekennen die Tat der Entscheidung zum Monotheismus bedeutet, d.h. der jedermann offenstehende Kreuzweg des nur-gottbedingten (monotheistischen) Engagements für die Einheit der Menschheit.

Mit Berufung auf den neuen Namen Jahwes, auf Jesus - der deshalb der Christus ist -, ist das Wesen des persönlichen Gottes (nicht die Selbsterhaltung, sondern) der Selbsteinsatz zugunsten des Wohles aller Menschen. Das bedeutet eine grundsätzliche Kontinuität der weltweiten Elohim-Erfahrungen mit Israels Kenntnis von Jahwe, d.h. die Anerkennung der Erfahrungen, Wahrung der kulturellen Individualitäten und Achtung der Weisheit der Religionen, insbesondere der Bemühungen um Gerechtigkeit und Frieden. Weil der ureigene Name Gottes die befreiende Liebe ist, führt diese Harmonie mit menschlicher Friedenssehnsucht nicht zur Funktionalisierung Gottes, sondern zeigt die biblische Einheit von Elohim und Jahwe.

Lit.: *Assmann, H. u.a.*, Die Götzen der Unterdrückung und der befreiende Gott, 1984. - *v. Balthasar, H. U.*, Glaubhaft ist nur Liebe, ³1966. - *Bimwenyi-Kweshi, O.*, Alle Dinge erzählen von Gott, 1982. - *Böhnke, M./Heinz, H.* (Hrsg.), Im Gespräch mit dem dreieinen Gott, 1985. - *Breuning, W.* (Hrsg.), Trinität, 1984. - *Bsteh, A.* (Hrsg.), Der Gott des Christentums und des Islams, 1978. - *Casper, B.* (Hrsg.), Gott nennen, 1981. - *Dalferth, I. U.*, Religiöse Rede von Gott, 1981. - *Eicher, P.*, Offenbarung, 1977. - Ein persönlicher Gott?, in: Conc 13, 1977, 3. - *Falaturi, A. u.a.* (Hrsg.), Drei Wege zu dem einen Gott, ²1980. - *Ders./Strolz, W.*, Glauben an den einen Gott, 1975. - *Gordan, P.* (Hrsg.), Gott, 1986. - Gott, in: TRE XIII, 1984, 601-708 (Lit.). - Gott/Trinität, in: NHThG II, 1984, 122-149 (Lit.). - Gottvater?, in: Conc 17, 1981, 3. - *Greshake, G.*, Gottes Heil - Glück der Menschen, 1983. - *Heschel, A. J.*, Gott sucht den Menschen, 1980. - *Jüngel, E.*, Gott als Geheimnis der Welt, ⁴1982. - *Kasper, W.*, Der Gott Jesu Christi, 1982. - *Khoury, A. Th./Hünermann, P.* (Hrsg.), Wer ist Gott?, 1983. - *Laube, J.*, Dialektik der absoluten Vermittlung, 1984. - *Merklein, H.*, Jesu Botschaft von der Gottesherrschaft, 1983. - *Moltmann, J.*, Trinität und Reich Gottes, 1980. - Monotheismus, in: Conc 21, 1985, 1. - *Panikkar, R.*, Der unbekannte Christus im Hinduismus, ²1986. - *Petuchowski, J. J./Strolz, W.* (Hrsg.), Offenbarung im jüdischen und christlichen Glaubensverständnis, 1981. - *Dies./Rombach, H.*, Gott alles in allem, 1985. - *v. Praag, H.*, Damit die Erde blüht, 1986. -

Rahner, K. (Hrsg.), Der eine Gott und der dreieine Gott, 1983. - *Ratzinger, J.* (Hrsg.), Die Frage nach Gott, 1972. - *Richard, P. u.a.,* The Idols of Death and the God of Life, 1983. - *Rücker, H.,* „Afrikanische Theologie", 1985 (Lit.). - *Schaeffler, R.,* Fähigkeit zur Erfahrung, 1982. - *Schultz, H. J.* (Hrsg.), Wer ist das eigentlich - Gott?, 1969. - *Seebaß, H.,* Der Gott der ganzen Bibel, 1982. - *Song, C. S.,* The Compassionate God, 1982. - *Stephenson, G.* (Hrsg.), Leben und Tod in den Religionen, 1980. - *Strolz, W.,* Heilswege der Weltreligionen, 2 Bde, 1984/86. - *Strolz, W./Ueda, S.* (Hrsg.), Offenbarung als Heilserfahrung im Christentum, Hinduismus und Buddhismus, 1982. - *Strolz, W./Waldenfels, H.* (Hrsg.), Christliche Grundlagen des Dialogs mit den Weltreligionen, 1983. - *Thoma, C./Wyschogrod, M.* (Hrsg.), Das Reden vom einen Gott bei Juden und Christen, 1984. - *Weischedel, W.,* Der Gott der Philosophen, 1971/72. - *Yagi, S./Luz, U.* (Hrsg.), Gott in Japan, 1973. - *Zenger, E.,* Jahwe und die Götter, in: ThPh 43, 1968, 338-359.

H. Rücker

HEIDEN

1. Heiden als negativer „Entsprechungsbegriff". 2. Heiden als ethnographischer Terminus. 3. Der theologische Gebrauch von Heiden.

Der Begriff Heiden gilt als eine im 8. Jh. n. Chr. aufkommende Nachbildung des substantivierten, lat. *paganus* - Dörfler. Er bezeichnete, den lat. Kirchenvätern folgend (vgl. Kahl), die nichtchristliche, religiös rückständige Landbevölkerung im Gegenüber zu den christlichen, kultivierten Städtern. Ihm eignet so von Beginn an eine negative Konnotation, von der er nie frei wurde. In dieser Hinsicht hat er in AT und NT kein eigentliches Äquivalent. Zwar lassen sich jeweils Traditionen sog. Heidenpolemik finden, doch diese gilt im Sinne der Paränese zugleich auch für das auserwählte Volk Israel bzw. die ekklesia. Die „Völker" *(gojim, ethne)* werden im allgemeinen als Bezugsgruppe angeführt, um die Erwählung oder Schuldhaftigkeit des Gottesvolkes zu kontrastieren. Dann ist eine einseitig negative Wertung nicht impliziert.

Missionstheologisch kommen die Heiden als das Gegenüber der Mission in den Blick. Hier wird zugleich die Unschärfe deutlich, die den Begriff auszeichnet und aufgrund derer er heute als unbrauchbar abgewiesen werden muß. Vereinfachend läßt sich im Laufe seiner Geschichte ein dreifacher, wenngleich ineinandergreifender Gebrauch des Wortes feststellen:

1. Heiden sind alle Anhänger einer Fremdreligion, Nichtchristen, „nicht-Gottesvolk" (Freytag, 19). Eine derart vereinheitlichende Definition konnte freilich nicht durchgehalten werden. Zunächst hinsichtlich der Juden nicht, da traditionell dieses Wort auf Nichtjuden angewandt wurde (vgl. „Heidenchristen"). Auch für Muslime wurde es spätestens im 19. Jh. nicht mehr gebraucht. Dabei wirkte wohl zum einen die alte Tradition, daß Mohammed christlicher Häretiker sei, zum anderen die aufklärerische Hochachtung muslimischer Toleranz, die den drei monotheistischen → Religionen eine Sonderstellung einräumte. Aber auch im Blick auf die anderen Religionen wurde diese Bestimmung fragwürdig. So kennt etwa Warneck als „Objekte der Mission" die Heiden neben Juden und Muslimen

(2). Die ersten beschreibt er als Polytheisten, muß aber dann die genaue Unterscheidung in die verschiedenen Religionen mit ihren Spezifika einführen (314). Eine Gemeinsamkeit der heidnischen Religionen scheint darin gegeben, daß sie alle „Depravationen" (307) des Monotheismus, genauer: des ursprünglich einheitlichen Gottesbewußtseins, darstellen. Warneck nimmt damit die Ansicht mancher Religionswissenschaftler seiner Zeit auf (Tischhauser, Stosch). Doch diese tendenziöse These zeigt lediglich die Unmöglichkeit, die vielfältigen religiösen Erscheinungen unter einen Begriff zu subsumieren. Unter dem Eindruck der Forschungen der vergleichenden → Religionswissenschaft wurde dann auch im allgemeinen auf eine religionsphänomenologische Verwendung des Ausdruckes verzichtet (vgl. Strasser, Begriff, 856).

2. Heiden sind alle Angehörige solcher Kulturen, die gegenüber der höchstentwickelten, abendländisch-christlichen Kultur rückständig scheinen (Thilenius). Jene galten als „primitive Wilde", als „sittlich verdorben" und als in den „Greueln des Heidentums" (Flügel) befangen. Viele der mit Fremdkulturen, besonders mit den asiatischen, sog. Hochkulturen in Fühlung gekommenen Missionare erkannten bald, daß die so drastisch verurteilten Lebensgewohnheiten der Heiden durchaus „sittlichem Bewußtsein" (Warneck, 312) entstammten. Allein, trotz weitgehender Anerkenntnis einer „Lichtseite" von „wertvollen Momenten" neben der „Nachtseite" des Heidentums (Raum), konnte das Beachtenswerte doch nur als pädagogisches Mittel Gottes, als providentielle Wegbereitung des Christentums akzeptiert werden. Die fremde Kultur besaß keinen Eigenwert. Mit der christlichen Religion wurde darum zugleich die daraus erwachsende, christliche Kultur gebracht. Ob dies in der Weise der Kolonialisierung und „Völkerpädagogie" (Buß, 253-254) oder nur als „erklärende Durchdringung" und „Durchsäuerung" (Warneck, 294-298) gedacht wurde, ändert an der letztlich tiefen Ablehnung der kulturellen Identität des Gegenübers nichts. Selbst die sog. volksorganische Methode B. Gutmanns mit ihrer Hervorhebung der „urtümlichen Bindungen" ist im Grunde nur die kuloffenste Variante dieser Haltung (vgl. Hoekendijk, 139-177).

3. Der theologische Gebrauch von Heiden hat in der Missionstheologie bis heute Bedeutung. Dabei geht es um den „biblisch-theologischen Gehalt" des Begriffes Heidentum, um die „condition humaine" (Bettray, Gensichen), nämlich das Sein des Menschen im Widerspruch zwischen Geschöpflichkeit und Sünde. Heide ist der Mensch, sofern er sich selbst rechtfertigen will und sich dem Anruf des Schöpfers im Zeugnis des Gewissens bzw. im Evangelium verschließt. Diente diese Definition zunächst als Antwort auf die „religionsgeschichtliche" Frage, wie das Phänomen Heidentum überhaupt entstanden sei (Fabri, Heim), so wird sie später existentialisiert (Gensichen). Das geschieht deutlich unter dem Einfluß der Theologie und Religionskritik K. Barths (KD I/2, 327-331) und im Rückgriff auf eine bei Luther verstreut anzutreffende Verwendung des Begriffes Heiden (vgl. Bürkle, 43, Dörries). Der Text Röm 1, 18-2, 16 ist als biblischer Beleg zentral. Doch offensichtlich beziehen sich diese Verse nicht explizit auf die Heiden. Vielmehr handeln sie, wie Dabelstein darlegt (bes. 64-98), in der Tradition alttestamentlicher Weisheitsliteratur vom „Frevler" im Gegenüber zum „Gerechten". Insofern ist eine existentialisierende Deutung des Textes durchaus angemessen.

Diese kann aber ohne Not auf den Terminus Heiden verzichten. Röm 3, 23 und darauf gründend die reformatorische Theologie legen den eindeutigeren Begriff „Sünder" an die Hand. Mit ihm ist denn auch besser gesagt, was Rosenkranz in seinem religionsphänomenologischen Vergleich mit Heidentum benennt: die mangelnde Relation zu der den verschiedenen Religionen je eigenen „Mitte". Gerade hinsichtlich des → Dialogs der Religionen muß auf eine solcherart abwertende Beurteilung - und sie impliziert der Begriff immer - verzichtet werden. Der Liebe Gottes zu den Sündern, die in seiner Menschwerdung zum Ausdruck kommt, entspricht die Benennung der Menschen anderen Glaubens und anderer Kultur mit dem Namen, den sie sich selbst zueignen.

Lit. *Bettray, J*, Theologie des Heidentums, in: verbum svd 11, 1970, 304-318. - *Bürkle, H.*, Missionstheologie (ThW18), 1970. - *Buß, E.*, Die christliche Mission. Ihre principielle Berechtigung und practische Durchführung, 1876. - *Colpe, C.*, Die Ausbildung des Heidenbegriffs von Israel zur Apologetik und das Zweideutigwerden des Christentums, in: Die Restauration der Götter. Antike Religionen und Neo-Paganismus, hg. v. R. Faber und R. Schlesier, 1985, 61-87. - *Dabelstein, R.*, Die Beurteilung der „Heiden" bei Paulus (BET14), 1981 (Lit.). - *Diehl, C. G.*, Art. Heidentum, in: [3]RGG, 141-143. - *Dörries, H.*, Luther und die Heidenpredigt, in: Mission und Theologie, hg. v. F. Wiebe, 1953. - *Fabri, F.*, Die Entstehung des Heidentums und die Aufgabe der Heidenmission, 1859. _ *Flügel, O.*, Ist nicht Gott auch der Heiden Gott?, in: AMZ 10, 1883, 241-251.322.-333. - *Freytag, W.* Das Rätsel der Religionen und die biblische Antwort, 1956. - *Gensichen, H.W.*, Glaube für die Welt. Theologische Aspekte der Mission, 1971. - *Ders.*, Art. Heidentum, in: Ökumenelexikon, 1983, 511-512. - *Ders.*, Art. Heidentum I. Biblisch/Kirchen-missionsgeschichtlich, in: TRE 14, 590-601 (Lit.). - *Heim, K.*, Die Struktur des Heidentums, in: NAMZ 16, 1939, 8-19.53-61. - *Hoekendijk, J. Chr.*, Kirche und Volk in der deutschen Missionswissenschaft (ThB35), hg. v. E.-W. Pollmann, 1967. - *Kahl, H. D.*, Die ersten Jahrhunderte des missionsgeschichtlichen Mittelalters, in: KGMG2, 1, München 1978, 11-76. - *Meyer, H.*, Art. Heidentum, in: [2]EKL, Sp. 50-52. - *Ohm, Th.*, Art. Heidentum, in: RWW, 333-334. - *Rahner, K.* Art. Heidentunm, in: LThK 4, 73-76. - *Raum, J.* Sittliche Kräfte im animistischen Heidentum, in: AMZ 43, 1916, 23-27.65-78. - *Rosenkranz, G.*, Heidentum - was ist das?, in: Fides pro mundi vita. Missionstheologie heute (FS H.-W. Gensichen), hg. v. Th. Sundermeier, 1980, 69-78. - *Stosch, G.*, Das Heidentum als religiöses Problem in missionswissenschaftlichen Umrissen, 1903. - *Strasser, E.* Der Begriff des Heidentums, in: NKZ 39, 1928, 855-877. - *Ders.*, Das Wesen des Heidentums, in: NKZ 40, 1929, 77-105. - *G. Thilenius*, Art. Heiden, in: Deutsches Koloniallexikon 2, hg. v. H. Schee, Leipzig, 1920, 52. - *Tischhauser, Chr.*, Grundzüge der Religionswissenschaft zur Einleitung in die Religionsgeschichte, 1891, 103-136. - *Warneck, G.*, Evangelische Missionslehre. Ein missiontheoretischer Versuch, Erste Abteilung: Die Begründung der Sendung, 1892.

Th. Weiß

HEIL

1. Biblischer Befund. 2. Theologiegeschichtlicher Überblick. 3. Gegenwärtiges Verständnis.

Gemäß den Glaubenssymbolen der Liturgie bekennen wir, daß Gottes eingeborener Sohn „für uns Menschen und um unseres Heiles willen" vom Himmel gekommen ist und daß er „für uns gekreuzigt wurde unter Pontius Pilatus." Es war den Betern der Vergangenheit durchaus klar, was mit diesen Worten gemeint war; ging es doch um jenes Heil, das gemäß der → Bibel nur von Gott in Form von → Befreiung, Erlösung, → Frieden und Gerechtigkeit kommen kann. Heute ist dieses Wort aus der Alltagssprache fast gänzlich verschwunden, weswegen die Predigt vom Heil auf große Schwierigkeiten stößt.

Das deutsche Wort Heil ist eine christliche Umdeutung des germanischen Wortes „hailiz", das wohl Glück, Gesundheit und günstiges Vorzeichen besagte; es wurde daher für das lateinische salus oder salvatio und für das griechische soterîa gebraucht, um das Ziel der Erlösung durch Jesus Christus zu bezeichnen.

1. Im AT war Gott der Retter und Helfer seines Volkes, das er durch einen Bund angenommen hatte. Aufgrund desselben glaubte man sich berechtigt, den Partner anzurufen, und dieser war verpflichtet, für das bedrängte Volk einzustehen. Diese Aussagen fanden im Laufe der Geschichte Israels ihre Bestätigung in den wunderbaren Befreiungen, die das Volk erfuhr: die Befreiung aus ägyptischer Sklaverei, die Hilfe beim Zug durch die Wüste, der Beistand gegen die Philister und alle anderen feindlichen Nachbarvölker, insbesondere die Assyrer mit Sennacherib, und schließlich die Befreiung aus Babylonischer Verschleppung. Gott allein war es, der dies getan hatte, nicht das kleine Israel; er hatte seinen Namen auf diese Weise groß gemacht. Wo immer die Not groß war, erstanden aus dem Volke Männer und Frauen, die die Hoffnung auf göttliche Hilfe hochhielten. Dabei verlagerte sich die Erwartung immer mehr auf die Endzeit, in der Gott allein das Sagen haben würde und allgemeiner Friede, auch für die Heidenvölker, eintreten wird. Doch nicht nur das Volk, sondern auch der einzelne durfte seine Erwartungen Gott vortragen und von ihm Heil, Heilung, Rettung und Bewahrung vor Tod erwarten. Dies wird vor allem in den Psalmen sichtbar, wo Jahwe als „der Gott meines Heiles" erscheint (vgl. 50,16).

Das NT sah mit Jesus Christus die Zeit erfüllt, in der definitive Rettung gebracht wurde. Sie bestand in der Errichtung der Königsherrschaft Gottes (→ Reich Gottes), in der Befreiung aus menschenzerstörerischer Sünde, in der Entmachtung der gottwidrigen Gestalten und in der Verleihung des → Heiligen Geistes als gemeinschaftsbildender Kraft. All dies wird im Worte von der „Frohbotschaft" zum Ausdruck gebracht, die vor allem den „Heil-losen", d.h. den Armen und Ausgestoßenen, gilt, kurz allen, die körperlich, sozial oder geistig leiden. Ihnen wird durch → Jesus Heil gebracht. Dieses „Heilen" ist ein Bild für die ganzheitliche Erlösung des Menschen an Leib und Seele, im Hier und Jetzt und in der Endzeit. Es vollzieht sich im gläubigen Aufschauen zu Jesus, der für sie zum Retter wird. Ebenso werden alle, die ihm nachfolgen, Heil erfahren. Denn es wurde am Kreuze für alle Menschen und alle Zeiten erworben. Sünder wurden zu Kindern Gottes gemacht. Diese Gedanken werden bei → Paulus weiterentwickelt, der das Heil als neue Schöpfung, Gerechtigkeit und ewiges Leben bzw. Auferstehung versteht (→ Rechtfertigung). Das für die Endzeit zu erwartende Heil wird im Jetzt schon als anwesend erfahren. Zusammenfassend müssen wir sagen, daß die Rede vom Heil eine komplexe Aussage über Gottes Rettung des Menschen beinhaltet, die sowohl gegenwärtige → Befreiung und Befriedung als auch endzeitliche Hoffnung auf Seligkeit und Wiederherstellung der Schöpfung darstellt.

2. Theologiegeschichtlich gesehen hielt sich in der *Väterzeit* die Gemeinschaft der Gläubigen für die Arche des Heils in der allgemeinen Sintflut der Zeit. „Extra Ecclesiam nulla salus" lautete die Formel, die auf ihre Weise die alte Auffassung vom Volke Gottes, das allein erwählt ist, fortführte (→ Ekklesiologie). Denn nur im Bund mit Gott ist Heil zu finden. Es waren vor allem Origenes und Cyprian von Karthago, die diesen Satz als Waffe gegen die Irrlehrer verwandten. Die Kirche vermittelte das besagte Heil durch die Taufe und die eucharistische Gemeinschaft. Wer das nicht suchte, verblieb demgemäß in der Unheilssituation. In der Folge dehnte man die Formel auf alle Nichtgläubigen aus, was soviel bedeutete, daß alle → Heiden (ohne Begierdetaufe) der Hölle verfallen waren. Dieser Gedanke wurde zu einem der mächtigsten Missionsmotive (→ Theologie der Mission). Die Lehre von der Begierdetaufe und dem „votum Ecclesiae" stellt einen großen Fortschritt dar, die auch vom II. Vatikanischen Konzil aufgenommen wurde, indem es nicht nur den guten Willen des einzelnen als Heilsweg betrachtete, sondern auch die großen Religionen als Ausrichtung auf das Volk Gottes und dessen Heil verstand (Lumen gentium 11-16). Die Kirche gilt fortan als Zeichen oder Sakrament des Heils für die Völker der Erde. Und was an Gutem und Wahrem sich bei ihnen findet, gilt als praeparatio evangelica (→ Inkulturation, Kultur, Religion).

Die Reformation hat vor allem den Glauben an Gottes Heilswort und Tat (Rechtfertigung des Sünders) herausgestellt. Heil ist in Gott allein, im Evangelium von Jesus Christus und als unverdiente Gnade zu finden. Dabei bleibt die menschliche Situation als solche in ihrer Sündigkeit bestehen; Veränderung erfährt sie durch das Angenommensein des Sünders, der sich als geliebt erfährt und Liebe erwidern kann. Der geängstigte Mensch findet so seinen gnädigen Gott und sein Heil.

3. Der Begriff des Heils wurde bis in unsere Zeit hinein als „Seelenheil" unter Übersehung der körperlichen, sozialen, kulturellen und geschichtlichen Dimension des Menschen verstanden. Erst durch das genauere Studium der Schrift wurde der Blick für den ganzen Menschen freigelegt, und das Heil erschien in seiner vollen Weltlichkeit. Die Entkolonisierung (→ Kolonialismus) ganzer Kontinente machte auch die wirtschaftliche Dimension sichtbar, wodurch verständlich wurde, weshalb der Marxismus als Heilslehre empfunden wurde. Im freien Westen machte sich der Fortschrittsglaube breit, demzufolge Heil in einer quantitativen Anhäufung von Konsumgütern und in der Absicherung des Menschen gegen die Lebensrisiken besteht. In dieser Situation kommt dem Christen die Aufgabe zu, die materialistischen Vorstellungen von Heil zu entlarven und auf die vornehmliche Quelle allen Un-heils, das gott- und menschenvergessene Herz, hinzuweisen. Heil-losigkeit und Entfremdung werden letztlich nur in der Nachfolge des armen, des menschenfreundlichen und gekreuzigten Jesus überwunden, in dessen Tod und Auferstehung das Heil der ganzen Welt liegt.

Die Christen der Dritten Welt gehen verschiedene Wege, um die Unheilssituation zu bewältigen. Auf dem lateinamerikanischen Kontinent entstand die Befreiungstheologie aufgrund eines unerträglichen wirtschaftlichen und politischen Drucks (→ Theologie der Befreiung, → Lateinamerikanische Theologie). Da auf diese Weise ihr Menschsein gefährdet ist, erhoffen sie Gottes Hilfe bei der Über-

windung der strukturellen Sünde, und sie setzen auf eine humanisierte Welt als
einen Weg zum Heil. Die afrikanische Christenheit distanziert sich von der Theologie ihrer früheren Herren und versucht, auf der Religiosität der alten Stammes-
kultur wieder aufzubauen (→ Afrikanische Theologie, → Initiation). Heil ist in
der Familie, in der Gemeinschaft mit den Ahnen (→ Ahnenverehrung) und im
geistbetonten Kult gegenwärtig und integriert den Menschen in seine Umwelt.
Asiatische Christen leben großteils mit der strukturellen Armut (→ Indische -, →
Koreanische -, → Philippinische Theologie). Der bewußt Arme will eigentlich
keine ökonomischen Lösungen, sondern eine Geistigkeit, die nur durch angenommene Bedürfnislosigkeit möglich ist. Heil ist im Gefolge Buddhas die innere Befriedung und die Überwindung der Begehrlichkeit. Reichtum verdirbt und nimmt
den Menschen das, was man „full humanity" genannt hat.

Zusammenfassend kann auf die → Weltmissionskonferenz von Bangkok/
Thailand 1973 verwiesen werden, deren Thema „Das Heil der Welt heute" war.
Einerseits wurde hier die christologische Seite des Heils (Erlösung und Heiligung)
unterstrichen, andererseits aber mit großem Nachdruck auch die anthropologische
erarbeitet. Es geht nämlich bei dieser Frage immer um den *ganzen Menschen* in
seiner Gesellschaft und Kultur. Wege zur Erlangung des Heils stellen die Bemühungen um Freiheit, Gerechtigkeit, Gleichheit der Rassen und Geschlechter und
um ein friedliches Zusammenleben dar. An diese Aussagen schloß sich die Konferenz von Melbourne/Australien 1980 an und spezialisierte sich auf das Heil für
die Armen und Unterdrückten, zu dessen Verwirklichung die Kirchen und die
einzelnen Gläubigen aufgerufen sind (→ Armut).

Lit.: *Biser, E.*, Der Helfer, 1973. - *Fries, H.*, Handbuch theologischer Grundbegriffe, 1962.
- *Guardini, R.*, Unterscheidung des Christlichen, 1963. - *Ders.*, Das Wesen des Christentums, 1938. - *Hierzenberger, G./Kammerstätter, J.*, Theologische Worthülsen übersetzt,
1973. - *Khoury, A.-Th./Hünermann, P.*, Was ist Erlösung? Die Antwort der Weltreligionen, 1985. - *Klinger, E./Wittstadt, K.*, Glaube im Prozeß, 1984. - *Lehmann-Habeck, M.*,
Dein Reich komme, 1980. - *Potter, P.*, Das Heil der Welt heute, 1973. - *Rahner, K.*,
Schriften zur Theologie VIII, 1967. - VF, 1/1974, 1/1985. - *Wiedenmann, L.*, Theologie
der Dritten Welt, 1981ff.

H. Dumont

HEILIGER GEIST

1. Zum Sprachgebrauch. 2. Biblische Grundlagen. 3. Aktuelle Perspektiven.

Der Zugang zum Verständnis jener Wirklichkeit, die die Bibel „Geist" (ruah/
pneuma) nennt, wird nicht unerheblich durch die abendländische philosophisch-
theologische Tradition erschwert, die Geist fast ausschließlich als Gegenbegriff zu
Materie und Leib versteht und ihn daher fast nur mit Seele, Vernunft, Intellekt,
mit Ideen und Theorien assoziiert. Lediglich in Verbindungen wie Be-geisterung,
ent-geistert schwingen noch andere, ursprünglichere Erfahrungen mit. Hinzu
kommt, daß wir zwar eine Geistlehre, aber kaum noch Geist-erfahrungen haben,

die hinter den biblischen Geistaussagen stehen. Hier dürften die nicht-europäischen Völker weit günstigere Voraussetzungen mitbringen.

1. Sowohl das hebr. „ruah" als auch das griech. „pneuma" bezeichnen in ihrer Grundbedeutung den bewegenden und bewegten Braus, Wind, Sturm, dann auch den (Lebens-)Hauch, Atem (vgl. lat. spiritus). Daher ist die Vorstellung von verändernder, lebenschaffender oder auch zerstörerischer Kraft vorherrschend (das dt. „Geist" verweist etymologisch ebenfalls auf einen Zustand des Erregt-, Erschreckt- und Entsetztseins). Abgeleitete Bedeutungen sind dann Inneres, Herz, Seele, Vernunft. Schließlich stehen ruah/pneuma auch für (unreine) Geister, Dämonen und himmlische Wesen. Vom „heiligen Geist" ist im AT nur zweimal die Rede (Ps 51,13; Jes 63,10). Damit wird seine Zugehörigkeit zu Gott bezeichnet (sonst durch „Geist Jahwes", „Geist des Herrn" ausgedrückt).

2.1. *AT.* Das AT unterscheidet nicht scharf zwischen profanem und theologischem Gebrauch. Dort, wo die Bibel vom Wirken Gottes und seiner Erfahrung spricht, tut sie es weithin auch gerade im Rückgriff auf seine ruah. Der biblische Mensch denkt bei Geist also nicht zuerst an etwas (in unserem Sinn) nur Geistiges, sondern an Kraft, Energie, Dynamik. Kraft ist geradezu ein Synonym für Geist (vgl. im NT Lk 1,35; 1Kor 2,2-4 u.ö.). Geist erfährt der Mensch im Brausen des Sturms, im Wehen des Windes (Gen 1,2; 8,1; Ez 37,1-14; vgl. Joh 3,8). Geist ist Gottes Schnauben, sein belebender Hauch (Ijob 33,4; Ps 104,29f; Jes 40,7; Ex 15,8f). Er hat daher etwas Unfaßbares, Geheimnisvolles, Überraschendes. Diese unfaßbare, fremdartig anmutende Kraft zeigt sich auch in den ekstatischen Wirkungen auf Menschen (z.B. auf Prophetengruppen, vgl. 1Sam 10,5-12; 19,19-24) und bei der Geistbegabung charismatischer Führergestalten Israels, die er zu außergewöhnlichen Taten befähigen kann (vgl. Num 11,25ff). Nicht das Ver-geistigtsein, sondern die Be-geisterung ist Kennzeichen des Geistwirkens. Auf das Kraftvolle und Unberechenbare verweisen auch die Verben, mit denen Geistbegabungen beschrieben werden. Der Geist „fällt auf" einen Menschen, „packt", „treibt", „ergreift" ihn, „kommt über" ihn.

Eine besondere und bleibende Geistbegabung wird dem Gottesknecht und messianischen Herrscher zugesprochen. Kraft dieser Begabung wird er fähig sein, sein Herrscheramt dem Willen Gottes gemäß auszuüben (vgl. Jes 11,1-9; 42,1; 61,1). In exilischer und nachexilischer Zeit bildet sich die Erwartung einer endzeitlichen Geistbegabung des ganzen Volkes heraus, die es zur Umkehr und Erneuerung führen wird (Ez 36,25-28; Joel 3,1-5).

2.2 *NT.* Im NT ist der Geist die nachösterliche Gabe des Auferstandenen und Erhöhten (vgl. Lk 24,49; Apg 2,33; Joh 7,39; 20,22). Er ist das unterscheidende Merkmal der Jesus-Gemeinde und Kennzeichen der neuen, eschatologischen Zeit (Apg 2,17ff). Vor Ostern gilt nur Jesus als Geisterfüllter. Allerdings sprechen die *Evangelien* auffallend selten von Jesu Geistbegabung. Neben den „Kindheitsgeschichten" macht jedoch die Geistherabkunft anläßlich der Taufe Jesu unmißverständlich klar, daß sein ganzes Wirken in der Kraft des Geistes geschah (vgl. Mk 1,10 par.; Joh 1,32f - mit ausdrücklichem Hinweis auf das Bleiben! -; 3,34; Luk 4,1.14.18). In Mt 12,28 werden Jesu Krankenheilungen explizit auf den Geist zurückgeführt (Lk 11,20 hat „Finger Gottes", ein Ausdruck für Gottes Kraft). Besondere Zeichen der Geistesgegenwart in Jesus sind seine einzig-

artige Gottesbeziehung, seine Vollmacht in Wort und Tat (vgl. Mk 1,21-28), sein
ungewöhnlicher, angstloser, alle Grenzen und Schemata sprengender Umgang mit
Menschen und Überlieferungen. Das alles kennzeichnet → Jesus als einen geister-
füllten und geistgeführten Menschen.

Den Glaubenden wird für die nachösterliche Zeit der Heilige Geist als Beistand vor den Gerichten verheißen. Nicht sie, sondern der Geist wird dann reden
und ihre Verteidigung übernehmen (Mk 13,10f par.). Diesen Aspekt hat Johannes
- wohl aufgrund der besonderen Gemeindesituation - noch deutlicher herausgestellt. Darauf verweist schon der ungewöhnliche Name „parakletos", d.h. der (zur
Hilfe) gerufene Beistand oder Anwalt. Als der „andere Paraklet" wird der Geist
für Jesus Zeugnis ablegen und den bedrängten Jüngern beistehen (15,26f). Er wird
„die Welt überführen", den Unglauben aufdecken und nachweisen, daß Jesus der
Sieger über die Welt ist (16,7-11). Hier ist der Geist also als Anwalt gesehen, der
die vorösterliche Auseinandersetzung Jesu mit der (ungläubigen) Welt nach Art
eines Revisionsprozesses wiederaufnimmt. Als „Geist der Wahrheit" führt er auch
das Offenbarungswerk Jesu nach Ostern weiter. Er ist der Garant der unverfälschten (joh) Jesusüberlieferung, indem er „alles lehrt" und „an alles erinnert", was
Jesus gesagt hat (14,26). Er führt die Glaubenden zur immer tieferen Erkenntnis
der Wahrheit und hält dadurch das Offenbarungswerk Jesu in der Gemeinde lebendig (16,12-15). Im Geistwirken erfährt die nachösterliche Gemeinde die Gegenwart des Auferstandenen in ihr. Daher wird sein Wirken auch als Verherrlichung Jesu verstanden (16,15).

Neben diesen christologischen und ekklesiologischen Aspekten kennt Johannes auch (wie Paulus) eine Wirksamkeit des Geistes, die auf die Weckung des
Glaubens ausgerichtet ist. Durch die „Zeugung aus dem Geist" wird der „fleischli-
che", d.h. der rein irdisch und selbstsüchtig eingestellte Mensch in einen glaubenden, für Gottes Wort empfänglichen Menschen verwandelt (3,3ff; 6,63). Bei Johannes trägt der Geist übrigens am deutlichsten personale Züge (vor allem durch
Parallelisierung seines Wirkens mit dem Wirken Jesu).

Als derjenige, der Jesu Werk nach Ostern weiterführt, ist der Geist auch in
der Apostelgeschichte gesehen (vgl. bes. 1,6-8). Wie das Wirken Jesu mit der
Geistherabkunft begann, so auch der Weg der Kirche (2,1-13). Der Geist treibt
sodann die judenchristliche Gemeinde an, sich auch Nichtjuden zu öffnen (8,29;
10) und begleitet die werdende Kirche auch weiter auf ihrem Weg, indem er Missionare aussendet (13,2-4), Weisungen gibt (16,7; 19,21) und außergewöhnliche
Wirkungen hervorruft (10,44f; 19,6). Das ganze alternative Leben der jungen Gemeinde wird in der Apostelgeschichte als Auswirkung der Geistherabkunft verstanden (vgl. die Sammelberichte 2,42-47; 4,32-35; 5,12-16).

Auch die *paulinische Pneumatologie* ist primär christozentrisch. Durch die
Auferweckung ist Jesus „lebendigmachender Geist" geworden (1Kor 15,45), so
daß im Wirken des Geistes seine Gegenwart als Kyrios erfahren wird. Daher kann
→ Paulus auch ungeschützt sagen: „Der Herr ist der Geist" (2Kor 3,17; vgl. Röm
1,3f). „In Christus sein" und „im Geist sein" ist nahezu identisch (vgl. Röm
8,9-11; 15,18ff; 2Kor 13,3-5). Nur „im Geist" kann man daher Jesus als Herrn erkennen und bekennen (1Kor 12,3). Der Geist ist bei Paulus aber auch in seiner
eminenten Bedeutung für die Kirche gesehen, die ja der lebendige, pneumatische

Leib des Auferstandenen ist. Der Geist ist das Lebensprinzip der Kirche (1Kor 12,13). Ohne Übertreibung kann man in Analogie zur Menschwerdung des Sohnes von einer „Kirchwerdung" des Geistes sprechen (P. Knauer). Diesen Gemeinde-Leib stattet der Geist mit einer Vielzahl von Gaben (Charismen) aus, damit er ein lebendiger Organismus sei. Denn nicht das Einerlei, sondern die Vielfalt ist das Kennzeichen des Geistes (1Kor 12-14; Röm 12,3-8). Der Geist befreit aus Vereinzelung, entfaltet die Fähigkeiten des einzelnen im Hinblick auf den Aufbau der Gemeinde und stellt zwischen den einzelnen Glaubenden eine lebendige Beziehung her. Ja, er ist diese Beziehung, ist gleichsam das „Wir" der Gemeinde. Der „lebendigmachende Geist" (2Kor 3,6) verwandelt den „alten Menschen" in eine „neue Schöpfung", indem er ihn von den versklavenden Unheilsmächten der alten Welt befreit: von der Macht der Sünde, des tötenden Buchstabens, der Selbstsucht, des Todes. So wird der neue Mensch fähig, „die Frucht des Geistes" zu bringen (vgl. Gal 5,22). Durch den Geist wird der Mensch aus einem Knecht zum befreiten Sohn Gottes, der angstlos und vertrauensvoll Gott seinen Vater (Abba) nennen darf (Gal 4,6; Röm 8,14-16; auch 5,5). Der Geist ist schließlich auch der Grund der Hoffnung, das eschatologische „Angeld", die „Erstgabe" der endgültigen Befreiung und Vollendung der ganzen Schöpfung (Röm 8,23; 2Kor 1,22; 5,5).

3. In der späteren theologischen Auseinandersetzung um den Geist ging es hauptsächlich um sein Personsein und seinen Ort in der Trinität (um seinen „Ausgang" vom Vater und Sohn; bahnbrechend das I. Konzil von Konstantinopel 381). Im Anschluß an die Trinitätstheologie des Augustinus setzte sich im Westen immer mehr die Auffassung durch, daß der Geist „vom Vater und vom Sohn ausgehe" (filioque). Leider wurde der Heilige Geist im Gefolge dieser Lehrstreitigkeiten immer mehr zu einer Spezialität der theologischen Diskussion und zum „unbekannten Gott" der Glaubenden. Trotz seiner „Wiederentdeckung" nach dem II. Vatikanischen Konzil führt er immer noch ein Schattendasein im normalen Alltag der Glaubenden und in den Gemeinden. Er ist für sie ein Leer-Begriff, dem keine Erfahrungen entsprechen (abgesehen von „Pfingstgemeinden" und „charismatischen Gebetsgruppen").

Die biblischen Zeugnisse zeigen, daß die charakteristische Wirkung des Geistes darin besteht, den Menschen aus seiner Selbstverschlossenheit zu befreien, damit er, sich selbst transzendierend, in Beziehung zu → Gott und anderen Menschen treten kann. Daher sind seine primären Wirkungen Glaube, Liebe, Hoffnung Kennzeichen einer neuen ek-statischen und dialogischen Existenz. Gerade das kann nach dem NT (und aufgrund eigener Erfahrungen) der Mensch nicht aus sich selbst leisten. Dazu bedarf er der aufschließenden und befreienden Kraft Gottes, die der Geist ist.

Geisterfahrung ist immer auch die Erfahrung von Beschenktsein, Ungeschuldetem, Nichtleistbarem. Geistwirken zeigt sich vor allem auch in der Erfahrung des Unerwarteten, Überraschenden und Überfließenden. Dazu gehört auch die Vielfalt in der Einheit und die Ausrichtung auf das Kommende.

Wenn dem so ist, wenn es für den Geist kennzeichnend ist, Altes mit Neuem, Vergangenes mit Zukünftigem, Vielfalt mit Einheit, Freiheit und Entfaltung des einzelnen mit Verantwortung für das Ganze der Gemeinde zu verbinden;

wenn er Gottes Kraft ist, die sich in keine Schranken und Schemata eingrenzen
und einengen läßt, dann leuchtet unmittelbar ein, daß er wahrhaft die Kraft ist,
die wir brauchen, um das weltweite Werk der Befreiung, das Jesus in der Kraft
dieses Geistes begonnen hat, fortsetzen zu können.

Lit.: *Blank, J./Knauer, P.*, Art. Geist, in: Neues HTG II, 34-52 (Lit.). - *Congar, Y.*, Der
Heilige Geist, 1982 (Lit.). - *Heitmann, C./Mühlen, H.* (Hrsg.), Erfahrung und Theologie
des Heiligen Geistes, 1974. - *Kremer, J.*, Art. pneuma, in: EWNT III, 279-291 (Lit.). -
Porsch, F., Pneuma und Wort, 1974. - *Strolz, W.* (Hrsg.), Vom Geist, den wir brauchen,
1978. - *Taylor, J. V.*, Der Heilige Geist und sein Wirken in der Welt, 1977.

F. Porsch

HEILUNG (ÄRZTLICHE MISSION)

1. Begriff. 2. Heilung und Mission. 3. Missionstheologische Systematik von Heil und Ärztlicher Mission.

   1.1 Die Tatsache, daß das Stichwort „Heilung" in allgemeinen Nachschlage-
werken und medizinischen Lexika im Vergleich zu theologischen kaum Beachtung erfährt, weist auf den eigentümlichen Charakter von „Heilung" als einer
zwar beobachtbaren, aber eben nur teilweise objektivierbaren körperlichen Erfah-
rungswirklichkeit mit wesensmäßig religiöser Dimension hin. Auch sprachlich widersetzt sich der Begriff einer abstrakt formelhaften Definition, weil er als Verbal-
substantiv nicht nur Anteil am transitiven und intransitiven Gebrauch des Ver-
bums „heilen" hat, sondern auch an dessen verschiedenen Bedeutungen (Befreiung von körperlichen und seelischen Leiden, Heilmittel, Erlösung von der Sünde,
Rettung aus Gefahr und von widrigen Umständen). Ursprünglich nur in bezug
auf leiblich-körperliche Vorgänge gebraucht, kennzeichnet „Heilung" heute in er-
weiterter Bedeutung den Geschehensablauf wie auch das Ergebnis des Heilens als
die (vollständige) Überwindung - durch Genesung oder durch organische, psychische, geistige, soziale Kompensation - eines Defektes bzw. einer Verletzung im individuellen, aber auch im kollektiven Bereich.
   1.2 „*Ärztliche Mission*" ist die ins Grundsätzliche tendierende deutsche Übersetzung von englisch „Medical Mission"/„Medical Missions", was, singularisch
gebraucht, ursprünglich einen von einer christlichen Gemeinschaft getragenen medizinischen Posten (Armen-Apotheke, -klinik z.B.) bezeichnet. Mitte des 19.
Jahrhunderts weitete sich die Bedeutung zur Kennzeichnung des fast ausschließlich protestantischen und sich parallel zur Entwicklung der naturwissenschaftli-
chen Medizin rasch entfaltenden medizinischen Arbeitszweiges der - äußeren -
Mission, der in den zwanziger Jahren sowohl personalbestandsmäßig als auch
hinsichtlich offizieller Anerkennung (Grundsatzerklärung: „The Place of Medical
Missions in the Work of the Church", Weltmissionskonferenz Jerusalem 1928)
seinen Höhepunkt erreichte. Obwohl heute außer in den Namenszügen entsprechender Institutionen und deren Publikationen sowie in gelegentlichen Verweisen

im Rahmen missionstheologischer Gesamtentwürfe dieser Terminus aus dem Sprachgebrauch weitgehend verschwunden ist, wird das dahinterstehende Anliegen von der 1968 beim Weltrat der Kirchen (→ Ökumenischer Rat der Kirchen) gegründeten „Christian Medical Commission" (CMC) fortgeführt. Dazu gehört auch das bereits 1964/1967 im Rahmen der „Ärztlichen Mission" begonnene intensive Bemühen um das rechte Verständnis des christlichen Heilungsauftrags, das seit 1979 im global angelegten internationalen Studienprozeß von der CMC bis zur Gegenwart fortgeführt wird.

2. Als oft „wunderbar" erfahrene Wiedererlangung der gewohnten Lebenskraft nach einer Zeit der Schwäche und Krankheit äußert sich im Heilungsvorgang eine zutiefst unbegreifliche, lebenschaffende Kraft, die auch in der total säkularisierten Hochleistungsmedizin letztendlich den Ausschlag für das Gelingen einer Therapie gibt. Diese „schlechthinnige Abhängigkeit" des Mediziners/Arztes und Patienten bzw. aller darauf Angewiesener begründet nicht nur die religiöse Dimension von „Heilung", sondern ebensosehr deren vielgestaltige kulturelle und religiöse Interpretation im Laufe der Menschheitsgeschichte. Seit neutestamentlichen Zeiten sah sich die christliche Gemeinde, unabhängig von den Heilungswundern Jesu, mit dem Phänomen „Heilung" konfrontiert (s. Mk 9, 38-40 par. Apg 19,13ff u.a.), vor allem aufgrund ihrer Verkündigung von Jesus von Nazareth als demjenigen, der nicht nur selbst heilte, sondern als „Heiland der Welt" bezeugt wurde. Dieses Bekenntnis führte zu den langwierigen Auseinandersetzungen mit dem Asklepios-Kult und schwingt nach in der Verwendung des Heilungsmotivs bei den Apologeten und Kirchenvätern, sowie bei deren Bild vom Christus-medicus. In der Gegenwart sieht sich christliche Missionstheologie diesbezüglich z.B. durch das Auftauchen der Afrikanisch-Unabhängigen Kirchen, der brasilianisch afro-amerikanischen Umbanda-Bewegung und der der Fifohazana in Madagaskar, aber auch durch das Auftreten eines Erzbischofs Milingo von Lusaka und der „Modern Religions" in Japan, um nur einige zu nennen, herausgefordert, da für sie das „Heilen" signifikant ist. Auf die verschiedenen Bedingungen, unter denen sich „Heilung" vollziehen kann (Welche Krankheiten werden geheilt? Welche Therapien oder Rituale vollzogen? Erfolgt die Heilung unter Mitwirkung von Heilmitteln oder/und heilwirkenden Personen? usw.), kann hier nicht im einzelnen eingegangen werden, so wichtig deren je genaue Kenntnis für das Gelingen der Indigenisierung auch ist. Allgemein gilt, daß Kulturen um so stärker den geheimnisvoll-religiösen Charakter von „Heilung" betonen, je weniger säkularisiert sie sind, weshalb ihre Heilkundigen in der Regel bestimmte priesterliche Funktionen wahrnehmen.

Stärker säkularisierten Kulturen hingegen ist zwar durch die unbefangene Einsicht in physiologische bzw. pathologische Funktionsabläufe und sozio-hygienische Zusammenhänge die meist erfolgreiche Behandlung bis dahin unheilbar erscheinender Krankheiten und die Verhinderung von Epidemien möglich geworden. Aber der ·Heilungsvorgang selbst blieb rätselhaft und für die medizinische Erkenntnis unzugänglich, so daß in diesen Kulturen im extremen Fall von „Wunder-" oder „Glaubensheilung" gesprochen wird. Auch zerfällt mit zunehmender Säkularisierung die personale Funktionseinheit der Heilkundigen in die entsprechend auseinandertretenden Berufsbilder medizinischer und spirituell-geistlichpriesterlicher Tätigkeit. Deswegen sind Ursprungsgebiet und Zeitpunkt des Aufkommens der „Ärztlichen Mission" einschließlich der dadurch bedingten Kompetenzstreitigkeiten zwischen Evangeliumsverkündigung und leiblicher Hilfe nicht nur historisch geradezu zwangsläufig. Die Rechtfertigung der Ärztlichen Mission als wirksames „Missionsmittel" belegt dies genauso wie deren strategischer Einsatz im Gegenüber zum Islam und der missionarischen Arbeit unter den Frauen in den Zenanas. Auf der 1964 vom LWB und ÖRK nach Tübingen einberufenen Studientagung zu den Fragen der Ärztlichen Mission (Tübingen I) nahm man sich auf breiter Basis der Fragen nach dem christlichen Auftrag zu heilen grundsätzlich an und vertiefte sie in der Folge-Konferenz am gleichen Ort 1967 unter dem Thema „Health: Medical-Theological Perspectives" (Tübingen II), dabei Anregungen von R. Lambourne, Birmingham, und P. Tournier, Genf, berücksichtigend. Grundlegend war die (wiedergewonnene) Erkenntnis, daß der christlichen Kirche mit der Erlösungsbotschaft auch eine besondere Aufgabe auf dem Gebiet des Heilens zufalle und daß dieses „heilende Handeln ... primär der Gemeinde als ganzer aufgetragen (ist) und nur damit auch denen, die besonders dafür ausgebildet sind".

3. Der Heilungsbefehl (Lk 10,9; Mt 10,8ff; auch Mk 16,15-18) ist die Entfaltung des Missionsbefehls (Mt 28,18ff) in die Leiblichkeit hinein. Das verwehrt die Interpretation missionsärztlichen Tuns, verstanden als die Wahrnehmung des Auftrags zu heilen (Tübingen I), als Mittel zum Zweck bzw. als missionsdiakonische Tätigkeit. Bereits 1928 formulierte man diesbezüglich in Jerusalem: „... medical work should be regarded as in itself an expression of the spirit of the master, and should not be thought of as only a pioneer of evangelism or as merely a philanthropic agency." Ärztliche Mission ist spezieller Ausdruck des verbum visibile, der auf das → Wort Gottes hörenden Gemeinde und Kirche. Sie ist vom übrigen Medizinbetrieb dadurch unterschieden, daß sie die eschatologische Dimension allen Heilungsgeschehens wahrt. Das prägt nicht nur den auf dem Hintergrund biblischer Anthropologie gewonnenen Umgang mit erkrankten Menschen, sondern ebensosehr die Anwendung medizinischen Wissens und Könnens, das Verständnis von Krankheit und Gesundheit, die Wahl der Arbeitsgebiete und -formen usw. Insofern kann sie legitimerweise als imitatio Christi verstanden und begründet werden und kann Heilung im größeren Zusammenhang der „missio dei" durch Zuordnung zur Soteriologie, entweder stärker christologisch oder pneumatologisch akzentuiert, theologisch einsichtig gemacht werden. Das eröffnet ein neues Verständnis für die Heils-/Heilungskraft der Sakramente und Sakramentalien, in einer stark psychologisch sich verstehenden Zeit insbesondere von Beichte, Sündenerkenntnis und -vergebung. Während die Anglikanische Kirche schon längst das „healing ministry" als offiziell anerkanntes kirchliches Amt integriert und die römisch-katholische Kirche seit Vaticanum II das Sakrament der Krankensalbung wieder zu neuen Ehren gebracht hat, fehlt eine solche Anerkennung des heilenden Dienstes der Kirche im protestantischen Raum. Deswegen wird sie von vielen „jungen Kirchen" eingefordert.

Der Universalität der Heilungserfahrung entspricht die Universalität der Krankheits-, Leidens- und Todeserfahrung als leiblichen Manifestationen von (Neu)-Schöpfung und Sündenfall. Gleiches verkörpert die Universalität von Denken und Erkennen als menschlichen Äußerungen des Lebendigen, denen die Universalität der Mehrdeutigkeit aller Dinge mit der folgenschweren Geschichte des Mißverstehens korrespondiert (Röm 1,18ff). Von hier aus sind die einzelnen Religionen, Kulturen, Heilmethoden, die säkulare naturwissenschaftliche Medizin und die Praxis von Heilung kritisch zu befragen. Dabei geht es nicht um Deutungen, sondern um Heilserfahrung, die, wie fragmentarisch auch immmer, potentiell in jeder Heilung und jeder sozialen Aussöhnung anwesend ist. Voll entbunden wird dieses Potential erst durch das Wort Gottes mit seiner Botschaft von der Auferstehung und der darin implizierten Verheißung ewigen, gottgewollten Lebens. Das Verhältnis der ärztlichen zur evangelistischen Arbeit in der Mission ist also als ein dialektisches zu bestimmen: Der Dienst des Heilens bedarf der Verkündigung der Heilsoffenbarung, um seine eigentliche Dimension auszusprechen; die Heilsverkündigung bedarf der jeweils verleiblichten Heilserfahrung, wie sie auch der Heilungsdienst zu ermöglichen versucht, um so ihre eigentliche Intention zum Ausdruck zu bringen. Das kann allerdings nur dann überzeugend wahrgenommen werden, wenn die Gemeinde als Ganze sich dem Heilungsauftrag verpflichtet weiß und es nicht bei der Delegierung an bestimmte Berufsgruppen beläßt, sondern so verfährt, wie die Tübinger Konferenz 1964, aber auch die Dekrete über das Laienapostolat (Apostolicam actuositatem) und über die Missionstätigkeit der Kirche (Ad gentes) des Vaticanum II mitsamt den entsprechend nachfolgenden Enzykliken es betonen. In einigen christlichen Basisgesundheitsdiensten in Übersee, z.B. „Jamkhed" und „Health for one Million" der syrian-malankara Church, beide in Indien, ist das gleichsam modellhaft anschaubar.

Lit.: *Ahern, S. M.*, Innovative Models of Healing and Health Ministry, CARA, 1984. - *Becken, H. J.*, Theologie der Heilung. Das Heilen in den Afrikanischen Unabhängigen Kirchen in Südafrika, 1972. - *Beth, K.*, Heilung, religiöse, in: RGG[3], 3, 194-198. - *Ders.*, Der Auftrag zu heilen, 1966 (Lit.). - *Erk, W./Scheel, M.* (Hrsg.), Ärztlicher Dienst weltweit, 1974. - *Fichtner, G.*, Christus als Arzt - Ursprünge und Wirkungen eines Motivs, in: Frühmittelalterliche Studien. Jahrbuch des Institutes für Frühmittelalterforschung der Universität Münster, 16., 1982, 1-18 (Lit.). - *Flasche, R.*, „Heil für den Einzelnen in der Gegenwart" am Beispiel Afro-Brasilianischer Neureligionen, in: ZMR, 60, 1976, 16-28. - *Grundmann, Chr.*, The Role of Medical Missions in the Missionary Enterprise, in: Missionstudies 2, 1985, 39-48 (Lit.). - *Ders.*, Healing as a Missiological Challenge, in: Missionstudies 6, 1986, 57-62. - *Häring, B.*, The Healing Ministry of Church in the Coming Decades, 1982. - *Ders.*, Die Heilkraft der Gewaltfreiheit, 1986. - Health and Healing. Report of the Makumira Consultation on the Healing Ministry of the Church, 1967. - Health ist Wholeness. Report of the Limuru Conference on the Healing Ministry of the Church, 1970. - *Lagerwerf, L.*, Witchcraft, Sorcery and Spirit Possession - Pastoral Responses in Africa, in: Exchange 14, 1985, 1-62 (Lit.). - *Lambourne, R. A.*, Community, Church and Healing, 1963. - *Ders.*, Explorations in Health and Salvation, 1983. - *Larty, E.*, Healing: Tradition and Pentecostalism in Africa Today, in: IRM 75, 1986, 75-81. - *McGilvray, J.*, Die verlorene Gesundheit - Das verheißene Heil, 1982. - *Milingo, E.*, The world in Between. Christian Healing and the Struggle for Spiritual Survival, 1984. - *Müller, S.*, Ärztliche Mission, in: RGG[3], 1, 132-135 (Lit.). - *Offner, C. B./van Straelen, H.*, Modern Japanese Religions - with special emphasis upon their doctrines of healing, 1963. - *Ohm, Th.*, Machet zu Jüngern alle Völker. Theorie der Mission, 1962 (Lit.). - *Ders.*, Die ärztliche Fürsorge der katholischen Missionen, Idee und Wirklichkeit 1935. - *Peelman, A.* (O.M.I.) (Hrsg.), Medicine Challenging the Mission of the Church/La médicine Autochtone: Un Défi Pour La Mission, 1986. - *Schadewaldt, H.*, Medizin bei den Naturvölkern, 1968. -

Schaefer, H., Heilen und Heil, in: ArztChr 27, 1981, 21-31. - *Scheel, M.*, Partnerschaftliches Heilen, 1986. - *Ders.*, Ärztliche Mission, in: EKL², 1, 276-278. - *Seybold, K./Müller, U.*, Krankheit und Heilung, 1978. - *Sheils, W. J.* (Hrsg.), The Church and Healing, 1982 (Lit.). - *Stählin, R.*, Zur Theologie des Heilens, in: WZM 19, 1967, 417-425. - *Tillich, P.*, The Meaning of Health - Essays in Existentialism, Psychoanalysis, and Religion, hg. v. P. LeFevre, 1984. - The Place of Medical Missions in the Work of the Church, in: Report of the International Missionary Council Jerusalem, March 24th-April 8th 1928, VIII, 1928, 197-200. - The Search for a Christian Understanding of Health, Healing and Wholeness. A Summary Report on the Study Programme of the CMC of the WCC 1976-1982, 1982. - To Heal the Sick. A Look at the Medical Apostolate. Pastoral Institute Boston, 1970.

C. Grundmann

INDISCHE THEOLOGIE

1. Im Kontext der Erneuerung des Hinduismus. 2. Dialog mit Ideologien - Nationalismus und soziale Gerechtigkeit. 3. Theologie des interreligiösen Dialogs.

Die wesentlichste Bestandsaufnahme der zahlreichen theologischen Reflexionen im authentischen indischen Kontext bietet Robin Boyds Einführung in eine indische Theologie (Madras ²1969). Es soll hier nur ein kurzer Überblick über indische theologische Tendenzen gegeben werden, und zwar auf drei Ebenen.

1. Von besonderer Bedeutung ist die Tatsache, daß für Boyd die Führer der kulturellen Erneuerung im 19. Jahrhundert als Pioniere für ein Nachdenken über „indisches" Christentum gelten. In ihrem Bemühen, den kulturellen Einfluß des westlichen Christentums und des säkularen Humanismus aufzunehmen, stellten sie die Frage nach einem indischen Christus-Verständnis und einem einheimischen Christentum. Innerhalb der aufkommenden christlichen Apologetik kam es zu Fragen nach einer einheimischen Theologie, und indische christliche Denker begannen, Grundprinzipien dafür darzulegen. Die Teilnahme an der indischen Renaissance und der Dialog mit ihr gaben ihnen den Anstoß, die ihr zugrundeliegende theologische Herausforderung anzunehmen.

Rajah Ram Mohan Roy, der Begründer des Brahmo Samaj, war ein Monotheist, der gegen Monismus und Polytheismus im traditionellen Hinduismus im Namen eines prophetischen religiösen Bewußtseins kämpfte, das die sittliche Erneuerung der indischen Gesellschaft stärken sollte. 1820 schrieb er für seinen Brahmo Samaj „Precepts of Jesus - The Guide to Peace and Happiness" (Jesu Gebote - ein Führer zu Frieden und Glück). Das Werk enthielt die Bergpredigt und die Gleichnisse der synoptischen Evangelien und beschrieb Jesus als das Vorbild eines ethischen Lehrers und religiösen Verkündigers. Als Joshua Marshman, einer der drei Missionare in Serampore, Ram Mohan Roy kritisierte, daß er weder die göttliche Natur Jesu Christi noch sein Sühneopfer anerkenne, beharrte Roy auf seinem Standpunkt, daß für ihn jede Inkarnation Gottes den Geruch von Polytheismus an sich habe, nicht anders als vieles im traditionellen Hinduismus, und daß Vergebung nichts weiter als Reue erfordere, nicht jedoch ein Sühneopfer. Indem er in Jesus das Urbild höchster Sittlichkeit sah, betrachtete er ihn als den

präexistenten Erstgeborenen aller Kreatur. Während der Brahmo Samaj eine Zeitlang die geistliche Heimat gebildeter Hindus in Bengalen und Maharashtra wurde,
blieben die strittigen Fragen der Kontroverse von Roy und Marshman bei der
Verteidigung des christlichen Glaubens gegenüber dem Brahmo-Theismus bestehen.

1.2 Lal Bahari Day und Krishna Mohan Banerjee in Bengalen sowie Nehe-
miah Goreh und Pandita Ramabai in Maharashtra widersprachen weiterhin nicht
allein dem klassischen Hinduismus, sondern auch der Ideologie des Brahmo Samaj, besonders in bezug auf dessen Ablehnung von Inkarnation und Versöhnung.
Aber nach K. M. Banerjees Meinung genügte es nicht, Hinduismus und Neohinduismus anzufechten. Vielmehr sollte die Antwort auf ihre Herausforderung zu einem einheimischen Christentum führen und die universale christliche Wahrheit in
der Sprache indischer religiöser Kultur zum Ausdruck bringen. Er schrieb daraufhin „The Arian Witness" (1875), „Two Essays on Supplements to the Arian Witness" (1880) und „The Relation between Christianity and Hinduism" (1881), um
die These zu beweisen, daß es schon in den Veden ein Zeugnis für Christus gebe.
Banerjee bemühte sich darum zu zeigen, daß das Christentum die Erfüllung der
vedischen Religion war. Es ging nicht mehr um den Gegensatz von Christentum
und Hinduismus, sondern um das Christentum als Erfüllung des Hinduismus.
Für Banerjee konnte niemand ein echter Hindu sein, ohne ein wahrer Christ zu
sein. Er sprach geradezu von indischen Christen als „Hindu-Christen", eine Bezeichnung, die später von Brahmobandhav Upadhyaya allgemein verbreitet wurde. Banerjee erwähnte besonders, daß der vedische Begriff des Prajapati seine geschichtliche Erfüllung in Jesus Christus finde.

Die Bedeutung von Prajapati, unterschiedlich beschrieben als der Purusha
(Urmensch) der Urzeit oder als Viswakarma, der Schöpfer aller Dinge, schien ihm
auf einzigartige Weise mit Namen und Funktionen des historischen Jesus überein-
zustimmen. Kein anderer Mensch als allein → Jesus von Nazareth sei je in der
Welt mit dem Anspruch auf Wesen und Stellung des sich selbst opfernden, sterblichen und zugleich unsterblichen Prajapati aufgetreten.

Lal Behari Days „Memorandum" an die Missionsleitungen mit dem Titel
„The Desirableness and Practicability of a National Church of Bengal" bedeutete
ebenfalls eine positive Antwort auf die Herausforderung durch den Brahmo Samaj, das Christentum zu einer Quelle authentischer nationaler Einheit und Erneuerung zu machen. Zum erstenmal konnte man sich eine einheimische Kirche
vorstellen, die alle Kirchen, einschließlich der römisch-katholischen, auf der
Grundlage des Apostolischen Glaubensbekenntnisses vereinigte.

1.3 Der spätere Führer des Brahmo Samaj, Keshab Chandra Sen, wider-
sprach Roys rein unitarischer und moralistischer Interpretation der Person Jesu.
Seine schöpferische Idee war es, Gott als eine „Drei-Einheit" von Sat-Cit-Ananda
(Sein - Bewußtsein - Seligkeit) zu sehen und Jesus Christus als Inkarnation des
Bewußtseins. Auch deutete er die zehn Inkarnationen Vishnus, vom Fisch, Tier
und Halb-Menschen bis zu Rama und Krishna, als symbolische Darstellung von
Gottes Weltschöpfung in einem evolutionären Prozeß, dessen Höhepunkt Jesus
Christus, der Gottessohn, bildet: „Höchster Ausdruck von Göttlichkeit ist göttli-
che Menschwerdung. Nachdem sich die elementare schöpferische Kraft in endlo-

ser Vielfalt sich weiterentwickelnder Existenzen dargestellt hat, nahm sie letztlich die Gestalt des Sohnes in Jesus Christus an."

Seit Jesus ist die religiöse Geschichte der Menschheit dadurch bestimmt, daß das Walten des Heiligen Geistes die ganze Menschheit durchdringt und sie in die Ebenbildlichkeit Jesu verwandelt. Demnach ist die „Gottheit, die zur Menschheit herabsteigt, der Sohn; die Gottheit, die die Menschheit zum Himmel hinaufträgt, ist der Heilige Geist." Keshab gestaltete den Brahmo Samaj zu einer „Kirche des neuen Bundes", die den Hinduismus erfüllen sollte, und er lud die bestehenden christlichen Kirchen Indiens dazu ein, sich mit seiner Kirche zu vereinen und auf diese Weise die eine, in Christus verwurzelte, universale Kirche des neuen Bundes zu schaffen.

Wenngleich die Missionen und Kirchen Keshabs religiösen Synkretismus ablehnten, haben seine Lehren von Gott als Sat-Cat-Ananda, von der Welt als schöpferischem evolutionären Prozeß der Selbst-Offenbarung Gottes, von Christus als Gott-Mensch und von der Kirche als dem neuen Bund, in dem der Geist eine in Christus verwurzelte Harmonie der → Religionen schaffe, in der späteren Entwicklung der indischen christlichen Theologie hohe Bedeutung erlangt.

1.4 Aus der Gemeinschaft des Brahmo Samaj stammte der Bengale, der sich 1881 taufen ließ, römisch-katholischer Mönch wurde und den Namen Brahmabandhab Upadhyaya annahm. Er verfolgte Keshabs Gedanken von der göttlichen Trinität Sat - Cit - Ananda weiter und dichtete eine christliche Hymne zum Lobpreis Gottes, der Sein - Bewußtsein - Seligkeit ist, in welchem die zweite Person als der Sohn verehrt wird, als „der Unerschaffene, das ewige Wort, der Allerhöchste, das Abbild des Vaters, dessen Erscheinung Bewußtsein ist, der Spender höchster Befreiung". Dieser Hymnus ist in den letzten Jahren zu einem Lied der ganzen indischen Kirche geworden. Upadhyaya schrieb: „Hinsichtlich unserer physischen und geistigen Verfassung sind wir Hindus, aber hinsichtlich unserer unsterblichen Seele sind wir Katholiken,." In den Zeitschriften „Sophia" und „Twentieth Century" behandelte er seine Theologie zuerst in vedischer Ausdrucksweise, aber später auch in der des Vedanta von Sankara und Ramanuja. Er hätte sehr gern einen Orden indischer christlicher Samnyasins gegründet, aber der Vatikan verweigerte die Zustimmung. Diese Tatsache überzeugte ihn, daß ein echtes indisches Christentum nur in einer unabhängigen indischen Nation existieren könne. Er beteiligte sich deshalb am Kampf um die politische Freiheit und starb im Gefängnis. Obwohl Brahmabandhab lange vergessen war, wird er heute als ein Pionier eines genuin indischen Christentums angesehen.

1.5 Theismus und Moralismus des Brahmo Samaj verloren an Bedeutung, je mehr vedantische Traditionen von advaita und visistadvaita und die vishnuitische Tradition der Avataras wiedererwachten. Unter der Führung von Swami Vivekananda legte die Rama-Krishna-Bewegung besonderen Wert auf die vedantische Philosphie der Selbstverwirklichung und auf die geistige Schau der Einheit in der Vielfalt als das wahre Wesen des Hinduismus. Vivekananda selbst brachte weiteren Kreisen araita (Dualismus), visistadvaita (qualifizierter Nicht-Dualismus) und advaita (Nicht-Dualismus) nahe und bemühte sich, darin auch Raum zu schaffen für die Heilswege von Karma, Bhakti und Jñana. S. Radhakrishnan und Sri Aurobindo entwickelten eigene Interpretationen der advaitischen Beziehung zwischen

Einheit und Vielheit. Die neue Auslegung des Nicht-Dualismus unterschied sich vom Monismus, gab Raum für Pluralität und trat für Ishvara als den kosmischen Aspekt von Brahman ein. So konnte auch dem Gedanken einer Rettung der Welt und dem ethischen Gebot sozialer Veränderung Rechnung getragen werden. In ihren neuen Erscheinungsformen erhob die vishnuitische Tradition der Avataras (Inkarnationen) mit besonderer Hervorhebung Ramas und Krishnas die Bhakti-Mystik mit ihrer Akzentuierung persönlicher Gottesgemeinschaft und der Gleichheit aller Menschen zum Höhepunkt der Religion. Die dafür nötige Basis in den heiligen Schriften lieferten neue Auslegungen der Bhagavadgita.

1.6 Diese Rückkehr des Neohinduismus zu Advaita- und Avatara-Traditionen bedeutete eine doppelte Herausforderung für die indische christliche Theologie. Es bedurfte zum einen einer neuen Definition des geistlichen Gehaltes der Gemeinschaft mit Gott durch Jesus Christus in Beziehung zu den Erfahrungen mit der advaitischen oder Bhakti-Mystik. Zum anderen mußte die Einmaligkeit der Person Jesu als Erlöser der Welt in den metaphysischen Kategorien der Advaita - oder Avatara - Tradition erklärt werden.

1.7 Die Innerlichkeit der advaitischen geistlichen Erfahrung übertrifft alle religiösen Namen (nama) und Formen (rupa), und als Identität von Atman und Brahman ist sie unvermittelte Selbstverwirklichung. Als kosmische Spiritualität befreit sie von der Unterscheidung von dem Einen und den Vielen in der Welt. Viele katholische christliche Mönche fühlten sich durch diese Einheitsvision des Hindu-Samnyasin im Innersten angezogen, um so mehr, als christlicher Aktivismus starke Trennungen und Konflikte mit sich brachte. Die französischen katholischen Mönche, die zu indischen christlichen Samnyasin wurden, mit den indischen Namen Parama Arubi Amandam und Abhishiktananda, suchten zusammen mit einer Gruppe von christlichen Ashram-Mitgliedern und Theologen die hinduistische, advaitische Schau im Sinne der Drei-Einheit zu definieren und zu verstehen. In der Nachfolge von Keshab und Brahmabandhab gingen sie der Vorstellung des dreieinigen Gottes (Sat - Cit - Ananda) und der ihr innewohnenden Spiritualität des Nicht-Dualismus weiter nach. Sie folgten der Tradition christlicher Mystik, wie sie Eckehart, der hl. Johannes vom Kreuz und die Lehre der „Theosis" der orthodoxen Kirche des Ostens vertreten, in denen ein christlicher Personalismus verwirklicht wird, der sowohl über den Gedanken der Unpersönlichkeit als auch über den der Allein-Persönlichkeit des Göttlichen hinausgreift.

Einen wichtigen Niederschlag fanden diese Gedanken in dem Werk „Satchidananda - A Christian Approach to Advaitic Experience" von Swami Abhishiktananda (zuerst französisch 1965; englische Übersetzung 1974), einer christlichen Auseinandersetzung mit der Herausforderung Ramana Maharshis an die christliche Kirche. Der Autor schreibt darin: „Christus selbst lehrte, daß nur, wer alles zur riskieren bereit ist, auch sein eigenes Selbst (Lk 9,24), in das Reich Gottes eingehen kann. Ohne völlige Selbstverleugnung, Abstreifen des Selbst, Verlieren des Selbst, gibt es keine Möglichkeit, Jesus bei seiner Rückkehr zum Vater zu folgen, der Quelle und Urbestimmung von allem ist. Die ‚Suche nach dem Selbst‘, wie sie Sri Ramana Maharshi auf seine Weise empfiehlt, kommt auf dasselbe heraus wie jener Ruf zum Sterben, wie er im Evangelium oft zu finden ist, und dessen Annahme paradoxerweise den Weg zur Überwindung des Todes bedeutet, indem man den Tod erleidet. Es kommt auch dem todo-nada des hl. Johannes vom Kreuz nahe."

In seinem Buch „Hindu-Christian Meeting Point in the Cave of the Heart" (1969) sagt Abhishiktananda, Indien würde niemals die Botschaft annehmen, daß der Mensch als Geschöpf, Sohn und Sünder zur Begegnung mit Gott komme, wenn diese Botschaft nicht „von den dualistischen Voraussetzungen befreit würde, die nur zu oft unsere Begrifflichkeit bestimmen."

Abhishiktananda sieht ein, daß „es für eine verinnerlichte, kosmische Religion schwierig ist zuzugeben, daß irgendeine Art geschichtlicher Religion als solche absolut wahr sein soll oder eindeutig über Gott sprechen kann". Er selbst fragt, ob die Geschichtlichkeit Jesu Christi - die „chronologisch datierbare Geburt Jesu unter dem Kaiser Augustus - seine Lehrtätigkeit unter Tiberius - seine Hinrichtung unter dem Statthalter Pontius Pilatus" „verinnerlicht" werden kann, ohne ihre „innerzeitliche Qualität" zu verlieren. Seine Antwort heißt, daß das Problem, wenn es so gestellt wird, unlösbar ist. Er entscheidet sich für eine Lösung nicht auf theologischer Ebene, sondern auf der von anubhava (geistlicher Erfahrung).

1.8 Mark Sunder Rao, selbst vom Hinduismus zum Christentum übergetreten, unterscheidet in seiner Abhandlung „Ananyatva - Realisation of Christian Non-duality" (1964) zwischen Monismus und Nicht-Zweiheit und zeigt, daß die griechische Lehre von der Perichorese („gegenseitige Durchdringung"), die den Lehren von der Trinität und der Inkarnation zugrundeliegt, einen Rahmen für die Einverleibung der advaitischen Erfahrung in den personalen christlichen Glauben gibt. Seiner Meinung nach weisen „Mystik", „Vergottung" und „gegenseitige Durchdringung" im Sinne der griechischen Kirchenväter auf eine göttlich-menschliche Verbindung hin, die der Advaita-Verbindung ähnlich ist; nur im Gegensatz zum Advaita ist es nicht eine ontologische, sondern eine pneumatologische Verbindung, das heißt eine Verbindung im → Heiligen Geist und nicht eine naturgegebene Identität. Er unterscheidet auch zwischen der Einheit Christi mit Gott als einer hypostatischen, substantiellen und der Einheit der Jünger mit Gott, die, da durch Christus vermittelt, mystischer Art ist. Rao verwirft die Relationen „Iches" und „Ich-du" und postuliert statt dessen die Relationen „Ich-in-dir" und „Du-in-mir". das heißt ein wechselseitiges „Sich-durchdringen" im Geist.

1.9 Der protestantischer Theologie näherstehende A. J. Appasamy (der später in der Kirche von Südindien Bischof wurde) folgte der Bhakti-Tradition, weil nach seiner Ansicht der personale christliche Glaube mit seiner Betonung der Geschöpflichkeit, Sündhaftigkeit und Sohnschaft im advaitischen Kontext nicht bestehen könne. Seiner Meinung nach ist es das Mahavakya (Grundwert) der christlichen Mystik „Bleibe in mir, denn ich bleibe in dir", das gegenseitiges Innewohnen bedeutet und nicht „Ich und mein Vater sind eins", das von advaitischen Hindus als Identität interpretiert wird. Schon in Jesu Beziehung zu Gott existierte nach Appasamy nicht nur Einheit, sondern auch Abhängigkeit. In der Kirche gab es immer Mystiker, sogar solche, deren Erfahrungen den Unterschied zwischen Mensch und Gott aufhoben. Wenn die Kirche aber die Rechtgläubigkeit von Mystikern zu beurteilen hatte, war die Frage der Sündlosigkeit das Kriterium: „Verstehen die Mystiker die Identität mit Gott so, daß dadurch die Seele für immer unfähig zum Sündigen wird?" Appasamy fand diesen Text ausgezeichnet und „für Indien dringend erforderlich". Er sah beides - die metaphysische und die sittliche Ebene in den Begriffen von Sohnschaft und Gemeinschaft mit Gott. Es ging um Vereinigung von „Natur" und „Wille" Für Appasamy bedeutete das Leben von Sadh Sundar Singh, dessen Biographie er zusammen mit B. H. Streeter geschrieben hat, das Ideal eines christlichen Mystikers.

1.10 Für die christliche Theologie ist es von jeher schwierig gewesen, die Einmaligkeit und Einzigartigkeit der *Menschwerdung Gottes* in Jesus Christus in den Kategorien der religiösen Denkweise und Erfahrung des Hinduismus zu interpretieren. Brahmabandhab gebrauchte niemals den Ausdruck Avatara für die göttliche Inkarnation in Jesus, weil Avataras eine niedrigere Stufe des Göttlichen bedeuten als Sat und es viele Avataras im Sinne eines in die Welt herabsteigenden Gottes gibt, der die Gottlosigkeit vernichten und die sittliche Ordnung wiederherstellen will. Doch in Übereinstimmung mit seiner Auslegung von „Christianity as Bhakti-marga" (Madras 1928) nahm Appasamy den Begriff von Avatara auf, hob aber die Person Jesu als des höchsten Avatara hervor und bezeichnete sein Werk als Erlösungswerk. V. Chakkarais Bücher „Jesus the Avatar" (Madras 1932) und „The Cross and Indian Thought" (Madras 1932) unterscheiden Jesus von Hindu-Avataras, indem sie ihn als Mittler Gottes gegenüber der Welt interpretieren und die Inkarnation von Cit (Bewußtsein) und Rupa (Gestalt) Gottes in ihm als ewig und für immer wirksam erklären.

1.11 P. Chenchiah verstand die Inkarnation in der Weise, daß „die vollendete menschliche Gestalt das volle göttliche Wesen von Gott zu einer bleibenden Integration empfängt". So gesehen lehnte er die Gedanken von Barth und Kraemer über die Inkarnation Gottes in Jesus ab, eben weil sie dem Avatara-Verständnis im Hinduismus gleichzukommen schienen. Er sagte: „Eine gewisse Art christlicher Theologie nähert seine (Jesu) Funktion der des Hindu-Avatara an. Der Gottessohn wurde Jesus, um sein Leben am Kreuz als Sühneopfer darzugeben, und ging dann zurück in seine Heimat im Himmel, nachdem seine Mission erfüllt war."

Chenchiah folgte Aurobindos „Integralem Vedanta", sofern dieser Sankaras Vorstellung von der Unwirklichkeit der Vielheit ablehnt um der alleinigen Realität des Brahman willen, gleichwohl das Brahman als etwas sieht, das sich selbst entäußert, indem es diesen spiritualisiert. Chenchiah verfolgte auch die Suddhadvaita-Linie von Vallabha, die „dem Avatara den Vorrang gibt, das heißt die absolut höchste Realität des Krishna". Deshalb war Jesus für Chenchia Gott, der fortdauernd Gestalt annahm im historischen Prozeß seiner immer neuen Schöpfung.

1.12 In seinem Buch „Preface to Personality" (Madras 1952), einer Diskussion über „Christologie in Beziehung zu Radhakrishnans Philosophie", gebraucht Surjit Singh den Rahmen von Radhakrishnans Neo-Sankara-Philosophie für seine Jesus-Interpretation. Radhakrishnan betrachtet die letzte Wirklichkeit in ihrem Sich-einlassen auf die Pluralität, wobei sie weder selbst beeinträchtigt wird, noch die Pluralität zunichte macht. „In diesem Kontext wird der Absolutheitsanspruch der individuellen Existenz verneint. Aber insofern, als sie sich dem Anspruch der höchsten Wirklichkeit unterwirft, wird sie bestätigt und erhalten." Dies kommt, sagt Surjit Singh, dem Verständnis von Individualität gleich, wie sie sich in Jesus

Christus geoffenbart hat. „Das ganze Leben Jesu Christi und besonders das Kreuz zeugt von dem Phänomen der Zerstörung der Individualität in ihrem Anspruch auf Absolutheit. Andererseits machte er sich durch seine unbedingte Gerechtigkeit so durchlässig für das Göttliche, daß zwischen Göttlichkeit und Menschlichkeit kein Widerspruch blieb. Die Beziehung einer vollendeten Einheit war erreicht. Indem das Menschliche für das Göttliche durchlässig wurde und jede Möglichkeit eigenständiger Selbstbehauptung verlor, wurde die Menschlichkeit in keiner Weise von der Göttlichkeit absorbiert, sondern konnte sich für diese voll und ganz öffnen. Deshalb ist der Gott-Mensch nicht nur eine Realität in der Geschichte, sondern auch jenseits von ihr." In der Auferstehung empfängt die geschichtliche Individualität ihre spirituelle Bestätigung. In ihr ist die geschichtliche Wirklichkeit „in die Vollendung aller Dinge aufgenommen und im wesentlichen Gefüge der höchsten Realität bewahrt".

Auch dieser christologische Entwurf von Surjit Sing verdient seinen Platz unter den Beispielen einer indischen christlichen Theologie, die sich dem → Dialog mit dem Neo-Hinduismus verdankt.

2.1 Ein *erwachender Hinduismus* bildete den Auftakt zum Entstehen des indischen Nationalismus mit seinem Kampf für nationale Unabhängigkeit. Dieser Kampf unter der ideologischen Führung von Gokhales liberal-demokratischem Säkularismus, Tilaks Hindu-Nationalismus, Gandhis Gewaltlosigkeit und Nehrus Sozialismus führte nicht nur zu politischer Unabhängigkeit, sondern initiierte auch die Suche nach einer Ideologie eines *sozialen Humanismus* als Grundlage für den Aufbau der Nation und einer gerechten Veränderung der Gesellschaft. Indische Christen, die am politischen Freiheitskampf teilnahmen und sich später an den Aktionsprogrammen für wirtschaftliche → Entwicklung und soziale Gerechtigkeit beteiligten, entwickelten ihre eigene theologische Anthropologie, indem sie Mensch, Gesellschaft und Staat miteinander in Beziehung setzten und dann in den Dialog mit den nationalen Ideologien des sozialen Humanismus, wie er in Indien auftrat, einbrachten. In diesem Kontext haben sie auch dazu geholfen, die Bedeutung Jesu Christi, des Wesens und der Gestalt der christlichen Kirche und ihrer Sendung in einer pluralistischen nationalen Gemeinschaft verständlich zu machen. Eine sehr aufschlußreiche Übersicht über theologische Erkenntnisse, die sich in diesem Rahmen ergeben haben, bietet George Thomas, „Christian Indians and Nationalism 1885 to 1950".

2.2 Schon in der Zeit vor der Unabhängigkeit entstand eine christlich-nationale Bewegung, die christliche Teilnahme am politischen Kampf für die Freiheit Indiens zu fördern suchte. Man kann K. T. Paul, eine führende Persönlichkeit des Y.M.C.A., als einen ihrer Vertreter ansehen. Seine Bücher „Christian Nationalism" (London 1921), „British Connection with India" (London 1928) und seine verschiedenen Artikel in den Zeitschriften des Y.M.C.A. und des National Christian Council sowie seine Reden anläßlich der Konferenzen am „Runden Tisch" mit britischen Vertretern spiegeln den Kontext seiner Gedanken wider. Nach Paul kann man sagen, daß christlicher Nationalismus *erstens* danach trachtete, die Bedeutung der britisch-indischen Verbindung in der Vorsehung Gottes zu definieren und die indische Unabhängigkeit als Erfüllung der göttlichen Vorsehung. *Zweitens* sollten indische Christen aufgefordert werden, sich der nationalen Bewegung anzuschließen, statt ihre gruppenegoistischen Interessen als Minorität zu vertreten oder sie mit bestimmen Maßnahmen abzusichern. Vielmehr sollten sie sich für eine nationale Gemeinsamkeit und für einen Nationalstaat einsetzen, der über allem religiösen und ethnischen „Kommunalismus" stünde und sich auf den individuellen und korporativen allgemeinen → Menschenrechten gründete. *Drittens* bedarf es einer Definition dessen, was Christus und die Gemeinschaft in Christus für die Entwicklung der Kriterien und geistigen Kräfte zum Bau einer kastenlosen, demokratischen Gemeinschaft bedeuten. *Viertens* wäre darauf zu dringen, daß die Kirche von der Kontrolle durch die Missionen und vom westlichen Denominationalismus befreit und dadurch befähigt wird, eine geschlossene, einheimische Gemeinschaft (→ Union/en) zu bilden, die sich an ihrer evangelistischen und prophetischen Mission für die gesamte nationale Gemeinschaft ausrichtet.

Diese theologischen Akzente finden sich auch in den Schriften von S. K. Rudra, S. K. Datta, Bischof Azariah, Jerome de Souza und anderen. Gemeinsame Überlegungen im Christlichen Institut zum Studium von Religion und Gesellschaft setzten diese Tradition nach der Unabhängigkeit fort, wie es das Buch „Christian Participation in Nation-Building", herausgegeben von P. D. Devanandan und M. M. Thomas (1960), verdeutlicht. Auch die Werke von Bengt Hoffman „Christian Social Thought in India 1947-1962" (1967) und Godwin Shiri „Christian Social Thought in India 1962- 1977" (1982) beziehen sich auf das Verständnis des Dialogs zwischen indischem Christentum und den Idealen des nationalen Aufbaus in einem unabhängigen Indien.

2.3 Der folgende *Überblick* soll sich auf nur zwei Aspekte indischer christlicher Anthropologie beschränken.

2.3.1 *Die Kirche in ihrer Sendung an das ganze indische Volk und die Gemeinsamkeit in Christus als das Zeichen wahrer Gemeinschaft:* Das Eintreten christlicher Nationalisten für eine „säkular-nationale" Politik, im Gegensatz zu einer politischen Vertretung „religiös-kommunalistischer" Interessen, basierte auf der theologischen Überzeugung, daß die Kirche nicht für die engen Interessen der christlichen Gemeinschaft, sondern die genuin menschlichen und geistlichen Interessen aller Menschen in Indien einzustehen habe, und daß deshalb die Erhaltung der Kirche als einer statischen Minoritätsgemeinschaft mit kommunalistischen Sicherungen eine Verleugnung des wahren Wesens und der Sendung der Kirche sei. Sowohl S. K. Datta als auch K. T. Paul sahen die Kirche als „einen einflußreichen Faktor und ein einigendes Band im gemeinschaftlichen und nationalen Leben des Volkes". Dieses Bewußtsein führender indischer Christen setzte sich durch, sowohl im Kampf gegen den britischen Plan, getrennte parlamentarische Vertretungen für religiöse Gruppen zu schaffen, als auch gegen Befürworter eines Hindu- und eines Moslemstaates (Pakistan). Indem sie für einen säkularen Nationalismus eintraten, machten sie Religion nicht zur Privatsache, die mit der Ethik des öffentlichen Lebens nichts zu tun hatte. Im Gegenteil - ihrer Überzeugung nach war ein säkularer Staat, der die Rechte auf Religionsfreiheit aller Bürger schützte, der beste Rahmen, in dem die Kirche ihren Beitrag zur Erneuerung des Gemeinschaftslebens leisten konnte.

Die christlichen Nationalisten waren davon überzeugt, daß die kirchliche Gemeinschaft sowohl den westlichen Denominationalismus als auch das indische

Kastenwesen überwinden müsse. Es ist bedeutsam, daß die Tranquebar-Erklärung südindischer Kirchenführer, deren Unionsverhandlungen zur Gründung der Kirche von Südindien führten, als grundlegendes Element für Kircheneinheit die Sendung der Kirche an die Nation herausstellt. „Wir glauben, daß wir in dieser Stunde, in der Zeit des Wiederaufbaus nach dem Krieg, im Zusammenkommen der Völker sowie in der kritischen gegenwärtigen Lage in Indien, dazu gerufen sind, unsere alten Spaltungen zu beklagen und uns unserem Herrn Jesus Christus zuzuwenden, um in Ihm die Einheit des Leibes zu suchen, die sich in einer sichtbaren Kirche ausdrückt. Gemeinsam stehen wir vor der gewaltigen Aufgabe, Indien, das heißt ein Fünftel der Menschheit, für Christus zu gewinnen. Indessen sehen wir uns angesichts dieser überwältigenden Verantwortung geschwächt und verhältnismäßig kraftlos infolge unserer unseligen Spaltungen - Spaltungen, für die wir nicht verantwortlich waren und die uns gleichsam von außen auferlegt worden sind; Spaltungen, die wir nicht verursacht haben und die wir nicht fortzusetzen wünschen."

S. K. Datta wies darauf hin, daß die Kirche um ihrer Sendung für Indien willen sowohl die Spaltung der westlichen Christenheit als auch die Gefahr einer Spaltung der indischen Kirche in „Kasten-Kirchen" überwinden müsse. „Für den Einfluß und die Kraft des indischen Christentums wird es tödlich sein, wenn jede christliche Religionsgemeinschaft in je eine Brahmanen-, Sudra-und Paria-Gemeinde unterteilt wird. Das ist der Fels, an dem noch jede geistliche Bewegung Indiens zerschellt ist." Nach der Vorstellung der christlichen Nationalisten lag der wichtigste Beitrag der Kirche zur Erneuerung gemeinschaftlichen Lebens jetzt und in Zukunft in dem Ferment, das durch die Qualität der Gemeinschaft in der indischen Kircche gegeben war.

2.3.2 *Eine im Kreuz gegründete Anthropologie.* Mahatma Gandhis Eintreten für Gewaltlosigkeit im nationalen Kampf um die Unabhängigkeit, verbunden mit dem Bekenntnis, daß Jesu Bergpredigt und sein Kreuzestod ihn inspiriert hatten, führten in Indien zu einer lebhaften Debatte über die Bedeutung des Kreuzes für eine politische Philosophie. Hier lag der Anstoß für die indischen christlichen Nationalisten, sich mit einer auf das Kreuz gegründeten Anthropologie und ihrer Relevanz zur Politik im allgemeinen zu beschäftigen sowie mit ihrer Anwendbarkeit im politischen Kampf um Freiheit und Gerechtigkeit im besonderen. Umgekehrt fällt von daher auch neues Licht auf die → Christologie.

A. G. Hogg sprach in seiner Weihnachtspredigt auf der → Weltmissionskonferenz in Tambaram 1938 von der Inkarnation im Gandhischen Sinne als von dem transzendenten Satyagraha Gottes gegen das menschliche Böse. In dem vor kurzem erschienenen Buch von Ionatius Jesudasan „A Gandhian Theology of Liberation" (1985) wird der Gedanke weiterverfolgt, daß Gandhis Satyagraha eine Manifestation der Menschwerdung Gottes in Christus ist.

Wahrscheinlich hat C. F. Andrews zum erstenmal im indischen Kontext den Gedanken ausgesprochen, daß Christus als der Menschensohn selbst an jeder Herabsetzung leide, die dem Geringsten seiner Brüder widerfahre, und daß Christus das göttliche Haupt der Menschheit sei, in dem alle Menschenrassen und Geschlechter in eines zusammengefaßt würden. Infolge von Andrews' Freundschaft mit Mahatma Gandhi und dem Dichter Rabindranath Tagore wurde auch für diese beiden der gekreuzigte Christus zum Symbol von Gottes Identifikation mit der unterdrückten Menschheit und für die Einheit des Menschengeschlechts, und kam zu politischem und künstlerischem Ausdruck im nationalistischen Denken. Nandalal Bose malte Jesus am Kreuz als Illustration von Tagores Gedicht „The Son of Man". Danach wollten alle Maler der bengalischen Schule und auch andere mit ihren Darstellungen von Christus am Kreuz eine neue Vision von Gott oder eine neue Hoffnung für die unterdrückte Menschheit zum Ausdruck bringen. Auch Politiker haben von dieser Symbolik gesprochen. Einer christlichen Delegation sagte Ashoka Mehta, damals Minister für Planung, folgendes: „Christen, die daran glauben, daß sich in allem menschlichen Leiden Gottes Schmerz zeigt, müssen diesen Schmerz teilen und in ihrem Handeln zum Ausdruck bringen." Der Führer der Sozialisten Rammanohar Lohia bekannte, daß ihn, obwohl er nicht an Gott glaube, die Gestalt Christi am Kreuz fasziniert habe als ein Symbol der Hoffnung für die gequälte Menschheit.

In diesem Kontext hat auch die indische christliche Theologie hervorgehoben, daß das Kreuz nicht nur göttliche Vergebung, sondern auch göttliche Identifikation mit den Armen und Unterdrückten bedeutet. In jüngster Zeit betonen jüngere Theologen und soziale Aktionsgruppen in Indien diesen Aspekt der Bedeutung des Kreuzes als Quelle der Spiritualität und einer Theologie der Identifikation mit dem Kampf der Armen und Unterdrückten für Gerechtigkeit. Der Vereinigung der Theologen der Dritten Welt dient dies Symbol als gemeinsame Basis für eine → Theologie der Befreiung.

Der Beitrag des Jesuiten Samuel Rayan zu einer indischen Theologie der Beziehung zwischen Glaube und Geschichte entstand im Zusammenhang mit seiner Auslegung der Bhagavadgita. Er bemerkt, daß viele Philosophen und nationale Führer des modernen Indien, angefangen von Tilak bis zu Radhakrishnan, Gandhi und Bhave, Kommentare zur Gita geschrieben haben. Darin beweist sich die Bedeutung der Gita für geschichtliche Entscheidungen, zu denen das heutige Indien aufgerufen ist. Die Krisensituation, der Arjuna als Vertreter der ganzen Menschheit zu Beginn der Gita ausgesetzt ist, hat auch heute Relevanz. In einer solchen Situation muß der Mensch handeln. Gerade darin aber liegt das Problem der Gita; denn für sie ist das Handeln zwar unerläßlich für das Leben, aber gefährlich für das Heil. Die Lösung liegt bei Nishkamakarma (Handeln ohne selbstsüchtige Bindung) mit der Zielbestimmung des Lokasamgraha (das Zusammenbringen und Zusammenhalten der Welt in ihrer Ganzheit), insbesondere wenn dies Handeln als Opfer für den persönlichen Herrn, den Antaryamin (innerer Lenker), dargebracht wird.

3. Sowohl bei der Erarbeitung christlich-theologischer Aussagen mit Hilfe von Hindu-Begriffen als auch bei der Suche nach einer Anthropologie, die beim Aufbau der indischen Nation helfen kann, werden interreligiöser und intrareligiöser Dialog vorausgesetzt. Dies führte indische Christen zu Entwürfen einer indischen Theologie und zugleich zum Dialog mit anderen religiösen Überzeugungen. Eine kurze Analyse der theologischen Tendenzen, aus denen Werke wie Raymond Panikkars „Unknown Christ of Hinduism" (London [1]1964) und „Trinity and World Religions" (1970) auf katholischer Seite sowie Paul D. Devanandans „Christian Concern in Hinduism" (1961) und seine Aufsatzsammlung „Preparati-

on for Dialogue" (1964) auf nicht-katholischer Seite hervorgegangen sind, kann
diesen Prozeß verdeutlichen.

3.1 Die neuere *katholische Theologie* der Religionen setzt ein bei Robert de
Nobilis Anpassungstheorie (→ Ritenstreit), die er in Tamilnadu praktizierte. Sie
wollte unterscheiden zwischen Kultur und Religion im Hinduismus und den
christlichen Glauben der Hindu-Kultur angleichen. Die neue, vom → Vaticanum
II ausgehende Denkweise versteht Christus und seine Herrschaft so, daß sie alle
→ Religionen transzendieren, verwandeln und erfüllen, und sieht in der Kirche
das universale Sakrament dieser Erfüllung. Panikkar steht damit in der Tradition
des Vaticanum II und der sich anschließenden Entwicklung. Er behauptet die Gegenwart und das Wirken des ewigen Christus Gottes in allen Religionen, der ihren
Anhängern durch ihre eigenen Sakramente das Heil bringt. Christus ist der „alleinige Mittler"; dennoch ist er „wirkend gegenwärtig" in jeder authentischen Religion, die nach der ontologischen Verbindung zwischen dem Absoluten und dem
Relativen sucht oder nach dem Mittler zwischen Gott und der Welt, mit welchem
Namen und in welcher Gestalt auch immer. Der Christus des Christentums, Isva-
ra im Vedanta, der Logos des Plotin und der Thathagatha des Buddhismus sind
gleicherweise Mittlergestalten. Da der lebendige Glaube die religiösen Systeme
transzendiert, nimmt Panikkar an, daß diese verschiedenen und scheinbar gegensätzlichen vermittelnden Prinzipien „auf dasselbe Mysterium" hinweisen könnten.
Jedenfalls wird echter interreligiöser Dialog über das Mysterium ermöglicht, indem man den Religionen auf der Ebene der vermittelnden Symbole begegnet.

In diesem Kontext interpretiert Panikkar die Rolle des historischen Christentums in seiner Beziehung zu anderen Religionen folgendermaßen:

Erstens: Wie schon erwähnt, offenbaren das historische Christentum und seine Sakramente, die auf Jesus als ihren Mittler bezogen sind, die Universalität der
rettenden Gnade, die in allen Religionen wirksam ist. Da dies aber ein auf Erfüllung drängender Vorgang ist und die Fülle in Christus gegeben ist, wird der Hinduismus zu einer Art „potentiellen Christentums".

Zweitens: Das historische westliche Christentum ist uraltes Heidentum oder,
genauer gesagt, ein Kompositum aus „hebräisch-griechisch-lateinisch-keltisch-go-
tisch-moderner Religion, das mehr oder weniger erfolgreich zu Christus bekehrt
worden ist". Ähnlich sollte „indisches Christentum konvertierter Hinduismus,
konvertierter Islam oder Buddhismus" sein. Diese Konversion schließt natürlich
sowohl „Kontinuität und Entwicklung" ein als auch „Umgestaltung und Revolution" in allen beteiligten religiösen Traditionen. „In welcher Weise dabei das
Christentum, der Hinduismus oder der moderne Humanismus wachsen müssen,
wissen wir jetzt noch nicht."

3.2 Im indischen *Protestantismus* beginnt die Beschäftigung mit anderen Religionen in diesem Jahrhundert mit J. N. Farqhars Buch „Crown of Hinduism."
Farqhar sieht darin das Christentum als „Erfüllung" des Hinduismus. In Frage
gestellt wurde diese Position auf der Weltmissionskonferenz in Tambaram 1938
durch den Barthianer *Hendrik Kraemer* mit seinem Buch „The Christian Message
in a Nonchristian World". Alle Religion, das empirische Christentum eingeschlossen, wird darin als menschliche Bemühung zur Selbstrechtfertigung vor Gott interpretiert, die durch die Offenbarung in Christus ihr Ende findet. Das Christen-

tum, das ständig unter diesem Gericht lebt, ist der einzige Weg zu einem neuen Leben in der Gnade.

Die Gegenposition von seiten indischer Christen wurde von der Gruppe vertreten, die hinter dem Sammelband „Rethinking Christianity in India" stand, später auch von D. G. Moses („Religious Truth and the Relation between Religions", 1950). Wie schon früher erwähnt, kritisierte P. Chenchiah in „Rethinking Christianity" Barths Auffassung von der Inkarnation, weil sie der Avatara-Idee des Hinduismus nahestehe, denn Jesus Christus bedeute dort wie auch bei Barth lediglich eine tangentiale Berührung mit der Geschichte, nicht aber das volle Eintreten Gottes in die Geschichte mit dem Ziel einer Neuschöpfung der gesamten Menschheit. Moses argumentierte sowohl gegen Kraemers Gedanken einer totalen Diskontinuität zwischen Christentum und anderen Religionen als auch gegen Radhakrishnans Versuch, alle Religionen als relative Ausformung einer einzigen Religion zu sehen.

Paul Devanandan entwickelte Chenchiahs Idee einer neuen Menschheit in Christus im Zusammenhang mit der Debatte über Kraemer. Er räumte ein, daß, wie Kraemer im Anschluß an Barth gesagt hatte, der Bereich der Religion zur Sphäre des Gesetzes gehöre und somit auf ein ewiges Heil hindeute, das jedoch in dieser Sphäre nicht zu realisieren sei, sondern dem Gericht und der Aufhebung durch Gottes Gnade in Christus unterliege. In der Frühgeschichte des Christentums habe die Antwort auf das Kreuz bewirkt, daß der „Zaun" zwischen Juden und Heiden abgebrochen wurde (Eph 2,14). Ebenso müsse heute die gemeinsame Antwort von Hindus, Christen und Säkularisten auf das Ferment des Evangeliums und der neuen Menschheit in Christus als ein wenigstens partielles Niederreißen der Zäune zwischen dem Christentum und anderen Religionen oder Ideologien verstanden werden. So konnte Devanandan insbesondere in der hinduistischen Erneuerungsbewegung Christus am Werk sehen; denn sie war für ihn angeregt durch Jesu Lehren und durch die Anthropologie der christlichen Agape, die die Menschheit als eine Gemeinschaft sieht, die der geistlichen Erfüllung im Reich der Gottesliebe entgegengeht. Ebenso sah er Christus dort am Werk, wo säkulare Ideologien ihre utopischen Vorstellungen aufgeben und das Verständnis der menschlichen Entfremdung realistischer erfassen, indem sie nicht nur soziale, sondern auch geistliche Entfremdung einbeziehen. Interreligiöser Dialog in Christus war für ihn ein Dialog über die „neue Anthropologie". die direkt oder indirekt Fragen der Theologie und ihrer Neuformulierung in allen Religionen und Ideologien aufwarf.

3.3 Indem Panikkar und Devanandan die Glaubensantwort auf Christus als etwas darstellten, was das historische Christentum transzendierte, vermochten sie in anderen Religionen und säkularen Ideologien die Frage zu hören, ob nicht auch eine in Christus gegründete Koinonia des Glaubens etwa innerhalb der hinduistischen Religionsgemeinschaft, innerhalb einer säkularen ideologischen Gemeinschaft oder überhaupt jenseits aller religiösen und ideologischen Grenzen hergestellt werden könnte. Es gibt in der Tat unter einzelnen indischen Christen eine solche Tradition, angefangen von Kandaswamy Chetty und Manilal Parekh bis zu vielen Zeitgenossen, die innerhalb der Hindu-Gemeinschaft geblieben sind, aber Gemeinschaft mit Christen pflegen und Christus öffentlich bekennen. K.

Chetty war nicht getauft. Parekh hatte die Taufe empfangen. Nicht allein Keshub Chunder Sens Brahmo-Kirche im 19. Jahrhundert und Subba Raos-Brahmanen-Gruppe in Andhra Pradesh im 20. Jahrhundert waren geistliche Gemeinschaften unter den Hindus, die sich zu Christus bekannten. Auch der Dichter Narayana Vamana Tilak versuchte in Gestalt seines „Durbar Gottes", eine sich um Christus sammelnde Gemeinschaft der Getauften und Ungetauften aufzubauen. Die Annahme liegt nahe, daß im indischen religiösen Kontext die Taufe eher den Charakter eines Zeichens der Gemeinschaft als den eines Sakraments angenommen hat, ähnlich der Beschneidung in der Frühgeschichte des Christentums. Im Unterschied dazu sucht indische christliche Theologie in der Gemeinschaft des Altarsakraments ein nicht primär „kommunales" Zeichen des Bekenntnisses zu Christus.

Lit.: *Abhishiktananda, S.*, Satchidananda - A Christian Approach to Advaitic Experience, 1974 (franz. 1965). - *Appasamy, A. J./Streeter, B. H.*, Der Sadhu. Christliche Mystik in einer indischen Seele, 1922. - *Appasamy, A. J.*, Christianity as Bhakti Marga, 1928. - *Ders.*, Erwägungen zu einer indischen Theologie, in: H.-W. Gensichen u.a., Theologische Stimmen aus Afrika, Asien und Lateinamerika I, 83-98. - *Ders.*, Warum „indische" Theologie?, in: NZStH 6, 1964, 349-359. - *Baago, K.*, Library of Indian Christian Theology. A Bibliography, 1969. - *Ders.*, Pioneers of Indigenous Christianity, 1969. - *Banerjees, K. M.*, The Arian Witness, 1875. - *Ders.*, The Relation between Christianity and Hinduism, 1881. - *Ders.*, Two Essays on Supplements to the Arian Witness, 1880. - *Boyd, R. H. S.*, An Introduction to Indian Christian Theology, [2]1975. - *Bürkle, H.* (Hrsg.), Indische Beiträge zur Theologie der Gegenwart, 1966. - *Chakkarai, V.*, Jesus the Avatar, 1932. - *Ders.*, The Cross and Indian Thought, 1932. - *Chenchiah, P.*, Preface to Personality, 1952. - *Devanandan, P. D.*, Christian Concern in Hinduism, 1961. - *Ders.*, Preparation for Dialogue, 1964. - *Ders./Thomas, M. M.*, Christian Participation in Nation-Building, 1960. - *Farquhar, J. N.*, The Crown of Hinduism. - *Gensichen, H.-W.*, Auf dem Wege zu einer indischen Theologie, in: NZSTh 1, 1959, 326-349. - *Hoffman, B.*, Christian Social Thought in India 1947-1962, 1967. - *Jesudasan, I.*, A Gandhian Theology of Liberation, 1985. - *Kraemer, H.*, Die christliche Botschaft in einer nichtchristlichen Welt, 1940. - *Oosthuizen, G. C.*, Theological Battleground in Asia and Africa, 1972. - *Ders.*, Theological Discussions and Confessional Developments in the Churches of Asia and Africa, 1958. - *Osthatios, M.*, Theologie einer klassenlosen Gesellschaft, 1980. - *Panikkar, R.*, Trinity and World Religions, 1970. - *Ders.*, Unknown Christ of Hinduism, [1]1964. - *Paul, K. T.*, British Connection with India, 1928. - *Ders.*, Christian Nationalism, 1921. - *Puthiadam, J.*, Überlegungen zu einer indischen Theologie, in: ZMR 67, 1983, 206-219. - *Rao, M. S.*, Ananyatva - Realisation of Christian Non-duality, 1964. - *Roy, R. R. M.*, Precepts of Jesus - The Guide to Peace and Happiness, extracted from the Books of the New Testament, ascribed to the 4 evangelists. To which are added the 1rst, 2nd, and final Appeal to the Christian Public, 1934. - *Ders.*, Hindu-Christian Meeting Point in the Cave of the Heart, 1969. - *Shiri, G.*, Christian Social Thought in India 1962-1977, 1982. - *Thomas, G.*, Christian Indians and Indian Nationalism 1885 to 1950. An interpretation in Historical and Theological Perspectives, 1979. - *Thomas, M. M.*, Some Theological Dialogues, 1977. - *Ders.*, Some Trends in Contemporary Indian Christian Theology, in: RelSoc 24, 1977, 4-18. - *Ders.*, The Acknowledged Christ of the Indian Renaissance, 1969. - *Wagner, H.*, Erstgestalten einer einheimischen Theologie in Südindien, 1963. - *Wietzke, J.*, Theologie im modernen Indien - P. D. Devanandan, 1975.

(Übers.: A. Gensichen)   M. M. Thomas

INDUSTRIEMISSION (URBAN RURAL MISSION)

1. Entstehungsgeschichte des Industriemissionsansatzes. 2. Ausweitung durch den Ansatz „städtischer Mission". 3. Auswirkungen der ökumenischen Entwicklung von Industriemission/urban mission. 4. Missionstheologischer Ertrag.

Der Begriff Industriemission (IM) bezeichnet einen Teilaspekt der in der weltweiten Ökumene gebräuchlichen Benennung *„Städtische und ländliche Mission"*, die wiederum aus der älteren und oft immer noch bekannteren *„Stadt- und Industriemission (UIM)"* entstand. Im Raum der EKD hat sich die Bennung „Industrie- und Sozialarbeit" bzw. „Kirchlicher Dienst in der Arbeitswelt" durchgesetzt. Diese Vielfalt und Uneinheitlichkeit weisen darauf hin, daß der Sache Industriemission kein begrifflich abgeklärtes Konzept zugrundeliegt. Vielmehr handelt es sich bei ihr um einen im Entwicklungsprozeß befindlichen neuen Ansatz, den es zunächst aus seiner Entstehungsgeschichte heraus zu verstehen gilt.

1. Die Bewegung der römisch-katholischen Arbeiterpriester in Frankreich, die sich dort im Zweiten Weltkrieg formierte, bildet den Ausgangspunkt für Industriemission. Ihr Antrieb entsteht aus der Doppeleinsicht, daß die industrielle Revolution sowohl eine neue gesellschaftliche Klasse, die Industriearbeiter oder das Proletariat, hervorgebracht, wie eine durch industrielle Arbeitsvorgänge und ökonomische Strukturen bestimmte neue Industriewelt geschaffen hat. Beide, diese neue Welt und die von ihr abhängigen Menschen, stehen in keiner direkten Verbindung zur christlichen Kirche und ihrer Tradition. Für sie gibt es noch keine Konkretisierung des christlichen Glaubens. Insofern geht es um Mission, um neue Formen christlicher Existenz und eine neue Gestaltwerdung des christlichen Glaubens unter den ihm entfremdeten Industriearbeitern. Die Arbeiterpriester stellten sich dieser missionarischen Aufgabe in klassischer Weise der Mission, indem sie den Ort der Arbeiter in den Fabriken aufsuchten, mit ihnen lebten und arbeiteten. Konsequenterweise nannten sie ihr Zentrum „Mission de France".

Der missionarische Grundansatz der Arbeiterpriesterbewegung war, daß eine Grenzüberschreitung von der existierenden Kirche her nötig ist, die zu einer Solidarisierung mit der Lebensweise, dem Selbstverständnis, auch der schichtspezifischen Sprache und der sozialen Lage der Gruppe oder Klasse führt, aus der heraus christlicher Glaube und christliches Leben neue Gestalt gewinnen. Er unterscheidet sich deutlich von früheren Formen pastoraler und caritativer kirchlicher Angebote an die durch die industrielle Revolution Betroffenen und ihre Opfer (Innere Mission).

Trotz der Aufhebung der Einrichtung der Arbeiterpriester 1953/54 durch den Vatikan wirkte dieser Ansatz weiter, auch über Frankreich hinaus, auf die (anglikanische) Sheffield Industrial Mission (E. R. Wickham), die ihrerseits andere Initiativen wie die Detroit Mission in den USA beeinflußte. Das Vorbild der Arbeiterpriester wirkte sich ebenso aus auf das Arbeitszentrum Kastel (später Mainz) der Gossner Mission (parallel dazu Gossners Mission DDR) mit ihrem Seminar für „Kirchlichen Dienst in der Industriegesllschaft" (Horst Symanowski). Verbunden damit entstand in den fünfziger und sechziger Jahren ein Netz von landeskirchlicher Industrie- und Sozialarbeit in der EKD. Die Arbeitswelt, insbesondere in der Großindustrie als Lern- und Bewährungsfeld für Christen wurde auch von Evangelischen Akademien immer mehr als Aufgabe begriffen, vor allem von der Akademie Bad Boll. Dabei traten allerdings die sozialethischen und gesellschaftspolitischen Fragen gegenüber den missionarischen in den Vordergrund. Entsprechend griffen in Westeuropa in der Regel Sozialethiker und nicht Missionswissenschaftler das Anliegen der Industriemission auf.

2. In seinen Ursprüngen weniger klar zu fassen ist ein zweiter Ansatz, der sich stärker in Nordamerika entwickelt hat. Hier entstand das Konzept von *„städtischer Mission (urban mission)"*. Es unterscheidet sich ebenso klar vom alten Verständnis von Stadtmission als evangelistischem Vorstoß in die Großstädte wie die caritative Diakonie oder soziale Seelsorge von der Industriemission. Die Ausdehnung der städtischen Ballungsräume (Metropolen) vor allem in den Vereinigten Staaten fordern eine neue Form christlicher Präsenz. Sie muß einerseits relevant sein für den aggressiv säkularen Charakter der großstädtischen Lebenswelt (H. Cox, The Secular City) und andererseits sich einstellen auf die wachsende Zahl von Randgruppen, die durch Wirtschafts- und Machtstrukturen marginalisiert werden. Die Lage in den schwarzen Ghettos und Slums war dazu in den sechziger Jahren ein entscheidender Anstoß (East Harlem Protestant Parish in New York). In kurzer Zeit verbreitete sich ein umfassendes Netz innerstädtischer Dienstteams (ministries), entstand das Urban Training Center in Chicago. Sie bedienten sich meist als Methode der Selbstorganisation der Betroffenen (Community Organisation), um den Bedrohten zu ermöglichen, selber ihre Stimme zu erheben, sich wehren zu lernen, ihre Zukunft in die Hand zu nehmen. In diesem Prozeß geschieht und entsteht christliches Zeugnis, bilden sich auch neue Solidargemeinschaften, die zu neuen christlichen Gemeinden in der Stadt heranwachsen, während die traditionellen Mittelstandsgemeinden in die Vorstädte und in das Umland abwandern. Urban mission (UM) bedeutet also die Rückgewinnung einer christlichen Präsenz in der modernen Großstadt mit Hilfe der Unterprivilegierten. Konstitutiv ist das Eintreten für ihre Rechte und damit die Betonung von Wohl als Bestandteil von Heil und des biblischen Gerechtigkeitsverständnisses als Gottes Parteinahme für die Armen.

3. Dekolonisation und Entwicklungsanstrengungen hatten nach dem Zweiten Weltkrieg in Lateinamerika, Asien und Afrika eine Welle der Industrialisierung und Expansion der Städte zur Folge, letztere verstärkt durch das sprunghafte Bevölkerungswachstum. In dieser Lage entwickelten sich rasch parallele Ansätze von Industriemission/urban mission in der sog. Dritten Welt. Sie lernten dabei von den Erfahrungen in Europa und Nordamerika. Einige Modelle wurden direkt von westlichen Missionaren übertragen. Als Ergebnis fanden sich schon Ende der fünfziger Jahre Initiative der Industriemission in Japan, später Südkorea, aber auch in Hongkong. In Buenos Aires entstand z.B. das Centro Urbano und in den neuen Industriezentren und alten Großstädten West- und Ostafrikas das „Urban Africa Project", das sich mit Initiativen von Industriemission im Kupfergürtel Sambias und unter den Bergarbeitern Südafrikas verband.

In der ökumenischen Bewegung im allgemeinen wurden während dieses Zeitraums die Ursachen und Auswirkungen des raschen sozialen Umbruchs besonders intensiv bearbeitet. Mit der „Theologie der Revolution", später der lateinamerikanischen → „Theologie der Befreiung" kristallisierten sich erste Muster zu ihrer theologischen Bewältigung heraus. Die Vollversammlung des ÖRK 1961 in New Delhi schuf das Konzept der sozialen bzw. politischen Diakonie als ökumenische Rahmenvorstellung. Es wurde u.a. vom japanischen Sozialethiker M. Takenaka vertreten, der später eine wichtige Aufgabe in der ökumenischen Entwicklung von Industriemission/urban mission überahm. Aber auch die → Weltmissionskonferenz 1963 in Mexico City griff die Frage nach dem „Zeugnis des Christen gegenüber der säkularen Welt" auf. Die Erfahrungen mit Industriemission/urban mission wurden dabei einbezogen.

So war der Boden bereitet für die Schaffung eines ökumenischen Programms für „Stadt- und Industriemission" (UIM). Nach langen Diskussionen wurde es bewußt in den Rahmen der Abteilung für Weltmission und Evangelisation des ÖRK gestellt. Sein Ziel war es einerseits, die lokalen Initiativen von Industriemission/urban mission durch internationale Vernetzung, Erfahrungsaustausch, Ausbildungshilfe und Beratung zu stärken, andererseits die neuen Ansätze theologisch auszuwerten und für das Verständnis von Weltmission dienstbar zu machen. Dafür wurden eine internationale Beratungsgruppe, ein Sekretariat, aber auch regionale Koordinationsstellen und ein Unterstützungsfonds geschaffen.

Ergebnisse der ökumenischen Entwicklung sind: (1) Die weltweite Verbreitung dieser Ansätze, z.B. durch ein mobiles Team in Indien, durch den verstärkten Aufbau von Modellen wie der „Zone One Tondo Organization" in Manila/Philippinen oder der „Tema IM" in Ghana, durch Förderung von regionaler Zusammenarbeit, z.B. mit der Gruppe Kirche und Gesellschaft (ISAL) in Lateinamerika. (2) Die endgültige Verschmelzung von Industriemission und urban mission zu einem integrierten Ansatz, der sich auf das ganze Leben im städtisch-industriellen Kontext bezieht und sich für alle Unterdrückten einsetzt, seien sie Slumbewohner oder vom Lande hereingedriftete Industriearbeiter. (3) Die Weiterentwicklung von urban industrial mission zu urban rural mission in den siebziger Jahren, d.h. auch die Einbeziehung der immer stärker vom industriell-städtischen Komplex abhängigen ländlichen Bevölkerung. (4) Die Verstärkung der missionarischen Komponente in dem Sinne, daß es nicht um eine Anpassung von Kirche und Chistentum an die moderne Welt oder die Bewältigung neuer sozialethischer Fragestellungen geht, sondern um eine Grenzüberschreitung der in der Mittelklasse und in den reichen Ländern beheimateten Gemeinden zu den Armen und Unterdrückten, unter denen das Evangelium neue Gestalt gewinnt. (5) Diese Mission hat es nicht nur mit Gruppen von Menschen zu tun, sondern mit Strukturen, die vom Evangelium her herausgefordert und verändert werden müssen.

4. Gerade der letzte Punkt markiert einen der entscheidenden Beiträge zum Missionsverständnis, wie es dann in umfassender Weise auf der letzten Weltmissionskonferenz 1980 in Melbourne zum Ausdruck kam. Nach dem Ende der Westmission im kolonialen Zeitalter (→ Kolonialismus) ist der Kontext von Weltmission heute der Kampf um Gerechtigkeit, in dem es wiederum entscheidend um die Überwindung ungerechter Strukturen geht. Der Widerstand gegen dehumanisierende Macht und Überwindung dämonischer Mächte, die Menschen knechten und knebeln, wird zum Zentrum einer missionarischen Praxis in der Nachfolge.

Sie orientiert sich am Leben und Dienst Jesu Christi, der Partei nimmt für die Armen. Mission ist der Weg dieser Sendung zu ihnen und in Soldiarität mit ihnen zu einem neuen Leben in der → Befreiung und der Umkehr, auch der todbringenden Strukturen.

Das URM-Dokument von 1986 nennt als Grundüberlegungen: (1) Die Mission Gottes ist die Verkündigung des Lebens. (2) Sie beginnt mit Menschen, den Menschen im Leiden (gemeint ist etwa das leidende → Volk, z.B. der Min-Jung-Theologie (→ Koreanische Theologie). (3) Mission nimmt Politik ernst. (4) Die Mission Gottes bedeutet Aktion, nämlich (5) für Veränderungen im Lichte des Gottesreiches (Befreiung der Unterdrückten, Einsatz für Gerechtigkeit usw.). (6) Mission ist, sich auf diesen Weg Christi zu begeben.

Lit.: *v. Bismarck, K./Karrenberg, F.*, Kontinente wachsen zusammen. Gesellschaftliche Auswirkungen der Industrialisierung in Europa, Asien u. Afrika, 1961. - *Godin, H./Daniel, Y.*, France, Pays de Mission, 1943 (dt. R. Michel, Zwischen Abfall und Bekehrung, 1950). - *Moore, R. E./Day, D. L.*, Urban Church Breakthrough, 1966. - *Rich, A.*, Christliche Existenz in der Industriellen Welt, ²1964. - *Symanowski, H./Vilmar, F.*, Die Welt des Arbeiters, 1963. - *Symanowski, H.*, The Christian Witness in an Industrial Society, 1966. - WCC/DWME, Becoming Operational in a World of Cities. A Strategy for Urban and Industrial Mission, 1966. - WCC/CWME, Struggle to be Human. Stories of Urban-Industrial Mission, 1974. - WCC/CWME, Urban Rural Mission Reflections, 1986. - WCC/CWME, 25 Years of URM (in Vorbereitung 1987). - *Wickham, E. R.*, Church and People in an Industrial City, 1957.

P. Löffler

INITIATION

1. Terminologie und Forschungsgeschichte. 2. Erscheinungsbild, Formen und innere Strukturen von Initiation. 3. Christliche Initiation: Mission, Kontextuelle Theologien und Rückfragen an abendländische Theologie.

1. Allgemein versteht man unter Initiation ein Ritual beim Übergang in einen neuen religiösen oder sozialen Status. Der Begriff ist abgeleitet von lat. *initiare* („einweihen"), das sich zusammen mit dem Substantiv *initia* in verschiedenen antiken Quellen zu Mysteriengemeinschaften findet. Eine Schwierigkeit besteht darin, den Begriff „Initiation" von A. van Genneps (1909) Konzept der *rites de passage* (dt. „Übergangsriten") abzugrenzen. Will man mit van Gennep unter Übergangsriten alle diejenigen zeremoniellen Sequenzen begreifen, „die den Übergang von einem Zustand in einen anderen oder von einer kosmischen bzw. sozialen Welt in eine andere begleiten" (1986, 21), wird die inhaltliche Nähe zum Begriff der Initiation deutlich. So ist es auch nicht erstaunlich, daß in der Forschungsgeschichte bis heute kein Konsens über Präzisierung und gegenseitige Abgrenzung der beiden Konzepte erzielt werden konnte (vgl. Berner, 1-3). In der → *Ethnologie* gibt es die Tendenz, den Gebrauch des Wortes „Initiation" auf solche Riten zu beschränken, die bestimmte Kandidaten in geschlossene Gruppen (Geheimgesellschaften, Bruderschaften, Mysterienbünde etc.) oder in besondere Funktionen, wie die des Schamanen oder Hexers, einführen sollen (Panoff/Perrin, 148; anders Berner, 231f). In jedem Fall ist der Begriff Initiation *religionsphäno-menologisch* (→ Religionswissenschaft) unter die weitere Kategorie der *rites de passage* einzuordnen, da bei jedem „Übergang" in einen „neuen" Status zugleich eine Art von „Einweihung" impliziert ist. Die hier zugrundegelegte weite Auffassung des Wortes orientiert sich an M. Eliades Bestimmung von Initiation als einer „Gesamtheit von Riten und mündlichen Belehrungen, die die grundlegende Änderung des religiösen und sozialen Lebens des vor der Einweihung Stehenden zum Ziele haben", und „auf mehr oder weniger erkennbare Weise einen rituellen Tod, auf den eine Auferstehung oder Wiedergeburt folgt", umfassen (1961, 10-14; vgl. 1987, VII, 225).

2. Initiationsriten sind in allen Kulturen anzutreffen und dürfen daher als gesichertes anthropologisches „universal" angesehen werden. Für die gemeinsame innere Struktur aller Initiationsriten ist van Genneps Charakterisierung der Übergangsriten weiterhin gültig: am Anfang steht meist eine Vorbereitungs- und Trennungsphase (*séparation*), auf die ein ambivalenter Zwischen- oder Schwellenzustand (*marge*) folgt. Die besondere Bedeutung dieser Zwischenzeit als eines gefahrvollen Schwebezustandes („betwixt and between"), in dem die Kandidaten nicht mehr zur bisherigen Gruppe, aber auch noch nicht zur neuen Gemeinschaft gehören, ist von V. W. Turner besonders herausgearbeitet worden. Den Abschluß bilden Angliederungsriten (*rites d'agrégation*), die die (Wieder-) Aufnahme in die Gemeinschaft bewirken. Im Verlauf dieser drei Stadien werden die Initianden (Neophyten, Novizen) dramatisch von ihrem bisherigen Leben abgeschnitten; dies wird meistens auch durch eine räumliche Trennung von den Angehörigen realisiert (Reklusion im Initiationslager etc.). Im Verlauf der Inititation werden Mutproben und Kasteiungen, sowie bestimmte apotropäische Handlungen (Reinigungen, Fasten) vollzogen; zum Teil wird in einer speziellen Geheimsprache kommuniziert. Die „Älteren", die Initiatoren, vermitteln den Initianden nach und nach das geheime und bisher unbekannte Wissen (meist Demonstration der *sacra*), dessen Erlangung durch verschiedene bleibende Deformationen körperlich sichtbar gemacht wird (Zahnausschlagen, Tätowierung, Beschneidung, etc.). Diese Deformationen dienen von nun an als Differenzierungsmerkmale gegenüber Nicht-Initiierten und fremden Gruppen (Worms/Petri, 270).

In der religionswissenschaftlichen Forschung hat sich die Unterscheidung von drei wesentlichen Formen der Initiation durchgesetzt: (1) Riten des Lebenszyklus oder Altersklassen-Initiationen, insbesondere Pubertätsriten, die den Übergang einer ganzen Altersklasse (Kollektivrituale) von der Kindheit zum Erwachsenendasein markieren, (2) Eintrittsriten in Geheimbünde und Bruderschaften, (3) magisch-mystische Berufung zu Schamanen bzw. Medizinmännern (vgl. Eliade, Bleeker, Gerlitz).

2.1 Die *Riten des Lebenszyklus* sind in den tribalen Kontexten besonders ausgeprägt. Hier liegt die Erfahrung zugrunde, daß sich menschliches Leben von der Geburt bis zum Tod - bzw. bis über den Tod hinaus - in einem fortwährenden Prozeß vollzieht, der durch bestimmte Stufen oder Einschnitte markiert ist. In Analogie zur Natur, deren jährlicher Zyklus sich durch „Tod" und „Neugeburt" hindurch vollzieht, wird das menschliche Leben zyklisch durch eine Reihe von „Toden" und „Wiedergeburten" gegliedert. Die wesentlichen Übergänge sind Geburt, Pubertät, Heirat und Tod - dennoch finden sich in einigen Stammesgesellschaften noch viel weitreichendere Differenzierungen (vgl. Worms/Petri: 14 verschiedene Grade).

• *Geburtsriten* sind v.a. in den Kulturen besonders ausgeprägt, in denen eine Präexistenz der menschlichen Persönlichkeit vorausgesetzt wird. So gibt es beispielsweise bei einigen Bantu-Völkern die Vorstellung, daß sich alternierende Generationen reproduzieren; dementsprechend sind die Geburtsriten als „rites de passage" in die Lebensform des Kindes ausgestaltet (Thiel 1977, 292).

• Die *Pubertätsriten* haben im Rahmen der Missionstheologie schon immer eine besondere Rolle gespielt. Es handelt sich bei den Pubertätsriten in erster Linie um eine „soziale Pubertät" (Übergang von der Kinder- in die Erwachsenengemeinschaft), und nicht um eine „biologische". Dementsprechend schwankt das Alter, in dem die Initiationsriten durchgeführt werden, zwischen 7 und 18 Jahren. Im Rahmen der Pubertätsriten werden die Initianden in die Vollmitgliedschaft der Gemeinschaft (Stamm, Klan) überführt; meist geht eine längere Schulung für das kommende Erwachsenenleben voraus. Höhepunkt der Zeremonien, die in der Regel in Reklusion von der übrigen Gemeinschaft (unkultivierter Raum im Gegensatz zum Dorf) durchgeführt werden, ist die Erfahrung eines „Todes" (mit anschließender „Wiedergeburt"), meist im Zusammenhang mit einem *descensus ad inferos* oder *regressus ad uterum*. Bei der Keyo-Initiation müssen die Kandidaten beispielsweise zuerst mehrmals durch einen langen Tunnel kriechen, während sie gleichzeitig Hornissenstichen ausgesetzt sind; später zwängen sie sich durch einen im Wasser befindlichen Tunnel, und abschließend singen die Umstehenden: „Unsere Söhne sahen die Unterwelt und kehrten zurück" (Welbourn, 228). Die Initianden verschiedener australischer Stämme müssen sich auf den Initiationsplätzen in speziell dafür vorgesehenen Gruben verkriechen, wodurch der Vorstellung des Sterben und Begrabenwerdens, bzw. einer Rückkehr in den Mutterschoß, symbolischer Ausdruck verliehen wird (Worms/Petri,269).

• Auch um die *Hochzeit*, die in den meisten Völkern als endgültiger Übergang in das volle produktive Dasein für die Gesellschaft angesehen wird, gruppieren sich verschiedenen Riten, die den Übergang in diesen neuen Status bewältigen helfen. In Völkern mit patrilokaler Wohnfolge sind die Riten für die Frau besonders ausgeprägt, da für sie der Wechsel in die neue Familie eine einschneidende Veränderung bedeutet (Thiel 1977, 294; Mbiti 167ff.).

• Wie die Geburt für viele Völker als ein Übergang in die diesseitige Sphäre erlebt wird, so ist analog auch der *Tod* nicht Endpunkt des Lebens, sondern Übergang in eine andere Existenzform. In den traditionalen Religionen Afrikas wird der Tod lediglich als Übergang vom Dorf der Lebenden in das Dorf der Ahnen interpretiert, - er ist somit der Höhepunkt auf dem lang ersehnten Weg der Ahnwerdung (→ Ahnenverehrung). Die Toten werden in Hockerstellung in einer Kuhhaut begraben, was als deutliches Abbild des Geburtsvorganges auf ihre „Neugeburt" im jenseitigen Ahnendorf hinweist (Sundermeier 1977, 141).

2.2 *Mysterienreligionen und Geheimbünde*: Diese Riten teilen mit den Pubertätsriten denselben strukturellen Ablauf, allerdings tritt der Geheimnischarakter in besonderer Weise in den Vordergrund. Aufgrund der Geheimhaltungsvorschriften (Arkandisziplin) gegenüber Außenstehenden sind Einzelheiten z.B. der „großen Mysterien" von Eleusis bis heute nicht genau bekannt. Höhepunkt der Initiationsfeier bildete wohl in der Regel das Schauen der *sacra* oder *numina* (Berner, Gerlitz).

2.3 *Schamanistische Berufung*: Im Gegensatz zu den bisher besprochenen Initiationsriten fehlt bei der Initiation zum Schamanen (Medizinmann, Heiler) der direkte Gemeinschaftsbezug: hier handelt es sich um eine individuelle Berufung in ein besonderes Amt bzw. eine besondere Funktion. Es gibt einige spezifische Elemente, die nur in der schamanistischen Berufung anzutreffen sind. Hierzu zählt v.a. die „Initiationskrankheit", ein Komplex von Anfällen, Ekstasen, Träumen und Halluzinationen, die den Menschen zum Beruf des Schamanen bestimmen. Zerstückelung und Erneuerung des Körpers, Himmelsreise und Höllenfahrt sind symbolische Stationen im Initiationsprozeß (vgl. Eliade 1982).

2.4 *Weitere Untergliederungen oder Typisierungen* sind möglich: Berufungen in ein bestimmtes Leitungsamt (Königsinvestitur) oder die Initiation in bestimmte Religionsgemeinschaften. Letztere spielt v.a. in religiös pluralen Gesellschaften eine wichtige Rolle, da durch sie die Zugehörigkeit zur jeweiligen Religionsgemeinschaft nach innen und außen dokumentiert wird (z.B. Beschneidung und Rezitieren der *Fatiha* im Islam). Daneben sind auch *profane Formen* von Initiation zu berücksichtigen, die sich in den „säkularisierten" Gesellschaften entweder als Säkularisate erhalten haben (Konfirmation als „säkulares Familienfest") oder aber als Neu-Sakralisierungen („Jugendweihe") in Erscheinung treten. - Heranzuziehen wären ferner: Nachbarschaftsbünde, Pfadfinder, Einstand, Äquatortaufe, Burschenschaften und *fraternities*, Examina, Berufsabschlüsse, akademische Abschlußprüfungen etc. (vgl. Pasquier).

3. In der christlichen Tradition werden dieselben Wendepunkte des Lebens (Geburt, Pubertät, Heirat, Tod) von Übergangs- bzw. Initiationsriten begleitet und haben sich gerade in der heutigen „volkskirchlichen" Situation als entscheidende Handlungsfelder kirchlicher Kasualpraxis herauskristallisiert (vgl. Cornehl).

Das Taufverständnis der nachösterlichen Gemeinde (→ Taufe) beinhaltete bereits den symbolischen Vorstellungskomplex von Tod und Auferstehung (vgl. Röm 6,4ff; Tit 3,5), sowie die Einbindung des Täuflings in einen neuen Gemeinschaftsbezug (Kirche als Leib Christi). In spannungsvoller Auseinandersetzung mit der umgebenden Religionsgeschichte entwickelte sich die Taufe in der Alten Kirche bald zum christlichen Initiationssakrament (Müller 134f, Bischofberger 241ff; insgesamt Ratschow). Mit der allgemeinen Verbreitung der Kindertaufe etablierte sich unter Herauslösung einiger ursprünglich zum Taufritual gehörender Riten (Salbung, Handauflegung) nach und nach die Praxis der Firmung, mit der die Kandidaten unter Rückbezug auf das Taufgeschehen in die Vollmitgliedschaft der christlichen Gemeinde (Teilnahme an allen kultischen Handlungen) überführt wurden (Kretschmer).

3.1 Als „Missionssakrament" schlechthin (Kähler) steht die christliche Taufe in Spannung zu den traditionellen Initiationsriten der verschiedenen Kulturen (→ Ritenstreit). Jahrhundertelang wurde in der christlichen Missionspraxis die Unvereinbarkeit von traditioneller Initiation und christlicher Initiation vertreten; dies führte in den meisten Fällen zu dramatischen *Initiationskonflikten* in den „jungen Kirchen", da mit der Ablehnung der herkömmlichen Gottes- und Ahnenverehrung meist eine grundsätzliche Ablehnung initiatorischer Rituale einherging. Besonders die Christen der ersten Generation gingen dadurch oft der Integration in ihren einheimischen Gemeinschaftsverbund verlustig (vgl. Popp, 71ff; Turner, 239). Wo solche Konflikte für die Beteiligten unerträglich wurden, entstanden „unabhängige Kirchen" (→ Afrikanische Unabhängige Kirchen), die eine eigenständige Integration traditioneller und christlicher Anschauungen und Riten verwirklichten.

Aufgrund dieser Erfahrungen und im Gefolge der allgemeinen Zuwendung zu den „nicht-christlichen" Religionen (→ Theologie der Religionen) fand in der zweiten Hälfte dieses Jahrhunderts ein neues Nachdenken über Bedeutung und Stellenwert der traditionellen Initiationspraxis in Bezug auf die christliche Initiation statt. Die Diskussion wird hauptsächlich im *katholischen Bereich* engagiert geführt, - meist unter Rückbezug auf die im II. Vatikanischen Konzil gewonnene Öffnung gegenüber den Religionen, den traditionellen Initiationen und der Eigenständigkeit der Ortskirchen (nostra aetate 2; siehe ferner Lumen gentium 13-14, Ad gentes 7-10.22; → Vatikanum II.). Die in der gegenwärtigen Diskussion vielzitierte Konzilserklärung (Sacrosanctum concilium 65) lautet: „In den Missionsländern soll es erlaubt sein, außer den Elementen der Initiation, die in der christlichen Überlieferung enthalten sind, auch jene zuzulassen, die sich bei den einzelnen Völkern im Gebrauch befinden, sofern sie ... dem christlichen Ritus angepaßt werden können." In der letzten Zeit wird daran vermehrt Kritik geübt, da das Konzil lediglich eine selektive „Adaptation" bestehender Bräuche vorzusehen scheint, was in der Tat zu einer künstlichen Mischung vorgefundener und christlicher Riten führen würde (vgl. Sanon 103). Demgegenüber wird mit Bezug auf die Lehre von der *Inkarnation*, wonach die → Inkulturation des Evangeliums nur in einer wirklichen „Fleischwerdung" innerhalb der traditionellen Kultur bestehen könne, eine völlige „Neuschöpfung" und „organische Einheit" traditioneller und christlicher Elemente im gottesdienstlichen Ritus gefordert (Luykx 272; Kuhl 266ff). - Neuaufbrüche in der katholischen liturgischen Praxis sind v.a. seit der Einführung des „Ordo Initiationis Christianae Adultorum" (OICA) von 1972 und im Entstehen von „Neokatechumenalen Gemeinschaften" zu verzeichnen (siehe Themenheft Conc. 15, 1979, Heft 2).

Auf protestantischer Seite ist die Beurteilung der traditionellen Initiationsriten sehr unterschiedlich. Während besonders die evangelikalen und fundamentalistischen Missionen weiterhin zur Verbreitung eines westlichen „Export-Christentums" und zu einer grundsätzlichen Ablehnung der traditionellen Kultur als „heidnisch" (→ Heiden) neigen, finden sich auf der anderen Seite erste Versuche interkultureller „Neuschöpfungen" in der christlichen Initations-Praxis.

In der protestantischen Missionstheologie ist bislang eine stärkere Reserviertheit gegenüber traditionellen Initiationsriten, aber auch schon gegenüber der Betrachtung der Taufe als Initiationssakrament, zu verzeichnen. Nach H.-W. Gensichen darf etwa „die Verwandtschaft der Taufe mit heidnischen Riten der Aufnahme in die Stammesgemeinschaft ... nicht darüber täuschen, daß die Taufe eine Gemeinschaft ganz anderer Art konstituiert" (41). Persönliche Entscheidung (→

Bekenntnis), Tat Gottes und Aufnahme in die Gemeinde (als Leib Christi) konstituieren gleichermaßen die Taufe.

G. Vicedom weist auf ein gewisses Vor-Verständnis der „Heiden" bezüglich der Taufe hin, das er in der vorchristlichen Initiation konkretisiert sieht, die „dem Verständnis der Taufe sehr nahe kommt". Zwar erkennt er hierin einen Anknüpfungspunkt für die christliche Verkündigung, aber dennoch verdecken diese (heidnischen) Kulte „das Eigentliche" und sind als eigenmächtige „Versuche der Menschen, die Todesnot zu beheben", zu verstehen (11f). Nach H. Bürkle kommt der Taufe in der Mission eine besonders ausgeprägte „Bekenntnisfunktion" - im Sinne eines persönlichen Entscheidungsmoments - zu. Andererseits muß sich die christliche Taufe gerade in ihrem „Inkorporationscharakter" bewähren. Die Initiationsriten der traditionalen Religionen betonen, wie Ntetem gezeigt hat (97ff), gleichermaßen Selbstintegraton des Initianden, Inkorporation in die Gemeinschaft der Lebenden und Inkorporation in die Gemeinschaft der Ahnen („Lebend-Toten"). In Anlehnung an V. Mulagos Konzept der „lebensnotwendigen Teilhabe" könnte man daher mit Bürkle die Taufe als Initiationsakt in die (neue) Gemeinschaft, aber auch zugleich als die „nicht weniger korporativ zu verstehende Eingliederung der einzelnen in die neue mystische Einheit des Leibes Christi" verstehen, wodurch sich eine „Entlastung" der vorchristlichen religiösen Bindungen von ihrer „soteriologischen Funktion" erzielen ließe (vgl. Bürkle 101-107). Auf diesem Hintergrund sind auch liturgische Neuschöpfungen im Kontext traditionaler Initiationen - wie sie etwa B. Sundkler (195f) von dem anglikanischen Missionar W. V. Lucas berichtet - verantwortbar, sofern sie dem Gedanken der Inkarnation des Evangeliums lebendigen Ausdruck verleihen.

3.2 Im Bereich der *kontextuellen Theologien* Afrikas (→ Afrikanische Theologie) finden sich einige Ansätze, die explizit auf die traditionellen Initiationsbräuche Bezug nehmen. „Wenn der Afrikaner Jesus Christus begegnet, sieht er in ihm den Sohn Gottes, den Herrn über Leben und Tod, den einen, der durch sein Leben, seine Lehre, seine Wunder, sein Leiden, seinen Tod und seine Auferstehung für den Menschen der oberste Meister der Initiation ist" (Mveng, 79). Auch in A. T. Sanons Entwurf zur Verwurzelung des Evangeliums im Raum afrikanischer Stammesinitiationen ist Christus als *Initiationsmeister* das Grundthema. Sanons Grundüberlegung besteht darin, Christi „Erlösungstat nach der Weise und den Realitäten der Initiation zu deuten" (111f). Christi Jude-Sein (Beschneidung), seinen Leidensweg bis hin zum Kreuz und schließlich seine Auferstehung versteht Sanon als Stufen in einem initiatorischen Prozeß oder Drama, das im Durchgang vom Tod zum Leben an die traditionale Initiationspraxis erinnert. Der österliche Rhythmus von Tod, Begräbnis, Auferstehung und Erhöhung ist *Initiationsritual*; schon bei Paulus sei die Taufe daher als Hineinnahme in Christi Initiation aufgefaßt. Initiiert werden heißt folglich, „eintreten in Christi eigene Initiation und teilnehmen an seinen Prüfungen" (125). So ist und bleibt auch die „nach einer harten kreuzigenden Erstinitiation um Christus gebildete Gemeinschaft ... auf dem Initiationsweg" - „den Blick fest und beharrlich auf den Initiationsmeister gerichtet" (111). Wenngleich Sanons initiatorische Interpretation des christlichen Heilsereignisses im Einzelnen stark am *historischen* → *Jesus* orientiert ist, hat die Darstellung auch bereits die Tendenz, die gesamte Sendung Jesu im Rahmen einer Deszendenzchristologie initiatorisch zu interpretieren.

Diesen Gedanken hat Ch. Nyamiti stärker zum Ausdruck gebracht, indem er den Initiationscharakter der Erlösungstat Christi in der Zuordnung von Erniedrigung (kenosis) und Erhöhung sieht. Inkarnation und Erniedrigung Christi sind als Trennungsritus zu verstehen, während Auferstehung und Erhöhung die (Wieder-) Inkorporation in die innertrinitarische Gemeinschaft, „the trinitarian tribe", bedeutet (179ff). Dieses „innertrinitatische Initiationsritual" versucht Nyamiti als Urbild, verborgenen Hintergrund und höchste Verwirklichung aller Initiationsrituale darzustellen.

Auch B. Bujo betont die vorrangige theologische Bedeutung des trinitarischen Geschehens: nachdem Jesus Christus „im innergöttlichen Leben initiiert ist, konkretisiert Jesus diese Initiation in der Schöpfung und will sie dem Menschen vorleben, bis sie durch Leid, Tod und Auferstehung wiederum vom Vater endgültig gekrönt und in die göttliche Herrlichkeit hineingenommen wird" (Bujo 92). Ähnlich wie Nyamiti und Ntetem greift er in diesem Zusammenhang die mit der Stammesinitiation verbundene Ahnenvorstellung auf, indem er Christus als „Proto-Ahn" oder „Ur-Ahn" bezeichnet. Bujo reflektiert ferner kritisch über den gesellschaftlichen „Sitz im Leben" einer afrikanischen Theologie, die durch explizite Rückbindung an einheimische Traditionen gekennzeichnet ist: er warnt vor Konservierung überholter Traditionsinhalte zuungunsten von Befreiungs- und Integrationsfunktionen der Religion in der konkreten gesellschaftlichen Situation Afrikas.

3.3 Diese Bedenken sollten auch als *Rückfragen an unser eigenes abendländisches Theologietreiben* verstanden werden. Wo das ernste Bemühen einer Theologie im Kontext der Kulturen (→ Interkulturelle Theologie) womöglich dem postkolonialen Interesse weicht, exotische Initiationstraditionen museal zu konservieren, die in den betreffenden Gesellschaften schon längst an Relevanz und Lebendigkeit verloren haben, hat sich abendländische Missionstheologie erneut kompromittiert. Wenn auch zu begrüßen ist, daß nach einer langen Periode schroffer Ablehnung einheimischen Brauchtums eine Öffnung hin zur „Kontextualität" geschehen ist, bleibt stets zu fragen, wer jeweils mit welchem Interesse die Integration von traditionellen Initiationspraktiken und Christentum propagiert. Solange dies im Rahmen einer einheimischen Theologie geschieht, die auf solche Weise die notwendige „Inkarnation" des Evangeliums in der Kultur thematisiert, haben die „Missionskirchen" keine Berechtigung, den längst „mündig" gewordenen „jungen Kirchen" diese Praxis zu verwehren. Keinesfalls sollte die alte Initiationspraxis traditionaler Religionen wieder einmal als Reservoir für einen neuen „kolonialen Raubbau" (Kuhl, 266ff) verwendet werden. Nur dort, wo in der jeweiligen Ortskirche „Neuschöpfungen" gelingen, ist die Öffnung vorbehaltlos zu begrüßen, da nur so der Notwendigkeit einer jeweils neuen „Inkarnation" des Evangeliums Rechnung getragen wird. Die „einheimischen Kirchen" treten dann als gleichberechtigte Partner in den interkulturellen Dialog der einen Ökumene ein - in gegenseitiger Bereicherung und Infragestellung der Glieder.

Gerade im → Dialog mit den Initiationstraditionen der afrikanischen Stammesgesellschaft könnte für die westlichen Christen die Erfahrung Gestalt gewinnen, daß erst eine Integration von „primärer" und „sekundärer" Religionserfahrung der Ganzheit des Lebens Rechnung trägt (Sundermeier, Stammesreligionen). Auf dem Hintergrund der Initiationspraxis ist ein vertieftes Verständnis der Tatsache möglich, weshalb es gerade die vier Haupt-Übergangsriten des Lebens sind, die die volkskirchliche Kasualpraxis der europäischen Kirchen bestimmen (Cornehl, Otte, Jetter). Die Auseinandersetzung mit den Initiationstraditionen der einheimischen Kirchen Afrikas sollte die euro-amerikanische Christenheit nötigen, „Gemeinsamkeiten ebenso wie Profile der gewachsenen Traditionen in einem neuen interkulturellen Horizont zu klären" (Volp, 39). Dabei könnten durchaus auch Defizite in der rituellen Begleitung von Lebenskrisen aufgedeckt werden, wie Sundermeier (Todesriten 1977) am Beispiel der Todes- und Bestattungsriten gezeigt hat.

Lit.: *Berner, W. D.*, Initiationsriten in Mysterienreligionen, im Gnostizismus und im antiken Judentum (Diss. Göttingen) 1972. - *Bettscheider, H.*, Afrikanische und christliche Initiation. Theologische Begründung, in: Verbum SVD 18, 1977, 304-318 (Themenheft). - *Bischofberger, O.*, Die Idee der Wiedergeburt zu neuem Leben in der christlichen Taufe und in der traditionellen afrikanischen Initiation, in: NZM 27, 1971, 241-252. - *Bleeker, C. J.*, Initiation, 1965. - *Bohren, R.*, Unsere Kasualpraxis - eine missionarische Gelegenheit (TEH 83), 1961. - *Bürkle, H.*, Missionstheologie, 1979. - *Ders.* (Hrsg), Theologie und Kirche in Afrika, 1968. - *Bujo, B.*, Afrikanische Theologie in ihrem gesellschaftlichen Kontext (Theologie Interkulturell 1), 1986. - *Cornehl, P.*, Frömmigkeit - Alltagswelt - Lebenszyklus, in: WPKG 64, 1975, 388-409. - *Eliade, M.*, Das Mysterium der Wiedergeburt, 1961. - *Ders.*, Geschichte der religiösen Ideen, 3 Bde., 1978ff. - *Ders.*, Schamanismus und archaische Ekstasetechnik, ³1982. - *Ders.* (Hrsg), Encyclopedia of Religion (16 Bde.), 1987; cf. Initiation, Rites of Passage, Secret Societies (Lit.). - *Gennep, A. van*, Übergangsriten, 1986 (¹1909). - *Gensichen, H.-W.*, Das Taufproblem in der Mission, 1951. - *Gerlitz, P.*, Art. Initiation, in: TRE XVI, 156-161. - *Jetter, W.*, Symbol und Ritual. Anthropologische Elemente im Gottesdienst, 1978. - *Kretschmar, G.*, Art. Firmung, in: TRE XI, 192-204. - *Kuhl. J.*, Neue afrikanische Initiationsriten und ihre Bedeutung: Versuche in jungen katholischen afrikanischen Kirchen, in: Verbum SVD, 18, 1977, 265-279. - *Luykx, B.*, Die Seele des Afrikaners und der christliche Gottesdienst, in: H. Bürkle (Hrsg), Theologie und Kirche in Afrika, 1968, 265-276. - *Mbiti, J. S.*, Afrikanische Religion und Weltanschauung, 1974. - *Müller, K.*, Missionstheologie - Eine Einführung. Mit Beiträgen von H.-W. Gensichen und H. Rzepkowski, 1985. - *Mulago, gwa C. M. V.*, Afrikanische Spiritualität und christlicher Glaube. Erfahrungen der Inkulturation (Theologie der Dritten Welt 8), 1986. - *Mveng, E.*, Christus der Initiationsmeister, in: Sundermeier (Hrsg) Zwischen Kultur und Politik, 1978. - *Ntetem, M.*, Die negro-afrikanische Stammesinitiation. Religionsgeschichtliche Darstellung - Theologische Wertung - Möglichkeit der Christianisierung, 1983. - *Nyamiti, C.*, Christ's Resurrection in the Light of African Tribal Initiation Ritual, in: RAT 3, 1979, 171-184. - *Ders.*, Christ as Our Ancestor, 1984. - *Panoff, M./Perrin, M.*, Taschenwörterbuch der Ethnologie. Begriffe und Definitionen zur Einführung, 1982. - *Pasquier, A.*, Initiationsgesellschaft und Gesellschaft auf der Suche nach Initiationen, in: Conc. 15, 1979, 76-83 (Themenheft). - *Popp, V.* (Hrsg.), Initiation - Zeremonien der Statusänderung und des Rollenwechsels. Eine Anthologie, 1969. - *Prickett, J.* (Hrsg), Initiation Rites, 1978. - *Ratschow, C. H.*, Die eine christliche Taufe, 1972. - *Sanon, A. T.*, Das Evangelium verwurzeln. Glaubenserschließung im Raum afrikanischer Stammesinitiationen (Theologie der Dritten Welt 7), 1985. - *Sundermeier, Th.*, Die „Stammesreligionen" als Thema der Religionsgeschichte, in: Ders. (Hrsg) Fides pro Mundi Vita. Missionstheologie heute (FS H.-W. Gensichen), 1980, 159-167. - *Ders.*, Interreligiöser Dialog und die „Stammesreligionen", in: NZST 23, 1981, 225-237. - *Ders.*, Todesriten als Lebenshilfe. Der Trauerprozeß in Afrika, in: WzM 29, 1977, 129-144. - *Ders.*, Todesriten und Lebenssymbole in den afrikanischen Religionen, in: G. Stephenson (Hrsg), Leben und Tod in den Religionen, 1980, 250-259. - *Sundkler, B.*, The World of Mission, 1965. -

Thiel, J. F., Initiationsriten als Übergangsriten Tod und Auferstehung bezeichnend, in: Verbum SVD 18, 1977, 291-303 (Themenheft). - *Ders.*, Religionsethnologie. Grundbegriffe der Religionen schriftloser Völker, 1984. - *Turner, V. W.*, Betwixt and Between: The Liminal Period in Rites de Passage (1964), in: Lessa, W. A. /Vogt, E. Z. (Hrsg), Reader in Comparative Religion. An Anthropological Approach, ⁴1979, 234-243. - *Vicedom, G.*, Die Taufe unter den Heiden, 1960. - *Volp, R.*, Die Taufe zwischen Bekenntnisakt und Kasualhandlung, in: PTh 76, 1987, 39-55. - *Welbourn, F. B.*, Keyo Initiation, in: JRA 1, 1968, 212-232. - *Widengren, G.*, Religionsphänomenologie, 1969 (Kap. 8). - *Wißmann, H.*, Art. Beschneidung, 1. Religionsgeschichtlich, in: TRE V, 714-716. - *Worms, E. A./Petri, H.*, Australische Eingeborenen-Religionen, in: dies. & Nevermann, H., Die Religionen der Südsee und Australiens, 1968, 125ff.

A. Grünschloß

INKULTURATION

1. Geschichtlicher Hintergrund. 2. Kulturbegegnung in der Auseinandersetzung. 3. Systematische Überlegungen. 4. Praktische Hinweise, Modelle.

1. In der frühen Kirche war es eine Selbstverständlichkeit, daß die *Kulturen*, denen das Christentum begegnete, Ausgangspunkt und Ausdrucksform des christlichen Glaubens wurden. Adressaten des Evangeliums waren konkrete Menschen, die, von festen religiösen und sittlichen Vorstellungen geprägt, Gott auf ihre Weise verehrten und aus ihrer Lebens- und Gottesdienstordnung Sinn und Erfüllung ihres Lebens erwarteten. In solchen konkreten Gemeinschaften mußte sich die christliche Botschaft verständlich artikulieren. Sie konnte viele Elemente der traditionellen religiösen Kulturen kritiklos übernehmen, andere mußten entsprechend dem christlichen Glaubensverständnis umgedeutet werden, manche freilich mußten auch als dem Glauben widersprechend abgelehnt werden. In diesem Prozeß der Assimilation, Transformation und des Widerspruchs entstand eine Objektivation des christlichen Glaubens, die man als die christliche Religion bezeichnet. Ein solcher Prozeß vollzog sich zunächst in der Begegnung mit dem Judentum, dann mit dem Hellenismus und im Römischen Reich und schließlich auch im gallisch-germanischen Raum. Die Übergänge verliefen nicht reibungslos, aber doch organisch. Erst als das Selbstbewußtsein der Kirche immer mehr wuchs - in der konstantinischen Ära, durch die weitere Entfaltung der Theologie in der Scholastik, durch die Eroberungen der katholischen Nationen Spanien und Portugal in den beiden Indien -, festigten sich die Lehre und die Formen wie auch Strukturen des Christentums. Die Botschaft Jesu erhielt deutlichere Konturen, allerdings vollzog sich die Entwicklung in einem mehr oder weniger homogenen Kulturraum und hatte zur Folge, daß die Begegnung mit anderen Kulturen schwieriger oder gar problematisch wurde. Der mühsame Ablösungsprozeß der Kirche von der dominierenden abendländischen Kultur ist gekennzeichnet durch Begriffe wie Anpassung, Adaptation, Akkommodation, und in neuerer Zeit durch Wortprägungen wie Indigenisierung, Kontextualisierung, Inkarnierung, Inkulturation. Die unterschiedlichen Worte sagen verschiedene Akzente aus, haben aber alle das gleiche Anliegen, nämlich die Integrierung der Kulturen und des christlichen Glaubensverständnisses. Unter der Voraussetzung, daß der Geist und die Botschaft des Evangeliums, niedergelegt und weiter entfaltet in der (Glaubens-)Tradition der Kirche, gewahrt bleiben, sollte doch jede → Kultur das Recht haben, die ihr gemäße Form und Formulierung des Glaubens zu finden.

2. Eindrucksvoll, allerdings eine Ausnahme, ist die Instruktion der *Propagandakongregation* an die Apostolischen Vikare von 1659: „Was ist absurder als Frankreich, Spanien, Italien oder irgendein anderes Land Europas in China einzuführen? Nicht dies, sondern den Glauben sollt ihr bringen" (Ad exteros). Der → Ritenstreit, eines der traurigsten Kapitel der Missionsgeschichte, ist nicht zuletzt eine Frage des übersteigerten Europäismus und des Unverständnisses für indisches und chinesisches Denken. Den immer mehr wachsenden Nationalismus auf dem Missionsfeld und die Verquickung von Mission und → Kolonialismus nannte Benedikt XV. eine „abscheuliche Pest, die alle Spannkraft der Liebe zu den Seelen im Künder der Frohbotschaft lähmen und sein Ansehen beim Volk untergraben würde" (Maximum Illud). Es ist eine Rückkehr zu frühchristlichem Denken, wenn das II. Vatikanische Konzil das → Wort Gottes mit einem Samenkorn vergleicht, das aus guter, von himmlischem Tau befeuchteter Erde sprießt, aus ihr den Saft zieht, ihn verwandelt und ihn sich assimiliert, um viele Frucht zu bringen (Ad gentes 22).

Die *evangelischen* Kirchen erfuhren unter dem Eindruck der allgemeinen Sündenverfallenheit des Menschen - und in neuerer Zeit unter dem Druck seitens der Barthschen Theologie - den Konflikt der Integrierung von Evangelium und Kultur noch viel stärker. Von der Praxis her setzten sich Gustav Warneck, Bruno Gutmann, Christian Keyßer u.a. mit der Problematik auseinander, das Ringen um die Theorie geht bis heute weiter. Die „Ökumenische Erklärung über Mission und Evangelismus" des Weltrates der Kirchen bezieht zu dieser konkreten Frage keine Stellung, aber sie setzt, ähnlich wie die katholische Theologie, bei der Inkarnation Christi an, wenn sie schreibt: „Die Selbstentäußerung eines Knechtes, der unter den Menschen lebte, ihre Hoffnungen und Leiden teilte, sein Leben am Kreuz dahingab für alle Menschen - das war der Weg Christi, auf dem er die Frohe Botschaft verkündete; das ist der Weg, auf dem wir als seine Jünger ihm folgen müssen" (Nr. 28, vgl. Nr. 26).

3. *Systematisch* wurde das Thema der Akkommodation erst in diesem Jahrhundert behandelt. Nach J. Thauren umfaßt Akkommodation „alle Bestrebungen, die darauf hinausgehen, dem Volksgeist, den Lebensbedingungen und der bisherigen Kulturentwicklung innerhalb bestimmter Grenzen entgegenzukommen und sich ihnen anzupassen". H. W. Schomerus, der von „religiöser Akkommodation" sprach, wurde wegen der Gefahr des Mißverständnisses und des Synkretismus' stark angegriffen. G. Rosenkranz gebrauchte den Terminus „Anknüpfung" und zeigte drei Möglichkeiten auf: das Sich-hinein-begeben in die Situation des anderen, das Herausholen und Verwerten von Werten und das Ergreifen und Mitführen des anderen auf ein Drittes hin, das über beiden steht. Th. Ohm unterschied drei verschiedene Stufen: Akkommodation (sich an Menschen und Völker anpassen); Assimilation (Elemente von anderen übernehmen); Transformation (diese umformen, veredeln, verklären, sie „taufen"). Ein einschneidender Schritt

seitens des Hl. Stuhles, der die Diskussion um eine „Kontextualisierung" des Christentums entschärfte, war die praktische Zurücknahme der tragischen Riten-dekrete Ex illa die vom 19.3.1715 und Ex quo singulari vom 5.7.1742. Papst Pius XII. unterstrich mit großer Deutlichkeit das von der Propagandakongregation öf-ter geäußerte Axiom: „Die Kirche hielt von ihrem Ursprung bis auf unsere Tage an der Regel von höchster Weisheit fest, daß die Annahme des Evangeliums nichts von dem zerstöre und beseitige, was die verschiedenen Völker in ihrer An-lage, ihrer Begabung an Gutem, Edlem und Schönem besitzen" (Evangelii prae-cones).

Akkommodation als Hilfe für Begegnung von Mensch zu Mensch und als Mittel besserer → Kommunikation ist unumstritten. Eine positive Stellungnahme z.B. zur → Ahnenverehrung ist heute insofern erleichtert, als der moderne Mensch zwischen religiös und profan zu unterscheiden vermag. In konkreten Fra-gen der ethischen und religiösen Akkommodation ist ein Konsens noch nicht ab-zusehen, doch kommt man sich theologisch dadurch näher, daß man den Prozeß der Begegnung von Evangelium und Kultur in Analogie zum Inkarnationsgesche-hen zu sehen versucht: Wie der Logos eine konkret menschliche Natur annahm und als dieser konkrete Mensch eine Offenbarung Gottes wurde, soll sich auch die Botschaft Jesu in einer jeweils neuen Kultur „inkarnieren", d.h. eine neue Ge-stalt annehmen, eine Gestalt annehmen, die dem jeweiligen Volk angemessen ist, auf eine neue Weise Offenbarung der allerbarmenden Liebe Gottes sein. So gese-hen ist das nicht eine Verfälschung oder Verwässerung des Wortes Gottes, son-dern eine Fortsetzung der Inkarnation des Herrn in neue Kulturen hinein, ein Wachsen des mystischen Herrenleibes auf die Fülle hin: Auf daß Er alles in allem sei. Damit ist sinngemäß erklärt, was man heute mit „Inkulturation" bezeichnet.

4. A. Roest Crollius umschreibt Inkulturation als die „Integrierung der christlichen Erfahrung einer Ortskirche in die Kultur des jeweiligen Volkes, und zwar so, daß diese Erfahrung sich nicht nur in Elementen der eigenen Kultur aus-drückt, sondern eine Kraft wird, die diese Kultur belebt, ihr Richtung gibt und sie erneuert, und auf diese Weise neue Einheit und Gemeinschaft geschaffen wird, nicht nur innerhalb der betreffenden Kultur, sondern als eine Bereicherung der Gesamtkirche". Die Wortbildung Inkulturierung geht auf den ethnologischen Be-griff „Enkulturation" zurück und fand über P. Charles und J. Masson Eingang in die Missiologie. Über die 32. Generalversammlung der Jesuiten (1974) und eine Eingabe des Generalsuperiors SJ bei der Römischen Bischofssynode 1977 gelang-te sie in das päpstliche Dokument Catechesi tradendae, und seitdem ist Inkultura-tion einer der meistgebrauchten Termini der katholischen Missionstheologie. Das damit Gemeinte ist auch der protestantischen Missionstheologie nicht fremd, der Terminus selber aber begegnet noch einigem Mißtrauen, vor allem wohl deshalb, weil die protestantische Theologie stärker betont, daß, wie alles Kreatürliche, auch die Kultur „eine durch die Macht der Sünde gebrochene Größe" ist (S. Ja-cob). Die katholische Theologie leugnet letzteres nicht, legt aber einen stärkeren Akzent darauf, daß der nach dem Bilde Gottes geschaffene Mensch trotz der Sün-de „Achtung und Liebe" verdiene, daß seine Berufung eine hohe und erhabene sei, daß „etwas wie ein göttlicher Same in ihn eingesenkt" bleibe, daß darum auch → „Dialog" mit ihm möglich sei (vgl. Gaudium et spes 3). Das II. Vatikanische

Konzil weiß zwar, daß „das Geschöpf ohne den Schöpfer ins Nichts versinkt", betont aber auch, daß die irdischen Wirklichkeiten aufgrund ihres Geschaffenseins „ihren festen Eigenstand, ihre eigene Wahrheit, ihre eigene Gutheit sowie ihre Eigengesetzlichkeit und ihre eigenen Ordnungen haben", die anzuerkennen sind, die aber, durch die Sünde in ihrer „Wertordnung verzerrt" und mit Bösem „vermengt", der Erlösung durch Christus bedürfen (vgl. Gaudium et spes 36).

Inkulturation erstreckt sich auf die verschiedensten Gebiete christlichen Lebens: Katechese, Gottesdienst, Disziplin und Kirchenordnung, Volksfrömmigkeit und Brauchtum, Sprache und Dichtung, Kunst und Architektur, Sitten- und Glaubenslehre usw. und wird am dringlichsten empfunden in der Erstverkündigung und Gründung neuer Kirchen, d.h. bei der ersten Begegnung mit neuen Kulturen. Die Kirchenkonstitution des II. Vatikanischen Konzils nahm kein einziges Gebiet aus, wenn sie sagte: „Kraft ihrer Katholizität bringen die einzelnen Teile ihre eigenen Gaben den übrigen Teilen und der ganzen Kirche hinzu, so daß das Ganze und die einzelnen Teile zunehmen aus allen, die Gemeinschaft miteinander halten und zur Fülle in Einheit zusammenwirken" (Art. 13).

Um zu verdeutlichen, worum es bei Kontextualisierung des Evangeliums bzw. seiner Inkulturierung geht, sei auf die verschiedenen *Modelle* verwiesen, wie sie vor allem im amerikanischen Raum entwickelt werden. St. Bevans zählte fünf Modelle auf: das anthropologische Modell, das Übersetzungsmodell, das „Praxis-Modell", das synthetische und das semiotische Modell. Das anthropologische Modell setzt beim fundamentalen Gutsein des Menschen und der Kultur an und artikuliert den Glauben neu unter den jeweiligen kulturellen Bedingungen, nach einem Wort von U Khin Maung Din: „Das burmesische und buddhistische Verständnis von Mensch, Natur und Letzter Wirklichkeit muß auch selbst eine vitale Komponente in der Gesamtgestalt des Evangeliums werden." Das Übersetzungsmodell denkt zwar nicht an eine Wort-für-Wort-Übersetzung und nimmt darum in gewisser Weise die verschiedenen Kulturen ernst, Ansatzpunkt aber ist ihm die überkulturelle Botschaft, die zu den Kulturen geht und sie „tauft". Das Praxismodell, auch Befreiungsmodell genannt, versteht Offenbarung als Gottes fortwährendes Handeln in der Geschichte und analysiert darum die oft sehr komplexe Wirklichkeit, um über sie zu christlichem Handeln zu kommen (Orthopraxis statt Orthodoxie). Das synthetische Modell macht mit der Tatsache ernst, daß keine Kultur etwas absolut Einmaliges ist, sondern in der Begegnung mit anderen Kulturen gewachsen ist, immer noch sich entwickelt und auch in der Begegnung mit der abendländisch-christlichen Kultur Bereicherung erfahren kann; da Gott in allen Kulturen gegenwärtig ist, müsse man für alle offen sein und mit allen in Dialog treten, von allen lernen und sich von ihnen formen lassen. Das semiotische Modell wurde vor allem von R. J. Schreiter entwickelt und sucht in den Werten, Symbolen und Verhaltensmustern, aber auch Situationen und Ereignissen der Völker Christus zu entdecken und vor allem aus ihren Symbolen (Schlüsselsymbole) „lokale Theologien" zu formulieren, wobei Schrift und Tradition mehr ein Test sind als eine Erkenntnisquelle.

Keines der Modelle sollte Ausschließlichkeitscharakter beanspruchen. Voraussetzung bei aller Reflexion muß sein, daß das Christusereignis einmalig ist und daß darum alle christliche Theologie aus dem einen Worte Gottes lebt, das uns in

Jesus Christus geschenkt wurde, daß darum christliche Geschichte in den einzelnen Ländern nur im Kontext der gesamtchristlichen Geschichte gesehen werden kann. Da die Begegnung von Christusbotschaft und Welt aber in konkreten Menschen und in Gemeinschaften ganz verschiedener geschichtlicher, sozialer und kultureller Situationen geschieht, muß die im Glauben angenommene und in unterschiedlichen Situationen gelebte Botschaft auch auf dem je verschiedenen geistigen und kulturellen Hintergrund neu reflektiert, d.h. theologisch neu erarbeitet und darum auch anders formuliert werden dürfen. Daß das mehr ist als bloß didaktische Anpassung, liegt auf der Hand. Daß das etwas anderes ist als die bloße Vermittlung der traditionellen „abendländischen Theologie", kann ebenfalls nicht bezweifelt werden. Ob und in welchem Sinn man aber von „kontinuierlicher Neuschöpfung" sprechen soll (H. Rücker) oder gar von „radikaler Neuheit" in neuen Kulturen (J.-M. Ela), ist nicht ausdiskutiert. Wer Vielfalt in der Theologie bejaht, wird das Bild von der Saat bejahen, die „auf verschiedenem Boden, in verschiedenem Klima in immer neuen Formen aufgeht und dabei doch die Identität des Ursprungs und Wesens bewahrt" (J. Neuner).

Lit.: *Bevans, St.*, Modelle kontextueller Theologie, in: TGA 28, 1985, 135-147. - *Chupungco, A. J.*, Cultural Adaptation of the Liturgy, 1982. - *Fleming, B. E. C.*, Contextualization of Theology. An Evangelical Assessment, 1980. - *Geertz, C.*, The Interpretation of Cultures, 1973. - *Gensichen, H.-W.*, Evangelium und Kultur, Neue Variationen über ein altes Thema, in: ZfM 4, 1978, 197-214. - *Gnilka, Ch.*, Chrèsis, Die Methode der Kirchenväter im Umgang mit der antiken Kultur, 1984. - *Gritti, J.*, L'expression de la foi dans les cultures humaines, 1975. - *Haleblian, K.*, The Problem of Contextualization, in: Miss 11, 1983, 95-111. - *Jacob, S.*, Das Problem der Anknüpfung für das Wort Gottes in der deutschen evangelischen Literatur der Nachkriegszeit, 1935. - *Joly, R.*, Inculturation et vie de foi, in: Spiritus 26, 1985, 3-32. - *Kinsler, F. R.*, Mission and Context. The Current Debate about Contextualization, in: EMQ 14, 1978. - *Kraft, C. H.*, Christianity in Culture, 1979. - *Luzbetak, L. J.*, The Church and Cultures. An Applied Missionary Anthropology (StlM SVD 2), 1963. - *Müller, J.*, Missionarische Anpassung als theologisches Prinzip, 1973. - *Müller, K.*, Accommodation and Inculturation in the Papal Documents, in: Verbum svd 24, 1983, 347-360. - *Neuner, J.*, Inkulturation in Indien, in: GuL 52, 1979, 171-184. - *Poupard, P.*, Evangélisation et nouvelles cultures, in: NRT 99, 1977, 532-549. - *Roest Crollius, A.*, What Is So New about Inculturation? A Concept and Its Implication, in: Gr. 59, 1978, 712-737. - *Ders.*, Inculturation and the Meaning of Culture, in: Gr. 61, 1980, 253-273. - *Rücker, H.*, „Afrikanische Theologie". Darstellung und Dialog (Innsbrucker Theologische Studien 14) 1985. - *Santos Hernández, A.*, Adaptación misionera, 1958. - *Schreiter, R. J.*, Constructing Local Theologies, 1985. - *Sundermeier, Th.*, Das Kreuz als Befreiung, 1985. - *Thauren, J.*, Die Akkommodation im katholischen Heidenapostolat, 1927. - *Wiedenmann, L.* (Hrsg.), Herausgefordert durch die Armen. Dokumente der Ökumenischen Vereinigung von Dritte-Welt-Theologen 1976-1983, 1983.

K. Müller

INTERKULTURELLE THEOLOGIE

1. Situationen. 2. Interkulturell. 3. Leitsätze einer interkulturellen Theologie. 4. Interkultureller Dialog.

1. Intensive Erfahrungen mit Menschen und Produkten aus verschiedenen Kulturtraditionen prägen das ausgehende 20. Jahrhundert und führen zu zwischenkulturellen Neuschöpfungen (z.B. Kleidungsart, Küchenrezepte, Musik, medizinische und psychiatrische Therapieformen, esoterische und religiöse Angebote), aber auch zu zerstörerischen Reaktionen (z.B. Ghettobildung, Fremdenfeindlichkeit, Rassismus, Verunsicherung, Orientierungslosigkeit). Diese Manifestationen der *Kultur des Lebens* und der *Antikultur des Todes* sind Symptome der „raschen und tiefgreifenden Mutationen" (Gaudium et Spes 1 u. 2), welche auch die Theologie herausfordert (Gaudium et Spes 4 u. 11). Drei Hauptentwicklungen führen dabei zur „interkulturellen" Theologie:

1.1 Demographische Gewichtsverlagerung. Die Bevölkerungsexplosion bewirkt, daß die europäische Bevölkerung (ohne UdSSR) immer mehr zur *Minderheit* wird (1960: 14% und 1980; 11% der Weltbevölkerung) und daß sich die wirtschaftlich-politischen Entscheidungszentren vom europäischen Mittelmeer zum „Mittelmeer" *Pazifik* verlagern (China, Japan, Australien, Chile, Peru, Mexiko, Kalifornien). 1981 hat die *rassische* Entwicklung eine Wende genommen: nur noch 47% der Christen gehören der weißen Rasse an (Barrett 1982, 3). Diese Entwicklungen sind von Bestrebungen begleitet, im mentalen, wirtschaftlichen, sozialen und politischen Bereich unabhängig zu werden. Theologisch wird so die Eigenständigkeit der → Ortskirchen bekräftigt (vgl. Marc 1980). In dieser spannungsreichen Herausforderung „Universalität - Partikularität" wird das synodale Prinzip für die Kirche zu einer unumgänglichen Überlebensbedingung.

1.2 Vielfältige „Sprachen". Diese „interkulturelle Zirkulation" und demographisch-gesellschaftliche Metamorphose bestärkt das Bewußtsein dafür, daß vielfältige - semantische und kulturelle - Ausdrucksformen auch in der christlichen Glaubensgemeinschaft berechtigt sind (vgl. Gaudium et Spes 44 und Evangelii nuntiandi 63). Dabei sind nicht nur die verbalen und nicht-verbalen theologalen Zeichen und theologischen Deutungsschemata gemeint, sondern auch die verschiedenen *religiösen Sensibilitäten* der Weltkulturen mit ihren ihnen entsprechenden *Kultur der Frauen* und *Kultur der Männer*. Die „interkulturelle" Theologie ist in dieser Evidenz verwurzelt, daß es weltweit und innerkirchlich keine verbindliche und verbindende, normative Sprache mehr gibt.

1.3 Christus und die Christen. Selbst das Zeugnis von → Jesus dem Christus wird durch diese demographischen und kultur-anthropologischen Verlagerungen betroffen und qualitativ angereichert. Im Spannungsfeld zwischen dem Christentum und den Kulturen erfahren nämlich die Christen des Okzidents, Afrikas, Lateinamerikas, Asiens und Ozeaniens, daß die *Christus-Wirklichkeit* mehr ist, als was sie als geographisch und kulturell *bedingte Christen* davon theologisch zu verstehen und liturgisch auszudrücken vermochten und vermögen (vgl. Panikkar 1986, 55 u. 102). Das betrifft sowohl die christologischen Bekenntnisse im hebräisch-griechischen NT, die Modelle von → Christologien in den östlich-griechi-

schen und westlich-lateinischen Kirchen, die christologisch-soteriologischen Entwürfe in der abendländischen Moderne als auch die neuen Christus-Verständnisse
im afrikanischen, lateinamerikanischen und asiatischen Kontext (Ohlig 1986) (→
kontextuelle Theologie). Christus-tum und Christen-tum sind seit der Entkolonialisierung nicht mehr deckungsgleich und noch weniger sind es Christus-tum und
konfessionelle Kirchen-tümer. Die christliche interkulturelle Theologie öffnet sich
so auf eine wachsende *interreligiöse Theologie* (→ Dialog), in der die Beziehung
zwischen Christus und den Kulturen - je nach dem Erfahrungshintergrund und je
nach dem Verstehenshorizont - idealtypisch als Erfüllung, Gericht, religions- und
geschichtsübergreifendes Heilsprinzip, Einladung zur Bekehrung oder als solidari-
scher Leidensweg interpretiert wird.

2. Mit dem Begriff „interkulturelle Theologie" ist nicht zuerst und vor allem
ein Programm gemeint, welches eine universale kultur-übergreifende Theologie
anvisiert (transkulturelle Theologie), sondern *eine Methode*, wonach die *fremden*
und kulturspezifischen - intellektuellen, liturgischen, sozialethischen, pastoralen,
mystischen und politischen - Ausdrucksformen der immer gleichen Evangeliumsbotschaft „Heil Gottes für alle Menschen in Jesus-Christus" von den je kulturell
wieder anders bestimmten Mitgliedern der *eigenen* Lokalkirche entgegengenommen und bedacht werden (Kessler-Siller, in Bujo 1986, 9-16).

Um in diesen grenz- und kulturüberschreitenden theologalen und theologischen Prozeß aktiv eintreten zu können, müssen die drei kulturanthropologischen
Grundbegriffe „Kultur", „Enkulturation" und „Akkulturation" näher umschrieben werden:

• Kultur: Je nach den mehr oder weniger psychologisch, soziologisch, wirtschaftlich oder wertphilosophisch ausgerichteten Daseinsinterpretationen wird →
Kultur verschieden definiert. Funktionalistisch kann sie umschrieben werden als
ein Plan (Modell, Code, Paradigma, Deutungsschema, Erfahrungsvorrat, Nomos),
welcher es einer bestimmten Gesellschaft ermöglicht, das *materielle* Überleben
(z.B. Nahrung, Kleidung, Wohnung, Gesundheit), die Sicherheit in der *zwischenmenschlichen* Kommunikation (z.B. Rollen, Verwandtschafts- und Freundesnetz,
Autoritätsformen, gesellschaftliche Verantwortung, Konflikte, Feste) und die Antwort auf die *Sinnfrage* (z.B. Umgang mit Leiden und Tod, Transzendenz, profan-
heilig, Weltbilder, Ursprung und Ziel der individuellen und gemeinschaftlichen
Geschichte, verantwortbare Entscheide) zu garantieren (Taber-Nida 1969; Luzbetak 1968). Werden diese von Generation zu Generation vermittelten Verhaltensweisen, Weltentwürfe, Werte und „Theologien" nicht relativ und in Beziehung
zur je eigenen geschichtlich gewachsenen Lebens- und Mit-Welt gesehen, sondern
geschichtlich absolut und normativ gesetzt, entstehen Reflexe und Einstellungen,
die mit *Ethnozentrismus* umschrieben werden (z.B. Vorurteile, Rassismus, Über-
heblichkeitsgefühle, Intoleranz, kolonialistische Mentalität, religiöse Arroganz,
theologischer Eurozentrismus, Verweigerung der Kommunikation). Garantieren
diese Modelle (mit den entsprechenden ethnozentrischen Verhaltensweisen) aufgrund z.B. der oben erwähnten gesellschaftlichen Mutationen diese Sicherheit
nicht mehr, haben wir es mit anomischen Reaktionen zu tun (bösartige Aggressi-
vität, Sadismus, Suizid, Folter, autoritäre und richtende Punitivität, Inquisition).

• Enkulturation: Dieses kulturelle Überlieferungsgut (mit seinen Werten und Anti-Werten) tritt der neuen Generation als eine gegebene, evidente objektive Größe entgegen. Die pädagogischen Mechanismen, welche diese plausiblen Verhaltensmuster und Einschätzungen zu subjektiven Denkstrukturen und Handlungsabläufen werden lassen, wird Enkulturation (Sozialisation, Internalisierung) genannt. Die „Sprache" (auch als Extra- und Para-Sprache) ist dabei für die „signifikanten Anderen", welche von der Gesellschaft für diese Prozesse der „Mensch-Werdung" nach dem Modell einer je konkreten Kultur oder Subkultur verantwortlich sind (z.B. Eltern, Verwandte, Lehrer/innen, Theologen), das entscheidende Enkulturations-Instrument: der Mensch wird das, woraufhin er angesprochen wird.

• Akkulturation: Wie es die einleitende Situationsbeschreibung angedeutet hat, sind diese kulturellen Modelle aber nicht statisch, sondern ständig in Entwicklungs- und Begegnungsphasen. Diese freiwilligen, geplanten oder aufgezwungenen inner- und zwischenkulturellen Initiativen und Phänomene werden mit Akkulturation umschrieben. → Evangelisation, missionarische Expansion, interkulturelle und interreligiöse Dialoge, nachkoloniales Selbstwertgefühl sind Illustrationen eines solchen sozio-religiösen Wandels. Im theologischen Vokabular wird die Begegnung zwischen Menschen, welche von verschiedenen kulturellen und religiös-theologischen Paradigmen (Gesamtheit von Verhaltensweisen und Überzeugungen einer Gesellschaft) geprägt worden sind, mit dem Neologismus → „Inkulturation" bezeichnet. Ein Beispiel dieses Paradigmawandels, in dem die vielfältigen lokalen Paradigmen als Teilelemente in einem neuen, umfassenderen Paradigma aufgehen, ist die *interkulturelle Theologie*.

3. Die angesprochenen demographischen, kulturanthropologischen und christologischen Mutationen (1) und die humanwissenschaftlichen Hinweise zu „Kultur" (2) bewirken, daß die in der Ersten und Zweiten Welt ausgearbeiteten theologischen Grundthemen und die Anliegen von Dritt-Welt-Theologen mehr und mehr verschieden sind. Ist für die Theologie in der industrialisierten und postindustriellen Gesellschaft das zentrale Anliegen, wie der Gottesglaube in der säkularisierten Welt noch verantwortet werden kann, fragt sich die Dritt-Welt-Theologie (vgl. EATWOT), wo und wie in einer von der Anti-Kultur des Todes geprägten, unmenschlichen Welt Hoffnung noch Platz hat (Blatezky 1978, 81-83). Für eine interkulturell arbeitende Theologie ergeben sich aus solchen und ähnlichen Grunderfahrungen Verlagerungen, die konturenhaft mit folgenden Leitsätzen systematisiert werden können (Hollenweger 1979, 34-47; Friedli 1982, 75-84):

• *(1) Interkulturelle Theologie ist diejenige wissenschaftliche Disziplin der Rede von Gott und seinem Heilsgebot, welche im Rahmen einer gegebenen Kultur operiert, ohne diese aber zu verabsolutieren.*

So ist z.B. die Theologie der Eucharistie und vom Brot-Brechen verschieden, wenn die christliche Glaubensgemeinschaft in einer von Hungersnot zerstörten Umwelt, wo es kein Brot zum Brechen mehr gibt, lebt, oder wenn sie in der hochindustrialisierten Konsumgesellschaft dazu beiträgt, daß hier Brot verschwenderisch weggeworfen wird und dort der Hunger sich ausbreitet. Denn es ist orthopraktische Sünde (häretische Strukturen), in der Liturgie den eucharistischen Leib des Herrn zu empfangen und im Alltag den sozialen Leib des Herrn sterben zu lassen (vgl. 1Kor 11,18-23; Mt 25,31-46).

- • *(2) Die Methode der interkulturellen Theologie hängt vom sozialen Kontext ab.*

Die in Europa verwurzelte *akademisch-wissenschaftliche Theologie* (→ Europäische Theologie) der Mittelmeer-Tradition ist deshalb grundsätzlich weiterhin beachtenswert. Aus der Perspektive der interkulturellen Theologie kann aber diese Methode und universitäre Arbeitsweise nicht mehr als ausschließliche und normative Art des Theologisierens betrachtet werden. Die Erfahrungen mit der → Volksfrömmigkeit in den kirchlichen Basisgemeinden der Dritten Welt, aber auch in den Gruppen der „Jugendreligionen" im Okzident zeigen nämlich, wie das → Volk Subjekt der Theologie wird (charismatisches Ergriffen-Sein, hymnische und narrative Theologie, Betrachtung und sozio-politischer Widerstand, Krankenheilung) und wie sich eine entsprechende liturgisch-pastorale Sprache und theologische Methodologie findet (Exeler 1981, 92-121).

- • *(3) Die Forschungsmethoden und Gemeindemodelle der okzidentalen theologischen Wissenschaft können und müssen durch alternative Formen des Theologisierens bereichert werden.*

Kultische Musik und Tanzsprachen, praktische Meditationsweisen, friedenspädagogisch-politische Strategien sind dann ebenso Orte der interkulturellen Theologie wie die ethischen Auseinandersetzungen mit der Gentechnologie und den Risiken der Informatik oder wie die konsequente, historisch-kritische Arbeit an den biblischen Texten. Deshalb gilt:

- • *(4) Die interkulturelle Theologie dispensiert nicht von den Methoden der in der okzidentalen Kultur gewachsenen rational-analytischen Wissenschaft, sie verlangt aber, daß diese kritische Sichtung auch auf den Gesamtprozeß der zwischenkulturellen, innerkirchlichen und interreligiösen Kommunikation, in dem der Okzident nur ein Teilnehmer ist, angewendet wird.*

4. Der Horizont der interkulturellen Theologie ist das „Dorf Welt" (Herbert McLuhan), in dem die Evangeliumsbotschaft in verschiedenen kulturellen Registern bezeugt werden darf und kann. Das christliche, interkulturelle Gespräch läßt dabei neue Dimensionen der Menschenfreundlichkeit Gottes (Tit 3,4) aufscheinen und führt so zu einer qualitativ immer umfassenderen Katholizität und Ökumenizität (Congar 1972, 486-487), in der Christus und sein Evangelium von der okzidentalen Gefangenschaft befreit werden (Vancouver 1983, 58-61).

Lit.: *Barrett, D. B.* (Hrsg.), World Christian Encyclopedia, 1982. - Bericht aus Vancouver '83. Offizieller Bericht der Sechsten Vollversammlung des Ökumenischen Rates der Kirchen, hg. v. W. Müller-Römheld, 1983. - *Blatezky, A.*, Sprache des Glaubens in Lateinamerika (Studien zur interkulturellen Geschichte des Christentums 20), 1978. - *Bujo, B.*, Afrikanische Theologie (Theologie interkulturell 1), 1986. - *Congar, Y.*, Die Katholizität der Kirche, in: MySal IV/1, 478-502. - *Exeler, A.*, Wege einer vergleichenden Pastoral, in: L. Bertsch/F. Schlosser (Hrsg.), Evangelisation in der Dritten Welt 2, 1981, 92-121. - *Friedli, R.*, Mission oder Demission, 1982. - *Ders.*, Art. Mission/Missionswissenschaft, in: NHthG III, 118-127. - *Hollenweger, W. J.*, Erfahrungen der Leiblichkeit, Interkulturelle Theologie 1, 1979, 34-47. - *Kraft, Ch. C.*, Christianity in Culture. A Study in Dynamic Biblical Theologizing in Cross-Cultural Perspective, 1979. - *Luzbetak, L. J.*, L'Eglise et les Cultures, 1968. - *Marc, G.*, Die institutionelle Kirche in der Zukunft (PMV-Bulletin), 1980.

- Ohlig, K.-H., Fundamentalchristologie. Im Spannungsfeld von Christentum und Kultur, 1986. *- Panikkar, R.*, Der unbekannte Christus im Hinduismus,. 1986. *- Taber, Ch. R./Nida, E.*, Theorie und Praxis des Übersetzens, 1969.

R. Friedli

JAPANISCHE THEOLOGIE

1. Das Problem der Bibelinterpretation. 2. Die Kreuzestheologie. 3. Die Aufnahme und Wirkung der Dialektischen Theologie. 4. Die Theologie des „Immanuels". 5. Der interreligiöse Dialog. 6. Kirchengeschichte. 7. Japanischer christlicher Liberalismus. 8. Katholische Theologie.

1. Nach den heftigen Auseinandersetzungen in den siebziger Jahren wurde das Problem der Bibelinterpretation erneut sehr lebendig. Die Frage nach dem Kanon der Schrift rückt in den Vordergrund. Die Gestalt des Menschen → ˙Jesus von Nazareth wird von dem Christus der kirchlichen Verkündigung getrennt und Jesus als sozialer und politischer Reformer verstanden. Dieses Christusbild wird hauptsächlich von den Theologen der christlichen „Nicht-Kirche-Bewegung" (Mu-Kyokai), die auf Uchimura Kanzo (1861-1930) zurückgeht, entworfen. Uchimura gehörte zu dem „Bund der Bekenner Jesu" (Sapporo-Bund), den der amerikanische Professor und Missionar W. S. Clark (1826-1886) gründete, und begann mit seiner Mu-Kyokai-Bewegung seit 1901. Das Präfix „mu" (Nichts) be-. deutet kein Zunichtemachen oder Ignorieren der Kirche, sondern sie im Sinne von Nicht-Da-Sein zu verstehen. Das Christentum ist nach seiner Meinung weder Kirche noch Institution, weder Glaubensartikel noch Dogma oder Theologie, sondern die lebendige Person des Herrn Jesus Christus, der die persönlichen Beziehungen unter den Gläubigen schafft. Der Beruf des Pfarrers wird ebenso wie die Notwendigkeit der Sakramente verneint. Die Mu-Kyokai übt Kritik an der in verschiedenen Denominationen sichtbar gewordenen (oder: in sichtbarer Weise wirkenden) Kirche. Sie besteht selber aus lebendigen Gemeinden der unsichtbaren wahren Kirche. Zentrum der Gemeinde ist die Bibel. Der Gottesdienst bedeutet Auslegung der Bibel. Der Leiter des Gottesdienstes bzw. der Versammlung ist Laie und arbeitet in einem bürgerlichen Beruf. Viele Leiter betätigen sich schriftstellerisch, indem sie Kommentare, Konkordanzen, ihre eigene Zeitschrift für Bibelarbeit usw. verfassen oder veröffentlichen. Uchimura publizierte seine Zeitschrift „Biblische Studien" seit 1900 bis zu seinem Tod. So ist die Bibelarbeit für Mu-Kyokai die wichtigste Arbeit, und namhafte japanische Forscher der Bibelwissenschaft sind Mitglieder der Mu-Kyokai. Als Schüler Uchimuras sind hier zu nennen: Tsukamoto Toraji (1885-1973), Kurosaki Kokichi (1886-1970), Sekine Masao (geb. 1912), Kanda Tateo (geb. 1897), Maeda Goro (19195-1980). Aus diesem Kreis der Bibelforscher außerhalb der Kirche stammen die führenden Theologen, die sich gegen das traditionelle Verständnis von Jesus Christus und der Heiligen Schrift wenden. Arai Sasagu (geb. 1930) behauptet, daß das Urbild des Menschen Jesus im Gegensatz zum Jesusbild des Christentums stehe und Je-

sus als Freund der gottlosen und schwachen Menschen verstanden werden müsse. Tagawa Kenzo (1935-) interpretiert den Menschen Jesus auf der politischen Ebene. Er selber war als Vertreter der Neuen Linken ein Führer der rebellierenden Studenten der siebziger Jahre. Yagi Seiichi (geb. 1932) relativiert die Bibel und sieht sie in einer Linie mit anderen religiösen Schriften sowie das Bild Jesu mit dem anderer religiöser Führer. Damit konstruiert er ein systematisches Verständnis der religiösen Existenz aller Menschen. Der Auslegung der Bibel innerhalb der Kirche haben sich unter anderen Watanabe Zentra (1885-1978) und Takemori Masaichi (geb. 1907) intensiv gewidmet. Sie suchen nach einer Vermittlung zwischen dem Bibelstudium und der Verkündigung im kirchlichen Leben.

2. Die Kreuzestheologie in Japan wird von Kitamori Kazoh (1916-) in seinem Hauptwerk „Theologie des Schmerzes Gottes" (1946) zur Sprache gebracht. Locus classicus für den Begriff des Schmerzes Gottes ist für ihn die Stelle Jer 31,20: „mein Herz schmerzt mich." Der Schmerz Gottes ist nach Kitamori nicht direkt identisch mit der Liebe Gottes. Die unmittelbare Liebe Gottes ist nichts anderes als Gesetz. Der Schmerz Gottes als die Liebe Gottes am Kreuz Jesu Christi sei dagegen diejenige Liebe, in der Gott auch den Sünder liebt. Deshalb sei der Schmerz Gottes auch umfassender als die unmittelbare Liebe Gottes. Bezeichnend für Kitamori sind folgende drei Gedankengänge: Erstens gibt es die Liebe Gottes, die vom Menschen nicht angenommen wird und daher als Gesetz über ihm wirkt. Der wahre und lebendige Gott überantwortet den Rebellen, den Sünder, dem Tode. Zweitens denkt Kitamori an den Zorn Gottes. Aus der Liebe und dem Zorn Gottes entsteht nach seiner Meinung am Kreuz Jesu Christi ein Drittes: der Schmerz Gottes. Der Begriff des Schmerzes Gottes umschreibt die Spannung zwischen der Liebe und dem Zorn Gottes. Der Schmerz Gottes besteht einmal darin, daß Gott denen nicht vergeben kann, die er liebt. Er besteht zum anderen darin, daß er vergibt und damit tut, was er nicht tun kann. Indem er Luthers Wort: „da streydet Gott mit Gott" zitiert, behauptet Kitamori: „Der Gott, der den Sünder dem Tod überantworten muß, streitet mit dem Gott, der den Sünder liebt. Die Tatsache, daß es beide Male derselbe Gott ist, ist eben der Schmerz Gottes." Schmerz (jap.: *itami*) ist die nähere Umschreibung der Gefühlsbewegung von *tsurasa* (Leiden, Schmerz). In dem traditionellen Kabuki-Theater findet man häufig Theaterstücke mit Beispielen dieser Gefühlsbewegung. Ein treffendes Beispiel findet sich im Theaterstück „Terakoya". Dort weiß der Held Matsuomaru, daß die Feinde dem Sohn seines Lehnsherrn nach dem Leben trachten. Matsuomaru und seine Frau schicken bewußt ihren eigenen Sohn in jene Schule (Terakoya), in der sich der gesuchte Sohn befindet, um ihren Sohn den stellvertretenden Tod sterben zu lassen. Als Matsuomaru erfährt, daß sein Sohn den stellvertretenden Tod gestorben und der Sohn seines Landesherrn den Händen der Feinde entgangen ist, weint er still zusammen mit seiner Frau und sagt zu ihr: „Freue dich, meine Frau, unser Sohn hat seine Pflicht erfüllt!" *Tsurasa* wird dann verwirklicht, wenn einer sich oder seinem geliebten Kind den Tod gibt, um einem Dritten das Leben zu erhalten. Tsurasa und der Schmerz (itami) werden von Kitamori theologisch qualifiziert und machen das Zentrum seiner Kreuzestheologie aus.

Kitamori wurde in einer lutherischen Kirche getauft und hat am lutherischen Seminar studiert. Der Einfluß der Theologie Luthers auf Kitamori ist sehr groß. Nach dem Studium am lutherischen Seminar studierte er an der Kyoto Universität weiter. Hier war er vor allem Hörer des vom Jodo-(shin)-Buddhismus geprägten Philosophen Tanabe Hajime (1885-1962), der neben dem zen-buddhistisch geprägten Philosophen Nishida Kitaro (1870-1945) die führende Persönlichkeit der philosophischen Kyoto-Schule ist. So wurde Kitamori sehr stark vom Jodo-(Shin-)Buddhismus beeinflußt. Seine Behauptung, daß Jesus Christus der Herr sei, der durch seine eigenen Wunden unsere menschlichen Wunden heilt, findet man auf ähnliche Weise im Buddhismus darin ausgedrückt, daß die Krankheit (der Menschen aus einer törichten Liebe) durch die Krankheit (der Barmherzigkeit des Amida-Buddha) geheilt wird. Man kann auch einen Einfluß des Konfuzianismus nachweisen, der darin liegt, daß Kitamori die Beziehung zwischen Matsumaru und seinem Lehnsherrn in dem Theaterstück für wichtiger hält als das Leben seines Sohnes und der Schmerz nicht vom Sohn, sondern vom Vater her interpretiert wird. Als die „Theologie des Schmerzes Gottes" kurz nach dem Zweiten Weltkrieg veröffentlicht wurde, fand sie auch außerhalb der Kirche eifrige Leser. Kitamori wurde der führende Theologe und Sprecher des Kyodans (der Unierten Kirche Christi in Japan), von dem auch zum Verständnis der lutherischen Theologie in Japan wichtige Impulse ausgingen, z.B. auf Kuramatsu Isao (geb. 1928). Die kritischen Fragen an Kitamori beziehen sich auf die Wirklichkeit des Schmerzes Gottes innerhalb der sozialethischen Ebene, da er bei dieser Fragestellung immer den transzendenten Charakter des Schmerzes *Gottes* betont.

3. Als die japanische Kirche reif wurde, ihre eigene Theologie zu entwerfen, kam die Dialektische Theologie nach Japan. Die bisherige anglo-amerikanische Theologie, die die Missionare mitgebracht hatten, richtete sich auf die Mission und Bildung der Gemeinde/Kirche. Sie wurde maßgebend für große christliche Persönlichkeiten, wie z.B. Uemura Masahisa (1858-1925), Ebina Danjo (1856-1937) und Takakura Tokutaro (1885-1934). Dagegen wirkte die Dialektische Theologie der dreißiger Jahre, die von Europa ausging, in Richtung auf die Konstruktion eines theologischen Systems für die japanische Kirche. Deshalb bedeutet die Dialektische Theologie in Japan nicht nur eine theologische Bewegung, sondern diejenige Theologie, die der japanischen Theologie im allgemeinen entscheidende Impulse gab. Man kann sagen, daß mit der Dialektischen Theologie die japanische Theologie allgemein angefangen hat und sie noch heute von ihr - besonders von der Theologie Karl Barths - beeinflußt wird. Kumano Yoshitaka (1898-1981) hat die Dialektische Theologie durch sein Buch „Grundriß der Dialektischen Theologie" (1932) vorgestellt und schrieb u.a. eine dreibändige Dogmatik, in der die Wichtigkeit der Existenz der Kirche betont wird. Die Kirche sei der heilige Ort, an dem die Ewigkeit Gottes konkrete Gestalt annimmt. Die Kirche als Leib Christi übernehme das Werk des Mittlers. Nicht die menschliche Erfahrung, sondern die Kirche sei der fundamentale Faktor für die Kontinuität des Glaubens (gegen den Liberalismus). Die wirkliche Kirche sei die sichtbare Kirche, und der Charakter der Geschichte sei für die Kirche wesentlich (gegen Mu-Kyokai). Kuwada Hidenobu (1895-1975), Kan Enkichi (1895-1972), Takizawa Katsumi (1909-1984), Yamamoto Kano (1909-) und andere haben die Barthsche Theo-

logie in Japan eingeführt. Die Eigentümlichkeit der Barth-Rezeption vor dem
Zweiten Weltkrieg liegt darin, daß die Theologie Barths innerhalb von Kirche
und Gemeinde meist als eine Art von theologischem „Akademismus" mißverstanden wurde. Ebenso wurde der Charakter Gottes als des Ganz-Anderen und die
Betonung der → Eschatologie mißverstanden, als solle dadurch die konkrete Geschichte und Aufgabe der Menschen eliminiert werden oder die Geschichte der
Auferstehung Jesu Christi seine Kreuzesgeschichte ersetzen. Es kann deshalb
nicht überraschen, wenn die theologischen Arbeiten Barths zur politischen Verantwortung des Christen trotz der Bemühungen des Barth-Schülers Egon Hessel
(BK-Missionar in Japan) wenig beachtet und gar nicht übersetzt wurden. Auch
der theologische Streit zwischen Barth und Emil Brunner bzw. Friedrich Gogarten über die natürliche Theologie, über die man viel diskutiert hat, wurde fast nur
unter dem Aspekt der Rechtgläubigkeit verstanden und nur wenig hinsichtlich seiner politischen Konsequenzen bedacht. Barths Theologie in ihrer totalen Gestalt
zu verstehen wurde erst nach dem Zweiten Weltkrieg versucht. Eine Konsequenz
dieser neuen Bemühungen ist das Schuldbekenntnis des Kyodans, das von Suzuki
Masahisa (1912-1969) initiiert wurde. Neben Barth wurden auch E. Brunner, D.
Bonhoeffer, P. Tillich und R. Bultmann in Japan eingeführt, und jeder von ihnen
hat seine Anhänger gefunden.

   4. Takizawa Katsumi (1909-1984) studierte auf die Empfehlung seines zen-
buddhistischen Philosophielehrers K. Nishida hin bei K. Barth in Bonn und entwickelte später eine „Theologie des Immanuels". Bei Nishida fand er die Bestimmung des Ortes des einzelnen Menschen, nach der das Absolute nicht als das abstrakt Transzendente zu denken ist, sondern als das, was mit dem einzelnen zusammen ist. Der einzelne ist vielmehr der Ort, in dem das Absolute sich selbst
zum Ausdruck bringt. Zur Struktur des Ortes, an dem der einzelne ist, gehören
die untrennbare Einheit, der unvermischbare Unterschied und die unverkehrbare
Ordnung zwischen dem Absoluten und dem Absoluten und dem einzelnen. Während Nishida diesen Sachverhalt als „die Selbst-Identität des sich selbst Widersprechenden" bezeichnet, drückt Takizawa dies mit christlichen Begriffen aus, indem er die Philosophie Nishidas für die anonyme Wahrheit des christlichen Evangeliums hält. Was bei Nishida mit der Ortsbestimmung des einzelnen gemeint ist,
sei von Barth in der Formel „Immanuel" („Gott mit uns") zusammengefaßt. Die
Formel Barths umschreibt nach Takizawa die Tatsache, daß der absolute Gott
sich auf alle Menschen bezieht. Die Grundbestimmung des Menschen sei wesentlich nichts anderes als die Beziehung Gottes zum Menschen. Takizawas Gedanken lassen sich in drei Punkten zusammenfassen.:

   4.1 Die Sache des Immanuel als Grundbestimmung des Menschen: in der
vollkommenen Einheit von Gott und Mensch, in der zugleich der unaufhebbare
Unterschied und die absolute Unumkehrbarkeit vorherrschen, werden die
menschliche Sünde und die Erbsünde gründlich ausgetilgt und die Verheißung sowie der Befehl des neuen Lebens gegeben. Der Mensch ist in der Sache des Immanuels der wirkliche Mensch. Die Sache des Immanuels bedeutet das Zusammensein des ganz Ungleichen: deshalb kann sie nicht vom Menschen her geschehen, sondern nur von Gott gegeben werden. Dazu soll der Mensch erwachen und
dafür darf er danken. Der Glaube bedeutet Erleuchtung zur Sache des Imma-

nuels. Es gibt keine Zeit und keinen Ort, wo diese Sache nicht vorherrscht. Das Faktum des Immanuel ist nicht eine einzelne historische Tatsache, beschränkt durch die raum-zeitliche Bedingung, die irgendwie vermittelt und universalisiert werden soll. Und Immanuel ist keine Idee, die nachträglich historisiert und individualisiert werden soll. Immanuel selbst ist schon das ganz konkrete Faktum.

4.2 Sache und Zeichen: Die Sache des Immanuels wirkt auf alle Menschen und ist der Anspruch der Antwort als des Zeichens der Sache in der Welt. Die Sache sucht und schafft das Zeichen, aber sie ist nicht identisch mit ihm, weil diese beiden qualitativ verschieden sind. Wenn man Sache und Zeichen vermischt, wird entweder das historische Zeichen zur ewigen Sache erhoben oder das Ewige zum Historischen erniedrigt.

4.3 Der Mensch Jesus als das Zeichen: Der Mensch Jesus ist nach Takizawa nicht die Sache selbst, sondern das Zeichen, d.h. das Vorbild des wirklichen Menschen. Die Fleischwerdung des Wortes Gottes bedeutet also nicht die Entstehung der absoluten Beziehung zwischen Gott und Mensch, sondern die Entstehung des Zeichens der Beziehung. Der Unterschied zwischen dem Menschen Jesus und den Propheten liegt darin, daß jener das perfekte Zeichen ist. Das Kreuz Jesu Christi ist das zentrale Zeichen aller Zeichen. Die Vergebung der Sünde geschieht nicht erst am Kreuz als Zeichen, vielmehr ist der Kreuzestod selbst das Zeichen, daß der Tod nicht das Letzte ist. Die Auferstehung bedeutet die Offenbarung des Immanuels, nach der die Sache des Immanuels ohne Zeichen, Jesus von Nazareth, wirklich existiert. Takizawas Theologie relativiert die Gestalt des Menschen Jesus und das Christentum als Religion und fragt nach der Möglichkeit der Wesensveränderung des Systems der christlichen Theologie.

5. Durch Takizawa trat der interreligiöse → Dialog zwischen Buddhismus und Christentum in eine neue Phase ein, in der nicht nur gegenseitiges Gespräch im Sinne der vergleichenden → Religionswissenschaft, sondern neue Gestaltung der Theologie getrieben wird. Yagi Seiichi (geb. 1932) aus der Mu-Kyokai hervorgegangen, wird vom Zen-Buddhismus und der Bultmannschen NT-Forschung beeinflußt. Er versucht durch seine Debatte mit Takizawa sein System einer Religionsphilosophie darzustellen. Die menschliche Existenz im Buddhismus ist nach Yagi identisch mit der menschlichen Existenz im Christentum. Die christliche Existenz ist eine Möglichkeit der universalen Existenz der Menschheit, und wenn sie christlich genannt wird, dann deshalb, weil sie durch die christliche Verkündigung entsteht. Für ihn ist wichtig, die echte Existenz als die religiöse Existenz zu verstehen, die dem Menschsein zugrundeliegt. Eine wichtige, jedoch nicht ausschließliche Hilfe dafür ist das NT. Die wahre Existenz ist die in der Entscheidung sich vollziehende Annahme dessen, was wirklich ist, nicht was man für das Seiende hält. Der Grund des wahren Seienden ist das Nichts in dem Sinne, daß das Seiende ein Prädikat des Nichts ist. Wenn echte Existenz im Menschen wirklich wird, ist es nach Yagi nichts anderes als die Entstehung der reinen Anschauung. Die reine Anschauung, in der man von allen Sorgen freigesprochen ist, bstimmt sich zum freien und schöpferischen Denken, d.h. zur Liebe, zur Beziehung mit den anderen. Die echte Existenz geht nicht von der Spontaneität des Menschen aus, sondern die echte Existenz redet vom Transzendenten, das zugleich das Immanente ist. Deshalb muß die echte Existenz die religiöse Existenz sein. Die religiöse Existenz birgt nach Yagi drei Momente in sich: (a) die Realität der Transzendenz, (b) ihre Anrede an die Existenz und (c) die Subjektivität der Existenz, die für ihre Entscheidung verantwortlich ist. Yagi erklärt die Entstehung der ntl. Gedanken mit dem Begriff der religiösen Existenz und findet die religiöse Existenz in reiner Gestalt im Worte Jesu: „Der Sabbat ist um des Menschen willen geschaffen worden und nicht der Mensch um des Sabbat willen" (Mk 2,27). Neben Yagi denken Honda Masaaki (geb. 1929) und andere katholische Theologen in derselben Richtung, während Hatano Seiichi (1877-1950), Agiga Tetsutaro (1899-1977) und Muto Kazuo (geb. 1913) zu den großen Persönlichkeiten der Religionsphilosophie im herkömmlichen Sinne gehören.

6. Man kann sagen, daß das Studium der christlichen Theologie in Japan im Bereich der Kirchengeschichte begonnen hat. Raphael von Koeber (1848-1923), der zur religionsgeschichtlichen Schule gehörte, lehrte hauptsächlich Philosophiegeschichte, aber auch Theologie an der kaiserlichen Universität zu Tokyo (1893-1914). Als seine Schüler sind Hatano Seiichi und Ishiwara Ken (1882-1976) bekannt. Hatano publizierte Studien über Paulus, das Urchristentum, sowie religionsphilosophische Abhandlungen. Ishiwara veröffentlichte mehrere Arbeiten über die Geschichte des Christentums und der christlichen Theologie. Beide sind Bahnbrecher im Bereich der kirchengeschichtlichen Forschung und üben einen großen Einfluß auf den theologischen Nachwuchs an den Universitäten aus. Das Studium im historisch-theologischen Bereich wird in Japan bis heute vom Standpunkt der religionsgeschichtlichen Schule beherrscht.

7. Der christliche Liberalismus in Japan wird von Ebina, Kagawa und anderen vertreten. Ebina Danjo (1856-1937) ist als Pfarrer durch seine Predigttätigkeit berühmt geworden. Er gewann viele Zuhörer. Meist waren es Studenten, die später leitende Persönlichkeiten in verschiedenen Bereichen von Kirche und Gesellschaft wurden. Theologisch gesehen leugnet Ebina die Göttlichkeit Jesu Christi und damit die Dreieinigkeit Gottes. Nach ihm ist Gott unser Vater und wir Menschen sind seine Kinder. Jesus Christus gibt uns die Gewißheit, daß wir mit ihm zusammen zu unserem himmlischen Vater beten können. Die Anbetung und Verehrung Christi sieht Ebina nicht als angemessenes Verhalten der Menschen an, die von Gottes Geist beseelt sind, sondern ihre Aufgabe ist es, durch Wort und Tat in der Nachfolge Christi sich zu bewähren. Die geistigen Voraussetzungen für die Theologie von Ebina kann man einerseits in seinem Nationalbewußtsein als Japaner und andererseits im Konfuzianismus sehen. Durch das Evangelium wird bei ihm die konfuzianische Ethik nicht aufgehoben, sondern ihre Forderungen werden erfüllt. Deshalb stützt sich seine Theologie auf den guten Willen der Menschen und auf ihr Gewissen. Ebina betont sowohl ein moralisches Bewußtsein als auch eine persönliche Bildung des Menschen. Jesus ist für ihn das Vorbild des idealen Menschseins.

Kagawa Toyohiko (1888-1960) ist als Christ bekannt geworden, weil er in den Elendsvierteln die christliche Nächstenliebe praktisch gelebt und bewiesen hat. Als Schriftsteller, Prediger und Leiter einer Gewerkschaftsbewegung war er in verschiedenen Arbeitsbereichen äußerst aktiv tätig. Seine Theologie ist ohne Systematik: So erklärt er zum Beispiel nicht den Zusammenhang zwischen christlichem Glauben und der Lösung sozialer Probleme. Kagawa ist nicht Theoretiker, sondern Praktiker und zugleich Dichter und Prophet. Man kann die Tendenz seiner Theologie als liberal bezeichnen. Einerseits betont er das Kreuz Christi und die Liebe Gottes, die sich in seinem Versöhnungswerk offenbart. Zum anderen finden wir bei ihm eine eindeutig idealistische Ethik und eine optimistische Eschatologie: Ein Christ, der Gottes Liebe erfahren hat, liebt seine Mitmenschen, und ein von Gott erlöster Christ wirkt befreiend unter seinen Mitmenschen. Die erlösende Liebe wird durch einen solchen Christen innerhalb der Gesellschaft gelebt und verwirklicht. Auf diese Weise ereignet sich das Gottesreich in der Geschichte dieser unserer Welt.

Der japanische christliche Liberalismus ist weniger interessiert an theologischen Fragen als an sozialen Problemen und an der japanischen Kultur. Er vertritt die Ansicht, daß das Christentum sich zunächst der japanischen Kultur und Gesellschaft anpassen müsse, um sie von innen her langsam zu verändern. Auf keinen Fall solle es eine Art von Revolution gegen sie hervorrufen. Mangels einer festen theologischen Grundlage konnte eine liberale Verkündigung zu einer Assimilation des Evangeliums mit der japanischen Kultur und Gesellschaft führen. Insofern hatte die dialektische Theologie mit dem Liberalismus ein leichtes Spiel und konnte ihn theologisch mühelos überwinden. Einer gewissen Schwäche an theologischen Argumenten und einer Stärke in bezug auf soziales Engagement im Liberalismus entspricht umgekehrt eine theologische Stärke der dialektischen Theologie und eine Schwäche des japanischen Barthianismus bezüglich des sozialen und politischen Engagements. Mit dem zweiten Weltkrieg endete der christliche Liberalismus in Japan. Sein Interesse an der Gesellschaft jedoch wurde durch die jüngeren Barth-Schüler ebenso wie durch die Neutestamentler, die sich der Jesulogie widmeten, aufgegriffen und weitergeführt.

8. Die herausragenden Tendenzen in der katholischen Theologie lassen sich an folgenden vier Punkten aufzeigen:

• Von einer Reihe von katholischen Theologen wird das Gespräch zwischen Buddhismus und Christentum aufgenommen.

In diesem Zusammenhang sind die Theologen Heinrich Dumoulin (geb. 1905), Hugo Lassalle (geb. 1898) und andere nichtjapanische Katholiken neben Kadowaki Kakichi (geb. 1926) und Onodera Isao (geb. 19??) zu erwähnen. Kadowaki hat aufgrund seiner Zen-Erfahrung das Anliegen, das buddhistische Denken mit dem christlichen zu vergleichen; und zwar vergleicht er die Methode des Denkens, nicht die Begriffe und die Glaubenslehren. Für eine höhere dritte Position ist in dieser Art von Vergleich kein Raum. Durch persönliche Begegnung und Gespräch darf lediglich die eigene religiöse Erfahrung vertieft werden. Onodera dagegen schafft durch den Vergleich der katholischen Theologie mit der buddhistischen Philosophie eine eigene, von ihm als topologisch bezeichnete Theologie.

• Die traditionelle Aufgabe der katholischen Theologen ist die Beschäftigung mit der Philosophie, besonders mit der des Mittelalters von Thomas von Aquin, Bonaventura, Augustinus u.a. In diesem Bereich sind die wichtigsten Persönlichkeiten, die starke Impulse gegen die japanische Gedankenwelt vermitteln, Matsumoto Masao (geb. 1910), Takahashi Wataru (geb. 1909), Imamichi Tomonobu (geb. 1922), Yamadara Akira (geb. 1922) und Inagaki Ryosuke (geb. 1928).

• Im Bereich der neutestamentlichen Theologie wurden zwei Arbeiten in deutscher Sprache veröffentlicht: Ibuki Yu, Die Wahrheit im Johannes-Evangelium (BBB), 1972, und Miyoshi Michi, Der Anfang des Reiseberichts Lk 9,51-10,24. Eine redaktionsgeschichtliche Untersuchung, AnBib 60, 1974. Mit diesen beiden Veröffentlichungen kommt die katholische neutestamentliche Forschung einen wichtigen Schritt voran auf einem Gebiet, auf dem die protestantischen Theologen bisher einen gewissen Vorsprung hatten. Besonders intensiv wird die Frage nach dem Ursprung der Christologie diskutiert. Die allgemeine Tendenz wird deutlich in der Betonung der Identität des historischen Jesus mit dem verkündigten Christus. Takayanagi Shunichi (geb. 1932) sagt z.B., daß der Gegensatz zwischen dem historischen Jesus und dem geglaubten Christus unrichtig sei. Takayanagi ist Systematiker und hat eine lehrreiche dreibändige Arbeit über die Geschichte der geistigen Hintergründe des Phänomens „Stadt" geschrieben: 1. Der Mensch und die Stadt 2. Die Geschichte des Stadtgedankens; 3. Die Utopie und die Stadt, Tokyo 1975.

8.4 Zu erwähnen sind schließlich die Übersetzungen ausländischer Arbeiten ins Japanische und ihre Veröffentlichung: 1. Im Lexikon: Vocabulare de Théologie Biblique, hg. v. Xavier Léon Dufour, [2]1970; 2. Enchiridion Symbolorum Definitionum et Declarationum de rebus fidei et morum, ed. 32, 1963; 3. die wichtigen Arbeiten von Karl Rahner.

Lit.: *Anderson, G. H.* (Hrsg.), Asian Voices in Christian Theology, 1976. - *Aono, T.*, Kreuz und Auferstehung bei Paulus. Ein Plädoyer für die Theologie K. Takizawas und S. Yagis, in: AJBI, X, 1984. - *Axling, W.*, Kagawa, der Franziskus der Großstadt, 1948 (engl. 1932). - *Ders.*, this is Japan, 1957. - *Barksdale, J.*, Yagi and Takizawa: Bultmann vs. Barth in Japan, in: JMB 24, 1970. - *Barth, C.*, Taten in Gottes Kraft. Toyohiko Kagawa, sein Leben für Christus und Japan, 1950. - *Best, E. E.*, Christian Faith and Cultural Crisis: The Japanese Case, 1966. - *Böttcher, W.*, Rückenansicht, Perspektiven japanischen Christentums, 1973. - *Caldarola, C.*, Christianity: The Japanese Way, 1979. - *Cho, K. T.*, The Ideological Spectrum in Asia, in: E. de Vries, Man in Community, 1966. - *Ders.*, An Essay on Kagawa Toyohik, in: Asia Cultural Studies III, A., (Sept. 1960). - *Demura, A.*, Calvin Studies in Japan, in: NEAJT 1, 1968. - *Dohi, A.*, Christianity in Japan, in: T. K. Thomas, Christianity in Asia: North-East Easia, 1979. - *Doi, M.*, The Nature of Encounter between Christianity and Other Religions as Witnessed on the Japanese Scene, in: The Theology of Christian Mission, hg. v. Gerald H. Anderson, 1961. - *Drummond, R.*, A History of Christianity in Japan, 1971. - *Elwood, D. J.* (Hrsg.), What Asian Christians Are Thinking: A Theological Source Book, 1976. - *Furuya, Y.*, The Influence of Barth on Present Day Theological Thought in Japan, in: JCQ 30, 1964, 262-297. - *Ders.*, A Critical View on the So-called Asian Theology, in: Theological Studies in Japan, No. 21, 1982. - *Germany, C. H.*, Protestant Theologies in Modern Japan, A History of Dominant Theological Currents from 1920-1960, 1965. - *Hamer, H. E.*, Der rheinische Beitrag zur Ostasien-Mission, in: MEKGR 33, 1984, 403-484. - *Ders.*, Zur Verfolgung des rheinischen BK-Missionars Egon Hessel, in: MEKGR 34, 1985, 159-172. - *Hatano, S.*, Time and Eternity, 1963. - *van Hecken, J. L.*, The Catholic Church in Japan since 1859, 1963. - *Hesselink, I. J.*, Emil Brunner in Japan, in: JCQ 33, 2 (Spring 1967). - *Honda, M.*, Interdialogue between Buddhism and Christianity in Japan, in: Theological Studies in Japan, N. 20, 1981. - *Hori, M.*, Die Kontinuität der einen apostlischen Kirche und die Bedeutung des Bekenntnisses für den Protestantismus ohne Reformation, dargestellt am Beispiel des Nihon Kirisuto Kyodan, Diss., 1966. - *Iglehart, C.*, A Century of Protestant Christianity in Japan, 1959. - *Ikado, F./McGovern, J. R.*, A Bibliography of Christianity in Japan. Protestantism in English Sources, 1859-1959, 1966. - *Inagaki, R.*, Scholastic Studies in Japan: A Survey, in: NEAJT 4, March 1970. - Japan, PMU 34, 1970. - *Jennings, R. P.*, Jesus, Japan and Knazo Uchimura. A Study of the View of the Church of Kanzo Uchimura and its Significance for Japanese Christianity, 1958. - *Kagawa, T.*, Christ and Japan, 1935. - *Kan, E.*, Karl Barths Einfluß in Japan, in: Theologische Aufsätze. Karl Barth zum 50. Geburtstag, 1936. - *Kato, T.*, Die Perspektive der Praktischen Theologie, in: Wort und Gemeinde. Edward Thurneysen zum 80. Geburtstag, 1968. - *Kimura-Andres, H.*, Mukyokai. Fortsetzung der Evangeliumsgeschichte (Erlanger Monographien aus Mission und Ökumene), 1984. - *Kitamori, K.*, Theologie des Schmerzes Gottes, (ThÖ 2), 1972 (engl. 1965). - *Koyama, K.*, Das Kreuz hat keinen Handgriff (ThÖ 16), 1978. - *Kumano, Y.*, A Review and Prospect of Theology, 4, March 1970. - *Lee, K. S.*, The Christian Confrontation with Shinto Nationalism, 1966. - *Lee, R.*, Stranger in the Land. A Study of the Church in Japan, 1967. - *Margull, H.-J.* (Hrsg.), Dokumentation der Vereinigten Kirche Christi in Japan, in: J. Freytag/H. J. Margull (Hrsg.), Junge Kirchen auf eigenen Wegen. Analysen und Dokumente. Perspektiven der Weltmission (Schriftenreihe der Missionsakademie an der Universität Hamburg 2), 1972. - *Miyata, M.*, Mündigkeit und Solidarität (MWF 18), 1984. - *Mueller, G. A.*, The Catechetical Problem in Japan (1549-1965), 1967. - *Ogawa, K.*, Die Aufgabe der neueren evangelischen Theologie in Japan, 1965. - *Oguro-Opitz, B.*, Analyse und Auseinandersetzung mit der Theologie des Schmerzes Gottes von K. Kitamori, 1980. - *Parker, F. C.*, Baptist Missions in Japan, 1945-1973: A Study in Relationships, in: JCQ 40/1, 1974. - *Phillips, J. M.*, From the Rising of the Sun. Christians and Society in Contemporary Japan, 1981. - *Piovesana, G. K.*, Recent Japanese Philosophical Thought, 1862-1962: A Survey, 1963. - *Rosenkranz, G.* (Hrsg.), Christus kommt nach Japan, 1959. - *Satake, A.*, Eine theologische Betrachtung über die heutige Missionsaufgabe in Japan, in: F. Hahn (Hrsg.), Spuren, 1984. - *Sato, T.*, Eight Elders of Christian Studies, in: Theological Studies in Japan, 21, 1982. - *Schoen, Ulrich*, Das Ereignis und die Antworten, 1984. - *Shimizu, M.*, Das „Selbst" im Mahayana-Buddhismus in japanischer Sicht und die „Person" im Christentum im Licht des Neuen Testaments, 1981. - *Spae, J. J.*, Christian Corridors to Japan, 1965. - *Ders.*, Christianity encounters Japan, 1968. - *Ders.*, Christians of Japan, 1970. - *Ders.*, Japanese Religiosity, 1971. - *Ders.*, Buddhist-Christian Empathy, 1980. - *Sundermeier, Th.*, Das Kreuz in japanischer Interpretation, in: EvTh 44, 1984, 417-440. - *Suzuki, D. T.*, Mysticism: Christian and Buddhist, 1957. - *Suzuki, S.*, Die Rezeption der Theologie Bonhoeffers in Japan und ihre Bedeutung für die heutige kirchliche Stellungnahme zum Tennoismus, Diss., 1982. - *Tagawa, K.*, The Yagi-Takizawa Debate, in: NEAJT, 2, 1969. - *Takenaka, M.*, Reconciliation and Renewal in Japan, 1957, ²1967. - *Ders.*, Between the Old and New Worlds, in: E. de Vries (Hrsg.), Man in Community, 1966. - *Takizawa, K.*, Zen Buddhism and Christianity in Contemporary Japan, in: NEAJT 4, 1970. - *Ders.*, Reflexionen über die universale Grundlage von Buddhismus und Christentum, 1980. - *Ders.*, Das Heil im Heute. Texte einer japanischen Theologie (ThÖ 21), 1987. - *Terazono, Y.*, Über das Handeln der Menschen und das Christusverständnis in der theologischen Bemühung Takizawas, in: H. Reiffen (Hrsg.), Christen und Marxisten in unserer Gesllschaft heute (FS Walter Kreck), 1983. - *Ders.*, Die Christologie Karl Barths und Takizawas. Ein Vergleich, Diss., 1976. - *Ders./Hamer, H.* (Hrsg.), Brennpunkte in Kirche und Theologie Japans, 1986 (Lit.). - The Emperor System: Special Issue, in: JCQ 40, 3, 1974. - The Japan Christian Quarterly (JCQ), seit 1926. - *Tokuzen, Y.*, Luther Studies in Japan, in: NEAJT, 1, 1968. - *Uchimura, K.*, Wie ich ein Christ wurde. Bekenntnise eines Japaners, 1911 (engl. 1905). - *Waldenfels, H.* (Hrsg.), Theologen der Dritten Welt (Beck'sche Schwarze Reihe 260), 1982. - *Yagi, S./Luz, U.* (Hrsg.), Gott in Japan. Anstöße zum Gespräch mit japanischen Philosophen, Theologen, Schriftstellern, 1973. - *Yagi, S.*, The Dependence of Japanese Theology upon the Occident, in: JCQ 30/4, 1964. -. *Yamamori, T.*, Church Growth in Japan, 1974. - *Yasui, T.*, Christus und Buddha, Diss., 1981. - *Young, J. M. T.*, The Two Empires in Japan. A Record of Church-State Conflict, 1958.

Y. Terazono

JESUS

1. Die historische Jesusfrage. 2. Sozialwissenschaftlicher Zugang. 3. Jüdische und antijüdische Deutungen. 4. Politische Deutungen. 5. Kulturelle Integration. 6. Nichtchristliche Deutungen.

„Ohne sich einer Übertreibung schuldig zu machen, wird man sagen dürfen, daß die Frage nach dem historischen Jesus eins der wichtigsten, wenn nicht das wichtigste Problem der Theologie geworden ist" (F. Gogarten). Das Interesse an Jesus ist freilich nicht nur in der kontinentalen und zumal deutschen Theologie, sondern auch in den theologischen Fragen und Entwürfen der christlichen Gemeinschaften in allen Kontinenten dieser Erde virulent. Ja, selbst Nichtchristen - zumal auch Marxisten - haben sich immer wieder mit Jesus von Nazareth auseinandergesetzt. Schließlich wird die Rückfrage nach Jesus auch nicht nur als Frage nach dem historischen Jesus im Sinne der historisch-kritischen Tradition Mitteleuropas gestellt. Vielmehr haben die kulturellen und aktuellen gesellschaftlichen Verhältnisse auf die jeweilige Beschäftigung mit Jesus einen enormen Einfluß. Ebenso spielt der wissenschaftliche Zugang, die besondere Perspektive und auch das bestimmte Interesse eine große Rolle. Sechs unterschiedliche Deutungs-Modelle können skizziert werden.

1. Die „historische Jesusfrage" (Slenczka) beschäftigt die Theologie seit den Anfängen der Aufklärung bis in die Gegenwart. Ihre Geschichte ist die einer zunehmenden Differenz zwischen den kirchlich-dogmatischen Überzeugungen von Jesus Christus (→ Christologie) und den historisch sicheren Erkenntnissen über Jesus von Nazareth. An ihrem Anfang steht die Absicht, den an den „Felsen der Kirchenlehre" (A. Schweitzer) geketteten Jesus von seinen dogmatischen Fesseln zu befreien. Doch dabei kam meistens nur ein dem jeweiligen Zeitgeist angepaßter Jesus heraus. A. Schweitzer hat der „Leben-Jesu-Forschung" ein literarisches Denkmal gesetzt, das zugleich ihr Nekrolog war (1906). Der Exegese bescherte dieser Forschungsprozeß eine immer schmaler werdende Basis von sicheren Einsichten über Jesus. Die liberale Theologie verneinte, daß man eine Biographie Jesu schreiben kann (A. v. Harnack: vita Christi scribi nequit), doch für ein „Charakterbild" Jesu reiche unser Wissen aus. Dieser Möglichkeit gab dann die „formgeschichtliche" Exegese (zumal R. Bultmanns) den Abschied, meinte aber, daß die Grundzüge der Verkündigung Jesu rekonstruierbar sind, auch wenn die Authentizität des jeweiligen Einzelspruchs nicht garantiert werden könne.

Über die Einsichten der *dialektisch-theologischen* Bewegung wie auch speziell der methodischen Aporien bezüglich der Quellenlage für die Jesusforschung schien die historische Jesusfrage vorübergehend abhanden gekommen zu sein. R. Bultmann hatte freilich nicht nur wegen seiner „ehernen Skepsis" und mithin aus historisch-kritischen Gründen (Scheitern der literarischen Quellentheorien als Frage nach der ältesten, authentischen Quelle über Jesus; die formgeschichtliche Einsicht, daß die älteste, mündliche Tradition selbst schon vom Glauben der Urgemeinde geprägt ist) die historische Jesusfrage für gescheitert erklärt. Er negierte sie u.a. aus theologischen Gründen. Denn der Glaube hängt nicht an der historischen Gestalt des Nazareners, sondern kommt aus der Predigt von Jesus Christus. Hinter das Kerygma kann und soll die Theologie nicht zurückfragen. K. Barth dagegen hatte unter Rückgriff auf die Lehre von der Anhypostasie der menschlichen Natur Christi die historische Jesusfrage kritisiert. Schon Harnack hatte dagegen von der dialektisch-theologischen Bewegung befürchtet, daß sie an die Stelle des wirklichen einen „erträumten" Christus setzen werde, weil sie die historische Forschung als Grundlage einer gemeinschaftlichen Erkenntnis Christi aufgegeben habe. In verwandelter Gestalt taucht seine Fragestellung in der Bultmann-Schule wieder auf.

Die *„neue Frage"* (new quest: J. M. Robinson) nach dem historischen Jesus entwickelte sich ausgerechnet im Schülerkreis Bultmanns (E. Käsemann/G. Ebeling) und verkehrte vorübergehend und auch nur scheinbar die Fronten zwischen liberaler und kerygmatischer Theologie. Denn der exegetisch-historische Unterschied zwischen Jeremias einerseits, der für das einzelne Jesuswort als „ipsissima vox" historische Authentizität begründen wollte, und andererseits etwa Bultmann selbst, der sie zwar nicht für den Einzelspruch, freilich für den Tenor der Verkündigung Jesu gar nicht anzweifelte, war gar nicht so groß. Und bei aller heftigen und hektischen Neubelebung der historischen Jesusfrage ist darin Käsemann nicht über Bultmann hinausgegangen, wenn er es historisch für möglich hält, „charakteristische Züge der Verkündigung Jesu" zu erkennen. Daran zweifelte Bultmann nicht. Allerdings unterscheiden sich Bultmann, Käsemann und Jeremias hinsichtlich ihrer Einschätzung der Bedeutung bzw. der Relevanz der historischen Erkenntnisse über Jesus von Nazareth für den Glauben. Drei Antworten sind möglich: Bultmanns radikale Negation, wonach man über das „Daß des Gekommenseins Jesu" theologisch nicht hinausgehen muß und darf. Dieser Ansicht steht diametral die von Jeremias vertretene affirmative Position gegenüber, wonach der historische Jesus als solcher Gegenstand des Glaubens und „Hauptzeuge" (W. G. Kümmel) der ntl. Theologie ist. Dazwischen findet sich die dritte Position (Käsemann), in der der historische Jesus zum Kriterium der Christologie bzw. des Kerygmas wird. Bultmann wie Käsemann verweisen für ihre Positionen auf das Neue Testament selbst; Bultmann: Paulus und Johannes begnügen sich mit dem puren „Daß"; Käsemann: wenn das pure „Daß" ausreichend gewesen wäre, bleibt die Entstehung der Evangelien als Erinnerung an Leben und Wirken des irdischen Jesus unerklärlich.

Bei allen Unterschieden sind alle drei Positionen an einem individuellen, geistes- und religionsgeschichtlich konturierten Jesusbild orientiert. Die neueste soziologische bzw. sozialgeschichtliche Jesusforschung dagegen schlägt gerade darum wohl eine neue Seite in der Geschichte der historischen Jesusfrage auf, weil sie den irdischen Jesus nicht von seinen Anhängern trennt und im historisch-sozialen Kontext seiner Zeitgenossen verstehen will. Allerdings ist dieses neue Interesse an Jesus u.a. nicht ohne die Impulse der lateinamerikanischen Befreiungstheologie (→ Lateinamerikanische Theologie → Theologie der Befreiung) denkbar.

2. Die neue *sozialgeschichtliche bzw. soziologische Rückfrage* nach Jesus richtet ihr Augenmerk nicht nur auf die Einzelperson Jesus oder auf punktuelle historische Situationen seines Lebens. Ihr geht es methodisch um die „Konkretisierung oder auch Individualisierung des Typischen" (W. Conze). Methodisch und theologisch lassen sich zwei Ansätze unterscheiden: Einerseits die im romanischen

Sprach- und Wissenschaftsraum entstandene „lécture materialiste" (F. Belo/M. Clevenot/K. Füssel), die Positionen des historischen Materialismus mit texttheoretischen Einsichten des französischen Strukturalismus verbindet. Andererseits die in der historisch-kritischen Wissenschaftstradition stehende und ausdrücklich an sie anknüpfende sozialgeschichtliche bzw. soziologische Exegese (L. Schottroff/W. Stegemann/G. Theißen), die zumal auch in der nordamerikanischen Exegese (J. Elliott/W. A. Meeks) eine bedeutende Rolle spielt. Die „lécture materialiste" ist zwar nachdrücklich an der „subversiven" bzw. „messianischen Praxis" Jesu interessiert, nicht jedoch am historischen Jesus. Denn „Praxis" Jesu meint hier die Praxis eines „Aktanten" in einer Erzählung, nicht aber das reale Verhalten des Mannes aus Nazareth. Belo zählt die historische Jesusfrage zu den Grundfehlern einer idealistischen Historik. Für den historisch-kritischen Ansatz ist die Jesus-Frage von G. Theißen programmatisch als die nach der „Soziologie der Jesus*bewegung*" gestellt worden. Jesus ist danach Gründer einer Bewegung „vagabundierender Charismatiker", deren radikales Ethos (Familien-, Besitz- und Heimatlosigkeit) Ausdruck ihrer spezifischen Lebenssituation war. Diese aus der Krise der damaligen Gesellschaft erwachsene jüdische Erneuerungsbewegung hat sich nach Theißen aus einer „marginalen mittleren Schicht" rekrutiert. Schottroff-Stegemann rechnen dagegen damit, daß Jesus selbst und seine Jünger zu den untersten Schichten der jüdisch-palästinischen Gesellschaft ihrer Zeit gehörten und Jesus eine „Bewegung von Armen für Arme" (W. Stegemann) gegründet hat. Gerade auch Jesu Kreuzestod läßt sich sozialgeschichtlich aus der Politik der römischen Besatzungsmacht erklären, die selbst (unbewaffnete) enthusiastische Bewegungen brutal unterdrückte. Insofern war Jesu Tod kein Justizirrtum (so noch Bultmann) und Jesus kein „Revolutionär" (M. Hengel), doch starb er wie ein antirömischer Rebell und in der Sicht der Römer auch als ein solcher. Die sozialgeschichtliche Jesus-Forschung ist gerade auch von Theologen aus der Dritten Welt, die ihre befreiende Christologie am historischen Jesus orientieren, aufgegriffen worden.

Die psychologische Interpretation Jesu findet im deutschen Sprachraum wie auch in den USA größeres Interesse. Doch schon S. Freud war nicht am wirklichen Mann aus Nazareth interessiert, sondern konzentrierte sich auf das christologische Dogma des Opfertodes, durch den sich die „Vaterhorde in eine Brüdergemeinde" umgewandelt habe. E. Fromm verbindet diesen totemistischen Aspekt mit der marxistischen Gesellschaftskritik. Aus der Identifikation mit Jesus, der die Unterdrückten zur Freiheit rief, sei entsprechend der neuen gesellschaftlichen Lage, nachdem das Christentum zur Religion der Herrschenden wurde, aus dem „Sohnesputsch" gegen den Vatergott die „Harmonie ewiger Wesenseinheit" von Vater und Sohn geworden. T. Brocher versteht den Opfertod Jesu als Gegenmodell zum Ödipus-Mythos: hier werde der Sohn geopfert, während der Vater obsiegt. Ödipus sei für die Lebenden unbequem, das Christentum verkündige in der Subordination des Sohnes eine Opferhaltung, die sogar Diktaturen dulde. K. Niederwimmer versteht in seiner tiefenpsychologischen Deutung Jesus als „Symbol für die menschliche Existenz", zumal als Symbol (und Rechtfertigung) des „Scheiterns". J. Scharfenberg möchte die psychologische Kritik am „Sohnesopfer" abschwächen, indem er die Pharisäer zu Vertretern eines zwangsneurotischen Systems erklärt, aus dem Jesus gerade herausgerufen hat. In dieser Rolle des „Sündenbocks" befinden sich die Pharisäer schon, seitdem sie sich „christlicher" Aufmerksamkeit erfreuen.

3. J. Weiß (Die Predigt Jesu vom Reiche Gottes, 1892) und E. Schürer (Geschichte des Judentums im Zeitalter Jesu Christi, 1901) versuchten, Jesus konsequent aus dem zeitgenössischen Judentum zu verstehen. Dagegen deutete W. Bousset die „Predigt Jesu in ihrem Gegensatz zum Judentum" (1892). Sein „Dekadenzgemälde" (E. Stegemann) vom Judentum beeinflußte Generationen von Neutestamentlern. Bultmann rechnete die Verkündigung Jesu, der ein Jude und noch kein Christ war, zu den Voraussetzungen der ntl. Theologie. Für Käsemann war Jesus der erste „Evangelist" und jedenfalls kein „Träger des Gesetzes". Sein Interesse am historischen Jesus hört bei Jesu Judesein auf. Er behauptet, daß der historische Jesus mit dem Judentum gebrochen, ja, es überwunden habe. Das Jesusbild vieler christlicher Exegeten ist weithin eine Darstellung des tiefgreifenden und permanenten Konfliktes Jesu mit dem Judentum. Nicht selten wird Jesus (beifällig) als souveräner Gesetzesbrecher beschrieben (H. Braun). Viele jüdische Autoren halten dieses Jesusbild für christliche Projektion. D. Flusser gibt zu bedenken, ob sich hinter diesem Eifer heimlicher Antijudaismus verberge. Unter dem Eindruck des Holocaust kommen auch christliche Theologen zu differenzierteren Einordnungen Jesu ins Judentum seiner Zeit. Grundlegend (auch innerhalb des Judentums selbst) bleibt dafür die Jesus-Deutung von J. Klausner, der zeigte, daß Jesu Lehre sich durch das biblische und pharisäische Judentum erklären lasse. Die meisten modernen jüdischen Autoren vermuten, daß Jesus selbst Pharisäer war oder mindestens dem Pharisäismus nahestand (D. Flusser/S. Ben Chorin /P. Lapide). Sie sind auch weitgehend darin einig, daß Jesu Verhältnis zur Tora die Grenzen des zeitgenössischen Judentums nicht gesprengt hat. M. Bubers Aussagen über Jesus als „Bruder" haben (im Unterschied zu Klausner) mehr im christlichen als im jüdischen Raum gewirkt. In seiner Tradition steht die Jesus-Deutung von S. Ben Chorin.

4. Die *lateinamerikanische Theologie* favorisiert eine Christologie, die schwergewichtig am historischen Jesus interessiert ist. Ihr geht es dabei einerseits um die „Strukturgleichheit" (Boff) der sozialen Situation zur Zeit Jesu und der südamerikanischen Gegenwart, und andererseits zumal auch um die Befreiung zum eigenen politischen Handeln durch die „Praxis" Jesu und in der Nachfolge Jesu. Die Erfahrung unmittelbarer Gleichzeitigkeit mit Jesus und Berührung mit seiner Kraft zur Befreiung resultiert häufig aus der (gemeinsamen) „Relektüre" der Evangelien mit den Augen der Unterdrückten. In den Evangelien entdecken die Armen Lateinamerikas ihre eigenen sozialen Verhältnisse, in Jesus den „Gott der Armen" und „Gott der Arbeiter", der zugleich einfach und menschlich ist, auf der Strasse schwitzt, der zugleich „Genosse" und Besieger des Todes ist, in jedem Arm, der sich emporreckt, um das Volk zu verteidigen, wieder aufersteht (misa campesina nicaraguense). Gerade auch die Auferstehung wird zu einer politischen Botschaft vom Aufstand (resurreiçao-insurreiçao). Zumal in Brasilien hat die „lécture materialiste" des ehemaligen portugiesischen Priesters F.Belo auf die eigene „releitura" Einfluß gehabt. Es darf nicht verschwiegen werden, daß diese Bibelauslegung mit vielerlei Antisemitismen behaftet ist, indem sie etwa gesellschaftliche Gegensätze der Jesus- und der Jetztzeit als religiöse durch das negative Gegenüber zum Judentum ausdrückt.

Auch in der „Black Theology" (→ Afrikanische Theologie; → Schwarze Theologie) schwarzer US-Amerikaner und Afrikaner verleiht Christus als der „schwarze Befreier" unmittelbar-gegenwärtige Identität. Denn er stammte nicht nur selbst von den Armen ab und gehörte zu einem (von den Römern) unterdrückten Volk, sondern er wußte sich zu den Armen, Ausgebeuteten und Unterdrückten gesandt, hat der Armut und Unterdrückung den Kampf angesagt. Lk 4,18 wird hier - wie in der „Minjung"-Theologie (→ Koreanische Theologie) - zu einem Schlüsseltext.

In der Theologie in Südkorea, die in den zwanziger Jahren noch in der sozial-revolutionären Deutung Jesu als Proletarier und Sozialisten (Song Chang-Kun) den Einfluß der mitteleuropäischen Theologie aufwies, setzte sich eine eigene koreanische Deutung durch, in der das Verständnis Jesu als Befreier (zunächst an den Krankenheilungen verifiziert) nach und nach politische Inhalte bekam. Seinen am deutlichsten koreanischen Ausdruck findet dieser Ansatz in der „Minjung"-Theologie, in der Jesus als Freund des „Minjung" (Sammelbegriff für wirtschaftlich arme, gesellschaftlich und kulturell marginalisierte und politisch unterdrückte Menschen: Suh Nam-Dong) verstanden wird. Die massiver ausgrenzende Theologie des Suh Nam-Dong, der etwa das Vater-Unser als Gebet nur für die Armen reserviert, wird von Byung-Mu Ahn, dem gegenwärtig bedeutendsten Vertreter der „Minjung"-Theologie, nicht geteilt. Ahn sieht in dem galiläischen „ochlos", dem Jesu Heilsbotschaft gegolten habe, das „Minjung". Er identifiziert es mit den macht- und besitzlosen Volksmassen, denen die Herrschenden und Privilegierten gegenüberstehen. In der Rückbesinnung auf Jesus geht es der „Minjung"-Theologie nicht nur um individuelles, sondern zumal um das soziale Heil. Der Schlüsseltext dafür ist Lk 4,18ff. Drückt man diese Theologie im Verhältnis zur historischen Jesusfrage aus, dann kann man sagen: „Minjung" interessiert sich für das Christusereignis vor dem Kerygma. Jesus als „sarx"-gewordener ist Arbeiter, ungelernt und in Armut. In seiner Schwäche gegen Reiche und Mächtige geht er nach Jerusalem und weicht der Konfrontation nicht aus. Deshalb wird er von den Mächtigen gekreuzigt. Die Kreuzigung ist Ereignis der „Selbsttranszendenz des Fleisches" (Ahn). Dieses Ereignis geschieht auch heute in „Minjung"-Ereignissen. Im Leiden des „Minjung" erfährt man die Leiden Jesu, umgekehrt wird die leidendende Gegenwart des „Minjung" im Leiden Jesu sichtbar. In diesem Sinne ist das Jesus-Ereignis viel wichtiger als das Kerygma. Gerade die „Minjung"-Theologie ist ein Versuch, christlichen Glauben überhaupt und Jesus Christus im besonderen in und aus der eigenen kulturellen und gesellschaftlichen Situation zu verstehen.

5. Kreuz und Leiden Christi sind auch in anderen Kulturbereichen (etwa in der → japanischen und afrikanischen Theologie) unter den eigenen kulturgeschichtlichen Einflüssen gedeutet worden. Unter dem Eindruck der nationalen Niederlage Japans entwarf K. Kitamori eine Theologie des stolzen Schmerzes am Kreuz Christi, deren „nationalistische Obertöne" (Sundermeier) auf dem Hintergrund der Samurai-Tradition (bushido) selbst in Japan kritisiert wurden. K. Takizawa interpretiert im Kontext verschiedener kulturell-religiöser Traditionen seines

Volkes das Kreuz in seiner kenotischen Tiefe. Jesus wird bei ihm gerade in seinem einfachen Menschsein zum „Urbild" des vollkommenen Menschseins. Die spezifischen kulturellen und mythologischen Traditionen ermöglichen auch afrikanischer Theologie etwa in Geburt, Taufe und Tod Jesu den Ausdruck seiner Inkorporation in die Menschheit, seiner aktiven Teilnahme als Glied der Gemeinschaft bzw. seiner vollständigen Identifikation mit der Menschheit zu sehen (J. Mbiti; vgl. → Initiation). Das stammesgeschichtliche Denken deutet Christus als „Häuptling" und versteht ihn auch als „Bindeglied zwischen Lebenden und Toten" (P. Sandner). U.a. ist er „Christus Victor", der Sieger über die irdischen und unirdischen Mächte und Gewalten, die sich in Geistbesessenheit, Krankheit usf., ja selbst in Streit und Mord, kundtun (Mbiti). Diesen integrativen Deutungen Jesu kann umgekehrt gerade auch die kulturelle Fremdheit des in der Schrift bzw. der Verkündigung begegnenden Jesus entsprechen. So betont Lin Yu-tang aus seiner chinesischen Tradition (→ Chinesische Theologie) heraus zunächst den ethischen Aspekt der Bergpredigt Jesu, preist aber auch kontrapunktisch zur eigenen Tradition an Jesus dessen Klarheit und Spontaneität der Liebe, sein Handeln statt Kontemplation (Choan-Seng Song).

6. Natürlich stoßen christologische Aussagen in besonderer Weise bei Nicht-Christen auf Unverständnis. Für Ghandi war der Gedanke der Inkarnation ein Anstoß, doch war für ihn wichtig, was Jesus getan hat (→ Indische Theologie). Nahezu „gnostisch"-dualistisch trennt etwa der Hindu S.Radhakrishnan den irdischen Jesus als „Guru" vom himmlischen Christus, den er in der Götterversammlung lokalisiert (Choan-Seng Song). R. Augstein hat für sich den „Menschensohn" Jesus als Kind irdischer Eltern entdeckt. Unter den modernen marxistischen Deutungen ragen die von E.Bloch, V.Gardavsky und M.Machovec hervor. Bloch hat den realen Messianismus Jesu und dessen Zukunftsutopie betont und Jesus in ein andringendes Verhältnis zu Mose und zum Exodus gesetzt. Für Gardavsky ist Jesus das „Modell der Entscheidung des Menschen für den Menschen" (W. Kern), während Machovec, der wohl exegetisch kenntnisreichste Marxist, „Jesus für Atheisten" deutet und Marxisten als legitime Erben und säkulare Nachfolger der „Sache" Jesu versteht.

Lit.: *Ahn, B.-M.*, Draußen vor dem Tor. Kirche und Minjung in Korea, (Thö20), 1986. - *Augstein, R.*, Jesus Menschensohn, 1972. - *Belo, F.*, Das Markusevangelium materialistisch gelesen, 1980. - *Boff, L.*, Jesus Christus, der Befreier, 1986. - *Brandt, H.* (Hrsg.), Die Glut kommt von unten. Texte einer Theologie aus der eigenen Erde, 1981. - *Clevenot, M.*, So kennen wir die Bibel nicht, 1978. - *Dantine, W.*, Jesus von Nazareth in der gegenwärtigen Diskussion, 1974. - *Gardavski, V.*, Gott ist nicht ganz tot, [5]1971. - *Gnilka, J.*, Neue Jesusliteratur, in: ThRv 67, 1971, 249-256. - *Gogarten, F.*, Jesus Christus, Wende der Welt. Grundfragen der Christologie, 1966. - *Gräßer, E.*, Motive und Methoden der neueren Jesusliteratur. An Beispielen dargestellt, in: VuF 18, 1973, 1-54. - *Käsemann, E.*, Das Problem des historischen Jesus, in: ders., Exegetische Versuche und Besinnungen 1, [4]1965, 187-214. - *Ders.,.* Sackgassen im Streit um den historischen Jesus, in: ders., Exegetische Versuche und Besinnungen 2, [2]1965, 31-68. - *Kern, W.*, Jesus marxistisch und tiefenpsychologisch, in: ThBer 7. Zugang zu Jesus, 1978, 63-100. - *Kitamori, K.*, Das Problem des Leidens in der Christologie, in: TSAAL 3, 1968, 112-139. - *Kümmel, W. G.*, Dreißig Jahre Jesusforschung (1950-1980) hg. v. H. Merklein, 1985. - *Lattke, M.*, Neue Aspekte der Frage nach dem historischen Jesus, in: Kairos 21, 1979, 288-299. - *Machovec, M.*, Jesus für Atheisten, 1972. - *Mbiti, J.*, Afrikanische Beiträge zur Christologie, in: TSAAL 3,

1968, 72-85. - *Moltmann, J.* (Hrsg.), Minjung. Theologie des Volkes Gottes in Südkorea, 1984. - *Moore, B.* (Hrsg.), Schwarze Theologie in Afrika. Dokumente einer Bewegung, 1973. - *Päschke, B.*, Christologie und Solidarität, in: Die Bibel als politisches Buch. Beiträge zu einer befreienden Christologie, hg. v. D. Schirmer, 1982, 20-34. - *Pesch, R.*, Christliche und jüdische Jesusforschung, in: Jesus in den Evangelien, hg. v. W. Pesch, 1970, 10-37. - *Robinson, J.M.*, Kerygma und historischer Jesus, 1960. - *Roloff, J.*, Auf der Suche nach einem neuen Jesusbild, in: ThLZ 98, 1973, 561-572. - *Sandner, P.*, Jesus Christus im Bekenntnis afrikanischer Kirchen, in: ZfM 1, 1975, 68-77. - *Schierse, F. J.* (Hrsg.), Jesus von Nazareth, 1972. - *Schneider, G.*, Jesus-Bücher und Jesus-Forschung, in: ThPQ 120, 1972. - *Schottroff, L./Stegemann, W.*, Jesus von Nazareth - Hoffnung der Armen, 1978. - *Schweitzer, A.*, Geschichte der Leben-Jesu-Forschung, 1966. - *Schweizer, E.*, Jesusdarstellungen und Christologien seit Rudolf Bultmann, in: Rudolf Bultmanns Werk und Wirkung, hg. v. B. Jaspert, 1984, 122-148. - *Slenczka, R.*, Geschichtlichkeit und Personsein Jesu Christi. Studien zur christologischen Problematik der historischen Jesusfrage, 1967. - *Song, C.-S.*, Die Bedeutung der Christologie in der christlichen Begegnung mit den östlichen Religionen, in: TSAAL 3, 1968, 86-111. - *Stegemann, E.*, Aspekte neuerer Jesusforschung, in: EvErz 39, 1987, 10-27. - *Sundermeier, T.*, Christus, der schwarze Befreier, 1973. - *Ders.*, Das Kreuz in japanischer Interpretation, in: EvTh 44, 1984, 417-440. - *Theissen, G.*, Soziologie der Jesusbewegung, 1970. - *Thoma, C.*, Jüdische Zugänge zu Jesus Christus, in: ThBer 7. Zugänge zu Jesus, 1978, 149-176. - *Yoder, J. H.*, The Politics of Jesus, 1972.

W. Stegemann

JUDENTUM

1. Die Sendung Israels. 2. Mission an Israel? 3. Israels Bedeutung für die Mission der Kirche. 4. Gemeinsames Zeugnis von Juden und Christen.

1.1 Gehört „das Bewußtsein des Missionsrechtes und der Missionspflicht" notwendig zur Existenz Israels (Leo Baeck), so konkurriert dieses biblisch begründete (Gen 12,3; Jes 42,6ff; 49,6; Ps 9,12; 96,3.10; 1Chr 16,24) Bewußtsein einer universalen Mission mit dem kirchlichen Missionsanspruch. Der wegen der Herkunft des Christentums aus dem Judentum und des Rekurses auf gemeinsame Heilige Schriften einzigartigen, die eigene Identität in Frage stellenden Konkurrenz suchte sich die kirchliche Tradition - die Erklärung „Nostra Aetate" des Vaticanum II vom 28.10.1965 markiert einen Neuansatz nicht nur für die römisch-katholische Kirche! - zu erwehren, indem sie dem Judentum post Christum die Legitimität der Sendung an die Völker bestritt: Das Judentum der Gegenwart konnte allenfalls die negative Bedeutung haben, die Macht des göttlichen Zornes unwiderleglich zu demonstrieren, mochte auch der letzte Sinn der fortdauernden Existenz Israels dem Geheimnis des göttlichen Planes nach Röm 11,25f vorbehalten bleiben. Doch steigerte die vehemente Bestreitung unter Umständen - z.B. bei Chrysostomos (Adversus Judaeos) oder bei Luther (Wider die Sabbather) - die Angst vor der als bedrohlich empfundenen Konkurrenz.
1.2 Umgekehrt kennt das von Christen bedrohte, verfolgte und an der Wahrnehmung seiner Mission in Gestalt von aktiver Proselytenwerbung spätestens seit der Konstantinischen Wende gehinderte Judentum in seiner Tradition vereinzelte

Stimmen, die dem Christentum (wie dem Islam) durchaus eine messianische Sendung an die Völker zuerkennen können, vgl. Jehuda Hallevi (gest. 1141), Kusari IV 23, und Maimonides (1135-1204), Mischne Tora, Hilchot Mel. XI,4. Solch souveräne Haltung unterstreicht nur die (primäre) prophetische Sendung Israels, auf dem Wege zur Aufrichtung der Königsherrschaft Gottes durch seine Existenz in der nicht endenden Tat der Treue zur Tora inmitten der Weltvölker den Einen zu verkündigen, der als der Schöpfer der König der Völker ist (Jer 10,1), dem sich alle Knie beugen werden (Jes 45,23f, Alenu-Gebet). Die Hoffnung des sich eben nicht „rassisch" verstehenden Israel schließt es ein, daß ein Nichtjude gleich welcher Herkunft (ShemR XIX,12,43) in das Volk Gottes als „Sohn Abrahams" aufgenommen werden kann, auch wenn das nicht als Ziel der jüdischen Mission angesehen werden darf. Doch wird an dieser Stelle ein für das kirchliche Bewußtsein verständlicherweise empfindlicher Punkt berührt.

1.3 Die Bewährung für den wie auch immer kritisch zu befragenden Versuch Franz Rosenzweigs, die Sendung der Antipoden Judentum und Christentum streng komplementär zu denken, steht aus. Auf jeden Fall hat die Anerkenntnis einer bleibenden Mission Israels weitreichende Folgen für das christliche Verständnis von Mission. Das ist vor allem zu konkretisieren am Thema der „Judenmission" als dem „Schibbolet" (Rosenzweig) für ein erneuertes Verhältnis von Judentum und Christentum.

2.1 Läßt man den belasteten *Terminus* Mission, der aufgrund der geschichtlichen Erfahrung von Juden oft nicht anders denn als „Endlösung der Judenfrage mit anderen Mitteln" aufgefaßt werden kann (vgl. auch das Antimissionsgesetz im Staat Israel vom 1.4.1978), fallen und ersetzt ihn durch Termini wie Zeugnis, Dialog, Diakonie, so kann das (auch) taktische Gründe haben. Die Sachfrage ist durch terminologische Kosmetik nicht berührt. Es empfiehlt sich also um der Klarheit willen, beim anstößigen Terminus Mission im weitesten biblischen Verstand von *Sendung* zu bleiben.

2.2 Welcher Art ist die Mission der Kirche an Israel?

2.2.1 Eine auch heute noch als rechtgläubig verbreitete, scheinbar *zeitlose* These besagt: Wie alle Menschen, wie alle Sünder aus den Heiden (Gal 2,15), so sind auch bzw. besonders die Juden gemäß Joh 14,6; Apg 4,12 durch die Kirche zum Heilsglauben an Jesus Christus zu rufen (→ Taufe). Die Juden werden damit unter die „ethne" von Mt 28,19 subsumiert. Ein relativer Unterschied zwischen Juden und Heiden kann dabei konzediert und die Möglichkeit bleibender Treue zum Judentum (Tora) in die christliche Freiheit der Judenchristen (1Kor 7,18) gestellt werden. Jedenfalls ist die Erwählung Israels zum Dienst an den Völkern durch die Mission der Kirche ersetzt bzw. in ihr aufgehoben.

2.2.2 Aus einer sich auf Röm 9-11 stützenden *heilsgeschichtlichen* Sicht Israels kann sich eine doppelte Konsequenz ergeben:

a) Sieht man die Gegenwart unter endzeitlich-chiliastischem Aspekt, so kann in einer Art von *eschatologischem Kurzschluß* das Menschenwerk der Judenbekehrung zum Zeichen der Endzeit gemacht und insofern forciert werden.

b) Menschliche Bemühung um Bekehrung von Juden entfällt, wenn die Rettung Israels als endzeitliches *Gottes*werk (Röm 11,26) streng von jedem Menschenwerk zu scheiden ist. Dem entspricht die Feststellung, daß nach dem NT kein Heidenchrist zur Glauben weckenden Verkündigung von Jesus Christus an Juden berufen wurde. Die wahre Mission an Israel besteht dann wie bei Paulus (Röm 11,11.13f) in der Wahrnehmung des apostolischen Dienstes an den *Heiden*, in der Existenz einer messianischen Gemeinde inmitten der Völker. In welcher Weise an Jesus als den Messias glaubenden Juden („Messianische Juden") ihre besondere Mission erfüllen, können Heidenchristen nicht bestimmen, auch nicht, indem sie diese Juden durch die Taufe als Christen definieren und so ihren unverwechselbaren Auftrag an Israel wie an der Kirche verhindern.

c) Die Gefahr des eschatologischen Kurzschlusses (a) wie die mit der Hoffnung auf die Rettung Israels durch Gott selbst (b) gegebene Möglichkeit der latenten oder offenen Judenfeindschaft (die Juden als hoffnungslos verstocktes Volk, Herausdrängen von Juden aus der Kirche) lassen sich ausschließen, wenn man in Röm 11,31 (lectio difficilior) liest, daß die Juden *jetzt* Gottes Barmherzigkeit erfahren: Eine heilsgeschichtlich-biblizistische Sicht reicht dann freilich nicht mehr aus.

2.2.3 Tritt „*nach Auschwitz*" die unermeßliche christliche Schuld an den Juden ins Bewußtsein, so stellt sich die Frage nach der Legitimation christlicher Mission an Israel nicht mehr dogmatisch, sondern ethisch. In der Erkenntnis ihrer Schuld und in der Umkehr zu dem Gott Israels kann die Kirche Röm 9-11 als „Schutzrede für Israel" (Lothar Steiger) und so die Verteidigung und den Schutz Israels als Inhalt ihrer Sendung neu begreifen lernen. Umkehr läßt nicht zuletzt die Schuld als Dankesschuld für das empfangene und auch künftig zu empfangende Erbe aus Israels bleibendem Dienst an den Völkern sehen, das die Kirche um ihrer selbst willen zum Dienst an Israels Integrität verpflichtet.

2.2.4 In der zur heutigen Weltstunde unumgänglichen *Begegnung* mit dem Judentum stoßen die Christen auf das Geheimnis des *Glaubens* Israels, das Geheimnis seiner Treue zur Tora: dieser Glaube kann abgesehen von der Bereitschaft, auf das Selbstzeugnis Israels zu hören, davon zu lernen und sich in Frage stellen zu lassen, nicht Gegenstand eines dogamtischen Dialoges sein. Die für das christliche Selbstverständnis wesentliche Frage, ob das Judentum theologisch als Problem der Ökumene oder des Verhältnisses der Kirche zu den nichtchristlichen Religionen zu verstehen sei, muß wegen der spezifischen „Asymmetrie" im jüdisch-christlichen Verhältnis, und so um der Freiheit des jüdischen Partners willen, offengehalten werden. Der Christ aber, der in der Begegnung mit dem Judentum des Geheimnisses des der Kirche anvertrauten Glaubens, des Glaubens Abrahams, und so seiner geistlichen Verbindung nicht nur mit dem biblischen, sondern dem gegenwärtigen Judentum innewird, ist dem Juden das Zeugnis seiner Bekehrung zu dem Gott Abrahams schuldig (Apg 15,3f). Das Zeugnis geschieht in der dem Christen durch Jesus Christus erschlossenen Hoffnung auf ein gemeinsames Gotteslob von Juden und Heiden (Röm 15,8-13). Insofern ist das Christuszeugnis Teil auch einer christlichen Mission an Israel, die sich jeden Gedanken an Bekehrung der im Gnadenbunde mit Gott lebenden Juden verboten sein läßt. Die von den Propheten geforderte stets nötige Umkehr Israels zu seinem Gott steht auf einem anderen Blatt und kann nicht Sorge der Christen sein.

2.3 Es zeigt sich, daß die Frage nach der „Judenmission" einen innerchristlichen Streit um die *Wahrheit* erzwingt: Dem Dilemma von „Auftrag und Unmöglichkeit eines legitimen christlichen Zeugnisses gegenüber den Juden" (Pierre Lenhardt) kann man weder nach der einen (Auftrag) noch nach der anderen (Unmöglichkeit) Seite hin entgehen. Geht es dabei um Israel als Kategorie christlichen Denkens, so werden sich alle Beteiligten vor falschen Verallgemeinerungen zu hüten haben. Vielmehr ergeben sich aus diesem Thema mit seiner unlösbaren Problematik, das „Reife und Ernst für unlösbare Probleme" (Emmanuel Levinas) erfordert, die aus dem Drama einer gemeinsamen Geschichte erwachsen, gerade heilsame Differenzierungen, die dem Verständnis des biblischen Sinns von Sendung zugute kommen.

3.1 Israel warnt die Kirche vor der Gefahr des Versinkens im *Heidentum*, der sie gerade durch die ihr aufgetragene Mission immer neu ausgesetzt ist. Dabei stellt sich heute vor allem das Problem, wie die abendländischen, insbesondere die deutschen Kirchen ihre Erfahrungen mit dem *Antisemitismus*, dessen Wurzeln tief in der kirchlichen Tradition liegen, an die Kirchen der Dritten Welt, für die dieser keine akute Gefährdung darzustellen scheint (es gibt dafür freilich dennoch unübersehbare, beunruhigende Anzeichen nicht nur im Zusammenhang mit dem israelisch-arabischen Konflikt) vermitteln können. Bloße Verurteilungen des Antisemitismus genügen nicht. Ohne entschlossene Umkehr von verkehrten Wegen in Theologie und Kirche hin zu einer Verkündigung, die ein Jude als Zeugnis *für* Israel, das Volk des Gottesbundes, hören kann, wird die abendländische Krankheit des Antisemitismus an die Kirchen der Dritten Welt weitervererbt.

3.2 Das Judentum bietet ein für die christliche Sendung zu den Völkern unerläßliches Beispiel für die notwendige Auslegung der Bibel ohne die Kategorien abendländischder Ontologie. Dem entspricht die Wertschätzung des AT z.B. im afrikanischen Christentum, eine Wertschätzung, die ohne das Judentum als lebendigen Kommentar zur Schrift auch fragwürdig werden kann: Nicht die afrikanischen Völker (so wenig wie die Völker des Westens!) - die Juden sind das erwählte Volk. Nicht nur ein „geborener Jude" (Luther) war Jesus: auch der Auferstandene, von dem das Heil der Welt ist, bleibt als der Gekreuzigte dieser konkrete Jude und verwandelt sich nicht in einen weißen, einen afrikanischen Christus, der aufhörte, das liebend-kritische Gegenüber der Völker zu sein.

3.3 Gerade die *Ablehnung* des kirchlichen Evangeliums von Jesus Christus durch das der Tora Gottes treue Israel kann die Kirche fragen lassen, inwieweit sie selbst in ihrer Mission das neutestamentliche Zeugnis dem heidnischen Gesetz einer *universalistischen Ideologie* unterworfen hat, gegen die nicht nur Israel mit Recht protestieren muß - im Namen eben des Gottes Israels, der den von der „Welt" verworfenen Gekreuzigten von den Toten auferweckt hat. Die Existenz des dem kirchlichen Universalitätsanspruch widerstehenden Israel bleibt ein wirksamer, nicht aufzuhebender Vorbehalt gegen eine irdisch triumphierende Kirche.

4. Ein gemeinsames *prophetisches* Zeugnis von Juden und Christen „angesichts des Nihilismus und der Verzweiflung" (Abraham Joshua Heschel) legt sich heute im Rückgriff auf das beide verpflichtende prophetische Erbe nicht nur nahe, es ist vielmehr im Bekenntnis zu dem Schöpfer und Erlöser der Welt geboten. Dies schließt, im Ernstfall, das gemeinsame Zeugnis des Leidens ein. Nur durch gemeinsames Tun und Leiden für eine sich selbst zerstörende Welt wird das christlich-jüdische Gespräch aus der Introvertiertheit befreit. Solche „Weltmissi-

on" gründet im Lobpreis des Einen Gottes, der nach der Hoffnung von Juden
wie Christen einst endgültig über die Mächte des Bösen triumpieren wird und so
sein wird „alles in allem" (1Kor 15,28).

Lit.: *Adloff, K.*, Die missionarische Existenz des Apostels Paulus nach dem Zweiten Ko-
rintherbrief, in: BThZ 3/1986, 11-27. - *Baeck, L.*, Das Wesen des Judentums, ⁴1925, 77ff.
- *Barth, K.*, KD IV/3, 1959, 1005ff. - *Baumann, A. H.*, Christliches Zeugnis und die Juden
heute. Zur Frage der Judenmission, 1981. - *Breuning, W./Heinz, H.* (Hrsg.), Damit die
Erde menschlich bleibt. Gemeinsame Verantwortung von Juden und Christen für die Zukunft, 1985. -*Brocke, E./Seim, J.* (Hrsg.), Gottes Augapfel. Beiträge zur Erneuerung des
Verhältnisses von Christen und Juden, 1986 (Lit.). - *Downey, J.*, Der Christus der jüdischen Christen. Ein pluralistisches Modell für afrikanische Theologie, in: ZM 1/1975,
197-214. - EJ 13, ⁴1978, 1182-1193. - *Federici, T.*, Mission und Zeugenschaft der Kirche,
in: FrRU 29/1977, 3-13. - *Friedli, R.*, Zur Weltverantwortung der Offenbarungsreligionen,
in: A. Falaturi u.a. (Hrsg.): Drei Wege zu dem einen Gott, 1976, 218-245. - *Gräßer, E.*,
Der Alte Bund im Neuen. Exegetische Studien zur Inselfrage im Neuen Testament, 1985. -
v. Hammerstein, F. (Hrsg.), Christian-Jewish Relations in Ecumenical Perspective. With
special emphasis on Africa, 1978. - *Ders.*, Christlich-jüdischer Dialog in ökumenischer
Perspektive, in: Richte unsere Füße auf den Weg des Friedens, FS H. Gollwitzer, 1979,
329-348. - *Ders.*, in: EvTh 42/1982, 191-214. - *Heschel, A. J.*, Die ökumenische Bewegung, 1963, in: Ders., Die ungesicherte Freiheit, 1985, 145-148. -JL IV/I, 1927/82,
236-239.1146-1151. - *Kjaer-Hansen, K./Kvarme, O. Chr. M.*, Messianische Juden. Judenchristen in Israel, 1983 (Lit.). - *Klappert, B./Starck, H.* (Hrsg.), Umkehr und Erneuerung,
1980. - *Kremers, H./Lubahn, E.* (Hrsg.), Mission an Israel in heilsgeschichtlicher Sicht,
1985. - KuS I, 1968, 158-165.404-407. - *Lenhardt, P.*, Auftrag und Unmöglichkeit eines legitimen christlichen Zeugnisses gegenüber den Juden, 1980 (Lit.) - *Levinas, E.*, Par-delà le
dialogue, in: Bulletin de l'A.J.C.F. 2/1967, 11-16. - LThK.E II, 1967, 405-495. - *Lustiger,
J.-M.*, Herausforderungen, die wir prüfen müssen, in: US 38/1983, 105ff. - *Marquardt, F.
W.*, „Feinde um unsretwillen". Das jüdische Nein und die christliche Theologie, in: Ders.,
Verwegenheiten, 1981, 311-336. - *Mveng, E.*, Afrikas Beitrag zum Universalismus in der
Bibel und im Koran, in: A. Falaturi u.a. (Hrsg.), Drei Wege zu dem einen Gott, 1976,
207-217. *Moltmann, J.*, Welche Einheit? Der Dialog zwischen den Traditionen des Ostens
und Westens, ÖR 26/1977, 287-296 (hier: 294f). - *Mußner, F.*, Traktat über die Juden,
1979, 379-387. - *v.d. Osten-Sacken, P.*, Grundzüge einer Theologie im christlich-jüdischen
Gespräch, 1982 (Lit.). - *Rendtorff, R.* (Hrsg.), Arbeitsbuch Christen und Juden, ²1980,
268-271 (Lit.). - *Ders.*, Judenmission nach dem Holocaust, in: Th. Sundermeier (Hrsg.),
Fides pro mundi vita, FS H.-W. Gensichen, 1980, 173-183. - *Rosenzweig, F.*, Die Schrift,
hg. v. K. Thieme, 1984, 203-206.226. - *Schweikhart, W.*, Zwischen Dialog und Mission.
Zur Geschichte und Theologie der christlich-jüdischen Beziehungen seit 1945, 1980 (Lit.).
- *Steiger, L.*, Schutzrede für Israel. Römer 9-11, in: Th. Sundermeier (Hrsg.), Fides pro
mundi vita, 1980, 44-58. - *Stöhr, M.*, Warum das Verhältnis Kirche und Judentum nicht
nur eine weiße, europäische Problematik ist, in: ÖR 31/1982, 16-30. - *Thoma, C.*, Die
theologischen Beziehungen zwischen Christentum und Judentum, 1982 (Lit.). - *Volken, L.*,
Jesus der Jude und das Jüdische im Christentum, ²1985.

K. Adloff

JUGEND

1. Der sozialwissenschaftliche Begriff. 2. Jugend im theologischen Kontext. 3. Jugend in der Evangelisation.

1. Im vorwissenschaftlichen Bereich meint der Begriff „Jugend" jenes Lebensalter zwischen Kindheit und Erwachsenenstatus, das durch Reifungsvorgänge und Qualifikationsschritte (auf Ehe und Beruf hin) gekennzeichnet ist und das in Vitalität und Schönheit die Grundlage zu einem (oft vermarkteten) „Mythos Jugend" abgibt. Der vorwissenschaftliche Begriff verliert um so mehr an Präzision, je mehr man seinen suggestiv-emotionalen Erwartungshorizont durchdringt. Er erweist sich als Klischee für Jugendlichkeit schlechthin, gänzlich von den konkreten, zumal gesellschaftlichen Bedingungen in seiner Umwelt abgelöst.

Die sozialwissenschaftliche Kategorie „Jugend" war in einer überschaubaren Gesellschaft (bei Naturvölkern) leicht zu definieren. Sie umgriff jenen Lebenszeitraum zwischen dem Ende der Kindheit und dem Beginn des voll-verantworteten Erwachsenenalters, der oft durch Riten der Einübung und Einführung herausgehoben wurde (→ Initiation). In westlichen, hochkomplexen Industriegesellschaften, die sich in ihren Lebensordnungen entstrukturierten, gelingt es nicht mehr, den Begriff „Jugend" mit zeitlichen Determinanten abzugrenzen. Rollen, Werteinstellungen und Verhaltensweisen sind nicht mehr so fixiert, daß sie ausschließlich auf bestimmte Altersstufen zu verteilen sind. In der Jugendsoziologie signalisiert der neue Begriff „Postadoleszenz" die Schwierigkeiten mit der zeitlichen Abgrenzung; denn einerseits hat der Postadoleszente alle Vorrechte eines Erwachsenen (wie Ferien, Urlaub, Konsum, eigene Wohnung, Intimbeziehungen) sich angeeignet, andererseits ist er trotz seiner großen Unabhängigkeit noch in den finanziellen Ressourcen eines solchen Lebens von den Eltern (oder von staatlichen Zuschüssen oder Beihilfen) abhängig. Der damit sich nahelegende „offene Jugendbegriff" bringt nur die unüberschaubare Gesamtsituation junger Menschen in der Gesamtgesellschaft zum Vorschein. In der sozialwissenschaftlichen Jugendtheorie spiegelt sich demnach nur die Problematik des alltäglichen Lebens Jugendlicher. Diese Schwierigkeiten in Theorie und Praxis mögen in solchen Ländern der Erde noch nicht vorhanden sein, in denen der Anteil der jungen Menschen (bis zu 25 Jahre) an der Gesamtbevölkerung eines Landes um die 50 Prozent liegt, in denen noch überkommene patriarchalische Strukturen das Selbstverständnis einzelner Menschen wie der Altersgruppe bestimmen, in denen der einzelne noch vom Zusammenhalt einer Großfamilie (clan) getragen wird. Es ist aber zu erwarten, daß im Maß des Eindringens der westlichen Zivilisation (und ihrer Wertvorstellungen) auch die genannten Probleme auftreten werden.

2. Der Begriff der Jugend im theologischen Kontext gewinnt durch die Reflexion auf die besondere Ansprechbarkeit junger Menschen an Bedeutung. Vor allem innerhalb der Religionspädagogik bringt der Entwurf einer „theologischen Anthropologie des Jugendalters" (G. Biemer) erste Impulse zur theologischen Durchdringung des vielseitigen Phänomens Jugend. Dieser Entwurf beruht auf der Korrelation der Identitätspsychologie E. H. Eriksons mit dem Grundentwurf einer theologischen Anthropologie bei Karl Rahner. Es ergeben sich die folgenden

theologisch bedeutsamen *Kriterien* für das Jugendalter: die Geheimnisverwiesenheit, die leibhaft-geschichtliche Freiheit, die Interkommunikation, die Zukünftigkeit. Man müßte wohl ergänzen: die Bereitschaft zur Tat. Für alle Kategorien gilt, daß sie zwischen Erfolg und Scheitern gestellt sind, eine Erfahrung also ausmachen, die im besonderen für das Leben junger Menschen gilt. Entsprechend diesen Kategorien träfen auf den Erwachsenen folgende Leitungsrollen: Mystagoge, Befreier, Anwalt und Stellvertreter, Wegbegleiter und Mit-Arbeiter. Durch diese einzelnen Kriterien wird dem Jugendlichen ein altersspezifisches religiöses Profil zugewiesen. Ihre Einmaligkeit empfangen sie dadurch, daß erstmals in diesem Alter Freiheit realisiert, erstmals Last und Freude der Zukünftigkeit erahnt, erstmals auch Glück und Not der Sexualität und Liebe begriffen werden.

Die genannte theologische Anthropologie des Jugendalters trägt mit dazu bei, junge Menschen aus der Objektrolle zu befreien, in der sie lange Zeit nur als Objekte der Belehrung, der Bekehrung und der Rekrutierung für die Kirche interessant und wichtig waren. Junge Menschen sind *Subjekte* der und in der Kirche. Eine solche Anthropologie überwindet in gleicher Weise jenen (unbedachten) Puerilismus, der jungen Menschen aufgrund ihre Alters ein spezifisches „Charisma" oder den besonderen Geist der „Prophetie" zuteilt. Es wird aber ebenso eine Aussage wie „die Jugend ist die Hoffnung der Kirche" als theologisch unüberlegt entlarvt; denn in einem primär biologisch definierten Zustand kann nie die „geistgewirkte Hoffnung" der Kirche beruhen. Mit Dietrich Bonhoeffer wäre zu sagen, „daß der Geist der Jugend nicht der Heilige Geist, daß die Zukunft der Kirche nicht die Jugend, sondern der Herr Jesus Christus allein ist" (Acht Thesen über Jugendarbeit der Kirche, 1933). Der klaren Unterscheidung wäre anzufügen, daß etwas für Kirche als dieser „geistlichen Gemeinschaft" nur von Bedeutung sein kann, als es im Heiligen Geist ist, lebt und geschieht. Zieht man auf diese Weise eine deutliche Grenze gegenüber einer modischen Überschätzung „der Jugend", dann könnte trotzdem und gerade deshalb ein junger Mensch eine spirituelle Herausforderung einer (Erwachsenen-zentrierten) Kirche sein; denn junge Menschen verkörpern neue Werteinstellungen, sprechen eine andere Sprache, artikulieren Anfragen an das Überkommen-Selbstverständliche, hinterfragen es und tragen dadurch auch zu einer ungeduldig-geduldigen Reform jener Kirche bei, der sie nicht wie einem Fremden gegenüberstehen, sondern in deren gemeinschaftsbildender Lebendigkeit sie immer (wieder) aufgehoben sind.

Ist der junge Mensch auf diese Weise aufgrund seiner Ansprechbarkeit für Sinnfragen, aufgrund seiner Sensibilität für Nöte anderer, aufgrund seiner Orientierung an großen Gestalten der Heils- und Kirchengeschichte in den Blick gekommen, wird es möglich, ihn auch dort zu akzeptieren, wo er unbequem und voll leidenschaftlicher Kritik ist. Junge Menschen von heute wollen - überall in der Welt - ihren Glauben auf ihre Weise leben; sie wollen auch an ihrer Kirche mitbauen, wollen sie mitverantworten. Das wären konkrete Folgerungen aus jener theologischen Anthropologie des Jugendalters.

3. Die Kirche begegnet weltweit jungen Menschen in unterschiedlichen Glaubenssituationen. Während sie in den Ländern einer westlichen Zivilisation auf jene jungen Menschen trifft, die zwar getauft sind, aber ihren Glauben nicht leben, stößt sie in Ländern der Kirchenverfolgung auf Jugendliche, die in der Kirche einen einzigartigen Hort menschlicher Freiheit besitzen, stellt sie sich in Ländern der Dritten Welt in den Dienst junger Menschen, deren alltägliches Leben sie sichert, deren tagtägliches Fragen sie im Mut zur Wahrheit ernst nimmt. So unterschiedlich die Erfahrungen mit Glaube und Kirche auch sein mögen, Jugendliche werden sich Jesus Christus und seiner Wahrheit öffnen, wo dieser Glaube ihr Leben deutet, wo die Gemeinschaft des Glaubens sich durch Geborgenheit und Weltverantwortung auszeichnet, wo der Glaube den Menschen zum Dienst am Frieden, an der Freiheit, an sozialer Gerechtigkeit befreit. Eine „Zivilisation der Liebe" könnte im Engagement jener Jugendlichen Gestalt gewinnen, die in Jesus Christus ihr Vorbild finden, weil sein Lebensstil heute einzigartig gültig ist, weil es keine aktuellere Botschaft als sein Evangelium gibt, weil er in den Gesichtern der Armen erkennbar wird, weil seine Seligpreisungen für sie Motiv und Arbeitsprogramm ausmachen (aus dem Manifest: An die Jugend Lateinamerikas, 1983).

Lit.: - *Biemer, G.*, Der Dienst der Kirche an der Jugend, 1985. - *Bleistein, R.*, Jung sein heute, 1986. - *Griese, H. M.*, Sozialwissenschaftliche Jugendtheorien, 1982.

R. Bleistein

KATECHISMUS

1. Entwicklung bis ins 16. Jahrhundert. 2. In den Missionsländern. 3. Missionskatechismus.

1. Katechismus war im christlichen Altertum ein christlich-afrikanisches Lehnwort aus dem Griechischen (wie auch Katechese) und wurde für den Einführungsunterricht wie auch den Inhalt der Unterweisung verwendet. Die lateinische Tradition übernimmt diese Terminologie und verwendet das Wort (selten auch Katechesis) für die Unterweisung vor der → Taufe, die nach den unterschiedlichen Gemeindetraditionen eine Reihe von Inhalten aufweist, hauptsächlich aber das Symbolum, Vaterunser und unterschiedliche Stücke des Christenlebens. Ein Umschwung trat ein, als die Kindertaufe zur Regel wurde und der Unterricht vor der Taufe entfiel. Man behielt aber den Ausdruck bei und bezog ihn später auf die Fragen, die in der Taufliturgie dem Paten gestellt wurden und auf die Weitergabe des Glaubens und des Vaterunsers an das getaufte Kind zielten. Dann wurde der Ausdruck auf das „Patestehen" überhaupt angewandt. So nennt Luther den Taufpaten „catechista". Diese Zuordnung von Taufvorbereitung und Taufbefragung als Katechismus wird klar von Petrus Lombardus beschrieben: „Ante Baptismum fit catechismus et exorcismus ... Illa autem interrogatio et responsio fidei fit in catechismo" (Sent. I,43). Hier werden zwei Dinge angezeigt: die mündliche Unterweisung in Frage- und Antwortform, die dann dem Handbuch für diesen Unterricht den Titel gab.

Als Buchtitel wurde Katechismus erstmals von Andreas Altham(m)er (gest. 1539) in seinem „Catechismus in Frag und Antwort" (Nürnberg 1528) verwendet und findet durch Martin Luther seine klassische Ausprägung. Es wird damit allerdings der Unterricht nach der Taufe bezeichnet.

2. In der religiösen Unterweisung in den Missionen richtete man sich an zwei verschiedene Gruppen: einmal an die Katechumenen zur Vorbereitung auf die Taufe und zum zweiten an die Neuchristen und deren Kinder zur Vertiefung im Christentum. Diesem Doppelziel sowie dem unterschiedlichen sprachlichen und kulturellen Umfeld der Hörer mußte man Rechnung tragen. Dazu kam die Begegnung von christlicher Botschaft und einer anderen religiös und kulturell geprägten Überlieferung. Sprunghaft wuchs die Katechismusliteratur durch die neuen Missionen und die Evangelisierung der Völker *Lateinamerikas* und *Asiens* im Zeitalter der „Entdeckungen“. Das früheste Katechismusfragment aus dieser Zeit in Aztekenbilderschrift findet sich in der Manuskriptsammlung von Lorenzo Boturini Benaduci (1702-1755). Der erste gedruckte Katechismus (Doctrina Christiana) in der Neuen Welt wurde von Pedro von Córdoba auf Española (Haiti) 1520 verfaßt und 1544 in Mexiko gedruckt. Es folgt nach der Darstellung der Opfer der Missionare und der Begründung die Behandlung des Glaubens anhand des apostolischen Glaubensbekenntnisses mit reichen Hinweisen auf die Bibel. Die Lehre von den Geboten und den Heilszeichen wird kurz dargelegt und das Ganze abgerundet durch eine vertiefte systematische Heilslehre. Im Mexiko des 16. Jahrhunderts waren über 85 Prozent der 223 gedruckten Titel Bücher zum Taufunterricht. Der erste Erzbischof von Lima, Jerónimo de Loaysa (ca. 1515-1590) erklärte, daß fast jeder Missionar in seiner Diözese seinen eigenen Katechismus geschrieben habe. Diese Katechismen sind eine Mischung von religiöser Unterweisung und Anleitung zur Reinlichkeit, zum Brückenbau oder auch zum Bau von Wasserleitungsanlagen. So beauftragte de Loaysa 1576 Miguel de Espejo mit der Abfassung eines Katechismus, der ein praktisches Pastoralhandbuch darstellen und von weiser Rücksichtnahme auf die Überlieferung und Gebräuche der Indios bestimmt sein sollte.

Die meisten Katechismen stehen mehr oder weniger inhaltlich und auch im Aufbau im Bann des spanischen Vorbildes. Einzelne sind direkte Übersetzungen. Diese Vielzahl und die unglücklichen Formulierungen der europäischen Autoren, besonders Erasmus von Rotterdam war vielfach Vorbild, veranlaßten die Bischöfe, auf eine Vereinheitlichung zu drängen. So verlangte das Konzil von Lima (1583) und von Mexiko (1585) die Einführung des Catechismus Romanus des Trienter Konzils. Es gab daneben aber eine ganze Reihe von Beispielen der weitgehenden Anpassung an Glaubensvorstellung und Überlieferung der Indios. So sind die überlieferten „Gespräche der 12 Apostel“ von Bernadín de Sahagún (Bernardino de Ribeira) (1499-1590) voller Verständnis für alles Edle und Schöne in der mexikanischen Glaubenswelt. Auch Juan de Tovar ging mit seinem Katechismus von 1573 einen ähnlichen Weg. Er war ganz der Eigenart der Indios angepaßt und von daher weit verbreitet. Die von den Landeskonzilien herausgebrachten Katechismen blieben dann in ihren Hauptbestandteilen bis ins 20. Jahrhundert in Gebrauch.

In *Asien* ging man ähnliche Wege. So wandelte Franz Xaver (1506-1552) kurz nach seiner Ankunft in Indien den portugiesischen Katechismus des Johannes des Barros leicht ab und übersetzte ihn. Die Zusammenfassung der christlichen Lehrpunkte bildet jahrzehntelang den Leitfaden der Unterweisung. Sie werden durch eine ausführliche Erklärung des Glaubensbekenntnisses ergänzt und 1557 als Katechismus in Goa gedruckt. Ähnlich bildet auch in Japan die Glaubensunterweisung des Franz Xaver die Grundlage des Katechismusunterrichts. Diese Glaubenslehre wurde aber bald wegen zu starker Anlehnung an die buddhistische Terminologie durch andere ersetzt. Eine bedeutende Katechismusbearbeitung legte der Visitator der Ostasienmission der Jesuiten, Alessandro Valignano (1539-1606), vor. Die lateinische Ausgabe verrät schon im Titel etwas von den Schwierigkeiten, aber auch dem Wege der Anpassung in der Japanmission (Catechismus christianae fidei in quo veritas nostra religionis ostenditur, et sectae Japonenses confutantur, Lissabon 1586).

In China verfaßte und druckte Michele Ruggieri einen Abriß der christlichen Lehre (1584), der bereits 1603 durch ein Werk von Matteo Ricci ersetzt wurde. Als eigentlicher Katechismus wurde aber die nach der portugiesischen Vorlage von Marcos Jorge herausgebrachte Übersetzung der Doutrina von Joâo da Rocha (1619) verwandt.

Im Jahre 1593 kam in Manila die erste „Doctrina cristiana en letras y lengua China" heraus. Eine ähnliche Doctrina erschien auch im gleichen Jahr in Tagalog. Der Katechismus des Marcos Jorge war nicht nur in China und für die Tagalogausgabe die Grundlage, sondern auch für die ersten afrikanischen Ausgaben. Alle Katechismen stellen bei aller Abhängigkeit von den europäischen Vorbildern ein lebendiges Ringen um die erstmalige Verchristlichung der verschiedenen Sprachwelten dar und sind Bausteine einer christlichen Terminologie und die ersten Ansätze von Indigenisation. Sie zeigen aber auch andererseits ein „weitgehendes Entgegenkommen an die Aufnahmefähigkeit" der Katechumenen und Neuchristen.

Gegen Ende des 16. und während des 17. Jahrhunderts machten sich die Reformvorschriften des Konzils von Trient auch in den Missionsländern bemerkbar. Mit der Gründung der Kongregation für die Evangelisierung der Völker (1622) beginnt nicht nur formell juristisch, sondern auch methodisch ein neuer Abschnitt der Missionsgeschichte. Die wertvollen Instruktionen aus dem Jahre 1659 an die ersten Apostolischen Vikare, die in der Folgezeit als „Mahnungen" an die Missionare wiederholt wurden, den religiösen Charakter der Glaubensverkündigung stets zu beachten, aber auch die Eigenheit der Völker zu achten, haben bis in die neueste Zeit die Mission fruchtbar beeinflußt. Dennoch bleibt bestehen, daß schon 1633 Papst Urban VIII. (1568-/1623/-1644) den Catechismus Romanus als Grundlage der Missionskatechese vorgeschrieben hatte (Ex debito, 22.2.1633, Col. I,72; S.C.S. Officii 912.1745 Coll., I. 355). Er wurde in der Folgezeit in China, in den verschiedenen Sprachen Amerikas und vor allem der Philippinen übersetzt und hatte einen weitgehenden Einfluß auf die Glaubensverkündigung.

So gut die Sorge um eine einheitliche Missionspredigt und Glaubensunterweisung verständlich ist, so sollte dadurch nicht die persönliche Initiative der Missionare und ihr Eingehen auf die lokalen Verhältnisse unterbunden werden. Ein Beispiel eines eigenen Weges aus dieser Zeit bietet Alexander de Rhodes (1591-1660) in seinem Katechismus für Vietnam aus dem Jahre 1651. Er hat nicht nur einen eigenen Aufbau, sondern nimmt auch weitgehend Rücksicht auf die religiöse Vorstellungswelt und das Brauchtum der Vietnamesen im 17. Jahrhundert. „Es ist wohl der den Katechumenen und Neuchristen am besten angepaßte Leitfaden der älteren Zeit" (Beckmann).

Die folgenden Jahrzehnte sind ganz durch die katechetische Bewegung und die Lage der Katechese in der Heimat der Missionare mitgeprägt. So erhielten die französischen Missionare wertvolle Hilfe durch die Katechismen des Bischofs Bossuet von Meaux (1687) und vor allem durch Claude Fleury (1683). Die Bindung an die Heimatländer der Missionare wird aber im 19. Jahrhundert überaus eng. So wird der Katechismus von P. Deharbe in vielen asiatischen Katechismen zum Vorbild genommen. Aber auch der Katechismus von Papst Pius X. und die Arbeiten der Münchener Schule werden in weiten Missionsgebieten vorherrschend. Vor allem wurde das „Katholische Religionsbüchlein" von W. Pichler besonders von deutschen Missionaren in aller Welt in viele Sprachen übertragen. Ähnliches geschieht durch die englisch- und französischsprachigen Missionare in ihren Missionsgebieten. Gegenüber den vielfach selbständigen Schöpfungen der früheren Jahrhunderte tritt in der neueren Zeit durch diese Übersetzungen eine Verarmung und ein Rückgang ein, der erst in der neuesten Zeit durch das Achten auf die überlieferten Werte und das Eingehen auf Eigenheit und Brauchtum wieder Ansätze zu einer eigenen Sprachwelt und einer eigenständigen Theologie in der Katechismusliteratur erwachsen läßt.

Innerhalb der evangelischen Missionen hat der Katechismus als Glaubensbuch nicht diesen breiten Raum erhalten wie im katholischen Bereich. Die kurze Darstellung des christlichen Glaubens, wie sie in dem Kleinen Katechismus von Martin Luther vorliegt, wurde als vorbildlich angesehen und von daher in sehr viele Missionssprachen übersetzt.

3. Mit der wachsenden Missionsverantwortung innerhalb der gesamten Kirche entstanden besonders in den südeuropäischen Ländern eigene Handbücher, um den Missionsgedanken in weitere Kreise zu tragen. Diese Missionskatechismen wenden sich an bestimmte Berufsgruppen, Altersklassen und ganz allgemein an die ganze Gemeinde. In anderen Ländern wurde diesen Anliegen durch besondere Hinweise für die allgemeine Glaubensunterweisung und Verkündigung Rechnung getragen, indem man den Bezug und die Verflochtenheit zwischen Heimat und Mission deutlich machte.

Lit.: *Bahendwa, L. F.*, The Use of Martin Luther's Catechism in Africa, in: ATJ 12, 1983, 126-129. - *Beckmann, J.*, Missionskatechese in Geschichte und Gegenwart, in: NZM 12, 1956, 276-287. - *Bontinck, F.*, Le catéchisme kikongo de 1624, rédition critique, 1978. - *Burrus, E. J.*, Sanvitores' Grammar and Catechism in the Mariana (or Chamorro) Language (1668), in: Anthr. 49, 1954, 934-960. - *Cools, A.*, Le premier catéchisme catholique de la Polynésie, in: JSO 38, 1982, 39-45, 74-75. - *Denis, L.*, Enquête sur le catéchisme aux missions, in: RClAfr 7, 1952, 149-154, 401-408; ebd. 8, 1953, 213-220, 517-555. - *Dery, P. P.*, De l'enseignement du catéchisme à la formation religieuse en Afrique anglophone, in: LV 30, 1975, 415-426. - *Echabide, D.*, Catecismos misioneros jesuitas en las misiones del Patronato, in: España Misionera 8, 1951, 16-39. - *Exeler, A.*, Africa's way to life: Bemerkungen zu einem Handbuch für ein Katechumenat in Südafrika, in: ZMR 48, 1964, 249-270. - *Haller, J.*, Augustin: de catechizandis rudibus, Die älteste Anweisung zum Missionsunterricht, in: AMZ 24, 1897, 120-130, 182-190. - *Hofinger, J.*, Die katechetische Situation in China vor 1949, Die katechetische Situation in China seit 1949, in: ZMR 36,

1952, 82-99, 173-186. - *Ders.*, Bausteine zu einer Missionskatechetik, in: ZMR 38, 1954, 343-353. - *Ders.*, Moderne Katechetik im Dienste der Weltmission, in: ZMR 40, 1956, 1-16, 137-147. - *Ders.* (Hrsg.), Katechetik heute, Grundsätze und Anregungen zur Erneuerung der Katechese in Mission und Heimat. Referate und Ergebnisse der internationalen Studienwoche über Missionskatechese in Eichstätt, 1961. - *Jeunes, J.*, Het Godsdienstonderricht in China, 1942. - *Kamfer, P. P. A.*, The Heidelberg Catechism: A Basis for Catechetical Instruction in Africa?, in: Missionalia 3, 1975, 110-121. - *Kilger, L.*, Die ersten afrikanischen Katechismen im 17. Jahrhundert, in: Gutenberg-Jahrbuch 1935, 257-264. - *Legrand, L.*, A Biblical Catechism in the 18th Century, in: IndES 8, 1969, 314-316. - *Mettler, L. A.*, Christliche Terminologie und Katechismus-Gestaltung in der Mariannhiller Mission 1910-1920. Der große Wanger-Katechismus von 1912 in Zulu und der um ihn entstandene Terminologie- und Katechismus-Streit, 1967. - *Mish, J. L.*, A Catholic Catechism in Manchu, in: MSer 17, 1959, 361-372. - *Mohrmann, Ch.*, Das Sprachenproblem in der frühchristlichen Mission, in: ZMR 38, 1954, 103-111. - *Ders.*, Les origines de la latinité chrétienne à Rome, in: Vig Chr 3, 1949, 67-106, 163-183. - *Ohm, T.*, Das Katechumenat in den katholischen Missionen, 1959. - *Phelan, J. L.*, Pre-baptismals Instruction and the Administration of Baptism in the Philippines during the 16th Century, in: The Americas 12, 1955/56, 3-23. - *Schnackenburg, R.*, Der „Katechismus der Urchristenheit", in: W. Kasper (Hrsg.), Einführung in den Katholischen Erwachsenenkatechismus, 1985, 36-54. - *Thauren, J.*, Die religiöse Unterweisung in den Heidenländern, 1935. - *Ders.*, Missionspädagogik und Missionskatechetik als Zweige der Missionswissenschaft, in: ZMR 36, 1952, 23-28.

H. Rzepkowski

KIRCHENWACHSTUM, GEMEINDEWACHSTUM

1. Die Church Growth School in den USA. 2. Die Gemeindewachstumsbewegung in Deutschland.

1. Die Gemeindewachstumsbewegung hat ihren geschichtlichen Ausgangspunkt im amerikanischen Institute of Church Growth. Dieses Institut wurde im Jahre 1960 von Donald McGavran begründet; seit 1965 ist es als School of World Mission und mit dem dazugehörigen Forschungsinstitut organisatorisch dem Fuller Theological Seminary in Pasadena/Calif. zugeordnet und gemeinhin als „Church Growth School" bekannt. McGavran, der selbst siebzehn Jahre als Missionar der Disciples of Christ in Indien tätig war, begründete seine wissenschaftliche Arbeit auf den dort gewonnenen Erfahrungen. Einmal waren es die in Südindien aufgetretenen Gruppenbewegungen (Mass Movements) zum Christentum, die sich ohne auffälligen Einsatz von Missionaren ereignet hatten. Zum anderen machte ihm die Tatsache zu schaffen, daß manche Gemeinden sichtbar wuchsen, viele andere aber nicht, „wie es dem Auftrag, den zur Verfügung stehenden Hilfsmitteln und der verheißenen Kraft Gottes entsprechen würde". Den literarischen Auftakt zur Church Growth School bildete McGavrans 1955 erschienenes Buch „The Bridges of God", dem in späteren Jahren ein erstaunlich großes Publikationsprogramm seines Institutes folgte.

Die Church Growth School versteht sich als moderne Missiologie des evangelikalen Flügels und darin weit von dem Missionsverständnis Chr. Hoekendijks und des Genfer Stabes des Ökumenischen Rats verschieden. McGavran rückte die Kirche und die Frage ihres sichtbaren Wachstums in den Mittelpunkt. Sozial- und Kulturwissenschaft und ihre Methoden lieferten ihm die Fakten für seines Strategie einer erfolgreichen Missionierung bzw. Evangelisierung von Gruppen und Regionen. Missionsmethodisch unterscheidet McGavran zwischen „Discipling", der elementarisierenden Verkündigung des Glaubens und der rasch zu vollziehenden Eingliederung der Erreichten in die Kirche/Gemeinde, und „Perfecting", der nachfolgenden vertiefenden Glaubenslehre. Besonders für das erstgenannte Stadium des „Discipling", wo es um das rasche und überzeugende „Gewinnen der Gewinnbaren" geht, hält McGavran auch das Fortbestehen der alten Sozialstrukturen (Segregationalismus) bei neu entstehenden Gemeinden in sog. homogenen Einheiten für möglich. Das Wachsen der neuen, die alten Unterschiede überwindenden Gemeinschaft (nach Gal 3,28) ist der zweiten Wachstumsstufe, dem „Perfecting", vorbehalten.

Insgesamt zeichnet McGavran und in seiner Nachfolge die ganze Denkschule von Church Growth ein pragmatisch-methodischer Zug und eine ausgesprochene optimistische Grundeinstellung aus, daß die unerreichten zwei Milliarden Menschen in der Welt für Christus gewonnen werden können. Den Missiologen und ökumenischen Strategen in Genf hält er pointiert deren wie auch immer verbrämtes Desinteresse an der Weltevangelisierung vor. Theologisch ist die Church Growth School stets evangelikal-konservativ geblieben, wenngleich ihre Forschungsmethoden unkonventionell offen für empirische Wissenschaftsbereiche sind, bis hin zu moderner elektronischer Datenerfassung und -verarbeitung im Dienste von Kirchenwachstum. Die theologische Kritik an der Church Growth School befaßt sich speziell mit dem wenig reflektierten empirischen Kirchenbegriff und dem daraus - resultierenden methodischen Interesse an numerischem Wachstum von Kirchen und Gemeinden. Theologische Schwierigkeiten bereitet auch die wenig klar durchgeführte Unterscheidung der beiden Stufen von „Discipling" und „Perfecting" im Vollzug von Mission, wobei erstere die soziale und politische Dimension von Bekehrung und neuem Leben in der Gemeinde auszublenden scheint. Auf große Skepsis stößt allenthalben der kaum gebremste strategische Optimismus und die weltmissionarische Begeisterung. Dagegen findet das solide Studien- und Forschungsprogramm des Instituts für Church Growth allgemeine Anerkennung.

2. Die Church Growth School ist in Deutschland lange Zeit unbekannt geblieben bzw. nur als evangelikale Opposition zum missionarischen Konzept des ÖRK wahrgenommen worden. Es bedurfte anscheinend erst einer den Bestand der Volkskirche bedrohenden Erosion der traditionellen Kirchlichkeit, um die euphorische Solidarität von Kirche und Welt (Säkularisierungsdebatte, Weltmissionskonferenz Uppsala 1968) ernsthaft zu hinterfragen und nach missionarischen Strategien für das eigene Land suchen zu lassen. Erste intensive Kontakte mit der Church Growth School wurden von Deutschland aus in den siebziger Jahren durch J. Knoblauch mit Gemeindewachstumsseminaren in Gießen und Besuchen in Pasadena und Los Angeles hergestellt. Erst Anfang der achtziger Jahre begann man die Impulse aus den USA theologisch für die deutsche Situation zu verarbeiten und in aktuelle Programme umzusetzen. (Zeitschrift „Gemeindewachstum",

seit 1980. Institut für missionarischen Gemeindeaufbau in Gießen). Diese neuen Konzepte und Programme unterscheiden sich allerdings deutlich von der in den siebziger Jahren beherrschenden („ökumenischen") Konzeption der „Kirche für andere" (Ch. Hoekendijk, E. Lange) und der „Offenen Kirche" (K. W. Dahm, G. Kugler, Chr. Bäumler). Selbständige theologische Entwürfe legten Th. Sorg und M. Seitz vor, die die Evangelisation in der Volkskirche als integrierenden Bestandteil von Gemeindeaufbau neu entdeckten. Darauf fußt schließlich die von der VELKD entworfene „Missionarische Doppelstrategie" (1983), die einerseits Kirchenmitgliedschaft in der Volkskirche erhalten und die Getauften in ihrem Glauben stärken und zum eigenen Bekennen befähigen will (verdichtende Arbeit), und andererseits den Ruf zum Evangelium für die vielen Nicht-mehr-Interessierten und unerreichten Menschen öffentlich und in der Breite der Gesellschaft vernehmbar machen möchte (öffnende Arbeit).

Auf einer wesentlich kirchen-kritischeren Linie liegt das *Herner Modell* von Gemeindeaufbau (Fritz u. Christian A. Schwarz), welche in ihrer „Theologie des Gemeindeaufbaus" (1984) ihre eigene Praxis reflektieren. Grundlegend ist für sie die aus reformierter Tradition stammende Unterscheidung von Kirche und Ekklesia (oder Gemeinde Jesu Christi), welche letztere als glaubende und bekennende Dienstgemeinschaft das Ziel jeglichen Handelns im Gemeindeaufbau darstellt. War in den früheren Veröffentlichungen die grundsätzliche Unterscheidung der beiden Größen geradezu das Schlüsselwort für das Verständnis des „Herner Modells", so wird heute mehr die Zuordnung der empirischen (Volks-)Kirche auf das Ziel der Gestalt- und Ereigniswerdung der Ekklesia betont. Wiederum andere Wege geht die „Geistliche Gemeindeerneuerung" (A. Bittlinger, W. Kopfermann, H. Mühlen), welche der charismatischen Bewegung zuzurechnen ist. Indem man die glaubenweckende Verkündigung *in* der bestehenden Kirche übt, möchte man die Volkskirche als Kirche ernst nehmen; sie muß freilich durch die Gabe des Geistes zu neuem Leben erst erweckt werden.

Lit.: *Arn, W./Schwarz, C. A.*, Theologie des Gemeindeaufbaus. Ein Versuch, 1985. - *Bäumler, C.*, Kommunikative Gemeindepraxis, 1984. - *Bittlinger, A.*, Charismatische Erneuerung. Eine Chance für die Gemeinde?, 1979. - *Herbst, M.*, Missionarischer Gemeindeaufbau in Theorie und Praxis. Ein kybernetisches Programm, 1987. - *Kasdorf, H.*, Gemeindewachstum als missionarisches Ziel. Ein Konzept für Gemeinde- und Missionsarbeit, 1976. - *Kopfermann, W.*, Charismatische Gemeindeerneuerung. Zwischenbilanz, 1981. - Lutherisches Kirchenamt der VELKD (Hrsg.), Zur Entwicklung von Kirchenmitgliedschaft - Aspekte einer missionarischen Doppelstrategie. Texte aus der VELKD, Nr. 21, 1983. - *McGavran, D. A.*, The Bridges of God. A Study in the Strategy of Missions, 1955 (überarb., erw. Aufl. 1981). - *Ders.*, How Churches Grow. The New Frontiers of Mission, [3]1970. - *Ders.*, Understanding Church Growth, [2]1980. - *Ders.* (Hrsg.), Church Growth and Christian Mission, 1965. - *Ders.* (Hrsg.), Eye of the Storm: The Great Debate in Mission, 1972. - *Ders./Arn, W.*, Wachsen oder Welken? Grundsätze und Anregungen für die Ortsgemeinde, 1978. - *Möller, C.*, Lehre vom Gemeindeaufbau, 2 Bde, 1987. - *Reller, H./Lorenz, K.*, Alternative: Glauben. Missionarische Arbeitsformen in der Volkskirche heute, 1985. - *Schwarz, F./Schwarz, C. A.*, Theologie des Gemeindeaufbaus. Ein Versuch, 1985. - *Seitz, M.*, Erneuerung der Gemeinde. Gemeindeaufbau und Spiritualität, 1985. - *Shenk, W. R.* (Hrsg.), The Challenge of Church Growth. A Symposion, Institute of Mennonite Studies, 1973. - *Sorg, Th.*, Wie wird Kirche neu? Ermutigung zur missionarischen Gemeinde, 1977. - *Strunk, R.*, Vertrauen. Grundzüge einer Theologie des Gemeindeaufbaus, 1985. - *Tippett, A. R.* (Hrsg.), God, Man and Church Growth, 1973. - *Wagner, C. P.*, Church Growth and the Whole Gospel: A Biblical Mandate, 1981. - *Weth, R.* (Hrsg.), Diskussion zur „Theologie des Gemeindeaufbaus", 1986. - Zeitschrift „Gemeindewachstum", hg. v. der Arbeitsgemeinschaft für Gemeindeaufbau (Giengen).

H. Wagner

KOLONIALISMUS

1. Kolonialherrschaft in historischer Sicht. 2. Motive der Kolonialausbreitung und koloniale Ideologie. 3. Herrschaftsformen und Wirtschaftsstrukturen im Kolonialsystem. 4. Dekolonisation. 5. Neokolonialismus und Kolonialismuskritik.

Historisch gesehen meint Kolonialismus jenen Vorgang neuzeitlicher Expansion, der im 15. Jahrhundert mit den Entdeckungen der Portugiesen und Spanier einsetzte und als dessen Ergebnis sich europäische Herrschaft schließlich über mehr als die Hälfte der festen Erdoberfläche und über ein gutes Drittel der Weltbevölkerung erstreckte. Zwar wird man in *universalgeschichtlicher* Perspektive die Ausbildung europäischer Kolonialherrschaft über einen Großteil der Erde in den weiteren Rahmen der planetarischen Erschließung der Welt stellen und sie in Parallele zu den auch aus anderen Kulturen und der Geschichte anderer Völker bekannten Wanderbewegungen, Kolonisationsunternehmungen und Reichsbildungen sehen müssen. Doch haben letztlich nur die westlichen, christlich-abendländischen Wert- und Zielvorstellungen eine derartige wirtschaftliche, technisch-militärische und geistige Dynamik freigesetzt. Dieser Prozeß der „Europäisierung der Erde", der die indigenen Gesellschaften zu einem tiefreichenden sozialen und kulturellen Wandel zwang, und der in seinen langfristigen Auswirkungen bis heute nicht abgeschlossen ist, kulminierte in der hochkolonialen Phase von 1880 bis 1940 mit der Aufteilung fast ganz Afrikas und Ozeaniens sowie der Konsolidierung der - teilweise älteren - Herrschaft europäischer Staaten in Asien. In diesem Zeitraum gewann auch das Deutsche Reich Kolonien in Afrika, Asien und im Pazifik.

2. Ohne Faktoren wie Abenteuerlust, Entdeckerdrang und Eroberungswillen zu verkennen, lassen sich in systematisierender Betrachtung vier Argumentations- und Motivebenen unterscheiden:

• *Siedlungskolonialismus, „Überbevölkerung".* Unzufriedenheit mit den bestehenden religiösen, politischen und wirtschaftlichen Verhältnissen, aber auch die Hoffnung auf neue Chancen haben seit der Conquista Mittel- und Südamerikas die Besiedlung neuentdeckter Gebiete zu einem zentralen Agens kolonialer Ausbreitung werden lassen. Im 19. Jahrhundert förderte überdies der alte malthusianische Alptraum vom tendenziellen Anwachsen der Bevölkerung in geometrischer Progression und der nur in arithmetrischer Progression sich ausweitenden Ernährungsbasis kollektive Ängste, die das Bevölkerungs- und Auswanderungsargument zu einem wichtigen Moment der Kolonialpropaganda machte. Das Ergebnis des neueren Siedlungskolonialismus war indes gering, nur einige unvollständige Siedlungskolonien entstanden (Südafrika, Algerien, Rhodesien, Kenia, Südwestafrika). Andererseits entwickelte sich gerade in Siedlungskolonien eine stark rassistisch eingefärbte Herrenmentalität.

- *Ökonomische und sozialkökonomische Antriebe.* Wirtschaftlicher Gewinn und Reichtum machen von Anfang an einen entscheidenden Faktor kolonialer Expansion aus. So ist denn auch die Dynamik des erstarkenden Handelskapitalismus als die primäre Ursache des europäischen Kolonialismus in Ibero-Amerika anzusehen. Während die Kolonien nach merkantilistischer Aufassung zur Bereicherung des Mutterlandes beizutragen hatten, erhielt im 19. Jahrhundert die Suche nach Rohstoffquellen und Absatzmärkten insofern einen besonderen Stellenwert, als der Erwerb von Kolonien - im Sinne einer sozialideologischen Kolonialargumentation - zugleich als Ausweg aus den inhärenten wirtschaftlichen und gesellschaftlichen Disparitäten der modernen Industriegesellschaft gedeutet wurden. Ob die Kolonialreiche ihren Besitzern tatsächlich wirtschaftlichen Gewinn brachten, ist zumindest differenziert zu sehen; kosteten einige kurzlebige wie auch die deutschen Kolonien (1884-1914/18) doch zweifelsfrei mehr, als sie einbrachten.

- *Macht, Prestige.* Neben politischen und strategischen Gründen kommt dem nationalen Konkurrenzmotiv erhebliche Bedeutung zu. Im Zeitalter des Nationalismus und Imperialismus entsprach die Kolonialbewegung überdies dem Prestigebedürfnis breiter Bevölkerungskreise, und nicht selten sind zögernde Regierungen erst unter dem Druck einer nationalistischen Öffentlichkeit zum Kolonialerwerb gedrängt worden.

- *Mission, Zivilisation.* Die Verbreitung des Evangeliums hat von Anfang an eine entscheidende Rolle im westlichen Expansionismus gespielt, wobei die Mission - trotz unterschiedlicher Ausgangslage und Zielsetzung - historisch eng mit dem Kolonialismus verbunden gewesen ist. Insbesondere im Bereich der soziokulturellen Transformation indigener Gesellschaften wird dem Faktor „Mission" inzwischen bedeutendes Gewicht beigemessen. In säkularisierter Form und in einem ungebrochenen christlich-abendländischen Superioritätsgefühl sind schließlich die Verbreitung europäischer Zivilisation und die Etablierung einer „modernen" Gesellschaft als ein koloniales Programm angesehen worden, wenn auch der Zerfall dieser „Kulturmission" in egoistische nationale Sendungsideologien ebensowenig zu übersehen sind wie die grundlegende Tendenz des Kolonialismus zu ideologischer Rechtfertigung.

3. Im wesentlichen sind es drei mehr oder weniger miteinander verbundene Vorgänge, die die Durchsetzung und Festigung kolonialer Herrschaft ausmachen und die für das „koloniale System" charakteristisch sind: die Unterwerfung fremder und *fremdbleibender* Völkerschaften sowie die Absicherung der Herrschaft durch den Militär- und Verwaltungsapparat der Kolonialeroberer und eine die rassische Ungleichheit fixierende Rechts- und Sozialordnung, wobei alle wesentlichen Entscheidungen in den Metropolen getroffen werden; die ökonomische Inwertsetzung der erworbenen Gebiete bei gleichzeitiger wirtschaftlicher „Ausbeutung" der unterworfenen Bevölkerung; die kulturell-missionarische Durchdringung dieser Machtbereiche, der der Verlust der kulturellen Eigenständigkeit auf seiten des in *direkte* Abhängigkeit gebrachten Volkes parallel geht. Allerdings stel-

len sich die Herrschaftsformen, die von einer formell-direkten Territorialherrschaft über das konservativ-stabilisierende System der „indirekten Herrschaft" bis zu einer bloß nominellen Kontrolle über die beanspruchten Gebiete reichen konnte, in ihrem Zugriff und in ihren Auswirkungen ebenso unterschiedlich dar wie die kolonialen Wirtschaftsstrukturen und der soziokulturelle Transformationsprozeß. Daher haben auch die kolonisierten Völker den Kolonialismus auf höchst unterschiedliche Weise erfahren.

4. Die Zeit nach dem Ersten Weltkrieg ist sowohl durch die Hochblüte des Kolonialismus als auch durch den gleichzeitig einsetzenden Verfall der formellen Kolonialreiche gekennzeichnet. Verstärkt setzte sich eine Auffassung durch, die den kolonialen Herrschaftsanspruch als eine Pflicht zur Entwicklung der Kolonien und als Vorbereitung zu ihrer Selbständigkeit begriff (oder auch nur rechtfertigte). Sie fand ihren Niederschlag u.a. im Mandats-und Treuhandsystem des Völkerbundes bzw. der Vereinten Nationen. In erster Linie waren es jedoch die Veränderungen des „internationalen Systems" mit den antikolonialen USA und der Sowjetunion als Führungsmächten, das erwachende Nationalbewußtsein der Kolonisierten mit dem Entstehen von Widerstands- und Befreiungsbewegungen sowie die Erosion durch zwei Weltkriege, die den Prozeß der Dekolonisation beschleunigten

5. Während die linksliberale und sozialistische Kritik der hochkolonialen Phase Kolonialpolitik vor allem als ökonomisch ineffizient, konfliktverursachend und inhuman abgelehnt hatte, verweist die radikale spät- und nachkoloniale Kritik in erster Linie auf die psychologisch deformierenden und soziokulturell desintegrativen Wirkungen des Kolonialismus (vgl. F. Fanon, Les Damnés de la terre, 1961) sowie die durch ihn geschaffenen ökonomischen Abhängigkeiten. Unter „Neokolonialismus" versteht sie in der politischen Auseinandersetzung indes eher eine aktive Politik der reichen Industrieländer insgesamt mit dem Ziel, die im Kolonialismus und informellen Imperialismus geschaffenen Herrschaftsstrukturen zu sichern und auf diese Weise die zum eigenen Vorteil eingerichtete „arbeitsteilige" Weltwirtschaft aufrechtzuerhalten („Dependenztheorie"). Im Gegensatz zu Karl Marx, der dem Kolonialismus *auch* positive, modernisierende Wirkungen zugestanden hatte, gehen moderne, namentlich marxistische Theoretiker schließlich so weit zu behaupten, daß der Kolonialismus durch den Einbau vorkapitalistischer Gesellschaften in das kapitalistische (Wirtschafts-)System den - von ihnen angenommenen - Prozeß eigenständiger Entwicklung radikal unterbrochen und geradezu in „Unterentwicklung" verkehrt bzw. allenfalls bloßes „Wachstum ohne Entwicklung" hervorgebracht habe (z.B. W. Rodney, How Europe underdeveloped Africa, 1972). Auf diese Weise wird nicht nur die Armut der früheren Kolonien als das Ergebnis des Kolonialismus angesehen, sondern der Reichtum der Industrieländer direkt für die Rückständigkeit und Unterentwicklung der armen Länder verantwortlich gemacht.

5.1 *Koloniale Entwicklung und Unterentwicklung.* Koloniale Herrschaft bedeutet unzweifelhaft auch Ausbeutung und Identitätsverweigerung, und koloniale Strukturen sind - jedoch in sehr unterschiedlichem Maße - verantwortlich u.a. für künstliche (Staats-)Grenzen, einseitige Exportorientierung, verzögerte oder unzureichende Industrialisierung und politisch-ökonomische Abhängigkeiten. Ob aller-

dings die Wurzeln für geringe oder fehlende Industrialisierung und Diversifikation
- Faktoren, die gemeinhin für koloniale Wirtschaften als grundlegend angesehen
werden - nicht tiefer liegen und die These nicht allzu vereinfachend ist, daß die
Integration der Kolonialgebiete in den Wirtschaftsprozeß per se Unterentwicklung
induziert habe, wird man freilich fragen müssen. Übersehen werden vielfach wichtige, vom Kolonialismus gänzlich oder weitgehend unabhängige Ausgangsbedin-
gungen: der Einfluß von Klima und Bodenbeschaffenheit, wachsender Bevölke-
rungsdruck, Entwaldung und Überweidung, vor allem aber Hindernisse in den
politischen, sozialen und kulturellen Macht-und Gesellschaftsstrukturen sowie
Verhaltensnormen. Erst recht dürften „Kolonialtheorien" fehlgehen, die die Entwicklung Europas von der Peripherisierung oder Unterentwicklung der übrigen
Welt im „kapitalistischen Weltsystem" abhängig machen (I. Wallerstein) oder in
den Gewinnen aus dem Kolonialismus die finanziellen Voraussetzungen der Industriellen Revolution sehen. Nicht nur geht die „drain of wealth"-Theorie von der
- kaum zu rechtfertigenden - Annahme aus, daß der Reichtum des einen notwendig die Armut des anderen bedeute, sondern sie übersieht auch, daß innereuropäi-
sche Vorgänge für den Durchbruch zum modernen Industriestaat wichtiger gewesen sein dürften als die „Zwangsbeiträge" der Dritten Welt. Hauptsächlich verkennt sie jedoch die Komplexität wirtschaftlicher Entwicklung und Nicht-Ent-
wicklung. Überhaupt dürften Faktoren wie Stand der Technik, Arbeitsproduktivi-
tät, die Struktur einer Volkswirtschaft, die Handelsbeziehungen usw. eine wesentlich wichtigere Rolle spielen. Den entscheidenden Impuls wird man allerdings
dem soziokulturellen Kontext (Arbeitsethos, Organisationsrationalität, usw.) zu-
messen müssen, der auch die Voraussetzungen der Industriellen Revolution schuf.
Sie wiederum machte kolonisierte und nichtkolonisierte Länder zur „Peripherie"

5.2 *Modernisierung und Kolonialismus: Die „Dialektik" der Kolonialherrschaft.* Die koloniale „Entwicklungsdiktatur" ist von den Interessen der Metropolen ausgegangen und hat sich einseitig am westlichen Modernisierungsmodell
orientiert. Gleichzeitig hat sie jedoch die Voraussetzungen und Instrumente für
den politischen Emanzipationskampf sowie für die Integration in die *eine* Welt
geschaffen. Ebenso haben sich im allgemeinen europäische Kultur und traditionelle Werte und Glaubensvorstellungen zu neuen kulturellen Identitäten verbunden. Von daher stellt das Zeitalter des Kolonialismus - trotz immenser sozialer
Kosten für die Betroffenen und langfristig andauernder Folgen - in universalgeschichtlicher Perspektive einen letztlich zwangsläufigen Prozeß der „Modernisierung" dar, der weder durch gänzliche noch vorübergehende „Abkoppelung" rück-
gängig zu machen ist.

In diesem Zusammenhang ist auch auf die Rolle und die Folgen der christlichen Missionstätigkeit zu verweisen. Wenn Missionare auch im Hinblick auf die
„koloniale Situation" oft ausgeprochen konservativ agierten und reagierten, schufen ihre Einrichtungen wie z.B. das von ihnen nahezu völlig beherrschte Schulsystem doch nicht nur Möglichkeiten sozialer Mobilität in der kolonialen Gesellschaft, sondern sie lösten auch durch die Verbreitung der christlichen Lehre einen
religiös-naturrechtlich begründeten Freiheits- und Emanzipationsdrang bei den
von ihnen ausgebildeten Schichten (évolués, new men) aus, der die Entstehung
und Entwicklung protonationalistischer Gruppen und Bewegungen förderte. Die

Missionsschulen sind so letztlich zu Katalysatoren nationaler Emanzipation und
des sozialen Fortschritts geworden (→ Jugend; → Schule). Auf diese Weise bildeten die revolutionären, modernisierenden und emanzipatorischen Wirkungen der
christlichen Missionstätigkeit („christliche Revolution") einen entscheidenden
Beitrag auf dem Wege der Ablösung kolonialer Herrschaftstrukturen und Abhängigkeitsverhältnisse.

Lit.: v. *Albertini, R.*, Colonialism and Underdevelopment. Critical Remarks on the Theory
of Dependency, in: History and Underdevelopment. Essays on Underdevelopment and
European Expansion in Asia and Africa, hg. v. L. Blussé u.a., 1980, 42-52. - *Ders.*, Dekolonisation. Die Diskussion über die Verwaltung und Zukunft der Kolonien 1919-1960,
1966. - *Ders.*, Europäische Kolonialherrschaft 1880-1940, 1976. - *Ansprenger, F.*, Auflösung der Kolonialreiche, ⁴1981. - *Bade, J.* (Hrsg.), Imperialismus und Kolonialmission.
Kaiserliches Deutschland und koloniales Imperium, 1982. - *Balandier. G-*, Die koloniale
Situation: ein theoretischer Ansatz, in: R. v. Albertini (Hrsg.), Moderne Kolonialgeschich-
te, 1970, 105-124. - *Baumgart, w.*, Der Imperialismus. Idee und Wirklichkeit der englischen und französischen Kolonialexpansion 1880-1914, 1975. - *Christensen, T./Hutchison,
W. R.* (Hrsg.), Missionary Ideologies in the Imperialist Era: 1880-1920, 1982. - *Field-
house, D. K.*, Die Kolonialreiche seit dem 18. Jahrhundert, 1965. - *Ders.*, Colonialism
1870-1945. An Introduction, 1981. - *Fischer, W.*, Wie Europa reich wurde und die Dritte
Welt arm blieb, GWU 32, 1981, 37-46, 297 (Kontroverse mit H.-H. Holte). - *Gensichen,
H.-W.*, Die deutsche Mission und der Kolonialismus, KuD 8, 1962, 136-149. - *Ders.*, Mis-
sion, Kolonialismus und Entwicklungshilfe - Eine kritisch-geschichtliche Würdigung, in:
Die Verantwortung der Kirche in der Gesellschaft. Eine Studienarbeit des Ökumenischen
Ausschusses der Vereinigten Evangelisch-Lutherischen Kirche Deutschlands, hg. v. J.
Baur u.a., 1973, 195-212. - *Ders.*, Missionsgeschichte in der neueren Zeit, in: KIG, Bd. 4,
Teil „T", ³1976. - *Gründer, H.*, Christliche Mission und deutscher Imperialismus. Eine politische Geschichte ihrer Beziehungen während der deutschen Kolonialzeit (18884-1914)
unter besonderer Berücksichtiugng Afrikas und Chinas, 1982. - *Ders.*, Christianisierung
und Kolonialismus - Bemerkungen zur Rolle der Religion im westlichen Expansionismus
der Neuheit, Zeitschrift für Kulturaustausch 34,,1984, 257-266. - *Ders.*, Kolonialpolitik
und christliche Mission im Zeitalter des Imperialismus. Entwicklungslinien und For-
schungsperspektiven, in: JHF, Berichtsjahr 1983, 1984, 33-40. - *Ders.*, Geschichte der
deutschen Kolonien, 1985 (Lit.). - *Hammer, K.*, Weltmission und Kolonialismus. Sen-
dungsideen des 19. Jahrhunderts im Konflikt, 1978. - Handbuch der Dritten Welt, hg. v.
D. Nohlen/F. Nuscheler, Bd. 1, Unterentwicklung und Entwicklung: Theorien - Strategien
- Indikatioren, ²1982. - *Höffner, J.*, Kolonialismus und Evangelium. Spanische Kolonial-
ethik im Goldenen Zeitalter, ³1972. - *Jedin, H.* (Hrsg.), Handbuch der Kirchengeschichte,
7. Bde, 1962-1979. - *Konetzke, R.*, Süd- und Mittelamerika I. Die Indianerkulturen Alt-
amerikas und die spanisch-portugiesische Kolonialherrschaft, 1956. - *Metzler, J.* (Hrsg.),
Sacrae Congregationis de Propaganda Fide Memoria Rerum 1622-1972, 3 Bde,
1971-1976. - *Mommsen, J.*, Imperialismustheorien. Ein Überblick über die neueren Imperialismustheorien, ²1980. - *Müller, K.*, Christliche Mission und Kolonialismus im 19. und
20. Jahrhundert, in: MWUR 64, 1980, 192-207. - *Neill, S.*, Colonialism and Christian
Missions, 1966. - *Prien, H.-J.*, Die Geschichte des Christentums in Lateinamerika
1492-1977, 1977. - *Reinhard, W.*, Geschichte der europäischen Expansion, bisher 2 Bde,
1983, 1985.

H. Gründer

KOMMUNIKATION

1. Kommunikation und andere missionstheologische Grundbegriffe. 2. Kommunikation in der Ökumene und in der praktischen Theologie. 3. Amerikanische Modelle missionarischer Kommunikation. 4. Kommunikation in der deutschsprachigen Missionstheologie.

1. *Kommunikation* gehört nicht zu den klassischen Grundbegriffen der Missionstheologie. Sie ist auch heute nicht überall als solcher eingeführt, z.T. wird er nur in äußerlichem, unspezifischem Sinne übernommen. Am nächsten verwandt mit Kommunikation ist → *Evangelisation*; sie meint aber von Anfang an, d.h. seit H. Kraemer 1957, mehr als diese, nämlich außer der Mitteilung des Evangeliums = Kommunikation „von" zugleich auch die Kommunikation „zwischen" Mensch und Mensch sowie Gott und Mensch im Sinne der *Koinonia* von 1Joh 1,1-4. Nicht nur die Gott-menschliche, auch die zwischenmenschliche Kommunikation ist zusammengebrochen und bedarf der Wiederherstellung: Kraemer setzt ein mit Barth, geht aber als Praktiker der Mission und des Laienapostolats daheim alsbald einen Schritt über ihn hinaus. Modelle der Kommunikation des Glaubens artikulieren nach der Seite des Inhalts (der Botschaft) die Probleme der → *Missionspredigt*, allgemeiner der → *Verkündigung*, auch der - als Begriff erst später aufgekommenen → *kontextuellen Theologien*. Nach der Seite des Übermittlers oder Boten handeln sie von der Problematik des *Zeugnisses* in einem neuen, sowohl informationstechnischen als auch theologischen Zusammenhang. Die von Theologen entwickelten Modelle der Kommunikation unterscheiden sich wesentlich danach, ob sie Gott nur als Inhalt menschlicher Kommunikation oder aber ob sie Gott selbst als „Sender" und kommunizierend einführen, und insofern auch → *Offenbarung* unter Kommunikation miteinbegreifen.

2. Es gibt weitere *Grundweichenstellungen*, die Zweifel aufkommen lassen könnten, ob Kommunikation für Theologen heute nicht völlig Verschiedenes meint: gegensätzliche Schulen und Teildisziplinen gehen ihren Weg, ohne die Verständigung miteinander auch nur zu suchen; die theologische Kommunikation über Kommunikation liegt durchaus im argen. Anfänglich bei seinem Auftauchen bei Kraemer, denn auch in den ökumenischen Vollversammlungen (bes. Uppsala 1968) war das Thema Kommunikation bewußt auf dem Grenzgebiet zwischen „Kirche" und „Mission" angesiedelt. Es konnte sich aber auf die Dauer dort nicht halten, die Klammer zerbrach. Die Kommunikationsprobleme der westlichen Großkirchen - auch „Theologie der Medien" o.ä. genannt - folgen seitdem ihrer eigenen mächtigen Publikations- und Organisationsdynamik, u.a. in der World Association of Christian Communication. Über ihre vielfältigen Bemühungen, sich theologisch zu begründen, berichtet im Überblick P. Soukup 1983: Mission kommt in der Breite der dort vorgestellten Entwürfe nicht mehr vor. Entschieden abgelehnt ist die Verbindung kirchlicher Kommunikation mit Mission bei H.-D. Bastian 1972. Kommunikation ist ihm, als kirchliche Anwendung von Ergebnissen der Kybernetik, Systemtheorie und Gruppenpsychologie, wesentlich ein Kampfinstrument gegen „autoritäre" Wort-Gottes-Theologie bzw. das, was an der volkskirchlichen Basis von ihr ankam. Barth wie Kraemer - und damit Mission - sind gleichermaßen abgetan. Auch der von B. Klaus 1979 herausgegebene

Sammelband „Kommunikation in der Kirche" verharrt noch weitgehend in derselben negativen theologischen Fixierung. Ähnlich im Ansatz, aber offener in der Zielrichtung ist B. Klappenbergs Versuch der Grundlegung einer kommunikationstheoretischen (katholischen) Ekklesiologie. Kennzeichnend für diese deutsche praktisch-theologische Richtung ist neben dem Desinteresse an Mission die problematisch direkte „technisch"-kybernetische Anbindung des Kommunikationsthemas sowie die Berufung auf Gruppenpsychologie und -dynamik. Weitergreifende philosophische Erwägungen über Kommunikation (Jaspers, Habermas, Apel) und Sprachwissenschaft kommen nur selektiv zum Zuge; die Wissenschaft von den verschiedenen Kulturen, einschließlich der westlichen, um deren großkirchliche Kommunikation es geht, fällt fast ganz aus.

3. Auch die *amerikanische* Weiterentwicklung der Fragestellung Kraemers kennt sowohl die Einbeziehung der Kybernetik als auch die Frontstellung gegen „autoritäre" Verkündigung und neo-orthodoxen Klerikalismus, läßt sich aber um der Mission und um des weitergefaßten humanwissenschaftlichen Horizonts willen nicht negativ von ihr determinieren. E. A. Nida setzt 1960 mit seinem grundlegenden und für die weitere Diskussion bestimmenden Buch „Message and Mission" bei Kraemers Fragestellung ein (gleicher Untertitel: The Communication of the Christian Faith); er geht diese aber nicht, wie Kraemer, von der Bibel, sondern vom anderen Ende her an: die theologischen „Implikationen" der Kommunikation des Glaubens werden erst im Schlußkapitel vorsichtig angedeutet. Die gestellte Aufgabe ist vielmehr, die beiden Disziplinen Kulturanthropologie und Sprach- bzw. Übersetzungswissenschaft, von welchen Nida herkommt, neu zusammenzuführen mit der Kybernetik (Informationstheorie), durch welche „Kommunikation" einen neuen, spezifischen, meßbaren Sinn bekommen hat. Sprache, Kultur, Gesellschaft und Religion sind „Faktoren" im Modell der Glaubenskommunikation. Wie in der Physik, so gilt es auch im Regelkreis menschlicher Kommunikation, die Entropie der Botschaft (Nachricht) auf ihrem Wege vom Sender zum Empfänger zu verringern bzw. positiv umzuwenden. Interkulturelle missionarische Kommunikation wird dabei nach dem Modell der Übersetzung zwischen zwei bzw. drei Sprachen veranschaulicht: von der biblischen über die westliche in die nichtwestliche Kultur und Sprache. Gott ist erster und letzter „Sender" seiner Offenbarung hinein in die Beschränktheit menschlich-biblischer Kultur. Der geschichtliche Graben zwischen damals und heute - das Grundproblem der Hermeneutik - wird dabei nach der Analogie des Grabens zwischen verschiedenen gleichzeitigen Kulturen verstanden und relativiert. Soziale Gegensätze innerhalb der westlichen und anderen Gesellschaften werden berücksichtigt, prägen die Glaubenskommunikation aber letztlich weniger als der Faktor „Kultur". Wesen des Evangeliums ist für Nida die „Nachricht" oder „Botschaft"; Gottes Selbst-Bekundung und Anspruch bzw. Anrede an den Menschen sind sekundär. Dies meint der Titel „*Message* and Mission" wie auch die nach Nidas Grundsätzen in vielen Sprachen eingeführte gemeinverständliche Bibelübersetzung mit dem Titel „Die gute Nachricht". Allein die fides quae creditur interessiert; die fides qua bleibt - wie übrigens schon bei Kraemer, seinem biblischen Ansatz zum Trotz - in der Kommunikation des christlichen Glaubens unbedacht. Was die Empfänger mit der einmal zur Kenntnis genommenen Nachricht anfangen, wie es von der

Mission zur Kirche kommt bzw. im christlichen Westen vor langem schon gekommen ist, bleibt ungeklärt. Eine Antwort hierauf sucht Nida später (1968)
nicht mehr im „Glauben", sondern in einem, neuerlich psychologisch begründeten, weiten Begriff von „Religion".

In den USA wurde Nidas grundlegendes Modell in der Missionstheorie vielfach übernommen, dabei aber mit weiterem Detail auf seiten der „Faktoren" der
Kommunikation ausgeführt, z.T. auch wieder deutlicher an evangelikale Missionstheologie angebunden. Kennzeichnend für die Diskussion nach Nida sind die
ausgeführten Entwürfe von Hesselgrave und Kraft. D. J. Hesselgrave nimmt für
die praktischen Aufgaben der missionarischen Kommunikation u.a. die Ergebnisse der antiken Rhetorik - vom platonisch-sokratischen Dialog über Aristoteles bis
hin zur kynischen Diatribe - wieder auf. Seine eigene langjährige Japanerfahrung
läßt ihn Kultur als „world view" eindeutig den Vorrang geben vor den sozialen
Problemen der Kommunikation. Ziel missionarischer Kommunikation ist die persönliche Bekehrung. Die ausgeführte Psychologie menschlichen Sich-Entscheidens
mit Vor- und Nach-Entscheidungskonflikten läßt dabei für die Frage nach Gottes
freier Gnade und Erwählung nur wenig Raum. Träger der interkulturellen christlichen Kommunikation ist für Hesselgrave weiterhin hauptsächlich der westliche
Missionar.

C. H. Kraft verarbeitet in seinem Theoriemodell (1979 und 1983), ebenso
wie seine Mitarbeiter und Schüler im Fuller Institute (M. G. Kraft 1978, H. V.
Klem 1982) vorwiegend afrikanische Missionserfahrung. Im Zentrum stehen bei
ihm wie bei Nida Kultur und Sprache als Hauptfaktoren christlicher Kommunikation. Wesentliche Aufgabe ist das christliche *Zeugnis*, das von der Person des
Zeugen als seinem „Medium" lebt, und durch welches bei den Adressaten - in anderen wie auch in der eigenen amerikanischen Kultur - „change", Änderung und
Wandel des Verhaltens bewirkt werden soll. Neue Information ist dabei nur noch
Teil, nicht mehr, wie bei Nida, die Hauptsache der Kommunikation. Befestigung
des Glaubens (consolidation) und weitergehender Gottesdienst (ritual) interessieren Kraft neben dem missionarisch-evangelistischen Zeugnis gleichwohl nur peri-
pher. Die Orientierung findet stärker am Kommunikationsverhalten Jesu (Gleichnisse, offene Fragen) als an dem des Paulus statt. Grundproblem aller menschlichen Kommunikation ist die oft entmutigende „Souveränität des Empfängers",
der verstehen kann, was er will und wonach ihm der Sinn steht: ihr gilt es, durch
weise Beherrschung der Medien wie der Kontexte der Kommunikation, durch
„control", nicht aber durch Manipulation, Grenzen zu setzen. Hinsichtlich der
Einsatzmöglichkeiten elektronischer Massenmedien für das weltweite und evangelische Zeugnis, wie auch hinsichtlich einiger naiv „geistlicher" Gewißheiten über
die Glaubenskommunikation, dämpft Kraft, wie vor ihm schon Nida, die strategischen Hoffnungen seiner evangelikalen amerikanischen Landsleute.

4. Die neuere deutsche Missionswissenschaft und -theologie führt das Thema
Kommunikation, soweit sie es überhaupt aufnimmt (es fehlt z.B. in K. Müllers
„Einführung in die Missionstheologie", 1985), auf ihren eigenen traditionsbe-
stimmten Linien weiter: in der Barth-Kraemerschen Frage nach der „Anknüpfung", Religion und Offenbarung, in der methodischen Öffnung oder Verschlie-

ßung gegenüber den nichttheologischen Disziplinen, die von Kommunikation handeln, und in der Fragestellung nach Kommunikation und Hermeneutik.

Bei H.-W. Gensichen (1971) eröffnet, nach erfolgter Bestimmung von Grund und Ziel und nach der Zuordnung von Kirche und Mission, die Kommunikation den „Vollzug" der Mission. Kommunikation ist Gottes Gabe, bevor sie menschliche Aufgabe ist. Als solche hat sie keine Erfolgsgarantie, denn auch Gottes Verstocken kann Vorgabe sein. Daß Kommunikation „von" nicht ohne Kommunikation „zwischen" erfolgen kann, lernt die Missionswissenschaft auch von der philosophischen Hermeneutik (Gadamer). Zwischen Kraemers gänzlicher Verwerfung eines Anknüpfungspunktes für die christliche Mission beim Adressaten und katholischem praeparatio evangelica-Denken findet Gensichen seinen eigenen Weg durch die dynamische Beziehung zwischen Dimension und Intention: Gott vermag sich in seiner Freiheit auch aus Steinen Kinder zu erwecken, und jede praeparatio bleibt ihrerseits sein Geheimnis, d.h. zweideutig und nicht beweisbar. Umgekehrt kann nach der missionarischen Intention „Anknüpfung" niemals verboten oder ausgeschlossen werden. Erst nach diesen theologischen Grundsatzerwägungen zur Kommunikation kommen bei Gensichen die „Lebensbezüge" der Adressaten im einzelnen in Betracht: Sprache, Gesellschaft und Kultur. Zur Kulturanthropologie übernimmt Gensichen die amerikanischen Ansätze Nidas (und L. Luzbetaks) und beklagt im übrigen, daß die deutsche diesbezügliche Diskussion durch unfruchtbaren Streit um reaktionäres „Ethnapathos" oder neue „Ökologie" (J. C. Hoekendijk) ins Abseits geraten ist und die für die missionarische Kommunikation wesentlichen humanwissenschaftlichen Zusammenhänge „noch kaum zur Kenntnis genommen" worden sind.

In H. Bürkles „Missionstheologie" (1979) scheint diesem erweiterten Interesse am Kommunikationsthema wenigstens grundsätzlich Rechnung getragen zu sein. Mission „als Kommunikation" ist das erste und grundlegende der theologischen Themen missionarischen Handelns, in welchem Mission sich geschichtlich verwirklicht. Missionarische Kommunikation ist wesentlich personal und dialogisch, obwohl im außerwestlichen Bereich immer stark in die Gemeinschaft eingebunden. Kommunikation „von" und „zwischen" sind im Dienst des Missionars weder zeitlich noch sachlich zu trennen; er selber steht nicht über den Adressaten, sondern ist seinerseits immer zugleich Vermittler und Empfänger. Kommunikation ist mehr als nur sprachliche Verkündigung: P. Tillichs Kritik der dialektischen Theologie vom Symbol her ist auch für die Mission wichtig, desgleichen die analytische Psychologie C. G. Jungs, die zu den Tiefenschichten westlicher und östlicher Religion neuen Zugang gibt. Nichtbeachtung der Rolle des Unbewußten und in archaischen Kulturen des Mythos führt oft zum Scheitern modern westlicher Missionsbemühungen bzw. zur Entstehung häretisch-synkretistischer Bewegungen in Afrika und Ozeanien. Freilich geht nicht alles Scheitern interkultureller missionarischer Kommunikation aufs Schuldkonto der Mission: auch unaufhebbare Barrieren auf seiten der Empfänger können, wie in Indien etwa in der Reformreligion Ram Mohan Roys, die authentische Christusrezeption verhindern. Ziel der missionarischen Kommunikation ist nach Bürkle die personale Teilhabe - communio - am Neuen Sein in Christus, die in der Bekehrung ihren Anfang und in der Taufe ihre Besiegelung hat. Solche Partizipation schließt die neue menschliche Gemeinschaft in der christlichen Kirche notwendig mit ein. In der Einbeziehung besonders der analytischen Psychologie verfährt Bürkle faktisch interdisziplinär; eine methodische Besinnung über sie wie über die anderen in die missionarische Kommunikation hineingreifenden Faktoren und Disziplinen bleibt gleichwohl bei ihm aus. Der - in sich schlüssige - missionstheologische Monolog, die mehr assoziative Übernahme eines modernen Wortes „Kommunikation" überwiegt; die von Gensichen geforderte systematische Kenntnisnahme bzw. Kritik amerikanischer Erforschung und Modellbildung zur Kommunikation des christlichen Glaubens seit Nida findet bei Bürkle nicht statt.

Die aus der bisherigen disparaten Diskussionslage über Kommunikation besonders sich abzeichnenden missionstheologischen Aufgaben (→ Theologie der Mission) sind: (1) die Zusammenführung der europäischen Modelle mit den amerikanischen, (2) ihre theologische Weiterführung nach Hinzunahme geeigneter Elemente aus der neueren Hermeneutik (E. Fuchs, G. Ebeling), welche ihrerseits durch das Mitdenken des missionarischen *Ent*stehens des Glaubens neben seinem - kirchlichen - *Be*stehen eine Erweiterung erfährt. Dadurch rückt (3) die Kommunikation - über Gensichen hinaus - aus dem „Werk" der Mission auch in deren „Grund" vor, ohne doch darum zum unbestimmt theologischen Wort zu werden. Sie hält sich auf der Grenze zwischen Theologie und nichttheologischen Wissenschaften, wobei der konstitutiven Vermittlungsfunktion der Kultur- und Gesellschaftswissenschaft, der Kybernetik und Psychologie jedoch nur sekundäre und regulative Funktion zukommt (mit Nida gegen Bastian und Bürkle). Der daraus sich ergebende veränderte Theorie-Ansatz ist vor allem an der Wirklichkeit junger nichtwestlicher Kirchen praktisch zu verifizieren. Neue Leitfrage ist dabei, *wo* der Glaube leben, d.h. bestehen soll und wie er inmitten der sich wandelnden Gesellschaft und des weiterwirkenden vorchristlichen Erbes sich selber verstehen kann. Sie setzt voraus, daß im normalen Gottesdienst wie in der Erstverkündigung, in jungen wie in alten westlichen Kirchen, der Heilige Geist durch das Evangelium nicht nur beruft, sondern auch „bei Jesus Christus *erhält* im rechten einigen Glauben."

Lit.: *Balz, H.*, Einkehr in das Wort? Ernst Fuchs - ein Kapitel über Kommunikation und Hermeneutik, Theol. Diss. 1973/74 (masch.). - *Ders.*, Theologische Modelle der Kommunikation. Bastian - Kraemer - Nida, 1978. - *Ders.*, Where the Faith has to Live. Studies in Bakossi Society and Religion. Part I, 1984. - *Bastian, H.-D.*, Kommunikation. Wie christlicher Glaube funktioniert, 1972. - *Bürkle, H.*, Missionstheologie, 1979. - *Dierks, F.*, Evangelium im afrikanischen Kontext. Interkulturelle Kommunikation bei den Tswana, 1986. - *Gensichen, H.-W.*, Glaube für die Welt. Theologische Aspekte der Mission, 1971 (Lit.). - *Hesselgrave, D. J.*, Communicating Christ Cross-Culturally, 1978 (Lit.). - *Kappenberg, B.*, Kommunikationstheorie und Kirche. Grundlagen einer kommunikationstheoretischen Ekklesiologie, 1981. - *Klaus, B.* (Hrsg.), Kommunikation in der Kirche, 1979. - *Klem, H. V.*, Oral Communication of the Scrip. Insights from African Oral Art, 1982. - *Kraemer, H.*, The Communication of the Christian Witness, 1983. - *Kraft, C. H.*, Communicating the Gospel God's Way, 1979. - *Ders.*, Communication Theory for Christian Witness, 1983. - *Kraft, M. G.*, World view and the Communication of the Gospel. A Nigerian Case Study, 1978. - *Nida, E. A.* Message and Mission, 1960. - *Ders.*, Religion Across Cultures, 1968. -

Soukup, P.Communication and Theology. Introduction and Review of the Literature, WACC, 1983 (Lit.).

H. Balz

KONTEXTUELLE THEOLOGIE

1. Begriff. 2. Text und Kontext. 3. Gesellschaftsanalyse. 4. Kontextuelle Perspektiven. 5. Lokale Theologien. 6. Kontextualität und Universalität.

1. Unter kontextueller Theologie versteht man die heute notwendige Gestalt der christlichen Theologie, insofern diese angesichts eines wachsenden Bewußtseins der Vielzahl von Religionen und Weltanschauungen, Philosophien und Kulturen, politischen und gesellschaftlichen Systemen ihre Gestalt und Sprache auf das jeweilige geschichtlich-gesellschaftliche Umfeld hin finden muß. Solange der christliche Glaube und die christliche Theologie sich vorrangig in einem vom Christentum selbst wesentlich mitgestalteten Umfeld verwirklichten, waren der die Kultur und Lebenswelt gestaltende „Text" und sein aktueller „Kontext" derartig miteinander verwoben, daß das Spannungsfeld von „Text" und „Kontext" kaum beachtet und reflektiert wurde bzw. Abweichungen von dem in der Glaubensgeschichte des Christentums vorherrschenden Verständnis als Häresie geahndet wurden. Die Rede vom „Kontext" hat ihren ursprünglichen Ort in der Beschäftigung mit literarischen Texten, somit im Bereich der Erkenntnislehre, der Hermeneutik und Logik. Sie findet ihre wachsende Bedeutung bei den Übersetzungsvorgängen verbaler wie non-verbaler Art im interkulturellen wie interreligiösen Umgang. Die Reflexion auf Kontexte nicht nur im Hinblick auf verbale Textzusammenhänge, sondern auch auf Lebens- und Gesellschaftszusammenhänge bildet schließlich heute für das Christentum die Voraussetzung für eine → Evangelisation, die die Botschaft des Evangeliums in fremden Kulturen wirksam heimisch machen (Indigenisierung) und verwurzeln (→ Inkulturation) möchte.

2. Das Verhältnis von Text und Kontext findet seine erste grundlegende Beachtung im heutigen Umgang mit dem Grundtext des Christentums, der Heiligen Schrift (→ Bibel), in der biblischen Hermeneutik. Die Verstehensproblematik der Heiligen Schrift stellt sich einmal im Hinblick auf den ursprünglichen „Sitz im Leben" der Ursprungsgemeinde, sodann im Hinblick auf die heutigen „Sitze im Leben" dar, für die die Bibel eine bleibende Bedeutung hat bzw. die sich heute um ein Verstehen der Bibel mühen:

2.1 Zur Wiedergewinnung des ursprünglichen Verständnisses verhelfen u.a. die Kenntnis der mit Hilfe der historisch-kritischen Methoden der Exegese erschlossenen Entstehungszusammenhänge, die Beachtung der literarischen Gattungen, die Frage nach dem Sinn, „wie ihn aus einer gegebenen Situation heraus der Hagiograph den Bedingungen seiner Zeit und Kultur entsprechend - mit Hilfe der damals üblichen literarischen Gattungen - hat ausdrücken wollen und wirklich zum Ausdruck gebracht hat", in „umweltbedingten Denk-, Sprach- und Erzählformen", „die zur Zeit des Verfassers herrschten", und in „Formen, die damals im

menschlichen Alltagsverkehr üblich waren" (Dei verbum 12). Insofern als aber die
einzelnen ntl. Schriften zwar christliche Gemeinden bzw. einzelne Gläubige als
Adressaten hatten, in ihrer Gesamtheit und ihrem Gesamtzusammenhang jedoch
zum grundlegenden Dokument des christlichen Glaubens und Selbstverständnisses geworden sind, bleibt auch die Traditionsgeschichte, die Geschichte der Kirche und ihrer Theologie, für das Verständnis der Heiligen Schrift bedeutsam. Dieser Traditionsprozeß bietet darüber hinaus Beispiele und Modelle, weil sich die
Übersetzung der christlichen Botschaft in den verschiedenen Etappen der Geschichte (Judentum-Griechentum, Rom, Germanen und andere mitteleuropäische
Völker, Slawen, Reformations- und Aufklärungszeit, Kolonialzeit) vollzogen hat.

2.2 Nach Gaudium et spes 4 obliegt der Kirche zur Erfüllung ihres Auftrags
die Pflicht, „nach den Zeichen der Zeit zu forschen und sie im Licht des Evangeliums zu deuten". Das Gegenüber von „Zeichen der Zeit" und „Licht des Evangeliums" weist über das Spannungsverhältnis von Verkündigung und Heiliger
Schrift hinaus auf jenes Spannungsverhältnis von Gesellschaft/Welt/Zeit und
Evangelium hin, das den Blick für den gegenwärtigen Kontext des Evangeliums
bzw. dessen nichttheologisches Umfeld als den Ort der Verkündigung bzw. den
Ort des Adressaten der Botschaft schärft. Das Verständnis der Heiligen Schrift im
„Sitz des Lebens" heutiger Menschen ist wesentlich geprägt von den Fragen, Pro-
blemen und Interessen dieser Menschen, ihren Denk- und Sprachmöglichkeiten
und Verhaltensweisen, aber dann auch von den Strukturen ihrer Lebenswelt. Die
Übersetzung des Evangeliums ist folglich nicht im Sinne einer Wort-für-Wort-
Übersetzung zu verstehen, sondern bedarf einer Begegnung der verschiedenen
Verstehenshorizonte. Diese kann - recht verstanden - als „Horizontverschmel-
zung" (H.-G. Gadamer) bezeichnet werden, weil in der fragend-antwortenden Begegnung des heutigen Menschen mit der Heiligen Schrift sowohl für den Empfänger der Botschaft als - in gewissem Sinne - auch für die Botschaft selbst eine neue
Situation sich ergibt, in der weder der Hörer des Wortes noch das Wort selbst
einfachhin dieselben sind, die sie vor der Begegnung waren. Freilich gehört es
zum christlichen Selbstverständnis, daß das Evangelium den Hörer nur dann richtig getroffen hat, wenn er das Evangelium Herr über sich sein läßt und nicht umgekehrt das Evangelium zu beherrschen sucht.

3. Die zur Erforschung der „Zeichen der Zeit" erforderliche Beschäftigung
mit dem Kontext der Glaubensverkündigung zwingt die christliche Theologie als
wissenschaftlich-methodische Reflexion auf das Sprechen von Gott bzw. das
Sprechen Gottes im Blick auf Jesus Christus, den geschichtlich-gesellschaftlichen
Kontext des Glaubens und der Glaubensvermittlung zu erforschen. Dieser Kontext ist auch deshalb bedeutsam, weil der einzelne Mensch in seiner Konkretheit
in einer bestimmten (Mutter-)Sprache mit ihren Strukturen und Ausdrucksmöglichkeiten, als Mitglied eines bestimmten Volkes mit seinen gesellschaftlich-politischen Strukturen, seiner Geschichte, seinem Zivilisationsstand, seiner Kultur, aber
auch der Einbindung des Volkes in die größeren Zusammenhänge der Völker-
und Menschheitsgeschichte in Wirtschaft und Politik, Geistes- und Kulturge-
schichte, Weltanschauungen und Religionen lebt. Im Hinblick auf die heutige Situation sagt Gaudium et spes 44, die Kirche bedürfe „vor allem in unserer Zeit
mit ihrem schnellen Wandel der Verhältnisse und der Vielfalt ihrer Denkweisen

der besonderen Hilfe der in der Welt Stehenden, die eine wirkliche Kenntnis der
verschiedenen Institutionen und Fachgebiete haben und die Mentalität, die in diesen am Werk ist, wirklich verstehen, gleichgültig, ob es sich um Gläubige oder
Ungläubige handelt. Es ist jedoch Aufgabe des ganzen Gottesvolkes, vor allem
auch der Seelsorger und Theologen, unter dem Beistand des Heiligen Geistes auf
die verschiedenen Sprachen unserer Zeit zu hören, sie zu unterscheiden, zu deuten
und im Licht des Gotteswortes zu beurteilen, damit die geoffenbarte Wahrheit
immer tiefer erfaßt, besser verstanden und passender verkündet werden kann.“
Daraus ergibt sich: (a) Die Theologie bedarf der interdisziplinären Zusammenarbeit, zumal mit den Human- und Sozialwissenschaften, der Kulturanthropologie
und Ethnologie, den Religionswissenschaften und der Philosophie. (b) Die Theologie stellt sich den Gesellschaftsanalysen, nimmt Informationen zur Kenntnis,
prüft sie auf ihre Voraussetzungen hin und beeinflußt die ethischen Konsequenzen der Analysen, insofern als die Theologie im Hinblick auf die Heilsverkündigung immer schon ein therapeutisches Interesse hat. (c) Die Theologie muß angesichts der Gesellschaftsanalysen auf jene nichttheologischen Faktoren achten, die
auf sie selbst einwirken, die Sprachen, die ihr vorgegeben sind und in die sie zu
übersetzen ist, die Interessen, die ihre Arbeit begleiten, die Methoden, die sie verwendet. (d) Die „Vielfalt der Denkweisen“ bzw. Sprachen, in die zu übersetzen
ist, bringt eine Vielfalt theologischer Sprachen mit sich. Die Legitimität der einzelnen Sprache erweist sich in der grundsätzlichen Kommunikabilität und Konverti-
bilität der Sprache in andere theologische Sprachen und deren grundsätzlicher
Einheit untereinander (vgl. 6).

Die mit einer Gesellschaftsanalyse gegebene Bestimmung des Kontextes hat
zwei grundlegende Gesichtspunkte: Sie betrifft einmal die Materialfelder bzw. die
Perspektiven der gesellschaftsanalytischen Arbeit, sodann die Methodik und das
Instrumentarium der Kontextbestimmung.

4. In neuerer Zeit lassen sich vor allem drei Gesichtspunkte erkennen, unter
denen der gesellschaftliche Kontext einer Zeit und/oder eines Raumes betrachtet
wird: (4.1) die sozio-ökonomisch-politischen Zustände und Entwicklungen, (4.2)
die geistesgeschichtlich-kulturelle Orientierung, (4.3) die weltanschaulich-religiöse
Situation. Dabei führt das Denkgefälle über die geistesgeschichtlichen Konsequenzen zur Neueinschätzung der religiösen Relevanz. Die im Einzelfall zu klärende
Frage ist, ob sich hinter dem faktischen Verhalten eine Normentscheidung verbirgt, die das Geistig-Ideale zum sekundären Epiphänomen materieller Entwicklungen degradiert und zumindest implizit-atheistisch für den Primat der Materie
über den Geist optiert.

4.1 Sozio-ökonomisch-politisch: Mit Fragestellungen des sozio-ökonomisch-
politischen Kontextes hat sich die Theologie spätestens seit dem Aufkommen der
christlichen Soziallehre am Ende des 19. Jahrhunderts befaßt, nachdem sich das
gesellschaftlich-politische Gefüge in Europa unter dem Einfluß der entstehenden
Industriegesellschaft, der Spannung von Kapital und Arbeit, der neuen Gewichts-
verteilung zwischen Stadt und Land, der Verlagerung des politischen Schwerge-
wichts auf das neue Bürgertum wandelte und das Christentum sich durch die
Ideologien des Liberalismus und Sozialismus zu einer eigenständigen Reaktion
herausgefordert sah. Im Rahmen der Gesamttheologie übt die christliche Sozial-

lehre bei all ihrer Bedeutsamkeit bislang jedoch insofern auch eine Alibifunktion aus, als die Theologie sich als ganze nicht genötigt sah, sich im Hinblick auf die gesellschaftlichen Zusammenhänge zu einer kontextuellen Theologie zu wandeln. Die Situation verschärfte sich, als seit Mitte des 20. Jahrhunderts die Verkehrs- und Informationstechnik auf breitester Front einen aktuellen Austausch zwischen nahezu allen Teilen der Welt ermöglichte, die Spannungsverhältnisse im internationalen Kräftespiel der ökonomischen und politischen Faktoren die Aufmerksamkeit auf sich zogen und zudem der Kolonialismus neuen Formen des Nationalismus und Internationalismus Platz machen mußte. Zwar ist das Kräftespiel von vielfältigen Faktoren bestimmt und daher auch nicht monokausal zu erklären, doch wird es weithin in Polaritäten beschrieben, die dazu verleiten, daß sich Entscheidungszwänge pro und contra ergeben: Arm - Reich, Kapitalismus - Sozialismus, Liberalismus - Sozialismus, Ost - West, Nord - Süd, entwickelte Länder - unterentwickelte Länder, Herrschende - Unterdrückte, Diktaturen - Demokratien u.ä. Die damit gegebene Problematik erfährt ihre Zuspitzung in der zwischen Erster und Zweiter Welt um ihren Platz und ihre Identität ringenden Dritten Welt (→ Entwicklung, → Theologie der Befreiung).

In diesem Zusammenhang sind zwei Dinge zu beachten: (1) Die zur Gesellschaftsanalyse verwandten ökonomischen und politischen Theorien bzw. das gesellschaftswissenschaftliche Instrumentarium sind auf ihre Voraussetzungen hin zu prüfen, zumal wenn sie - wie der klassische Marxismus - über den ökonomisch-politischen Bereich hinaus zu einer umfassenden Kultur- und Geschichtsdeutung fortschreiten. (2) Die Theologie darf ihrerseits nicht übersehen, daß die gesellschaftliche Gestalt von Religion, auch des Christentums, in einer dauernden Wechselbeziehung zu allen Gesellschaftsfaktoren steht und sich damit im Einflußbereich sich widerstrebender Interessen befindet. Entsprechend muß sie einerseits in ständiger Unterscheidung der Geister ihr eigenes kritisches Potential schärfen sie kann sich andererseits den kritischen Anfragen von außen nicht entziehen.

4.2 Geistesgeschichtlich-kulturell: Zur Erfahrung des modernen Menschen gehört die Erfahrung des kulturellen Pluralismus. Damit wandelt sich der eigene kulturelle Kontext. Jede Kultur wird, wenn auch in unterschiedlicher Weise, zum Kontext der eigenen Kultur. Wo aber der eigene kulturelle Kontext im Gegenüber und Miteinander der Kulturen relativiert wird, verliert er seine normative Kraft; der Kulturbegriff selbst wird zu einer empirisch-deskriptiven Kategorie. Auch wenn die sozio-ökonomischen Verhältnisse ein wesentliches Substrat in der Entwicklung der Kulturen bilden, treten in der Bestimmung des kulturellen Umfeldes weitere Faktoren wie die vielfältigen Formen des Umgangs mit den Dingen der Welt in Wissenschaft und Technik, Kunst und Literatur, die gesellschaftlichen Institutionen, Ethik und Gesetz, schließlich Philosophien, Weltanschauungen und Religionen (vgl. Gaudium et spes 53) hinzu. Dabei ergeben sich zusätzlich zu den in 4.1 genannten neue Spannungsverhältnisse, die den Übergang von einer deskriptiven Gesellschaftsanalyse zum Bereich der Normfindung markieren. Dazu gehören u.a. Natur - Kultur, Mensch - Natur, Individuum - Gesellschaft, Sprache - Verhalten, Geist - Materie, Autonomie - Heteronomie, Kultur - Kulturen. Eine wesentliche Bedeutung kommt der Frage zu, ob und wieweit die Kulturanalyse die Kulturen in einen geistesgeschichtlichen Horizont stellt. Für die Theologie (→

Interkulturelle Theologie) ergibt sich: (1) Das Interesse am kulturellen Kontext und seiner Erschließung mit Hilfe der historischen Wissenschaften, der Sprach- und Humanwissenschaften, der Ethnologie und Archäologie u.a. ändert die Theologie selbst von einer vorrangig deduktiv-spekulativen zu einer vorrangig induktiv-empirischen Wissenschaft, die zudem dem Subjekt der Wissenschaft eine zentrale Bedeutung und Verantwortung zuerkennt (vgl. B. Lonergan). (2) Der kulturelle Pluralismus führt zu einem theologischen Pluralismus, der die bisherige Theologie des Abendlandes in einer doppelten Reflexion nach ihrer regionalen Bedeutung (→ Europäische Theologie) und nach ihrer universalen Bedeutung bzw. ihrer Rolle im Rahmen einer „cross-cultural", transkulturellen Theologie fragen läßt (→ Interkulturelle Theologie). (3) Die Betonung des menschlichen Subjekts in der modernen Wissenschaft zwingt die Theologie, die Rolle des Menschen im Spannungsfeld von Kosmozentrik und Anthropozentrik einerseits, von Anthropozentrik und Theozentrik andererseits neu auszulegen. Diese Auslegung stellt auch für das Christentum in dem Maße eine neue Chance dar, als die atheistische Umkehr der abendländischen Anthropologie von einem schöpfungstheologisch orientierten zu einem vom „Gotteskomplex" (H. E. Richter) geprägten Menschenbild in wachsendem Maße an ihre Grenzen stößt und zum Scheitern verurteilt ist. Dabei erweist sich zugleich ein immanentistischer Säkularismus als Ideologie.

4.3 Weltanschaulich-religiös: Mit dem kulturellen Pluralismus verbindet sich weltweit die Erfahrung des religiösen Pluralismus. Für den abendländischen Kulturraum läßt sich der Kontext weltanschaulich-religiös folgendermaßen konkretisieren: (1) Das Christentum ist in eine Mehrzahl von christlichen Kirchen und Gemeinschaften gespalten. Es wächst aber innerhalb der christlichen Kirchen das Bewußtsein für das, was Christen im Grund verbindet (→ Ökumene). (2) Die westliche Welt ist in hohem Maße von einem Prozeß der Entchristlichung und Säkularisierung, der Lebensgestaltung ohne Gottesglauben, von faktischem Atheismus, Agnostizismus und atheistischem Humanismus geprägt. Entsprechend ist auch in vielen Formen der westlichen Philosophie Gott keine Frage mehr. (3) Dem widerspricht nicht das wachsende Bewußtsein für einen Pluralismus der Religionen, der zunehmende Einfluß einer synkretistischen religiösen Subkultur und Esoterik, das Interesse an neuen religiösen Bewegungen. Die Bestimmung des religiösen Umfeldes geht ihrerseits von einer phänomenologisch-geschichtlichen Beschreibung aus und setzt sich in der Frage nach dem Verhältnis von Religion und Gesellschaft, Religion und Kultur fort. Zu beachten ist dabei die Problematik des Religionsbegriffs, das Verhältnis von deskriptivem (Religionswissenschaft) und normativem (Religionsphilosophie, Theologie) Religionsverständnis (→ Religion).

Für die christliche Theologie folgt daraus: (1) Sie darf in der Begegnung mit den Religionen nicht zu einer christlichen Religionswissenschaft ohne das grundlegende Moment der Identifizierung ihrer Vertreter mit dem Anspruch des Christentums degradiert werden. (2) Sie muß dem Anspruch des Christentums in einer Weise gerecht werden, daß es durch → Dialog und Zusammenarbeit mit den Gläubigen anderer Religionen in der Bezeugung des christlichen Glaubens und Lebens die sich in den fremden Religionen und Kulturen findenden geistlichen und moralischen Werte und die sozio-kulturellen Güter anerkennt, wahrt und för-

dert (vgl. Nastra actate 2) und doch zugleich seine eigene Relevanz nicht verliert
(→ Theologie der Religionen, → Theologie der Mission).

5. Zur Perspektivierung der Theologie (→ Schwarze Theologie, → Theologie
der Befreiung) in einer kontextuellen Theologie ergibt sich im Hinblick auf die
verschiedenen Kulturräume ihre Regionalisierung in lokalen Theologien (→ Afrikanische, Asiatische, Chinesische, Europäische, Indische, Japanische, Koreanische, Lateinamerikanische, Philippinische Theologie). Zum Fallbeispiel einer lokalen kontextuellen Theologie mit ihren Möglichkeiten, freilich auch ihren Ge-
fährdungen, ist die lateinamerikanische Befreiungstheologie, die in der konkreten
Durchführung wiederum eine Mehrzahl von Befreiungstheologien in sich birgt,
geworden. Dabei sind einmal die stark auf die sozio-ökonomischen Verhältnisse
abhebende Gesellschaftsanalyse, sodann die zur Unmittelbarkeit der ursprünglichen Evangeliumstexte zurückkehrende biblische Hermeneutik, schließlich die
Praxis der Theologie, die - im Gegensatz zur traditionellen akademisch-wissen-
schaftlichen Theologie - das einfache → Volk als Subjekte der Theologie einbeziehen will, zu beachten. In den „jungen" Völkern und Kirchen Afrikas verlagert
sich das Gewicht auf einen Befreiungsprozeß, in dem das Christentum sich soweit
entäußert, daß es den Afrikaner aus seiner kulturellen Verarmung zu einer neuen
Identität befreien kann. In Asien stehen das Christentum und seine Theologie vor
der Aufgabe, die christliche Botschaft in von lebendigen Hochreligionen geprägten
Kulturen, aber zugleich in von der modernen Zivilisation beeinflußten Ländern
als wahre transkulturelle, universale Heilsbotschaft zu verkünden, die, ohne das
vorhandene Gute zu zerstören, befreiend wirkt. In Europa führt eine kontextuelle
Theologie einerseits zu einem neuen Lernprozeß im Umgang mit fremden Kulturen und Religionen, der die europäisch-abendländische Theologie relativiert; andererseits wird diese aus ihrem Erbe auch in Zukunft das Potential kritischer Unterscheidung in das international-interkulturelle bzw. das interkulturell-theologi-
sche Gespräch einbringen müssen. Zur Bemühung um die Entfaltung vertiefter
Interdisziplinarität zwischen Theologie, Philosophie und anderen Wissenschaften,
aber auch um eine kontextbewußte innertheologische Interdisziplinarität, kommt
als besondere Aufgabe die Sorge um das rechte Verhältnis von Kontextualität und
Universalität hinzu.

6. Das Postulat einer kontextuellen Theologie ist nicht als Absage an den
universalen Anspruch des Christentums mißzuverstehen; es besagt vielmehr den
Willen, mit dem Anspruch alle potentiellen „Hörer des Wortes" (K. Rahner) in
den verschiedensten gesellschaftlich-kulturellen Situationen zu erreichen und ihn
auch im Rahmen eines religiösen Pluralismus sinnvoll zu vertreten. In der Konsequenz eines solchen theologischen Verhaltens liegt das Wissen, daß nicht jede
Sprache - auch nicht jede theologische - überall verstanden wird. Um so wichtiger
ist aber dann der Wille zur grundsätzlichen Einheit untereinander, die dadurch ge-
währleistet ist, daß die unterschiedlichen Sprachen und Gestalten der Theologie
aus den verschiedenen Räumen und Zeiten ineinander übersetzbar und damit füreinander verstehbar bleiben. Im Sinne einer kontextuellen Fundamentaltheologie
(H. Waldenfels) ergibt sich daraus die Aufgabe, diese nicht allein als Apologetik
nach innen und außen bzw. als Hermeneutik zu verstehen, sondern sie vor allem
unter dem Aspekt der Dialogik, d.h. einer die Bedingungen einer umfassenden

Kommunikationsgemeinschaft beachtenden Theorie dialogisch-partnerschaftlichen Verhaltens, weiterzuentwickeln, weil auf die Dauer nur auf der Grundlage eines solchen Verhaltens die Botschaft des Evangeliums in die Vielheit der Sprachen, Denk- und Verhaltensweisen der Welt hinein so zur Sprache gebracht werden kann, daß es seinen Anspruch auf universales Gehör nicht verliert.

Lit.: *Biser, E.*, Religiöse Sprachbarrieren, 1980. - *Boff, C.*, Theologie und Praxis, 1983. - *Bühlmann, W.*, Wo der Glaube lebt, [4]1974. - *Ders.*, Wenn Gott zu allen Menschen geht, 1981. - *Casper, B.*, Sprache und Theologie, 1975. - *Friedli, R.*, Fremdheit als Heimat, 1974. - *Gadamer, H.-G.*, Wahrheit und Methode, [2]1960. - *Gensichen, H.-W.*, Mission und Kultur, 1985. - *Hick, J.* (Hrsg.), Truth and Dialogue, 1974. - *Hollenweger, W. J.*, Erfahrungen der Leibhaftigkeit. Interkulturelle Theologie I, 1979. - *Ders.*, Umgang mit Mythen. Interkulturelle Theologie II, 1982. - *Kaufmann, F. X.*, Theologie in soziologischer Sicht, 1973. - *Ders.*, Kirche begreifen, 1979. - *Koyama, K.*, Waterbuffalo Theology, [2]1976. - *Kroh, W.*, Kirche im gesellschaftlichen Widerspruch, 1982. - *Küng, H./Tracy, D.* (Hrsg.), Theologie - wohin?, 1984. - *Lauret, B./Refoulé, F.* (Hrsg.), Initiation à la pratique de la théologie I, [2]1982. - *Lonergan, B.*, Insight, [11]1978. - *Ders.*, Method in Theology, [3]1979. - *Ders.*, Theologie im Pluralismus heutiger Kulturen, 1975. - *May, J. D'Aray*, Meaning, Consensus and Dialogue in Buddhist-Christian Communication, 1984. - *Metz, J. B.*, Glaube in Geschichte und Gesellschaft, [2]1978. - *Pannenberg, W.*, Wissenschaftstheorie und Theologie, 1973. - *de Pater, W. A.*, Theologische Sprachlogik, 1971. - *Paus, A.* (Hrsg.), Kultur als christlicher Auftrag heute, 1981. - *Peukert, H.*, Wissenschaftstheorie, Handlungstheorie - Fundamentale Theologie, 1976. - *Rolston, H.*, III. Religious Inquiry - Participation and Detachment, 1985. - *Schreiter, R. J.*, Constructing Local Theologies, 1985. - *Smith, W. C.*, Towards a World Theology, 1981. - *Waldenfels, H.*, Kontextuelle Fundamentaltheologie, 1985. - *Ders.*, Von der Weltmission zur Kirche in allen Kulturen, in: P. Gordan (Hrsg.), die Kirche Christi, 1982, 303-350. - *Ders.*, Gott - Mensch - Welt, in: W. Strolz/H. Waldenfels (Hrsg.), Christliche Grundlagen des Dialogs mit den Weltreligionen, 1983, 13-43. - *Werblowsky, R. J. Z.*, Beyond Tradition and Modernity, 1976. - *Whaling, F.* (Hrsg.), Contemporary Approaches to the Study of Religion I, II, 1983, 1985. - *Wiebe, D.*, Religion and Truth, 1981.

H. Waldenfels

KOREANISCHE THEOLOGIE

1. Geschichtlicher Überblick. 2. Typen koreanischer Theologie. 3. Minjungtheologie.

1. Der Begriff „Koreanische Theologie" bezieht sich auf die in Korea von Koreanern hervorgebrachte und rezipierte theologische Forschung. Eigene thematische Schwerpunkte und Identitäten hat die koreanische Theologie (1) durch die Wirksamkeit der geistig-kulturellen Traditionen und (2) die spezifische politische Situation Koreas entwickelt.

Die koreanische Gesellschaft ist religiös pluralistisch. Buddhismus und Konfuzianismus prägen gemeinsam mit den verschiedenen, vor allem auf das Lebensgefühl und die Weltsicht des koreanischen Minjung wirkenden Volksreligionen (Schamanismus, Maitreya-Buddhismus, Dong-Hak-Lehre und neue synkretistische Religionen) das geistige Klima des Landes. Nur auf dem Hintergrund dieser religiösen Vielfalt kann die Geschichte des Christentums in Korea begriffen werden. Zentrale hermeneutische Aufgabe der koreanischen Theologie ist bis heute der → Dialog zwischen dem Evangelium und den lebendigen religiösen Traditionen des Landes.

Die *erste Eopche* des koreanischen Protestantismus (1894-1910) war die Zeit des völligen Verfalls der koreanischen Chosun-Dynastie. Eine geistige Leere entstand, Japan gewann wachsenden Einfluß. Die meisten Glieder der Kirche waren verarmte, hoffnungslose Menschen (Minjung), in der Mehrzahl Frauen, entsprechend der von den Missionaren angewandten Neviusmethode, die besonders auf die einfachsten Menschen abzielte. Ihnen brachte das Evangelium wirklich frohe Botschaft: das Wissen um → Menschenrechte und die Hoffnung auf → Befreiung. Von Anfang an waren Christen aktiv in die nationale Geschichte verwickelt. Die Verknüpfung der oppositionellen Bewegung des Minjung (Bauernaufstände im 19. Jahrhundert) mit dem durch das Evangelium neu geweckten Bewußtsein führte zur aktiven Teilnahme vieler Christen an der „Unabhängigkeitsbewegung vom 1. März 1919" und anderen nationalen Kämpfen während der japanischen Kolonialzeit. Diese patriotisch-progressive Tradition in der koreanischen Kirche mündete schließlich in die nationalistisch orientierte Demokratisierungs- und Menschenrechtsbewegung der siebziger Jahre.

In der *japanischen Kolonialzeit* (1910-1945) wurden große Teile der Kirche entpolitisiert, bedingt durch die unkritisch rezipierte fundamentalistische Missionstheologie der US-Missionare. Mit antirevolutionärer Theologie (strikte Trennung von Staat und Kirche) und umfassenden Evangelisationskampagnen (ab 1907) suchten die Missionare eine stärkere Unterdrückung der kirchlichen Arbeit durch die Japaner zu verhindern. Diese fundamentalistische Ausrichtung führte zur Abschließung gegenüber der Welt und prägt noch heute große Teile des koreanischen Protestantismus.

Die „Minjung-Tradition" der Kirche blieb aber verborgen wirksam. Mit der Wiederaufnahme der diplomatischen Beziehungen zwischen Korea und Japan 1965 wurde die nationale Frage erneut akut. Die sich bildende Opposition knüpfte in ihrer Stoßrichtung gegen den japanischen Expansionismus an die „Unabhängigkeitsbewegung vom 1. März 1919" an.

Gleichzeitig verschärften sich nach dem Militärputsch von 1961 die *sozialen Gegensätze*: Mit dem Ziel raschen Wirtschaftswachstums wurde Korea in das kapitalistische Weltsystem integriert und einer rigiden Entwicklungsdiktatur unterworfen. Aufgrund der Entwicklungsziele mußte die herrschende Schicht, in Kooperation mit ausländischen Mächten, das Minjung politisch unterdrücken, ökonomisch ausbeuten und sozio-kulturell entfremden. Zu der neu erwachten Widerstandsbewegung gehörten auch die christlichen Gruppierungen, die für Demokratie und Menschenrechte arbeiteten. Im Prozeß der Auseinandersetzung entdeckten die oppositionellen Christen die Sache des Minjung aufs neue. Das Leiden und die Hoffnungen des Minjung theologisch erneut ernstzunehmen war der Ansatzpunkt für die Minjungtheologie.

2. Wir können im groben folgende Typen unterscheiden: eine Kultur- und Religionstheologie, die fundamentalistische Theologie und die politische Theologie.

2.1 Die *Kultur- und Religions-Theologie:* Die Aufgabe, das Evangelium im Gespräch und in der Konfrontation mit den vorhandenen → Religionen zu bezeugen, wurde zuerst von Choe Byung-Hun (1858-1927) theologisch ausformuliert. Er unterschied zwischen dem Evangelium von Jesus als dem Absoluten und den Religionen als dem Relativen. Er wertete das Christentum und die Kirche in Kontinuität und Parallelität zu den anderen Religionen als religiöse, kulturelle Phänomene. Das in Jesus Christus geoffenbarte Evangelium dagegen sei die Vollendung aller Religion. Im Gegensatz zur Haltung fundamentalistischer Theologie („Götzendienst") erkannte Choe den relativen Wert der Religionen an. Die Diskussion um die Bewertung der Religionen verstärkte sich später in der Debatte um die Indigenisierung (Wiedererwachen des Nationalbewußtseins nach 1960). Yun Sung-Bum formulierte, daß es notwendig sei, die einheimischen Traditionen wiederzubeleben und die abendländischen Elemente der Theologie nur als Hinzufügungen zu begreifen. Das Gespräch mit den Religionen wurde neu aufgenommen: Mit dem Schamanismus (Yu Dong-Sik), dem Konfuzianismus (Yun Sung-Bum) und dem Buddhismus (Byun Son-Hwan). Den Vertretern der Indigenisierung geht es nicht mehr um → „Bekehrung", sondern um → „Dialog". „Bekehrung" gilt als Ausdruck eines theologischen Imperialismus. Diese Kritik ist Ausgangspunkt einer neuen Missionstheologie (Byun Son-Hwan).

2.2 Der *Fundamentalismus* bestimmt gut ein Drittel der koreanischen Kirche. Nach Park Hyung-Ryong, einer Autorität im koreanischen Fundamentalismus, besteht die Aufgabe der koreanischen Theologie darin, an der reinen apostolischen → Tradition festzuhalten, d.h. an der in der Gründungszeit wirksamen Theologie der Missionare als ewiges Eigentum festzuhalten. Die Hauptstichworte des koreanischen Fundamentalismus sind: Verbalinspirationslehre, Literalismus (Buchstabenglaube), religiöse Exklusivität; großen Raum nimmt eine puritanisch geprägte Gesetzesfrömmigkeit ein; das Prinzip der Kirche-Staat-Trennung wird betont und alles Gewicht liegt auf der Erlösung der Einzelseele. Der koreanische Fundamentalismus lehnt die Ökumenische Bewegung kompromißlos ab; ihm geht es im Verhältnis zu den Religionen nicht um Dialog, sondern um „Sieg im Kampf".

2.3 Keime einer *politischen Theologie* zeigten sich schon bei Yun Chi-Ho (1864-1945), der als progressiver Gelehrter und Politiker die praktische Liebestätigkeit im politischen Engagement und die Evangeliumspredigt in der Kirche als Einheit auffaßte. Vor allem aber entwickelte Kim Jae-Jun (geb. 1901) die politisch bewußte Theologie weiter, indem er die soziale Botschaft der Propheten studierte. Er forderte, in scharfem Gegensatz zum Diesseits-Jenseits-Dualismus des Fundamentalismus, die Teilnahme der Christen an den geschichtlichen Aufgaben in Korea. In allen Sektoren des geschichtlichen Lebens hätten die Christen das Erlösungswerk Christi (als Triebfeder) zur Geltung zu bringen.

Die Bemühungen um eine politisch bewußte Theologie wurden des weiteren durch die ökumenische Bewegung und die von ihr angestoßene Missio-Dei-Theologie in Korea befruchtet.

3. In der heutigen *Minjungtheologie* sind politische Theologie und Kultur- und Religionstheologie gleichsam „aufgehoben". Zum Fundamentalismus steht sie in kritischem Verhältnis. In ihrer Hermeneutik vollzieht die Minjungtheologie eine radikale Wende, indem sie Bibel, Geschichte und Realität mit den Augen des Minjung („von unten") zu sehen versucht. Diese Theologie weigert sich, den Begriff „Minjung" zu eng zu definieren, um einer ideologischen Festlegung zu entgehen. „Minjung" ist *lebendiges* Subjekt; Gott handelt in den Minjung-Ereignissen; nur durch aktive Teilnahme an diesen Ereignissen können Christen heute Gott und Christus konkret begegnen. Hauptthema der Minjungtheologie ist es also, die „missio dei" in den Minjung-Ereignissen zu bezeugen. In diesem Sinn ist die Minjungtheologie eine „theologia eventorum" (Ahn Byung-Mu), die die Aufgabe hat, die Bewegung und Gegenwart Gottes in den historischen Ereignissen aufzuspüren; aus diesem Grundsatz heraus werden die Bibel und die Gegenwart ausgelegt. Die Ereignisse sind prinzipiell das Erste, das Grundlegende; die theologische Reflexion ist das Nachfolgende. Das gilt sowohl für die Bibelwissenschaft als auch für die Systematische Theologie.

Die Minjungtheologen fragen für den *alttestamentlichen* Bereich, welche Lebenserfahrungen das Volk in Israel zu seiner Gottesvorstellung geführt haben. Es reicht nicht aus, den Traditionsprozeß zu rekonstruieren, vielmehr muß das Leben und die konkreten Lebensbedingungen der diese Glaubensaussagen lebenden und weitergebenden Gruppen erforscht werden (Suh In-Sok, Kim Jung-Jun, Park Jun-Soh). Es kann durchaus zwischen der Gottesvorstellung des hebräischen Minjung und dem Gottesbild der herrschenden Schichten (Königtum) unterschieden werden. Suh Nam-Dong macht den Versuch, das Exodus-Geschehen als den geheimen Mittelpunkt der ganzen hebräischen Bibel zu interpretieren. Die im Exodus-Geschehen bezeugte Befreiung wird als cantus firmus des AT gesehen. In der Befreiung zeigt sich Gott als Gott: Landnahme, Kampf gegen das kanaanäische Feudalsystem, Programm einer egalitären Gemeinschaft im Bundesbuch (Ex 21ff). Schließlich analysiert Ahn Byung-Mu die Bedeutung des strengen Monojahwismus im AT. Diese Gottesvorstellung, in deren Tradition Jesus steht, kann das jesuanische Konzept der „Herrschaft Gottes" erläutern.

Im Bereich des *NT* ist die Minjungtheologie bemüht, das Leben des historischen → Jesus zu erforschen unter kritischer Aufnahme der bisherigen Ergebnisse der Leben-Jesu-Forschung, vor allem auch der form- und redaktionsgeschichtlichen Analysen. Das Ereignis Jesu, nicht das Kerygma, wird als das Grundlegende und Erste angesehen (Ahn Byung-Mu). Das Verhältnis und die Beziehung zwischen Jesus und der Masse (*ochlos*) muß genauer analysiert werden. Aufgabe der Minjungtheologie ist es auch, den Vorgang der Überlieferung des Jesus-Ereignisses zu erhellen. Dies Ereignis geschah unter Menschen, die von politischen Mächten unterdrückt, durch den Jerusalemer Tempelkult ausgebeutet und durch die Ideologie einer streng gesetzlichen Frömmigkeit entfremdet wurden. Sie spielten im Drama des Lebens Jesu keine Nebenrolle. Vielmehr waren sie lebendige Subjekte und aktive Mitspieler, ohne die das Verhalten Jesu nicht denk- und analysierbar wäre. Dieser lebendige, begrifflich nicht zu fixierende *ochlos* ist der erste Träger und Überlieferer der Ereignisse Jesu. Die Analyse der Trägergruppen ermöglicht Rückschlüsse auf die ursprüngliche Bedeutung des Jesusereignisses. In der Sache und der Geschichte des Minjung wirkt das Ereignis Jesu fort und wiederholt sich. Jesus Christus ist da im Leiden, im Getötetwerden des Minjung, und

in der Auferstehung, dem Aufstand des Minjung. In diesem Sinn ist das Minjung-
ereignis heute ein Zugang, ein Medium der Gegenwart Jesu.

Für den Bereich der *Systematischen Theologie* stellt sich als Hauptaufgabe,
das Zusammenfließen der biblischen Minjungtraditionen und der koreanischen
Minjunggeschichte zu bezeugen (Suh Nam-Dong). Für diese „Synopse" bedarf es
spezieller Methoden: der sozio-geschichtlichen und der pneumatologisch-synchro-
nen Interpretation. In der sozio-historischen Analyse geht es um den „Unterbau
der Offenbarung" (Suh Nam-Dong), d.h. um die konkreten Lebensbedingungen,
in denen das Handeln Gottes geschieht. Die Offenbarung hat die Gestalt historischer Ereignisse. Die pneumatologisch-synchrone Interpretation versucht, das Jesus-Ereignis als sich wiederholend zu sehen und das gegenwärtige Dasein und
Weiterwirken dieses Ereignisses in der Geschichte des Minjung zu bezeugen.

Die Minjungtheologie legt den Hauptakzent auf das „Erzählen" und die „Erzählung". Das Erzählen gilt als Sprache des Körpers (Hyun Young-Hak), als
Ausdrucksweise der einfachen Menschen (Ahn Byung-Mu, Suh Nam-dong), als
Medium der sozialen Biographien und Autobiographien des Minjung (Kim
Yong-Bok). Die literatursoziologische Betrachtungsweise wird herangezogen, um
die Erzählungen der Bibel zu verstehen. Im ntl. Bereich wird zwischen dem Stil
des Kerygma und dem Stil der Erzählungen unterschieden (Ahn Byung-Mu). In
den Erzählungen äußert sich das Leben des Minjung in seinen Hauptaspekten
(Leid, Trauer, Hoffnung, Sehnsucht). Jedoch ist zu beachten, daß die Minjung-
Sprache niemals „rein" ist, sondern mit der herrschenden → Sprache und Ideologie vermischt ist. Es bedarf der ideologiekritschen Methode, die Oberflächenstruk-
tur der Volkserzählungen, in der diese Erzählungen mit herrschender Ideologie assimiliert sind, zu durchschauen und die wirkliche Sprache und Aussage des Minjung freizulegen (Suh Nam-Dong).

Die Minjungtheologie umfaßt auch kulturtheologische Momente; allerdings
kritisiert sie die „Indigenisationstheologie" insofern, als diese die Traditionen der
koreanischen Religionen nicht „von unten", nicht aus der Minjungperspektive
analysiert hat. Bewußt wird eine neue Begegnung mit den traditionellen Religionen vorbereitet (vor allem Hyun Young-Hak, David Suhl). Raum der Begegnung
wird die Kultur des Minjung sein, nicht die der „Herrschenden". Beispielhaft hat
Hyun Young-Hak den koreanischen Maskentanz untersucht.

Die Minjungtheologie hat in Auseinandersetzung mit den kulturellen Traditionen Koreas den Begriff „han" aufgenommen. „Han" meint ein gedrücktes Lebensgefühl, ein „pathein", dessen bittere Essenz sich im Herz einlagert, weil es
wegen der herrschenden Unterdrückung keinerlei Ausdruck finden kann. Es ist für
die Minjungtheologie zentral, das „han" des Minjung zu verstehen, um die Befreiung von diesem Schmerz und von den Unterdrückungsmechanismen vorbereiten
zu können. In diesem Zusammenhang erscheint Jesus als ein Priester, ein Scha-
mane, der „han" zu lösen versteht. Jesus bricht, inmitten des Minjung wirkend,
den Teufelskreis der Unterdrückung und Entfremdung auf und ermöglicht so den
Weg zu wahrer Befreiung (Suh Nam-Dong).

Lit.: *Ahn, B.-M.*, Draußen vor dem Tor. Kirche und Minjung in Korea. Theologische Beiträge und Reflexionen, 1986. - *Chung, H.-E.*, Das koreanische Minjung und seine Bedeu-

tung für eine ökumenische Theologie, 1984. - *Clark, D.*, A History of the Korean Church, 1971. - *Kim, Y. B.*, Messiah und Minjung. Collected Articles, 1986. - *Ders.*, Minjung-Theology. People as the Subjects of History, 1981. - *Lim, Ch. H./Jung, A.*, Bilder und Texte aus der Minjung Kulturbewegung in Südkorea, 1986. - *Moltmann, J.*, Theologie des Volkes Gottes in Südkorea, 1984. - *Paik, L. G.*, History of Protestant Missions in Korea 1832-1910, 1929. - *Park, J.-W.*, Das Ringen um die Einheit der Kirche in Korea, Diss., 1985. - *Sundermeier, Th.*, Das Kreuz als Befreiung. Kreuzesinterpretationen in Asien und Afrika, 1985.

B.-M. Ahn

KULTUR

1. Kulturbegriff. 2. Kulturvielfalt. 3. Mission und Kultur.

Was beim Thema „Kultur" in erster Linie interessiert, ist ein missionstheologisch relevanter Kulturbegriff, der von seinem spezifischen Sachgehalt her genügend Gewicht und Kraft besitzt, um im kirchlich-kerygmatischen Rahmen eine wesentliche Rolle bei der Umsetzung missiologischer Überlegungen in missionarische Orientierungen zu spielen .

1. Das Wort „Kultur" hat trotz seiner heute internationalen Verbreitung nicht überall und bei sämtlichen Autoren denselben Sinn. Vor allem in Sprachgebieten, wo eine Abgrenzung zu „Zivilisation" gemacht wird, kann es zu gewissen semantischen Unterschieden kommen (die aber nicht notwendigerweise parallel laufen müssen, sondern je nach Gebrauch auch gegenläufig sein können). Dabei werden dem einen der beiden zur Verfügung stehenden Ausdrücke mehr verfeinerte Lebensart sowie künstlerische, akademische und spirituelle Manifestationen zugeschrieben, während der andere eher für den materiellen, technologischen und sozial-organisatorischen Bereich reserviert ist.

Eine Besinnung auf die ursprüngliche Wortbedeutung bringt uns näher an den für uns *maßgeblichen Sinngehalt* heran. Etymologisch bezeichnet nämlich Kultur (von lat. „colere" = pflegen, gestalterisch die Natur bearbeiten) das Tun, durch das der Mensch mit seinen körperlichen und geistigen Kräften auf die Umwelt einwirkt, diese zumindest teilweise verwandelt, sich selbst aber dabei zugleich als Individuum und Gemeinschaftswesen entfaltet und so seinem Menschsein eine entsprechende Lebenswelt errichtet, die mehr ist als bloße Natur. Man kann Kultur so als ein Wesensmerkmal menschlicher Existenz schlechthin bezeichnen: Wo Menschen sind, gibt es Kultur, weil der Mensch von Natur aus ein Kulturwesen ist (oder: Die eigentliche Natur des Menschen, durch die er sich von anderen Lebewesen unterscheidet, ist seine Kultur).

2. Das Universalphänomen Kultur läßt sich nicht nur notionell auf seine diversen Teilaspekte hin analysieren, sondern gestattet auch in der gelebten Realität eine fast endlos erscheinende Vielfalt von Kombinationsmöglichkeiten seiner Grundelemente und bildet so einen erstaunlichen Reichtum an verschiedenen Einzelkulturen. Keine Kulturkombination erreicht jedoch einen so perfekten Integrationszustand, daß sie sich jemals als ein absolut in sich geschlossenes System

manifestieren würde, welches weder von innen entwicklungsfähig noch von außen beeinflußbar wäre. Alle Kulturen unterliegen einem ständigen, wenn auch unterschiedlich raschen oder bisweilen sehr langsamen *Wandel*; sie sind daher grundsätzlich nur dynamisch und diachronisch zu verstehen. Jede stufenmäßige Kategorisierung von Kulturen ist einigermaßen problematisch, weil sie eben von der Relativität und begrenzten Gültigkeit des Auswahlkriteriums abhängt. Wenn zur klassifikatorischen Charakterisierung bestimmter Erscheinungsformen bisweilen ein Vokabular verwendet wird, das etwa von Ur- und Industriekulturen, von Primitiv- und Hochkulturen redet, dann sollte dabei jeder Wertvergleich - weil in sich sinnlos - unterbunden bleiben und nur der Sachvergleich - weil einzig sinnvoll - zählen dürfen.

Es ist hauptsächlich der Forschung der letzten 150 Jahre zu verdanken, was wir heute an Erkenntnissen auf diesem Gebiet besitzen. → Ethnologie, → Anthropologie und Soziologie sind die Wissenschaften mit den bemerkenswertesten Fachbeiträgen. Bahnbrechende Ideen sind mit berühmten Namen verbunden (beispielsweise das Ringen um saubere Begriffsbestimmungen von Edward Tylor bis Ralph Linton und Kroeber/Kluckhohn, die Theoriebildungen des Funktionalismus etwa bei Bronislaw Malinowski und des Strukturalismus bei Claude Lévy-Strauss). Inzwischen gibt es Hunderte von Definitionen von „Kultur" und keine einzige kann beanspruchen, als ausschließlich richtige zu gelten. Für die meisten Zwecke genügt auch eine hinreichend präzise Inhaltsumschreibung oder sogar schon eine summarische Aufzählung fundamentaler Einzelfaktoren bzw. größerer Kompositionseinheiten, - hierzu einige Beispiele: Kultur ist ein sinngebender Lebensplan, der das menschliche Dasein in all seinen Dimensionen umfaßt und in der jeweiligen sozialen Gruppe erlernt und vollzogen wird; oder in anderen Worten: es ist die typische Wertewelt und Lebensart einer gemeinsam organisierten Personengruppe in ihrer materiellen und mitmenschlichen Umgebung. Dazu gehören Überlieferungen, Normen, Sprache, Mentalität, Weltanschauung, Verwandtschaftsordnung, Sozialbeziehungen, Regierungsformen, Wirtschaftsarten, Kunstschaffen, Technologien, Wissenschaft, Werkzeuge, Empfindungsweisen, Einstellungen, Aktivitäten, Verhaltensmuster, Überzeugungen, Symboliksysteme, Gewohnheiten usw.

In der Bindungsstärke solcher Komponenten bestehen im allgemeinen qualitative Unterschiede; um einen nur schwer verrückbaren Kern (z.B. in religiösen Traditionen) gruppieren sich Randphänomene, die für etwaigen Wandel leichter zugänglich sind (beispielsweise Technik). Kulturkontakte und -konflikte, also Berührung und Austausch im positiven wie im negativen Sinne, hat es schon immer gegeben. Und doch befinden sich heute sämtliche Kulturen in einer mehr oder weniger ausgeprägten Sondersituation: alle sind irgendwie konfrontiert - aufgrund globaler Kommunikations- und Transportmöglichkeiten - mit zahlreichen Aspekten einer modernen, wissenschaftlich-technologischen Superzivilistaion mit universal expandierenden Tendenzen und mancher konkreten Krise im Gefolge. Auf ganz anderem Gebiet, nämlich dem der Ideologien und Religionen, machen sich einige ähnlich weltweite Bestrebungen immer deutlicher bemerkbar. Zu ihnen gehört auch das Christentum, das diesen Anspruch auf Universalität schon seit fast zweitausend Jahren erhebt, aber inzwischen nur teilweise verwirklicht hat. Damit ist seine Auseinandersetzung mit Kultur und Kulturen vorprogrammiert; und der Missionar als Glaubensbote für die nichtchristliche Welt erwartet die Hilfestellung des Theologen zur Erhellung der Lage.

3. Theologische Probleme erheben sich nicht nur aufgrund von typisch religiösen oder anderen verwandten Fragen (z.B. nichtchristliche oder atheistische Weltanschauungen), sondern ergeben sich auch aus dem übrigen menschlichen Gesamtkontext jener Kulturen, wo Missionstätigkeit ausgeübt wird. Sozio-kulturelle Faktoren und sonstige situationsbedingte Elemente eines bestimmten Milieufeldes bilden den maßgeblichen Hintergrund für Aufnahme oder Ablehnung, Interpretation oder Transformation der Botschaft im Evangelisierungsprozeß. Die aufmerksame Berücksichtigung solcher Punkte beeinflußt sowohl einen Großteil des Wirkungsgrades der Präsentation des Christentums durch die „Missionierenden" als auch die Möglichkeit einer sinnvollen Übertragung in lebensmäßig kohärente Ausdrucksformen und entsprechende soziale Verhaltensweisen von seiten der „Missionierten".

Wegen dieser offensichtlich wichtigen missionarischen Implikationen ist die Bestimmung des theologischen Stellenwertes von „Kultur" sehr ernst zu nehmen. Hier haben vor allem in neuerer Zeit protestantische Denker aus verschiedenen Kirchen der Reform wegweisende - und nun bereits klassische - Arbeit geleistet. In der Tat erwies sich das Verständnis von und die Diskussion um die Kulturthematik in mancher Hinsicht als recht anregend und reichhaltig, aber auch den diversen konfessionellen, organisatorischen, regionalen und anderen Ausrichtungen entsprechend als relativ vielseitig und darum nicht immer sehr einheitlich. Ein einziger Name soll hier stellvertretend für viele stehen. R. Niebuhr gibt fünf typologische Antworten auf die Frage nach dem Verhältnis zwischen Christentum und Kultur; im Laufe der Kirchengeschichte sind alle diese Möglichkeiten nachweisbar, wenn auch bisweilen mit sich überschneidenden Teilaspekten der Grundmodelle.

Hier müssen dafür nun bloße Stichworte genügen, die ohnehin schon abgewandelt wurden zwecks besserer Charakterisierung missionarischer Situationen: (1) Konflikt (wegen Gegensatz ist Wachsamkeit gefordert); (2) Assoziierung (Kultur dient geradezu als Verbreitungsmittel); (3) Wertdifferenz (Christliches weit über der Weltordnung); (4) Koexistenz (normalerweise reibungsloses Nebeneinander, aber auch gelegentliche Spannungen); (5) Christentum als Kulturträger und -verwandler (positive und negative Deutungsmöglichkeiten). Überhaupt spielt in evangelischen Gemeinschaften die lutherische Theologie mit ihrer bewußt scharfen Unterscheidung zwischen Gesetz und Freiheit eine starke Rolle beim christlichen Kulturverständnis, das dann folgerichtig als Spannungszustand betrachtet wird zwischen Christen und Nichtchristen, aber auch unter den Christen selber und nicht zuletzt in ihrem eigenen Innern.

Hinter solchen Interpretationen stehen also verschiedene Sichten von „Kultur", z.B. als Gegenbegriff zum Wort Gottes, d.h. als Welt mit glaubensfeindlichen Zügen im johanneischen Sinn; oder als erlösungsbedürftige Gruppencharakteristik spezifischer Art (Personenkult, Rassismus usw.), die prophetisches Zeugnis verlangt; oder als gesellschaftlicher Ausdruck von Hoffnungen und Idealen, vor allem geistiger und religiöser Erwartungen; oder als geographisch und histo-

risch determinierter Lebensraum, der durch Christianisierung verwandelt werden
muß; oder aber im neutral anthropologischen Sinn als Gesamtheit von Werten,
Gewohnheiten, Beziehungen, Lebensmustern usw. in einer bestimmten Gruppe.
Bei aller Kritik an der Welt, die zwar unter dem Gericht Gottes steht, aber in der
Zuwendung Gottes zum Menschen auch Gnade erfährt, finden die gerade zuletzt
genannten Sichtweisen von Kultur gegenwärtig wohl eine wachsende Zahl über-
zeugter Anhänger. Vor allem Missionare, die in der Erstverkündigung tätig sind,
wissen um die Bedeutung zwischenkultureller Kontakte und messen - unbescha-
det des meta-empirischen Aspektes göttlichen Wirkens - soliden ethnologischen
und soziologischen Kenntnissen gebührendes Gewicht bei im Dienste christlicher
Evangelisierung. Selbst ein Blick über konfessionelle Grenzen hinweg bestätigt
diese Feststellung.

Für den katholischen Raum ereignete sich bezüglich Kultur der wohl wichtigste formelle „Durchbruch" unter Zuhilfenahme relativ moderner Terminologie
im II. Vatikanischen Konzil. Als grundlegend und richtungweisend für zahlreiche
spätere Aussagen gilt ein Text in der Pastoralkonstitution (Gaudium et spes 53),
der hier teilweise zitiert sei: „Unter Kultur im allgemeinen versteht man alles, wodurch der Mensch seine vielfältigen geistigen und körperlichen Anlagen ausbildet
und entfaltet; wodurch er sich die ganze Welt in Erkenntnis und Arbeit zu unterwerfen sucht; wodurch er das soziale Leben von Familie und Gesellschaft in mo-
ralischem und institutionellem Fortschritt menschlicher gestaltet; wodurch er endlich seine großen geistigen Erfahrungen und Strebungen im Laufe der Zeit in seinen Werken vergegenständlicht, mitteilt und ihnen Dauer verleiht." Die geschichtliche und gesellschaftliche Dimension der Kultur und somit der Kulturen ist in
dieser Formulierung unverkennbar; eine ethnozentrisch verengte oder gar „aristo-
kratische" Sicht von Kultur erscheint klar überwunden, und außerdem bleibt -
zusätzlich gestützt auf einen an weiteren Stellen anklingenden Pluralismus - kein
Platz mehr für „kulturlose" Völker.

Weiterhin wäre es natürlich sehr interessant, was auch „Ad gentes" als spe-
zielles Missionsdekret über Kultur und die sich damit berührenden Probleme zu
sagen hat, doch muß wohl ein rascher Blick auf die wichtigsten Punkte genügen.
Der weite Themenbogen spannt sich von der Wertschätzung der Kulturen (9.15)
bis zur Verwurzelung der → Ortskirchen (19.22.40), von der Ausbildung und An-
passungsbereitschaft der Missionare (25.26) bis zum Bemühen unter Klerus und
Laien um christliche Kulturbegegnung (16.20.21.34.40.41). Eine der Hauptaussa-
gen für unseren Interessenkreis findet sich in 10, wo wir nicht nur beachtenswerte
Elemente einer kulturanthropologisch gültigen Umschreibung menschlicher Gesellschaft haben, sondern auch einem entscheidenden theologischen Prinzip begegnen. Der dortige Text spricht im soziologischen Sinn von „großen, fest umris-
senen Gemeinschaften, die durch dauerhafte kulturelle Bande, durch alte religiöse
Traditionen, durch feste gesellschaftliche Strukturen zusammengehalten sind". Die
Kirche muß ihnen mit der gleichen inkarnatorischen Dynamik begegnen, „wie
sich Christus selbst in der Menschwerdung von den konkreten sozialen und kulturellen Verhältnissen der Menschen einbinden ließ, unter denen er lebte".

Was offizielle Äußerungen der nachkonziliaren Periode betrifft, darf das
Apostolische Schreiben Evangelii nuntiandi (1975) als eine der wichtigsten Ver-

lautbarungen gelten. Der Abschnitt über die Evangelisierung der Kulturen (20) betont ausdrücklich, daß der Kulturbegriff nach seiner umfassenden Bedeutung in Gaudium et spes (53) verwendet wird, d.h. also in seinem Globalverständnis als menschliche „Kultur" wie auch in der jeweiligen Partikularform unterscheidbarer „Kulturen". Dabei geht es nicht um einen dekorativen Oberflächenanstrich für das Christentum, sondern um eine Tiefenerfassung von Kultur/Kulturen bis in deren Wurzeln hinein. Außerdem wird die soziologische Seite stark hervorgehoben: Evangelisierung nimmt ihren Ausgangspunkt von der menschlichen Person, schreitet dann aber fort zu den eigentlich zwischenmenschlichen Beziehungen, um schließlich deren Bezug zu Gott zu erreichen.

Weitere grundsätzliche Hinweise tauchen auf: Evangelium/Evangelisierung sind nicht identifizierbar mit irgendeiner Kultur und bleiben in sich konzeptionell und real eigenständig gegenüber allen Kulturen, wenn auch operationell notwendigerweise verknüpft mit vielfältigen Kulturphänomenen. Denn Kultur bedeutet die menschliche Grundlage, auf der und mit deren Hilfe sich Evangelisierung vollzieht. So erscheint die Frohbotschaft zwar prinzipiell unabhängig von, praktisch aber nicht unvereinbar mit der Kultur bzw. den Kulturen, die sie ja durchdringen soll. Kulturbegegnung wird damit für die Kirche zum vorrangigen Thema bei jedem missionarischen Ansatz, der sich über die idiosynkratischen Seiten eines Individualfalls hinaus vor Gruppenaspekte gestellt sieht bzw. sich mit gesellschaftlichen Makrostrukturen (samt ihren ideologischen und anderweitigen Verankerungen) auseinandersetzen muß.

Hier erheben sich dann eine Reihe wichtiger Fragen, die sowohl von ihrer methodisch-pädagogischen Problemseite wie auch von ihrer theologisch-pastoralen Begründung her jene Punkte berühren, die man durch Stichworte wie Anpassung, Einkulturierung, Kontextualisierung usw. andeuten kann.

Lit.: *de Boer, W.*, Das Problem des Menschen und die Kultur, 1958. - *Breton, S./Colin, P./Dussel, E.*, Théologie et choc des cultures, 1984. - *Danckwortt, D.*, Probleme der Anpassung an eine fremde Kultur, 1959. - *Filbeck, D.*, Social Context and Proclamation, 1985. - *Fischer, H.*, Theorie der Kultur, 1965. - *Gignon, O.*, Die antike Kultur und das Christentum, 1966. - *Haas, W.*, Östliches und westliches Denken, 1967. - *Henke, P.*, Sprache, Denken, Kultur, 1975. - *Hiebert, P. G.*, Anthropological Insights for Missionaries, 1985. - *Inch, M. A.*, Doing Theology Across Cultures, 1982. - *Kraft, C.*, Christianity in Culture, 1979. - *Kroeber, A. L./Kluckhohn, C.*, Culture - a Critical Review of Concepts and Definitions, 1963. - *Luepfert, E.*, Die Einheit der Kultur, 1954. - *Luzbetak, L. J.*, The Church and Cultures, 1963. - Papst Paul VI, Evangelisierung in der Welt von heute, 1975. - *Stott, J./Coote, R.*, Down to Earth, in: Studies in Christianity and Culture, 1981. - *Tillich, P.*, Die religiöse Substanz der Kultur, 1967. - II. Vatikanisches Konzil, Die Kirche in der Welt von heute, 1965.

E. Nunnenmacher

KUNST

1. Begriff. 2. Christliche Kunst und Mission. 3. Probleme.

1. Hier wird unter „Kunst" vor allem die bildende Kunst, also Plastik und Malerei, verstanden. Nicht weniger wichtig für die Verkündigung und Einpflanzung der Kirche ist jedoch auch die Musik. Vielfach haben zwar europäische Melodien mit autochthonem Text lange Zeit überlebt, doch in vielen Gebieten, z.B. Afrikas, hört man heute bei Gottesdiensten kaum noch europäische Melodien. Fast überall haben lokale Melodien und Instrumente Aufnahme gefunden oder wurden doch so abgewandelt, daß sie kaum noch als Fremdkörper empfunden werden. Der Gregorianische Choral z.B. wird von Afrikanern mit mehr Verständnis und Liebe gesungen als von den meisten europäischen Gemeinden. Man kann wohl ohne Übertreibung sagen, daß auf keinem Gebiet die → Inkulturation des Christentums größere Fortschritte gemacht hat als auf dem Gebiet der Kirchenmusik.

2. Die bildende Kunst hat sich zwar früher als die Musik an die lokalen Verhältnisse anzupassen versucht, aber die europäischen Kunstformen dauern doch vielfach bis heute noch fort. Die lokale christliche Kunst bildet häufig noch die Ausnahme. Vor einigen Jahrzehnten verwendete man noch gerne den Ausdruck „Missionskunst", wenn man von Sakralobjekten christlichen Inhalts der Missionsländer sprach. Dem Ausdruck haftet jedoch meist etwas Dilettantisches, Naives, um nicht zu sagen Primitives an, so daß wir heute lieber von „christlicher Kunst" sprechen.

Man muß sich jedoch im klaren sein, daß es eine „christliche Kunst" an und für sich nicht gibt. Die Kunstform ist wertindifferent. Nur die durch die Formen dargestellten Inhalte können christlich sein. Dennoch haben sich im Laufe der Geschichte bestimmte Kunstformen mit christlichen Inhalten so innig verbunden, daß sie scheinbar wesentlich zusammengehören. Ähnliches läßt sich vom Islam, Buddhismus und von anderen Religionen sagen. Diese geschichtliche Verquickung von Form und Inhalt ist im Grunde genommen auch schuld daran, daß es in der Geschichte des Christentums immer wieder Kunststile gab und gibt, die als nicht „würdig" oder geeignet empfunden werden, um Träger christlicher Ideen zu sein.

In vielen Missionsgebieten gab es bei Ankunft der christlichen Missionare zwar hochentwickelte Kunstformen, aber häufig war diese Kunst - vor allem in einfach strukturierten Gesellschaften, d.h. bei den sog. Naturvölkern - so sehr religiös bestimmt, daß von einer profanen Kunst kaum gesprochen werden konnte. Eine „l'art pour l'art" gab es nur in höfischen oder städtischen Zentren, die selten und in Gebieten wie z.B. Neuguinea ganz fehlten. Man muß deshalb in naturvölkischen Kulturen mehr von einer kultischen als einer künstlerischen Funktion der Objekte sprechen. Dieser Bezug der traditionellen Kunst zu den nichtchristlichen Religionen machte die „heidnische" Kunst suspekt, ja unwürdig, christliches Gedankengut darzustellen. Es war ja gerade das Bestreben der christlichen Missionare, „heidnischen" Religionen zu verchristlichen, man könnte auch sagen: sie zu bekämpfen; also konnte man nicht gut, nach Meinung der Missionare, diese Kunst ins Christentum übernehmen.

Es gab in der Missionsgeschichte nur wenige Perioden und in ihnen nur wenige weitsichtige Männer und Frauen, die keine Berührungsängste mit der „heidnischen" Kunst hatten und sie deshalb in den Christianisierungsprozeß einschlossen. Solche weitsichtige Männer waren z.B. der Jesuitenmissionar Matteo Ricci (gest. 1610) und der spätere Kardinal Celso Costantini. Obgleich beide überzeugte Anhänger der italienischen Renaissance waren, drangen sie doch auf die Sinisierung der christlichen Objekte und Paraphernalien, damit von den Chinesen die christliche Botschaft besser verstanden würde (→ Ritenstreit).

Geschichtlich gesehen hat die Kunst im Christentum immer eine wichtige Funktion ausgeübt. Bisweilen hat sie Analphabeten die christlichen Wahrheiten veranschaulicht („biblia pauperum"), dann wieder den Siegeszug des Christentums dokumentiert, in einer anderen Epoche die christliche Innerlichkeit unterstrichen usw. Leider hat die Mission die Kunst als uraltes Verkündigungsmittel viel zu wenig und viel zu spät in ihre Verkündigung eingesetzt. Es lassen sich hierfür mehrere Gründe aufzählen. Einer war sicher der, daß sich Europa seit der Entdeckungszeit in allen Bereichen als so absolut betrachtete, daß den Missionaren gar nicht der Gedanke kam, auf lokale Kunstformen zurückzugreifen. Aus dem gleichen Gedanken der Überheblichkeit heraus war man auch kaum daran interessiert, Lokalkirchen aufzubauen, sondern man wollte europäische Ableger gründen, europäisches Christentum transferieren. Wer Christ werden wollte, mußte in aller Regel auch in bezug auf die Kunst zuerst Europäer werden und dann erst konnte er ein guter Christ werden.

3. Bei der Entwicklung einer christlichen Kunst in den Missionsländern taucht jedoch ein ganzes Bündel von *Schwierigkeiten* auf, die ein rasches Entstehen verhindern. Es seien hier nur kurz einige wesentliche genannt.

Die traditionelle Kunst ist, wie erwähnt, engstens mit der Religion verbunden. Sie stellt ihre Inhalte nicht nur symbolisch dar, sondern die Inhalte werden in ihr real präsent. In einer Ahnenfigur z.B. ist die Person des Ahns real zugegen (→ Ahnenverehrung). Nicht so im Christentum: hier ist das Vorgestellte nur Bild oder → Symbol. Wenn also traditionelle Kunstformen übernommen werden, müssen sie eine Art Profanierungsprozeß durchmachen.

Ein weiteres Hemmnis für eine rasche Entwicklung christlicher Kunstformen ist die Symbolsprache der autochthonen Kunst: Farben, Proportion, Beigaben usw., alles hat seine genau festgelegte Bedeutung, und diese kann nicht ohne weiteres vom Christentum übernommen werden.

Eine weitere Diskrepanz ist auch, daß die christliche Kunst zumeist historische Personen und Vorgänge darstellen will. Die traditionelle Kunst stellt vielfach Typen dar. So z.B. werden die Gründerahnen aller Klane einer bestimmten Ethnie gleich dargestellt. Abraham, Mose, Christus, Petrus usw. stehen zwar auch für typologische Aussagen, aber wesentlich ist für das Christentum, daß es sich um historische Persönlichkeiten handelt.

Ein Großteil der christlichen Kunst bezieht die Sujets aus der → Bibel. Diese aber bietet vielfach die Glaubenswahrheiten in Form von Erzählungen und Ereignissen. Biblische Kunst muß deshalb erzählen, belehren; sie ist dynamisch, ereignishaft. Der Dialog zwischen den Menschen und Gott steht meist im Mittelpunkt. Eine derartige traditionelle Kunst gibt es kaum irgendwo. Der Weg zu einer christlichen Kunst ist denn auch sehr langwierig in den sog. Missionsländern. Es kommt wohl deshalb auch nur selten vor, daß gute und anerkannte Künstler der autochthonen Kunst gute christliche Künstler werden. Fast überall führte der Weg über Jugendliche, die ganz neu zur Kunst kamen. Der chinesische Maler Lukas Cheng, der vom damaligen Apostolischen Delegaten Celso Costantini für die christliche Kunst gewonnen wurde, ist eine der wenigen Ausnahmen. Aber auch er war damals noch recht jung und stand erst am Beginn seiner künstlerischen Karriere. Aus Afrika kennen wir ebenfalls einige wenige Beispiele, so aus Nigeria: doch aufs Ganze gesehen wird die neue christliche Kunst von jungen Künstlern getragen, die alte Formen übernehmen, um damit christliche Inhalte auszudrükken. Daß hier nicht gleich alles von Anfang an glückt, sollte man nicht den jungen Künstlern oder Kunsthandwerkern anlasten. Eher ließe sich den Missionskirchen Vorwürfe machen, daß sie nicht schon früher autochthone Kunstformen in ihre Verkündigung eingebaut haben. Es hätte sicher geholfen, die Kirchen auch äußerlich in ihre Umwelt zu integrieren.

Lit.: *Althaus, P.*, Die Illustration der Bibel als theologisches Problem, in: NZSTh 1, 1959, 314-326. - *Aufhauser, J. B.*, Christliche einheimische Kunst in nichtchristlichen Ländern, in: ChK XXV, 1929, 161-174. - *Ders.*, Eingeborene christliche Kunst in nichtchristlichen Ländern, in: ChK XXXI, 1935. - *Beckmann, J.*, Die Stellung der katholischen Mission zur bildenden Kunst der Eingeborenen in den Tropen, in: Acta Tropica II, 1945, 211-232. - *Berg, L.*, Baukunst und Malerei in den Missionen, in: Berg, Die katholische Heidenmission als Kulturträger, 1927, 104-169. - *Ders.*, Musik in den Missionen, in: Berg, Die katholische Mission als Kulturträger, 1927, 170-204. - *Bernhard, H.*, L'art chrétien en Chine du temps du P. Matthieu Ricci, in: RHMiss XII, 1935. - *Bodo, J. R.*, The Artist in the Local Church, in: ThTo 34, 1977, 40-44. - *Bornemann, F.*, Ars Sacra Pekinensis. Die chinesisch-christliche Malerei an der Katholischen Universität (Fu-Jen) in Peking, 1959. - *van den Bossche, L.*, Possibilités chrétiennes de l'art nègre, in: BMiss XIV, 1935, 163-174, 233-247. - *de Bouveignes, O.*, L'art indigène baptisé, in: EglViv II, 1950, 28-38. - *Butler, J. F.*, The New Factors in Christian Art Outside the West: Developments since 1950, in: JES 10, 1973/74, 94-120. - Catalogue (illustr.) of the Vatican Exhibition of Missionary Art, 1950. - *Charlier, H.*, Art et missions, in: BMiss XIII, 1934, 22-36, 185-195. - *Costantini, C.*, L'Arte Sacra nei paesi di missione, in: Problemi Missionari del nostro tempo. Conferenze tenute all'Università Cattolica del Sacro Cuore dal 25 Novembre al 6 Decembre 1933, 1934, 99-128. - *Ders.*, Il Problema dell'Arte Missionaria, in: ACr XXII, 1934, 33-62. - *Ders.*, Missionary Art, in: LiArts IV, Nr. 1, 1935, 11-31. - *Ders.*, Arte Cristiana Negra, in: ACr XXVI, 1938, 1-32; vgl. AFER (Africanae Fraternae Ephemerides Romanae) Nr. 14, 1-16. - *Ders.*, L'Arte Cristiana Nelle Missioni. Manuale D'Arte Per I Missionari, 1940. - *Ders.*, L'art chrétien dans les missions, 1949. - *Ders.*, L'Istruzione del S. Offizio sull'Arte Sacra. I. Commento. II. Scritti e Discorsi in difesa dell'Arte Cristiana, 1952. - *de Decker, R. b.*, L'adaptation de l'art religieux en Afrique, in: Mission et Cultures non-chrétiennes, XXIXe Semaine de Missiologie, 1959, 272-289. - *Dindinger, G./Rommerskirchen, G.*, Bibliografia sull'adattamento dell'arte indigena agli usi liturgici, in: P.M.X., 1938, 164-185. - Exposição de Arte Sacra Missionária. Edição comemorativa, (s. NZM 1955, 80), 1952. - *Fleming, D. J.*, Each with His Own Brush. Contemporary Christian Art in Asia and Africa, 1938. - *Gillès de Pélichy, A.*, Liturgie et adaptation missionnaire, in: BMiss XIII, 1934, 37-50. - *Ders.*, S. Exc. Mgr. Costantini et les objets du culte en mission, in: BMiss XV, 1936, 20-30. - *Höltker, G.* Die christliche Kunst in den Missionsländern, in: ZMR 23, 1933, 97-108 (Lit.). - *Kowalsky, N.*, Acutalidad del Arte Cristiano en los Paises de Misión y posibilidades que ofrece para el porvenir, in: La Adaptación Misionera. X. und XI. Missionsstudienwoche von Burgos 1957 und 1958. - *Laufer, B.*, Christian Art in China, in: MSOS XIII, 1910. - L'art chrétien dans les pays de missions. Numéro spécial „Les Missions Franciscaines" XXVIII, 1950, 67-94. - Le douloureux problème des arts missionnaires, in: CArtS 7-8, 1951. - *Lehmann, A.*, Die Kunst der jungen Kirchen, 1955. - *Ders.*, Afroasiatische christliche Kunst, 1967. - *Perbal, A.*, Enquête 1938 sur l'art sacré indigène, in: AFER 12, 1938, 139-151. - *Schlunk, M.*, Mission und Kunst, in: NAMZ 7, 1930, 26-32, 40-51. - *Schüller, S.*, Christliche Eingeborenenkunst in nichtchristlichen Ländern, in: ChK XXXII, 1935-1936, 193-215. - *Ders.*, Christliche Kunst aus fernen Ländern. Christliche Kunst aus Afrika, Südamerika, Indien, Java, Indochina, China und Japan, 1939. - *Sundermeier, Th.*, Südafrikanische Passion. Linolschnitte von Azariah Mbatha, 1977. - *Swiderski, St.*, Art et louange. Les symbols de l'art sacré populaire dans l'adaptation chrétienne, 1982. - *Ten Berge, J.*, La nécessité d'art chrétien indigène en pays de mission, in: Autour du problème de l'Adaptation. Compte rendu de la quatrième Semaine de Missiologie de Louvain, 1926, 213-231; 227-231: lettre de Mgr. Costantini. - *Thiel, J. F.* (Hrsg.), Christliches Afrika. Kunst und Kunsthandwerk in Schwarzafrika, 1978, ²1980. - *Ders.*, Entstehungsprobleme einer christlichen Kunst in Afrika, in: KuKi 4, 1981, 202-205. - *Ders./Helf, H.*, Christliche Kunst in Afrika, 1984 (Lit.). - *Toscano, G.*, L'arte cristiana nei paesi di missione, in: Fede e Civiltà LVIII, 1960, 411-436.

J. F. Thiel

LAIE

1. Frage nach dem Laien als Frage nach der Kirche. 2. Bereiche und Formen der Mitverantwortung von Frauen und Männern. 3. Strukturen der Mit-Verantwortung. 4. Spiritualität als Pflege des christlichen Lebensvollzuges.

Die Frage nach dem „Laien" ist in letzter Konsequenz eine Frage nach dem Kirchenverständnis bzw. der Kirchentheorie. Die Schwierigkeit einer klaren theologischen Begriffsklärung ergibt sich daraus, daß das Wort „Laie" dazu verleitet, das Verhältnis von Laien und Klerus soziologisch und strukturell zu bestimmen: die gegenseitige Abgrenzung rückt leicht ins Zentrum der Auseinandersetzungen.

1. Für eine theologische Rechenschaft ist zu bedenken, daß in der Urkirche das Gewicht nicht auf der Unterscheidung zwischen Klerus und Laien lag, sondern auf dem Gegensatz der Kirche zur Welt, aus der sie berufen und ausgesondert war. Die ganze christliche Gemeinschaft war vom Bewußtsein getragen, für die Mission und die Verkündigung des Heils in Jesus Christus verantwortlich zu sein. Der „Gegensatz" zur Welt verlagerte sich, als das Christentum zur römischen Staatsreligion wurde, zusehends in die Kirche selber und führte zur institutionellen Trennung der ersten Klasse, den Priestern und Mönchen, von der zweiten Klasse, den Laien (Decretum Gratiani, 1142). In der gegenwärtigen Stunde der Kirche erinnern manche Entwicklungen an die urkirchliche Situation, denn die Kirche findet sich infolge Säkularisierung und der neuzeitlichen Emanzipations- und Freiheitsgeschichte wieder in einer Diasporasituation vor, in der sich die kirchlichen und gesellschaftlichen Bereiche nicht mehr decken. Das II. → Vatikanum spiegelt diese Tendenz wider: es betont vor jeder Rollenverteilung und Unterscheidung von Laien und Klerus die in Taufe und Firmung begründete Gleichheit aller Glaubenden. Das Bild von der Kirche als „Volk Gottes" (Lumen genti-

um 2) gewichtet vor aller charismatischen Differenzierung und kirchlichen Gliederung entscheidend die geschwisterliche Gleichwertigkeit aller Glieder auf der fundamentalen pneumatischen Ebene. Bezeichnungen wie „Christ" oder „glaubender
Mensch" sind in diesem Sinne gefülltere Ausdrücke für das, was der Begriff
„Laie" von seiner Bedeutungsgeschichte her nur verschleiernd hergibt. Immerhin
haben die Laien durch diese ekklesiologische Verankerung wieder ihren theologischen Ort einer positiven Bestimmung ihrer missionarischen Sendung in der Welt
von heute gefunden. Die Christen verwirklichen die missionarische Sendung der
Kirche (→ Evangelisierung) dadurch, daß sie den Heilswillen und die Lebensabsicht Gottes für alle Menschen durch eine kritische Präsenz in den zwischenmenschlichen und gesellschaftlichen Situationen und Herausforderungen „geltend" machen (II. Vatikanum, Apostolicam actuositatem 5-8). Danach haben die
Laien an der Sendung der Kirche nicht irgendwie Anteil, sondern sie sind - um es
mit den Worten des Konzils zu sagen - „berufen, als lebendige Glieder der Kirche
alle ihre Kräfte ... zum Wachstum und zur ständigen Heiligung der Kirche beizutragen" (Lumen gentium 33); und „alles, was über das Volk Gottes gesagt wurde,
richtet sich in gleicher Weise an Laien, Ordensleute und Kleriker" (30). Diese
theologische Ortsbestimmung für die Laien ist ohne den Wandel von einem hierarchisch geprägten Kirchenbild zu einem Verständnis von Kirche als „Volk Gottes" kaum zu verstehen. Dieser Wandlungsprozeß ist im Zusammenhang mit der
Frage nach der → Frau in der Kirche, einem neuen Amtsverständnis, mit partizipatorischer bzw. synodaler Mitverantwortung und Ökumene (Betonung des allgemeinen Priestertums; statt der Dualität Klerus/Laien eher das dialektische Gegenüber von Amt und Gemeinde) sowie mit neuen Gemeindemodellen und mit der
basiskirchlichen Bewegung (in der Frauen und Männer mit kirchlichen Amtsträgern zusammen sich gesellschaftlichen bzw. sozialen Herausforderungen stellen)
zu sehen, aber ebenso mit der in allen Teilkirchen wachsenden haupt-, neben-
und ehrenamtlichen Mitarbeit von Frauen und Männern in den sozialen, kulturellen, katechetischen und pastoralen Aufgabenfeldern. Von diesem Hintergrund
her ist die konkrete Begriffsumschreibung für „Laie" in etwa noch problemati-
scher geworden und die frühere scharfe Trennung zwischen Klerus und Laien relativiert.

Die Konzilsdekrete lassen diesbezüglich wichtige Fragen offen, so vor allem,
wenn der „Laie" durch seine Stellung in der Welt bzw. seinen Weltcharakter definiert wird (Lumen gentium 31; Apostolicam actuositatem 2,5). „Dienst am Heil"
und „Dienst am Aufbau der zeitlichen Ordnung" (5) sind nach den Aussagen des
Konzils zwei miteinander verbundene Bereiche. Wenn jedoch in der nachkonziliaren Diskussion und im Zusammenhang mit den inzwischen entstandenen „Laien-
diensten" bzw. Dienstämtern der Heilsdienst dem Klerus und der Weltdienst den
Laien zugeordnet werden, dann sind nicht nur Weichen für eine kirchliche Patho-
logie gestellt, wonach theologisch eine klerikale Innenseite und eine laikale Au-
ßenseite zu begründen wären, sondern man setzt sich auch in Widerspruch zu
(heuristischen) Aussagen von Vatikanum II. Die Selbstbezeichnung der Kirche als
„Sakrament für die Vereinigung mit Gott und für die Einheit der ganzen Menschheit" (Lumen gentium 1) verbietet Ansätze zu einer ständischen Trennung zwischen Klerus und Laien. Gerade die Impulse der Befreiungstheologie (→ Theolo-

gie der Befreiung) unterstreichen diese Aussage des Konzils, denn sie betonen die befreienden Inhalte des Glaubens, indem das Christsein von der Situation des Volkes her auf die „Praxis des Volkes" hin verstanden und reflektiert wird. Das → „Volk" wird als Subjekt christlichen und gemeinschaftlichen Handelns radikal ernstgenommen. Es versteht sich von selbst, daß mit der theologischen Neubesinnung auf das Verständnis und die Rolle des Laien als Christ und Glied der Kirche etwas grundgelegt worden ist, was bewußtseinsmäßig erst am Anfang eines Prozesses steht und seiner Konsequenzen und seiner Verwirklichung auf der Ebene der pastoralen Praxis und der kirchlichen Strukturen harrt.

2. Auf der Ebene des christlichen Handelns und der kirchlichen Praxis gibt es somit keine Bereiche, die für Laien prinzipiell verschlossen wären. Vielmehr ist das gesamte Volk Gottes Träger des kirchlichen Lebens. Daraus ergibt sich eine grundsätzliche „Mittäterschaft" und gemeinsame Verantwortung aller für die Kirche und ihre Heilssendung in der Welt. Damit ist keinem innerkirchlichen Laizismus das Wort gesprochen, sondern ein Plädoyer für die Identität einer in allen Gliedern lebendigen Kirche abgelegt, wonach die Laien sich nicht mit der Rolle „betreuter Objekte" zufriedengeben dürfen, sondern die „Pflichten" (Haftbarkeit) mithandelnder Subjekte christlicher und kirchlicher Praxis wagen und wahrnehmen sollten. Ohne Zweifel haben die Verbände, die Katholische Aktion und die vielfältigen Formen des Laienapostolates als Schrittmacher gewirkt. In ihnen kamen und kommen die Berechtigung und Verpflichtung der Laien zur aktiven Teilnahme an der Sendung der Kirche zum Ausdruck, wie sie sich im kirchlichen Leben und im solidarischen Einsatz in der Welt darstellt. In den Kirchen der Reformation sind nebst den Verbänden die vielseitigen Antriebe und Dienste der Laienbewegung von ähnlicher Bedeutung und nicht zuletzt die Missionskonferenzen (→ Weltmissionskonferenzen), in denen Pfarrer und Laien zusammenarbeiten und zusammenkommen. Diese aktive Teilnahme von Frauen und Männern erstreckt sich auf alle wesentlichen Vollzüge und Grundfunktionen der Kirche und des pfarreilichen bzw. gemeindlichen Lebens: die Evangelisierung in ihren glaubenerweckenden und -vertiefenden Aspekten (Religionsunterricht, Katechese, Glaubens- und Bibelgespräche, Erwachsenenbildung, Theologie; Medien- und Öffentlichkeitsarbeit); die Liturgie und sakramentale Praxis (Gemeinde- und Gruppengottesdienste, Sakramentenkatechese mit den Eltern bei Erstkommunion, Erstbeichte und Firmung, Heirat); Diakonie und Caritas im individuellen und gesellschaftlichen Bereich (soziale Dienste und Projekte, Beratung, „Trösten", Aufgreifen von gesellschaftlichen Problemen und Herausforderungen wie Projekte im Quartier, Dritte-Welt-Probleme, Friedensbewegung, Frauenfrage); Gemeindeaufbau (Verbände, Räte und Gremien, Koordination der verschiedenen Dienste und Vernetzung der vielfältigen Aufgabenbereiche, Mitarbeiterschulung, Information und Meinungsbildung).

3. Auf dem Hintergrund des theologischen Verständnisses und der praktischen Bedeutung der Laien stellt sich die Frage nach den Strukturen der Institution Kirche bzw. nach dem kirchlichen Amt. Das neue Kirchenrecht (1983) geht klar von den beiden Ständen Klerus/Laien aus und berücksichtigt auf einer pragmatischen Ebene das gewandelte Bewußtsein und die neue pastorale und personelle Situation insofern, als den Laien ausführlicher als bisher Mit*wirkungs*mög-

lichkeiten und zum Teil Aufgaben für sog. Notsituationen (z.B. Eheassistenz)
eröffnet wurden. Die fundamentale Gleichwertigkeit aller Christen bedeutet auf
der kirchlichen Ebene keine amorphe Masse, sondern die gemeinsame Berufung
und Sendung differenziert sich auf der praktischen und dienstlichen (funktionalen)
Ebene des kirchlichen Lebens aus. Das II. Vatikanum hat das Charisma eines jeden Christen ins Zentrum seiner Lehre von der Kirche als Volk Gottes gestellt.
Dabei ist die fundamental-pneumatische Ebene des Christseins (Christlichkeit)
von der charismatisch-funktionalen Ebene der kirchlichen Praxis (Kirchlichkeit)
zu unterscheiden: beide aber sind wie zwei Pole der einen und unzertrennbaren
Wirklichkeit. Die charismatische Vielfalt ist Ausdruck und Konsequenz christlicher Lebendigkeit im Dienste dieser Lebendigkeit stehen die Dienstämter (Funktionen) der Kirche.

     Die kirchlichen Ämter bzw. Dienste sind demzufolge keine rein organisatori-
sche Notwendigkeit, sondern darüber hinaus auch theologisch in dem Sinn in
Pflicht genommen, daß sie dem Grunddienst der Kirche „zu Diensten" sind,
nämlich das in Jesus Christus ein und für allemal angebrochene Heil in der Geschichte der Menschheit zu vergegenwärtigen. Die Kirche in ihrer Ausrichtung auf
Jesus und darin in ihrer missionarischen Sendung bzw. Evangelisierung (wobei die
Christen nicht nur Träger, sondern stets auch Adressaten sind) erklärt und „fun-
diert" das Amt, nicht umgekehrt. Mit dieser Frage hängt auch das Problem einer
praktikablen Kirchenordnung zusammen, in der sich die Einheit und Vielfalt sowie die aktive Mitverantwortung der Christen mit den differenzierten Dienstämtern verschränken. In Zukunft wäre das strukturelle Verhältnis von Laien und
Amtsträgern auf der Basis einer pneumatisch-fundamentalen Gleichheit und einer
charismatisch-funktionalen Differenzierung zu suchen und zu gestalten. Diesem
theologischen Ansatz scheint ein im Vergleich zu einer monokratischen (monar-
chischen) und demokratischen Verfassungsform eine synodal strukturierte Kirche
am ehesten zu entsprechen. Dabei handelte es sich um die in den verschiedenen
Bereichen und auf den unterschiedlichen Ebenen der Kirche zu experimentieren-
den synodalen Strukturen, deren Zweipoligkeit einer doppelten Repräsentanz ent-
spräche: jener von „oben" und jener von „unten" (Basis). Die Mitverantwortung
aller und die differenzierten Dienste (und Kompetenzen) wären in einem solchen
Modell gegenseitig verbunden und aufeinander bezogen.

     4. Christlichkeit bedarf der Pflege und stets neuen Motivklärung. Christliche
Spiritualität wird sich in der Spannung zwischen dem Evangelium und dem Handeln als Menschen dieser Welt bewähren müssen, wobei immer wieder Spaltungen zwischen religiöser Sendung und sozialer Sendung, zwischen Heilsdienst und
Weltdienst, zwischen Rückzug auf die kirchlichen Innenräume (Klerikalismus
auch der Laien) und Auszug in die gesellschaftlichen Mehrheitsverhältnisse etc.
drohen. Die Frage nach dem Laien als Frage nach der Kirche zeigt deutlich, daß
christliche Praxis sich nicht im kirchlichen Binnenraum erschöpfen darf, sondern
sich in missionarischer Offenheit auf die Welt hin verstehen muß und sich im
Dienst für die Menschen „verbrauchen" soll. Aber solche missionarische Offenheit kann sich auch nicht auf gesellschaftliche Diakonie beschränken und die Inspiration des Evangeliums der Tendenz nach nur implizit gelten lassen. Das ist
nicht lange durchzuhalten; christlicher Existenzvollzug bedarf ausdrücklich der

stets neu Ausdruck suchenden kritisch-ermutigenden Inspiration durch das Evangelium, das die Lebensabsicht Gottes für alle Menschen verkündet. Von daher ist der Christ auf die glaubende Gemeinschaft der Kirche verwiesen; er braucht die stets neue Bewußtmachung und Vertiefung seiner Lebenshoffnung durch Rückbezug zu den Quellen des Glaubensvollzugs (Gottesdienst, Gebet, Meditation usw.) und der mit anderen solidarisch verwirklichten und praktizierten Lebenshoffnung unter den Menschen und in der Welt; dort wird die Tagesordnung auch für die Kirche geschrieben und dort ergeben sich die Dienstanweisungen Gottes an die Christen. Die Sorge der Laien darf somit nicht zuerst um die Kirche kreisen, sondern gilt für eine Kirche, die sich um die Menschen und um die Welt sorgt.

Lit.: *Congar, Y.*, Der Laie, [3]1964. - *Karrer, L.*, Art. Laie/Klerus, in: P. Eicher (Hrsg.), Neues Handbuch theologischer Grundbegriffe II, 363-374. - *Kertelge, K.*, Gemeinde und Amt im Neuen Testament, 1972. - *Klostermann, F.*, Gemeinde - Kirche der Zukunft, 2 Bde, 1974. - *Rahner, K.*, Bemerkungen über das Charismatische in der Kirche, in: ders., Schriften zur Theologie IX, 1970, 415-431. - *Rajsp, A.*, „Priester" und „Laien". Ein neues Verständnis, 1982. - *Venetz, H.-J.*, So fing es mit der Kirche an, [3]1982.

L. Karrer

LATEINAMERIKANISCHE THEOLOGIE

1. Theologie der Kolonialzeit (16.-18. Jh.). 2. Die Zeit der Unabhängigkeit (1789-1840). 3. Theologie der katholischen Reform (1840-1920). 4. Neuscholastische Theologie (1920-1960). 5. Hermeneutische Theologie. 6. Theologie der Entwicklung (1950-1968). 7. Theologie der Reaktion.

Die Lateinamerikanische Theologie ist fast fünf Jahrhunderte alt. Sie ist ein Produkt der christlich-europäischen Tradition unter dem Einfluß der sozio-kulturellen Situation der Neuen Welt. Ihre Systematisierung ist schwierig, da ihre historisch-theologischen Quellen über den Kontinent verstreut sind und der durch die afrikanischen und einheimischen religiösen Traditionen des Animismus ausgeübte Einfluß ziemlich unbekannt ist. Die lange Erfahrung der wirtschaftlichen, politischen und kulturellen Fremdherrschaft Lateinamerikas hat sich in der Pastoral und Theologie der Kirche niedergeschlagen, so daß sie sich weit mehr mit Problemen von außen als mit Antworten auf die eigenen beschäftigt haben. Dies hat jedoch nicht verhindert, daß seit den Anfängen des kirchlichen Lebens in Lateinamerika Samenkörner einer eigenen und ursprünglichen Theologie zu finden sind, die Forschungsobjekt der CEHILA (Comissão de Estudos de História da Igreja na AL = Studienkommission für Kirchengeschichte in Lateinamerika) ist und auf deren Studien wir uns teilweise in dieser Abhandlung stützen. Sie kann nicht mehr als provisorisch sein, zumal die monographischen Untersuchungen mangelhaft sind. Darüber hinaus werden aus praktischen Gründen mehr die brasilianischen Quellen berücksichtigt.

1.1 *Theologie der kolonialen Christenheit.* Die Eroberer pflanzten in Lateinamerika zivile und kirchliche Institutionen mit der ihnen entsprechenden Theologie ein. Die blühende Theologie der Scholastik des 16. Jahrhunderts in Spanien faßte in der Neuen Welt Wurzeln mittels akademischer Einrichtungen wie den Universitäten von Mexiko und Lima (16. Jahrhundert), den Jesuitenkollegien, den Dominikaner- und Franziskanerkonventen sowie den Seminarien. Man befolgte dieselbe strenge scholastische Methode des Syllogismus, wobei die theologischen Beweise aus der Hl. Schrift, der kirchlichen Tradition (Väter, Konzilien) und der natürlichen Vernunft genommen wurden. Oder man schrieb Kommentare zur Schrift oder den Klassikern, vor allem zur Summa Theologica des Hl. Thomas und seiner Kommentatoren (Cajetan, Suárez, Johann vom Hl. Thomas, Bañez, Molina, Soto, Vitoria), oder man diskutierte spekulative Fragen wie „De auxiliis" oder über den Probabilismus. Diese Theologie arbeitete den Eroberern zu, denn sie betonte den Zwangscharakter der Evangelisierung zum Schaden der Freiheit der Indianer (M. Nóbrega) und die Identifikation des Reiches Gottes und der göttlichen Vorsehung mit der Gegenwart der spanisch-portugiesischen Eroberer in Amerika. Im portugiesischen Raum verteidigte man die zentrale These, daß das → Reich Gottes sich durch Portugal verwirkliche. „Alle Könige sind von Gott, die anderen Könige sind zwar von Gott, aber von Menschen eingesetzt; der König von Portugal ist von Gott und von Gott eingesetzt. Daher gehört er ihm auch im eigentlichen Sinne" (A. Vieira). Durch den Einfluß messianischer Strömungen der Zeit schrieb man der Geschichte Portugals einen heiligen und heilbringenden Charakter und der Person des Königs eine wahrhaftige missionarische Arbeit zu, so daß man den „Heiligen Krieg" gegen die Indianer für die fremden Eindringlinge rechtfertigte. „In den anderen Gebieten sind die einen Diener des Evangeliums, die anderen nicht; in den von Portugal eroberten Ländern aber sind alle Diener des Evangeliums" (A. Vieira). Die schwarze Sklaverei wird ebenfalls als Loskauf und Erlösung des Negers gerechtfertigt, weil er von der Sklaverei (der Seele in Afrika) zur Befreiung im Gelobten Land (der Taufe in Brasilien) hinüberwandert. Es ist also eine Theologie, die das offizielle politisch-religiöse Kolonialsystem verstärkt und Gott als einen Gott der von den Eroberern aufgerichteten Ordnung konzipiert. Wer sich einer solchen Ordnung widersetzt, sündigt und verdient Strafe von seiten Gottes und entfernt sich vom Heil.

1.2 *Theologie des Kreuzes, der Verbannung, des Leidens.* Ein Kontinent, gewaltsam erobert und starker Unterdrückung ausgesetzt, führt zum Entstehen einer Büßertheologie oder gibt zumindest ihren Wurzeln Raum. Es entsteht eine Theologie der Kehrseite der christlichen Eroberer, die verschiedene Dimensionen aufweist. Die Ordensleute entwickelten vor allem die aszetisch-spirituelle Dimension, beeinflußt von der mittelalterlichen Tradition der „Contemptus Mundi" augustinianisch-platonischer Färbung. Wenn auch für alle gültig, führte sie die Armen zur Resignation und zur Annahme der Übel dieses Lebens in der Hoffnung auf das andere, die Reichen dazu, ihren Geist des Verzichts durch Akte der Liebe und Almosen darzutun. Die theologisch-spirituelle Dimension offenbart sich in der Identifikation mit den Leiden Christi mit Hilfe der Devotion von Christi Passion, genährt durch die Predigten der Missionare. In Peru und anderen Ländern nahm die Predigt von den sieben Worten Jesu am Kreuz enorme Ausmaße an, und der Karfreitag wurde zum meist frequentierten liturgischen Fest bis auf den heutigen Tag an vielen Orten Lateinamerikas. Die soziale Dimension erwies sich als Situa-

tion des Leidens und der Sklaverei der Indianer und der Schwarzen, Konsequenz
der Sünde und Anruf-Gelegenheit zur Umkehr des Glaubens. Sie wurden in einem sehr negativen Licht gesehen, nämlich als Menschen, die den Leidenschaften
und der Sünde verfallen sind. Ihre Leiden gehörten zum Heilsplan Gottes, um sie
zu erlösen. Eine derartige Theologie übte eine bewahrende Funktion aus und
sprach jedem Versuch der Rebellion und Befreiung seine Legitimation ab. Auf
der anderen Seite besaß sie auch eine gewisse befreiende Funktion dadurch, daß
sie den leidenden → Jesus dem in seinem Leid Unterdrückten als nahestehenden
Wegbegleiter auswies, so daß sie ihm Kraft zum Widerstand, zum Mut und zum
Durchhalten in seinem Existenzkampf, aber auch kritischere Formen der Resi-
stenz durch Organisation und → Befreiung gab. So besaßen die Devotion für den
Herrn der Wunder (Lima, Peru) und die für die Liebe Frau von Guadalupe diese
prophetische Dimension, indem sie die Solidarität des Herrn und der Jungfrau
mit den Indianern und den Unterdrückten unterstrichen.

1.3 *Prophetische Theologie*. Die Theologie der ersten Jahrhunderte wies aber
auch prophetisch-kritische Ansätze als Theologie der Kehrseite der Geschichte
auf. Dieselbe Theologie der Gnade, die eine zwangsweise Evangelisierung zugelassen hatte, wurde auch in Richtung auf eine Verteidigung der Freiheit der Indianer
und Neger interpretiert. In seiner Abhandlung „Casos de Consciência" (= „Ge-
wissensangelegenheiten"), in der er die Frage nach der Freiheit der Indianer im
Hinblick auf die Sakramente behandelt, erarbeitet M. da Nóbrega ein Gutachten,
das als eines der ältesten juristisch-moralischen Dokumente Brasiliens gilt. Danach sind die Indianer von Natur aus frei und können diese Freiheit weder durch
Schuld noch durch Vergehen verlieren. Es gibt keine Völker, die „jure perpetuo"
für die Sklaverei geboren sind, wie europäische Theologen vertraten, z.B. Johannes Maior von Paris (1469-1550), der die Eroberung und Herrschaft über die Indianer verteidigte, weil sie „bestialiter" leben und Sklaven „natura" sind. Eine erste Systematisierung dieser prophetischen Theologie scheint bei Bartolomé de las
Casas auf (1474-1566), der sich durch eine Predigt des Frei Antonio de Montesi-
nos bekehrt. Dieser griff die Spanier aufgrund ihrer Grausamkeiten gegenüber den
Indianern an und verglich ihre Heilschancen mit denen eines Mauren oder Tür-
ken. Las Casas verteidigt eine politische und eine theologische These. Die politische lautet: Amerika ist der schönste und reichste Teil der Welt. Seine Einwohner
sind menschliche Wesen voll Intelligenz, Kühnheit und Schönheit. Daher waren
die Kriegszüge der Spanier gegen sie niemals gerechtfertigt, sondern teuflisch. Die
theologische These bezieht sich auf das Gottesbild der Spanier. Ihr Gott ist das
Geld und die Habgier. Auf der anderen Seite erscheint in den Indianern das Bild
des geschändeten, gegeißelten und gekreuzigten Christus. Begeistert fährt er fort,
daß Christus das Haupt der Ungläubigen „in actu" ist, denn er bringt sie von
zahlreichen Übeln ab, gibt ihnen gute Wünsche ein, bereitet sie vor, die Glaubenslehre zu verstehen und anzunehmen, erleuchtet sie, verwandelt und führt die
Gesinnung, damit sie heute verstehen und verlangen, was sie gestern weder verstanden noch wollten, so daß auf ihre schlechte Neigung eine gute folgt. Er stützt
sich auf die thomistische Lehre der göttlichen Regierung und der Aussendung der
Gnade. Um Mißverständnisse zu vermeiden, macht er einen Rückzieher, nennt
Christus nur das Haupt der Ungläubigen „in potentia", da ihnen die wahre

Kenntnis Christi, die durch den Glauben, die Liebe und den Liebesgehorsam gegeben wird, fehlt. Für das Ende der Welt behält er Christus die Zugehörigkeit der Guten „in actu et perfecte" vor. Selbst unter Anerkennung der päpstlichen Gewalt über die Ungläubigen läßt er den Zwang bei der Evangelisierung nicht zu. Dazu genügt es, das Beispiel der göttlichen Vorsehung zu betrachten, die auf sanfte Weise, ohne Gewalt, alles bewegt, anordnet und zu seinem Ende führt. Gott schuf die Menschen als freie Wesen, so daß sie zum Glauben gezwungen werden können. Nur wenn die Spanier das zeitliche und ewige Glück der Völker der Neuen Welt bereiten, werden sie sich von ihren Leidenschaften und Sünden befreien können. Hinter dieser Theologie steht ein Gott, der sich in dringlicher Weise dem unterdrückten → Volk verpflichtet weiß. Es erfährt ihn in einer solchen Nähe, daß es ihn „Diosito" (= „Gottchen") nennt, im Gegensatz zu einem offiziellen Gottesbild der unterdrückenden Allmacht. In Peru handelt der Jesuit José de Acosta (1540-1600) die Mission unter den Indianern theologisch in der Weise ab, daß sein Werk einerseits als Rechtfertigung der Kolonialherrschaft und Abwertung der Indianer angesehen werden kann. Denn es weist konkrete negative Züge hinsichtlich der Indianer auf und akzeptiert den militärischen Begleitschutz der Missionare, um ihr Leben bei dieser gefährlichen Pilgerschaft zu garantieren, die die Tyrannei des Teufels zu beenden hat. Andererseits kann man bei einem ernsthaften Durchgehen der Schriften entdecken, wie er die Indianer wahrhaftig verteidigt und das missionarische Unterfangen der Eroberer hinterfragt. Grundlegend für ihn ist nicht die „plantatio ecclesiae", noch viel weniger die „plantatio regni hispanici", sondern die Verbreitung des Evangeliums zur Rettung der Indianer. Nur in der Folge taucht die Frage nach der Errichtung der Kirche auf. Er verteidigt den Heilsuniversalismus mit biblischen Argumenten wie der Ankündigung der Bekehrung der Äthiopier und der fernen Völker (Jes 43), dem Gleichnis der Geladenen zum Hochzeitsmahl (Mt 22,1-14) und den Gesichten von Petrus und Kornelius (Apg 10,1-43). Die Texte werden auf die Indianer der Neuen Welt bezogen. Selbst die Rohheit der Indianer wird zu einer positiven Beweisführung umgeformt, da Gott nicht unsere Talente will, sondern Anerkennung und Anbetung. Ihre Ignoranz und Schwäche schließen sie nicht von der Teilnahme an den Sakramenten der Taufe, → Eucharistie und Eheschließung aus. Augustinus folgend, übernimmt er eine evangelisatorische Pädagogik, die nicht die Götzenbilder der Altäre zerstören möchte, bevor die Indianer sie nicht aus ihrem Herzen herausgerissen haben. Die heidnischen Zeremonien dürfen erst dann aufhören, wenn sie durch die christlichen bereits ersetzt sind. In prophetischer Verkündigung verteidigt der Kapuziner Francisco de Jaca (1645-?) die Freiheit der Schwarzen sowohl in ihrem Urzustand als auch mit noch größerem Recht nach ihrer Taufe. Er weist mit biblischen Argumenten nach, daß die Sklaverei unerlaubt ist. Er verteidigt die „Freiheit des Taufbrunnens", die der Getaufte mit der Eintragung seines Namens in das Buch der Freien und mit der Bezahlung des Lösegelds durch die Eltern, die Zieheltern oder häufiger die Paten erwirbt. Ein anderer Kapuziner, Epifánio de Moirans (1644-1689), schlägt denselben theologischen Weg der Verteidigung der Freiheit der Sklaven ein und widersetzt sich den traditionellen Thesen der Zulässigkeit der Sklaverei durch Verkauf oder Delikt. Er gebraucht Argumente aus den Hl. Schriften, den Regeln des Rechts und den Aussagen Papst Innozenz XI., um zu beweisen, daß die Sklaverei gegen das Naturrecht, das göttliche Recht und das Völkerrecht verstößt und somit unerlaubt ist. Er verpflichtet die Sklavenhalter unter Androhung der ewigen Verdammnis, die Sklaven nicht nur freizulassen, sondern ihnen auch eine Wiedergutmachung für die durch die Sklaverei zugefügten Schäden und den Lohn für die geleistete Arbeit zu zahlen. Derselbe A. Vieira, der auf der einen Seite mit seiner Theologie im Kontext seiner Zeit das Kolonialsystem rechtfertigte, weist auch prophetische Elemente der Anklage auf: „Im Staat Maranhão, Herr, gibt es kein anderes Gold noch Silber als das Blut und den Schweiß der Indianer ...“ „Von Anbeginn der Welt mitsamt der Zeiten eines Nero und Diokletian hat man im ganzen Europa nicht so viel Ungerechtigkeit, Grausamkeit und Tyrannei verbrochen, als es die Habsucht und Gottlosigkeit der sogenannten Eroberer des Maranhão vollbracht haben.“ Vor ihm hatten zwei Jesuitenprofessoren, die Patres Gonçalo Leite und M. Garcia, das Sklavenregime herausgefordert. Sie versicherten, daß „kein Sklave Afrikas oder Brasiliens rechtmäßig gefangengehalten wird“ und daß der Weg der Portugiesen nach Brasilien, falls es keine Änderung gäbe, in die Verdammnis ihrer Seelen führen werde, denn sie sind „Mörder und Diebe der Freiheit, der Ländereien und des fremden Schweißes“.

    2. *Politische, liberal-emanzipatorische Theologie.* Es ist die Zeit der Umwälzungen. Das Christentum der Neuen Welt gerät in die Krise. Es kommt zur Vertreibung der Jesuiten, die eine herausragende Stellung im kulturellen und evangelisatorischen Prozeß Amerikas besaßen. Die Unabhängigkeit vorbereitende Bewegungen brechen auf dem ganzen Kontinent aus. Der Klerus hat dabei eine nicht unbedeutende Präsenz. Es entwickelt sich eine Theologie, die nicht mehr das Kolonialsystem, sondern die Freiheitskämpfe rechtfertigt. Sie nabelt sich von den akademischen Zentren ab und erobert die Kanzeln, die Zeitschriften, die revolutionären Tageszeitungen, die verfassungsgebenden Versammlungen. Die zweite Phase der Scholastik weicht den Ideen der Aufklärung, der apokalyptischen Enzyklopädisten. Selbst thomistische und suarezianische Prinzipien werden zur Rechtfertigung der emanzipatorischen Praxis herangeholt. In Mexiko entwickelt José María Morelos y Pavón (1765-1815) Ansätze zu einer emanzipatorischen Theologie inmitten revolutionärer Aktivität und in der Führung von Truppen, was ihm den Tod durch Erschießen einbringt. Er zeigt die Parallele zwischen der Situation des jüdischen und mexikanischen Volkes auf. Beide sind unterdrückt und schreien zu Gott ihrer Befreiung wegen. Er vergleicht Spanien mit Babylon, dessen Baalskult zerstört werden muß. Gott hörte das Rufen Anahuacs, legte ihm die Sache der Unabhängigkeit ans Herz, gab ihm Freiheitskämpfer zur Seite und führte ihr Heer. Auch die Liebe Frau von Guadalupe steht an der Seite Gottes ihnen bei. Sie befreit auf wunderbare Weise die Mexikaner und straft die Spanier. Durch Schöpfung und Gnade ist der Mensch frei. Daher ist sein Kampf für die Unabhängigkeit gerecht und steht in Einklang mit dem Plan Gottes. Sich ihr zu widersetzen bedeutet Sünde. Die Teilnehmer am Aufstand verherrlichen Gott. Ein anderer Mexikaner, Frei Servando Teresa de Mier (1763-1827), spricht der Eroberung und der Ortskirche Neu-Spaniens ihre Legitimität theologisch ab. Er benutzt dazu zwei zentrale religiöse Symbole der → Volksfrömmigkeit: Unsere Liebe Frau von Guadalupe und die Gegenwart des Hl. Thomas auf dem Kontinent.

Das Bildnis von Guadalupe sei durch den Hl. Thomas selbst gebracht worden und nach einer gewissen Zeit der Verehrung und der Nachlässigkeit der Indianer verlorengegangen, bis es nach der spanischen Eroberung wiederentdeckt wurde. Diese Legende erlaubt es, die Gleichberechtigung der mexikanischen und spanischen Kirche theologisch zu begründen, da beide den gleichen apostolischen Ursprung haben, und die Volksreligiosität der Indianer als evangelische Überbleibsel und nicht als Satanswerk zu deuten. In Brasilien vertritt Frei Caneca (1774-1825) die Regierungsgewalt der Nation, leitet sie aus dem Volk ab. Von Gott kommt die grundlegende Institution der Gesellschaft, aber nicht ihre bestimmte Form, die zu errichten, zu ändern nach seinem Ermessen, dem Volk anvertraut ist. Diese Gewalt anzuerkennen bedeutet Gott verherrlichen. Diese politische Theologie verteidigt die Einmischung des Klerus in die zeitliche Macht, weil die Gesellschaft als solche von Gott geschaffen ist, dem Autor des Naturgesetzes und der menschlichen Vernunft. Der Bischof von Cartagena, Juan Fernández de Sotomayor, setzt sich seinerseits dafür ein, die Bürger hinsichtlich ihrer Rechte und Pflichten aufzuklären. Dabei zeigt er den Irrtum und das Fehlverhalten einer Religion der Liebe, die im Dienst einer barbarischen Eroberung steht. Die Tyrannei hat sich durch den Mißbrauch und die Entweihung der Predigt durch einige Priester gefestigt. Daher weist er die Rechtfertigungstitel der Eroberung zurück und setzt bei der päpstlichen Gewalt, Länder zu vergeben, an. Im Gegensatz dazu verteidigt er den Widerstand, die Revolution als die Erfüllung der priesterlichen Pflicht. Der Unabhängigkeitskrieg ist heilig und gerecht; das Knechten ist schlimmer als die Ursünde, denn dafür gibt es keinerlei Art von Taufe. Die Spanier, die die Indianer verfolgen, sind wie Nero, in einer Umkehr der Rollen: Christen verfolgen diejenigen, die sich bekehren wollen. Die Siege über die Spanier werden ihrerseits mit biblischen Episoden verglichen, mit Judith, den Makkabäern, als Werke des Gottes der Unterdrückten, der die Fesseln der Mexikaner zerbrach und ihnen die wesentlichen → Menschenrechte zurückgab, nämlich die Regierenden zu wählen und einzusetzen. Diese politische Theologie klagt die Zwangsevangelisierung an und rechtfertigt die Unabhängigkeitsbewegung als Ausdruck der Liebe zur katholischen Religion. Die politisch emanzipatorische Theologie in Chile betont die Sünde der Tyrannei, der Unterdrückung, des Brudermordes (Gen 4,8-12; Weish 6,3-4; Sir 49,4; Mt 27,37) und die biblische Dimension der Emanzipation, ausgehend von den Stellen in Exodus, Könige, Chronik und Makkabäer. Sich auf die Apostelgeschichte (Apg 5,29) und das Verhalten einiger Väter (J. Chrysostomus, Gregor von Nazianz, Ambrosius, Basilius) stützend, verteidigt man die Möglichkeit des christlichen Ungehorsams gegenüber der weltlichen Macht. Die Verteidigung der Volkssouveränität findet Unterstützung bei der theologischen Tradition (Thomas von Aquin, spanischer Thomismus des XVI. Jahrhunderts). Die antimonarchische Tradition des AT (Ri 8,23; 1Sam 8,10-22) und Texte des NT (Joh 18,36; 6,15; Mt 22,21) liefern Argumente, die Errichtung des Königtums zu kritisieren und die Revolution als befreiende und heilbringende Tat zu unterstützen. Auch versucht man das republikanische Gleichheitsprinzip mit biblischen Texten zu rechtfertigen (Mt 23,8-9: Justo Donoso) im Gegensatz zum Autoritarismus der Monarchie (Lk 22,24-27): C. Henriquez; P. Arce. Man deutet die Unabhängigkeit als Aufbruch des freien, brüderlichen und dienenden Geistes des Evangeliums im

Gegensatz zur autoritären und gewalttätigen Herrschaft des spanischen Reiches. Man erarbeitet eine Geschichtstheologie, in der die drei Etappen der Heilsgeschichte - die Schöpfung in Unschuld, in Sünde und Erlösung - auf die Situation Amerikas angewandt werden: die Indianer vor Kolumbus, die Kolonialzeit und das emanzipierte Amerika. Den Einfluß der Aufklärung übersetzt man in episkopale Theorien, man schätzt die Urkirche und die patristische Zeit in ihrer demokratischen Öffnung (J. M. Bazaguchiascúa, 1786-1840). Diese Theologie benutzt dieselbe theologische Methode der kolonialen Christenheit, indem sie ihre politische These stützende Texte auswählt, nur mit entgegengesetztem Vorzeichen. Sie bleibt in einer kasuistischen Hermeneutik gefangen.

2.2 *Messianische Theologie.* Die turbulenten Jahre gegen Ende des 18. Jahrhunderts erzeugten ein Klima, in dem eine messianische Theologie entstehen konnte. In ihr systematisierte sich das in der Geschichte immer gegenwärtige utopische Verlangen, das gerade in Momenten der Krise mit mehr Intensität zutage kommt. Der chilenische Jesuit Manuel Lacunza (1731-1801) präsentiert ein utopisches Projekt eines Reiches der Gerechtigkeit auf Erden innerhalb einer evolutiven und dialektischen Sicht der Geschichte. Er überwindet eine kosmische Sicht der Himmelsmythen und vertritt die immerwährende Unzertrennbarkeit einer erneuerbaren Materie und der Zukunft der Menschheit. Die Zeit des Glücks wird unter den Armen, den Einfachen und Unschuldigen aufbrechen. Er verteidigt ein tausendjähriges Reich in der Geschichte, das in eine Endphase der vollkommenen Gesellschaft ohne Herrschaft und mit gemeinsamem Besitz münden wird. Selbst wenn seine Idee einer himmlischen Stadt, im Himmel erstellt und zur Erde gebracht, integralistisch und fundamentalistisch erscheinen könnte, übt er doch radikale Kritik an der Macht, am christlich-westlichen, politisch-ekklesiastischen System, an Rom, an der kirchlichen Hierarchie, ohne jedoch die amtierenden Autoritäten zu verletzen. In einer universalistischen und befreienden Sicht begreift er Jesu Christi Handeln als neuen Exodus, durch den die unterdrückenden und sakralisierten Strukturen zerstört und die Völker in einem einzigen Volk miteinander versöhnt werden. Dies geschieht durch das Mitwirken der christlichen Kirche und wird dem Reich Christi in der Parusie vorausgehen. Er begreift das Reich Christi als Fortsetzung der Menschheitsgeschichte inmitten eines seligen Friedens und der Gerechtigkeit, so daß ein unvollendeter Prozeß der Verwandlung des Menschen und aller seiner Beziehungen mit der Natur und mit seinesgleichen angenommen wird. Das Universum wird nicht zerstört, sondern erneuert. Die Herrlichkeit des Menschen wird nicht nur die Gottesschau, sondern auch die Schau und der Genuß der ganzen Natur sein. Dadurch wertet er die Materie, die evolutive und dialektische Sicht der Geschichte, die Hoffnung auf ein Reich für die Unterdrückten und den Glauben an den neuen Menschen, befreit und Herr des Universums, auf.

3. In der Theologie der katholischen Reform kommt der Einfluß der Theologie des Konzils von Trient auf dem Kontinent zum Ausdruck. Es gab frühere Versuche. In Brasilien stellte dieses Phänomen - die Romanisierung des Katholizismus - ein gemeinschaftliches Unternehmen einer Gruppe von Bischöfen, Professoren und Seminarleitern dar. Man erarbeitet eine Ekklesiologie, in der die Kirche als vollkommene, hierarchische und heilsnotwendige Gesellschaft dargestellt

wird. Es handelt sich um eine apologetische und klerikal-doktrinäre Theologie. Sie stellt die Lehren des Magisteriums ohne jede Kreativität zusammen; wiederholt die Manuale und → Katechismen Europas, besonders diejenigen Roms und Frankreichs; weist die bedeutenden gegnerischen Zeitströmungen zurück: den Jansenismus, Gallikanismus, Regalismus und Liberalismus; betont die geistige Mission der Kirche, die Autonomie und Freiheit gegenüber dem Staat in der Erfüllung ihrer Mission, und bestärkt die bischöfliche Gewalt in Verbindung mit dem Papst, dem höchsten Chef der Bischöfe und der Kirche. Die Verteidigung der doppelten vollkommenen Gesellschaft, der Kirche und des Staats, schließt keine absolute Unabhängigkeit ein, sondern erfordert die Zusammenarbeit. Die Kirche hält die soziale Ordnung aufrecht, der Staat beschützt und anerkennt die → Religion, vor allem wenn diese praktisch die einzige im Staat ist. Die Nation kann nicht vom öffentlichen religiösen Kult Abstand nehmen (Arc. Mosquera, Kolumbien). Die Dichotomie erstreckt sich auf die Tätigkeitsbereiche, so daß man zwischen menschlich-irdischen und geistig-übernatürlichen unterscheidet. Nur die letzteren verdienen das ewige Leben, sind heilsbezogen. Die Erde ist nichts weiter als ein Ort der Verbannung und der Prüfung, der durch das Hindernis der Sünde gekennzeichnet ist. Um dieses zu überwinden, gibt es die Beichte. Die spirituellen und religiösen Übungen stellen das Thermometer des christlichen Lebens dar, wobei die sakramentalen Handlungen zum Schaden der traditionellen Devotionen der Volksreligiosität, der Prozessionen, Heiligenverehrungen und Feste, überbewertet werden. Eine defätistische und pessimistische Sicht der Welt, in der die Kirche von so vielen Feinden angegriffen wird - sie fällt mit den Wirren des Pontifikats Pius IX. zusammen -, betont die Wiedergutmachung, die Sühne, insbesondere für das Heiligste Herz Jesu und den eucharistischen Christus, Gefangener im Tabernakel. Die Kirche erscheint als Symbol der geistigen Macht, der Hierarchie, des Antiliberalismus, geführt von einem Geist der Restauration und des Ultramontanismus. Diese konservative und restaurative Theologie verhinderte aber nicht die Fortführung der *liberalen Theologie* der vorhergehenden Periode. Man bestätigt die Unterscheidung der Bereiche: der innere Bereich für die Religion, die gesellschaftspolitischen für den → Staat, mit unterschiedlichen und getrennten Zielen. Der Staat pervertiert die Religion dadurch, daß er sie gebraucht. Der Liberalismus stellt keine Sünde dar (Uribe Uribe, Kolumbien, 1902) noch ist er ein Glaubensfeind, wie fälschlicherweise die Konservativen verbreiten (C. Martínez Silva, Kolumbien). Denn es gibt zwei Liberalismen. Einen, der akzeptabel ist und von der Mehrheit der kolumbianischen Liberalen vertreten wird, und einen anderen doktrinären, der mit der Kirche unvereinbar ist und von Pius IX. als die Summe der Häresien verurteilt wurde (P. B. Vélez, Kolumbien). Der wahre Atheismus besteht nicht in der Gewissens- und Glaubensfreiheit, sondern in der Verstümmelung der Schöpfung Gottes hinsichtlich ihrer Gaben der Freiheit und Intelligenz. Der Staat kann im Fall der religiösen Perversion eingreifen (S. Pérez). In Brasilien hatten die liberalen Thesen ihren Verteidiger in P. Júlio César de Morais Carneiro (1850-1916), bekannt unter seinem Ordensnamen P. Júlio Maria, der sich in späteren Jahren mehr dem Volk zuwandte. In seiner ersten, liberalen Phase versuchte er aufzuzeigen, wie die Kirche sich dem Fortschritt, der modernen Zivilisation anpaßt, ohne ihre göttliche Konstitution zu verlieren. Es gibt einen

Liberalismus, der die menschliche Vernunft und Freiheit in Einklang mit der Religion überhöht. Es gibt aber einen anderen, der Gott degradiert und Tyrannei und Revolte hervorbringt. Die Kirche muß die demokratische Ordnung unterstützen, muß dorthin gehen, wo die Gesellschaft lebt, wo ihre wirklichen Probleme liegen, und muß die Sakristeien verlassen. In seiner zweiten Phase beginnt er, den Armen, den Niedrigen und Proletariern, den Früchten des kapitalistischen Systems, als Adressaten der Kirche den Vorrang zu geben, ganz nach dem Beispiel → Jesu, der zuerst die Niedrigen zu sich gerufen hatte. Die Gewaltherrschaft des Kapitals muß sich den Gesetzen der Gleichheit, der Pflicht zu Gerechtigkeit und Liebe unterwerfen. Der christliche Glaube muß die Werkstätten durchdringen, ihnen einen christlichen Geist aufprägen, die Würde des Arbeiters in der Gottesstadt verkünden. Jesus hat die Kirche für das Volk und nicht für die Kasten, die Aristokraten, die Bürgerschaft oder die Dynastien gegründet. Es geht daher darum, „die Demokratie zum sozialen Gastmahl des Evangeliums einzuladen. Wie in der ganzen Welt gibt es heute in Brasilien nur zwei Kräfte: die Kirche und das Volk". Die liberale Theologie als solche bedeutete einen Fortschritt gegenüber der herrschenden konservativen Richtung, andererseits aber beraubte sie das Volk seiner religiös-kreativen Funktion. P. Júlio Maria versuchte, diese Verengung teilweise zu berichtigen.

4. Der der Scholastik durch die Interventionen des Lehramts (besonders Leo XIII.; Aeterni Patris, 1879) und die europäischen Zentren (Rom und Leuven) gegebene Impuls hatte seine Auswirkungen auf die Theologie Lateinamerikas. J. Mors (S. Leopoldo, Brasilien) gibt sechs Bände mit den hauptsächlichen theologischen Traktaten heraus. Andere Studienzentren und Seminare übernehmen die Schulmanuale vor allem der Universität Gregoriana von Rom. Für ein am Anfang stehendes, intellektuell anspruchsvolleres Laikat verbindet P. M. Teixeira-Leite Penido, ein aufgeklärter und antikonservativer Neothomist, die intellektuelle und begriffliche Perspektive des Thomismus in einer deduktiven Methode mit einem offenen Verständnis für die moderne Welt und mit dem Wunsch nach sozialen Reformen. Er läßt sich durch die intuitive Methode H. Bergsons und M. Blondels beeinflussen, besonders in seiner Studie über das „religiöse Phänomen" in seiner Erfahrungsdimension. Der Leitgedanke des cajetanschen Neothomismus Penidos ist der Analogiebegriff, auf der Suche nach einem Mittelweg zwischen der trockenen und abstrakten Theologie der Manuale und des Immanentismus eines W. James bzw. eines Intuitionismus Bergsons. Er überwindet die intellektualistische Konzeption des Glaubens durch den Reichtum der Schriften Newmans und Johannes vom Kreuz und schöpft den Weg der gelebten Erfahrung von der Erkenntnis Gottes aus. Der Weg dieses Neothomisten endet in Studien über die Mystik, die er als etwas sieht, das nicht das analoge Erkennen zerstört, sondern darüber hinausgeht und es bestätigt. Er klagt den Symbolismus an, weil es die Möglichkeit einer wahren Erkenntnis Gottes aufrechterhält, und deckt die Dürftigkeit des anthropomorphen Denkens aufgrund seines Rückgriffs auf die Negationen auf. Er bietet die erste Summe der ganzen Theologie den intellektuellen Laien des Landes in der Muttersprache dar. Das zentrale Thema bildet das Mysterium - Mysterium der Kirche, Mysterium der Sakramente, Mysterium Christi. Das Werk blieb wegen des Todes des Autors unvollendet, mit losen Seiten des

letzten geplanten Buches: Mysterium Gottes. Ein anderer Neothomist, der Jesuit
L. Franca (1893-1948), machte vor allem mit zwei Werken in der Theologie Brasiliens von sich reden: Die Krise der modernen Welt und Die Psychologie des
Glaubens. Im ersten analysiert er die Schärfe der gegenwärtigen Krise, ihre Entstehungsgeschichte, ihre Entwicklung, um die immerwährenden kulturellen Werte
des christlichen Glaubens hervorzuheben. Der Mensch, bestimmt für das Absolute, leidet an der Krise der „beängstigenden Schutzlosigkeit eines rationalen Seins,
das die Ausrichtung auf seine Ziele verloren hat". Es wird sich nur in „der Orientierung auf seine transzendenten Ziele" wiederfinden. Im zweiten Werk analysiert
er den Glaubensakt als „psychologisches Zusammenspiel der Fähigkeiten, die sich
in ihm auswirken, das Zusammenwirken der Intelligenz und des Willens, die ihn
vorbereiten und rechtfertigen", und durchläuft die intellektuellen und moralischen
Hindernisse des Glaubensaktes. Er untermauert seine Ausführungen mit unzähli-
gen Erfahrungsbeispielen Ungläubiger, Gläubiger und Bekehrter. Dieser Neothomismus war zur Zeit einer im Gesamt Lateinamerikas sehr konservativen ekklesialen Theologie und Praxis eine Antwort der Öffnung, wenn auch zaghaft und
wenig sozial.

5. Im Moment, indem der Neothomismus von der Katholischen Aktion, den
liturgischen und sozialen Bewegungen übernommen wurde, endete er durch Im-
plosion. Lateinamerika erlebt auf politischer Ebene die spontane Entwicklung des
Kapitalismus, auf kirchlicher Ebene die durch Papst Johannes XXIII. und das II.
Vatikanische Konzil verursachte Öffnung. Die Theologie versucht, auf die Fragen
eines anspruchsvollen Laikats und der wachsenden Zahl der kirchlichen Gruppen
eine Antwort zu geben. Die liturgische Bewegung geht über die neothomistische
Theologie hinaus und bringt in das Zentrum ihres Denkens die fundamentale
theologale Erfahrung des eucharistischen Mysteriums als Mysterium Christi und
der Kirche ein. Die Liturgie versteht sich zusammen mit Christus, dem Sieger, gegenwärtig in seinem Leib, der Kirche. Die Erlösung wird in der und durch die Liturgie gegenwärtig, deren Zentrum die Messe ist. Der Kosmos nimmt an diesem
Sieg Christi teil und antizipiert bereits das eschatologische Reich. Es ist eine Reaktion auf eine individualistische, subjektivistische und sentimentale Religiosität
(D. Martinho Michler, Abtei OSB von Rio). Der praktische Weg ist die Teilnahme an der Messe, dem Opfer der ganzen Kirche, Sacramentum Unitatis, der
hauptsächlichen Quelle der religiösen Unterweisung mit ihrem sozialen Charakter
(D. Tomaz Keller). Die biblische Theologie wird mit der Entwicklung der modernen Exegese und der Entmythologisierung konfrontiert. In einem Wort, die Theologie Lateinamerikas folgt den Hauptlinien der modernen liberalen europäischen
Theologie und findet in gewisser Weise keine passende Antwort auf die Situation
des Kontinents, weil sie einen elitären Charakter aufweist, vom armen Volk weit
entfernt ist und sich nicht um die sozialen Aspekte der Realität kümmert. Auch
entwickelt man eine existentielle Hermeneutik unter Einfluß Heideggers, des Personalismus, des Phänomens der Säkularisierung und Teilhard de Chardins (L.
Boff und Mitglieder des theologischen Instituts OFM, Petrópolis). Die Ekklesiologie erneuert sich und gibt das Schema Bellarmins auf, um den Gedanken des
Mystischen Leibes (Frei A. Lorscheider) und die sakramentale Dimension (Frei
Kloppenburg, L. Boff) aufzunehmen. Die Theologie der Katholischen Aktion,

unter dem Einfluß der Denker wie J. Maritain und E. Mounier, wird zur Ausbildungsstätte bewußter und engagierter Aktivisten, die eine Welt der Widersprüche, Konflikte und Ungerechtigkeiten evangelisieren und sich um die Problematik des Verhältnisses Kirche und Welt, Evangelisierung und weltliches Tun, christliches Engagement und politische Aktivität sorgen. Damit steht der Weg für die dialektische Theologie der Entwicklung und danach der Befreiung offen, der zunächst über die Theologie der irdischen Realitäten (C. Koser) führt. In Uruguay erarbeitet J. L. Segundo verschiedene zentrale Themen der Theologie (Gott, Gnade, Kirche, Sakramente, Sünde) in einer Perspektive, offen für den modernen Laien, der zur äußerst kritischen Schicht des Kontinents gehört. Noch aber stehen wir in einer theologischen Phase, die von den wirklichen Fragen eines armen und an der Ungerechtigkeit leidenden Kontinents weit entfernt ist.

6. Die Theologie Lateinamerikas beginnt, eigene Wege zu beschreiten und die hermeneutische Phase der Subjektivität und der reinen Historizität hinter sich zu lassen, um sich einer mehr an der Praxis orientierten Hermeneutik zu widmen. Es drängt sich ihr das soziale Phänomen der Unterentwicklung des Kontinents auf. Die Theologie der → Entwicklung geht von der Wahrnehmung der Entfremdung des in Lateinamerika gültigen Geschichtsprozesses und der Notwendigkeit eines Bruchs mit den geltenden Kolonialstrukturen aus, im Hinblick auf eine Entwicklung im Dienst der Förderung aller. Man geht auf Distanz zu einer aufgeklärten Sicht des Fortschritts in dem Maß, in dem man den unmenschlichen Charakter der Herrschaft über die Länder der Peripherie und die Unmöglichkeit, selbst Vorkämpfer ihrer eigenen Geschichte zu werden, bemerkt. Mehr Bedeutung mißt man der Volkskultur, der Bewußtseinsbildung und der Förderung des Menschen bei, damit die Massen Volk, wahres Subjekt der nationalen Geschichte werden können. Das Mysterium der Menschwerdung wird zum Paradigma des Engagements für die Förderung des Menschen und der Völker, indem man den Menschen dynamisch begreift, als Person, freies Wesen, Subjekt der Geschichte. Man bemüht sich, die liberale und marxistische Sicht, den Moralismus und Reformismus zu überwinden, und geht direkt an die Wurzel des Übels, die Situation der Ungerechtigkeit aufgrund der Kolonialstruktur (C. Mendes de Almeida). Man setzt den Bruch mit einer griechischen Kosmovision hin zu einem „geschichtlichen Bewußtsein" voraus (H. Cl. Lima Vaz). Die Situation der Unterentwicklung und Ausbeutung des Kontinents verhindert eine wahre Einheit des Bewußtseins auf nationaler und internationaler Ebene. Der Schöpfungsmonotheismus und das Mysterium der Menschwerdung bieten theologische Maßstäbe, um die Situation der kapitalistischen Herrschaft wie die marxistische These zu hinterfragen, deren Anthropologie reduktionistisch ist. Die Offenbarung stellt einen Menschen vor, der frei geschaffen, offen Gott und seinen Brüdern gegenüber, sowie berufen ist, die Welt durch sein Tun zu verändern. Gott macht sich durch sein Wort und das Mysterium der Menschwerdung in der Geschichte der Menschen gegenwärtig, so daß das Absolute, Ursprung der Geschichte, sich zum Zentrum, Faktum und zur Norm der Geschichte macht. Dieses Absolute begründet den Menschen definitiv als Bewußtsein und gibt der menschlichen Geschichte einen transzendenten Sinn. Echte Entwicklung findet nur dort statt, wo man für die Einheit des Bewußtseins, seine Ausweitung, Raum schafft, da das soziale Sein des Menschen in dieser Ein-

heit gründet. In einer späteren Phase sucht man darüber hinauszugehen und folgt Gaudium et spes sowie der Enzyklika Paul VI. Populorum Progressio. Man benutzt die induktive Methode und sucht die Besonderheit der Problematik der Dritten Welt. Der Begriff von Entwicklung geht über die Bedeutung eines „kontinuierlichen Fortschritts" hinaus, um den sprunghaften Bruch mit der Unterentwicklung in Richtung auf die Entwicklung anzudeuten. Daher hat auch das theologische Denken die Fortschrittsthesen der Aufklärung in Richtung auf eine in konkrete Prozesse der geschichtlichen Umwandlung eingebettete Theologie zu überwinden. Damit sind Optionen vorgegeben, und es erhebt sich die Anklage gegen die Abwesenheit der Christen in einem zutiefst antichristlichen „status quo" und die Forderung, auf christlicher Seite mit seiner taktischen Duldung zu brechen; ferner die Forderung nach einem eschatologischen Glauben als Exorzismus und Kritik ideologischer Verhärtungen und radikale Bereitschaft, sich ideologisch zu inkulturieren; die Forderung nach einer Kirche, die dort entsteht, wo die Menschen brüderliche Einheit begründen; die Forderung nach einer wesentlich offenen Anthropologie, nach einer johanneischen Sicht der Welt, mit der wir aufgrund ihres Bruderhasses kein Bündnis eingehen können; die Forderung, die herrschende Macht als Hindernis für eine mögliche sakramentale Kirche zu sehen, so daß die Entwicklung als eine Vorbedingung für eine Kirche-in-der-Welt erscheinen muß; und schließlich die Forderung nach einer Ethik der Entwicklung einschließlich der Beurteilung der Gegenwart (H. Assmann). In dieser Theologie der Entwicklung scheinen bereits die ersten Spuren der → Theologie der Befreiung auf.

7. In Reaktion auf die neoliberale Theologie und die Theologie der Befreiung entstehen in Lateinamerika konservative Theologien in der zugespitzten Form des Integralismus oder in der gemäßigten Form der Restauration bzw. der Theologie der Versöhnung. Die integralistische Theologie besitzt eine kirchliche und eine politische Dimension. Kirchlich verstärkt sie das ekklesiologische Modell Bellarmins der vollkommenen und sichtbaren Gesellschaft, weist die liturgischen Reformen zurück, versteift sich auf einen biblischen Fundamentalismus und behält die traditionellen Gruppen tridentinischen Geistes bei. Sie hält die Scholastik in ihrer starrsten dogmatischen Form aufrecht und weist jedwedes Prinzip der Interpretation aufgrund der Situation, der Geschichte, der Subjektivität oder einer dialektischen Sicht der Wirklichkeit zurück. Sie behält also das klassische Substanzschema bei, bei dem die Intelligenz nur in den unveränderlichen Wesenheiten, den ewigen Wahrheiten ausruht, trotz der akzidentellen Veränderungen oder der verschiedenen Formulierungen. Politisch vestärkt diese Theologie die konservativen Positionen der Landoligarchie in einigen Ländern oder die bürgerlich-liberalen in industrialisierten Nationen, die sich den Veränderungen populärer Natur widersetzen, obwohl sie die modernisierenden akzeptieren. Denn diese bestärken sie in ihrer Machtposition (Zeitschriften: Hora Presente, São Paulo; Permanência, Rio). Nachdem die Theologie der Befreiung sich in der Kirche Lateinamerikas eingebürgert hatte, entwickelte sich die *Theologie der Versöhnung* mit der Absicht, sie zu ersetzen. Sie stellt sich als die wahre Überwindung der Theologie der Befreiung hin, behält zwar ihre Sprache der Freiheit bei, korrigiert jedoch ihren Inhalt, den sie für mißverständlich und abwegig hält. Sie spricht weiterhin von der fundamentalen Option für die Armen, für die Gerechtigkeit, für die strukturelle

Umwandlung der Gesellschaft, distanziert sich aber von jeglicher konfliktiver Sicht der Gesellschaft zugunsten einer Haltung der Versöhnung. Praktisch weist sie die politischen Vermittlungen zurück und verharrt beim individuellen Diskurs der inneren Umkehr der Herzen. Die Versöhnung stellt ihre hermeneutischen Schlüsse dar, um die gesellschaftlichen Projekte nach dem Plan Gottes neu auszurichten. Daher wird jede konfliktive Ideologie in ihrer theologischen Negativität gesehen, als Dynamik des Todes, während die Versöhnung in sich die Dynamik des Lebens trägt. Der Konflikt wird vergehen, wenn er durch die Logik der Versöhnung auf dem Weg der Übereinstimmung, des dynamischen Dialogs der Ergänzung und der verantwortlichen Mitarbeit in brüderlicher und kreativer Begegnung getragen wird (Kardinal López Trujillo; Zeitschrift: Vida y Espiritualidad, Peru). Sie widersetzt sich jeglicher Pastoral auf der Linie der Bewußtseinsbildung und der Organisation des Volkes. Sie vergißt die riesige Ungleichheit der Partner und die lange geschichtliche Tradition der Gewaltherrschaft, die einen Dialog unmöglich macht, es sei denn, daß der Partner „Volk" sich vorher bilden und organisieren kann. Ein theologischer Diskurs, der darauf hinausläuft, den Schwächsten zu entwaffnen und den Stärksten zu bekräftigen. In diesem Sinn spielt die Theologie der Versöhnung eine konservative und das Volk entwaffnende Rolle.

Die Lateinamerikanische Theologie besitzt ihre Geschichte. Bis zum Entstehen der Theologie der Befreiung war sie größtenteils eine reine Adaptation der → europäischen Theologien für den lateinamerikanischen Kontinent ohne Originalität und eigene Besonderheit. Sie brachte es jedoch fertig, im Laufe der Jahrhunderte in embryonaler Form eine Theologie zu entwickeln, die von den realen Bedürfnissen und Bedingungen des kolonisierten, versklavten und beherrschten Volkes ausging. Nach dem II. Vatikanischen Konzil jedoch setzte sie sich mit Originalität in der Form der Theologie der Befreiung durch, die zur Zeit durch die integralistische und konservative Theologie der Versöhnung in Frage gestellt wird. Dennoch bleibt sie noch die am meisten inspirierende und rechtmäßige Theologie einer befreienden pastoralen Praxis, die sich den Armen verschrieben hat.

Lit.: *de Acosta, J.*, De Procuranda Indorum Salute, 1588. - *de Almeida, C. M.*, Nacionalismo e Desenvolvimento, 1963. - *André-Vincent, Ph.-I.*, L'intuition fondamentale de Las Casas et la doctrine de Saint Thomas, in: NRTh 96, 1974, 994-952. - *Assmann, H.*, Tarefas e Limitações de uma Teologia do Desenvolvimento, in: VOZES 62, 1968, 13-21. - *Azzi, R.*, O Catolicismo popular no Brasil. Aspectos históricos, 1978. - *de Bie, J.*, God in de sermoenen van Vieira, 1970. - *Boff, L.*, O Evangelho do Cristo Cósmico: a realidade de um mito, o mito de uma realidade, 1971. - CEHILA: História Geral da Igreja na América Latina. História da Igreja no Brasil, II/1 und II/2, 1977/1980. - CEHILA: Historia General de la Iglesia en América Latina. Colombia-Venezuela, VII, 1981. - *Comblin, J.*, História da Teologia Católica, 1969. - *Ders.*, Os sinais dos tempos e a evangelização, 1968. - *Costa, J. B. P.*, Ação Católica, 1937. - *Dale, R.*, A Ação Católica Brasileira, 1985. - *Dussel, H.*, De Medellín a Puebla. Uma década de sangue e esperança (trad. bras.), 1981. - *Franca, L.*, A Psicologia da Fé, [6]b6.1952. - *Ders.*, A Crise do Mundo Moderno, [4]1955. - *Hoornaert, E.*, Formação do Catolicismo Brasileiro 1550-1800, 1974. - *Lacunza y Diaz, M.*, La Venida del Mesías en gloria y majestad, s.l. 1813. - *de Las Casas, B.*, O Paraíso Destruido (trad. bras.), 1984. - *Leite, S.*, História da Companhia de Jesus no Brasil, 10 vol., 1938. - *Lopetegui, L.*, El Padre José de Acosta y las Misiones, 1942. - *Moura, O.*, Direções do Pensamento Católico no Brasil do Séc. XX, in: A. Crippa (Hrsg.), As Idéias Filosóficas no Brasil, séc XX, Parte I, 1978, 130-205. - *da Nóbrega, M.*, Diálogo sobre a Conversão do Gentio, 1954. - *Penido, M. T. L.*, O mistério da Igreja, 1952. - *Ders.*, O mistério dos sacramentos, 1954. - *Ders.*, O mistério de Cristo, 1969. - *Richard, P.*, Materiales para una Historia de la Teología en América Latina. VIII Encuentro Latinoamericano de CEHILA, 1981. - *Ders.* (Hrsg.), Raíces de la Teología Latinoamericana. Nuevos materiales para la História de la Teología, 1985. - *Segna, E. V.*, Análise crítica do Catolicismo do Brasil e Perspectivas para uma Pastoral de Libertação, 1977. - *Segundo, J. L.*, Teología abierta para el laico adulto, 5 vol., 1972. - *da Silva, J. A.*, O Movimento Litúrgico no Brasil. Estudo Histórico, 1983. - *de Silveira, G. M.*, Conhecimento de Deus e Experiência Religiosa segundo M.T.L. Penido, 1973. - *Torres, J. C. de Oliveira*, História das Idéias Religiosas no Brasil, 1968. - *Vaz, H. Cl. Lima*, Ontologia e História, 1968. - *Vieira, A.*, História do Futuro, 1718. - *Ders.*, Sermões, 15 vol., 1907-1909.

(Übers.: J. G. Piepke)   J. B. Libânio

LITURGIE

1. Der Grundtyp christlicher Liturgie. 2. Benediktionen. 3. Andachten. 4. Dienste, Rollenverteilung und liturgisches Kleid. 5. Gottesdienstliche Funktionsorte. 6. Liturgie und Mission.

1. Das Grundmuster christlichen Gottesdienstes ist an den sakramentlichen Feiern unschwer abzulesen. Jede dieser Feiern hat zwei Brennpunkte: den Wortgottesdienst und was wir die Feier des Sakramentes zu nennen gewohnt sind. Diese beiden Handlungskomplexe stellen die Kernvollzüge dar. Hinzu kommen - als Rahmenelemente - Eröffnung und Abschluß der Feier insgesamt. Zu fragen ist nun nach der je eigenen Prägung und nach den wechselseitigen Zusammenhängen von Wort- und Sakramentsfeier.

1.1 *Die Wortfeier.* Der Wortgottesdienst, ein Erbe des Lesegottesdienstes in der jüdischen Synagoge, hat als Feier der Christen ein spezifisches Gepräge gefunden. Das gilt formal wie auch inhaltlich.

• *Struktur.* Ein Grundmerkmal der Wortfeier ist deren dialogische Struktur. Die versammelte Kirche ist im Zwiegespräch mit Gott: Sie läßt sich von ihm anreden (Schriftwort) und gibt ihrerseits Antwort (in Gesang und Gebet). So übrigens schon früh bezeugt: Tertullian, De anima (210/213 nChr.) c. 9; Itinerarium Egeriae (Ende 4./Anfang 5. Jahrhundert) c. 37,5.6. Dieser feierliche Dialog kann freilich in unterschiedlicher Intensität entfaltet sein. Am ausgeprägtesten ist er in der Ostervigil erlebbar: Auf jede der sieben atl. Lesungen folgen jeweils ein Psalmengesang und ein Gebet. In unseren Meßfeiern und in anderen Gottesdiensten hingegen ist der Bogen etwas anders gespannt: Der Dialog beginnt mit der 1. Lesung und dem Antwort-Psalm, setzt sich mit der 2. Lesung, dem Gesang zum Evangelium und dem Evangelium selbst fort bis zur Homilie und dem Allgemeinen Gebet (Fürbitten). Der Grundvorgang allerdings ist auch hier noch klar erkennbar: Anrede durch Gott (Lesungen mit Evangelium als Höhepunkt) und Antwort der Gläubigen (in Psalmen-Gesang und Gebet).

• *Inhaltliche Charakteristik.* Der Wortgottesdienst ist weder bloße Information noch primär sittliche Unterweisung. Als feierlich-feiernder Dialog zwischen

Gott und versammelter Kirche ist er vielmehr im eigentlichen Sinn Heilsfeier. Der Gestus der Bekreuzigung vor dem Evangelium greift diese Dimension auf: Das Kreuzzeichen weist das Verkündigen und das Vernehmen des Evangeliums als Segens-Geschehen aus. Was damit im Blick auf das Evangelium aus christologischen Gründen eigens akzentuiert wird, gilt entsprechend für die gesamte Wortverkündigung. Von hierher rührt auch die enge wechselseitige Verknüpfung von Wort- und Sakramentsfeier.

1.2 *Die Sakramentsfeier.* Die Typik einer sakramentlichen Liturgie sei hier am Beispiel der Feier der Krankensalbung (= FKS) aufgezeigt. Deren Kernelemente sind: Gebet über dem Öl und Salbung mit dem Öl. Zu fragen ist: Wie ist das Gebet über dem Öl inhaltlich geprägt? Welche Beziehung besteht zwischen dem Gebet über dem Öl einerseits und der Salbung mit dem Öl andererseits.

• *Gebet über dem Öl.* Das Formular III für das Gebet über dem Öl lautet:

„Sei gepriesen, Gott, allmächtiger Vater: Für uns und zu unserem Heil hast du deinen Sohn in diese Welt gesandt.

Wir loben dich. A: Wir preisen dich.

Sei gepriesen, Gott, eingeborener Sohn: Du bist in die Niedrigkeit unseres Menschenlebens gekommen, um unsere Krankheiten zu heilen.

Wir loben dich. A: Wir preisen dich.

Sei gepriesen, Gott, Heiliger Geist, du unser Beistand: Du stärkst uns in den Gebrechlichkeiten unseres Lebens mit nie erlahmender Kraft.

Wir loben dich. A: Wir preisen dich.

Herr, sei uns gnädig nahe und heilige durch deinen Segen dieses Öl, das bereitet wird, um die angstvolle Sorge deiner Gläubigen zu mindern.

Höre auf das Gebet des Glaubens und befreie alle,

die mit dem geweihten Öl gesalbt werden,

von jeder Krankheit, die sie niederdrückt.

Durch Christus, unseren Herrn.

A: Amen." (FKS Nr. 242; Alternativ-Oration: FKS Nr. 75)

Wovon ist dieses Gebet über dem Öl thematisch bestimmt? Zum einen und als erstes muß man antworten: Ihr Gebet über dem Öl beginnt die Kirche damit, daß sie zurückblickt in die Vergangenheit. Sie gedenkt des Handelns, das sie von Gott bisher erfahren hat und das ein heilendes gewesen ist: Immer schon hat er sich ihr als der erwiesen, der sich der Gebrechlichkeit menschlichen Lebens annimmt. Darob preist und besingt sie ihn. Erst an diesen ausladenden Lobpreis (Str. 1-3) schließt sie sodann auch eine Bitte an (Str. 4). Wie Gott in der Vergangenheit seine Kirche mit Heil beschenkt hat, so möge er sich auch jetzt - auch in dieser Stunde - als der Lebenspendende erweisen: an dem nämlich, der krank und deshalb voll Angst darniederliegt.

Fazit. (1) Das Gebet über dem Öl ist ausgesprochen doxologisch: in lobpreisender Weise bringt es das bisherige Heilshandeln Gottes zur Sprache; erst aus dieser Preisung entspringt die Bitte, dieses Heilshandeln auch jetzt fortzuführen. (2) Im Gebet über dem Öl zur Krankensalbung geht es nicht primär um das Öl selbst, nicht darum, daß an diesem Öl etwas geschieht. Es geht vielmehr zuallererst um den Kranken, der mit diesem Öl „behandelt" wird: Wenn und indem der Kranke mit diesem Öl gesalbt wird, möge Gott selbst an ihm heilend handeln.

• *Salbung mit dem Öl.* Damit kommt schon in den Blick, in welcher Beziehung das Gebet über dem Öl einerseits und die Salbung mit diesem Öl andererseits zueinander stehen. Der lobpreisend-bittende Gebetsvollzug ist für die Feier von solch grundlegender Bedeutung, daß es ihn immer gibt, auch dann (mit nur geringfügiger Variation im Bitt-Element), wenn Öl verwendet wird, das bereits zu einem früheren Zeitpunkt benediziert worden ist (FKS 75a). Das bedeutet: Die Salbung empfängt ihre Sinnhaftigkeit und ihre Berechtigung vom doxologischen Beten, das ihr vorausgeht; sie ist daher selbst wesentlich doxologisch. Gebet über dem Öl und Salbung mit diesem Öl sind so nur zwei verschiedene Weisen, in denen die versammelte Kirche dem Allmächtigen lobpreisend-bittend begegnet: Was sie im Gebet worthaft ausdrückt, artikuliert sie anschließend im Salben durch zeichenhaft-symbolisches Handeln. Die Zeichenhandlung ist somit die Verleiblichung des vorausgehenden doxologischen Gebetes.

Ein Zweites muß bedacht werden. Den Christus-Glaubenden ist die Erfüllung ihrer Bitten verheißen: „Alles, worum ihr betet und bittet - glaubt nur, daß ihr es schon erhalten habt, dann wird es euch zuteil". (Mk 11,24; vgl. Joh 16,23f). Das bedeutet: In jedem Gebet wird aus der Bitte zugleich Zusage und Verheißung. Das gilt für worthaften Gebetsvollzug ebenso wie für zeichenhaft-symbolischen. Die Begleitworte zur Salbung drücken eben dies aus (vgl. FKS Nr. 76).

Fazit: (1) Zeichenhaftes Handeln im christlichen Gottesdienst ist verleiblichter Gebetsvollzug. In ihm realisieren sich bittende Preisung (Gottes durch den Menschen) und Verheißung (Gottes an den Menschen). Symbolisches Handeln steht damit an der Schnittstelle von Vergangenheit (erinnernde Preisung) und Zukunft (Bitte/Verheißung). (2) Zeichenhaftes Handeln in der christlichen Liturgie artikuliert nicht so sehr sachhafte, als vielmehr personale Wirklichkeit: preisend-bittende Hinwendung des Menschen zu Gott und heilschaffende Zuwendung Gottes zum Menschen. (3) Symbolisches Handeln in der Liturgie drückt immer Wirklichkeit aus, sonst ist es kein symbolisches Tun. Die Begriffsbildung „Real-Symbol" ist daher tautologisch. (4) Christlicher Gottesdienst ist in seinem Wesen dynamisch: Er ist nicht so sehr von statischen Symbolen (Öl, Wasser usw.) bestimmt, als vielmehr von symbolischem Handeln (Salben des Kranken mit Öl Übergießen mit/Eintauchen in Wasser usw.).

• *Kultur- und Zeitgebundenheit der Symbolhandlungen.* Für die nachwachsenden Generationen, erst recht im Blick auf Menschen in anderen Kulturkreisen, also etwa in den Ländern der Mission, ist es von erheblichem Belang, ob die überkommenen Symbolhandlungen unserer christlichen Liturgie (noch) verstehbar und mitvollziehbar sind. Die damit aufgeworfene Frage bedarf allerdings der Differenzierung.

(1) Nicht nur über die Zeiten, sondern auch über die Grenzen von Kulturkreisen hinweg ist die Gemeinsamkeit an urmenschlichen und daher eo ipso symbolfähigen Handlungen möglicherweise erheblich größer als manchmal angenommen. Das gilt für Gebärden (sich verbeugen, knien, die Hände auflegen u.ä.) ebenso wie für Grunderfahrungen im Umgang mit Elementen der Natur: Licht und Dunkelheit; Reinigung und Erquickung durch Wasser; Lebenserhaltung durch Essen und Trinken; Linderung und Heilung, aber ebenso kosmetische Pflege (Aussehen und Wohlgeruch) durch Öle und Salben. Damit sind zugleich schon

die symbolischen Grundhandlungen benannt, deren sich christliche Liturgie etwa in den Feiern von Taufe, Eucharistie, Krankensalbung, Firmung usw. bedient.

(2) Ob christlicher Gottesdienst verstehbar und mitvollziehbar ist, hängt nicht nur von den gewählten symbolischen Naturelementen ab (Wasser, Öl usw.), sondern ganz erheblich auch davon, ob das zeichenhaft-symbolische Handeln mit diesen Elementen ausdruckskräftig genug geschieht (→ Symbol) oder aber fast bis zur Unkenntlichkeit stilisiert wird, so daß es den zugrundeliegenden Sinngehalt kaum noch erleben läßt. Z.B. in der Tauffeier: Wird der Wasserritus so vollzogen, daß dabei etwas von jener Erquickung spürbar wird, die Menschen durch Baden in Wasser sonst erleben (vgl. Feier der Kindertaufe. Vorb. Nr. 12)? Entsprechendes gilt für Gestik und Gebärden (Verneigung, Handauflegung usw.).

(3) Zeichenhaft-symbolisches Handeln ist Teil des doxologischen Gebetsvollzuges. Viel hängt daher auch davon ab, wie der worthafte Anteil dieses sakramentlichen Handelns geprägt ist. Dazu gehört: Wird das sakramentliche Gebet gesungen oder nur gesprochen? Wird die versammelte Gemeinde stärker in dessen Vollzug einbezogen (Beispiel Akklamationen) und geschieht dies so, wie die Versammelten auch sonst Freude, Preisung und Dank auszudrücken pflegen? An länder- bzw. kulturkreis-spezifische Musikalität ist hier ebenso zu denken wie an den Ausdruck in entsprechender Gestik und Gebärde.

2. Die Feier einer Haussegnung möge als Beispiel dienen. Ihr Aufbau: Eröffnung - Wortfeier: Lesung; Antwort-Psalm; Homilie - Segensfeier: Lobpreis und Anrufung Gottes über das Haus in Wort (= Segensgebet) und zeichenhaftem Handeln (= Besprengen der Räume des Hauses mit Weihwasser) - Abschluß (Benediktionale Nr. 59). Damit ist schon ersichtlich: In der Typik des Aufbaus und in der doxologischen Prägung unterscheidet sich eine Benediktion nicht von der Feier eines Sakramentes. In beiden sehen sich die Glaubenden veranlaßt, sich aufs neue Gott zuzuwenden: sein Heilswort zu vernehmen und ihre Lebenssituation preisend-bittend vor ihm zur Sprache zu bringen. Im Fall der Haussegnung: Darin, daß sie ein neues Haus haben beziehen können, erleben sich dessen Bewohner als von Gott beschenkt; darob preisen sie ihn und erbitten zugleich seine weitere Zuwendung, damit ihr Heim auch künftig für sie und für andere ein Haus des Segens sei.

Der Unterschied zwischen Sakramentsfeier und Benediktion liegt im Stellenwert des jeweiligen „Sitzes im Leben“: Die Bedrohung durch ernsthafte Krankheit trifft den einzelnen Gläubigen und mit ihm die Gemeinschaft der Kirche existentiell ungleich tiefer als die Möglichkeit, nach Jahren des Sparens ein neues Haus beziehen zu können. Diese Differenz spiegelt sich in der unterschiedlichen Intensität, mit der dem doxologischen Gebet auch zeichenhaft-symbolischer Ausdruck gegeben wird: im einen Fall ist es der Kranke selbst, der gesalbt wird, im anderen Fall geschieht die Zuwendung zu den betreffenden Gläubigen nur indirekt, über das Besprengen/Inzensieren ihres Hauses nämlich.

Fazit. Wie die Sakramentsfeiern so sind auch die Benediktionen Ausdruck und Realisierung christlicher Lebensdeutung. Sie machen „deutlich, daß die irdische Wirklichkeit, die konkreten Situationen des menschlichen Lebens und die materiellen Dinge, in Beziehung stehen zum Pascha-Mysterium Christi dieses ist für alles, was ist, Quelle göttlichen Segens“ (R. Kaczynski).

3. Laudes und Vesper sind gewissermaßen Urformen von Andachtsfeiern. Sie haben als Rahmenelemente Eröffnung („O Gott, komm mir zu Hilfe ...", Hymnus) und Abschluß (Segen, Entlassung). Und es gibt zwei Schwerpunkte: eine Wortfeier (Psalmodie, Lesung, Antwortgesang, Homilie) und einen ausgeprägten doxologischen Gebetsvollzug (die ntl. Preisungsgesänge Benedictus bzw. Magnificat sowie [Für-]Bitten ; Preisung und Bitte zusammengefaßt in Vaterunser und Oration).

Fazit. Laudes und Vesper sind von der gleichen Typik geprägt wie die sakramentlichen Feiern: Wortfeier sowie Lobpreisende Anrufung Gottes sind ihr Kern. Sonstige Formen von Andachtsfeiern (Kreuzweg-, Marien- usw.) werden um so besser gelingen, je deutlicher sie sich an dieser Typik orientieren und ihr jeweiliges Spezifikum darin einfügen.

4.1 *Dienste und Rollenverteilung.* In der Liturgie erfährt die Kirche die heilsmächtige Zuwendung Gottes. Dafür stehen die Dienste, die ihr sein Wort vernehmbar machen (Lektor: nicht-evangelische Lesungen; Diakon: Evangelium), es ihr auslegen (Vorsteher: Homilie) und ihr in der sakramentlichen Wort- und Zeichenhandlung Gottes Heilszusage geben. Daher gilt: Wenn jemand tauft, so realisiert sich darin, daß Christus selbst tauft; wenn jemand das Wort der Schrift verkündet, ist es Christus selbst, der spricht (Liturgiekonstitution [= LK] Art. 7). Die Dienste und Ämter stehen also für das Heilswort und das Heilshandeln, das Gott seiner Kirche durch Jesus Christus schenkt. Die Träger solcher Dienste sind somit Zeugen Gottes, dem sie ihre Stimme und ihr Handeln leihen, und daher durch keinerlei technische Hilfsmittel (Ton-/Videoaufzeichnungen u. dgl.) ersetzbar.

Und es gilt: Wenn die Kirche sich ihrerseits Gott zuwendet, so geschieht dies ebenfalls durch Jesus Christus. Der Auferstandene ist in der gottesdienstlichen Versammlung seiner Kirche gegenwärtig und trägt deren Gebet (Mt 18,20; Joh 16,23f; LK 7). Dies findet im Dienst des Vorstehers seinen Niederschlag: Dieser ist es, der das Gebet der feiernden Kirche zusammenfaßt und es - „im Namen des ganzen heiligen Volkes" und also „in der Rolle Christi" (LK 33) - für alle vernehmbar an den Vater richtet.

4.2 *Liturgisches Kleid.* Das liturgische Kleid ist weder Schmuck noch persönliche Auszeichnung, sondern Rollenkleid im eigentlichen Sinn. Es verweist auf die eben aufgezeigte christologische Grunddimension der Liturgie der Christen sowie der Dienste, die darin „in der Rolle Christi" wahrzunehmen sind. Es ist daher nicht nur für die Ämter angebracht, sondern desgleichen für die Laiendienste wie Lektor oder Kommunionhelfer; denn gerade diese sind nicht etwa im Namen der Gemeinde tätig, sondern im Namen Gottes, der sich der Gläubigenversammlung in Wort und Handlung zuwendet (vgl. auch Meßbuch, Allg. Einf. Nr. 297).

5. Gottesdienstliche Funktionsorte (Vorstehersitz, Ambo, Altar, Taufbrunnen usw.) sind nicht bloß Schmuck des Kirchenraumes. Sie dienen vielmehr dazu, das Heilsgeschehen, das in der jeweiligen Feier Wirklichkeit wird, in seiner räumlich-zeitlichen Dimension zur Entfaltung zu bringen. Es kommt daher darauf an, sie in ihrer künstlerischen Gestaltung sorgfältig zu überdenken und in ihrer Nutzung entsprechend zu würdigen (vgl. ebd. Nrr. 253-280).

A. Jilek

6. Die Liturgiereform nach dem II. Vatikanischen Konzil hat die liturgische Feier und das Leben aus der Liturgie erheblich bereichert, bei der Formulierung der offiziellen liturgischen Texte aber wurde die missionarische Dimension fast völlig aus dem Auge gelassen. Und doch gehören Liturgie und Kerygma wesentlich zusammen. Schon der Völkerapostel → Paulus verstand seinen missionarischen Dienst als „Liturgie" (Röm 15,16) und setzte das Ziel: Die „Heiden sollen eine Opfergabe werden, die Gott gefällt, geheiligt im Heiligen Geist". Die Katechumenate der frühen Kirche wollten durch Unterricht und Feier bestimmter Riten stufenweise zur Reife des christlichen Lebens und der vollen Teilnahme am sakramentalen Leben der Kirche hinführen. Es lag nahe, daß gerade am Anfang viele Zeremonien aus dem Kulturbereich übernommen wurden, in dem das Christentum sich entfaltete. Papst Gregor d.Gr. ermahnte die Missionare, den neubekehrten Angelsachsen ihre (vorchristlichen) Feste zu lassen, denn „wenn man ihnen auf diese Weise die äußere Freude gönnt, werden sie auch leichter die innere Freude finden". Es bedeutete eine Verarmung für die Kirche und bedeutende Erschwernis der Missionsarbeit, daß die Riten immer mehr festgeschrieben wurden (→ Ritenstreit) und der Respekt für die Kulturen anderer Völker verlorenging. Die evangelischen Kirchen waren diesbezüglich von ihrer Struktur her offener, in der konkreten Begegnung mit anderen Völkern aber unterlagen sie der gleichen Problematik (vgl. → Kolonialismus).

Die politische Entwicklung vor allem seit dem Ersten Weltkrieg, aber auch neue Erkenntnisse der Völkerkunde und der Missionstheologie, machten die Öffnung möglich, die im II. Vatikanischen Konzil ihren Niederschlag gefunden hat. Die Konstitution *Sacrosanctum Concilium* sprach sich gegen starre Einheitlichkeit, selbst im Gottesdienst, aus und betonte die Pflege und Förderung des „glanzvollen geistigen Erbes der verschiedenen Stämme und Völker" (37); sie gestattete den Gebrauch der Landessprache in der Liturgie (36) und ermöglichte Anpassungen im Bereich der Sakramentenspendung, der Sakramentalien, der Prozessionen, der liturgischen Sprache, der Kirchenmusik und der sakralen → Kunst (39); sie ermunterte zur Übernahme von „Elementen aus der Überlieferung und den geistigen Anlagen der einzelnen Völker" in die Liturgie (40 Nr. 1) und regte regionale liturgische und pastorale Kommissionen an (44) u.a. Das Missionsdekret *Ad gentes* knüpfte an diese grundsätzliche Öffnung an und unterstrich, daß erst durch die Übernahme der Traditionen der Völker „in die katholische Einheit" der Reichtum zustandekomme, der das Ziel der Ausbreitung des Evangeliums ist (22).

Der Weg zu einer „inkulturierten" Liturgie ist wegen der Gefahr des Synkretismus und theologischer Mißverständnisse schwierig. Die afrikanischen Kirchen betreten ihn entschlossener als die asiatischen. Die Verbindung von Katechumenat und Liturgie wird wieder neu hergestellt. Für die Tauf- und Firmfeier will man sich der Elemente vorchristlicher → Initiation bedienen. Man spricht von „zairischer Messe" und „indischer Liturgie". Man überlegt die stufenweise Spendung des Ehesakramentes. Der Tanz wird als wesentliches Element afrikanischer und asiatischer, auch lateinamerikanischer Liturgie erkannt. Ein bedeutendes Studienobjekt der zahlreichen liturgisch-pastoralen Institute ist das Feld der Symbole der Völker. Theologischer Klärung bedarf auch, nicht nur für Japan und China, sondern auch für Afrika und viele andere Völker, die Frage der Verehrung der Ahnen (→ Ahnenverehrung). Mögen die konkreten Probleme noch zahlreich sein, an der theologischen Berechtigung, ja Notwendigkeit der → *Inkulturation* der Liturgie besteht heute kein Zweifel. Wie die katholische Kirche nimmt auch der Weltrat der Kirchen ihre Begründung aus der Inkarnation und formuliert die Forderung: „Die Vision von den Völkern, die von Osten, Westen, Norden und Süden kommen, um beim großen Abendmahl des Reiches zu sitzen, sollte uns bei unseren missionarischen Bemühungen immer vor Augen stehen" (Mission und Evangelisation: Eine ökumenische Erklärung, 27).

K. Müller

Lit.: *Adam, A.*, Wo sich Gottes Volk versammelt. Gestalt und Symbolik des Kirchenbaus, 1984. - *Amalorpavadass, D. S.*, Towards Indigenization in the Liturgy, National Catechetical and Liturgical Centre, 1974. - *Auf der Maur, H.*, Feiern im Rhythmus der Zeit I. Herrenfeste in Woche und Jahr (Gottesdienst der Kirche 5), 1983. - *Berger, R./Bieritz, K.-H./Emminghaus, J. H.* u.a., Gestalt des Gottesdienstes (Gottesdienst der Kirche 3), 1987. - *Bürki, B.*, L'assemblée dominicale. Introduction à la liturgie des églises protestantes d'Afrique, in: Nouvelle Revue de Science Missionnaire, 1976. - *Cornehl, P.*, Gottesdienst, in: TRE 14, 54-85. - *Hahn, F.*, Gottesdienst, in: TRE 14, 28-39. - *Hofinger, J./Kellner, J.*, Pastorale liturgique en chrétienté missionnaire, in: LV, 1959. - *Kleinheyer, B.*, Heil erfahren in Zeichen. Dreißig Kapitel über Zeichen im Gottesdienst, 1980. - *Kleinheyer, B./Baumgartner, J./Kaczynski, R.*, Sakramentliche Feier I. (Gottesdienst der Kirche 7; erscheint 1988). - *Kleinheyer, B./Kaczynski, R./v. Severus, E.*, Sakramentliche Feiern II. (Gottesdienst der Kirche 8), 1984. - *López-Gay, J.*, Missione e Liturgia, in: D. Sartore/A. M. Triacca, Nuovo Dizionario di Liturgia, 1984, 855-863. - *Luykx, B.*, Culte chrétien en Afrique après Vat. II, in: Nouvelle Revue de Science Missionnaire, 1974. - *Martimort, A. G.*, L'Eglise en Prière, 1-4, 1983, 1984. - *Meyer, H. B./Pahl, I.*, Die Feier der Eucharistie (Gottesdienst der Kirche 7; erscheint 1988). - *Mulago, V.*, Simbolismo religioso africano. Estudio comparativo con el sacramentalismo cristiano, BAC, 1979. - *Neunheuser, B.*, Liturgie und Mission. Entfaltung im Dialog, in: ED 32, 1978, 365-384. - *Renson, R.*, Catechesis and Liturgy, in: JMB 31, 1977, 169-174. - *Schaeffler, R./Hünermann, P.*, Ankunft Gottes und Handeln des Menschen. Thesen über Kult und Sakrament. (QD 77), 1977. - *Sekwa, C.*, Liturgy and Building Up of a Christian Community, in: AfER 15, 1973, 243-249. - *Wainwright, G.*, Christian Initiation (EHS 10), 1969. - *Zeitler, E.*, Liturgie und Mission, in: Verbum SVD 16, 1975, 115-126.

MARTYRIUM

1.Biblisch. 2. Geschichtlich. 3. Theologisch-missionarisch. 4. Kult. 5. Zusammenfassung.

1. Bereits im NT findet man die ersten Anfänge des Martyriums (martyrion) als entscheidende und siegreich bestandene Prüfung für den Namen Jesu Christi. Die Apokalypse spricht von denen, „die hingeschlachtet worden waren wegen des Wortes Gottes und wegen des Zeugnisses (martyria = Zeugnis), das sie abgelegt hatten" (Offb 6,9). Der Märtyrer ist der Zeuge der Leiden Jesu Christi, der selbst „der treue und wahrhaftige Zeuge (martyr)" (Offb 1,5; 3,14) ist, der „das gute Bekenntnis" des Glaubens (1Tim 6,13) durch sein Blut am Kreuz, durch seinen Tod (Kol 1,20-21) abgelegt hat. Für Paulus ist der Inhalt des Kerygmas derjenige, der

„sich erniedrigte und gehorsam war bis zum Tod, bis zum Tod am Kreuz" (Phil 2,8). Das Herzstück der apostolischen Predigt, der Verkündigung des Evangeliums ist „Jesus Christus, und zwar als der Gekreuzigte" (1Kor 2,23). „Wir verkündigen Christus als den Gekreuzigten" (1Kor 2,2). Tatsächlich ist die Rede vom Kreuz für Paulus zugleich Torheit und Ruhm seiner Predigt (1Kor 1,17-25 Gal 6,11-14). Die Apostelgeschichte berichtet über das Martyrium des Diakons Stephanus, des ersten Märtyrers der Kirche, der für seine Steiniger betete. Gerade im Falle des hl. Stephanus ist die Beziehung Kreuz - Siegeskrone (Stavrós - stéphanos) wesentlich.

2. Seit Beginn des 2. Jahrhunderts betrachtete die Kirche das Martyrium, d.h. die Hinrichtung von Christen, gegen die ein Todesurteil ihres Glaubens wegen durch die Gerichte gefällt worden war (Der Hirte des Hermas, Parabel IX, 28), als die überragende Form, von der christlichen Hoffnung Rechenschaft zu geben. Dies geschah vor allem während der blutigen Verfolgungen, die die Kirche mehrere Jahrhunderte hindurch zu erleiden hatte. In dieser Periode der „Krise" wurde das Kreuz des Märtyrers zum unerschütterlichen Felsen „wie der Amboß unter dem Hammer", nicht nur für die Kirche, sondern auch für die Welt. Dank ihrer Opfer lebte die Kirche, wuchs und breitete sich aus und paradoxerweise wurde durch die geheiligten Ströme des Märtyrerblutes das Feuer der Verfolgung gelöscht (Eusebius Pamphili, Über die Märtyrer in Palästina, VII, 11). Es gibt eine reiche nachapostolische und patristische Literatur über das Martyrium, im besonderen die *Akten der Märtyrer* und *Die Leiden der Märtyrer*, sowohl offizielle Prozeßprotokolle als auch authentische Berichte von Augenzeugen. Diejenigen, die bei der Hinrichtung zugegen waren, haben nicht nur die Worte der Märtyrer überliefert, sondern auch den liturgischen Kult auf ihren Gräbern und die Verehrung ihrer Reliquien begründet.

Der hl. Ignatius, Bischof von Antiochien (gest. 107), auch Theophoros genannt, strebt mit Beharrlichkeit nach dem Augenblick des Martyriums, das nichts anderes ist als die Gleichförmigkeit par excellence der Passion Christi: „Gönnet mir, ein Nachahmer zu sein des Leidens meines Gottes" (An die Römer, VI, 3); „Erweiset mir damit den größten Gefallen, daß ich Gott geopfert werde, solange der Altar noch bereit steht" (idem, II, 2). „Brotkorn Gottes bin ich, und durch die Zähne der Tiere werde ich gemahlen, damit ich als reines Brot Christi erfunden werde" (idem, IV, 1-2). „Jetzt fange ich an, ein Jünger zu sein" (idem, V, 3).

Das Martyrium des hl. Polycarp, Bischof von Smyrna (gest. um 156), spricht von einem „dem Evangelium konformen Martyrium" (I, 1). Schon vor seinem Tod als Heiliger verehrt, gilt Polycarp als „ein für Gott bereitetes gefälliges Brandopfer" und vor dem Scheiterhaufen verwandelt sich sein Zeugnis zum Gebet: „Herr, allmächtiger Gott, Vater deines geliebten und gebenedeiten Sohnes Jesus Christus, ... ich preise dich, daß du mich dieses Tages und dieser Stunde gewürdigt hast, teilzunehmen in der Gemeinschaft deiner Märtyrer an dem Kelche deines Christus zur Auferstehung ins ewige Leben nach Leib und Seele in der Unvergänglichkeit des Heiligen Geistes" (XIV, 1-2).

Der Brief des Diognet beschreibt die Christen als neue Gemeinschaft in der Welt und unterstreicht ihre einzigartige Rolle aufgrund ihres Widerstandes und ihrer Leiden, nämlich die Sendung, die Ankunft des Herrn zu verkünden. „Sie lieben alle und werden von allen verfolgt. Man kennt sie nicht und verurteilt sie doch, man tötet sie und bringt sie dadurch zum Leben" (V, 11-12). Die Christen werden gleichsam von der Welt in Gewahrsam gehalten, aber gerade sie halten die Welt zusammen (VI, 7); „Sie werden, wenn sie mit dem Tode bestraft werden, von Tag zu Tag zahlreicher. In eine solche Stellung hat sie Gott versetzt, und sie haben nicht das Recht, dieselbe zu verlassen" (VI, 9-10). In der Periode der ökumenischen Festigung der Kirche symbolisiert das Martyrium die mutig bekennende Kirche: „Siehst du nicht, daß, je mehr von ihnen hingerichtet werden, desto mehr die anderen an Zahl wachsen? Das ist offenbar nicht Menschenwerk, sondern Gotteskraft, das sind Beweise seiner Gegenwart" (An Diognet, VII, 8-9).

Origenes (gest. um 253 in Tyrus, Palästina), Sohn eines Märtyrers, wurde in der Verfolgungszeit unter Decius Im Jahre 250 gefangengesetzt und gefoltert; er schrieb während der Verfolgung unter Kaiser Maximinus im Jahre 253 eine Ermahnung zum Martyrium, worin er die „Passion des Martyriums" verherrlicht (Eusebius von Cäsarea, Kirchengeschichte VI, II, 2-6; III, 3-4). Sehnsüchtig verlangt er danach: „Ich brauche jene Taufe, wovon der Herr gesagt hat: Ich muß mit einer anderen Taufe getauft werden" (5. Homilie über Jesaja, 2, P.G., 13, 235-6).

Eusebius von Cäsarea verdanken wir eine unvollständige Liste der Märtyrer in seiner Kirchengeschichte (er erwähnt eine Sammlung von Märtyrerakten) sowie eine ausführliche Deutung der Rolle, die das Zeugnis der Märtyrer bei der Mission und Ausbreitung der Kirche spielte. Er betont unter anderem die Grausamkeit der Kaiser den Christen gegenüber (Kirchengeschichte V, II, 6-8). Auch für Tertullian (cfr. sein Apologeticum 50, 13) ist „das Blut der Märtyrer der Same der Christen" in feindlicher Umgebung. Später haben die Kirchen des Ostens und Westens *Martyrologien* oder *Synaxarien*, d.h. Lebensbeschreibungen von Heiligen und Märtyrern zusammengestellt.

3. Bei den theologischen und missionarischen Überlegungen über das Martyrium gilt es, Spekulationen, die mit der biblischen und historischen Bedeutung des Wortes nichts gemeinsam haben, auszuschließen. Es ergeben sich folgende Orientierungslinien:

• Bei der Verkündigung des Evangeliums wird die Kirche immer auf Ablehnung, Verfolgung und Tod stoßen. Die Frohbotschaft selbst ist aufgrund von Leiden und Bedrängnissen (Joh 16,33) eher verhüllt und entstellt. Die Begegnung zwischen der Offenbarung Gottes und der menschlichen Geschichte ist geprägt vom Zeichen des Kreuzes, und die Weitergabe der Frohbotschaft ist ein Prozeß, der sowohl Annahme wie Ablehnung kennt. Bei dieser Konfrontation im Namen Christi haben die Christen ihren Verteidiger, den Beistand, den Heiligen Geist (Joh 14,16.26). Dennoch sollen sie trotz ihres Gebetes, „daß die Welt vergehe und die Gnade erscheine", die Feindseligkeit der Welt nicht herausfordern. Tatsache ist, daß die Kirche jede fanatische Aufreizung zum Martyrium bekämpft hat. (So z.B. die Tendenz von seiten der Montanisten.) Im Namen des Herrn, des allmächtigen Gottes (pantokrator) haben die Christen den Götzendienst, die blutigen Opfer und die göttliche Verehrung des Kaisers abgelehnt. „Was ist es denn Schlimmes, Herr Kaiser (kyrios) zu sagen, zu opfern und ähnliches zu tun und so sein Leben zu retten?" (Martyrium des Polycarp, VIII, 2). Nur in derartigen unausweichlichen „Bekenntnis"-Situationen sind die Christen das Wagnis eingegangen, von dieser Welt „weggenommen" zu werden (Lk 9,51), indem sie ihr irdisches Leben den Menschen auslieferten (Lk 9,44).

• Von Anfang an hat die Kirche die Gültigkeit der *Bluttaufe* oder das „Siegel des Martyriums", die Feuertaufe (Eusebius, Kirchengeschichte VI, IV, 33) in ausweglosen Situationen anerkannt: „Möge der ganz reine Glaube deines Dieners Rogatian ihm als Taufe angerechnet werden. Und wenn wir morgen auf Anordnung des Statthalters durch das Schwert sterben, möge sein vergossenes Blut ihm zur sakramentalen Salbung werden" (A. Hamman, Prières des premiers chrétiens, 1952, 100). Man muß jedoch darauf hinweisen, daß die Kirche ihren Dienst am Aufbau des Leibes Christi durch die Verkündigung des Evangeliums, die Feier der Sakramente, die Mission und den Gemeinschaftsgeist der Christen immer auf legale Weise ausgeübt hat.

Als die Freiheit der orthodoxen Kirchen unter der Herrschaft der Osmanen eingeschränkt wurde, verstand man den Widerstand von seiten der Mönche als ein Wiederaufleben des Märtyrerzeugnisses.

• Ferner gibt es die Auffassung, daß die menschliche Natur, das Fleisch, dazu bestimmt ist, als Opfergabe dargebracht zu werden, woraus sich eine eucharistische Bedeutung des Martyriums ergibt. Der christliche Märtyrer ist „wie angenagelt mit Leib und Seele an das Kreuz des Herrn Jesus Christus" (Ignatius, An die Smyrnäer I, 1); er ist der Priester, der teilhat am Opfer des ewigen Hohenpriesters (Hebr 6,20; 7,3). Der Leib des Märtyrers stand in der Mitte des Feuers, „nicht wie bratendes Fleisch, sondern wie Brot, das gebacken wird" (Martyrium des Polycarp XV, 1). Darum hat die Geste des Märtyrers nicht nur exemplarischen, sozusagen ethischen Wert, sondern auch eine symbolische Bedeutung eucharistischer Fürsprache. Unter denen, derer nach der Anaphora gedacht wird, nennt der hl. Cyrill von Jerusalem auch die Märtyrer: „Wir gedenken derer, die entschlafen sind, zuerst der Patriarchen, der Propheten, der Apostel, der Märtyrer, damit Gott aufgrund ihrer Gebete und Fürsprachen unsere inständige Bitte gnädig aufnehme" (Catéchèse mystagogique V, 9).

Eusebius von Cäsarea unterscheidet zwischen den Märtyrern, „die teils enthauptet, teils wilden Tieren vorgeworfen wurden, teils im Gefängnis entschliefen", und den Bekennern, „die Folterungen überlebten" (Kirchengeschichte V, IV, 3).

Der Märtyrer ist immer in der Verfassung des Betens und Fürbittens für alle, für die ganze Welt. Und weil es Christus selbst ist, der in ihnen und mit ihnen leidet, suchen die Märtyrer nicht nur sich selbst zu retten, sondern auch alle Menschen und alle Kirchen. Gerade das Gebet - die Bitte um Verzeihung für ihre Henker - gibt ihnen die Kraft, Jesus bis zum Ende zu folgen.

4. Das Martyrium des Polycarp berichtet, daß die Christen versucht haben, den Leichnam ihres mit dem Kranze der Unvergänglichkeit geschmückten Bischofs wegzutragen, um seinen heiligen Leib zu verehren. Später sammelten sie die Gebeine des verbrannten Körpers und betteten sie an einem Ort der Verehrung (XXII, 1). Tatsächlich wurde die eucharistische Liturgie über dem Grabe des Märtyrers gefeiert (XIII, 3). Der hl. Johannes Chrysostomus berichtet von den Versammlungen der Christen bei den Gräbern der Märtyrer und von der Verehrung ihrer Reliquien, „Unterpfand der Fürsprache und des Trostes"., geistige

Quellen der Segnung und Heilung, die uns diese „geistlichen Ärzte", die „Preisge-
krönten Christi" überlassen haben (Taufkatechesen, VII, 1-10; VIII, 16).

Nach einer sehr alten Tradition wird keine neue Kirche konsekriert, ohne
daß in den Fundamenten ihres Heiligtums, „unter dem Altar" (Offb 6,9) Reliqui-
en von Märtyrern oder anderen Heiligen begraben werden. Aber es besteht ein
wesentlicher Unterschied zwischen der Anbetung des Sohnes Gottes und der Verehrung der Heiligen: „Christus beten wir an, weil er der Sohn Gottes ist, den
Märtyrern aber erweisen wir als Schülern und Nachahmern des Herrn würdige
Verehrung wegen ihrer unübertrefflichen Liebe zu ihrem König und Lehrer.
Möchten doch auch wir ihre Genossen und Mitschüler werden!" (Eusebius, Kirchengeschichte, IV, XV, 41-42).

5. Zusammenfassend muß man feststellen, daß, solange die Kirche das Evangelium als Kraft, aber auch als Ärgernis des Kreuzes predigt (1Kor 1,18-25; 2,1-2;
Gal 6,14), die Ablehnung, ob verborgen oder öffentlich, von seiten des Staates
oder einer götzendienerischen Gesellschaft, eine historische Tatsache bleibt. Es ist
nicht leicht für die Welt, in das Mysterium Jesu Christi einzudringen wegen des
Ärgernisses seines Kreuzes. Die Kirche braucht mutige Bekenner, Märtyrer, Heilige und die Gemeinschaft der Heiligen, denn es ist deren Treue bis zum Äußersten, die bewirkt, daß die Pforten der Hölle die Kirche nicht überwältigen. Aber
hat die Kirche den Mut und das Recht, das Martyrium als die Spiritualität heutiger Christen darzustellen? Kann man sich das Leben in Christus noch als Opfer
vorstellen? Darf man die Gläubigen anspornen, den Weg der Konfrontation und
Kompromißlosigkeit bis zur äußersten Leidensgrenze zu wählen? Das Gewissen
der Kirche sagt, daß man prophetische Handlungen und Haltungen nicht absolut
setzen darf, sondern der Vieldeutigkeit menschlicher Situationen und des menschlichen Widerstandes gegen die Ankunft des Reiches Gottes Rechnung tragen
muß.

Lit.: *Eusèbe de Césarée,*, Histoire ecclésiastique, Livres I-IV, V-VII, VIII-X, et Les martyrs
en Palestine, texte grec (übersetzt u. kommentiert v. G. Bardy), coll. Sources chrétiennes,
1952, 1955, 1967. - *Ignace d'Antioche, I.,* Polycarpe de Smyrne, Lettres. Martyre de Polycarpe, hg. v. P. Th. Camelot, coll. Sources chrétiennes, 1969. - *Knopf, R./Krüger, G.,* Aus-
gewählte Märtyrerakten, 1929, 1959.

(Übers.: F. Hoenen)   I. Bria

MENSCHENRECHTE

1. Begriff. 2. Theologische Annäherung. 3. Ökumenische Zuspitzung.

1. Ein klarer Begriff der Menschenrechte ist gerade deshalb nötig, weil ihre
Verletzung allgegenwärtig ist. Das wachsende Bewußtsein der Menschenrechte
und ihre zunehmende Gefährdung prägen im Kontrast das Bild des 20. Jahrhunderts. Die Menschenrechte beanspruchen universale Geltung; doch die Situationen, in denen sie erkämpft werden müssen, sind höchst unterschiedlich. Für die

Bewohner des Armutsgürtels der Erde bedeuten sie anderes als für die Privilegierten in den Industrieländern; in staatssozialistischen Ländern haben sie einen anderen Klang als in kapitalistischen Staaten. Gefordert wird die Durchsetzung der Menschenrechte auf dem ganzen Globus; doch die unterschiedlichen religiösen, kulturellen und politischen → Traditionen geben dafür ganz verschiedene Begründungen. An kaum einem Thema unserer Gegenwart zeigt sich das Ineinander von Universalität und Pluralität, das den interkulturellen und interreligiösen Dialog der Gegenwart bestimmt, deutlicher als an den Menschenrechten.

Die Begrifflichkeit der Menschenrechte gehört zum europäischen Erbe. Sie hat in der griechischen Antike, die von den gemeinsamen Rechten aller Menschen spricht, ebenso deutliche Wurzeln wie in der jüdisch-christlichen Überlieferung, die die Würde des Menschen mit seiner Gottebenbildlichkeit verbindet. Die Forderung nach einer besonderen rechtlichen Ausgestaltung der Menschenrechte taucht jedoch erst mit den europäischen Konfessionskämpfen des 17. Jahrhunderts auf. Während die englischen Kodifikationen dieser Zeit die Menschenrechte noch von Staats- und Standeszugehörigkeit abhängig machen, beanspruchen die Menschenrechtskataloge des 18. Jahrhunderts universale Geltung. Sie begegnen in den amerikanischen Rechte-Erklärungen seit 1776, die aus der Tradition einer christlichen Aufklärung formuliert werden, und in den französischen Erklärungen der Menschen- und Bürgerrechte seit 1789, die ausschließlich in einer rationalen Philosophie begründet sein sollen. Gerade deshalb stehen Kirche und Theologie auf dem europäischen Kontinent dem Gedanken der Menschenrechte lange Zeit reserviert gegenüber; auch für die frühe Missionsbewegung bilden sie deshalb keinen kritischen Maßstab. An Gewicht gewinnen sie erst angesichts der elementaren Mißachtung menschlicher Würde und der Verletzung menschlicher Rechte durch den nationalsozialistischen Massenmord, durch den Terror des Stalinismus und durch den Einsatz moderner Massenvernichtungsmittel im Zweiten Weltkrieg.

Die Allgemeine Erklärung der Menschenrechte vom 10.12.1948 ist eine Antwort auf diese Situation. An sie schließt sich der Versuch an, das Völkerrecht zu einem allgemeinen Humanrecht zu entwickeln. Die beiden Menschenrechtskonventionen der UNO von 1966 und andere Dokumente sind Stationen auf diesem mühsamen Weg. In die einzelstaatlichen Verfassungen gehen die Menschenrechte in der Gestalt von Grundrechten ein, oft unterschiedlich akzentuiert und mit unterschiedlichen Durchsetzungsmöglichkeiten ausgestattet.

Vor allem die Konventionen von 1966 haben zu der Meinung Anlaß gegeben, daß in der gegenwärtigen Staatengemeinschaft drei unterschiedliche, ja gegenläufige Menschenrechtskonzepte vertreten werden. Die westlichen Demokratien akzentuieren die individuellen bürgerlichen und politischen Rechte; die staatssozialistischen Länder betonen vor allem die wirtschaftlichen und sozialen Rechte; für die Staaten Asiens, Afrikas und Lateinamerikas aber hat das Selbstbestimmungsrecht der Völker Vorrang. Diese Beobachtung bestätigt, daß das Verständnis der Menschenrechte heute ebenso in den Konflikt zwischen Industriestaaten und „Dritter Welt" eingebunden ist wie in den ideologischen und machtpolitischen Konflikt zwischen Ost und West. Doch man sollte daraus nicht den Schluß ziehen, daß die drei genannten Konzeptionen zueinander notwendigerweise in einem antagonistischen Verhältnis stehen.

Betrachtet man nämlich die historischen wie die aktuellen Menschenrechtskataloge im Blick auf ihren Kerngehalt, dann zeigt sich: Freiheit, Gleichheit und
Teilhabe machen zusammen die Grundfigur der Menschenrechte aus. Die Menschenrechte schützen die Freiheit der Bürger gegenüber unrechtmäßigen Eingrif-
fen insbesondere der staatlichen Gewalt; deshalb gehören Glaubens-, Gewissens-
und Meinungsfreiheit, die Justizgrundrechte und der Schutz des Eigentums zu ihrem klassischen Grundbestand. Sie proklamieren aber ebenso die Gleichheit aller
Menschen; sie enthalten insofern eine revolutionäre Tendenz gegenüber allen Zu-
ständen, die durch unlegitimierbare Ungleichheiten und Diskriminierungen charakterisiert sind. Und sie postulieren die wirksame Teilhabe aller Betroffenen an
den gesellschaftlichen Gütern wie an den politischen Entscheidungen; sie enthalten also die Forderung nach Befriedigung der elementaren Bedürfnisse (basic
needs) wie das Postulat gesellschaftlicher Demokratisierung. Die Zusammengehörigkeit dieser drei Elemente im Menschenrechtsgedanken ist grundlegender als die
Unterscheidung oder gar Entgegensetzung von individuellen und sozialen Rechten
sowie der Forderung nach Selbstbestimmung. Die Aufgabe, den vermeintlichen
Gegensatz zwischen diesen drei Konzepten zu überwinden, ist von erheblicher
praktischer Bedeutung. Zu ihr vermag die ökumenische Christenheit einen wichtigen Beitrag zu leisten.

2. In den Jahrzehnten seit 1945 haben die Kirchen schrittweise die Menschenrechte als Orientierungsrahmen für die Wahrnehmung öffentlicher Verantwortung anerkannt. Dabei traten zunächst drei Fragen in das Zentrum kirchlich-
theologischer Beschäftigung mit den Menschenrechten: gefragt wurde nach ihrer
theologischen Bgründung (2.1), nach ihrem Inhalt (2.2) und nach den Beiträgen
der Kirchen zu ihrer Verwirklichung (2.3).

2.1 Die Frage nach dem Verhältnis von allgemeiner Geltung und christlicher
Begründung bildet ein Grundproblem jeder theologischen Beschäftigung mit den
Menschenrechten. Dem Rückgriff auf den Naturrechtsgedanken steht in der evangelischen Theologie die Einsicht in die Geschichtlichkeit aller menschlichen
Rechtserkenntnis entgegen. Bisweilen wurde deshalb eine theologische Begründung der Menschenrechte gerade wegen deren universalem Charakter abgewiesen.
Vor allem in der reformierten Tradition wird dagegen gerade die Allgemeinheit
der Menschenrechte aus dem „Recht Gottes auf den Menschen" begründet. Da
in einer solchen Argumentation die säkulare Entwicklung der Menschenrechte wie
auch ihr Rechtscharakter in den Hintergrund treten, ist schließlich vorgeschlagen
worden, nach der Analogie zwischen Menschenrechten und Grundinhalten des
christlichen Glaubens zu fragen und so den Grund für das Eintreten der Christen
für die Menschenrechte zu klären.

2.2 Die drei Grundelemente der Menschenrechte bedürfen der theologischen
Interpretation. Denn mit ihrem Appell an eine unveräußerliche Freiheit und
Gleichheit aller Menschen beharren die Menschenrechtskataloge selbst auf einer
Bestimmung des Menschen, die aus keiner Erfahrung abgeleitet werden kann.
Dem christlichen Glauben erschließt sich diese Bestimmung daraus, daß die Per-
son des Menschen durch seine Beziehung zu Gott konstituiert wird. Daraus be-
gründet sich eine Unverfügbarkeit der menschlichen Person, die sich kritisch ge-
gen alle Formen der Unterdrückung und Entmündigung wendet. Dieser Unver-

fügbarkeit menschlicher Personalität dienen die Menschenrechte in ihrer juristischen Ausgestaltung.

2.3 Die Kirchen können über religiöse, nationale und ideologische Grenzen hinweg zur Ausbildung eines vorrechtlichen Konsensus über die Menschenrechte beitragen. Glaubwürdiges Eintreten der Kirchen für die Menschenrechte setzt allerdings eine Klärung der Frage voraus, wie derartige Rechte auch innerhalb der Kirchen selbst zur Geltung gebracht werden können. Im Einsatz der Kirchen für die Menschenrechte liegt auf Fragen der Religionsfreiheit ein besonderer Akzent; doch ihre Verantwortung für die Menschenrechte ist nicht auf diesen Bereich beschränkt. Information und öffentliche Bewußtseinsbildung gehören ebenso zu den Handlungsformen der Kirchen wie die unmittelbare Intervention für einzelne oder Gruppen, die ihre Rechte nicht selbst durchsetzen können.

3. Ökumenische Erfahrungen führten und führen zu neuen Akzenten in der theologischen Diskussion über die Menschenrechte. Im Prozeß der Dekolonisierung gewann auch für die Kirchen die Frage nach dem Verhältnis von individuellen und sozialen Menschenrechten sowie der Bezug der Menschenrechte zum Selbstbestimmungsrecht der Völker an Dringlichkeit. Erfahrungen der Kirchen in Asien, Afrika und Lateinamerika nötigen zur zugespitzten Frage nach den Trägern und dem Ziel der Menschenrechte. In dieser, vor allem durch die → „Theologie der Befreiung" vorangetriebenen Zuspitzung treten drei Fragen in den Vordergrund: gefragt wird nach den Trägern der Menschenrechte (3.1), nach dem Horizont ihrer Verwirklichung (3.2) und nach der Funktion der Kirche (3.3).

3.1 Auf die Frage, um wessen Rechte es sich bei den Menschenrechten denn handele, antworten die verschiedenen „Theologien der Befreiung", einem Grundzug biblischen Rechtsdenkens folgend: die Menschenrechte sind als „Rechte der Armen" (→ Armut) zu verstehen; Legitimität können sie nur beanspruchen, wenn sie aus der Perspektive der Schwachen und Unterdrückten ausgelegt werden. Die biblisch-theologische Beobachtung, daß das Recht der Armen den Prüfstein jeder Rechtsordnung darstellt, gibt dieser Perspektive ein unübersehbares theologisches Gewicht.

3.2 Dann aber bildet die → Befreiung aus allen Situationen der Ausbeutung und Unterdrückung den Horizont, innerhalb dessen über Menschenrechte zu reden ist. Darin liegt eine berechtigte Korrektur einer geläufigen europäischen und nordamerikanischen Auffassung von den Menschenrechten. In ihr werden die Menschenrechte wie ein Besitz betrachtet, der nur gegen Eingriffe (mit Hilfe gerichtlichen Rechtsschutzes) verteidigt werden muß. Demgegenüber erinnert die ökumenische Diskussion daran, daß Menschenrechte zuallererst in politischer Auseinandersetzung, gegebenenfalls in politischem Kampf durchgesetzt werden müssen. Ein solcher Kampf zielt auf eine Befreiung, durch die für alle die gleichen Rechte errungen werden. Die Tradition der Menschenrechte enthält allerdings auch die Frage, wie im Prozeß der Befreiung persönliche Freiheit geachtet und wie in neuerrungener nationaler Selbstbestimmung die Rechte von Minderheiten geschützt werden können.

3.3 Wenn die Menschenrechte aus der Perspektive der Armen betrachtet werden, erhält die prophetische Aufgabe der Kirche einen besonderen Akzent. Im Konflikt zwischen ihrer pastoralen und ihrer prophetischen Aufgabe muß die Bereitschaft zu prophetischer Zeitansage sich immer dann durchsetzen, wenn ein politisches System die Rechte von einzelnen oder Gruppen systematisch mißachtet und außer Kraft setzt. Dies gilt erst recht, wenn - wie im Fall des Apartheidsystems in Südafrika - staatliche Herrschaft auf die Leugnung der elementaren Rechte der Bevölkerungsmehrheit aufgebaut ist.

Lit.: *Bonino, J. M.*, Whose Human Rights?, in: IRM 66, 1977, 220-224. - *Corecco, E. u.a.* (Hrsg.), Die Grundrechte des Christen in Kirche und Gesellschaft, 1980. - Die Menschenrechte im ökumenischen Gespräch. Beiträge der Kammer der EKD für öffentliche Verantwortung, 1979. - *Dworkin, R.*, Bürgerrechte ernstgenommen, 1984. - *Falconer, A. D.* (Hrsg.), Understanding Human Rights, 1980. - *Frenz, H.* (Hrsg.), Stimme der Verstummten. Vom Einsatz für die Menschenrechte, ²1983. - *Furger, F./Strobel-Nepple, C.*, Menschenrechte und katholische Soziallehre, 1984. - *Geyer, A.*, Toward a Theology of Human Rights, 1978. - *Grulich, R.*, Religions- und Glaubensfreiheit als Menschenrecht, 1980. - *Henkin, L.*, The Rights of Man Today, 1979. - *Hollenbach, D.*, Claims in Conflict. Retrieving and Renewing the Catholic Human Rights Tradition, 1979. - *Honecker, M.*, Das Recht des Menschen. Einführung in die evangelische Sozialethik, 1978. - *Huber, W./Tödt, H. E.*, Menschenrechte. Perspektiven einer menschlichen Welt, ²1978. - *Lendvai, P.* (Hrsg.), Religionsfreiheit und Menschenrechte. Bilanz und Aussicht, 1983. - *Lewek, Chr., u.a.* (Hrsg.), Menschenrechte in christlicher Verantwortung, 1980. - *Lissner, J./Sovik, A.*, A Lutheran Reader on Human Rights, 1978. - *Lochmann, J. M./Moltmann, J.* (Hrsg.), Gottes Recht und Menschenrecht. Studien und Empfehlungen des Reformierten Weltbundes, 1976. - *Lorenz, E.* (Hrsg.), ... erkämpft das Menschenrecht. Wie christlich sind die Menschenrechte?, 1981. - *O'Grady, R.*, Bread and Freedom. Unterstanding and Acting on Human Rights, 1979. - *O'Mahony, P. A.*, The Fantasy of Human Rights, 1978. - *Robertson, A. H.*, Human Rights in Europe, ²1977. - *Schnur, R.* (Hrsg.), Zur Geschichte der Erklärung der Menschenrechte, 1964. - *Schrey, H.-H.*, Wiedergewinnung des Humanum? Menschenrechte in christlicher Sicht, in: ThR 48, 1983, 64-83. - *Smith, B. H.*, Churches and Human Rights in Latin America, in: Journal of Interamerican Studies, 21, 1979, 89-127. - *Sohn, L. B./Buergenthal, Th.*, International Protection of Human Rights, 1973. - The Church and the Rights of Man, in: Conc. 124, 1979. - *Thils, G.*, Droits de l'homme et perspectives chrétiennes, 1981. - *Tödt, H. E.*, Menschenrechte - Grundrechte, in: Christlicher Glaube in moderner Gesellschaft, 27, 1982, 5-57.

W. Huber

MISSION IN DEN RELIGIONEN

1. Keine Expansionsabsichten. 2. Missionarische Aktivitäten durch Druck von außen. 3. Universalanspruch. 4. Neurere Sekten.

Mission als Verkündigung einer Glaubensüberzeugung mit dem Ziel der Bekehrung Andersgläubiger ist eine primär an der christlichen Mission orientierte Vorstellung. Daher ist nach Meinung vieler (z.B. Rosenkranz) die Rede von Mission und Missionaren anderer Religionen „religionsphänomenologisch unzulässig", obwohl religiöse Expansion und Propaganda auch in anderen → Religionen vorkommen. So lassen sich mit Blick auf Expansion und Propaganda religionsgeschichtlich unterschiedliche Verhaltensweisen feststellen:

1. Es gibt eine nicht unbeträchtliche Anzahl von Religionen, die *keine Expansionsabsichten* haben und somit nicht als missionarisch angesehen werden können. Hierfür sind als Beispiele vor allem jene ethnisch homogenen Kulturen zu nennen, die in der Gruppenzugehörigkeit das entscheidende Identitätsmerkmal sehen. Dementsprechend wird auch der einzelne vor allem als Glied der Gemeinschaft gesehen. So ist Religion etwa in *Afrika* nicht in erster Linie für den einzelnen bestimmt, sondern für die Gemeinschaft, der er angehört. Mission des einzelnen ist daher eigentlich nicht möglich; wo sie geschieht, ist die Konversion ein Akt gegen die Gemeinschaft und ihre Wertvorstellungen und wird entsprechend gewertet oder geahndet. Es versteht sich von selbst, daß eine solche Stammesgesellschaft von sich aus nichts unternimmt, um ihren kulturell-religiösen Verhaltenskodex auf andere Gruppen/Stämme zu übertragen.

Ähnliches gilt auch von der offiziellen Kultur/Religion Japans, dem *Shintoismus* (von einigen shintoistischen Sekten einmal abgesehen). Eine Ausweitung, auch wenn sie von konversionswilligen Fremden außerhalb Japans gewünscht wird, ist nicht intendiert; die Errichtung von Shinto-Schreinen außerhalb Japans entspricht nicht der Selbsteinschätzung dieser Religion, die an Japan als Land gebunden ist und folgerichtig nur dort die Errichtung von Shinto-Schreinen vorgesehen hat, wo der japanische Kaiser (Tenno) herrscht, was mit Blick auf die militärisch-politische Expansion Ende des 19. Jahrhunderts und in der ersten Hälfte des 20. Jahrhunderts auch die Errichtung von Shinto-Schreinen in den von den Japanern beherrschten Gebieten außerhalb Japans (z.B. Korea) bedeutete.

Wie der Shintoismus hat sich teilweise auch der *klassische Hinduismus* durch politisch-militärische Ausweitung der Machtbereiche hinduistischer Herrscher ausgebreitet. Hinzu kam eine gewisse kulturell-religiöse Hinduisierung im hinterindisch-indonesischen Raum infolge kultureller Überlegenheit und bisweilen auch im Zusammenhang mit der buddhistischen Mission. Soweit die spärlichen Quellen zu den ersten Epochen der Religionsgeschichte Südostasiens und Indonesiens Rückschlüsse auf die Ausbreitung des Hinduismus zulassen, liegt die Annahme nahe, daß weder eine konkrete Expansionsabsicht vorlag noch eine bewußte Propaganda für eine Hinduisierung betrieben wurde. Selbst in Indien ist ein solches Bestreben bis zum 19. Jahrhundert nicht festzustellen, sieht man von der engagierten Predigt einzelner Gurus, die Anhänger gewannen, einmal ab. Eine Wende erfolgte Ende des 19. Jahrhunderts.

2. Äußere Umstände initiieren missionarische Aktivitäten. Der Hinduismus Ende des 19. Jahrhunderts ist hierfür ein Beispiel. Als Folge der Teilnahme am „Weltparlament der Religionen" (Chicago 1893) schuf Vivekananda in Gestalt der Vedanta-Gesellschaften und der Ramakrishna Mission die ersten Organisationen zur Verbreitung des Hinduismus im Westen. Aus Japan war der Zen-Meister Shaku Soen von Kamakura nach Chicago gekommen und veranlaßte seinen Schüler D. T. Suzuki, in die Vereinigten Staaten zu gehen, um die Publizierung buddhistischer Schriften voranzutreiben. Auch Vertreter des Jinismus waren in Chicago vertreten und konnten bald darauf die „Mahavira Brotherhood" in London etablieren. Damit war der erste Schritt zur Mission östlicher Religionen im Westen getan, wie sie sich seit den sechziger Jahren des 20. Jahrhunderts in großem Ausmaß feststellen läßt.

Unter die ethnisch-regionalen Religionen, die zumindest zeitweise eine Öffnung für Konversionswillige bzw. eine Ausweitung ihres Einflusses befürworteten, fallen - historisch gesehen - auch das *Judentum* und der *Konfuzianismus*.

3. *Universalen Anspruch* erheben traditionellerweise neben dem Christentum in der Geschichte vor allem drei Religionen: *Buddhismus, Manichäismus* und *Islam*. Besieht man die religiöse Propaganda und die Expansionsabsichten näher, so sind hierbei zwei unterschiedliche Konzeptionen vorherrschend: Buddhismus und Manichäismus wenden sich mit ihrer Heilsbotschaft an den einzelnen der Islam hat vor allem die Gesellschaft als ganze im Auge.

3.1 Während der *Manichäismus* von Anfang an systematisch Weltmission betrieb und Mani selbst eine weitgehende Akkulturation als Programm für die → Inkulturation befürwortete, ist die Weltmission des *Buddhismus* wohl erst im 3. Jahrhundert vChr. durch Kaiser Ashoka ausgelöst worden. Seitdem verließen buddhistische Mönche in großer Zahl Indien und kamen so nach Ceylon, Hinterindien, Zentralasien, China und Ostasien. Sie gründeten Klöster und wirkten als Gelehrte besondes anziehend. Demgegenüber war die Predigttätigkeit bis Ashoka auf Indien allein beschränkt. Ziel war es, dem/der Suchenden Antwort auf seine/ihre Fragen zu geben und ihn/sie anzuleiten, die Selbst-losigkeit des Buddhismus konsequent einzuüben. Eine alle Bereiche des gesellschaftlichen Lebens umfassende Durchdringung des buddhistischen Denkens war nicht intendiert, weshalb sich die buddhistische Ethik für die Laien auf einige grundsätzliche Prinzipien beschränkte, ansonsten aber noch andere Wertvorstellungen nicht-buddhistischen Ursprunges zuließ.

Ausbreitungsgeschichtlich ist noch anzumerken, daß der Buddhismus in manchen Ländern nicht durch missionarische Tätigkeit von Mönchen bekannt geworden ist, sondern weil beispielsweise fremde Herrscher buddhistische Statuen und Texte an andere Herrscher als Gastgeschenke (z.B. von Korea nach Japan) schickten und dadurch Neugierde auslösten, so daß Beamte zum Studium des Buddhismus ins Ausland geschickt wurden und nach ihrer Rückkehr dann missionarisch tätig waren.

Die zunehmende Buddhisierung ganzer Länder hatte zweierlei Folgen: Sie machte eine Präzisierung der Ethik für den buddhistischen Laien im Alltag notwendig und führte zugleich zu einer Loslösung von typisch indischen Denkvorstellungen, um eine echte Inkulturation zu ermöglichen (vgl. etwa die Seelen- und Wiedergeburtsvorstellungen des chinesischen Buddhismus mit denen des ceylonesischen oder thailändischen).

3.2 Einen eindeutig universalen Anspruch erhebt der *Islam* (vgl. Koran 9,33). Sein Ziel ist eine Gemeinschaft, die zum Guten aufruft, gebietet, was recht ist, und verbietet, was verwerflich ist, und dies im Glauben an Gott (vgl. Koran 3,104.110). Die *Einladung* (dawa) zum Glauben, die gewöhnlich im Deutschen mit „Mission" wiedergegeben wird, hat von daher eine doppelte Aufgabe: nach innen für die Einhaltung der islamischen Ordnung (Sharia) zu sorgen und nach außen die Ausweitung des „Hauses des Islam" voranzutreiben. Während die klassischen Rechtsbücher bei dieser Ausweitung nicht selten an politische (auch militärische) Aktionen des Islam denken, überwiegen heute die Stimmen, die sagen, daß nur mangelnde Information und fehlende Sachkenntnis schuld seien, um zu erklären, weshalb nicht allen Menschen Muslime sind. Eine geeignete Aufklärungskampagne ist daher notwendig. In diesem Sinne ist die (nicht von alle Muslimen als echt islamisch anerkannte) Sekte der Ahmadiyya tätig. Ähnliche Ziele verfolgen die Weltmoslemliga in Saudi-Arabien und andere islamische Organisationen. Sie alle sind bestrebt, überall Informationszentren zu gründen, um so der Islamisierung zu dienen. Oberstes Ziel ist und bleibt die Einführung des islamischen Gesetzes (sharia), das ein Sonderrecht für geduldete Andersgläubige (z.B. Christen, Juden; vgl. Khoury) vorsieht, wodurch deutlich wird, daß es primär um die islamische Gemeinschaft (umma) und nicht so sehr um den einzelnen im Staate geht.

4. *Neuere Sekten* innerhalb des Buddhismus und Islam sowie viele der sog. *„neuen Religionen"* (z.B. Bahai-Religion, Vereinigungskirche) treiben - dem Beispiel christlicher Mission folgend - in ihren Ursprungsländern, sowie häufig auch weltweit, intensiv Mission und verzeichnen dabei nicht selten beträchtliche Erfolge.

Lit.: *Antes, P.*, Ethik und Politik im Islam, 1982. - *Ders.*, „Mission" im Islam, in: „... denn Ich bin bei Euch". Perspektiven im christlichen Missionsbewußtsein heute. Festgabe für Josef Glazik und Bernward Willeke zum 65. Geburtstag, hg. v. Hans Waldenfels, 1978, 375-381. - *Bechert, H.*, Die Ethik der Buddhisten, in: P. Antes u.a., Ethik in nichtchristlichen Kulturen, 1984, 114-135. - *Decret, F.*, Mani et la tradition manichéenne, 1974. - *Dufourcq, C. E.*, La Vie quotidienne dans l'Europe médiévale sous domination arabe, 1978. - *Gundert, W.*, Japanische Religionsgeschichte. Die Religionen der Japaner und Koreaner in geschichtlichem Abriß dargestellt, 1943. - *Höfer, A./Prunner, G./Kaneko, E. u.a.*, Die Religionen Südostasiens, Reihe: Die Religionen der Menschheit, Bd. 23, 1975. - *Holt, P. M./Lambton, A. K./Lewis, B.* (Hrsg.), The Cambridge History of Islam, 2 Bde, 1970. - *Hummel, R.*, Indische Mission und neue Frömmigkeit im Westen. Religiöse Bewegung Indiens in westlichen Kulturen, 1980. - *Hutten, K./v. Kortzfleisch, S.*, Asien missioniert im Abendland, 1962. - *Jomier, J.*, Mission dans l'Islam, in: Dictionnaire des Religions, hg. v. P. Poupard, 1984, 1118f. - *Kehrer, G.* (Hrsg.), Das Entstehen einer neuen Religion. Das Beispiel der Vereinigungskirche, 1981. - *Khoury, A. Th.*, Toleranz im Islam, 1980. - *Lamotte, E.*, Asoka et les missionnaires bouddhiques, in: Buddhism, Studia Missionalia XII, 1962, 35-49. - *Lanczkowski, G.*, Die neuen Religionen, 1974. - *Massein, P.*, Missions bouddhiques, in: Dictionnaire des Religions, hg. v. P. Poupard, 1984, 1119f. - *Mbiti, J. S.*, Afrikanische Religion und Weltanschauung, 1974. - *di Nola, A. M.*, Missioni e Missionologia, in: Enciclopedia delle Religioni, Bd. IV, 1972, 418-453 (Lit.). - *Rosenkranz, G.*, Mission I, in: RGG[3] IV, 969-971. - *Stöhr, W./Zoetmulder, P.*, Die Religionen Indonesiens, Die Religionen der Menschheit Bd. 5, 1, 1965. - *Zürcher, E.*, The Buddhist Conquest of China, 2 Bde, 1972, insbes. Bd. 1, 1-80.

P. Antes

MISSIONAR I. (EV.)

1. Definition. 2. Zur Geschichte. 3. Ekklesiologische Aspekte. 4. Partnerschaftsprobleme.

1. Unter Missionaren versteht man Christen, welche die Aufgabe übernommen haben, jenseits der Grenzen der organisierten Christenheit ihren Glauben zu

verbreiten. Das lateinische Wort missionarius ist die z.Z. der iberischen Übersee-
mission geprägte Übersetzung des griechischen apostolos, mit dem nach Lk 6,12
Jesus seine zwölf Jünger anläßlich ihrer ersten, vorösterlichen Aussendung bezeichnet hat. Im erweiterten Sinne wurden ursprünglich auch einige enge Mitarbeiter der Zwölf als Apostel bezeichnet, z.B. Barnabas, Silas und Timotheus. In
der Spätzeit der ntl. sowie in der nachapostolischen Periode setzt sich für den
missionarischen Dienst die Bezeichnung „Evangelist" (Apg 21,7; Eph 4,11; 2Tim
4,5) durch. Bei der 7. → Weltmissionskonferenz in Mexico City übernahm die
Kommission für Weltmission und Evangelisation des ÖRK die zuvor in Toronto
geprägte Definition: „Der Missionar ist Diener einer Kirche, der sein Land oder
seine Kultur verläßt, um das Evangelium zu verkündigen in → Partnerschaft mit
der Kirche, wo sie schon am Wirken ist, oder in der Absicht, die Kirche dort zu
pflanzen, wo sie noch nicht gepflanzt ist."

2. Missionare hat es unter verschiedenen Bezeichnungen und in unterschiedlicher hierarchischer Stellung als Laien, Mönche (→ Mönchtum), Wanderpredi-
ger, Priester und auch Bischöfe zu allen Zeiten der Kirchengeschichte gegeben.
Anfang des 2. Jahrhunderts nChr. berichtet die Didache XI, 3-6 von reisenden
Aposteln, die ohne örtliche Bindung ihr Leben der evangelistischen Verkündigung
widmen. Obwohl die Ausbreitung des Christentums und die Pflanzung der Kirche
weitgehend dem spontanen Zeugnis reisender Christen sowie der planmäßigen
Organisation durch die kirchliche Hierarchie zu verdanken ist, hat es dabei immer
Menschen gegeben, die einem inneren göttlichen Rufe folgend ihre Existenz der
Glaubensverbreitung weihten und dafür in der Regel auch eine kirchliche oder sogar staatliche Bestätigung und Beauftragung empfingen, durch Bischöfe, Ordens-
obere, Päpste, Könige und → Missionsgesellschaften. Zu besonderer kirchenge-
schichtlicher Bedeutsamkeit gelangten die Nestorianer-Missionare in Ostasien, die
iroschottischen Missionare in England, West- und Zentraleuropa, die angelsächsischen Sendboten Willibrord und Winfried Bonifatius, Erzbischof Ansgar in Skandinavien, die Sklavenmissionare Methodius und Kyrill und später die Sendboten
der großen Missionsorden der Franziskaner, Dominikaner und Jesuiten.

Auf protestantischer Seite gab es zunächst einige missionarische Vorläufer
ohne kirchlichen Sendungsauftrag, wie den Lutheraner Justinian Freiherr von
Weltz, bis es im Zeitalter des Pietismus und der Erweckungsbewegungen seit dem
18. Jahrhundert zur Gründung evangelischer Missionsgesellschaften und der Aussendung von Missionaren kam (Dänisch-Hallesche Mission, 1706; Herrenhut
1732; William Carey's Baptistische Missionsgesellschaft 1793). Einen Höhepunkt
bedeutete die 1886 von D. L. Mooody gegründete Student Volunteer Movement
(Studentenbund für Mission), durch welche über 25000 junge Akademiker nach
Afrika und Asien ausgesandt wurden. In Deutschland ging der Weg in den Missionsdienst über die Missionsseminare, auf denen jungen, schon im Berufsleben
stehenden Menschen, die sich berufen fühlten, eine nichtakademische Spezialaus-
bildung mit anschließender Einsegnung und Aussendung durch die Missionsgesellschaft vermittelt wurde.

Nach dem Zweiten Weltkrieg (z.T. schon vorher) geriet aufgrund des Erwa-
chens des Nationalismus, der Entkolonisierung der überseeischen Missionsländer
und der Verselbständigung der einheimischen Kirchen die wesentlich vom Westen

ausgehende internationale Missionsbewegung in eine geschichtliche *Krise*, von der insbesondere auch die Missionare in ihrer bisherigen dominierenden Rolle und in ihrem Selbst- und Sendungsverständnis betroffen wurden. Sowohl äußere Behinderungen in Gestalt verweigerter Einreise- und Aufenthaltsgenehmigung als auch innere Spannungen mit den einheimischen Kirchen führten dazu, daß viele ältere Missionsgesellschaften ihre Missionare abzuziehen begannen und nur noch wenige besonders angeforderte Mitarbeiter als „Fraternal Workers" für spezielle Dienste auf Zeit aussandten. Auf der 8. Weltmissionskonferenz zu Bangkok 1973 wurde den westlichen Kirchen empfohlen, ein *Moratorium*, einen zumindest zeitweiligen Aussendungsstop für ihre Missionare einzulegen. Wenn trotz dieser drastischen Reduzierung die Gesamtzahl der heute in aller Welt tätigen protestantischen Missionare nicht geschrumpft, sondern von ca. 35000 im Jahre 1945 auf 60000 im Jahre 1985 gestiegen ist, so ist dies wesentlich auf drei Faktoren zurückzuführen: (1) das Neuerwachen des Missionsbewußtseins der Evangelikalen, unter denen es zu einer „zweiten Missionsbewegung" (P. Beaver) kam, und die 1974 auf dem Internationalen Kongreß für Weltevangelisation in Lausanne eine verstärkte Inangriffnahme der Evangelisierung der damals auf 2,7 Milliarden geschätzten Nichtchristen forderten; (2) den Einsatz von „Missionaren auf Zeit"; (3) den Eintritt junger Kirchen der Dritten Welt in die Entsendung von Missionaren jenseits ihrer Grenzen.

3. Über die Frage, ob zu den mannigfaltigen Dienstämtern der Kirche das des Missionars wesentlich gehöre, oder ob dies nur eine - mit der kolonialen Epoche verknüpfte - vorübergehende Erscheinung gewesen sei, ist im Zusammenhang mit dem Moratoriumsvorschlag gestritten worden. Für die Permanenz sprechen nicht nur die Tatsachen der Geschichte in Vergangenheit und Gegenwart, sondern spricht vor allem eine ekklesiologische Besinnung auf sein Wesen. Hierbei müssen allerdings die historisch bedingten Variablen seiner Erscheinungsform, zu denen auch der Name gehört, und die konstitutiven Wesensmerkmale unterschieden werden. Diese lassen sich aus Vergleichen von Definitionen des Begriffs „Missionar" erschließen, die in den letzten Jahrzehnten unabhängig voneinander von protestantisch-ökumenischer, von evangelikaler und von römisch-katholischer Seite gegeben worden sind:

3.1 *Der ministeriale Aspekt.* Auch wenn heute ein transkonfessioneller missionstheologischer Konsens darüber herrscht, daß die Kirche, das neue Gottesvolk, als ganze an der *missio dei*, der Sendung des dreieinigen Gottes in die Welt, partizipiert und daß kraft des allgemeinen Priestertums jeder Christ aufgerufen ist, seinen Glauben in seiner Umwelt evangelistisch zu bezeugen, so besteht zugleich auch darüber Einmütigkeit, daß durch eine besondere geistliche Berufung und charismatische Begabung der → Heilige Geist einzelnen Christen den besonderen Auftrag gibt, ihr Leben ganz in diesen Dienst zu stellen, und daß es der Kirche obliegt, durch einen äußeren Akt der Beauftragung diese innere Berufung zu bestätigen und durch eine Aussendung zu konkretisieren (vgl. Apg 13,1-3). In diesem Sinne ist der Dienst des Missionars ein geistlicher Konzentrationspunkt der missionarischen Gesamtberufung der Gemeinde Christi, während zugleich durch diesen Dienst die übrigen Glieder an ihre evangelistische Berufung erinnert werden.

3.2 *Der grenzüberschreitende Aspekt.* Im Unterschied zu den meisten übrigen Christen schließt für den Missionar seine Sendung die Berufung ein, geographische und kulturelle Grenzen zu überschreiten, um in einer ihm fremdartigen Umgebung - evangelikale Missiologen unterscheiden im Gefolge von Ralph Winter die Stufen der missionarisch zu überwindenden transkulturellen Kluft mit den Chiffren M1, M2, M3 - seinen Dienst zu tun. Dieser Auftrag verlangt von dem Missionar persönliche Opfer und zugleich die Bereitschaft und Fähigkeit, sich der andersartigen Kultur, den unterschiedlichen Denk- und Gefühlsstrukturen und sozialen Lebensbedingungen anzupassen (vgl. 1Kor 9,19-23). Gleichzeitig soll der Missionar aber seiner Pilgerexistenz eingedenk sich bereithalten, seine Zelte abzubrechen, um den missionsgeschichtlichen Erfordernissen entsprechend sich in neue Gebiete zur Übernahme neuer Aufgaben berufen zu lassen.

3.3 *Der ökumenische Aspekt.* Der Missionar ist nach Douglas Webster das „Geschenk einer Kirche an eine andere Kirche"; d.h. aufgrund seiner Entsendung aus dem Raum einer Teilkirche in den einer anderen vollzieht sich ein Austausch geistlicher Erfahrungen und Erkenntnisse innerhalb der universalen Kirche. Kirchenrechtlich gesehen wird der Missionar ein Amtsträger der ihn empfangenden Kirche und untersteht ihren Weisungen, ohne zugleich seine Verantwortung und bleibende Heimat in seiner ihn entsendenden Kirche aufzugeben.

3.4 *Der evangelistische Aspekt.* Letztlich ist der Bestimmungsort des Missionars nicht die einheimische Kirche, sondern es sind die von der Christusbotschaft noch nicht Erreichten, denen das Evangelium glaubenweckend zu verkündigen ist mit dem Ziel der Bekehrung und der Einpflanzung neuer Gemeinden. Es kann allerdings auch die Aufgabe von ausländischen Missionaren sein, das missionarische Bewußtsein einer einheimischen Kirche zu stärken und sie durch die Vermittlung seiner Talente zur Wahrnehmung ihres Missionsauftrages zu ertüchtigen.

Nachdem seit den fünfziger Jahren fast alle von westlichen Missionsgesellschaften gegründeten Missionskirchen in die organisatorische Selbständigkeit entlassen worden waren, entstand zwar zunächst der Eindruck, daß damit die Notwendigkeit weiterer Entsendungen westlicher Missionare entfallen sei. Doch eingehende ethno-soziologische Untersuchungen erwiesen diesen Schluß als voreilig: Teils in unmittelbarer Nachbarschaft der jungen Kirchen, und auch älterer Kirchen im Westen!, teils in relativer Entfernung von ihnen wurden ganze Blöcke völkischer Gemeinschaften entdeckt, die aus sprachlichen, soziologischen oder politischen Gründen von der geistlichen Ausstrahlung der einheimischen Kirche fast unberührt geblieben waren und die ohne die transkulturelle Entsendung von Missionaren auch weiterhin ihr nichtchristliches Eigenleben führen würden. Zu diesen unerreichten Einheiten gehören einerseits die Mehrheit der Anhänger der asiatischen Hochreligionen (Mosleme, Hindus, Buddhisten) als auch übersehene Völkerschaften *(hidden peoples)* animistischer Kulte, wie schließlich die säkularisierten, bisweilen schon im Zugriff atheistischer Ideologien stehenden Bevölkerungsschichten moderner Großstädte in allen Kontinenten. Hier haben sich überraschend unerschöpfliche Betätigungsfelder für Missionare verschiedener Herkunft und auch unterschiedliche Funktionen auf medizinischem, pädagogischem, landwirtschaftlichem, technischem, literarischem oder sonstigem Gebiete ergeben, die das vermeintlich schon eingetretene „Ende des missionarischen Zeitalters" in eine unabsehbare Zukunft hinausgeschoben haben.

4. Die Arbeitsweise und Stellung von Missionaren hat zu allen Zeiten einem ständigen, durch die wechselnden Situationen und Erfordernisse bedingten Wandel unterlegen. Während des modernen Missionszeitalters in der kolonialen Geschichtsepoche unterschied man zwischen drei einander folgenden Stadien: Im *Pionierstadium* wirkten Missionare als wandernde Evangelisten, Gründer von Gemeinden und Institutionen wie Schulen und Kliniken sowie als Bibelübersetzer. Im *patriarchalischen Stadium* rückten sie in die Leitungsstellungen in den einheimischen Kirchen und Missionsinstitutionen auf und erzogen die einheimischen Mitarbeiter zur graduellen Übernahme von Verantwortung. Im *Devolutionsstadium* übergaben sie schrittweise ihre leitende Verantwortung an die einheimischen Mitarbeiter, um so die „Euthanasie der Mission" (Henry Venn 1851) - das Überflüssigwerden ausländischer Missionare im Bereich der selbständigen jungen Kirche - zu vollziehen, um danach selber neue Missionsprojekte in den noch unerreichten Gebieten in Angriff zu nehmen. Missionsgeschichtlich führte dieses pädagogische Handeln zu Spannungen zwischen den ungeduldig ihre Selbständigkeit verlangenden einheimischen Kirchen und den ausländischen Missionaren und zu dem emotionalen Ruf „Missionary go home!". Der Erörterung und Lösung dieser Spannung dienten zahlreiche Konsultationen und Vorschläge, die von der vollständigen Integration der Missionare in die einheimische Kirche über deren partnerschaftliche Kooperation mit der selbständig bleibenden Missionsorganisation bis hin zu der erwähnten Moratoriumsempfehlung reichten.

Obwohl Spannungen dieser Art im Wesen der menschlichen Natur und auch in den völkischen und kulturellen Gegensätzen begründet sind und nie völlig verschwinden werden, können sie doch in dem Maße abgebaut werden, wie beide Seiten in wahrhaft ökumenischem Geist die grundlegende Einheit der universalen Kirche und die gegenseitige Verantwortung aller Glieder füreinander im Gehorsam gegenüber dem gemeinsamen Haupte Christus (dies ist der Sinn der Formel von Whitby 1947 „Partnerschaft im Gehorsam"!) anerkennen, als auch die Priorität des unvollendeten Missionsauftrages an der zu 2/3 noch nicht christianisierten Menschheit. Für die Missionare ergibt sich aus ihrer heiklen Stellung die beständige ethische Aufgabe, ihr eigenes Selbst zurückzunehmen und sich in den Tugenden der Demut und der Bruderliebe zu üben, und zwar in deren sozial-anthropologischen Gestalt der Solidarität und Identifikation. Die dafür notwendige geistliche Kraft der Selbstüberwindung und Hingabe kann nur aus der immer erneuten Erweckung des Berufungsbewußtseins und in der Entwicklung des geistlichen Lebens erwachen, für dessen Pflege sowohl die einheimischen Kirchenleitungen als auch die heimatlichen Missionswerke mitverantwortlich sind.

P. Beyerhaus

MISSIONAR II. (KATH.)

Im katholischen Raum führten das Missionsdekret Ad gentes und das Apostolische Schreiben Evangelii nuntiandi zu bedeutsamen Akzentverschiebungen. Da Mission letztlich im Liebeswollen des Vaters und in den Sendungen des Sohnes und des Heiligen Geistes gründet (Ad gentes 2-4), ist die Kirche als die von Christus Gesandte und das universale Heilssakrament (Lumen gentium 48, Ad gentes 1-5) ihrem Wesen nach missionarisch. Missionar ist nicht, wer sein Land und seine Kultur verläßt, sondern an der Sendung der Kirche zu den Völkern teilnimmt. Den Namen Jesu als Herold verkünden (1Tim 2,7; 2Tim 1,11), die Welt in Christus wieder unter ein Haupt fassen (Eph 1,10), die zerstreuten Kinder Gottes sammeln (Joh 11,52), in all dem besteht die Aufgabe des Missionars. „Mission" ist nicht ein Territorium oder die Missionsstation, auch nicht das auswärtige Missionspersonal im Gegensatz zur Ortskirche, hat erst recht nichts mit → Kolonialisierung zu tun; Mission geht es, technisch gesprochen, um die „Evangelisierung und die Einpflanzung der Kirche bei den Völkern und Gemeinschaften, bei denen sie noch nicht Wurzel gefaßt hat" (Ad gentes 6). Vollends Abstand vom geographischen Missionsverständnis nahm das Rundschreiben Evangelii nuntiandi, das immer wieder von „Mission", „missionarischer Tätigkeit" und „Missionaren" spricht, aber nie im geographischen Sinn. Das hat Konsequenzen:

• Missionar ist, wer „Missionsarbeit" tut, d.h., wer an der *Ausbreitung des Reiches Jesu Christi* arbeitet, sei er Priester oder Laie, Weltpriester oder Angehöriger eines Ordens, Ausländer oder Einheimischer, Künder des Wortes oder im Dienst der Liebe stehend. Wie das Heil Jesu Christi universales und umfassendes Heil ist, geht es dem Missionar um die ganze Welt und um umfassendes Heil. So bestimmt auch das neue katholische Kirchenrecht den Begriff des Missionars (can 784), fügt allerdings das Moment der Sendung durch die zuständige kirchliche Autorität hinzu.

• Die *Grenzüberschreitung*, von der die Missionstheologie spricht, ist primär *qualitativ* zu verstehen (vgl. Phil 2,7); es geht darum, sich loszulassen, sich selbst zu transzendieren, einzugehen in die Dynamik der Kirche, der jede satte Ghettomentalität zuwider ist und die gerade zu denen drängt, die abseits und auswärts stehen, eins zu werden mit Christus, der wesentlich Wort für die Welt ist und als der mystische Herrenleib der eschatologischen Fülle entgegenwächst.

• „Moratorium" gibt es nur als Methode, nicht als Prinzip der Kirche. Solange es Kirche gibt, steht sie unter dem *Gesetz der Ausbreitung*, des Wachstums, des Unterwegs, der stetigen Selbsterneuerung („Selbstevangelisierung", vgl. Evangelii nuntiandi 15). Da Kirche heute irgendwie überall verwirklicht ist, wird Mission immer mehr zu universalem Austausch, Verantwortlichkeit aller Kirchen für alle Kirchen, wobei allerdings die Unterschiedlichkeit der Präsenz der Kirche in den einzelnen Ländern unterschiedliches Engagement erfordert. Die immer mehr um sich greifende Säkularisierung in den traditionellen christlichen Ländern führte dazu, auch im katholischen Bereich von „Mission in sechs Kontinenten" zu sprechen.

• Missionar-sein bedeutet zunächst *Spiritualität*: Radikale Nachfolge, Gehorsam, Antwort auf einen Ruf, Freimut, Zeugnis des Lebens (vgl. Ad gentes

23f). Eine so hohe Aufgabe erfordert eine entsprechende geistliche, wissenschaftliche und menschliche Vorbereitung (ebd. 25f) und ist am ehesten in Gemeinschaften (Missionsinstituten) garantiert (ebd. 27; Evangelii nuntiandi 69). Wer sich auf Lebenszeit oder wenigstens auf längere Zeit der Aufgabe weiht, den „Namen, die Lehre, das Leben, die Verheißungen, das Reich, das Geheimnis von Jesus von Nazareth, des Sohnes Gottes" als Herold zu verkünden (Evangelii nuntiandi 22), heißt Missionar im eigentlichen Sinn. Die Kirche erwartet solch „missionarischen Elan" gerade heute und in verstärktem Maß, da manche meinen, „die Entsendung von Missionaren gehöre der Vergangenheit an" (ebd. 53).

K. Müller

Lit.: *Beyerhaus, P.*, Die Selbständigkeit der jungen Kirchen als missionarisches Problem, ³1961. - *Ders.*, The Ministry of Crossing Frontiers, in: P. Beyerhaus/C. F. Hallencreutz (Hrsg.), The Church Crossing Frontiers. Essays on the Nature for Mission, 1969, 36-54. - *Collet, G.*, Das Missionsverständnis der Kirche in der gegenwärtigen Diskussion, 1984. - *Dodge, R. E.*, Der unbeliebte Missionar, 1965. - *Griffiths, M.*, Es gibt Größeres, 1972. - L'Annuncio del Vangelo Oggi, Commento all'Esortazione Apostolica di Paolo VI „Evangelii Nuntiandi", hg. v. Pont. Università Urbaniana, 1977. - *Margull, H.-J./Freytag, J.*, Keine Einbahnstraße. Von der Westmission zur Weltmission, 1973. - *Müller, K.*, Missionstheologie. Eine Einführung, 1985. - *Raguin, Y.*, I am sending you ... (John 22,21): Spirituality of the Missioner, 1973. - *Reilley, M. C.*, Spirituality for Mission, 1978. - *Rzepkowski, H.*, Der Welt verpflichtet. Text und Kommentar des Apostolischen Schreibens Evangelii Nuntiandi über die Evangelisierung in der Welt von heute, 1976. - *Schille, G.*, Die urchristliche Kollegialmission, 1968. - *Schmithals, W.*, Das kirchliche Apostelamt, 1961. - *Schütte, J.*, Mission nach dem Konzil, 1967 (speziell: K. Müller, Die Missionare, zu Ad gentes Nr. 23-27, 268-293). - *Schultz, G.*, Kein Platz mehr für Weiße, 1958. - *Webster, D.*, What is a Missionary?, ⁴1954.

MISSIONSFEST

1. „Missionsfest". 2. Fest und Mission.

1. Mit dem Erstarken und Erwachen des Missionsgedankens in den evangelischen Kirchen Deutschlands entstand das jährliche Missionsfest innerhalb der → Missionsgesellschaften, Missionsvereine und Landeskirchen. So kann zu Recht gesagt werden, daß die Leistung und das Erstarken der evangelischen Missionen auf das Missionsfest zurückzuführen sind. Das Missionsfest ist bei der evangelischen Missionsbewegung und in der Gemeinde von einer solchen Bedeutung, „daß kein Kirchenhistoriker des letzten Jahrhunderts ohne Vermerk an ihnen vorübergehen darf" (Anton Freitag). Durch das jährliche Missionsfest wurde die Missionsidee zu einem tragenden Gedanken und prägenden Faktor des kirchlichen Lebens. Es wurde nicht nur der Missionsgedanke vertieft und in die Gemeinde getragen, sondern auch die Gemeinde wurde in ihrem Christsein und in der Missionsvorstellung durch Generationen wesentlich geprägt. Es gab zwar in der evangelischen Kirche Deutschlands keine einheitliche Ordnung (Agenda) für das Missionsfest, aber es war für fast alle Gemeinden und Bevölkerungsschichten religiös bestimmend.

Die Wurzeln des Missionfestes sind in der großartig und breit gestalteten Dreihundertjahrfeier der Reformation zu suchen, in dem alljährlichen Fest und Gemeindetag in der Erweckungsbewegung. Die großen Gottesdienste und Predigten der Erweckungsbewegung wurden durch den Leiter der Bewegung J. H. Volkening (1796-1877) eingebracht. Er wurde zu einem der mächtigsten Anreger der Missionsfeste. Er regte das Ravensberger Missionsfest in Rheinland-Westfalen an und gestaltete und prägte es wesentlich. Es war das größte und älteste Fest in diesem Kirchengebiet (erstes Fest 1.6.1841). Das erste Missionsfest zu Hermannsburg wurde am 20. Juli 1851 veranstaltet. Die Baseler Missionsfeste haben ihren Anfang im Jahre 1821. In Barmen wurde die Tradition 1824 begonnen. Das erste Missionsfest in Pommern feierte man im Jahre 1831, die Gemeinde Wusterwitz (Pommern) hatte ihr Missionsfest seit 1835. Das Missionsfest des bayerischen Missionsvereins, das von Anfang an landeskirchlichen Charakter hatte, wurde seit 1845 in Nürnberg gestaltet. 1870 wurde das erste Missionsjahresfest in Gunzenhausen gefeiert. Ostfriesland erhielt in Strackholt 1882 sein Missionsfest.

Durch drei Aspekte wird das Missionsfest bestimmt, durch die Freude, die Öffentlichkeit und die Gemeinschaft. Die Freude über das Heil und die Verkündigung an alle Welt stehen im Vordergrund. Es geht dann um die Sichtbarmachung des Gesamtherrschaftsanspruches Jesu Christi und seines Evangeliums. Die Mission ist Wesen und Auftrag der Kirche. Daraus folgt für das Missionsfest, daß es den Charakter der Communio hat, und zwar übergemeindlich.

Die Missionsfeste hatten eine starke Öffentlichkeitswirkung und besaßen alle eine große Anziehungskraft. „Auf dem Missionsfest haben wir es, wo es recht verstanden und gestaltet wird, nämlich nicht als Sache von Missionsfreunden, sondern als Verkündigung des Evangeliums, mit communio sanctorum zu tun" (Holsten). In einer allgemeinen theologischen Einordnung: „Die Missionsfeste sind christologische Freudenfeste" (Ruf). Neben den innerkirchlichen Bewegungen, die auch dem Missionsgedanken Anregung gaben, wirkten sich die Bibelstunden und Missionsstunden auslösend für die Missionsfeste aus. Diese Stunden wurden vielfach von den älteren Pastoren angefeindet, und die Prediger dafür mußten auf Privatlokale ausweichen, da sie zum Kirchenraum keinen Zugang hatten. Der Zulauf der Bevölkerung war dadurch um so stärker. Vorbildlich für die Anträge und die Verbreitung der Missionsfeste waren zudem fest in den kirchlichen Jahresablauf eingefügte Kollekten für den Gustav-Adolf-Verein, die Bibelgesellschaft und das Diakonische Werk. Sodann kannte man Kollekten für den Jerusalemverein und die Judenmission. Der jährliche Rhythmus wurde hier auch aufgegriffen, man wollte aber nicht nur eine Missionskollekte, sondern zugleich die Verbindung mit einem Fest und einem Gottesdienst. Der lebendige Missionssinn der Gemeinde sollte gestärkt und das Fest zum Sammelpunkt der Missionsbegeisterung werden. Das alljährliche Missionsfest an einem bestimmten Termin diente der Einwurzelung und bewirkte seine Gestaltung als Volksfest. Neben der innerkirchlichen Feier mit der Missionspredigt im Mittelpunkt hat das Fest einen zweiten Teil: eine öffentliche Feier. Diese Nachfeier ist wesentlich, da sie das Fest in der Bevölkerung verankert.

Die Orte der Missionsfeste haben einen ehrwürdigen Hintergrund durch eine langjährige Tradition. Die Missionsfeste sind eine Sonderentwicklung in der deutschen evangelischen Kirche. „Die spezifisch deutschen Methoden der heimatlichen Missionspflege sind Missionsstunde und Missionsfeste" (Richter).

Durch deutsche Missionare wurde das Missionsfest aber auch in den überseeischen Missionsgebieten eingeführt, und es fand, durch deutsche Prediger und Missionare angeregt, auch seinen Eingang in andere europäische Länder bis in die baltischen Staaten und die Missionsgebiete der einzelnen Gesellschaften. In der evangelischen Kirche kennt man einen feierlichen alljährlichen Missionsgottesdienst in den Gemeinden. Unter großem Aufwand werden in größeren Orten und vor allem in Städten Missionswochen veranstaltet. In allen Gemeinden findet außerdem einmal im Jahr gleichzeitig ein Missionstag statt (February Simultaneous Meetings).

Mit den Missionsfesten wurden neue Gedanken und Elemente in das gottesdienstliche Leben der Gemeinden eingeführt. Sie wurden für die „geistliche Belebung unseres Volkes von epochemachender Bedeutung" (Warneck). Die ersten und großen Missionsfeste waren kirchliche Ereignisse. Sie waren vielfach in größere Erweckungsbewegungen integriert. Je mehr die Missionsfeste den Charakter und die Einfärbung von christlichen Volksfesten annahmen, desto mehr wurden sie für das religiöse Leben der Heimat bestimmend.

In der Anregung und Begründung von Missionsfesten waren eine Reihe von großen Prediger- und Missionsgestalten prägend: der „Missionsvater" Johann Heinrich Volkening, Christian Gottlieb Blumenhardt, Gustav Knak, Joseph Josenhans, Johannes Evangelista Goßner, Claus Harms, Louis Harms, Wilhelm Löhe, Remmer Janssen, Johannes Hesse, Gustav Warneck.

Durch die Missionsfeste wurde eine ganze Reihe von Formen und künstlerischen Arbeiten angeregt. Es entstanden eigene Missionserzählungen, Missionsgedichte und Missionslieder (Knak und Freitag). Von ziemlichem Einfluß waren die „Kleine Missionsharfe" (Volkening) und das „Missionsliederbuch" (Josenhans). Die Posaunenchöre wurden neu gegründet oder bestimmend in die Feste eingebunden, so daß Volkening zum Förderer und Begründer auch der Posaunenchöre wurde.

Das jährliche Missionsfest ist das „einzige Volksfest, das der Protestantismus in Deutschland geschaffen hat" (Gründer).

Katholischerseits begann man den Gedanken eines Missionsfests erst im Jahre 1910 zu verwirklichen. Das erste katholische Missionsfest wurde am 23.1.1910 in Basel gefeiert. Es schlossen sich in rascher Folge andere Orte an, die aber nicht wie das evangelische Vorbild eine solche örtliche Tradition gewannen. Als das erste deutsche Missionsfest wurde das Fest am 5.2.1911 in Fulda gezählt. Die Anregung ging bei allen diesen Festen auf das evangelische Vorbild zurück und wurde durch die Katholikentage immer wieder gefordert. So wurden in Breslau (1909), in Mainz (1911) und in Aachen (1912) Resolutionen zur Einführung eines allgemeinen Missionstages oder Missionsfestes gefaßt, um die Gemeinden in ausführlicher Form und feierlicher Weise einmal im Jahr auf die Mission hinzuweisen, „wie es auch bei den Protestanten geschieht" (Wesche). Diese Ansätze wurden dann in der Errichtung eines Missionssonntags für die ganze katholische Kirche eingefangen. Die Einführung geht auf eine persönliche Initiative von Papst Pius XI (1857-/1922/-1939) zurück. Es ist am vorletzten Sonntag im Oktober in allen Diözesen jährlich ein allgemeiner Missionssonntag vorgeschrieben, der vor allem als Gebets-, Werbe- und Sammeltag für die Evangelisierung gedacht ist (AAS 19, 1927, 23f). Die Bedeutung des Sonntags wurde durch eine besondere päpstliche Botschaft zu dem jeweiligen Sonntag hervorgehoben. Das neue Kirchenrecht (1983) schreibt diesen Sonntag zur Pflege der Mitarbeit an der Missionsaufgabe in den einzelnen Diözesen vor: Es „ist jährlich ein Missionssonntag zu halten" (CIC can 791,3).

Diesem Sonntag entspricht auf evangelischer Seite am ehesten der „Rogate-Sonntag" als Weltmissionssonntag.

Vergleicht man die evangelischen und die katholischen Missionsfeste, so werden Unterschiede sichtbar. Das evangelische Missionsfest war durch und durch volkstümlich, das katholische zeigte eher feierliche, akademische Züge. Die katholischen Missionsfeste und Jubelfeiern hatten eine größere Nähe zur Kolonialpolitik und Weltpolitik des deutschen Reiches. Oft standen sie in einem direkten Zusammenhang mit großen Veranstaltungen der organisierten Kolonialbewegung wie die seit 1905 in Verbindung mit den Deutschen Kolonialkongressen veranstalteten „allgemeinen katholischen Missionsfeiern" in Berlin. Auf katholischer Seite entsprechen den evangelischen Missionsfesten in der Gestaltung und in der innerkirchlichen Bedeutung am ehesten die Wallfahrten mit Gottesdiensten, Predigt, jährlicher kirchlicher Einbindung, volkstümlicher Ausgestaltung und Einwirkung auf die persönliche Frömmigkeit.

Epiphanie, das Missionsfest: Epiphanie (das Dreikönigsfest, 6. Januar) wurde innerhalb der katholischen Missionsorden immer als Missionsfest gefeiert. Es war das Erscheinungsfest Jesu vor den Heiden. Auch in vielen Gemeinden wurde das Epiphaniefest als ein Missionsfest begangen, und es verband sich in den verschiedenen Gebieten ein reiches Brauchtum mit ihm, das in der Erzählung von den drei Magiern seinen Ursprung hat. Das heutige Drei-Königs-Singen und das Sternsingen hat hier auch seinen Ursprung. Innerhalb der evangelischen Kirche gab es vielfache Bemühungen, den Epiphanietag als Missionsfest zu begründen, aber fast immer ohne Erfolg. In einigen Gemeinden wurden zwar Missionsgottesdienste gehalten, zumeist aber am darauffolgenden Sonntag. Schon die Nähe zum Weihnachtsfest war für ein allgemeines Missionsfest ungünstig, und die klimatischen Bedingungen waren auch dem äußeren Ablauf eines Missionsfestes zuwider.

Das Epiphaniefest als „Ankunft" und „Erscheinung" Jesu verstand man theologisch als den Prototyp der Epiphanie des Herrn in der Geschichte und der Völkerwelt. Dabei wurde der theologische Gehalt des Festes bestimmend für die Beziehung von Epiphanie und Mission. So sagt das Missionsdekret des II. Vatikanischen Konzils: „Missionarische Tätigkeit ist nichts anderes und nichts weniger als Kundgabe oder Epiphanie und Erfüllung des Planes Gottes in der Welt und ihrer Geschichte, in der Gott durch die Mission die Heilsgeschichte sichtbar vollzieht" (AG 9).

2. Missionsmethodisch und missionsgeschichtlich kommt dem Fest eine wichtige Bedeutung zu. In dem Aufbruch der Entdeckungszeit und der dann intensiven Evangelisierung (→ Evangelisation) wird dem Fest, der kirchlichen An-

passung an Feste und Feiern der Überlieferung und der Liturgie entscheidender Stellenwert zugebilligt. Auf die Verkündigungskraft der → Liturgie wurde in Teilen der → Missionswissenschaft immer verwiesen (Borges, Ohm, Melbourne III, 28-31). In der Geschichte sind eine ganze Reihe von kirchlichen Festen durch vorgegebene kultische Gegebenheiten und liturgische Daten mitgeprägt, die mit neuen Inhalten gefüllt werden und eine neue Deutung und oft eine Erweiterung erfahren. Auffallend ist, daß Feste mit einer alten, überlieferten Tradition und volksreligiösen Einbindung auch in der christlichen Zeit eine tiefere Verankerung und breitere Annahme in der Gemeinde erfahren als neue christliche Feste. Bei Weihnachten wirkt der Kult des *sol invictus* nach, und das Epiphaniefest erinnert an den Kult des Aion. In der Vätertheologie finden sich wiederholt Hinweise darauf, daß heidnische Feste durch einen christlichen Inhalt gefüllt wurden. Die Märtyrerfeste wurden als Umdeutung für heidnische Feste veranstaltet, und die heidnische Heroenverehrung hat eine Entsprechung im Märtyrerkult. Das Geburtsfest Johannes des Täufers sollte auch die Sonnwendfeier verdrängen (24.6.). Sowohl das jüdische Chanukkafest wie auch der heidnische Brauch der Tempelweihfeste *(natalis templi)*, die mit Opfern und Volksfesten gefeiert wurden, wirkten auf die Entstehung des christlichen Kirchweihfestes ein.

Hier stellt sich die Frage der → *Inkulturation* der christlichen Botschaft in voller Schärfe, ob die biblischen Ereignisse und die Fakten der Heilsgeschichte in dem entsprechenden Kulturraum beheimatet werden. Für die Integrierung der → Volksfrömmigkeit als *„religio innata"* (Heiler) sind die Feste für die Evangelisierung von unüberbietbarer Bedeutung. In ihnen und in der Volksfrömmigkeit bekundet sich das religiöse Gemeingut der Menschheit (Heiler). Die Feste und die Volksfrömmigkeit sind Ausdruck „einer einfachen Erfahrung Gottes und des Glaubens im Volke" (E. Pironio; Evangelii nuntiandi, 48).

Feste gelten als Zeiten besonderer „Mächtigkeit" (Wach). Sie heben sich von den anderen Zeiten ab. Die Kleidung, die Festlichkeit und die Feier gehören zu ihrem Wesen. Zudem sind Feste ein umgreifendes *Gesamtgeschehen*, das von der Gemeinschaft für die ganze Gruppe und Gemeinschaft begangen wird. Seit der ethno-soziologischen Deutungsweise wird geradezu betont, daß jede Gruppe und Gemeinde zur Erhaltung ihres eigensten Wesens auf die Feier und das Fest angewiesen ist (Durkheim). Feste bestärken und erneuern die Gemeinschaft. Sie verankern die Gruppe in ihrem Ursprung, sie errichten die „Goldene Zeit" wieder, stellen die mythischen Ereignisse der ersten Zeit wieder her. Wenn so auch die Verbindung zum Anfang, das Fest des Ursprungs gefeiert wird, so ist diese Versicherung aber zugleich auch die Eröffnung für die Zukunft. Es werden bedrohende Ängste abgebaut, und das Leben wird neu geschaffen. Es ist „Zustimmung zur Welt" (Pieper), „demonstrierte Lebensbejahung" (Jetter).

Zur Erfassung des Kerns der religiösen Überlieferung, aber auch der lebensgestaltenden Kräfte ist die Erkundung und die Kenntnis des Festes notwendig. Bei der Übernahme der neuen inhaltlichen Bestimmung und der neuen heilsgeschichtlichen Gehalte der Feste hielt das → Volk aber „an den vertrauten Symbolen fest, weitgehend auch an jenen rituellen Formen ..., die schon zu den vorchristlichen Festen gehört hatten" (Bischofberger).

Für die Verkündigung ist damit das Fest das Zentrum, da es das Leben der
Gemeinschaft und des einzelnen unterteilt, verändert und und ihn in die Gemeinschaft einfügt (Übergangsfeste; → Initiation). Die Lebensabschnitte und Le-
bensübergänge sind durch die Gemeinschaft getragen, aber auch Feste der Gemeinschaft - heilige Zeiten. Im Fest wird die Zeit zur heiligen Zeit, der Zeitablauf
der Gemeinschaft und des einzelnen wird gegliedert, aber auch mit einer sakralen
Dimension versehen. Das gilt besonders in der Beziehung zur Natur und Umwelt.
Der Raum wird als heiliger Raum erfahren und steht in enger Beziehung zur Gemeinschaft und zu ihrer Sozialstruktur. Es ist verständlich, daß die Feste einer
Gemeinschaft nicht nur zur Eigendeutung von unschätzbarem Wert sind, sondern
für die verantwortliche christliche Verkündigung unaufgebbar sind. Das gleiche
gilt für eine verantwortliche Entwicklungshilfe, für das Eintreten für Fortschritt
und mehr Gerechtigkeit und Freiheit (→ Entwicklung). Nur hier können die inneren Verknotungen einer Gemeinschaft erspürt werden, können auch äußere
Veränderungen der sozialen Gegebenheiten und der Machtstrukturen eingeleitet
werden; denn nur hier können sie ihre Legitimierung erfahren. Sie werden verankert in der Urzeit und zugleich eröffnet für die Zukunft. Die Verklammerung in
beiden Zeiten kann für die Entwicklung und die Verkündigung nur im Umkreis
und über das Fest geschehen.

Lit.: *Albert, K.*, Metaphysik des Festes, in: ZRGG 19, 1967, 140-152. - *Arens, B.*, Die
Mission im Festsaal, Grundsätzliche Darlegungen mit einer reichhaltigen Sammlung von
Gedichten, Liedern, Schauspielen und Programmen für außerkirchliche Missionsfeiern,
1917. - *Borges, P.*, Métodos misionales en la cristianización de América siglo XVI, 1960. -
Danzer, B., Heidnische Festzeiten und ihr Ersatz durch christliche, in: ThPQ 91, 1938,
271-283. - *Durkheim, E.*, Les formes élémentaires de la vie religieuse, 1912. - *Eliade, M.*,
Der Mythos der ewigen Wiederkehr, 1953. - *Ders.*, Das Heilige und das Profane, 1957. -
Ders., Kosmos und Geschichte, 1966. - *Freitag, A.*, Das katholische Missionsfest, Hilfs-
büchlein und Materialsammlung zur Veranstaltung von Missionsfesten, ²1913. - *Grundemann, R.*, Das Missionsfest, in: ders., Unser heimatliches Missionswesen, Beitrag zur wissenschaftlichen Behandlung desselben, 1916, 25-34. - *Heim, W.*, Nickneger und Fas-
nachtschinesen in der deutschsprachigen Schweiz, in: J. Baumgartner (Hrsg.), Vermittlung
zwischenkirchlicher Gemeinschaft, 1971, 451-472 (Lit.). - *Ders.*, Neubelebung des Stern-
singens, in: NZM 29, 1973, 189 (Lit.). - *Holsten, W.*, Was ist eine Missionskonferenz, in:
EvTh 15, 1955. - *Jetter, W.*, Symbol und Ritual, 1978 - *Kobelt,*, Das Missionsfest, in:
AMZ 13, 1886, 151-160. - *Martin, G. M.*, Fest und Alltag, Bausteine zu einer Theorie des
Festes, 1973. - *Merkel, H.*, Fest und Feiertage, IV, Kirchengeschichtlich, in: TRE, IX,
115-132. - *Mörning, F.*, Advents- und Weihnachtsbrauchtum um 1900, in: D. Sauermann
(Hrsg.), Weihnachten in Westfalen um 1900, Beiträge zur Volkskultur in Nordwest-
deutschland, Bd. 6, 1976. - *Pieper, J.*, Zustimmung zur Welt, Eine Theorie des Festes,
1963. - *Rahner, K.*, Griechische Mythen in christlicher Deutung (Neudruck), 1957. - *Richter, J.*, Die heimatliche Missionsarbeit in England und Deutschland, in: AMZ 25, 1898,
261-277. - *Ders.*, Evangelische Missionskunde, 1920. - *Roesle, J.*, Johann Heinrich Volkening und die Erweckungsbewegung in Minden-Ravensberg, 1954. - *Ruf, W.*, Das Missionsfest, in: Lutherisches Missionsjahrbuch für das Jahr 1957, 64-71 (Lit.). - *Schlette, H.
R.*, Epiphanie als Geschichte. Ein Versuch, 1976. - *Splett, J.*, Feier als christlicher Lebensvollzug, in: Renovatio 37, 1981, 58-70 (Lit.). - *Streit, R.*, Das I. allgemeine katholische
Missionsfest in der Diözese Fulda gehalten am 2. Februar zu Fulda, 1911. - *Visser 't
Hooft, W. A.*, Die Magier und die Mission, in: J. Hermelink u. H.-J. Margull (Hrsg.), Basileia, Walter Freytag zum 60. Geburtstag, 1959, 208-211. - *Warneck, G.*, Ein allgemeines
kirchliches Missionsfest, in: AMZ 2, 1875, 429-433. - *Ders.*, Der Pastor als Arbeiter für

die Heidenmission, Auch ein Beitrag zur praktischen Theologie, in: AMZ 7, 1880, 49-67. - *Ders.*, Pflanzung und Pflege des Missionslebens in Gemeinde und Schule, in: AMZ 14, 1887, 385-405. - *Wesche, H.*, Die Heidenmissionen auf den deutschen Katholikentagen, Handbuch praktischer Missionsgedanken, 1928. - *Wilson, M.*, Religion and the Transformation of Society, 1971.

H. Rzepkowski

MISSIONSGESELLSCHAFTEN

1. Geschichtlicher Rückblick. 2. Missionsgesellschaften im protestantischen Bereich. 3. Deutsche protestantische Missionsgesellschaften. 4. Zusammenarbeit.

1. Bei einer geschichtlichen Betrachtung der Mission im katholischen Bereich sieht man, daß sie zu weiten Teilen von den Mönchen, Orden und Kongregationen getragen wurde (→ Mönchtum). So waren im Mittelalter die Ordensleute die Missionare: die Benediktiner, die irisch-schottischen Mönche, die Zisterzienser, die Prämonstratenser, Trinitarier und schließlich die Dominikaner und Franziskaner, Karmeliten und Augustiner. Es kamen andere Orden hinzu, die Jesuiten sowie die Vertreter vieler neuerer Kongregationen: die Picpus-Missionare, die Oblaten der Unbefleckten Jungfrau Maria, die Maristen, die Pallottiner, die Spiritaner, die Salesianer Don Boscos, die Missionare von Scheut, die Weißen Väter, die Steyler Missionare (Gesellschaft des Göttlichen Wortes), die Hiltruper-Missionare, die Missionare der Hl. Familie. Nach dem Vorbild der Missions Etrangères bildeten sich missionarische Gemeinschaften von Weltpriestern: die Auswärtigen Missionen von Mailand, die Gesellschaft der Afrikanischen Missionen von Lyon, die St. Joseph-Gesellschaft für Auswärtige Missionen von Mill Hill, die Auswärtigen Missionen von Parma. Es kam im Laufe der Geschichte der hohe Anteil der Frauenorden hinzu, besonders seit dem letzten Jahrhundert, obgleich in der missionswissenschaftlichen Diskussion recht spät davon Kenntnis genommen wird.

Durch die Spiritualität, ihre Organisation, eine einheitliche Leitung, Tradition, ihre strukturelle Gliederung und ihre Erfahrung waren die Orden wie für die Missionstätigkeit geschaffen, so daß der spanische Karmelit Thomas a Jesu (1564-1627) - der Wegbereiter und Anreger der römischen Kongregation für die Verbreitung des Glaubens (für die Evangelisierung) - die Meinung vertrat, Orden und Kongregationen seien für die Mission am geeignetsten. Die katholische Missionsgeschichte ist in weiten Teilen zugleich Ordensgeschichte. Das geschichtliche Verdienst und die Tatsache werden vom II. Vatikanischen Konzil hervorgehoben: „Die religiösen Institute des kontemplativen und aktiven Lebens hatten und haben bisher den größten Anteil an der Evangelisierung der Welt" (Ad gentes 40; vgl. Evangelii nuntiandi 69). Im evangelischen Bereich haben wir mit dem wachsenden missionarischen Bewußtsein eine ähnliche Erscheinung, daß immer mehr Missionsgesellschaften die Missionsarbeit tragen, wenn auch das Verhältnis zur Kirche, ihr Ursprung und Anstoß durchaus unterschiedlich ist. Sind die Ursprünge der Missionsgesellschaften auch noch nicht erforscht und näherin bestimmt, sie haben in ihren Ansätzen eine Nähe zum mönchischen Ideal. Ihre Ahnenreihe umschließt die Reste alten Mönchtums, die Religious Societies in England, die Erweckungsbewegung der Brüdergemeinden, die den Weg zur Mission finden. Die Mission wurde als unmittelbare Lebensäußerung der Gemeinde empfunden, die eines entsprechenden Organs bedurfte.

2. Dieser Missionswille nimmt Gestalt an in den neu entstehenden Missionsgesellschaften. Gefördert und beschleunigt wurde diese Entwicklung durch die Vereinsfreudigkeit des 19. Jahrhunderts (Vicedom). Durch die entscheidende Mitwirkung von William Carey (1761-1834) kommt es zur Gründung der Baptist Missionary Society (1793). Mit der Gründung dieser Gesellschaft ging die Mission in die Verantwortung von gut organisierten und strukturierten Gruppen über. Es entstand die London Missionary Society (1795), es folgten zwei schottische Missionsgesellschaften (1796), die Niederländische Missionsgesellschaft (1797), die Church Missionary Society (1799) durch die Anglikaner, die sich aus der zunächst überkonfessionellen, dann aber kongregationalistisch ausgerichteten London Missionary Society zurückzogen. Die Deutsche Christentumsgesellschaft (1780) wurde zum Bindeglied und zum auslösenden Ereignis im deutschen Bereich. Es waren einige Vorläufer entstanden: die Dänisch-Hallische Mission (1705), geprägt vom „kolonialen Obrigkeitsdenken" (J. Hermelink), und die ganz im Verständnis einer freien kirchlichen Vereinigung verfaßte Mission der Brüdergemeinde (1732). Eigenständige Ansätze scheinen daneben mitgetragen zu haben (J. v. Welz).

3. Das Entstehen der deutschen Missionsgesellschaften kann im wesentlichen in drei Abschnitte unterteilt werden. Diese Stadien decken sich mit dem zeitlichen Ablauf (J. Richter, J. Hermelink).

3.1 Es erwuchsen die großen deutschen Missionsgesellschaften, die bewußt auf die konfessionellen Unterschiede verzichten wollten und sie nicht von Europa auf ihre neuen Gemeinden übertragen wollten. Später wurden allerdings solche Konfessionsprägungen in den überseeischen Gebieten auch wirksam. Es gehören hierhin etwa die Evangelische Missionsgesellschaft in Basel (1815), die Berliner Missionsgesellschaft (1800), die Rheinische Missionsgesellschaft (1828), die Norddeutsche Missionsgesellschaft (1836), die Goßnersche Missionsgesellschaft.

3.2 Die Besinnung auf die Kirche und ihre durch das Bekenntnis gegebene Gestalt führte zu einer zweiten Gründungswelle von Gesellschaften. Sie entstanden vielfach durch Loslösung von den bisherigen Gesellschaften. So löste 1836 der Dresdner Missionsverein seine Bindung an Basel und verstand sich als Mission der lutherischen Kirche. 1848 erfolgte die Verlegung nach Leipzig, und man verstand sich als Nachfolger der Dänisch-Hallischen Mission als Evangelisch-lutherische Mission zu Leipzig. Durch L. Harms kam es zur Gründung der Evangelisch-lutherischen Missionsanstalt Hermannsburg (1849). Aus Bekenntnisbindungen heraus zweigte sich von der Hermannsburger Mission die jetzige Mission evangelisch-lutherischer Freikirchen (1892) ab. Die Neuendettelsauer Mission verstand sich ausdrücklich „im Sinne der lutherischen Kirche". Es wird gegründet die Schleswig-Holsteinische evangelisch-lutherische Missionsgesellschaft zu Breklum (1876 durch Chr. Jensen).

3.3 Einen weiteren Anstoß bot der Neupietismus, vor allem unter angelsächsischem Einfluß. Unter Einwirkung von J. Hudson Taylor und der China-Inland-

Mission (1865) - einer der größten Missionsgesellschaften - entstand die Allianz-Mission-Barmen (1889), die Liebenzeller Mission (1892), die Waisen- und Missionsanstalt Neukirchen (1878) und eine ganze Anzahl anderer Gründungen, die in diese Gruppe gehören. Neben diesen Gesellschaften gibt es Missionsgesellschaften, die *Sonderaufgaben* dienen z.B. der Zurüstung von Schwestern für die diakonischen Aufgaben (Frauenverein für christliche Bildung des weiblichen Geschlechtes im Morgenlande 1842).

4. Die Vielfalt der Missionsgesellschaften, die verschiedenen Frömmigkeitstypen, die unterschiedliche kirchliche Bindung machten eine Zusammenarbeit und einen Zusammenschluß dringlich. Die Zusammenarbeit wurde zu einer brennend wichtigen Aufgabe, der der Deutsche Evangelische Missions-Tag dient.

Die vollzogene Integration des Internationalen Missionsrates in den Ökumenischen Rat der Kirchen in New Delhi (1961) ist die grundsätzliche Antwort auf die Frage nach der Mission innerhalb der Kirchen und dem Standort der Missionsgesellschaften. Die Umstrukturierung der gesamten Basis bringt eine Anzahl von Problemen.

Lit.: *Aargaard, J.*, Mission - Konfession - Kirche. Problematik ihrer Interpretation in Deutschland. 2 Bde, 1967. - *Adam, A.*, Das Mönchtum der Alten Kirche, in: H. G. Frohnes/U. W. Knorr (Hrsg.), Kirchengeschichte als Missionsgeschichte, I, Die Alte Kirche, 1974, 86-93. - *auf der Maur, I.*, Das alte Mönchtum und die Glaubensverkündigung, in: NZM 18, 1962, 275-288. - *Ders.*, Motive der Glaubensverkündigung im frühen Mönchtum, NZM 19, 1963, 110-115. - *Ders.*, Werden, Stand und Zukunft des afrikanischen Mönchtums, NZM 23, 1967, 284-295 NZM 24, 1968, 21-35. - *Ders.*, Mönche von St. Benedikt als Glaubensboten, in: EuA 39, 1963, 447-463. - *Beach, H. P./Fahs, Ch. H.*, World Atlas of Christian Missions, 1911. - *Camps, A.*, Das franziskanische Missionsverständnis im Laufe der Jahrhunderte, in: A. Camps/G. W. Hunold (Hrsg.), Erschaffe mir ein neues Volk. Franziskanische Kirchlichkeit und missionarische Kirche 1980, 30-43. - *Frank, S.*, Das beschauliche Kloster im Missionsland, in: ZMR 46, 1962, 92-102. - *Freitag, A.*, Die missionierenden Orden und Missionsgemeinschaften und das Missionspersonal, 1962. - *Geldbach, E.*, Der Einfluß Englands und Amerikas auf die deutsche Erweckungsbewegung, in: ZRGG 28, 1976, 113-122. - *Gundert, H.*, Die evangelische Mission, ihre Länder, Völker und Arbeiten, [4]1903. - *Henkel, W.*, Gestaltnahme von Bekehrungsvorstellungen bei Ordensgründungen im 19. Jahrhundert, in: H. Rzepkowski (Hrsg.), Mission: Präsenz - Verkündigung - Bekehrung?, 1974, 102-114. - *Kasbauer, S.*, Die Teilnahme der Frauenwelt am Missionswerk. Eine missionstheoretische Studie, 1928. - *Laubach, F.*, J. v. Weltz und sein Plan einer Missionsgesellschaft, Diss., 1955. - *López-Gay, L.*, El monasticismo no-cristiano y la „Vida Religiosa" cristiana, in: Evangelizzazione e Culture, Atti del Congresso Internazionale scientifico di Missiologia, 5.- 12. Ottobre 1975, 1976, vol. I, 421-434. - *Nemer, L.*, Anglican and Roman Catholic Attitudes on Missions, 1981. - *Pennington, E. I.*, The Reverend Thomas Bray, 1934. - *Pesch, R.*, Berufung und Sendung, Nachfolge und Mission. Eine Studie zu MK 1,16-20, in: ZKTh 91, 1969, 1-31. - *Renner, F.*, Was trägt die Ordensspiritualität zur Missionsspiritualität bei?, in: H. Rzepkowski (Hrsg.), Allen alles werden. Beiträge zur missionarischen Spiritualität, 1978, 101-116. - *Richter, J.*, Weltmission und theologische Arbeit, 1913. - *Rosenkranz, G.*, Die christliche Mission. Geschichte und Theologie, 1977. - *Schwager, F.*, Frauennot und Frauenhilfe in den Missionsländern, [2]1924. - *Stoffel, O.*, Die katholischen Missionsgesellschaften. Historische Entwicklung und konziliare Erneuerung in kanonischer Sicht, 1984. - *Sundermeier, T.*, Mission, Bekenntnis und Kirche, 1962. - *Tholens, C. P.*, Monastische Missionsinitiativen im Lichte des Zweiten Vatikanischen Konzils, in: ZMR 49, 1965, 156-160. - *Turtas, R.*, L'attivitè e la politica missionaria della direzione della London Missionary Society. 1795-1820, 1971. - *van den Berg, J.*, Constrained by Jesus' Love: An Inquiry into the Motives of Missionary Awakening in Great Britain in the Period between 1698 and 1815, 1956. - *Väth, A.* Die Frauen-orden in den Missionen, 1920. - *Wasserzug-Traeder, G.*, Deutsche Evangelische Frauen-missionsarbeit, 1927. - *Weber, O.*, Kirchenmission? Eine Mission in gegliederter Vielfalt, in: EMZ 17, 1960, 129-140. - *Yannoulatos, A.*, Monks and Mission in the Eastern Church during the fourth Century, in: IRM 58, 1969, 208-226.

H. Rzepkowski

MISSIONSMETHODE

1. Missionsmethode allgemein. 2. Missionsmethode im theologischen Kontext. 3. Reduk-tionen und Christendörfer. 4. Missionsmethode in der neueren missionswissenschaftlichen Diskussion.

1. Die *Missionsmethode* und die Art des missionarischen Vorgehens und Vollzuges wird wesentlich von der theologischen Grundlegung der Mission (→ Theologie der Mission) und dem theologischen Vorverständnis der Evangelisie-rung mitbestimmt und theologisch getragen. Von daher wird unter Missionsme-thode jenes Vorgehen verstanden, wie das Reich Gottes auf Erden errichtet wird, die Kirche im → Volk verwurzelt, das Evangelium mit Erfolg bei den Völkern verkündigt wird, die die Botschaft noch nicht gehört haben. Dieses Ziel wird in verschiedenen Etappen erreicht: Vorbereitung und Schulung von Missionaren, Kontaktaufnahme mit einer Gruppe, einem Volk, Bekehrung einzelner oder einer Gruppe, Begründung und Festigung einer christlichen Gemeinde.

So kann man die Beschreibung der Katechese aufgreifen, die zugleich eine Umschreibung von Mission und Glaubensvertiefung mitmeint. Es ist „die Ge-samtheit der Bemühungen der Kirche, Jünger zu gewinnen und den Menschen Hilfe zu bieten für den Glauben, daß Jesus der Sohn Gottes ist" (Catechesi tra-dendae 1).

Innerhalb der neueren → Missionswissenschaft haben die Missionsmethode und die Missionsmethodik nicht die breite Bedeutung wie in der Gründungsphase der Missionswissenschaft. Es wird im Gegenteil wiederholt darüber geklagt, daß die Missionsmethode und auch die Missionsmethodik nicht entsprechend berück-sichtigt und begründet seien (Th. Ohm). Es wird aber auch in der frühen Phase der Missionswissenschaft schon darauf verwiesen, daß die Missionsmethode und ihr Studium und vor allem die Missionsmethodik ein Schwachpunkt der neuen theologischen Disziplin sei. Die „mustergültige Methode" der Mission stehe kei-neswegs so fest wie andere Arbeitszweige (Grundmann). Es seien die notwendigen Vorarbeiten noch nicht geleistet, die in der Auswertung und Aufarbeitung der be-sonderen Missionsgeschichte liegen.

Im Gefolge von John Mott (1865-1955) spielte die Frage der Missionsme-thode auf der → Weltmissionskonferenz von Edinburgh (1910) eine gewichtige Rolle. Es ging darum, für die riesenhafte und weltweite Missionstätigkeit einen „angemessenen Platz" zu erstellen. Man wollte durch einen Plan dem Umfang, der Erfordernis der Stunde grundsätzlich gerecht werden und meinte, dafür eine

Methode, eine Strategie und Taktik entwerfen zu müssen. Es wurde aber auch auf der Konferenz betont, daß jedes Land und Volk seine eigene Missionsmethode erheische und sogar ein Recht darauf habe. Dennoch finden sich im Vollzug der Mission überall wiederkehrende Tätigkeiten: Verkündigung des Evangeliums, die Organisation und Begründung der Gemeinden, die Verbreitung der Bibel. Andere Missionsmittel sind unterschiedlich: Schularbeit, ärztliche Mission, Schaffung und Verbreitung von christlicher Literatur, Hebung einzelner Volksgruppen, Gründung von Vereinen.

Innerhalb der → Geschichte können wir unterschiedliche Missionsmethoden ausmachen, die durch die Missionare, ihre Nationalität und Ordenszugehörigkeit, ihre kirchliche Einbindung bedingt sind. Daneben wirken sich die unterschiedlichen → Kulturen und Sozialstrukturen, Wirtschaftsformen und Geschichte eines Volkes auch aus. Die theologische Einordnung der Völker, zu denen die Mission mit ihrer Botschaft kommt, und die Wertung ihrer Überlieferung und → Religion läßt auch unterschiedliche Missionsmethoden wählen und entstehen.

Die entscheidende Rolle bei der Missionsmethode spielt allerdings die Verteilung und der geplante Einsatz der Missionskräfte (Mott, Schmidlin, Linkens). Die einzige zu stellende Frage der Missionsmethode ist: „Ist in einem Gebiet die extensive oder die intensive Missionstätigkeit anzuwenden? Soll sie sporadisch oder konzentrisch wirken?" Die Entscheidung dazu wurde in der Geschichte wie auch in den theoretischen Überlegungen zu diesem Problem immer von der Sachlage im Gastvolk her entschieden. In der Geschichte der einzelnen Missionsgebiete kann man auch beobachten, daß beide Stadien zeitlich unterschiedliche Etappen darstellen. Nach einer mehr extensiven Arbeitsweise geht man mit der Sicherung und Vertiefung der Evangelisierung zur intensiven Missionsmethode über. Nach einer mehr sporadischen Evangelisierung konzentriert man sich auf die Zentralgemeinden und Hauptstationen und versucht, die christliche Botschaft zu vertiefen. Das ist mehr oder weniger der Ablauf jeder Mission wie der gesamten Missionsgeschichte.

2. Für die Missionsarbeit und die Entfaltung einer Missionsmethode ist es von Bedeutung, daß Missionswissenschaft eine Verbindung und Brücke zu den verschiedenen Wissenschaftszweigen findet: zur → Ethnologie, → Religionswissenschaft und den Formen und Methoden der Soziologie, zu Fragen des geschichtlichen Prozesses und der → Entwicklung. Die Missionswissenschaft hat den konkreten Missionsvollzug kritisch und theologisch zu begleiten. Das gilt für den eigenen Bereich, so daß die Praxis reflektiert und verantwortet wird, die Identität des Auftrags gewahrt bleibt, aber auch die Weltbezüge der Botschaft verwirklicht werden. Zudem muß die wissenschaftliche und theologische Begleitung immer fragen, ob der Aktionsradius „weit genug ist, um auch ein kulturell, sozial oder religiös gleichsam ‚abgelegenes' Gegenüber in seiner wirklichen Befindlichkeit erreichen und zu einer authentischen ‚neuen Antwort' anregen zu können" (Gensichen). Die Missionsmethode muß sich aber auch hinterfragen lassen, ob sie nicht durch den Kontakt einen Wandel herbeiführt, der zum Identitätsverlust im kulturellen, sozialen und völkischen Bereich des Missionsvolkes führt.

Zur Übermittlung der Botschaft sind die neuen Medien und Kommunikationsmittel nach Verwendbarkeit und Einsatzmöglichkeit zu befragen. Außerdem kommen die Grundlagen der Kommunikationsforschung in Anwendung (→ Kommunikation).

3. Im Laufe der Geschichte sind Missionsmethoden entwickelt worden, die zu heftigen Auseinandersetzungen geführt haben (Akkommodation, → Ritenstreit und Anpassung im sozialen Bereich). Es wurden Missionsmethoden entwickelt, die nicht nur Teilbereiche der sozialen und kulturellen Wirklichkeit umfangen, sondern fast den gesamten Lebensvollzug (→ Inkulturation).

Im spanischen und portugiesischen Kolonialreich haben die *Reduktionen* eine lange Vorgeschichte. Es sind Indianerdörfer, in denen freiwillig oder auch unter Druck die Indios auf das nomadische oder halbnomadische Leben verzichten und zu einem Leben nach dem Gesetz „reduziert" sind (ad ecclesiam et vitam civilem reducti). Es waren Ansiedlungen von Katechumenen und Neuchristen in großer Selbständigkeit und Selbstverwaltung, die von den Missionaren geleitet wurden. In der Gründung verbanden sich geistliche, politische und soziale Gründe. Es ging um die Menschenbildung, die Festigung des Christentums und die soziale Hebung der Bevölkerung. Man wollte mit dieser Zusammenschließung die Bevölkerung vor dem Zugriff der Eroberer schützen, zugleich mit der Evangelisierung Sozialreformen durchsetzen und ein wahres Christentum in Lateinamerika (→ Lateinamerikanische Theologie) einpflanzen - den „neuen Menschen" schaffen. Bei aller Unvollkommenheit waren die Reduktionen eine Gestalt des christlichen Widerstandes gegen die Kolonialmacht, eine antikoloniale Utopie. Zudem eine Missionsmethode mit Vorteilen, aber auch mit gewaltigen Schwächen, die letztlich zu einer Ritualisierung des Lebens führte und nicht zu einem missionarischen Christentum. Die Reduktionen waren nicht nur eine Angelegenheit der Ordensmissionare, besonders der Jesuiten, sondern es kam zu einer wachsenden Solidarisierung des Klerus und der Bischöfe mit den Interessen der Indios und der Jesuiten. Es wurde die soziale Ungerechtigkeit angeprangert, die es den Indios unmöglich machte, „im Christentum ihre wahre Befreiung zu finden"

Der Gedanke der *Christendörfer* greift nach 1850 den Gedanken der Reduktionen als Missionsmethode auf. Es sind künstliche Siedlungen, die mit missionsmethodischen Überlegungen aus pastoraler, missionsstrategischer oder auch sozial-wirtschaftlicher Art angestrebt und errichtet wurden. Der Grundtyp bleibt im wesentlichen gleich, obwohl die verschiedenen geschichtlichen, völkischen, sozialen und geographischen Voraussetzungen das Antlitz dieser christlichen Enklaven mitprägen. Eine Missionsmethode, die sowohl in der evangelischen wie in der katholischen Kirche üblich war. In den Christendörfern sollte eine christliche Gemeinschaft und ein günstiges Milieu geschaffen werden, die als Voraussetzungen für die bodenständige Kirche und als Vorbereitung eines einheimischen Klerus galten. In ihnen kamen auch die sozialen und wirtschaftlichen Einrichtungen mehr zum Tragen. Demgegenüber stehen die Zerstörung der Sozialordnung und der Naturverbände durch die künstlich geschaffene Siedlungsgemeinschaft. Für eine ganze Reihe von Christendörfern kommt dieser Einspruch nicht zum Tragen, da andere soziale und religiöse Gründe zur Dorfgründung beitrugen (Islammission, Naturkatastrophen, Waisenkinder). Das ganz enge christliche Milieu und damit die Voraussetzung zur Schaffung der einheimischen Kirche wurde zumeist durch Mangel an apostolischer, missionarischer Gesinnung aufgehoben. Sie bilde-

ten Enklaven innerhalb eines Volkes, isoliert und darum unfähig, als „Sauerteig"
wirken zu können. Durch die starke Rückbindung dieser Dörfer an soziale und
wirtschaftliche Fragen konnte zu leicht der Primat der religiösen, missionarischen
Sendung in Frage gestellt werden. Waren die Christendörfer zur Zeit der Errichtung auch Erfordernisse der Anpassung an wirtschaftliche, soziale und kulturelle
Voraussetzungen der Missionsvölker, so werden sie heute allgemein als Missionsmethode abgelehnt. Bestehende Siedlungen werden - soweit notwendig - weitergeführt.

4. In der neueren missionswissenschaftlichen Diskussion wurden immer wieder die missionsmethodischen Ansätze und Anliegen von dem Missionstheologen
Roland Allen (1868-1947) und Rufus Anderson (1796-1880) berücksichtigt. Sie
sind eingebettet in die theologische Erörterung der *Selbständigkeit der jungen Kirchen* und in den Zusammenhang der Erarbeitung der Drei-Selbst-Formel. Grundlage für Andersons Missionstheologie ist die unerschütterliche Überzeugung von
und der Wille zur Weltevangelisation zu seiner Zeit. Biblisch bezieht er sich auf
die Missionsmethode von Paulus, mit seiner überraschend schnellen Gründung
von Ortskirchen, die mit allen kirchlichen Vollmachten ausgerüstet waren und für
den Fortgang der Evangelisierung verantwortlich waren. Hier ist auch seine Missionsmethode anzusiedeln. Das Missionsziel ist die Weltevangelisierung durch
selbstmissionierende und selbständige Ortskirchen. Es können nur solche Mittel
und Methoden anerkannt werden, die darauf abzielen. Die mündliche Predigt
steht an erster Stelle, ihr ist ein zweites, die unmittelbare Organisation zur Ortskirche, beigeordnet. Die Verklammerung von Predigt und Kirchenbildung ist
nicht so sehr dogmatisch als vielmehr missionsmethodisch bedingt. Zu den direkt
kirchenschaffenden Aufgaben der Mission in Predigt und Organisation kommen
als sekundäre Mittel Erziehung und Presse. Ihre Bedeutung für die → Bekehrung
ist gering. Sie haben vor allem die Festigung und Hebung der Missionskirche und
die Nachwuchsbildung zur Aufgabe.

Roland Allen hat eine eigene Missionsmethode entworfen (Missionary Methods: St. Paul's or Our's, 1912), indem er seine Sicht der paulinischen Missionsmethode vorlegt und Folgerungen für die Missionstätigkeit zieht, obgleich auch
zu seiner Zeit die Bedeutung der paulinischen Missionsmethoden für die moderne
Mission nicht mehr unumstritten war. Das entscheidende Charakteristikum der
Missionsmethode des → Paulus im Gegensatz zur modernen war es, daß er die
kirchlichen Vollmachten sofort der jungen Kirche als ein Mittel zum Selbsterhalt
und zur Selbstausbreitung übertrug. Die Übertragung der kirchlichen Vollmachten stellt also nicht den Endpunkt eines Entwicklungsprozesses dar, sondern steht
an ihrem Beginn. Er predigt in den Zentren, von wo aus sich die Verkündigung
weitertrug. Der Glaube an die leitende Kraft des Geistes veranlaßte Paulus, den
jungen Gemeinden große Unabhängigkeit und Selbständigkeit zu gewähren.
Grundsätzlich muß jede Organisation so beschaffen sein, daß sie der jeweiligen
Gemeinde ersichtlich und einleuchtend ist.

Die Missionsmethode des nordamerikanischen Presbyterianers John Li-
vingstone Nevius (1829-1893) (Nevius-Plan) spielt in der Kirche *Koreas* und der
Missionierung eine wichtige Rolle. Er war Missionar in China und wurde von
den Missionaren in Korea 1890 nach dort eingeladen. Man erbat Ratschläge für

die Mission. Hier formulierte er seinen Plan; die grundsätzlichen Prinzipien hatte er schon vorgelegt: „Planting and Development of Missionary Churches". Die Nevius-Methode ist nicht als Arbeitsmethode in einer organisierten Gemeinde geeignet, sondern für die Anfangsphase in einem neuen Missionsgebiet. Die Nevius-Methode war in China verbreitet und populär, ist aber von ungeheurer Bedeutung für die Kirche Koreas, und ihr schnelles Wachstum wird der Nevius-Methode zugeschrieben. Die Bibel steht im Mittelpunkt der Evangelisierung. Die Missionare sind Wandermissionare. Jeder Christ, auch der Neu-Bekehrte, unterrichtet einen anderen in der Bibel und wird unterrichtet. Und jedes Gemeindemitglied gibt das Evangelium weiter. Jede Gruppe treibt Evangelisierung und steht unter der Leitung eines unbezahlten Leiters, der in Zukunft Pastor wird. Jede Gemeinde verwaltet und treibt Mission. Den Aufbau der Kirche soll die Gemeinde selber leisten, auch die Errichtung des Kirchengebäudes; wenn die Gemeinde organisiert ist, besoldet sie auch den Leiter. Die geplante und systematische Bibelarbeit macht jedes Gemeindemitglied zu einem Leiter oder Helfer im Bibelkreis. Das Leben ist von einer strengen biblischen Disziplin geprägt.

Als Missionsmethode, wenn nicht eher als Missionsstrategie kann man das Programm der Bemühungen um „Kirchen-Wachstum" (→ Church Growth) einordnen. Schwerpunktmäßig ist das ganze Bemühen im Bereich der missionarischen „Strategie" anzusiedeln (Strategie ist eines der häufigsten Worte und der Lieblingsbegriff von McGavran). Fallstudien werden gesammelt, ausgewertet und dann werden Aussagen über die Möglichkeit und die Umstände eines raschen Kirchenwachstums gemacht. Das Kirchenwachstum ist die Forderung der gegenwärtigen Welt und die Anfrage an die Mission in der Kirche. Heute besteht mancherorts eine große Bereitschaft zur Annahme des Evangeliums, und das Wachstum der Kirche vollzieht sich dort in unvorstellbaren Größenordnungen. Es gilt, diese Chance und diese Lage zu nutzen; von daher müssen die Schwerpunkte in der Missionstätigkeit nach den Linien des Kirchenwachstums gesetzt werden. Die Methoden für das Kirchenwachstum müssen jedoch von Fall zu Fall neu der Situation angepaßt werden. Es gibt allerdings allgemeingültige Prinzipien, die immer Anwendung finden. Es müssen alle Hindernisse für das Kirchenwachstum aus dem Weg geräumt werden (z.B. → Polygamie). Die Gemeinden sind in soziologisch möglichst einheitliche Gruppen und Gesellschaften einzuteilen, deren Grenzen man nach Möglichkeit nicht überschreitet (Kasten in Indien). Erst nach einer längeren Zeit wird eine umfassende christiche Brüderlichkeit wachsen. Ein weiterer Grundsatz ist, die besonders aufnahmebereiten Gruppen zu evangelisieren und die weniger erfolgversprechenden Felder nur „mäßig zu bearbeiten". Die theologischen Grundentscheidungen, die hinter dieser Missionsstrategie stehen, sind nicht nur unkritisch, auch bibeltheologisch ist eine biblizistische und verbale Anbindung an den Bibeltext zu beobachten. Dogmatische Vorentscheidungen werden getroffen, die vielleicht nicht von der Breite der christlichen Theologie getragen werden. Es wird durch dieses Programm an eine wichtige Frage der Mission erinnert, aber die Frage nach der Art der Kirche wird nicht beantwortet. Es könnte leicht zum Selbstzweck werden und die theologische Grundlegung der Evangelisierung in der Missio Dei übersehen. Der theologische Hinweis auf die Dynamik des → Hl. Geistes darf nicht darüber täuschen, daß hier zu leicht ein Weg am Evangelium vorbei beschritten wird.

Lit.: L'Annuncio del Vangelo oggi, Commento all'Esortazione Apostolica di Paolo VI „Evangelii Nuntiandi",1977. - *Auf der Maur, J.*, Die Missionsmethode im Frühmittelalter, in: EMM 108, 1964, 81-101, 124-135. - *Baumgartner, J.*, Der Gottesdienst in der jungen Kirche Neuspaniens, 2 Bde 1971 u. 1972. - *Beckmann, J.*, Die katholische Missionsmethode in China in neuester Zeit (1842-1912). Geschichtliche Untersuchung über Arbeitsweisen, ihre Hindernisse und Erfolge, 1931. - *Beyerhaus, P.*, Die Selbständigkeit der jungen Kirchen als missionarisches Problem, ²1959. - *Borges, P.*, Métodos misionales en la cristianización de América siglo XVI, 1960. - *Bürkle, H.*, Missionstheologie, 1979. - *Clark, C. A.*, The Korean Church and the Nevius Methods, 1928. - *Dayton, E. R./Fraser, D. A.* (Hrsg.), Planning Strategies for World Evangelization, 1981. - *Engel, A.*, Die Missionsmethode der Missionare v. heiligen Geist auf dem afrikanischen Festland, 1932. - *Faßbinder, M.*, Der „Jesuitenstaat" in Paraguay, 1926. - *Gensichen, H.-W.*, Glaube für die Welt. Theologische Aspekte der Mission, 1971. - *Held, H.*, Christendörfer. Untersuchung einer Missionsmethode, 1964. - *Hertlein, S.*, Wege christlicher Verkündigung. Eine pastoralgeschichtliche Untersuchung aus dem Bereich der katholischen Kirche Tansanias, 2 Bde 1976 u. 1983. - *Keyßer, Ch.*, Anutu im Papualande, 1926. - *Ders.*, Eine Papuagemeinde, 1950. - *Kim, Y.-J.*, Der Protestantismus in Korea und die calvinistische Tradition. Eine geschichtliche Untersuchung über Entstehung und Entwicklung der Presbyterianischen Kirche in Korea, 1981 (Lit.). - *Kirkels, J.*, Projet d'une méthodologie missionnaire au dixneuvième sieècle, Lettres de F. M. P. Libermann au cardinal-préfet de la Propagande, 1840-1849, Diss. Strasbourg, 1972. - *Kollbrunner, F.*, Kirchenwachstum - Ein vernachlässigtes Ziel!, in: H. Waldenfels (Hrsg.), „... denn Ich bin bei euch", Perspektiven im christlichen Missionsbewußtsein heute, Festschrift für J. Glazik und B. Willeke zum 65. Geburtstag, 1978, 111-121. - *McGavran, D. A.*, The Bridges of God, 1967. - *Ders.*, Church Growth and Christian Mission, 1965. - *Ders.*, Präsenz und Verkündigung in der christlichen Mission, in: EMZ 25, 1968, 134-146. - *Metzner, H. W./Allen, R.*, Kritischer Beitrag zum Verständnis von Mission und Kirche, 1970. - *Ohm, Th.*, Das Katechumenat in den katholischen Missionen, 1959. - *Ders.*, Machet zu Jüngern alle Völker, Theorie der Mission, 1962. - *Polzer, Ch. W.*, Rules and Precepts of the Jesuit Missions of Northwestern New Spain, 1976. - *Prien, H.-J.*, Die Geschichte des Christentums in Lateinamerika, 1978. - *Richter, J.*, Allgemeine Evangelische Missionsgeschichte III, V, 1906. - *Schäferdiek, K.* (Hrsg.), Die Kirche des frühen Mittelalters, Kirchengeschichte als Missionsgeschichte II, 1, 1978 (Missionsmethoden und -ziele... Bibliographie 518-523). - *Schmidlin, J.*, Katholische Missionslehre im Grundriß, 1919. - *Schomerus, H. W.*, Missionswissenschaft, 1935. - *Specker, J.*, Die Missionsmethode in Spanisch-Amerika im 16. Jahrhundert. Mit besonderer Berücksichtigung der Konzilien und Synoden, 1953 (Lit.).

J. Schmitz, H. Rzepkowski

MISSIONSRECHT

1. Begriff. 2. Rechtsquellen. 3. Träger des Missionswerkes. 4. Missionspersonal. 5. Missionstätigkeit. 6. Mission und Recht.

1. Unter Missionsrecht verstehen wir alle rechtlichen Normen, die sich auf die Ausbreitung des christlichen Glaubens bei den nichtchristlichen Völkern beziehen. Im staatlichen Bereich schränken sie sich im nachkolonialen Zeitalter auf Bestimmungen über die Religionsfreiheit und die ungehinderte Verkündigung einer religiösen Botschaft ein. Innerhalb des kirchlichen Bereiches sind alle Normen des allgemeinen Kirchenrechts gemeint, die mit der Ausbreitung des Glaubens in Zusammenhang stehen. Bedeutsam sind aber auch die partikularen Richtlinien, durch die sich die Kirche an die Gegebenheiten der einzelnen kulturellen Gebiete anpassen kann.

2. Das Resultat der Rechtsentwicklung in der katholischen Kirche nach dem II. Vatikanischen Konzil finden wir im CIC 1983, und zwar in den cc. 781-782, ferner in den cc. 371, 420, 450 §1 + 2, 502 §4 und c. 1018, die über die Apostolischen Vikare und Präfekten handeln.

Eine Weiterentwicklung des Rechts ist primär Aufgabe der 1622 gegründeten Kongregation für die Glaubensverbreitung. Die früher gegebenen Fakultäten für die Leiter der Ortskirchen in den Missionen sind nach dem Übergang vom Delegationsprinzip zum Reservationsprinzip im Kirchenrecht nicht mehr gegeben worden. Für die Weiterentwicklung des Partikularrechtes sind neben den Ortsordinarien (Bischöfe, Apostolische Vikare und Präfekten c. 375f) die Plenarkonzilien (c. 439), Provinzkonzilien (c. 440) und die Bischofskonferenzen zuständig (447-459). Letzteren kommt eine wachsende Bedeutung zu. Dazu kommen die Missionsstatuten der einzelnen Missionsinstitute und die Verträge zwischen den Bischöfen der Missionsdiözesen und den Missionsinstituten (c. 790 §1 n.2).

Rechtsfindung und rechtliche Ordnungen innerhalb der evangelischen Mission sind regional bestimmt. Sie finden sich in den Missions-Kirchen-Ordnungen, in denen die Missionsgesellschaften den Missionsgemeinden eine feste Kirchenordnung geben. Diese beruhen zum Teil auf der Bekenntnisgrundlage und bieten dann Kirchenordnung und Verfassung, andere überspringen den Bekenntnisschritt, um ihn dann später erst zu integrieren (AMZ 9, 1882, 27-43).

Bestimmend für die gemeindliche Entwicklung und die Entfaltung der jungen Kirchen ist die Kirchenzucht (Warneck). In ihr wird das äußere Leben der Gemeinde geregelt, aber auch Fragen des Übergangs von der nichtchristlichen Religion zum Christentum schrittweise vollzogen und das Gewissen gebildet und geschärft. Es werden Fragen des konkreten Lebensvollzuges und der Teilhabe am Abendmahl und Gemeindeleben geregelt (Polygamie), so daß wir hier einen Bereich der kirchlichen Rechtsfindung haben.

3. Während im c. 1350 §2 CIC 1917 allein dem Apostolischen Stuhl die Sorge für das Missionswerk zugesprochen wurde, hat der CIC 1983 die Grundaussage des II. Vatikanischen Konzils übernommen, daß „die ganze Kirche ihrer Natur nach missionarisch ist" (Ad gentes 2, 35; vgl. c. 781). Das ganze Volk Gottes ist gefordert, seinen Beitrag zur Missionsarbeit zu leisten (c. 781). Damit ist die Kirche als Ursakrament auch für die Missionsarbeit herausgestellt. Bei der Durchführung dieses Missionsauftrages werden die oberste Leitung und die ganze Koordinierung und alle Aktionen dem Papst und dem Bischofskollegium übertragen (c. 782 §1). Daß hier das Bischofskollegium erwähnt wird, zeigt die neue Sicht des II. Vatikanischen Konzils (Lumen gentium 23, 25; Christus Dominus 3, c. 756 §1). Wahrgenommen wird diese Verantwortung nach wie vor durch die Kongregation für die → Evangelisierung der Völker oder die Glaubensverbreitung (c. 360; AAS 59, 1967, 915-918). Ihr unterstehen die Missionsinstitute, die → Missionswerke und alle Missionare, auch die Ordensleute in ihrer Missionstätigkeit. Sie

führt Sammlungen für die Missionsaufgabe durch und regt Initiativen missionarischer Art an. Im Missionsgebiet hat sie die Befugnisse, die sonst anderen Kongregationen zukommen. Ausgenommen sind Glaubensfragen, Ritenvorschriften, Ehenichtigkeitsverfahren, Weiheprozesse, Universitäts- und kirchliche Studienangelegenheiten. Das Bischofskollegium wird durch Vertreter in dieser Kongregation für die Gesamtkirche tätig. Sie haben entscheidende Stimme und werden nach Anhören der Bischofskonferenzen ernannt (Ad gentes 29). Eine Einflußnahme des Gesamtepiskopats erfolgt auch auf der Bischofssynode, die nach c. 342 dem Papst durch ihren Rat bei der Leitung der Gesamtkirche beisteht. In den Teilkirchen (c. 368) haben die einzelnen Bischöfe als Förderer der Gesamtkirche und aller Kirchen für die Missionsarbeit besondere Sorge zu tragen. Sie sollen in ihrem Territorium „missionarische Vorhaben anregen, pflegen und erhalten" (c. 782.§2). Damit wird ihre Sorgepflicht über die eigene Diözese hinaus ausdrücklich betont. Im einzelnen haben alle Diözesanbischöfe die Pflicht, für die Förderung der missionarischen Berufungen zu sorgen; einen Missionsreferenten zu bestellen, der die Unternehmungen für die Missionen in der Diözese unterstützen soll, vor allem die Päpstlichen Missionswerke. Jährlich ist ein Missionstag in den Diözesen abzuhalten (→ Missionsfest), ferner ist jährlich ein angemessener Beitrag für die Missionen an den Apostolischen· Stuhl zu leisten (c. 791). Die Bischofskonferenzen haben dazu noch den Auftrag, für Studenten und Arbeiter aus den Missionsländern Werke einzurichten, in denen sie brüderlich aufgenommen werden. Auch sollen diese seelsorglich betreut werden (c. 792). Eigens angesprochen sind die Diözesanbischöfe in den Missionsländern. Wenn auch noch nicht überall die ordentliche Hierarchie mit Diözesanbischöfen, die im eigenen Namen ihre Gebiete leiten, eingerichtet ist, so sind es in den der Propágandakongregation unterstellten Gebieten nur noch eine relativ geringe Zahl von Apostolischen Vikariaten und -Präfekturen, die im Namen des Papstes ihre Gebiete leiten. Die Ordinarien sollen die missionarischen Vorhaben in ihren Gebieten leiten, fördern und koordinieren. Nach dem Übergang vom jus commissionis zum jus mandati im Jahre 1969 ist in den Diözesen, nicht aber in den Vikariaten und Präfekturen, die Missionstätigkeit nicht mehr den Missionsinstituten anvertraut, sondern den Bischöfen (Instr. „Relationes in territoriis missionum" vom 24.2.1969, in: AAS 61, 1969, 281-289). Diese haben die Verpflichtung, mit den Leitern der Missionsinstitute, die in ihren Diözesen arbeiten, einen Vertrag zu schließen über die Tätigkeit. Dieser Vertrag wird durch Mandat des Apostolischen Stuhles bekräftigt. Den Vorschriften des Diözesanbischofs unterstehen die Missionare, auch die Ordensleute und ihre Hilfskräfte. In den Vikariaten und Präfekturen bleibt das jus commissionis (Instr. „Quum huic" vom 8.12.1929, in: AAS 22, 1930, 111-115). Hier sind die Institute noch die Missionsträger.

Wie in der gegenseitigen Beziehung von Mission und Einheit es die „jungen Kirchen" innerhalb der evangelischen Kirchen zur Bildung von Unionen drängt, so gewinnt auch in den sendenden Kirchen die Integration von Kirche und Mission daraus ihren Antrieb. Es kommen darin zwei Fakten zum Tragen. Von außen ist das Verlangen der „jungen Kirchen", als Glieder der einen Kirche Christi ihre Selbständigkeit zu wahren und an der Seite der Mutterorganisation die eigene Missionsverantwortung wahrzunehmen. Theologisch wurde diese Bewegung von dem Gedanken der Missio Dei, der Neubesinnung auf die Kirche als Teilhaberin an der Mission Gottes angestoßen (Tambaram 1938/Willingen 1952). Die Weltmissionskonferenz von Accra/Ghana (1957/58) diskutierte ausführlich die Frage der Integration der → Weltmissionskonferenz in den Weltrat der Kirchen, des Bezuges von Mission und Kirche. Die Integration erfolgte dann in New Delhi (1961).

In Holland fand diese Bewegung die erste Verwirklichung auf nationaler Ebene (1950). Die Niederländisch Reformierte Kirche übernahm für die Arbeiten der Missionsgesellschaften in ihrem Bereich die Verantwortung im Bewußtsein ihres apostolischen Auftrages.

In der Bundesrepublik Deutschland trägt die Arbeitsgemeinschaft für Weltmission (1964) dazu bei, daß zwischen der Evangelischen Kirche in Deutschland und dem Deutschen Evangelischen Missions-Tag die Integration langsam vollzogen wird. In Norddeutschland (1971) entstand das Nordelbische Zentrum für Weltmission und kirchlichen Weltdienst als Partner der nordelbischen Kirchen.

In Südwestdeutschland bildete sich das Evangelische Missionswerk in Südwestdeutschland als „eine Gemeinschaft evangelischer Kirchen und Missionen". In Bayern wurde durch ein landeskirchliches Gesetz das Missionswerk der Evangelisch-Lutherischen Kirche in Bayern geschaffen.

Die Bildung der Missionswerke auch in den alten Landeskirchen war nicht problemlos, ob sie sich konstitutiv oder konföderativ vollzog. Das wird an dem langsamen und späten Zustandekommen sichtbar. Es ging aber auch darum, die „Vielfalt der Strukturen und Ziele ... in der Einheit, die uns in Christus gegeben ist" zu leben und sichtbar zu vollziehen (Bangkok).

4. Zu Missionaren, die von der zuständigen kirchlichen Autorität, die nicht unbedingt die höchste Autorität sein muß, ausgesandt sind, können Einheimische und Nichteinheimische bestellt werden, und zwar Diözesankleriker und Mitglieder der Ordensinstitute oder auch andere Laien (c. 784). Damit sind auch alle Ordensschwestern und -brüder, ferner auch Laien aus dem säkularen Stand als Missioanre anerkannt und nicht nur als Helfer. Eine Unterscheidung zwischen Missionaren auf Zeit und auf Lebenszeit wird nicht gemacht. Eigens hervorgehoben sind noch die Katechisten, die für die Missionsarbeit nach einer entsprechenden Ausbildung heranzuziehen sind (c. 785).

5. Als Ziel der Missionstätigkeit wird im CIC die Einpflanzung der Kirche in die Völker genannt und die Gründung junger Kirchen (c. 780). Geschehen soll dies durch das Zeugnis des Wortes und des Lebens. Dabei soll unter Wahrung der kulturellen Eigenart ein Dialog geführt werden (c. 787 §1) (→ Inkulturation). Die Entscheidung zur Annahme des Glaubens muß frei fallen (c. 787 §2). Als Stufen werden das Vorkatechumenat und das Katechumenat mit Einführung in die Heilsgeheimnisse, in das praktische christliche Leben, in die Liturgie und in die Werke der Caritas und des Apostolates genannt. Die Bischofskonferenz hat Normen über das Katechumenat aufzustellen (c. 788). Verlangt wird eine intensivere Betreuung der Neugetauften (c. 789).

Innerhalb der rechtlichen Diskussion um die Mission spielt die Stellung der Mission im allgemeinen Völkerrecht eine wichtige Rolle. In neuzeitlichen Verträgen und in den Verfassungen wird immer auch das Recht auf (christliche) Mission und die freie Religionsausübung verankert. Wie die Mission in den völkerrechtlichen Verträgen und in den Verfassungen dann aber gesehen wird, hängt von dem jeweiligen Verständnis des Staates und seiner Bindung an das Naturrecht ab. Daraus folgt aber auch für die katholische und evangelische Mission eine unterschiedliche Haltung und eine verschiedene Stellung, die in den Verträgen und Verfassungen erstrebt wird. In der Wirklichkeit weichen die Bestimmungen und die rechtlichen Verankerungen nur geringfügig voneinander ab, da vielmehr allgemein über die Christenheit gehandelt wird. Es wird grundsätzlich die Religions- und Bekenntnisfreiheit erstrebt, die Freiheit der öffentlichen Kultusausübung und der kulturellen Betätigung, Freiheit der Caritas und Diakonie. Die Forderungen wurden auf der Weltmissionskonferenz von Tambaram (1938) formuliert. Wenn auch grundsätzlich die Forderungen der Freiheit der Mission und Kirche aufrechtgehalten werden, so hat die Kirche die Forderungen und den Anspruch Gottes zu verkünden, wobei sie aber die Ansprüche Gottes nicht mit eigenen Forderungen gleichsetzen darf.

Lit.: *Bieder, W.*, Lebendige Kirchenzucht, in: EMM 100, 1956, 34-38. - Breviarium Missionum, hg. v. F. Zaplata, 1979. - *Buijs, L.*, Facultätes decennales, 1961. - Collectanea S.C. Prop. 2 Bde, 1907. - *Dammertz, V.* Die Ausführungsbestimmungen zum Konzilsdekret über die Missionstätigkeit der Kirche, in: AKathKR 136, 1967, 47-67. - *Ebeling, G.*, Kirchenzucht, 1947. - *Funk, J.*, Einführung in das Missionsrecht, 1958. - *Ders.*, Die Religion in den Verfassungen der Erde, 1960. - *Glazik, J.*, Instruktionen der Kongregation für die Evangelisierung der Völker, 1970. - *Grentrup, Th.*, Jus Missionarium I, 1925. - *Holsten, W.*, Die Mission in den völkerrechtlichen Verträgen und Verfassungen der Neuzeit, in: Basileia, W. Freytag zum 60. Geburtstag, 1959, 106-127. - *Lee Ting Pong, I.*, Relationes inter Ordinarios locorum et Instituta Missionala, in: CR 51, 1970, 37. - *Ders.*, De actione Ecclesiae missionali in novo Codice juris canonici, in: CR 64, 1983, 97-106. - *Ders.*, De regiminis duplicitate in missionibus, in: CR 65, 1984, 111-120. - *Legrain, M.*, Le nouveau Code de Droit Canonique et les Jeunes Eglises, in: Spiritus 24, 1983, 293-308. - *Mantovani, E.*, Canon Law and the Bush Missionary, in: Verbum SVD 24, 1983, 173-191. - *Paventi, X.*, Breviarium juris missionalis, 1960. - *Peters, A.*, Die Evangelisation der Völker. Aussagen des kirchlichen Gesetzbuches, in: OK 24, 1983, 404-414. - *Raaflaub, F.*, Kirchenordnung und Kirchenzucht in einer jungen Kirche, in: EMM 108, 1964, 53-68. - *Reuter, A.*, The Missions in the New Code of Canon Law, in: Bib. Miss. 46, 1983, 361-370. - *Richter, J.*, Das Buch der deutschen Weltmission, 1935. - *Rosenkranz, G.*, Die christliche Mission. Geschichte und Theologie, 1977. - *Rzepkowski, H.*, Umgrenzung des Missionsbegriffes und das neue kirchliche Gesetzbuch, in: Verbum SVD 24, 1983, 101-139. - *Schlunk, M.*, Die Weltmission der Kirche Christi, ²1951. - *Schütte, J.*, Mission nach dem Konzil, 1968. - *Stein, A.*, Evangelisches Kirchenrecht, 1980. - *Steinborn, E.*, Die Kirchenzucht in der Geschichte der deutschen evangelischen Mission, 1928. - *Stoffel, O.*, Die Missionstätigkeit der Kirche im neuen Kirchenrecht, in: NZM 39, 1983, 178-197. - *Ders.*, Die katholischen Missionsgesellschaften. Historische Entwicklung und konziliare Erneuerung in kanonischer Sicht, 1984. - Sylloge praecipuorum documentorum recentium Summorum Pontificium et S.C. Prop., 1939. - *Vromant, G.* Jus Missionariorum, 6 Bde, 1947-1959. - *Wyder, H.*, Gesetz und Gnade in der Zuchtübung der Gemeinde in China, in: EMM 91, 1947, 97-99. - *Zepp,P.*, Möglichkeit einer Eigenentwicklung der Teilkirchen, in: OK 26, 1985, 38-53.

P. Zepp

MISSIONSSCHULE I. (EV.)

1. Abgrenzung. 2. Die Träger der Missionsschule. 3. Ziele der Missionsschule. 4. Die Zielverwirklichung. 5. Zum Wandel der Missionsschule.

1. Schulen mit einer eindeutigen missionarischen Ausrichtung hat es weder in der Alten Kirche noch in der des Mittelalters gegeben. Erst für die Neuzeit kann die Missionsschule, sowohl auf katholischer wie auf evangelischer Seite, als „durchweg selbstverständlicher Bestandteil der Arbeit" der → Orden, Kongregationen und → Missionsgesellschaften angesprochen werden (Gensichen). Beide Konfessionen gründeten Missionsschulen mit dem Ziel, vor allem die Jugend zu gewinnen und einheimische Mitarbeiter auszubilden. Je nach dem Zeitpunkt der Gründung einer Missionsschule, den örtlichen Gegebenheiten und den Schwerpunkten, welche die Missionen aufgrund ihrer unterschiedlichen Ziele, ihres je eigenen Charakters und ihrer besonderen Führung entwickelt haben, kam es zu vielfältigen und unterschiedlichen Ausprägungen der Missionsschularbeit.

Von ihren Anfängen an war die Missionsschule eine institutio multiformis. Charakteristisch blieb ihre missionarische Intention und ihre Bindung an jene Schule, welche die Missionare zuhause erlebt hatten.

Auch wo die Missionsschule von der „jungen Kirche" übernommen worden ist und heute als Kirchenschule weitergeführt wird, haben wir es historisch und sachlich mit einer Missionsschule zu tun. Denn von Kirchenschule kann in strengem Sinne nur dort die Rede sein, wo Schulgründungen der jungen Kirche ohne geschichtliche Kontinuität zur Schularbeit der westlichen Missionare und ihrer Schulgründungen vorliegen, ja, wo oft sogar eine missionarische Intention direkt nicht erkennbar ist.

2. Als Schule in einem fremden Land unterscheidet sich die Missionsschule wesentlich von einer europäischen Inlandsschule. Es können vor allem folgende Gruppen Träger der Missionsschule sein:

- der juristische Träger (Schulverein, kirchliche Organisation)
- der Missionsverein oder Missionsorden
- die Elternschaft der Schüler
- die Kirchengemeinde am Ort
- amtliche Stellen des Landes
- fremde amtliche Stellen im Lande (Kolonialregierung)

Obwohl die Missionsschule eine Institution darstellt, die in der Tradition, Kultur und Sozialstruktur der westlich-europäischen Gesellschaft und ihrer Kirchen entstanden ist, können Macht und Einfluß der verschiedenen Bezugsgruppen von Region zu Region wechseln und das Gesicht der Missionsschule ändern.

Beide, die Bezugsgruppen wie auch die Missionsschule, unterliegen dem geschichtlichen Wandel. Als Folge davon kann man auf seiten der Missionsschule ein doppeltes Spannungsverhältnis beobachten zwischen

- einer traditionellen Bildung im Missionsland und einer formellen westlichen Bildung (Najman) sowie
- einer religiös begründeten ganzheitlichen Erziehung, wie sie vor allem das Lernen in der Missionsschule und das Leben im Internat umfaßt, und einer ein-

seitigen Fachausbildung, die auf einem „pseudo-christlichen säkularen Mißverständnis von Missionsschule" beruht (Vicedom 19).

Wie immer die Problematik dieser Spannungsverhältnisse gelöst worden ist, die Missionsschule steht wie die junge Kirche im Schnittpunkt der Begegnung zweier fremder Kulturen. Die Geschichte zeigt, daß am Ende dieses Prozesses einerseits die Auflösung der Missionsschule stehen kann (vgl. China), andererseits durchaus ein Fortbestand in Form von staatlich anerkannten und subventionierten privaten Kirchenschulen möglich ist (vgl. Japan).

3. Sofern die Ziele der Mission mit denen ihrer Missionare übereinstimmen, lassen sich mindestens vier verschiedene Ziele nennen, denen die Missionsschule dient:

- Ziele der Mission
- Ziele von Organisation einer Schule, die von den Missionaren aus dem Westen mitgebracht wurden
- Ziele der Schüler bzw. ihrer Eltern
- Ziele der Administration im Lande.

Maßgebend und vorherrschend für die Missionsschule sind die Ziele der Mission:

„Christianisierung" der Jugend und Ausbildung von Mitarbeitern. Sie werden begründet mit dem Missionsbefehl Jesu nach Mt 28,19f. Missionarische Verkündigung, Taufe und Schule gehören zusammen.

Wie die Übersicht zeigt, lassen sich idealtypisch je nach theologischer Ausrichtung drei Konzeptionen von Missionsschulen unterscheiden. Das Ziel einer Missionsschule der Konzeption A, die in der Tradition der sog. Glaubenmissionen steht, ist die Bekehrung des einzelnen Schülers. Der Missionar in einer solchen Missionsschule versteht sich nach dem Vorbild der Apostel als lebendiger Glaubenszeuge, der zur Buße und zum Glauben ruft. Mit Hilfe der Bibel sucht er dem Schüler eine persönliche Christus-Begegnung zu eröffnen. Eine Missionsschule mit dieser Zielsetzung ist eigentlich weniger eine Schule als eine Institution der biblischen Unterweisung und missionarischen Verkündigung, die als „Hilfsmittel" der Mission bezeichnet werden kann (Eggert).

Eine Missionsschule nach der Konzeption B ist an der Kirchengemeinde orientiert. Sie verfolgt das Ziel, das im Gottesdienst gehörte Wort der → Predigt vor allem der Jugend einzuprägen und es zu vertiefen. In der Missionsschule einer kirchlich gebundenen Mission dienen → Bibel und → Katechismus dem kirchlich beauftragten Lehrer oder Missionar, den Schüler in den Glauben der Kirche einzuführen, damit er ein lebendiges Glied der Gemeinde werde. Dazu kann dann oft auch eine „Unterweisung in dem notwendigsten weltlichen Wissen, wie es für das bürgerliche Leben auf Erden erforderlich ist", gehören (Eggert). Denn wie die Gemeinde Teil der Gesellschaft ist, so ist auch das Einprägen von Katechismus und Bibel nur ein Teil eines umfassenderen Unterrichts, in dem diese auf die Lebenswelt der Schüler bezogen werden. Diese Lebenswelt muß um dieses Bezuges willen im Unterricht mit erarbeitet werden, auch wenn damit für die Mission „fremde Ziele" in den Vordergrund rücken können.

In solchen Schulen wird die Einzelbekehrung oft im Zusammenhang mit der „Volkschristianisierung" gesehen. „Ein volklich gearteter Christianisierungsprozeß

	Konzeption A	Konzeption B	Konzeption C
Gründer/Träger	Glaubensmission	Kirchl. gebun- dene Mission	Liberale Mission
Ziel	Bekehrung	Prägung einer christlichen Persönlichkeit	Belehrung
Medien religiöser Unterweisung	Bibel	Katechismus u. Bibel	Religiöse Texte u. Bibel
Unterrichtsinhalt	Bibelstudium u. Glaubensunter- weisung	Unterricht im Glauben der Kirche u. welt- liches Wissen	Vermittlung der christlichen Gei- steskultur u. Ethik
Lehrer	Glaubenszeuge	Kirchl. Lehrer	Christl. Erzieher

nimmt ganz von selbst eine volkserzieherische Gestalt an durch Beinflussung des gesamten Volkslebens und die auf seine geistige wie sittliche Hebung gerichtete mannigfach verzweigende Tätigkeit" (Warneck). Diese im Geiste Herders und der Romantik betonte Heraushebung des Volkstums (→ Volk) führte in der Missionsschule der Konzeption B nicht nur zur selbstverständlichen Pflege der Volkssprache als Unterrichtssprache, sondern ebenso unter Ablehnung der Evolutionstheorie zu einer Achtung der eigenständigen → Kultur als Ausdruck der Volksindividualität und Forderung einer allgemeinen Volksbildung.

Eine dritte Art von Missionsschule, Konzeption C, finden wir in den Reihen der liberalen Mission. So versuchte z.B. der „Allgemeine evangelisch-protestantische Missionsverein" die alte Lehre vom logos spermatikos neu zu beleben und an die Wahrheitselemente in den → Religionen der nichtchristlichen Völker anzuknüpfen. Außer dem damit begründeten religionsgeschichtlichen Interesse verfolgte man das Ziel, christliche Religion und Geisteskultur den nichtchristlichen Völkern zu vermitteln. Man sprach von „Kulturprotestantismus" und suchte nicht zuletzt auch „westliche Wissenschaft" zu vermitteln. Man zielte auf die Bildung einer christlichen Persönlichkeit im Kontext ihrer Gesellschaft. Man bejahte Kulturvermittlung als „Verständigungsgrundlage" (Seufert). Der Verwirklichung ihres Zieles dienten neben dem Religionsunterricht auch der Schulgottesdienst und die Morgenandacht, die in der Schule und von Mitgliedern der Schule gestaltet wurden.

Alle drei dargestellten Konzeptionen tragen in sich ein zeitgeschichtlich bedingtes Gefälle, das in der Übersicht nicht zum Ausdruck kommt. Es ist bestimmt von dem Überlegenheitsanspruch der westlichen Missionare, der fatalen Gleichsetzung von Christentum und Zivilisation und der religiösen Legitimation von Bevormundung (Rücker) bei gleichzeitiger Abwertung der „primitiven" einheimischen Kultur und ihrer „heidnischen" Bevölkerung. Richter kann auf diesem Hintergrund von einem „Bildungshunger" der Heiden sprechen, der durch die Missionsschule zu befriedigen ist. Die Missionare, die die Problematik in diesem Gefälle auch nicht erkennen, münzen es schlicht um in die Praxis des Lehrer-Schüler-Verhältnisses.

4.1 *Zum Aufbaugefüge der Missionsschule.* Obwohl die Missionare die Ziele ihrer Missionen nicht einheitlich verwirklicht haben, lassen sich doch im Aufbaugefüge der Schule wie in der Organisation des Unterrichtes über die Nationen und Konfessionen hinwegreichende Gemeinsamkeiten feststellen.

4.1.1 *Der Primar- und Sekundar-Schulbereich.* Im Primarschulbereich finden wir sehr verschiedenartige Schularten: Dorfschulen, Gemeindeschulen, Kostschulen, Buschschulen, Häuptlingsschulen, Außenschule u.a. In ihnen dient der Unterricht neben der religiösen Unterweisung dem Erlernen von sog. „Kulturtechniken" und handwerklichen Fertigkeiten. Die Schüler besuchen solche Schulen meist drei Jahre lang (Keller). Auch wenn sie oftmals als „Zubringerschulen" für die elitären Regierungsschulen der Kolonialmacht „mißbraucht" wurden, dienten sie doch im allgemeinen als Voraussetzung für den Besuch der meist vierjährigen Sekundarschulen der Mission, d.h. von Stationsschulen, Knabenschulen, Mädchenschulen, Mittelschulen, Katecheten-Seminaren u.a. Allgemein gilt, daß die Missionsschulen im Unterschied zu den Regierungsschulen vielfach weniger gut ausgestattet sind mit Personal, Unterrichtsmitteln und Unterrichtsräumen. Da sie meistens auf staatliche Zuschüsse angewiesen waren, mußten sie sich unter staatliche Aufsicht begeben und oft Ziele der Administration mitverwirklichen. Das gilt auch dort, wo die Missionsschule heute als Privatschule weiter existiert.

4.1.2 *Der Fachschulbereich.* Im Fachschulbereich ist zu unterscheiden zwischen einem vierjährigen Lehrerseminar, das heute zum Hochschulbereich zu rechnen ist, und den mancherlei meist zwei- bis dreijährigen Fortbildungsschulen. Zu letzteren gehören z.B. die Bibelschule, Krankenpflegeschule, Schwesternschule, Helferschule, Landwirtschaftsschule, Haushaltsschule und Industrieschule (Keller). Diese Schulen, die neben dem offiziellen Schulsystem und als Ergänzung zu den staatlichen berufsbildenden Schulen existieren, zeigen, wie die Missionsschule (vor allem der Konzeption B) sich an den praktischen Bedürfnissen der Region eines Landes orientiert.

4.1.3 *Die Internatsschulen.* Die Internatsschule ist auch unter dem Begriff der „Kostschule" in die Literatur eingegangen (Eggert). Um die Ausbildung einer bewußt christlichen Lebensanschauung und Lebenshaltung zu fördern, wünschten die Missionen eine zumindest zeitweise „Isolierung" der Schüler von der Umwelt, die in vielen Fällen durch ein angegliedertes Internat erreicht wurde. War der Schüler auf seinem schulischen Wege genügend weit fortgeschritten, konnte er in seine ursprüngliche Lebenswelt wieder zurückkehren, um mit einer veränderten geistigen Haltung und neuen Einsichten in die Zusammenhänge des Lebens seinen Platz in der Gesellschaft seines Landes einzunehmen (Thomas). Auf diese Weise hoffte die Mission, größeres Verständnis für ihr Anliegen in der Gesellschaft zu gewinnen. Von der Kolonialmacht wurde die Internatserziehung nicht zuletzt deshalb begrüßt, weil durch sie das Verständnis für die westliche Zivilisation begünstigt und eine ihr entsprechende neue Sozialstruktur gefördert wurde.

4.2 *Der Unterricht in der Missionsschule.* Für den Unterricht in einer Missionsschule der Konzeption B kann der Unterrichtsplan der Elementarschule der Leipziger Mission in Machame/Afrika als Beispiel dienen. Nach diesem Plan (vgl. Eggert)

- bildet die biblische Unterweisung mit 30% den Schwerpunkt des Unterrichtes,
- dienen die übrigen Fächer dazu, ein Mindestmaß an Kulturtechnik zu erlernen und die Muttersprache zu pflegen,
- wird quantitativ und qualitativ weniger Unterricht angeboten als in der „religionslosen Regierungsschule".

Es kann der Missionsschule in Afrika nicht hoch genug angerechnet werden, daß sie im Gegensatz zur Regierungsschule Mädchen ebenso wie familien- und heimatlose Kinder, arme ebenso wie befreite Sklavenkinder aufgenommen und unterrichtet hat, die in den offiziellen Verlautbarungen als „Ausschuß" oder „minderwertiges Schülermaterial" und „für Gouvernementsbeamte nicht sonderlich geeignet" bezeichnet werden (Eggert). Diese Tatsachen sowie das spärliche Fächerangebot, die oft mangelhafte Ausbildung der Lehrer und ihre vernachlässigte Fortbildung (Krützmann) sowie der große Mangel an Lehrbüchern und Lehrmitteln in einigen Ländern der Dritten Welt (Keller) gehören zu der Knechtsgestalt der christlichen Missionsschule, die sie bis heute trägt.

Nach R. Jolly (Najman) ist Afrika heute der Kontinent mit dem niedrigsten Bildungsniveau der Welt, obwohl nach der Erziehungsminister-Konferenz in Addis Abeba 1961 die Ausgaben der afrikanischen Staaten für die Schule von 2,8% (1960) auf 4,7% (1972) ihres Staatshaushaltes erhöht worden sind (Simon-Hohm). Doch statt die verkrusteten Schulsysteme an die wirtschaftlichen und gesellschaftlichen Bedingungen in Afrika anzupassen, wo 80% der Bevölkerung auf dem Lande wohnen und nur 50% der schulpflichtigen Kinder 1975 die Schule besuchten, wurde eine rein quantitative Expansion des westlich orientierten Schulsystems vorgenommen (Simon-Hohm). Gerade angesichts dieser bedauerlichen Fehlentwicklung kann die Missionsschule auch heute noch als Alternative gelten, in der eine Grundausbildung für das einfache Volk angeboten und den regionalen Bedürfnissen des Landes entsprechende Lerninhalte favorisiert werden.

5. Das Gefälle zwischen westlicher und einheimischer Kultur (cultural lag) bestimmt auch die - wiederum idealtypisch zu verstehenden - „Typen" resp. Phasen des Missionsschulwesens. Eine erste Phase (Typ A) markiert jene Situation, in der - meist mit Hilfe oder unter Duldung einer Kolonialmacht - „Pioniermissionare" ins Land kamen. Sie organisierten den Schulunterricht und trugen dadurch zur Begründung eines eigenständigen Schulwesens im Missionsland bei. Die Schüler wurden auf eine für sie ferne und fremde Gesellschaft hin ausgebildet. Sie verloren die Geborgenheit der Kultur ihres Heimatlandes und begaben sich auf den Weg in eine andersartige, neue Kultur. Sie mußten damit rechnen, von ihrer Gesellschaft nicht mehr verstanden oder gar abgelehnt zu werden. Sie kamen aber auch in der neuen Kultur nicht an und wurden damit Menschen zweier Welten mit einer Art kultureller Dauer-Schizophrenie. Dieses Problem der Entfremdung wird bis in die jüngste Literatur hinein von Afrikanern wie z.B. Idowu, Sanon, Asamoa und Souza immer wieder artikuliert (Rücker).

Man hielt diese Art der Missionsschule für einen berechtigten Versuch, die Menschen im Missionsland aus der „Barbarei der Unkultur und des Heidentums" (→ Heiden) herauszuführen. Denn die Nähe zur westlichen Kultur und Mission galt als Maß der Teilnahme am wirklichen Menschsein und als Voraussetzung für einen sozialen Aufstieg. Heute erscheint es als fragwürdig, wenn in der Missionsschule die Kultur des Missionslandes vernachlässigt wird. Denn Christianisierung im Sinne dieser Art von einseitiger Europäisierung bedeutet doch Fortsetzung der kolonialen Strukturen und Verzögerung oder Verhinderung eigenständiger kirchlicher Entwicklungen.

In einer weiteren Phase des Missionsschulwesens (Typ B) wird Bildung funktional sowohl auf die Bedürfnisse und Erwartungen der Gesellschaft/Kirche des Heimatlandes wie des Westens bezogen, so daß nach beiden Seiten hin qualifizierte Kräfte entlassen werden können. Zur bilateralen Grundstruktur dieser Phase gehört prinzipiell die Zweisprachigkeit. Das wird nicht zuletzt dadurch möglich, daß die Mission nunmehr auf Ortskräfte als Lehrer zurückgreifen kann. Ihnen stehen z.B. Bibelübersetzungen als neue Unterrichtsmittel zur Verfügung. Im Gegensatz zur Missionsschule der ersten Phase, die unilateral auf den Westen ausgerichtet ist, wird hier versucht, auf die Bedürfnisses des Heimatlandes der Schüler größere Rücksicht zu nehmen und Schulformen, Schulorganisation, Curriculum, Lehrbücher und Qualifikationen nicht mehr einseitig an der westlichen Gesellschaft auszurichten.

Aufgrund ihrer bilateralen Grundstruktur unterscheidet sich die Missionsschule dieses Typs so stark von einer europäischen Schule, daß es berechtigt erscheint, von einem eigenständigen Beruf des Missionslehrers zu sprechen, dem in den dreißiger Jahren eine besondere „Missionspädagogik" zur Verfügung steht. Diese versucht nach Eberhard (702) im Sinne einer „Lebenspädagogik" die Missionsarbeit zu begleiten und „sämtliche Lebensträger des missionarisch-pädagogischen Bereichs (Schule, Sitte, Muttersprache, heimatliches Milieu, die geistige und religiöse Mentalität, aber auch Feier und Andacht, Gebet und Gemeinschaft) in den Dienst des Aufbaus der christlichen Persönlichkeit zu stellen"

Solange sich eine solche Missionspädagogik „im Gehorsam gegenüber dem erhöhten Herrn" (Eberhard) zu bewähren sucht, mag sie zwar national-pädagogischen wie kolonial-pädagogischen Bestrebungen entgegentreten. Zur positiven Auseinandersetzung mit den einheimischen Kulturelementen und zu ihrer kritischen Selbstreflexion vermochte sie jedoch kaum einen Beitrag zu leisten.

Schließlich ist eine dritte Phase von Missionsschule (Typ C) zu erwähnen, die als Institution der „jungen Kirche" eine Schule der Dritten Welt darstellt. Sie steht allen Schülern des Heimatlandes ebenso offen wie die konkurrierenden staatlichen Schulen, dient primär den Bedürfnissen des Landes, verwendet selbstverständlich als primäre Unterrichtssprache die Landessprache und paßt sich in Aufbaustruktur und Organisation den Anforderungen des Landes an. Wir bezeichnen diesen Typ als ökumenische Missionsschule, weil die Verbindung zur westlichen Kirche, die durch Gründung der Schule und ihre Traditionen besteht, heute im partnerschaftlichen ökumenischen Miteinander der missionarischen Kirchen aufgehoben und lebendig bleibt.

Die ökumenische Missionsschule bedingt eine einheimische Kirche in postkolonialer Zeit, die sich einerseits ihrer eigenen Kultur bewußt geworden ist, andererseits die Missionsschule bejaht als den Versuch, Lehre und Unterricht im Zusammenhang mit der gesamten Lebensgestaltung der Schüler zu sehen und die religiöse Unterweisung mit der Elementarbildung zu verbinden (Schultze). Dieser ganzheitliche Aspekt von Erziehung und Unterricht, christlicher Lehre und christlicher Lebensgestaltung wird langfristig dazu beitragen, daß Menschen ihr Wissen und ihre Fähigkeiten um Jesu Christi willen für den friedlichen Abbau des Dualismus der ungleichen Sozialstrukturen einsetzen und sich in ihrer Kirche engagieren, weil Gott in ihr für das Wohl des Menschen ganzheitlich sorgt.

H.-E. Hamer

MISSIONSSCHULE II. (KATH.)

1. Allgemeine Fragestellung. 2. Postkonziliare Diskussion. 3 Prinzipien.

1. Bald nach Begründung der katholischen Missionswissenschaft setzten sich Autoren wie Fr. Schwager, J. Schmidlin, L. Kilger u.a. grundsätzlich mit der *Frage des Missionsschulwesens* auseinander. Die XI. Löwener Studienwoche (1933) war ganz diesem Thema gewidmet. Es ging nicht so sehr darum, ob Missionsschulen überhaupt sinnvoll seien, sondern wie man sie am besten führe. Die Frage nach Motivation, Typus und Zielsetzung wurde je nach Situation verschieden beantwortet. Die römische Zentrale (Pius XI., Pius XII., Johannes XXIII., Paul VI.) sah in der katholischen Schule eine Chance und eine Aufgabe. Das II. Vatikanische Konzil erklärte: „Unter allen Erziehungsmitteln hat die Schule eine ganz besondere Bedeutung" (Gravissimum educationis 5).

2. Die *postkonziliaren Diskussionen* fanden die christliche Schultätigkeit, vor allem in der Dritten Welt, in einer Krise. Die weltweite Säkularisierung, der allgemeine sozio-kulturelle Wandel, die Überbetonung der wirtschaftlichen → Entwicklung, die angebliche Zerstörung traditioneller Werte gerade durch die Schule, die vielfache Monopolisierung des Bildungswesens durch den Staat, die finanzielle und personelle Überforderung der Kirche auf dem Gebiet des Sekundarunterrichtes und der Universitäten, der Vorwurf, daß die Schule zwar eine Elite gefördert, die Armen aber in größere → Armut und Abhängigkeit geführt habe u.a. waren die Ursache der Krise. Die Forderung nach anderen Ausbildungsmöglichkeiten wie Erwachsenenbildung, Fernunterricht, größere Nutzung der sozialen Kommunikationsmittel, Lernen durch Tun usw. wurde laut. Gerade die jüngere Generation der Missionare zog sich aus dem Schuldienst zurück. Die Schulorden verloren zahlreiches Personal. Der Unterricht wurde vielerorts ideologisiert. Die teils leidenschaftlich geführten Diskussionen haben die kirchliche Schullandschaft erheblich geändert, vor allem aber die Motivation ins rechte Licht gestellt. Im allgemeinen erkennt man heute immer mehr die Bedeutung der christlichen Schulen vornehmlich für die Dritte Welt. Am 19.3.1977 veröffentlichte die Römische Kongregation für das katholische Bildungswesen ein eigenes Dokument über *Die katholische Schule* (Educatio Catholica), in dem diese als ein vorzügliches Mittel zur ganzheitlichen Ausbildung des Menschen charakterisiert wird. Die katholische Schule sei echtes Apostolat und erfülle eine unersetzliche und dringend nötige Aufgabe, sie sei vor allem in einer pluralistischen Gesellschaft nötig; ein Rückzug aus der Schule würde Selbstverstümmelung bedeuten und im Widerspruch zur eigentlichen Sendung der Kirche stehen. All das sei besonders beachtenswert im Hinblick auf die missionarische Tätigkeit der Kirche: „Das Apostolat der katholischen Kirche gewinnt in den Missionsländern noch größere Bedeutung" (Educatio Catholica 77). Die Apostolische Konstitution *Sapientia christiana* vom 15.4.1979 (Johannes Paul II.) machte ähnliche Aussagen zu den kirchlichen Universitäten und Fakultäten und stellte fest: „Im Bewußtsein ihrer Heilssendung auf Weltebene tut die Kirche alles, um solche Stätten höherer Bildung zu ihrer besonderen Verfügung zu haben, und sie möchte, daß diese überall kraftvoll und erfolgreich wirken, damit das authentische Zeugnis Christi im Bereich menschlicher Kultur mehr und mehr präsent werde" (Prooemium II). Gerade für Lateinamerika, wo die Auseinandersetzungen um die kirchlichen Schulen und Kollegien besonders scharf waren, konstatierten die Bischöfe zu Puebla, daß diese schulischen Einrichtungen eine Schlüsselstellung in der Evangelisierung einnehmen, denn „andernfalls würden wir einen entscheidenden Ort, an dem wir am Strukturwandel mitwirken können, aufgeben" (§ 1055).

3. Trotz dieser grundsätzlichen Klarstellungen bleibt die Schultätigkeit der Kirche in der Dritten Welt im Rampenlicht der Kritik und des Gesprächs und sieht sich immer neu herausgefordert. Als wichtigere *Prinzipien*, die sich durch die Diskussion herauskristallisiert haben, dürften folgende gelten:

• Die Schultätigkeit soll *Dienst am Menschen* sein und darf nicht primär an sichtbaren Resultaten gemessen werden: ob sie finanziell ertragreich ist, ob Bekehrungen gezählt werden können, ob sie uns kirchliche Berufe zuführt.

• Die Erziehungs- und Bildungstätigkeit muß über die religiöse Zielsetzung hinaus *ganzheitlich* verstanden werden, d.h., es muß ihr immer um den ganzen Menschen gehen, um seine menschliche Reife, um sein geistiges Wachstum, die Fähigkeit zur Unterscheidung der Geister, sein Lebensprogramm, um Kultur, um die Gestaltung der Umwelt usw.

• Die kirchliche Schule muß unbedingt die *religiöse Freiheit* der Kinder wahren. Andererseits muß man ihr das Recht zugestehen, von der christlichen Überzeugung Zeugnis zu geben; das Zeugnis des persönlichen Lebens, das kollektive Zeugnis der Schulgemeinschaft, das Zeugnis des gesprochenen Wortes. In diesem Sinne sprach die Kongregation für das katholische Bildungswesen von der Schule als einer „Stätte der Begegnung mit Christus" (Educatio Catholica 55) und konnte Johannes Paul II. die katholischen Fakultäten auf den Missionsauftrag des Auferstandenen verweisen (Sapientia christiana IV).

• Die *seelsorgliche Betreuung* der Schüler und Studenten des christlichen Glaubens muß gegenüber dem rein Schulischen Priorität haben; darum: guter Religionsunterricht, Besinnungstage, religiöse Wochenendtage, Schulgottesdienste, Gruppenbetreuung, Familienkatechese, Foyers, Zeltlager, Lese- und Informationszentren u.a.; in unserer Zeit der Glaubensnot und Kirchenmüdigkeit und so vielfältiger Versuchungen ist das dringlicher denn je. Nur gelebte christliche Gemeinschaft ist Zeugnis.

• Es muß die Überzeugung gefördert werden, daß nicht nur die amtlichen Lehrer und →„Missionare", sondern die *ganze Schulgemeinschaft* zum Zeugnis verpflichtet sind: die Studenten, die Eltern der Studenten, das ganze Lehrerkollegium, die einzelnen Lehrer. Gerade der → „Laie" in der Lehrerschaft hat oft nachhaltigeren religiösen Einfluß als der amtliche Religionslehrer oder der Priester.

• Heute mehr denn je muß an den christlichen Schulen der Sinn für *soziale Gerechtigkeit* entwickelt werden. Eine Schule, die nur für die Reichen bestimmt ist und das Elite- und Klassendenken fördert, kann nicht als christliche Schule bezeichnet werden. Jede Schule sollte grundsätzlich offen sein auch für arme Kinder, für Kinder aus Slums und favellas, für „handicapped children", für Kinder aus Minoritätsgruppen. Dadurch, daß diese Kinder voll in die Studentengemeinschaft eingegliedert werden, wächst der soziale Sinn bei den übrigen Studenten.

• Die Schulgemeinschaft als ganze, einschließlich der Studenten, sollte soweit wie möglich in Aktivgruppen organisiert sein und die *Not der Umgebung* lindern helfen: durch Sorge um die Slumbewohner, Kranken, Aussätzigen, Gefangenen, in Blinden-, Krüppel- und Altenheimen usw. Gerade die Mitarbeit in solchen Aktivgruppen hat manchem die Augen geöffnet und den Sinn für die christliche Botschaft erschlossen.

• Eine von Missionaren betreute Schule sollte mehr als jede andere die *Universalität* der Kirche sichtbar machen und universales Denken, universale Solidarität, universales Teilen, universales Commitment fördern. Gerade die „Missionsschule" sollte dazu beitragen, daß die Welt immer mehr eine Welt werde, geeint durch den Geist Jesu Christi, der die Seele aller Einheit ist, Einheit in Freiheit. Am 28.6.1984 betonte der Papst gegenüber den Kardinälen und Mitarbeiter der Römischen Kurie das Recht (und die Verpflichtung) der Kirche auf eigene Schulen und sagte: „Diese entspricht sowohl vor allem aus ihren fundamentalen *munus docendi* als auch aus der Überzeugung von dem großen Nutzen, den die katholische Schule der Förderung des Menschen und dem Fortschritt der Völker bringt."

K. Müller

Lit.: *Ackermann, L.,* Bildung und Erziehung in Tanzania, 1984. - *Adick, C.,* Bildung und Kolonialismus in Togo. Eine Studie zu den Entstehungszusammenhängen eines europäisch geprägten Bildungswesens in Afrika am Beispiel Togo (1850-1914), 1980. - *Ansprenger, F.,* Afrikanische Geschichtsbücher, in: Internationales Jahrbuch für Geschichtsunterricht, Bd. IX, 1963/64, 120-129. - *Bade, K. J.* (Hrsg.), Imperialismus und Kolonialismus. Kaiserliches Deutschland und koloniales Imperium (Beiträge zur Kolonial- und Überseegeschichte 22), 1982. - *Berger, H.,* Mission und Kolonialpolitik. Die katholische Mission in Kamerun während der deutschen Kolonialzeit, 1978. - Bericht einer Expertenkonferenz in Tokyo 1958: Die Behandlung des Westens in Schulbüchern und Lehrmitteln Süd- und Ostasiens, in: Internationales Jahrbuch für Geschichtsunterricht, Bd. VII, 1959/60, 122-146. - *Bettray, J.,* Missionsschule, in: LThK, Bd. 7, 1962, 478. - *Biancucci, D.,* Dritte Welt unsere Welt: Beispiel Lateinamerika, 1985. - *Busch, F.,* Vergleichende Erziehungswissenschaft. Eine Einführung in Gegenstand, Methoden und Entwicklungsprobleme, in: Handbuch Schule und Unterricht, Bd. 7,2, 1985, 834-854. - *Eberhard, D.,* Missionspädagogik, in: Pädagogisches Lexikon 3, 1930, 701-704. - L'Education chrétienne aux missions, 1933. - *Eggert, J.,* Missionsschule und sozialer Wandel in Ostafrika (Freiburger Studien zu Politik und Gesellschaft überseeischer Länder 10), 1970. - Evangelisches Missionswerk (Hrsg.), Wie leben Kinder anderswo?, [4]1981. - *Freire, P.,* Erziehung als Praxis der Freiheit, 1974. - *Freytag, J.* (Hrsg.), China und seine Christen - ein eigener Weg, 1982. - *Galega, B. D.,* Bildung und Imperialismus in Schwarz-Afrika: historische und soziopolitische Hintergründe, 1984. - *Gensichen, H.-W.,* Missionsschulen, in: [3]RGG, 4, 1009-1011. - *Hartmann, G.,* Christliche Basisgruppen und ihre befreiende Praxis. Erfahrungen im Nordosten Brasiliens (Fundamentaltheologische Studien 2), 1980. - Heilige Kongregation für das katholische Bildungswesen über die katholische Schule (19.3.1977). Verlautbarungen des Apostolischen Stuhles (Sekretariat der Deutschen Bischofskonferenz Nr. 4). - Heilige Kongregation für das katholische Bildungswesen: Der katholische Laie - Glaubenszeuge in der Schule (15.10.1982). Verlautbarungen des Apostolischen Stuhles (Sekretariat der Deutschen Bischofskonferenz Nr. 42). - *Hermelink, J. H.,* Das Schulwesen in der äußeren Mission, in: EvW 11, 1957, 246ff. - *Ders.,* Christ im Welthorizont, 1962. - *Illich, I.,* Entschulung der Gesellschaft, [2]1972. - Johannes Paul II., Constitutio Apostolica De Studiorum Universitatibus et Facultatibus Ecclesiasticis (Sapientia christiana), in: AAS 71, 1979, 469-499. - *Keller, W.,* Zur Freiheit berufen. Die Geschichte der Presbyterianischen Kirche in Kamerun, 1981. - *Kilger, L.,* Zur Geschichte des Missionsschulwesens, in: ZMR 13, 1923, 198-210. - *Klein, D.,* Schule anders - von Papua-Neuguinea lernen, in: dü 22, 1986, 82-84. - *Krützmann, A.,* Von „Buschschulen" in Nordtanzania und ihren Lehrern, in: Mission und Unterweisung. Handreichung, hg. v. W. Ruf, 1966, Beilage 4. - *Lehmann, A.,* Es begann in Tranquebar, [2]1956. - *Lehnhart, V./Röhrs, H.,* Auf dem Wege zu einer Theorie der Schulen in der 3. Welt, in: ZP.B 16, 1981, 129-144. - *Meyer, H.,* Missionsschulwesen, in: EKL 2, 1382-1386. - *Mirtschink, B.,* Zur Rolle christlicher Mission in kolonialen Gesellschaften. Katholische Missionserziehung in „Deutsch-Ostafrika" (Berliner Studien zur Erziehung und Internationalität 2), 1980. - Missioni e scuola: Atti della 4. Settimana di Studi Missionari, 9.-13.9.1963, 1964. - *Mohr, R.,* Die Mission im sozialen und kulturellen Wandel, in: W. Fröhlich (Hrsg.), Afrika im Wandel seiner Gesellschaftsformen, 1964. - *Najman, D.,* Bildung in Afrika (Friedenspolitische Konsequenzen 4), 1976. - Questions scolaires aux Missions, 1955. - *Raaflaub, F.,* Die Schulen der Basler Mission in Kamerun: Ihre Geschichte und Gegenwartsaufgabe, 1948. - *Richter, J.,* Das deutsche Kolonialreich und die Mission (Missionsstudienbücher 2), 1914. - *Röhrs, H.,* Allgemeine Erziehungswissenschaft, [2]1970. - *Rosenkranz, G.,* Die christliche Mission: Geschichte und Theologie, 1977. - *Schäppi, F. S.,* Die katholische Missionsschule im ehemaligen Deutsch-Ostafrika, 1937. - *Schlunk, M.,* Das Schulwesen in den deutschen

Schutzgebieten, 1914. - *Schmidlin, J.*, Die Schule in der Mission, in: ZMR 27, 1937, 19-31. - *Ders.*, Katholische Missionslehre im Grundriß, ²1923. - *Schwager, Fr.*, Erziehungs- und Bildungtätigkeit der katholischen Missionen, in: ZMR 3, 1913, 53-66. - *Schultze, W.*, Missionsschulen, in: Pädagogisches Lexikon II, 1971, 390. - *Seufert, W.*, Das Problem der Missionsschule, in: Jahrbuch der Ostasien-Mission, 15, 1937, 29-41. - *Simon-Hohm, H.*, Afrikanische Kindheit und koloniales Schulwesen (Studien und Dokumentationen zur vergleichenden Bildungsforschung 24), 1983. - *Thomas, A.*, Entwicklung durch Erziehung, in: EHS Reihe XI, Bd. 89, 1980. - II. Vatikanisches Konzil, Erklärung über die christliche Erziehung der Jugend: Gravissimum Educationis. - *Vicedom, G.*, Die Mission in der Sicht junger Kirchen. Christus und die Welt, Heft 22, 1964. - III. Vollversammlung des Lateinamerikanischen Episkopates in Puebla, 1979, Nr. 1012-1062. - *Warneck, G.*, Die Mission in der Schule. Ein Handbuch für Lehrer, 1887. - *Ders.*, Evangelische Missionslehre, 5 Bde, 1897-1903.

MISSIONSSTATISTIK

1. Begriff und Aufgaben. 2. Universalität des Christentums. 3. Vitalität des Christentums. 4. Wachstum des Christentums. 5. Hauptgruppen.

1. Unter Missionsstatistik versteht man die systematisch gesammelte zahlenmäßige Darstellung der Entwicklung der Mission. Auf die Gegenwart bezogen bildet sie einen Teil der Missionskunde; für die Vergangenheit umfaßt sie einen Ausschnitt aus der Missionsgeschichte. D. B. Barrett teilt sie in fünf Perioden ein: die apostolische (pneumatische) (a.D. 30-500), die kirchliche (500-1750), die Periode des Kirchenwachstums (church growth) (1750-1900), das Zeitalter der globalen Mission (global mission era) (1900-1990) und die Epoche des Jüngermachens (1990-). Die Schwierigkeit, für die vergangenen Jahrhunderte der Missionsgeschichte genaue Angaben zu machen, liegt auf der Hand; doch sind Schätzungen möglich. Für die Zukunft können zwar keine exakten, sondern nur wahrscheinliche Daten angegeben werden. Aufgrund der gegenwärtigen Situation zeichnen sich Trends ab, z.B. der Zugang des Christentums zu allen Völkern. Nach Barrett entsprechen den fünf Perioden fünf Imperative, die im Missionsbefehl Jesu Christi enthalten sind: geht! tauft! bekehrt! evangelisiert! machet zu Jüngern alle Völker! Die Missionsstatistik darf nicht als eine triumphalistische Darstellung des Christentums gewertet werden, sondern sie soll die Christen an das mahnen, was ihnen Jesus Christus aufgetragen hat, „das große göttliche Werk der Weltmission", an dem sie aktiv Anteil nehmen. Zusammen mit der Missionsgeographie liefert die Missionsstatistik eine konkrete, aussagekräftige Beschreibung der Ausbreitung des Christentums. „Wahrscheinlich ist sie die schnellste, wissenschaftlichste und objektivste Darstellung einer großen Zahl von sehr kondensierten und genauen Informationen, die große Gruppen von Völkern zu einem bestimmten Zeitpunkt" beschreibt (D. B. Barrett). Sie kann als wertvolle Korrektur gegenüber einem übertriebenen Optimismus und einem erdrückenden Pessimismus dienen, weil sie statistische Daten mit objektiver Genauigkeit angibt. So bietet sie eine solide Grundlage für missionarisches Planen, bei dem positive und negative Faktoren berücksichtigt werden müssen. Barrett legt in dem allgemein sehr geschätzten

Werk „World Christian Encyclopedia" (WCE) die statistischen Angaben der Jahre 1900, 1970, 1978, 1980, 1985 und 2000 der Wachstumskurve des Christentums zugrunde, um möglichst gute Schätzungen zu erzielen. Er wendet eine relativ einfache Methode an, indem er den natürlichen Wachstumsprozeß und die Zunahme der Christen durch Bekehrungen berechnet. Beide Faktoren bezieht er auf eine gegebene Gruppe und gibt so den Zuwachs pro hundert oder in Prozent an. Der Unterschied zwischen dieser einfachen Methode Barretts und der komplizierten Wachstumsdarstellungskurve, wie sie die Demographen anwenden, fällt bei den kleinen Wachstumsraten kaum ins Gewicht.

2. Die Missionsstatistik erläutert die *Universalität* des Christentums. Wie die WCE zeigt, gibt es in nur ganz wenigen Ländern keine christliche Kirche; in anderen sind sie Minoritäten; in vielen sind sie tief verwurzelt und in zahlreichen Völkern umfassen sie (wenigstens nominell) die gesamte Bevölkerung. Der Islam hingegen erscheint als arabische Religion, die vor allem im Mittleren Osten und in Nordafrika verbreitet ist. Während die Heilige Schrift in 1500 Sprachen, d.h. 96% der Sprachen der Welt übersetzt ist, ist der Koran nur in ganz wenigen Übersetzungen zugänglich, die nicht als offiziell anerkannt werden. Der Buddhismus umfaßt zahlreiche Länder Südost- und Ostasiens; der Hinduismus ist vor allem eine Religion Indiens, der Taoismus die Religion Chinas und der Schintoismus die Religion Japans. Verglichen mit den großen Weltreligionen ist das Christentum eine universale Religion, die in allen Kontinenten und in den meisten Ländern festen Fuß gefaßt hat. Dennoch macht die Missionsstatistik auf neue Haltungen des Christentums gegenüber den anderen Religionen aufmerksam. Während man im 19. Jahrhundert annahm, daß die nichtchristlichen Religionen unter dem Einfluß der westlichen Wissenschaft und der Ausbreitung des Christentums allmählich ihre Anziehungskraft verlieren und schließlich ganz verschwinden würden, bezweifelt man heute eine solche Vermutung. Sie sind Gegenstand des akademischen Studiums geworden und der → Dialog der christlichen Kirchen mit ihnen fördert eine freundliche Haltung.

3. Die Missionsstatistik zeigt ferner die *Vitalität* des Christentums, das trotz Hindernissen, Anfeindungen und Verfolgungen wächst. Im Jahre 1980 waren 25 Länder vollständig und weitere 24 teilweise den christlichen Missionaren verschlossen. Man schätzt die Zahl des christlichen Personals auf 3.199.000, davon waren 1980 249.000 ausländische Missionare; 35.000 kamen aus kommunistischen Ländern. 1980 schätzte Barrett die global evangelisierten Menschen auf 2,993 Millionen; davon waren 1,433 Millionen Christen und 1,561 Millionen Nichtchristen (die das Christentum und das Evangelium kennen, aber sich nicht offiziell als Christen zählen). Die Zahl der Nichtevangelisierten betrug 1,381 Millionen. Von großer Bedeutung für die Entwicklung des Christentums ist die Verschiebung der Mehrheit der Christen von der weißen zu den farbigen Rassen, die in der Dritten Welt leben. Die Zahl der Christen, die in der Dritten Welt leben, wird auf 60% der Gesamtzahl geschätzt.

4. Die Missionsstatistik, insbesondere die WCE hat die Mythen von der Abnahme der Christen und dem Wachstum der Moslems entkräftet und richtiggestellt. Dem Rückgang der Anzahl der Christen lag die Annahme zugrunde, daß ihre Zahl statisch gleichbliebe, während die nichtchristliche Welt durch die Bevöl-

kerungsexplosion stark wachse. Die Missionsstatistik hingegen zeigt, daß auch viele christliche Länder ein großes Anwachsen der Bevölkerung verzeichnen. Aus der WCE geht ferner hervor, daß die Abnahme der Christen seit 1900 nur sehr gering ist. In Afrika z.B. hat ihre Anzahl stark zugenommen. Die Behauptung vom starken Wachsen des Islams beruhte auf der Annahme, daß sich fünfmal soviele Menschen zum Islam als zum Christentum bekehren. Nur in den Ländern der früheren französischen Kolonien, nicht aber der englischen, nimmt der Islam stark zu. In 29 Ländern bildet er eine beachtliche Minderheit. St. Neill kommt zu dem Ergebnis: „Afrikanische Völker scheinen weniger dazu geneigt als zu Beginn des Jahrhunderts zu meinen, daß der Islam auf ihre religiösen und kulturellen Bedürfnisse antwortet." Zur Zeit nehmen die Christen in Afrika stark zu. In Zaire und südlich davon ist der Islam fast unbekannt. Südlich der Sahara schätzt man die Zahl der Christen im Jahre 2000 auf etwa 300 Millionen aus einer Bevölkerung von 360 Millionen. Das sind mehr als in Nord- und Westeuropa und auch mehr als in Nordamerika für diese Zeit.

5. Die Missionsstatistik stellt zahlenmäßig vier Hauptgruppen dar: a) das Missionspersonal (Missionare, Priester, ordinierte Glaubensboten, Katechisten, Schwestern, Brüder, Laienhelfer, Lehrer, Krankenpfleger, Entwicklungshelfer), das in Missionsgesellschaften oder einzeln direkte oder indirekte Missionsarbeit leistet; b) Missionsanstalten (Stationen, Gotteshäuser, Schulen, karitative Anstalten, Kranken- und Waisenhäuser); c) die Missionstätigkeit besteht in den verschiedenen Formen der Verkündigung, im Spenden der Sakramente und im Vollzug von Gottesdiensten; d) die einheimischen Christen. In der neueren Zeit erfüllt einheimisches Missionspersonal in zunehmendem Maße die genannten Aufgaben. Schließlich vermittelt die Missionstatistik wichtige Zahlen über die sendenden Kirchen.

Lit.: *Barrett, D. B.* (Hrsg.), World Christian Encyclopedia, 1982. - *Ders.*, Five statistical eras of Global Mission, in: Missiology 12, 1984, 21-37. - Bilan du Monde, 1958/59, 19 60, 1964. - *Grundemann, R.*, Kleine Missionsgeographie und -statistik, 1901. - Guida delle missioni cattoliche, 1934, 1970, 1975. - Missiones Catholicae, 1886, dann jährlich bis 1892, 1895, 1896, 1901, 1907, 1922, 1930, 1950. - *Schmidlin, J.*, Einführung in die Missionswissenschaft, 1925, 100f. - Statistics, in: Dictionary Catalog of the Missionary Research Library New York, Bd. 14, 684-722. - Statistische Daten, in: Notizie statistiche delle missioni di tutto il mondo dipendenti dalla S.C. de Propaganda Fide, 1844.

W. Henkel

MISSIONSWERKE

1. Entwicklung in der katholischen Kirche. 2. Entwicklung auf protestantischer Seite. 3. Zwischenkirchliche Hilfe. 4. Aktion für die Dritte Welt. 5. Missionswerke der Orden und Missionsgesellschaften.

1. Die Erneuerung des Missionsgedankens im 19. Jahrhundert und sein Aufleben in der gesamten katholischen Kirche ging von Frankreich aus. Veröffentli-

chungen über das Missionswesen und Aufrufe zur Teilnahme der Gläubigen am
Missionswerk fanden ihre Form in den großen Missionswerken, die später zu den
Päpstlichen Missionswerken wurden. Diese Hilfswerke wollten zur geistigen und
materiellen Förderung der Mission beitragen. Nach einer Reihe verschiedenster
Ansätze kam es 1822 zur rechtlichen Gründung des Vereins der Glaubensverbreitung in Lyon durch Marie-Pauline Jaricot (1799-1862) für die gesamten Missionen; zunächst auf nationaler und bald auf internationaler Ebene. Die Mitglieder
suchten durch regelmäßiges → Gebet und die wöchentliche Geldspende der Mission zu helfen. Das einfache Programm des Vereins lautete: „Kleine Beiträge,
aber von vielen; ein tägliches kleines Missionsgebet, aber von Millionen". Zunächst war eine recht enge Bindung mit dem Pariser Missionsseminar vorhanden,
doch erfolgte schon bei der Gründungsversammlung die Weitung zu einem allgemeinen, alle Missionen umgreifenden Verein durch den Einfluß der beiden französischen Bischöfe aus den USA Benoît-Joseph Flaget (1763-1850) und Louis G.
Dubourg (1766-1833). Diese „Katholizität" gab den Ausschlag für die schnelle
Ausbreitung über die Grenzen Frankreichs hinaus: Belgien (1825), Savoyen und
Piemont, Deutschland, Österreich und Schweiz (1827), Niederlande (1830), England (1833), Portugal (1837), Spanien (1839), USA (1840). Das Werk fand schnell
die Gutheißung und Empfehlung durch die Päpste: Pius VII. (1823), Gregor
XVI. (1840), Leo XIII. (1890). Es wurde nach der zweimaligen Ausraubung
(durch die Revolutionsgruppen und Napoleon) zur wichtigsten Finanzquelle der
Missionen in der neueren Zeit.

Die ausschließlich französische Leitung und Verwaltung wurde der Anlaß,
daß sich Deutschland und Österreich zurückzogen und eigene, von Lyon unabhängige Körperschaften gebildet wurden. In Österreich hatten sich schon früh verschiedene Missionskreise gebildet, die bereits 1829 zur Gründung der Leopoldinen-Stiftung oder des Leopoldinen-Missionsvereins durch den späteren Bischof
von Detroit (USA) Johannes Friedrich Rese (1791-1871) führten. Der Verein war
nach der Kaiserin von Brasilien Leopoldina-Carola von Habsburg benannt. Rese
wirkte beratend und auslösend bei der Gründung des Ludwig-Missionsvereins in
Bayern mit. 1822 wurde der Verein auf den Wunsch von Ludwig I. organisiert
und gliederte sich 1839 Lyon an, löste sich aber 1844 wieder davon. Der Rheinische Kreis wirkte seit 1827 für das Werk der Glaubensverbreitung in Lyon. Die
Gründung als Verein unter selbständiger Leitung und mit dem neuen Namen
Franziskus-Xaverius-Verein auf Betreiben des Arztes Heinrich Hahn (1800-1882)
erfolgte 1834 in Aachen. Der Verein wurde 1841/42 staatlich und kirchlich geneh-
migt. Ab 1824 begann der Lyoner Verein die Zeitschrift „Annales de la Propagation de la Foi" herauszugeben, die bald in die meisten europäischen Sprachen
übersetzt erschien (BM I, 571-573, führt Ausgaben in 19 Sprachen auf). Am 3.
Mai 1922 verlegte Papst Pius XI. durch das Motu proprio „Romanorum Ponti-
cium" (AAS 14, 1922, 321-326) das Lyoner Werk nach Rom, der Verein wurde
ein Päpstliches Werk und der Zentralrat internationalisiert. Sitz des Werkes ist die
Propaganda-Kongregation und der Sekretär der Propaganda ihr Präsident. Der
deutsche Franziskus-Xaverius Verein (Aachen) schloß sich dem Weltverband als
„Päpstliches Werk der Glaubensverbreitung" (PWG) - Aachen an. Der Ludwig-
Missionsverein wurde im Jahre 1923 mit dem Werk in Rom vereint. Die Leopol-

dinen-Stiftung in Österreich wurde 1919 zum Franziskus-Xaverius-Verein und gliederte sich 1923 dem Weltverein an. Durch das Konzil wurden die Missionswerke und ihre Förderung ausdrücklich den Bischöfen zur Aufgabe gemacht (Ad gentes 38). Auch in den nachkonziliaren Dokumenten wurde eine Neuordnung und Strukturierung der Werke eingeleitet (Ecclesiae Sanctae, in: AAS 58, 1966, 757-787; Regimini Ecclesiae, in: AAS 59, 1967, 915-918; Quo Aptius, in: AAS 61, 1969, 276-281). 1976 wurden neue Statuten durch Paul VI. ad experimentum gebilligt, die 1980 durch Papst Johannes Paul II. endgültig bestätigt wurden. Die deutschen Werke nennen sich in Anlehnung an die Werke „Adveniat" und „Misereor" „Missio e.V. Aachen bzw. München - Internationales Katholisches Missionswerk" (1972). Im Jahre 1843 gründete der Bischof von Nancy und Toul Charles-Auguste de Forbin-Janson das *Werk der hl. Kindheit*, er wurde dabei entscheidend durch P.-M. Jaricot beraten und angeregt. Zunächst zur Rettung von Kindern in China bestimmt, die ausgesetzt wurden, wurde 1849 der Loskauf afrikanischer Sklavenkinder hinzugenommen und 1855 das Werk auf die Mission allgemein ausgedehnt. Die Aufgabe war, die Kinder zu einer Gebets- und Opfergemeinschaft für die Missionen zusammenzuführen. In Deutschland wurde das Werk 1846 als „Kindheit-Jesu-Verein" in Aachen begründet. Durch Pius XI. wurde es durch das Motu proprio „Romanorum Pontificum" 1922 zum „Päpstlichen Missionswerk der Kinder", wobei die Zentrale allerdings in Paris verblieb. 1864 erschienen erstmals die „Annales de l'Oeuvre de la Sainte Enfance", die auch eine Reihe von Übersetzungen erhielten.

Das Päpstliche Werk vom hl. Apostel Petrus zur Heranbildung und Förderung des einheimischen Klerus wurde 1889 in Caën in Frankreich durch Stéphanie Bigard-Cottin (1834-1903) und ihrer Tochter Jeanne Bigard (1859-1934) gegründet und nach dem Erlaß der französischen Ordensgesetze nach Fribourg in der Schweiz verlegt, wo nach dem Tode von Stéphanie Bigard-Cottin die Leitung an die Franziskaner-Missionarinnen Mariens überging. Unter Kardinal van Rossum kam die Zentrale (1920) nach Rom und wurde das Werk der Propaganda-Kongregation unterstellt. 1922 wurde es zum Päpstlichen Werk erhoben und erhielt durch das Motu proprio „Vix ad summi" (AAS 21, 1929, 345-349) seine endgültigen Statuten.

Durch Bischof Guido M. Conforti (1865-1931) und Paolo Manna (1872-1952) wurde der Päpstliche Missionsverein des Klerus (Pontificia Cleri Consociatio Missionalis, ursprünglich Unio Cleri pro missionibus) 1916 in Parma gegründet und 1919 Rom unterstellt; es wurde der durch Joseph Schmidlin 1912 organisierte Priestermissionsverein aufgenommen. 1937 erhielt der Priestermissionsbund neue Statuten (AAS 29, 1937, 435-441, 476f), und 1956 wurde er ein Päpstliches Werk.

Neben den allgemeinen Missionsvereinen bestehen Hunderte von Missionswerken und Missionsvereinigungen, die besondere Aufgaben haben oder deren Mitglieder bestimmten Berufen, Ständen oder Kreisen angehören: Akademischer Missionsbund, Theologische Missionsverbände, Missionskreuzzug der Jugend und die Liebeswerke der Orden und die Drittorden. Die Missionsvereinigung katholischer Frauen und Jungfrauen wurde 1893/97 in der Diözese Trier durch Katharina Schynse (1854-1935) zunächst als ein Gebets- und Missionsverein für

Afrika auf Anregung ihres Bruders und Afrikamissionars August Wilhelm Schynse (1857-1891) gegründet, dann 1903 auf alle Missionen ausgedehnt und sieht seine besondere Aufgabe darin, für die Mission liturgische Gewänder zu arbeiten
und bereitzustellen. Seit 1934 wurde der Verein als päpstlich anerkannt.

Der Gründung des Bischöflichen Hilfswerkes Misereor e.V. (1958) war eine
Reihe von Einzelaktionen in der deutschen katholischen Kirche voraufgegangen,
z.B. der Aufruf der Weltunion katholischer Frauenverbände gegen den Hunger in
der Welt (1955); die katholische Arbeiterbewegung führte im Herbst 1957 die
„Täglich-drei-Minuten-Aktion" durch, ein Aufruf, täglich auf einen Dreiminuten-
lohn zu verzichten. Die Pax-Christi-Bewegung rief zu einer Spendenaktion für
Hungernde, Aussätzige und Studenten aus Entwicklungsländern auf (1959). Es
folgten weitere Aktionen: der „Christliche Sonntag" mit einem Afrika-Aufruf,
„Mann in der Zeit" mit einem Spendenaufruf, die katholische Fernsehstelle mit
der Aktion „Reis für Kalkutta" und die Fastenaktion der katholischen Jugend
(1958) „Hunger in der Welt".

Die auf Zeit geplante Misereor-Aktion wurde 1967 eine Einrichtung auf
Dauer und damit wurde Misereor auch zur Hauptorganisation der katholischen
Kirche in der Bundesrepublik Deutschland für ihre Entwicklungsarbeit. Es wurden alle Einzelaktionen der verschiedenen Gruppen für die Dritte Welt hier zu-
sammengeführt. Die Leitung liegt in den Händen einer Kommission der Deutschen Bischofskonferenz, die die Richtlinien des Werkes bestimmt. Seit der Neustrukturierung der Bischofskonferenz heißt sie „Unterkommission für Misereor
der Bischöflichen Kommission für weltkirchliche Aufgaben". Im Jahre 1959 kam
es zum Zusammenschluß von 39 katholischen Verbänden und Institutionen zur
„Arbeitsgemeinschaft für Entwicklungshilfe e.V." (AGEH), dem personalen Entwicklungsdienst der katholischen Kirche in Deutschland. Die „Katholische Zentralstelle für Entwicklungshilfe e.V." wurde 1962 in Aachen als eigene Rechtsper-
son gegründet, ohne eigene Geschäftsstelle, da alle ihre Aufgaben von „Misereor"
wahrgenommen werden. Ihre Aufgabe ist die Zusammenarbeit der katholischen
Kirche und der Bundesregierung im Bereich der Entwicklungshilfe.

Die Ausweitung der kirchlichen Entwicklungsarbeit auf Weltebene führte zur
Gründung der „Internationalen Arbeitsgemeinschaft für sozio-ökonomische Entwicklung " (CIDSE). Es ist ein Zusammenschluß der katholischen Entwicklungs-
aktionen und - organisationen Europas, Amerikas, Kanadas und Australiens zu
einer Arbeitsgemeinschaft (1965 mit Sitz in Brüssel) mit dem Ziel des Erfahrungs-
austausches, der Abstimmung der Projekte und ihrer Auswertung und Planung.

Die weltweite Ausweitung der Strukturierung in der Entwicklungsarbeit führte 1971 zur Gründung von „Cor unum" durch Papst Paul VI., wo sich die Vertreter der Bischofskonferenzen aus den Entwicklungsländern mit den Werken der
Glaubensverbreitung, der Entwicklungshilfe und der Katastrophenhilfe in einem
Gremium zusammenfinden.

Die bischöfliche „Aktion Adveniat" wurde zur Unterstützung der pastoralen
Aufgaben der Kirche in Lateinamerika gegründet. Zunächst war dabei an eine
einmalige Kollekte für die Ausbildung von Priestern gedacht, diese wurde dann
aber als umfassende Hilfe für den Ausbau der lateinamerikanischen Seelsorge
jährlich während der Adventszeit fortgeführt. Die *Bischöfliche Aktion Adveniat*

wurde 1961 auf Anregung des Essener Bischofs Franz Hengsbach und 1962 nochmals als einmalige Hilfe durchgeführt.

Die Bischofskonferenz beschloß 1963 die Weiterführung der Adveniat-Aktion für weitere drei Jahre, zusätzlich rief man zu Patenschaften für Priesterausbil-
dung in Lateinamerika erstmals 1963 auf. Man verzichtete aber ausdrücklich auf
ein eigenes pastorales Konzept. Im Oktober 1965 wurde mit dem Aufbau der Geschäftsstelle in Essen begonnen, und die Adveniat-Aktion wandelte sich von einer
spontanen Hilfsaktion zu einer langfristigen Strukturhilfe. In den Beschlüssen der
Konferenz des Generalrates der päpstlichen Kommission für Lateinamerika
(COGECAL) aus dem Jahre 1966 sind die für Adveniat wie für alle anderen in
Lateinamerika tätigen Hilfswerke verbindlichen Prinzipien niedergelegt: Danach
hat alle „Hilfe personalen, solidarischen und subsidiären Charakter".

2. Was auf katholischer Seite an Bewußtseinsbildung und Aufruf zur Mithilfe
in der Missionsarbeit geschah, vollzog sich innerhalb der evangelischen Missionsbewegung ähnlich, wenn auch nicht so weit gespannt und mit einer solchen Abstimmung und Zusammenarbeit. Aber die Formen und die Inhalte waren durchaus verwandt. Die Verbreitung des Missionsgedankens in dieser Form und das
Suchen nach Mitteln begann unter den evangelischen Christen mit dem „Apostel
der Indianer" John Eliot (1604-1690), der durch die Veröffentlichung von „New
England First Fruits" und anderer Schriften (1643 bis 1671) in England Hilfsbe-
reitschaft und Unterstützung für die Indianermission in den Neuenglandstaaten
wecken wollte. Die Missionsgesellschaften folgten diesem Beispiel und so veröffentlichte „The Society for Promoting Christian Knowledge" (1698/99) und „The
United Society for Propagation of the Gospel" (1701) einen ausführlichen Jahres-
bericht.

Dann folgten ab 1815 Zeitschriftenveröffentlichungen, die die Stelle der Jah-
resberichte übernahmen. So etwa „The London Missionary Society" (1795) mit
„Chronicle", das „American Board of Commissioners for Foreign Missions"
(1810) mit der Zeitschrift „Missionary Herald" und „The Church Missionary Society" mit einer Reihe von Veröffentlichungen wie „Church Missionary Record",
„Church Missionary Intelligencer", „Church Missionary Review" und „CMS
Outlook". Die Zeitschriftenbeiträge und die privaten Briefe der Missionare hatten
einen weitreichenden Einfluß und fanden eine begierige Leserschaft. Die Gesellschaften setzten Missionswerber ein, die durch das Land reisten, für die Zeitschriften warben, Geld sammelten und das Interesse für die Mission wachhielten.

Man rief zum → Gebet für die Mission auf. In Schottland richtete man 1744
vierteljährliche Gebetstreffen ein. Dieser Gedanke wurde kraftvoll von Jonathan
Edwards (1703-1758) von Neuengland aus gefördert. Die Englischen Baptisten
führten 1784 ein monatliches Gebetstreffen für die Missionen ein, so auch die
Londoner Missionsgesellschaft. Diese Missionsgebetsgottesdienste wurden in allen
englischsprachigen Ländern übernommen. Die Frauenbewegung in den USA
wurde hier besonders aktiv.

In den deutschsprachigen Ländern wurde die Missionsverantwortung, ihre
Stärkung und Weckung von den Missionsgesellschaften und ihren Freundeskreisen getragen, aus denen die öffentlichen rechtlichen Missionsvereine erwuchsen
mit den großen → Missionsfesten. Mit zunehmender „Verwirklichung" der Mis-

sion innerhalb der evangelischen Kirchen entstanden auch Werke und Formen der Trägerschaft des Missionsbewußtseins und der Hilfe für die Missionsarbeit. So kam es in den meisten Landeskirchen zur Bildung von Missionskonferenzen (seit 1879 die erste in Halle). Zur *Deutschen Evangelischen Missionskonferenz* gab Gustav Warneck (1834-1910) den Anstoß. Sie sind von den anderen Missionskonferenzen zu unterscheiden. Es ist ein freier Zusammenschluß der Pastoren und anderer kirchlicher Mitarbeiter einer Region, eines Kirchengebietes zur Förderung von Missionsgeist und weltkirchlicher Verantwortung. Nach der ersten Konferenzbildung kam es in den folgenden Jahren in immer mehr Landeskirchen zu Konferenzbildungen. Seit 1901 führte man gemeinsam die Herrnhuter Missionswochen durch und schloß sich 1906 zum *Verband Deutscher Evangelischer Konferenzen* zusammen. Vergleichbar ist die deutsche Missionskonferenz der katholischen „Unio Cleri pro Missionibus". Als Jahresgabe wurde seit 1900 bzw. 1913 das Jahrbuch Deutsche Evangelische Mission (ab 1957 Jahrbuch Evangelische Mission) bzw. das Lutherische Missionsjahrbuch (seit 1922) verteilt. Dazu kamen aus dem Kreis der Lehrerschaft die *Lehrermissionsbünde*. Der einflußreichste war der der Berliner Missionsgesellschaften (seit 1902) mit einer eigenen Zeitschrift: Der Lehrermissionsbund (1913; später Mission und Unterricht). Unter den gebildeten Laien wirkte die Deutsche Evangelische Missions-Hilfe: Sie wurde 1913 als Stiftung mit einem Teil der Nationalspende zum Kaiserjubiläum für die evangelischen und katholischen Missionen in den deutschen Kolonien begründet. Es sollte das Bewußtsein unter den evangelischen Christen für die deutschen Missionen gepflegt und gefördert werden. Nach dem Verlust der Geldmittel versuchte man unter dem Direktor W. Freytag (1928-1959), diesem Anliegen durch eine breite Öffentlichkeitsarbeit zu dienen. Von 1931 an trat eine immer engere sachliche und personale Einbindung in den Deutschen Evangelischen Missions-Rat ein.

In der kirchlichen Arbeit setzte sich der Missionsgedanke in der neueren Zeit vor allem durch Missionsobleute in den Gemeinden, in der Jugendarbeit, unter den katechetischen Kräften in zunehmender Weise durch. Nach dem Zweiten Weltkrieg kommt es von seiten der Kirchenleitungen zur Gründung der Missionskammern und durch die Synoden zur Bildung von Missionsausschüssen.

3. Ein ganz eigenes Missionswerk in der kirchlichen Ökumene entstand mit Beginn des Zweiten Weltkrieges. Der *Orphaned Missions Fund* (Fonds für verwaiste Missionen) wurde vom Internationalen Missionsrat (IMC) organisiert und getragen. Man betreute in der Zeit von 1940-1955 die durch den Zweiten Weltkrieg von der Heimatkirche oder Heimatgesellschaft abgeschnittenen Missionen und Missionare. Außer Schweden und der Schweiz waren alle europäischen kontinentalen Missionen und Missionare von der Basis getrennt. Schon 1918 hatte J. H. Oldham (1874-1969) das Emergency Committee of Cooperative ins Leben gerufen mit dem Ziel der gegenseitigen Hilfe und internationalen Zusammenarbeit, der Unterstützung der europäischen Missionen. Zudem gelang die schwierige Aufgabe der Versöhnung zwischen den nationalen Gruppen. Es wurde schon am 1.11.1939, so bald zu Kriegsbeginn, der Fonds gegründet, wozu wesentlich der Lutherische Weltbund amerikanische Missionsgelder zur Verfügung stellte. So konnten die Arbeiten in den Missionen weitergeführt werden und nach dem Kriege wieder aufgenommen werden. Später wurde der Name in Inter-Missions Aid

geändert. Theologisch und geschichtlich bedeutsam war diese Solidarität der Kirchen und Gesellschaften untereinander und das Stehen zur gemeinsamen Sendung, die über politische Trennungen hinweg die ökumenische Zusammenarbeit der Kirchen erstarken ließ.

Fast gleichzeitig kam es im ökumenischen Bereich zur Gründung einer europäischen Zentralstelle (1922) für Zwischenkirchliche Hilfe (Inter-Church Aid), worin die zersplitterten Hilfeleistungen auf Anregung von Adolf Keller zusammenfanden. Als die Flüchtlingsfrage brennend wurde, kam es zur Gründung einer internationalen christlichen Kommission für Flüchtlinge. Beide Organisationen wurden vom noch provisorischen Ökumenischen Weltrat der Kirchen übernommen. Es wurde die Abteilung für zwischenkirchliche Hilfe und Flüchtlingshilfe geschaffen (Interchurch Aid, Refugee and World Service). Unmittelbar nach dem Krieg galt die Arbeit dem Wiederaufbau und der gegenseitigen Hilfe über die politischen und konfessionellen Grenzen hinweg. Im Laufe der Jahre nahm das Eintreten für Gerechtigkeit in der Arbeit der Abteilung (CICARWS) immer deutlicher Gestalt an. In den fünfziger Jahren wurde die Zielrichtung der Aufgaben für die Entwicklungsländer geändert, die ökumenische Diakonie berührte sich hier mit der weltmissionarischen Aufgabe. Die zwischenkirchliche Hilfe berührt die gemeinsame Verantwortung der älteren Kirchen für die jungen Kirchen, und die Diakonie und die Mission finden ein gegenseitiges Entsprechen und eine ökumenische Weite, die in der Verbindung zwischen missionarischem und diakonischem Einsatz zu sehen ist. Dies ist gestalthaft vorgeprägt in der Person von Albert Schweizer (1875-1965) und anderen missionarischen Gestalten.

4. Die allgemeine Wachheit in der evangelischen Kirche führte auch zur Diskussion und zur Gründung einer besonderen Aktion für die Dritte Welt in einem Fachkreis von Frauen und Männern der Diakonie (Pfingsten 1959). Dieser Anstoß wurde aufgegriffen und der Vorschlag in den verschiedenen Gruppen diskutiert. Er fand die Billigung durch den „Rat der Evangelischen Kirche Deutschlands" und die Leitungen der Freikirchen. Man dachte an eine einmalige Aktion und wählte als Auftakt eine Großkundgebung in der Deutschlandhalle (12.12.1959). Der eindrucksvolle Erfolg veranlaßte eine Wiederholung der Aktion im Advent 1960. Als Folge dieser beiden Aktionen kam es zur Gründung der Aktion „Brot für die Welt". Im Februar 1961 beschloß die Synode der EKD, alljährlich zu Weihnachten die Aktion „Brot für die Welt" durchzuführen. Die Freikirchen folgten bald dieser Entscheidung. Träger dieser Aktion sind die 21 evangelischen Landeskirchen und neun Freikirchen der Bundesrepublik Deutschland, damit übernimmt die offizielle Kirche die Verantwortung für dieses kirchliche Werk. Die Durchführung der Aktion wird einer schon bestehenden Institution zugeordnet. Die Hauptgeschäftsstelle des Diakonischen Werkes der Evangelischen Kirche in Stuttgart eröffnet innerhalb ihrer ökumenischen Abteilung die Arbeitsgruppe „Brot für die Welt". Diese Arbeitsgruppe umfaßt Projektreferate für Asien, Afrika, Lateinamerika und Südeuropa, ferner die Referate für die Durchführung der Hilfsmaßnahmen, für die Vorbereitung der jährlichen Sammlungen und die Werbung. Die oberste Instanz ist der „Ausschuß für Ökumenische Diakonie", dessen Mitglieder vom „Rat der EKD" berufen bzw. von der „Vereinigung Evangelischer Freikirchen" delegiert werden. Da dieses Gremium auch über

die Verteilung der Gelder entscheidet, wird von ihm als dem „Verteilerausschuß" gesprochen.

Eigentliche Missionsaufgaben werden nicht durch die Aktion „Brot für die Welt" gefördert. Im Bereich der Erziehung beschränkt man sich auf Grundschulen, was stark hinterfragt ist. Ein Vorrang liegt im Bereich der Erwachsenenbildung. Das Ziel kann mit konstruktiver Diakonie umschrieben werden, was 1964 eine Erweiterung durch Hilfe für den sozialen Aufbau, Personenhilfe und Studienprojekte erfuhr. Gesundheitswesen und Bildung haben sich als entwicklungspolitische Ziele herausgeschält. Die Bewußtseinsbildung in der Heimat ist ein stark begrenzter Bereich. Der entscheidenden Rolle des Personaleinsatzes im Entwicklungsdienst wurde durch die Gründung („Dienste in Übersee" (DÜ, 1961) entsprochen. Er ist ein eingetragener Verein, der evangelischen Christen die Chance einer persönlichen Beteiligung an der Entwicklungsarbeit bietet.

Die Evangelische Zentralstelle für Entwicklungshilfe e.V. wurde erst nach großem Zögern (1962) und langen Diskussionen in Bonn als ein getrenntes Büro von anderen kirchlichen Organisationen errichtet.

Die verschiedenen Organisationen der evangelischen Kirchen, die in der zwischenkirchliche Hilfe tätig sind, koordinierten sich 1964 zur „Ständigen Konferenz der Geschäftsführer von Organisationen der zwischenkirchlichen Hilfe". Die Durchführung der Empfehlung der Vierten Vollversammlung des → Ökumenischen Rates der Kirchen in Uppsala (1968) ergab, daß Haushaltmittel der Landeskirchen zur Verfügung gestellt wurden. Um diese Gelder verantwortlich einzusetzen, wurde der „Ausschuß kirchlicher Mittel für den Entwicklungsdienst" errichtet. Jeden ersten Freitag im Monat rufen „Misereor" und die Aktion „Brot für die Welt" gemeinsam zur Aktion „Brüderlich Teilen - Gemeinsam Handeln" auf. Erwachsen ist diese Aktion aus ökumenischen Selbsthilfegruppen. 1968 wurde auf Beschluß der Deutschen Bischofskonferenz, des Rates der Evangelischen Kirchen Deutschlands und des Deutschen Ausschusses für den Kampf gegen den Hunger (Welthungerhilfe) die Aktion „Brüderlich Teilen" begonnen. Ab 1972 läuft sie unter dem Wort „Brüderlich Teilen - Gemeinsam Handeln" als ökumenische Aktion und in der gemeinsamen christlichen Weltverantwortung.

5. Missionswerke im eigentlichen Wortsinn schufen sowohl die katholischen Missionsorden als auch die evangelischen Missonsgesellschaften in den wirtschaftlichen Missionsunternehmen: Werkstätten, Industrieschulen, Druckereien, Ziegeleien, Webereien, Plantagen und Handelsgesellschaften. Teils wollte man damit die Bevölkerung sozial und wirtschaftlich heben und sie vor Übervorteilung, Unterdrückung und Sklavenhandel schützen, Alkoholeinfuhr und Waffenhandel einschränken und unterbinden, zum anderen hatten diese Unternehmen die Aufgabe, die Mission zu versorgen und die Missionsarbeit wirtschaftlich abzusichern und zu ermöglichen. Darüber hinaus verstanden die Missionen diese Unternehmungen als einen wichtigen Teil ihrer erzieherischen und sozialen Aufgabe. Die Mission beanspruchte und forderte den Erziehungsbereich, und die (Kolonial-)Verwaltung erwartete das von der Mission. Die soziale Arbeit wurde zudem als ein wichtiger Bestandteil der Missionsarbeit angesehen, so spricht Tambaram (1938) von der vierten Komponente in der Missionsarbeit neben → Predigt, Erziehung und Ärztlicher Mission.

Der eigentliche Handel ist den Klerikern und Ordensleuten in der katholischen Kirche verboten (Clemens IX. in der Bulle Sollicitudo pastoralis officii (1689), über die Ausnahmen vgl. Benedikt XIV. Const. Apostolicae servitutis (1741), CIC (1917) can 142).

Die Missionswerke sind unerläßlich für die Durchführung des Missionsauftrages, zugleich stellen sie für die Gemeinde wichtige Brücken zur Ökumene dar und vermitteln Leben und Anregung, stellen aber auch in der Weltverantwortung Glauben und Leben der Gemeinde in den vollen christlichen Lebensbezug.

Lit.: *Arens, B.*, Die katholischen Missionsvereine. Darstellung ihres Werdens und Wirkens, ihre Satzungen und Vorrechte, 1922. - *Baemker, F.*, Dr. Heinrich Hahn, 1930. - *Beaver, R. P.*, All Loves Excelling, 1968. - *Ders.*, Pioneers in Mission, 1966. - *Berg, Ch.*, Ökumenische Diakonie, 1959. - Bischöfliche Kommission für Misereor (Hrsg.), Misereor - Zeichen der Hoffnung. Beiträge zur kirchlichen Entwicklungsarbeit. Gottfried Dossing zum 70. Geburtstag, 1976. - *Brennecke, G.* (Hrsg.), Diakonie der Kirche in einer veränderten Welt, 1956. - *Cooke, L.* Entwicklungshilfe der Mitgliedskirchen des Ökumenischen Rates, in: H. Besters/E. Boesch (Hrsg.), Entwicklungspolitik, 1966, 880-960. - *Cooke, L. E.*, Bread and Laughter, 1968. - *Davies, J. M.*, New Buildings on old foundations, 1947. - *Desgeorg, R.*, Monseigneur Flagot, Evêque de Bardstown et Louisville. Sa vie, son esprit et ses vertus ..., [2]1855. - *Egner, E.*, Finanzwirtschaftliche Probleme der protestantischen Missionskirchen, in: Beiträge zur Finanzwirtschaft und Geldtheorie, 1953, 112-131. - *Freytag, W.*, 25 Jahre Deutsche Evangelische Missions-Hilfe, in: NAMZ 15, 1938, 353-369. - *Grumelli, A.* (Hrsg.), Evangelizzazione - promozione umana e culture emergenti. Atti Simposio Internazionale. Pontificia Università Urbania. Roma 2-4 dicembre 1980, 1982. - *Grundemann, R.*, Missionsvereine und Missionskonferenz, in: ders., Unser heimatliches Missionswesen, 1916, 72-81. - *Henderson, G. D.*, The burning Bush, 1957. - *Hoffmann, E.*, Die Teilung des Brots in der Welt, 1959. - *Hogg, W. R.*, Ecumenical Foundations. A History of the IMC and its Nineteenth Century Background, 1952 (Lit.). - *Holsten, W.*, Was ist eine Missionskonferenz?, in: EvTh, 1955, 363-373. - *Ders.*, Die Missionskonferenz als Problem, in: F. Wiebe (Hrsg.), Mission und Theologie, 1953, 78-88. - *Huonder, A.*, Das katholische und evangelische Missionsalmosen, 1910. - *Jansen, W.*, Das Päpstliche Missionswerk der Kinder in Deutschland. Seine Entstehung und seine Geschichte bis 1945, 1970. - *Kempeneers, J.*, L'aide aux Missions et les Oeuvres Pontificales Missionnaires, in: Seminarium N.S. 25, 1973, 1164-1181. - *Klose, D.*, Kirchliche Entwicklungsarbeit als Lernprozeß der Weltkirche. Dialog der Kirchen der Ersten und Dritten Welt als dynamische Struktur in der Weltkirche, 1984. - *Kummer, G.*, Die Leopoldinen-Stiftung (1829-1914), 1966. - *Latourette, K. S./Hogg, W. R.*, World Christian Community in Action: World War II and Orphaned Missions, 1949. - *Lésourd*, L'holocauste de Jeanne Bigard (1859-1934. Fondatrice de L'Oeuvre Pontificale de Saint-Pierre-Apôtre, 1938. - *Ders.*, Un grand coeur missionnaire, Monseigneur de Forbin-Janson (1785-1844), 1944. - *López-Gay, J.*, The new Statutes of the Pontifical Mission-Aid Societies, in: Bibliografia Missionaria 44, 1980, 380-392, Statuten aaO 360-374. - *Mathäser, M.*, Der Ludwig-Missionsverein, 1939. - *Maurin, J.*, La fondatrice de la Propagation de la Foi et du Rosaire-Vivant. Souvenirs d'une amie sur la vie, l'oeuvres et les épreuves de Pauline-Marie Jaricot, [2]1892. - *Milesi-Fonti, P.*, Paulina Jaricot, fondatrice della Propagazione della Fede (1799-1862). Nel 75bo anniversario della morte, 1937. - *Murray, G.*, A Time of Compassion - the Churches and World Refugee Year, 1961. - *Neher, St. J.*, Der Missionsverein oder das Werk der Glaubensverbreitung, seine Gründung, Organisation und Wirksamkeit, 1894. - *Olichon, A.*, Les origines françaises de l'Oeuvre Pontificale de Saint-Pierre Apôtre pour la formation des Clergés indigènes en pays de missions 1929. - *Osner, K.*, Kirchen und Entwicklungshilfe, 1968. - *Rennstich, K.*, Handwerker-Theologen und Industrie-Brüder als Botschafter des Friedens. Entwicklungshilfe der Basler Mission im 19. Jahrhundert, 1985. - *Rétif, A.*, Brève histoire des Lettres édifiantes et curieuses, in: NZM 7, 1951, 37-50. - *Roemer, Th.*, The Ludwig-Missionsverein and the Church in the United States,

1935. - *Sadrain, M.-A.*, Les premières années de la Propagation de la Foi, in: RHM 16, 1939, 321-348, 554-579. - *Sauer, E.*, The Dynamic Affecting Faith Mission Finance (M.A. Thesis, unpublished, Columbia Bible College, Columbia S.C.), 1969. - *Schlabritzky, K.*, Die Eingliederung der Mission in die provinzialkirchliche Arbeit, 1928. - *Schmidlin, J.*, Zur Zentenarfeier des Vereins der Glaubensverbreitung, in: ZMR 12, 1922, 65-76. - *Schorer, E.*, Missions-Finanzen, in: KMJS 1956, 60-66. - *Schückler, G.*, Brücken zur Welt. 125 Jahre Aachener Missionszentrale, 1967. - *Simons, K.*, Missio, Die Geschichte einer Bewegung. Das Internationale Katholische Missionswerk in Aachen von 1832 an, 1983. - *Solberg, R.*, As between brothers. The story of Lutheran response to World Need, 1957. - *Stehle, E. L.*, Adveniat - ein unnützer Knecht, in: Zeugnis und Dienst. Zum 70. Geburtstag von Bischof Dr. Franz Hengsbach, 1980, 187-201. - *Steiner, P.*, Kulturarbeit der Basler Mission in Westafrika, 1904. - *Sy, H.*, Précurseurs de l'Oeuvre de la Propagation de la Foi, in: NZM 5, 1949, 170-188. - *Thauren, J.*, Ein Gnadenstrom zur Neuen Welt und seine Quellen. Die Leopoldinenstiftung zur Unterstützung der amerikanischen Missionen, 1940. - *Wendland, H.-D.*, Die soziale Verantwortung der ökumenischen Bewegung, in: ÖR 7, 1958, 105-117. - *Wiltgen, R. M.*, Catholic Mission Plantations in Mainland New Guinea: Their Origin and Purpose, in: The History of Melanesia. 2nd Waigani Seminar, 1968, 329-362. - *Winslow, E. O.*, Jonathan Edwards, 1940. - *Ders.*, John Eliot: Apostle to the Indians, 1968. - *Winter, R. D.*, Protestant Mission Societies: The American Experience, in: Missiology 7, 1979, 139-178. - *Zampetti, G.*, Le Pontificie Opere Missionarie, in: Sacrae Congregationis de Propaganda Fide Memoria Rerum, 350 Anni a Servizio delle Missioni, 1622-1972, Vol. III/2, 1815-1972, 1976, 413-449 (Lit.).

H. Rzepkowski

MISSIONSWISSENSCHAFT

1. Historischer Hintergrund. 2. Aufbau der Missionswissenschaft.

1. Der evangelische und katholische „Aufbruch zur Weltmission" seit Ende des 18. und 19. Jahrhunderts kennzeichnet das historische Umfeld der Anfänge der Misisonwissenschaft, die als Teildisziplin der Theologie evangelischerseits im 19. und katholischerseits in der ersten Hälfte des 20. Jahrhunderts begründet wurde. Für die evangelische Missionswissenschaft haben J. Fr. Flatt, J. T. Danz, Ch. Beckenridge und K. Graul vorbereitend gewirkt. Auch Fr. Schleiermacher hat der Mission in seiner praktischen Theologie einen Platz gegeben. Diese Einordnung der Missionsthematik wurde anfangs ergänzt vor allem durch eine die Mission einbeziehende Kirchengeschichte. Der Weg zu einer eigenständigen Organisation des Faches Missionswissenschaft und zu einer umfassenden inhaltlichen Aufarbeitung des Forschungsgegenstandes wurde gebahnt durch A. Duff in Edinburgh (1867) und nachhaltig durch G. Warneck in Halle (1897). G. Warneck erarbeitete eine umfangreiche missiontheologische Grundlegung „auf den Fundamenten biblischer Orthodoxie, erwecklicher Frömmigkeit und einer an Herder und Schleiermacher erinnernden romantischen Weltsicht" (G. Rosenkranz). Sein Entwurf einer „Evangelischen Missionslehre" wirkte auch auf den Initiator der katholischen Missionswissenschaft, den Kirchenhistoriker J. Schmidlin, der seit 1910 auf Anregung der preußischen Kulturbehörde in akademischen Veranstaltungen an der Kath.-Theol. Fakultät in Münster missionswissenschaftliche Themen behandelte.

Es ist aber darauf hinzuweisen, daß die katholische Missionswissenschaft z.B. im 19. Jahrhundert in J. B. Hirscher einen Wegbereiter hat, der - wie Fr.- Schleiermacher - die Mission der praktischen Theologie zugewiesen hat. Abgesehen davon gibt es sowohl im katholischen als auch im evangelischen Bereich zahlreiche Einzeldarstellungen missionstheologischer oder missionspraktischer Themenkreise, die vor der Etablierung eines eigenen theologischen Faches nicht zuletzt wegen der missionarischen Erfahrung in der Begegnung mit Nichtchristen über Jahrhunderte die Missionstätigkeit bedachten und dabei auch Sprachforschung, Religionswissenschaft und Ethnologie einbezogen. In Analogie zu dem ersten missionswissenschaftlichen Konzept von G. Warneck bemühte sich J. Schmidlin, der katholischen Missionswissenschaft ein wissenschaftlich-theologisches Gerüst zu geben. Sein organisatorisches Ziel war die Errichtung eines Instituts und - damit verbunden - die interdisziplinäre Kooperation mit anderen missionswissenschaftlich relevanten Lehrstühlen (z.B. Religionswissenschaft). Wenn auch diese organisatorische Perspektive in der katholischen Missionswissenschaft im allgemeinen nur begrenzt realisiert werden konnte, so kam es doch nach den ersten Anfängen in Münster seit 1919 (München) zu einem zügigen Ausbau der Missionswissenschaft an katholischen Fakultäten in Deutschland, den Niederlanden, der Schweiz, Rom und darüber hinaus. Die evangelische Missionswissenschaft erlebte einen Aufschwung nach dem Zweiten Weltkrieg und ist seit den fünfziger Jahren mit Lehrstühlen an zahlreichen theologischen Fakultäten in der Bundesrepublik Deutschland, wie auch in Skandinavien, den Niederlanden und besonders in den Vereinigten Staaten vertreten. Demgegenüber war es bislang im Ursprungsland der katholischen Missionswissenschaft nicht möglich, die Repräsentanz in Forschung und Lehre an universitären Einrichtungen zu verstärken, trotz der Bedeutung der deutschen Missionwissenschaft, insbesondere der Münsterschen Schule neben der von Leuven, im Zusammenhang mit dem II. Vatikanischen Konzil (→ Vaticanum II). Im allgemeinen ist zu beobachten, daß sich missionstheologische Themen und Fragestellungen sowohl im evangelischen als auch im katholischen Bereich von der Missionswissenschaft gelöst haben und in anderen Teilbereichen der Theologie untersucht werden, ohne jedoch dadurch zu einer missionarischen Theologie zu führen, die sich vom Gegenstand „Mission" im überkommenen Sinne bestimmen ließe. Dennoch kommen gerade von außermissionswissenschaftlichen theologischen Konzeptionen und Anstößen Anregungen zu einer Neuorientierung der Missionswissenschaft, die aber der Komplexität und dem Umfang des missionswissenschaftlichen Gegenstandsbereiches kaum gerecht zu werden vermögen, zudem die methodische Differenzierung zu wenig in Rechnung stellen. Vor allem die außereuropäische Ökumene, die nachkonziliare Förderung der ortskirchlichen Verantwortung, das gesellschaftlich-politische, ökonomische und kirchliche Problemfeld „Dritte Welt" und → Entwicklung, die kritische Ablösung von europäischen kirchlichen und theologischen Traditionen und die Wahrnehmung der Eigenverantwortung in der kontextuellen Dritte-Welt-Theologie (→ Kontextuelle Theologie), die gerade innerkatholisch neu erfahrene und weiterzuentwickelnde Vielfalt in der Einheit, der z.T. noch nicht gemeindlich und theologisch verarbeitete Aufbruch zu neuen Dimensionen der Katholizität jenseits eines konfessionell bestimmten Katholizismus, die Öffnung der christlichen Kirchen und Theologien für den konkreten sozio-kulturellen Kontext und seinen jeweiligen spezifischen Herausforderungen wie transkontextuellen Vernetzungen, die z.T. nicht erwartete Rekonstituierung und Revitalisierung nichtchristlicher Religionen bei gleichzeitig sich ausweitender Säkularisierungstendenzen in technokratisch orientierten Gesellschaften, die Einsicht in das Kirchen und Religionen übergreifende und solidarisierende Friedensengagement bei aller geschichtlichen Schuldbelastung der Kirchen und Religionen durch Religionskriege, Unterdrückung und Vernichtung von Menschen oder durch das verzögerte Engagement für die Beseitigung der Ursachen von Konflikten, die Frage nach dem kirchlichen bzw. christlichen oder religiösen Beitrag zur Veränderung bestehender gesellschaftlicher Strukturen, Zwänge und Herrschaftsformen, diese und andere Problembereiche und Fragestellungen wirken sich auf die Missionwissenschaft aus und geben ihrer Realisierung in Forschung und Lehre eine besondere Orientierung (→ Theologie der Mission). Die Pluralität der Missionswissenschaft in der Gegenwart (aber auch schon in den früheren Schulbildungen), die noch kaum begonnene und keineswegs konsequent zu Ende geführte kritische Auseinandersetzung mit der eigenen Geschichte und der Funktion für Gemeinde, Theologie, Ortskirchen und „Weltkirche" bzw. → Ökumene, vor allem die wissenschaftstheoretische Klärung des Selbstverständnisses der Missionswissenschaft im Zusammenhang auch mit der Definition des unterscheidbaren Gegenstandsbereiches und der methodischen Verfahrensklärung weisen darauf hin, daß die Missionswissenschaft in der Phase der Wandlung und Neuorientierung einer kritischen Bestandsaufnahme und Weiterentwicklung bedarf. Vorausgesetzt ist dabei, daß sie in zunehmendem Maße in die konkreten ortskirchlichen Gegebenheiten und in die jeweiligen kontextuellen Glaubensvollzüge und Reflexionen vor Ort eingebunden wird. Die Entwicklung der Kirchen und Theologien in der Dritten Welt, die zunehmende Ausdifferenzierung von Christsein und Kirche-Sein, das Erfahren des gemeinsamen Glaubens in aller Verschiedenheit christlicher Traditionen, die dialogische Annäherung an den Wahrheitsgrund religiöser Existenz außerhalb der christlichen Religion (→ Dialog), die Partizipation am Reichtum der Kulturen und Religionen im gemeinsamen Erleben und Gestalten jenseits herkömmlicher Grenzziehungen stellt die Missionswissenschaft vor ein Aufgabenbündel, das zu bewältigen dieser Bereich der Theologie noch nicht gerüstet zu sein scheint, da die theologischen Denkweisen, die bislang in der Missionstheologie vorherrschten, und die theologischen Kategorien einem Wandel unterworfen sind und der Missionsbegriff zum Teil an Eindeutigkeit eingebüßt hat, was wiederum seine Auswirkungen auf die Definition des Gegenstandsbereichs, die Zielsetzung und die organisatorische Struktur der missionswissenschaftlichen Arbeitsbereiche haben muß.

2. Im evangelischen Bereich bietet die Kombination von Missions- und Religionswissenschaft die Möglichkeit, unter Berücksichtigung der christlichen Ökumene, die missionarische Sendung mit Bezug auf die religionsgeschichtlichen und sozio-kulturellen Kontext theologisch zu reflektieren und die Missionspraxis kritisch zu analysieren. Im einzelnen werden die Schwerpunkte der Forschung unterschiedlich gesetzt und weisen in der Regel auf ein bestimmtes Erfahrungspotential des Missionswissenschaftlers außerhalb der europäischen Kirchen hin. Zum anderen wirken sich in den Missionstheologien wie in den Beurteilungen nichtchristli-

cher Religionen, Kulturen, gesellschaftlicher Lebensordnungen die Haupt-
strömungen reformatorischer Theologie aus. Die Missionswissenschaft wirkt nicht
nur im ökumenischen und einzelkirchlichen Leben auf die Verständnisweisen von
Mission und das Engagement für Mission ein, sondern erhält auch aus der Ökumene und von den Kirchen Anstöße für die Vertiefung und Modifizierung theologischer Ansätze und für die Entwicklung missionspraktischer Orientierungen. Zunehmend kommt es dabei zu einer dialogischen Öffnung und Kooperation mit
nichtreformatorischen Vertretern der Missionswissenschaft bzw. der Mission.
Gleichzeitig ergibt sich innerevangelisch die besondere Problematik der evangelikalen Mission und der ihr dienenden missionarischen Ausbildung und ökumenisch die Andersartigkeit der Argumentation in der orthodoxen Missionstheologie. Wie die katholische Missionswissenschaft, die durch das II. Vatikanische
Konzil in ihrer Arbeit bestätigt und neu im Rahmen der Gesamttheologie gefordert wurde, widmet sich die evangelische Missionswissenschaft den missionstheologischen Grundfragen (Definition von „Mission", Grund, Ziel und Vollzug von
Mission). Der Kanon der Aufgabenbereiche der Missionswissenschaft ist darüber
hinaus seit den Anfängen bei G. Warneck und J. Schmidlin in Entsprechung zu
den Teilgebieten der Theologie definiert (Missions-Exegese, -Geschichte, -Moral,
- Recht usw.), ergänzend treten im Bereich der praktischen Missionswissenschaft
Missionsmethodik (oder Missionspastoral) vor allem für die Ausbildung von Missionaren oder die missionskundliche Darstellung der gegenwärtigen Mission bzw.
die Missionsstatistik hinzu. Als fruchtbar für die Missionswissenschaft hat sich die
Zusammenarbeit mit anderen, nicht zuletzt nichttheologischen Disziplinen erwiesen (neben Religionswissenschaft z.B. Kulturanthropologie/Ethnologie, Lingui-
stik, Soziologie). Dabei kann es zu Schwerpunktverlagerungen kommen. In der
gegenwärtigen Missionswissenschaft findet die Kommunikationsforschung besondere Beachtung, andererseits können Friedens- und Konfliktforschung oder bestimmte Teilbereiche der Religionswissenschaft Berücksichtigung finden. Der Einfluß der sog. Politischen Theologie oder gesellschaftlich orientierter Dritte-Welt-
Theologien fördert die Einbeziehung soziologischer oder gesellschaftskritischer
Ansätze. Auf diese Weise erschließt sich für die Missionswissenschaft ein weites
Feld der Differenzierung und der Kooperation mit anderen Wissenschaftsberei-
chen. Manche kulturellen Äußerungen sind dennoch bislang weniger zum Gegenstand der Missionswissenschaft erhoben worden, wie z.B. das weite Feld der →
Kunst. Aber es erweist sich bei aller Vielfalt der Einzel- und Sonderforschungen,
daß es an einem umfassendeen Konzept von Missionswissenschaft fehlt. Tenden-
ziell dominiert die Kontextorientierung, die über die Inkulturationsfrage hinaus-
führt. Der europäische Überlieferungszusammenhang und die Dominanz der europäischen Glaubensgeschichte wird dabei neu gesehen und kritisch gewürdigt.
Interkulturelle und interreligiöse Fragestellungen setzen Mission, Glaubensaussagen, Theologien, geschichtliche Verwirklichungen von Kirche, die Verflechtung
der Mission mit europäischem Kolonialismus, wechselseitige Beziehungen und
Beeinflussung der Religionen in ein umfassendes Verhältnis geschichtlicher und
sachlich-theologischer Zusammenhänge ein und tragen dadurch zur Dialogfähig-
keit der Kirchen und Theologien bei. Vor allem ermöglichen derartige Forschungen einen Einblick in die geschichtliche Dimension des Christseins und verweisen

das Christentum im Vollzug der Evangelisation auf die bereichernde Begegnung mit dem anderen in einer konkreten Situation, nicht nur mit dem anderen Heilssystem. Für die weitere Entwicklung der Missionswissenschaft wird es entscheidend sein, ob sie sich innerhalb der Theologie als eigenständiger, institutioneller Wissenschaftsbereich legitimieren kann. Anstöße zu einer Neubestimmung der Missionswissenschaft etwa in Richtung einer „Vergleichenden Theologie" (A. Exeler, vgl. Th. Kramm) bedürfen weiterer kritscher Prüfung. Theologisch von größerer Konsequenz ist die Problemstellung, die etwa L. Rütti aufwirft, zumal hier die Mission aus ihrer Ekklesiozentrik herausgelöst und im Sinne der Glaubensverantwortung auf die Welt verwiesen wird. Bei beiden Neuansätzen wird zu bedenken sein, daß sie nicht nur die Komplexität der Missionswissenchaft bzw. der Theologie der Mission reduzieren, sondern ganze Bereiche menschlich-religiöser Existenz nicht in den Blick bekommen. Vor allem die Konzeption L. Rüttis scheint keinen Zugang zu einer sachgerechten Wertung der Religionen offen zu lassen. Auf der anderen Seite macht die gesellschaftliche Verwiesenheit des christlichen Glaubens darauf aufmerksam, daß Mission als Sendung im Dienste der Bezeugung des Heils in gesellschaftliche Strukturen eingebunden ist, die von der Dynamik des Evangeliums her zu sprengen sind - in Solidarität mit den Armen und von der Gesellschaft bzw. den Religionen Ausgegrenzten. Diese Solidarität realisiert sich im Mit-Erleben, Mit-Leiden, Mit-Arbeiten und Mit-Hoffen. In diesem Sinne erinnern die kontextbezogenen Theologien der Dritten Welt an die theologischen Dimensionen der Missionstheologie, die es der Theologie und der Kirche ermöglichen, ihre jeweilige Kontextbedingtheit und Kontextgebundenheit zu erkennen, ihren Kontext zu überschreiten, um sich selbst im Vollzug des Christseins, der Theologie, des Kirche-Seins als Mit-Sein auf das Mit-dem-Menschen-Sein Gottes als Grund und Ziel der Mission hin zu erkennen. In diesem Sinne wird in der Kontextualität immer auch die Frage nach der Trans-Kontextualität und der Inter-Kontextualität aufzuwerfen sein. Dieser Fragenzusammenhang ist jedoch einzubinden in den umfassenderen des interreligiösen und interkulturellen Vollzugs nicht nur der Mission im strikten Sinne, sondern des Christseins überhaupt.

Lit.: *Anderson, G. H./Stransky, Th.* (Hrsg.), Mission Trends, 4 Bde, 1974ff. - *Bassarak, G.*, Missionsstrategie im Wandel, 1977. - *Bühlmann, W.*, Weltkirche, 1984. - *Bürkle, H.*, Missionstheologie, 1979. - *Dapper, H.*, Missioń - Glaubensinterpretation - Glaubensrealisation, 1979. - *Exeler, A.*, Wege einer vergleichenden Pastoral, in: L. Bertsch u.a. (Hrsg.), Evangelisation in der Dritten Welt, 1981, 92-121. - *Friedli, R.*, Mission oder Demission, 1982. - *Gensichen, H.-W.*, Glaube für die Welt, 1971. - *Kramm, Th.*, Analyse und Bewährung theologischer Modelle zur Begründung der Mission, 1979. - *Margull, H.-J.* (Hrsg.), Mission als Strukturprinzip, 1965. - *Neill, St., u.a.* (Hrsg.), Lexikon zur Weltmission, 1975. - *Ohm, Th.*, Machet zu Jüngern alle Völker, 1962. - *Rosenkranz, G.*, Die christliche Mission, 1977. - *Rütti, L.*, Zur Theologie der Mission, 1972. - *Schmidlin, J.*, Katholische Missionslehre im Grundriß, ²1923. - *Sundermeier, Th.*, Konvivenz als Grundstruktur ökumenischer Existenz heute, in: ÖEh1, 1986, 49- 100. - *Wiedenmann, L.* (Hrsg.), Herausgefordert durch die Armen, 1983. - *Warneck, G.*, Evangelische Missionslehre, 5 Teile, 1892-1903.

H.-J. Findeis

MÖNCHTUM I (EV.)

1. Evangelische Mission und Mönchtum. 2. Evangelische Kommunitäten. 3. Entwicklungen in Übersee.

1. Die Gründung der Propaganda Fidei (1622) bewirkte auch auf evangelischer Seite ein Nachdenken über die Weltmission. So erinnerte J. v. Weltz die Lutheraner daran, daß die Mission eine Aufgabe der *Kirche* sei. In Anlehnung an die Jesuitenmission in China schlug G. W. Leibniz die Gründung einer evangelischen Mission vor, die „theoriam cum praxis" vereinigend, sowohl „Künste und Wissenschaften" als auch „Land und Leute, Feldbau, Manufacturen und Commercien und, mit einem Worth, die Nahrungsmittel zu verbessern" zum Ziele haben sollte. Er dachte an einen evangelischen Orden, den er „Kampftruppe des Friedens" (Societas Pacidiana) nannte. Sie sollte ganz dem „Wohle der Menschheit" dienen. Diese Gedanken wurden in der *Basler Mission* (1815) aufgenommen und durch den Gründer Ch. F. Spittler und ersten Inspektor Ch. G. Blumhardt in die Tat umgesetzt. Nach dem Vorbild der iro-schottischen Mönche wurden auch evangelische Missionare als „Ausbreiter einer wohltätigen Zivilisation und als Verkündiger des Evangeliums des Friedens" in die ganze Welt ausgesandt. Grundlage waren die „drei evangelischen Räte" (Zölibat, Armut, Gehorsam), die jedoch später abgemildert wurden. Weil evangelische Kirchen diese Aufgaben nicht übernehmen wollten, entstanden freie Werke (Missionsgesellschaften).

Ähnliche Gedanken spielten bei der Gründung der *„Hermannsburger Mission"* eine Rolle. Die im gleichnamigen Dorf in der Lüneburger Heide 1849 durch L. Harms gegründete Gesellschaft wollte durch das Vorbild der Gemeinde und weniger durch einzelne Missionare wirken. Analog zu den Klöstern der iro-schottischen Mönche in Sachsen wurden „Kolonien" in Afrika angelegt. Die Aufgabe dort beschrieb L. Harms so: Missionare sollten durch die von ihnen „mit eigenen Händen geschaffenen Kulturen des Landes, Bau(arbeiten)werken und betriebenen Handwerken" die „stumpfen Heiden" beeindrucken (1850). Verkündigung und wirtschaftliche Hilfe gingen Hand in Hand. Das praktische Vorbild galt als „lebendige Predigt". Das wollte man auf der Missionsstation, auf der acht Missionare und acht Kolonisten (Laien) seit 1854 in Natal (Südafrika) zusammenlebten, verwirklichen. Wie bei den Sachsen im 8. und 9. Jahrhundert, sollte das Christentum eine staatsbildende Kraft sein und den in ihrer Existenz als → Volk und in ihrer afrikanischen Identität bedrohten Christen helfen. Ziel der Mission war nach L. Harms, daß „Völker bekehrt und mit christlicher Sitte und Bildung gewappnet werden, so daß sie sich mit Erfolg des verderblichen europäischen Andrangs erwehren könnten und nicht das Opfer der Europäer werden, wie es bisher allenthalben der Fall gewesen ist". Wie einst durch die Mönche in Sachsen, so sollte auch in Afrika „ein selbständiges christliches Reich sich bilden, das deshalb mit den erobernden Seevölkern nichts zu tun haben darf". Der anfänglich von den Missionaren praktizierte christliche „Kommunismus" nach dem Vorbild der Apostelgeschichte und dem Armutsprinzip der Mönche entwickelte sich jedoch anders: die Missionare wurden teilweise Gutsbesitzer und verdienten ihren Lebensunterhalt durch Handel.

2. Doch ganz vergessen wurde das Modell des Mönchsordens in der evangelischen Kirche nie. In den Kommunitäten lebte das Ideal weiter und wurde als urchristliches Grundprinzip, daß „die Gemeinde in der Lehre der Apostel und in der Gemeinschaft und im Brotbrechen und im Gebet" beständig zusammenlebt, wieder aufgenommen. Nach den Erschütterungen des Zweiten Weltkriegs führte die Suche nach gültigen Werten und Lebensformen schließlich zur Gründung einer Reihe von evangelischen Kommunitäten. Seit Ende der sechziger Jahre traten alternative Lebensgestaltung und Gemeinschaftsbildung immer mehr in den Vordergrund. die „drei evangelischen Räte" gewannen eine neue Bedeutung und führten zur Gründung des „Klosters auf Zeit" als einer alternativen Lebensform: Die Christusträger, die Christusbruderschaft, die Communität Casteller Ring, die Jesus-Bruderschaft verstehen sich alle als alternative christliche Gesellschaftsformen analog zu den katholischen Orden. Einige nahmen den Missionsauftrag als für sich verpflichtend auf (Kommunität Adelshofen seit 1952), andere wollen zur „Erneuerung der Kirche und zur Veränderung der Welt" beitragen (Laurentius Konvent, Satzung §2). Die bekannteste evangelische Kommunität ist die „Communauté de Taizé", die sehr viel Zeit für Gott, für das geistliche Leben, für Stille und für die Meditation verwendet, sich aber gleichzeitig auch für die Bewahrung der Schöpfung, für Versöhnung, Einheit der Christen und für die Gerechtigkeit einsetzt. Die von dem Genfer Pfarrer Roger Schütz 1949 gegründete Kommunität begann ursprünglich als ein Asyl für politische Flüchtlinge (1940-1942) und hat heute eine weltweite Wirkung. Die aus siebzig Mitgliedern bestehende Bruderschaft ist international und interkonfessionell; einige Brüder sind katholische Priester. Impulse gehen auch von dem seit 1979 stattfindenden Konzil der Jugend aus. Als neue Losung gilt- seither: „Kampf und Kontemplation". Die Meditation und der Einsatz für soziale Gerechtigkeit gehen Hand in Hand. Wie die katholischen und orthodoxen Orden wollen die evangelischen Mönchsorden betend für und in der Welt wirken (→ Evangelische Bruderschaften/Kommunitäten/Orden).

3. Auch in den *überseeischen Kirchen* kam es in den letzten Jahren zur Gründung von evangelischen Einrichtungen mit einer missionarischen Ausrichtung. So entstand beispielsweise 1977 die „Diakonia Schwesternschaft" in Mokpo (Süd-Korea). Sie definiert ihre Aufgabe so: „Wir glauben, daß unser Menschsein ‚Sein vor Gott und Leben mit dem Nächsten' ist". Diese überkonfessionell und interdenominell organisierte Kommunität möchte „einerseits die Tradition des Klosters" übernehmen und „vollkommen dem Dienst für Gott sich hingeben", andererseits aber fühlt sie sich besonders „zum Dienst in Korea berufen" (Bekenntnis Diakonia Schwesternschaft). Diese erste koreanische evangelische Kommunität begann offiziell 1980 mit dem gemeinsamen Leben von sechs Schwestern und der Hingabe ihres Eigentums an die Kommunität. Sie sieht ihren Missionsauftrag vor allem in der Betreuung von Patienten eines angeschlossenen Lungensanatoriums.

Das alte Mönchsideal mit seiner Forderung nach einem verbindlichen Leben wirkt also auch im evangelischen Bereich durch weltweite Bruderschaften, Kommunitäten und Lebensgemeinschaften weiter und gibt neue Impulse für die Missionsaufgabe der evangelischen Kirchen in aller Welt, vor allem in den ehemaligen Missionskirchen.

K. Rennstich

MÖNCHTUM II (KATH.)

1. Kirchliche Weisungen. 2. Bedeutung der monastischen Tradition für die Mission. 3. Nichtchristliches Mönchtum.

1. *Am missionarischen Aufbruch* der zweiten Hälfte des 19. und der ersten Jahrzehnte des 20. Jahrhunderts waren auch Mönche beteiligt. Ihrer Eigenart entsprechend organisierten sie die Missionsarbeit gewöhnlich von zentral gelegenen Abteien aus, die nicht selten als kirchliche Gebietskörperschaften (abbatiae territoriales) errichtet wurden. Auch wo man später auf diese Rechtsfigur verzichtete, blieb die Abtei meistens als missionarisches und spirituelles Zentrum des kirchlichen Sprengels bestehen. Daneben entstanden noch im ausgehenden 19. Jahrhundert in China und Japan Trappistenklöster mit einer rein kontemplativen Lebensweise, die bald viele einheimische Berufe anzog. Pius XI. hat die Bedeutung dieser Klöster in seiner Missionsenzyklika *Rerum Ecclesiae* (1926) hervorgehoben und zu weiteren Gründungen dieser Art ermuntert. Es sollte allerdings noch eine Generation dauern, bis die Mönche in den fünfziger und sechziger Jahren in größerem Umfang diesem Aufruf entsprachen.

Auf dem Höhepunkt dieser Gründungswelle griff auch das II. Vatikanische Konzil dieses Anliegen auf. Das Missionsdekret (Kap. 6 über die gesamtkirchliche Missionshilfe) widmet den kontemplativen Ordensgemeinschaften einen eigenen Absatz, der ihre missionarische Verantwortung in den christlichen Ländern betont und sie zu Gründungen in den Missionsgebieten ermuntert (Art. 40, II). Hatte Pius XI. die unverfälschte Übertragung von Gesetz und Geist der Ordensstifter auf die Häuser in den Missionsländern unterstrichen, legt das Konzil großen Wert drauf, daß auch die kontemplativen Klöster ihre Lebensweise den echten religiösen Überlieferungen der Völker anpassen, weil nur so ihr Leben ein verständliches und lesbares Zeichen und „Zeugnis der Herrlichkeit und Liebe Gottes und der Einheit der Kirche" sei. Wichtiger noch ist ein Text im Abschnitt über den Aufbau der christlichen Gemeinde, die erst dann voll entfaltet sei, wenn sie selbst missionarisch geworden ist (Art. 15) und aus ihr nicht nur landeseigene Priester (Art. 16) und Katechisten (Art. 17) hervorgehen, sondern auch verschiedene Formen des Ordenslebens im Lande heimisch werden, darunter kontemplative Klöster. Denn „das beschauliche Leben gehört zur vollen Anwesenheit der Kirche und muß deshalb überall in den jungen Kirchen Eingang finden" (Art. 18).

2. Ausgehend von diesen Konzilstexten kann man die *Bedeutung* der monastischen Gemeinschaften für das Missionswerk der Kirche in folgenden Punkten zusammenfassen: Die gesamte Kirche ist ihrem Wesen nach missionarisch (Ad

gentes 2); das Werk der Evangelisierung ist Grundpflicht des gesamten Gottesvolkes (ebd. 35), eines jeden Christen und einer jeden kirchlichen Gemeinschaft. Dieser Auftrag gilt auch den gänzlich auf Kontemplation hingeordneten Kommunitäten. Wo auch immer auf der Welt ein solches Kloster existiert, leistet es „in geheimnisvoller apostolischer Fruchtbarkeit" einen bedeutenden Beitrag zum Wachstum des Gottesvolkes (Perfectae caritatis 7). Mehr noch als die anderen Christen (vgl. Ad gentes 36) dienen die Mönche und Nonnen dem Missionswerk der Kirche „durch ihre Gebete, Bußwerke und Entsagungen" (ebd. 40). Das Beispiel des Mose, der auf dem Berg mit erhobenen Händen betet, während das Volk in der Ebene kämpft (Ex 17,11), ruft die Mönche ebenso in die missionarische Verantwortung wie die Lehre des Völkerapostels, daß alle Glieder in ihren unterschiedlichen Funktionen dem Aufbau des einen Leibes dienen (1Kor 12,12ff). Es war das meditierende Studium von 1Kor 12 und 13, das die hl. Theresa von Lisieux zur Patronin der Weltmission werden ließ. Sie, die zunächst die ganze Welt durcheilen wollte, um zu allen Zeiten in allen Erdteilen das Evangelium zu verkünden, erkannte, daß ihre Berufung darin bestand, durch ihr kontemplatives Leben „im Herzen der Kirche die Liebe zu sein" und dadurch das Wirken aller anderen Glieder zu umfassen und zu beseelen (Gli scritti, Rom 1970, 236-238). In ähnlicher Weise nehmen heute viele kontemplative Klöster in den christlichen Ländern ihre Verantwortung für das Wachstum des Reiches Gottes wahr; nicht wenige von ihnen unterhalten auch geistliche Patenschaften mit Diözesen oder Missionaren in den jungen Kirchen.

Die Präsenz einer monastischen Kommunität in einer Ortskirche der Mission ist darüber hinaus bedeutungsvoll als ein allen sichtbares Zeugnis gelebten Glaubens. Die in der Ordensprofeß durch die Verpflichtung auf die evangelischen Räte vollzogene Weihe weist auf den innersten Kern der christlichen Berufung hin. Wie alle Ordensleute, vielleicht noch deutlicher als die anderen, leben die Mönche und Nonnen „in konkreter Weise die Kirche, die danach trachtet, der Unbedingtheit der Seligpreisungen zu entsprechen" (Evangelii nuntiandi 69), und geben „Zeugnis dafür, daß die Welt nicht ohne den Geist der Seligpreisungen verwandelt und Gott dargebracht werden kann" (Lumen gentium 31). Das zweckfreie Dasein einer brüderlichen Gemeinschaft, die in Gebet und Arbeit Gott und den Menschen dient, veranschaulicht das gesprochene Wort der Evangelisierung in einer radikalen Form gelebten Christentums. Ohne die Notwendigkeit der Verkündigung und des sozial-karitativen Einsatzes der Kirche in Frage zu stellen, sind monastische Kommunitäten Zeugen für die Priorität des Reiches Gottes und seiner Herrlichkeit (Mt 6,33) und Weggefährten aller Menschen, die auf der Suche nach dem Absoluten sind. Indem sie die kontemplative Dimension des christlichen Lebens einmahnen, werden sie zu einer „Herausforderung an Welt und Kirche" (Evangelii nuntiandi 69) und können den mancherorts entstandenen irrigen Eindruck korrigieren, die Kirche sei nichts anderes als eine weltweite Organisation im Dienst des kulturellen und sozialen Fortschritts. Wie das Beispiel Charles de Foucaulds zeigt, ist das Zeugnis des kontemplativen Lebens in nicht wenigen Ländern, in denen eine direkte Evangelisierung nicht möglich ist, der einzige Weg der Verkündigung der christlichen Botschaft.

Dieses Zeugnis ist allerdings nur dann verständlich, wenn es den Mönchen gelingt, die wesentlichen Werte monastischen Lebens in einer Form auszugestalten, die den Traditionen und Kulturen der einzelnen Völker gerecht wird. Dieser Prozeß der Anpassung und → Inkulturation, den das Konzil mit Nachdruck fordert (Ad gentes 18, 40), läßt sich in einigen Bereichen relativ leicht verwirklichen, weil eine beachtliche Affinität zwischen den Wertvorstellungen vor allem des altchristlichen Mönchtums und vielen → Kulturen der Missionsgebiete besteht. Die Rolle der Gemeinschaft unter Führung des Abtes, wie sie z.B. in der Benediktusregel niedergelegt ist, findet ihre Entsprechung in nicht wenigen Kulturen Afrikas und Asiens. Auch Benedikts Verständnis von Armut, die im wesentlichen als persönliche Anspruchslosigkeit und vor allem als Teilen dessen, was der einzelne besitzt, zu deuten ist, steht dem Denken vieler Kulturen in den Kirchen der Dritten Welt sehr nahe. Daraus erwächst die gleiche hohe Wertschätzung der Gastfreundschaft. Wenn die monastischen Kommunitäten in diesen Ländern ihre abendländische Ordensregel im Lichte der Werte ihrer eigenen Überlieferungen lesen, können sie nicht nur einen wichtigen Beitrag zur Inkulturation der christlichen Botschaft leisten, sondern gleichzeitig den abendländischen Klöstern wertvolle Hilfen und Impulse für eine Rückbesinnung auf das Ideal der Gründer bieten. Daneben gibt es jedoch Elemente monastischer Lebensweise, die vielen dieser Kulturen weniger einsichtig erscheinen und daher schwieriger zugänglich sind. In einer Gesellschaft, in der das Fortleben in den Nachkommen und damit Zeugung und Fruchtbarkeit hohen Stellenwert besitzen, ist das monastische Ideal des dauernden Verzichts auf Ehe und Familie um des Himmelreiches willen (Mt 19,12) nicht leicht zu vermitteln. In Kulturen des gesprochenen Wortes, in denen sich noch keine eigenständige Literatur entfaltet hat und somit die Bedingungen für eine geistige Auseinandersetzung mit dem geschriebenen Wort fehlen, spielt das Palaver eine besondere Rolle und gerät leicht in Konflikt mit den traditionellen monastischen Vorstellungen vom Wert des Schweigens und Alleinseins. Eine besondere Frage wirft die im Mittelalter beginnende und schnell sich durchsetzende Klerikalisierung des westlichen Mönchtums auf. Eine Rückkehr zu den „einfacheren Formen des altkirchlichen Mönchtums" (Ad gentes 18) darf diesem Problem nicht ausweichen. Es dürfte verfrüht sein, schon heute nach festen, institutionalisierten Formen der Inkulturation des Mönchtums zu fragen. Das Leben äußert sich in den spontanen Gesten und Riten, in der → Liturgie und beim privaten Gebet, in der Art und Weise, wie alltägliche Ereignisse erlebt werden, in den ungeschriebenen Formen des Umgangs miteinander, mit den Gästen, mit der eigenen Sippe. Welche Bedeutung haben in einem solchen Umfeld das Schweigen, die Klausur, der durch eine strikte Ordnung festgelegte Tagesablauf? In einem manchmal schmerzvollen und konfliktgeladenen Suchen scheint hier etwas zu wachsen, was einmal Bestandteil eines bodenständigen Mönchtums sein könnte.

3. Eine besondere Herausforderung erwächst den christlichen Mönchen aus der Begegnung mit dem nichtchristlichen Mönchtum. Das Konzil mag hauptsächlich an diese Situation gedacht haben, als es die Ordensleute aufforderte, sorgfältig zu prüfen, „wie die Tradition des asketischen und kontemplativen Lebens, deren Keime manchmal alten Kulturen schon vor der Verkündigung des Evangeliums von Gott eingesenkt wurden, in ein christliches Ordensleben aufgenommen

werden können" (Ad gentes 18). Ein Vergleich von christlichem und außerchristlichem Mönchtum läßt bemerkenswerte Ähnlichkeiten in manchen Lebensformen erkennen: eine gewisse Absonderung von der Umwelt (Habit, Klausur), asketische Übungen (Fasten, Abstinenz von gewissen Speisen, besonders Fleisch, Wachen), Meditation und Gebet. Sie sind Ausdruck eines entschiedenen Suchens nach dem Absoluten, was immer die einzelnen Religionen unter dieser Bezeichnung verstehen. Unterschiede bestehen u.a. darin, daß die im christlichen Mönchtum verlangte unwiderrufliche Bindung im außerchristlichen Mönchtum eher die Ausnahme bildet und daß der Partner dieser Bindung nicht die Gemeinschaft, sondern der geistliche Führer ist. Vor allem aber hebt sich das christliche Mönchtum von den anderen Formen mönchischen Lebens durch die Motivation ab. Gewiß kann es auch hier gemeinsame Elemente geben, z.B. das Streben nach innerer Einheit des Lebens, Loslösung von äußeren Bindungen, um frei zu sein für die Suche nach dem Absoluten. Entscheidender Beweggrund des christlichen Mönchtums bleibt jedoch der Ruf in die Nachfolge Christi. Inzwischen ist auf verschiedenen Ebenen ein fruchtbarer → Dialog zwischen christlichen und nichtchristlichen Mönchen in Gang gekommen, der dazu beitragen wird, viele noch offene Fragen des Gemeinsamen und Unterscheidenden weiter zu klären.

V. Dammertz

Lit.: *Biot, F.*, Evangelische Ordensgemeinschaften, 1962. - *Claß, H.* (Hrsg.), Evangelische Spiritualität. Überlegungen und Anstöße zur Neuorientierung. Vorgelegt von einer Arbeitsgruppe der EKD, 1979. - *Ders.*, Gelebte Bruderschaft, 1983. - *Dammertz, V.*, Benedictine presence in the Third world, in: AbenR 32, 1981, 14-37. - *de Give, B.*, Bibliographie d'initiation aux religions orientales, Sekretariat AIM, 1981, bes. 51-59 über Dialog. - *v. Grossel*, Weltz, der Vorkämpfer der lutherischen Mission, 1891. - *Gornik, H.* (Hrsg.), Anders leben. Christliche Gruppen in Selbstdarstellungen, 1979. - *Halkenhäuser, J.*, Kirche und Kommunität. Ein Beitrag zur Geschichte und zum Auftrag der kommunitären Bewegung in den Kirchen der Reformation, 1985 (Lit.). - *Ders.*, Art. Kommunitäten, in: ESC, 737-740. - *Hasselhorn, F.*, Mission auf dem Weg in die Apartheid. Ein Beitrag zur Gesellschaftsgeschichte der Hermannsburger Mission in Südafrika, 1986. - *Hertlein, S./Rudmann, R.* (Hrsg.), Zukunft aus empfangenem Erbe. 100 Jahre benediktinische Missionsarbeit, 1983. - Il monachesimo nel terzo mondo, 1979. - *Krause, G./Stupperich, R.*, u.a., Bruderschaften, Schwesterschaften, Kommunitäten, in: TRE 7, 195-212. - *Leclercq, J.*, Espansione monastica fuori dell'Europa: Dizionario degli istituti di perfezione 5, 1978, 1733-1742. - *Ders.*, Fenomenologia del monachesimo, ebd., 1673-1684. - *Massein, P.*, Le phénomène monastique dans les religions non-Chrétiennes, in: Dictionnaire de Spiritualité 10, 1980, 1525-1536 (Lit.). - Monachesimo cristiano, buddhista, indù, convegno interreligioso sulla vita monastica, 1978. - *Reimer, I.* (Hrsg.), Alternativ leben in verbindlicher Gemeinschaft. Evangelische Kommunitäten, Lebensgemeinschaften. Junge Bewegungen, 1979. - *Dies.*, Verbindliches Leben in Bruderschaften, Kommunitäten, Lebensgemeinschaften, 1986. - *Rennstich, K.*, Handwerker-Theologen und Industrie-Brüder als Botschafter des Friedens. Entwicklungshilfe der Basler Mission im 19. Jh., 1985. - *Ders.*, Nicht jammern - Hand anlegen. Chr. F. Spittlers Werk und Leben, 1987. - *Rossano, P.*, Dialogue between Christian and non Christian monks; the possibilities and the difficulties, in: Secretariatus pro non Christianis Bulletin 16, 1981, 52-62. - *Schutz, R.*, Die Regel von Taizé, 1980. - *Schleiter, W.*, Evangelisches Mönchtum, Entwicklung und Aufgabe der Bruder- und Schwesternschaften in der Kirche, 1964. - *Stökl, A.*, Taizé. Geschichte und Leben der Brüder von Taizé. - *Tonini, S.*, L'Église, les non-Chrétiens, les moines début et développement du dialogue, faits et documents, Secretariat AIM, 1981.

NEUE RELIGIÖSE BEWEGUNGEN

1. Die weiße Rasse als Anstoß. 1.1 Proteste von Bevormundeten. 1.2 Proteste von Verachteten. 1.3 Proteste von Unterdrückten. 2. Die weiße Religion als Anstoß. 2.1 Gegen die europäische Religion. 2.2 Gegen die rationalistische Religion. 2.3 Gegen die Jenseitsreligion.

Harold W. Turner führte vor zwanzig Jahren die Bezeichnung *modern religious movements* als religionswissenschaftliches Fachwort ein. Es leistet mehr als andere Wörter. Einerseits enthält es weder offene noch verborgene Wertungen, wie das z.B. bei „neuheidnisch" oder „synkretistisch" oder „Sekte" der Fall ist. Andererseits umfaßt es mehr als solche Namen, die auf nur einen Aspekt begrenzt bleiben, wie z.B. „nativistische Bewegungen", „Revitalisationsbewegungen", „Krisenkulte".

Zu weit sollte die Bezeichnung aber auch nicht gefaßt werden. „Neu" bezieht sich auf die Moderne, die als religionsgeschichtlich relevante Epoche um 1800 beginnt und bis heute dauert. Viele religiöse Bewegungen entstanden in der Zeit zwischen den Weltkriegen. „Religiös" bedeutet im Kontext dieses Lexikons: in Zusammenhang mit der christlichen Mission stehend. „Bewegung" bezeichnet das Kindheitsstadium einer Religion. Sie fing an mit einer Stiftergestalt und einem Jüngerkreis und bewegt sich weiter auf ein Erwachsenenstadium zu als organisierte Gemeinschaft mit festen Regeln und Riten, Glaubenssätzen und Amtshierarchien. In einer Bewegung ist vieles noch im Fluß. Es ist die Zeit des Aufbruchs, der Freiheit, der Kreativität.

Ohne die christliche Mission wären abertausend neue religiöse Bewegungen gar nicht erst entstanden oder ganz anders geworden. Millionen schwarze, braune, gelbe und rothäutige Christen wendeten weißen Christen den Rücken. Ursachen und Wirkungen lassen sich zweiteilen. Ein erstes Motiv für die Geburt neuer Bewegungen hat mit der weißen Rasse zu tun; viele protestierten gegen rassistische Erniedrigung. Ein zweites Motiv hat mit der weißen Religion zu tun; viele protestierten gegen psychische Bevormundung und kulturelle Verachtung. Bis zum Ende der Kolonialzeit war äußere Bedrückung ein Auslöser (→ Kolonialismus). Seither ist es der Wunsch nach innerer Befreiung (→ Theologie der Befreiung), nach eigenständiger Religiosität, nach Respekt vor der angestammten Kultur und den „heidnischen" Vorfahren, die sie geschaffen haben (→ Kontextuelle Theologie).

1. Weiße kamen als landhungrige Massen, deren technische Ausrüstung äußeren Widerstand vereitelte. In Übersee verließ sein Hochmut den Weißen selbst dann nicht, wenn sich ein Farbiger als klüger oder geschickter erwiesen hatte. Weiße Missionare regierten ihre Gemeinden oft paternalistisch mit harter Hand.

1.1 Die *Lutheran Bapedi Church* entstand 1892 im südafrikanischen Transvaal. Damals trennten sich 39 Gemeindeälteste unter Führung des ersten Pedi-Pastors Martinus Sebuschane von der Berliner Mission. Sie wollten „unserem lieben Dr. Martin Luther" treu bleiben, wollten auch die übernommene Liturgie und Gemeindeordnung nicht antasten, nur den Missionaren wollten sie nicht länger gehorchen müssen. Die Deutschen trauten ihnen nichts zu. Sie hatten sie nicht gefragt, sie hatten ihnen befohlen. Nur widerstrebend hatten sie Sebuschane ordiniert, doch dann ließen sie unerfahrene Weiße den ehrwürdigen Schwarzen, den die Gemeinden als „Vater" verehrten, herumkommandieren. Sie wollten nicht länger wie Kinder gehalten werden, wollten nicht, wie sie es ausdrückten, „auf dem Rücken getragen werden, bis wir graue Haare haben" (→ Afrikanische Unabhängige Kirchen).

Die *Iglesia Filipina Independiente* haben katholische Christen gegründet. 1896 hatten sich die katholischen Filipino gegen die katholischen Spanier erhoben. Damals wurde der Priester Gregorio Aglipay Feldgeistlicher der Rebellenarmee. Die spanischen Priester und Bischöfe waren zum Teil mit den zurückweichenden spanischen Soldaten geflohen, zum Teil gefangen genommen. Aglipay forderte für den philippinischen Klerus philippinische Bischöfe. Als die Kirchenzentrale auch weiterhin auf Spaniern bestand, sagten sich Aglipay und seine Anhänger von Rom los. Im Jahre 1902 wurde die neue Kirche offiziell von der neuen Kolonialmacht, den USA, in Manila registriert. Schon lange hatte man auch hier geargwöhnt, die Seminarausbildung für den einheimischen Klerus werde mit Absicht auf einem ärmlichen Stand gehalten, mit Absicht würden nur wenige Filipino geweiht. Im Jahr 1841 exekutierten die Spanier Apolinario de la Cruz. Als Filipino hatte man ihn weder in einen Orden aufgenommen noch Priester werden lassen. Darum gründete er die *Confradia de San Jose*, der Tausende in den Provinzen Quezon, Laguna und Batangas beitraten. Doch die Kirche verweigerte beharrlich ihre Anerkennung.

Diese Beispiele führen typische Merkmale vor. Ursache des Protestes waren weiße Kirchenobere. An ihnen, an ihrem Regiment stieß man sich. Alles andere, Lehren, Riten, Organisationsformen usw. wollte man behalten. Das wollte man im Stadium der Bewegung. Später haben neue Ursachen neue Formen bewirkt. Hunderte, wenn nicht Tausende christlicher Bewegungen waren Folge jener ersten Ursache. In Europa hörte man zu Zeiten viel vom afrikanischen „Äthiopismus", den man als höchst gefährlich fürchtete.

1.2 Nationalheld aller Filipino ist Jose Rizal. Von Spaniern „Indio" genannt zu werden, kränkte ihn seit Kindertagen. Seither suchte er zu entdecken, mit welchem Recht Weiße sich herausnehmen, den Nicht-Weißen als solchen gering zu achten. Rizal wurde Augenarzt. Er reiste um die Welt, war Gast eines Pastors im Odenwald, wo er deutsches mit heimatlichem Dorfleben verglich. In Berlin veröfentlichte er ein enthüllendes Buch, das zuhause sogleich verboten wurde. In Manila gründete er eine politische Liga. Er wurde verbannt, verhaftet, verurteilt und 1896, als der Aufstand ausgebrochen war, exekutiert.

Die *Iglesia Watawat ng Lahi* verknüpft den Glauben an Christus mit dem an Rizal. Beide waren Asiaten, beide heilten, beide liebten ihr kleines Volk über alles, beide haßten den Dünkel, den der Pharisäer und den der Spanier, beide verfolgte die unheilige Allianz von Thron und Altar, beide standen vor parteilichen Richtern, die beiden Anstiftung zum Aufruhr vorhielten, beide wurden von ihren Feinden hingerichtet, beide gaben ihr Leben, um Gerechtigkeit, Freiheit und Frieden zu bringen, beide vergaben ihren Mördern, beider Tod leitete das Ende großer Kolonialreiche ein. Am Ende wird Christus alle Gewalt Rizal übertragen. Der wird wiederkommen, um die Völker zu richten und die Gläubigen ins Neue Jerusalem zu führen.

Seit Ende des Ersten Weltkrieges kursierte in Nord- und Südrhodesien, im Kongo und auch in Angola und Mosambik, vor Weißen sorgsam geheimgehalten, die Kunde von den „älteren Brüdern". Das sind in die Sklaverei entführte Afrikaner, die *Ba-amerika*. Sie haben Amerika mächtig gemacht, denn sie haben alles erfunden: Flugzeuge, Autos, Radios usf. Die schwarze Rasse muß demnach der weißen überlegen sein. Hierüber ließen sich nur noch Afrikaner von den Weißen täuschen. Als erste Flugzeuge am Himmel zu sehen waren, glaubten viele, ihre älteren Brüder aus Amerika wären gekommen, um selber zu sehen, ob es wahr sei, was Weiße von den Schwarzen behaupten, daß sie nämlich in Wirklichkeit gar keine Menschen seien, sondern Affen mit Schwänzen. Die *Ba-amerika* wurden in der zentralafrikanischen Watch-Tower-Bewegung *Kitawala* zu einem kollektiven Messias, der die Herrschaft der Weißen in Afrika beenden und ein Friedensreich nur für Afrikaner einleiten würde.

Die Beispiele zeigen, wie religöse Antworten auf die rassistische Einstellung von Weißen lauten können. Von Weißen allgemein, nicht mehr nur von Missionaren. Daß man sie für minderwertig hielt, erfuhren Eingeborene tagtäglich von weißen Vorgesetzten in Behörden, Handelshäusern oder auf Plantagen. Wer zur Schule ging, lernte alles über die Geschichte weißer Völker und so gut wie nichts über die Geschichte des eigenen. Als sie begriffen, daß sich weder die Weißen noch deren Einschätzung von Nicht-Weißen ändern würden, standen sie vor der Wahl zwischen Resignation oder dem Glauben an die Rechtfertigung ihrer Rasse in hoffentlich naher Zukunft.

1.3 Es gab Kolonien, in denen Europäer nur kurze Zeit gesund blieben. Dort bekamen Eingeborene in Dörfern selten einen Weißen zu sehen. Es gab andere Kolonien, in denen landhungrige Europäer die Eingeborenen über den Horizont drängten. In solchen Ländern bekam der Rassismus und mithin auch der religiöse Protest gegen ihn ein gnadenloses Gesicht.

Ende 1890 attackierten weiße Soldaten bei Wounded Knee in Süddakota einen Indianertrupp und machten Männer, Frauen und Kinder nieder. Die Toten waren Sioux und Gläubige einer neuen religiösen Bewegung, die Weiße „Geistertanz" nennen. Ein Jahr zuvor hatten Oglala-Sioux gehört, der Messias sei erschienen, und er werde den Indianern helfen, nicht den Weißen. Das machte die Indianer glücklich. Sie sandten Kundschafter aus, die den Propheten Wovoka fanden, einen Paiute. Mit seiner Botschaft kehrten sie heim. Short Bull, einer der Abgesandten, erklärte Stammesgenossen von Pine Ridge im Oktober 1890, daß sie sich versammeln und tanzen müßten (tanzen ist eine indianische Weise zu beten, Gottesdienst zu halten). Dann würde die Erde beben und ihre Toten würden wiederkehren. Danach würde Gott einen großen Wirbelwind machen, der alle Weißen zur Strecke bringt. Auf der ganzen Erde dürften fortan nur noch fünftausend von ihnen am Leben bleiben.

Andere Opfer weißer Rücksichtslosigkeit sind in Amerika die Schwarzen. Deren Väter hatte man als Sklaven nötig. Mit Sklaven mochten deren Herren freilich nichts teilen, auch nicht den Glauben. Lange vor den „großen" Konfessionen gingen „Sekten" zu den Schwarzen auf Jamaika: Missionare der Herrnhuter, Methodisten, Baptisten. Erfolgreich waren vor allem schwarze Prediger. Als die Sklaverei gesetzlich abgeschafft war, befreiten sich die Befreiten in der großen Erweckung von 1860 auch noch von den Frömmigkeitsformen ihrer ehemaligen Besitzer. Damals entstand *Pukumina*, eine afrikanische Volksreligion, die sich gegen christliche Missionare sperrte. Noch immer sehnten sich die Schwarzen zurück zu ihren Wurzeln, zurück nach Afrika, das in der Lutherbibel „Mohrenland", in der englischen „Ethiopia" genannt wird. Zum Kaiser von Äthiopien krönte man 1930 Haile Selassie, der zuvor Ras Tafari Makonnen hieß. Die Zeitungen berichteten damals viel über den „König der Könige", über den „siegreichen Löwen aus dem Stamme Juda". Bald feierten ihn Jamaikaner als den Messias der Schwarzen. Sie hofften sehnsuchtsvoll auf den Tag, an dem Ras Tafari sie heim nach Afrika holen werde. Der Kaiser wurde gestürzt und kam 1975 ums Leben. Seither spüren sie auf Jamaika seine geistige Gegenwart umso stärker. Jetzt ist er mit ihnen in allem, was sie tun.

2. Weiße Missionare strebten bewußt oder unbewußt danach, alle Welt nach ihrem Bilde umzuformen. Dagegen sperren sich viele Missionschristen. Sie wollen ihre Frömmigkeit sinnvoll, d.h. auf ihre Art sinnvoll ausdrücken dürfen. Sie fürchten diesseitiges Unheil, das die aufgeklärten Weißen abtun als Unsinn oder Aberglauben. Sie erwarten, anders als die meisten Weißen, Heil nicht erst im Jenseits.

2.1 „Das Großartige an Ringatuu ist, daß es eine neuseeländische Religion ist. Jedes Land hat seine eigenen Religionen, seine eigenen Konfessionen. Ringatuu und Ratana (eine weitere Maori-Kirche), sie sind die zwei wichtigen Religionen, die hier gewachsen sind, in unserem eigenen Land. Sie gehören hierher." So argumentierte Paora Teramea, der 1938 Präsident der *Ringatuu* wurde. Gegründet hat sie Te Kooti, ein Prophet und Guerillero-Führer. Er gab dem Christentum Maori-Sinn. Bibelübersetzer hatten z.B. das tägliche „Brot" mit „Taro" übersetzt, das erst aus den Tropen hätte importiert werden müssen. Te Kooti ließ die unsinnige Bitte im Vaterunser fort. Einst aßen Maori gehaßte Feinde oder verachtete Sklaven. Das wirkt nach bei der Eucharistie. Wenige Würdenträger der *Ringatuu* nehmen einmal im Jahr das → Abendmahl stellvertretend für alle. Heiliges ist für Maori *tapu*. Heilige Texte werden mündlich überliefert, heilige Bücher gibt es nicht. Gottes Wort hat Macht, weshalb *Ringatuu*-Priester auch heilen können. Gottesdienst halten sie nicht bei Tageslicht, sondern nachts, nicht am Sonntag, sondern einmal im Monat an einem speziellen Gedenktag, nicht in einer Kirche, sondern auf dem heiligen Platz einer Sippe, dem *Marae*. Am nächsten Morgen ent-tapuiert die Gläubigen ein gemeinsames Mahl, es leitet über ins Alltagsleben.

Die Gläubigen vieler neuer religiöser Bewegungen haben eine grundsätzliche Frage negativ beantwortet. Es ist die Frage, ob man das Eigentliche des Christentums nur in seiner europäischen Form haben könne. Diese Form erscheint Nicht-Europäern fremd, oft unbegreiflich, manchmal sogar widersinnig. Müssen sie also zuerst versuchen, wie Weiße fühlen und denken zu lernen? In neuen religiösen Bewegungen wollen sie Christen sein, aber auf ihre Weise. Welche Probleme sich daraus ergeben können, zeigt das nächste Beispiel, denn Weiße sperren sich gegen fremde Frömmigkeit kaum weniger heftig als Nicht-Weiße.

Peyote erzeugt Visionen von zumeist persönlicher Bedeutsamkeit. Darum haben Indianer in Mexiko den Kaktus religiös genutzt. Die Spanier verboten das als heidnisch. Nur die Huichol und wenige andere, die sich der Mission entziehen konnten, nehmen noch heute Peyote als Sakrament. Prärie-Indianer holen sich die Pflanze aus dem Süden erst, seit sie auf Reservate begrenzt wurden. Auch sie halten den Kaktus für heilig. Als die Regierung in Washington Peyote 1918 verbieten wollte, riet der Völkerkundler James Mooney sechs Stämmen, die *Native American Church* zu gründen. Deren Riten finden, meist zur Heilung eines Kranken, nachts in einem traditionellen *Tipi* statt. Sie bestehen aus Gebeten, Gesängen, dem Peyote-Sakrament und der Kontemplation der Gesichte, denn die Macht von Peyote verleiht außerordentliches Wissen von jenseitigen Dingen. „Der weiße Mann redet *über* Jesus", so hat es einmal ein Komantsche ausgedrückt, „Wir aber reden *mit* Jesus".

2.2 Was Weiße im 19. und 20. Jahrhundert für logisch halten, kann anderen absurd vorkommen, denn verschiedene Kulturen entwickeln verschiedene Sinngefüge. Seit der Aufklärung lernen Weiße, Missionare eingeschlossen, Zauberei sei wissenschaftlich nicht beweisbar und somit auch nicht existent. Wer sie betreibt, betrüge, wer sie fürchtet, leide unter einem Wahn. Anderswo, z.B. in Afrika, gilt Zauberei als logisch, weil man nicht aufgibt, wo es Wissenschaftler, von „Zufall" redend, tun. Warum stürzte dieses Dach auf diesen Menschen? Weil die Dachstützen verfault waren. Das wissen die Afrikaner auch. Aber warum saß gerade jener Mensch unter gerade jenem Dach in gerade jenem Moment, als es, aus ganz natürlichen Gründen versteht sich, einstürzte? Hier rechnen sie mit möglicher Zauberei. In ihr erkennen sie den Ausdruck menschlicher Gehässigkeit. Afrikaner bezaubern aus Neid, Eifersucht oder Rache. Weil sie Neid, Eifersucht oder Rache fürchten, brauchen sie Abwehrmittel. Seinen Nächsten nicht lieben, ihn hassen, das gilt als Sünde schlechthin. Es ist das Böse, vor dem ihre traditionellen Religionen Schutz boten. Diesen Schutz demontierten Weiße, Kolonialbeamte wie Missionare. Einen neuen hatten sie nicht anzubieten. Statt dessen gaben sie die Schutzlosen dem Bösen preis, der Gehässigkeit ihrer Nachbarn.

Aus dem Krieg entlassene Soldaten brachten 1918 eine verheerende Grippe heim in die Kolonien, wo sie besonders viele Opfer forderte. Die Behörden verboten Menschenansammlungen, schlossen Märkte, Schulen und Kirchen. Indessen, afrikanische Logik fordert gerade in höchster Not das intensive Gebet vieler. Damals trafen sich nigerianische Beter heimlich im Busch. Diese *Aladura* blieben auch später zusammen, flohen weiße Missionare, jene „schlampigen Hirten, die Wölfe zu den Schafen lassen", die also ihre Gemeinden vor Hexern und Zauberern nicht zu schützen wissen. Missionskirchen fürchteten sie als „Totenhäuser", in denen nicht das Leben, sondern der Tod herrsche.

Selbstgefällige Weiße hatten die Sünde der Zauberei schrankenlos wuchern lassen. Um sie wieder einzudämmen, unternahmen Afrikaner von Zeit zu Zeit gemeinsam verzweifelte Anstrengungen. Seit 1955 liefen schwarze Christen in Bembaland von ihren weißen Missionaren zur Prophetin Alice Lenshina über, weil sie versprach, „das Land rein zu machen". Die drückende Last der Zauber- und Schutzmittel nahm sie ihnen ab. Öffentlich bekannten die Sünder Furcht und Gehässigkeit. Von ihrer Schuld erlöst, schützte sie fortan die „Taufe" jener von Gott gesandten Frau. Kurz vor der Geburt des Staates Zambia geriet die schwarze Prophetin schwarzen Politikern in die Quere. Ihre Bewegung nahm ein frühes Ende durch Waffengewalt. Sie selber wurde isoliert und starb als Gefangene. Den von ihr eröffneten Heilsweg wird man lange nicht vergessen.

2.3 Massenmedien haben uns mit philippinischen Geistheilern bekannt gemacht. Blutige Operationen ohne Messer hatten Reporter auf deren Spur gesetzt. Die *Union Espiritista Cristiana de Filipinas* ist indessen älter. Sie wurde 1905 von Juan Ortega, einem Juristen und Jünger von Allan Kardec, gegründet. Heute noch unterstreichen ihre Führer die „wissenschaftliche" Basis des Spiritismus, der keine religiöse Konfession sein soll und weder eigene Dogmen noch Riten besitzt. In ihm erfüllt sich das Wort Jesu, wirkt augenfällig der verheißene Tröster, der hl. Geist. Ihm ordnen sich andere Geister hilfreich unter: der hl. Sebastian, der hl. Timotheus, die hl. Jungfrau, auch Jesus selber, der hl. Thomas von Aquin, sogar Konfuzius sowie berühmte Ärzte aus verschiedenen Kulturen und Zeiten. Geister wirken durch menschliche Medien, die verschieden begabt sind: ein *medio curandero* heilt Kranke, ein *medio vidente* sieht und hört Geister und kann mit ihnen sprechen, einem *medio escribiente* wird diktiert, ein *medio parlante* leiht seinen Mund. Solches Tun umrahmen die Versammelten. Sie bitten Gott und den hl. Geist um Beistand, beten Vaterunser und Rosenkranz. Patienten sollen nicht an das Medium, sie müssen vielmehr an Gott und an die Lehren der Bibel glauben.

Die spiritistische Bewegung begann um 1850 in den USA, als die moderne Medizin, mit der Theologen nichts mehr zu schaffen hatten, ungeahnten Siegen entgegenstrebte. Heute soll es fünfzig Millionen Spiritisten geben, besonders viele in Südamerika, die meisten wohl in Brasilien. Rund fünfzig Jahre später nahm, ebenfalls in den USA, die Pfingstbewegung ihren Anfang mit Geisttaufe, Zungenreden, Heilungen. Auch deren Gläubige begegnen Geistern, Engeln, Christus und Gott. Von Anfang an hat afrikanische in die Frömmigkeit der Pfingstler hineingespielt. Sehr rasch hat sie sich auch nach und in Afrika ausgebreitet.

Dort gibt es „eigentliche Pfingstler", wie den „Erwählten Gottes" Joseph Ikechiukwu, einen Igbo, Stifter der *St. Joseph's Chosen Church of God.* Er lehrt die Geisttaufe und hält alle nur mit Wasser Getauften für bloße Namenschristen. Er kennt die Wirkungen des Geistes: Zungenreden, Zittern, Halleluja-Rufen, Prophezeien. Danach, sagt er, könne sich der Mensch an keine Einzelheiten mehr erinnern, doch er sei schweißgebadet und erfüllt von unsäglicher Freude. Vor allem aber: der hl. Geist verleiht Macht, *power. Prayer-power* besitzen auch „uneigentliche" Pfingstler, die vielen afrikanischen Propheten. Durch sie schafft Gott Heil im Hier und Jetzt: er schenkt Genesung, ein bestandenes Examen, einen Freispruch vor Gericht, den lange ersehnten Familiennachwuchs. Christliche Propheten werden von Afrikanern auch „geistliche Tankstellen" genannt. Selbst leer gewordene Missionschristen kommen offen oder heimlich, um sich immer wieder neu auffüllen zu lassen. In der kenyanischen „Kirche des Geistes" *(Dini ya Roho)* erklärten sie, Christus zu verehren hätten Missionare sie gelehrt. Sein Einfluß sei aber nur schwach gewesen. Da hätten sie gebetet und es sei ihnen offenbart worden, den hl. Geist zu verehren. Sein Einfluß sei stark. „Wir glauben an Gott und an seinen Sohn Christus, aber wir verehren den Geist!"

Lit.: *de Achutegui, P. S./Bernad, M. A.*, Religious Revolution in the Philippines. 4 vols, 1960-1972. - *Anderson, G. H.* (Hrsg.), Studies in Philippine Church History, 1969. - *Andersson, E.*, Messianic Popular Movements in the Lower Congo, 1958. - *Artificio, M.V.*, Union Espiritista Cristiana de Filipinas, 1974. - *Axenfeld, K.*, Der Äthiopismus in Südafrika, 1906. - *Barrett, L.*, The Rastafarians, 1977. - *Becken, H.-J.*, Theologie der Heilung, 1972. - *Benz, E.* (Hrsg.), Messianische Kirchen, Sekten und Bewegungen im heutigen Afrika, 1965. - *Burridge, K.*, New Heaven, New Earth, 1969. - *Chesi, G.*, Geistheiler auf den Philippinen, o.J. - *Clark, P.*, „Hauhau", 1975. - *Foronda, M. A.*, Cults Honoring Rizal, 1961. - *Gerber, P.*, Die Peyote-Religion, 1980. - *Greenwood, W.*, The Upraised Hand, 1942. - *Greschat, H.-J.*, Kitawala, 1967. - *Ders.*, Westafrikanische Propheten, 1974. - *Ders.*Mana und Tapu, 1980. - *Henderson, J. M.*, Ratana, 1963. - *Kamphausen, E.*, Anfänge der kirchlichen Unabhängigkeitsbewegung in Südafrika, 1976. - *Leeson, I.*, Bibliography of Cargo Cults, 1952. - *Marriott, A./Rachlin, C. K.*, Peyote, 1971. - *Michels, P.*, Rastafari, 1979. - *Mooney, J.*, The Ghost Dance Religion, 1965. - *Nicholas, T.*, Rastafari, 1979. - *Owens, J.*, Dread. The Rastafarians of Jamaica, 1976. - *Peel, J. D. Y.*, Aladura, 1968. - *Schlegel, S. A.*, Espiritista Science, 1965. - *Schlosser, K.*, Propheten in Afrika, 1949. - *Slotkin, J. S.*, The Peyote Religion, 1956. - *Sundkler, B. G. M.*, Bantupropheten in Südafrika, 1964. - *Trompf, G.* (Hrsg.), Prophets in Melanesia, 1977. - *Turner, H. W.*, The Church of the Lord (Aladura). 2 vols, 1967. - *Ders.*, Bibliography of the New Religious Movements in Primal Societies, Mass., vol I: Black Africa, 1977, vol II: North America, 1978. - *Ders.*, Religious Innovation in Africa, 1979. - *Wilms, A.*, Rastafari, 1982. - *Worsley, P.*, The Trumpet Shall Sound, 1957.

H.-J. Greschat

ÖKUMENE

1. Der Begriff. 2. Geschichtliches zur ökumenischen Bewegung. 3. Zur Theologie der Ökumene. 4. Heutige Modelle von Ökumene. 6. Heutige Probleme und Aufgaben.

1. Der Begriff Ökumene wird im kirchlichen Sprachgebrauch heute allgemein auf die Einheit der konfessionell gespaltenen Kirche bzw. auf die Bestrebungen zu ihrer Verwirklichung bezogen. Der ursprüngliche Wortsinn (von oikeo: wohnen, bzw. oikos: Haus, d.h. die ganze bewohnte Erde betreffend) steht ganz im Hintergrund, ebenso der sich später entwickelnde übertragene Sinn einer gemeinsamen Grundhaltung oder Annahme konsensfähiger Lehren durch die „Bewohner" des Erdkreises bzw. der Glieder der Kirche. Jedoch entwickelte sich ein neuer, übertragener Sinn: Ökumene (und das Adjektiv ökumenisch) heißt das Gesamt der Kirchen, die in Rücksicht auf ihre ursprünglich gemeinsame Tradition und im Hinblick auf ihre Hoffnung nach einem Gemeinsamen in Lehre und Leben des Glaubens suchen. „Ökumene" sind die Kirchen, die „gemeinsam Christus lernen wollen". Diese Haltung schließt von vornherein mehreres ein: 1. die Eingrenzung von Ökumene auf Christen bzw. christliche Kirchen, 2. den Rückbezug auf eine zumindest anfänglich gemeinsame Tradition, das apostolische Zeugnis und seine grundsätzliche Interpretation in der Alten Kirche betreffend, 3. eine prinzipielle Offenheit gegenüber der Einsicht, selbst nicht die volle Wahrheit in allen Aspekten zu besitzen, d.h. also die Offenheit gegenüber Veränderungen der eigenen Lehre und Lebensform, und 4. die Überzeugung und die Hoffnung, das Streben

nach Austausch und letztlich nach Einheit zwischen den Teilen der Kirche sei von Gott gewollt, ja, schon in der Einheit von Gott und Jesus Christus und dem Hl. Geist vorgebildet.

Der in dieser allgemeinen Weise beschreibbare Begriff von Ökumene wirft jedoch wenigstens drei Probleme auf: 1. fehlt durch die Konzentration auf christliche Kirchen der Bezug auf das ökumenische Problem par excellence, die Trennung zwischen Juden und Heiden(-christen), 2. ist aus demselben Grund die Beziehung zu den sog. Weltreligionen ausgeblendet, und 3. sträubt sich das römisch-katholische Wahrheitsverständnis (und z.T. auch die Lehre der orthodoxen Ostkirchen) gegen das Postulat, ökumenisches Streben schlösse Offenheit für Lehrveränderungen ein; dadurch scheint sich das anfangs skizzierte Ökumene-Verständnis auf reformatorisch bestimmte Kirchen zu beschränken - ein Widerspruch in sich selbst.

2. Zur „Bewegung" ist das Streben freilich erst in der Epoche offensichtlicher Zerrissenheit der Kirche geworden, vor allem im 19. und 20. Jahrhundert. Aber seit Beginn der apostolischen Zeit kämpften verantwortliche Lehrer der Kirche um die Überwindung von Spaltungen in der Lehre (z.B. Paulus im Gal, Irenaeus gegen die Gnostiker, Athanasius gegen Arius, Augustin gegen Pelagius), um Klärung in Fragen des christlichen Lebens (z.B. Paulus im 1 + 2Kor), um Ordnungs- und Rechtsfragen in der Kirche (z.B. Behandlung Abgefallener in den Verfolgungen, Standardisierung des Osterdatums, Anerkennung von Synoden- und Konzilsbeschlüssen). Aus verschiedenen Gründen wünschten Kaiser und Patriarchen „Konzilien". Schließlich darf man die gesamten Kontroversen um den päpstlichen Primat, um die Eucharistie, um die Begrenzung der Freiheit monastischer Neugründungen, ja, die Unterdrückung von Reformbewegungen als im letzten Sinn „ökumenisch" - also der Einheit der Kirche dienend - verstehen, wenn uns auch heute die damaligen Methoden zur Wahrung der Einheit fremd sind. Auch in den im 16. Jahrhundert entstandenen Kirchen der Reformation war das Suchen nach Einheit der Kirche Christi stark ausgeprägt, wie das Augsburgische Bekenntnis und die ökumenischen Aktivitäten Calvins deutlich demonstrieren.

Von wenigen Ausnahmen abgesehen standen bei all diesen ökumenischen Bestrebungen die *Juden* völlig außerhalb des Gesichtsfeldes. Die hebr. Bibel wurde in vollem Umfang christlich usurpiert und die Verheißungen an Israel christlich umgedeutet. Auch ökumenische Bestrebungen im 18. Jahrhundert (mit Ausnahme gelegentlicher Lichtblicke bei Zinzendorf) sowie im 19. Jahrhundert, der Zeit der großen Missionstätigkeit der evangelischen Kirchen, lassen Einsichten in den Zusammenhang Juden/Christen vermissen. Abgesehen von philosophischen Gedanken der Aufklärung standen auch die Weltreligionen außerhalb des Blickfeldes des christlichen Abendlandes (→ Dialog → Religion).

Zur eigentlichen *„Bewegung"* wurde die Ökumene gegen Ende des 19. Jahrhunderts, aus dreierlei Wurzeln Kraft schöpfend: aus der Zerrissenheit der Kirchen auf dem Missionsfeld, aus der Einsicht in die soziale Not in den Industrienationen, und schließlich aus der Sorge um den Weltfrieden in den Jahren vor 1914. Als wichtige Daten können angeführt werden: Missionskonferenzen in London 1878 und 1888, die „Ökumenische Missionskonferenz" in New York 1900, die zur → Weltmissionskonferenz in Edinburgh 1910 führte. Wesentlich waren auch die Gründungen des YMCA (CVJM) 1855 und des YWCA 1893 sowie des christlichen Studentenweltbundes zwei Jahre später. Soziale Arbeit in Großstädten wie London und Berlin führte endlich zur Bewegung „Life and Work" (Stockholm 1925), zu deren Entstehung auch die Friedens- und Freundschaftsarbeit der deutschen und britischen, auch der französischen Kirchen beitrug (Gründung des Weltbundes für internationale Freundschaftsarbeit der Kirchen 1914).

In Edinburgh hatte man 1910 bewußt dogmatisch-theologische Probleme in den Hintergrund gedrängt, deutlicher noch in Stockholm 1925 (vgl. das Diktum „Die Lehre spaltet, die Tat einigt"). Aber die Bewegung „Faith and Order" (unter „order" ist vor allem die Rechtsform der verschiedenen Kirchen verstanden) suchte von Anfang an, zunächst angeregt durch den amerikanischen anglikanischen *Bischof Charles Brent*, nach einer Aufarbeitung theologischer Differenzen zwischen den Kirchen. Die Geschichte von „Faith and Order" von Lausanne (1927) über Edinburgh (1937), Lund (1952), Montreal (1963), Accra (1974) bis zu den jüngsten Konferenzen in Lima (1982) und Stavanger (1985) spiegelt sehr eindringlich die verschiedenen Etappen gerade dieses differenz-bezogenen Arbeitsziels wider.

Neben der Serie der großen Weltkonferenzen - des Internationalen Missionsrates, der Bewegung „Life and work" und von „Faith and Order" - die 1948 in Amsterdam bzw. 1961 in New Delhi zum Ökumenischen Rat der Kirchen zusammenwuchsen - bieten die *konfessionellen Weltbünde* christlichen Kirchen zugleich Hinderungen und Stimulierungen für die Bewegung. Am ältesten ist die Lambeth-Conference der anglikanischen Kirchen (1867). Es folgten die Gründungen der Reformierten (1875), der Methodisten (1881), der Kongregationalisten (1891), der Baptisten (1905) sowie der Lutheraner (1923). Mit ihrer Existenz waren die vielfältigen Möglichkeiten für die sog. bilateralen Verhandlungen und Vereinbarungen in der Ökumene gegeben, die sowohl Probleme schaffen als auch neue Wege aufzeigen können; Probleme z.B., wenn in Vereinbarungen mit der römisch-katholischen Kirche oder orthodoxen Kirche historisch nah verwandte Schwesterkirchen ausgelassen werden; neue Wege, wenn in Einzelverhandlungen eher neue Einsichten gewonnen werden als im generellen Diskurs multilateraler Gremien.

Schließlich gilt es die verschiedenen nationalen ökumenischen Gremien zu nennen, vorbildhaft das amerikanische National Council of Churches sowie den britischen Kirchenrat, im deutschsprachigen Bereich die sog. Arbeitsgemeinschaften christlicher Kirchen (ACK in der Bundesrepublik und regional in den Ländern, ACK in der Schweiz). Um 1960 entstanden die asiatische, die gesamtafrikanische sowie die europäische Konferenz christlicher Kirchen. Die Zusammensetzung, Funktion und Kompetenz dieser Gremien variiert von Land zu Land sehr stark. In allen ist die Orthodoxie, in den meisten die römisch-katholische Kirche voll vertreten, in wenigen sind Vertreter des Judentums als Gäste anwesend.

3. Der historische Werdegang der ökumenischen Bewegung muß von den grundsätzlichen theologischen Problemen der Ökumene unterschieden werden. Diese sind ihrerseits mit den sog. nichttheologischen Faktoren, die auch systematisch (soziologisch, psychologisch, ökonomisch) beschreibbar sind, komplex verknüpft. Kaum eine der theologisch greifbaren Differenzen, z.B. die hauptsächliche

Orientierung an den johanneischen Schriften (Orthodoxie) oder den paulinischen (Protestantismus), oder die Spannung zwischen einem sakramental-priesterlichen Verständnis von Kirche und einem reformatorischen oder Kontroversen über die neuen Formen von Befreiungstheologie - ist ausschließlich theologisch verstehbar und lösbar. Immer spielen andere Komponenten des Problems mit. Das gilt es bei der folgenden Aufzählung prinzipieller theologischer Probleme der Ökumene mitzubedenken.

3.1 Die Entstehung der Konfessionen geht auf die Möglichkeit zurück, aus biblischen Sätzen bzw. theologischen Obersätzen auf legitime Weise unterschiedliche Folgerungen abzuleiten. Die nicht stringent-einlinige Deduktion aus Sätzen der Bibel und der Tradition ist der logische Grund für die Vielfalt theologischer Meinungen und Lebensformen. Wiewohl es freilich illegitime Deduktionen („falsche Exegese") gibt, ist es im allgemeinen nicht sinnvoll, den Schwesterkirchen an den Differenzpunkten „falsche Ableitungen" aus der Bibel und altkirchlicher Tradition vorzuwerfen. Besonders wegen der Unschärfe der inhaltlichen Trennung genuin biblischer von frühkatholischer Lehre können z.B. sowohl die mehr sakramental-hochkirchlichen wie die klassisch-reformatorischen Modelle von Kirche und vom kirchlichen Amt mehr oder minder legitim exegetisch begründet werden. Verschiedene Konfessionen sind einerseits aus dieser Verschiedenheit möglicher Selektionen und Interpretationen der alten Texte erklärbar, andererseits aus dem Phänomen, daß ein freifließender Fluß von immer weitergeführten Folgerungen gewöhnlich um der Ordnung und Einheit willen „gestoppt" wird. Konfessionen sind folglich Darstellungen „geronnener" Lehrmeinungen und Lebenshaltungen.

3.2 Gab es einen „consensus quinquesaecularis"? Die in 3.1 skizzierten Phänomene führten nach der Reformation (exemplarisch bei G. Calixt) und wieder in der Oxford-Bewegung (John Henry Newman) zur Hoffnung, die Lehr- und Lebenseinheit der Kirche der ersten fünf Jahrhunderte könne historisch erwiesen und für heute theologisch nutzbar gemacht werden. Die Demarkationslinie des biblischen Kanons war damit sozusagen vom Ende des 1. zum Ende des 5. Jahrhunderts verschoben worden. Historische Forschung zeigte aber im 19. und 20. Jahrhundert, daß ein voller Consensus in der Alten Kirche keineswegs bestand. Der programmatische Gedanke wurde darum weithin verworfen. Trotzdem lohnt es sich heute, aufs neue zu bedenken, daß - auch wenn kein consensus quinquesaecularis historisch bestand - die heute in der Ökumene aktiv engagierten Kirchen sich im Rückbezug auf die Alte Kirche eher in Gemeinsamem finden als bei direkter Kurzschließung ihrer jetzigen Lehren. Das weithin vernachlässigte Studium der Patristik sollte darum neue Aufmerksamkeit finden.

3.3 Die Bewahrung konfessioneller Identität: Entgegen den theologischen Programmen, die erstens den Glauben als Geschenk Gottes verstehen und zweitens den Gläubigen ein hohes Maß an Mitverantwortung in der Kirche zuschreiben („Priestertum aller Gläubigen"), wird man wohl behaupten können, daß es vor allem die Kirchenführer und Pfarrer sind, die auf der Bewahrung spezifischer konfessioneller Identität beharren. Für viele Gläubige ist die traditionsgegebene Identität nur in Fragen des Lebens (Ehe, Erziehung, Sozialethik) wichtig, im Bereich der Lehre oft irrelevant. In den USA wechseln beim Umzug oder bei der

Heirat Kirchenglieder nicht selten die Konfession (ähnlichFlüchtlinge in Afrika). Die Geringschätzung der Lehre trifft freilich oft unerkannt die eigenen Grundlagen der Sozialethik und des Lebensstils.

3.4 Ist die Einheit der Kirche „vorgegeben"? In zahllosen ökumenischen Publikationen liest man von der gottgewollten, vorgegebenen Einheit der Kirche. Weil die Vorgabe nicht historisch verstanden werden kann, bleiben nur zwei Möglichkeiten, dieses Axiom von einer sinnlosen Leerformel zu unterscheiden: die trinitarische Interpretation (Gott ist in sich selber Urbild der Einheit) und der Hinweis auf die Verheißung Gottes, die Einheit in der Zukunft zu verwirklichen. Mit beiden Varianten ist das Tor zu einem Verständnis von Ökumene geöffnet, das die Überwindung der Spaltung zwischen Juden und Christen exemplarisch deutlich macht und auch die Verbindung zwischen „Einheit der Kirche" und „Einheit der Menschheit" schafft, ohne die Ökumene eine selbstbezogene Hoffnung einer der großen Weltreligionen bliebe.

4. Das römisch-katholische Verständnis von Ökumene ist zwar im Vaticanum II (Ökumenismus-Dekret 1964) weit dynamischer gefaßt worden als vor dem Konzil, stellt aber mit seiner impliziten und z.T. expliziten Erwartung, andere christliche Kirchen sollten sich in die römisch-katholische Kirche *reintegrieren* („unitas redintegratio") ein Modell dar, das sich von den verschiedenen Konzepten der im ÖRK vertretenen Kirchen qualitativ unterscheidet. Jedoch vertritt unter den Mitgliedskirchen die Gruppe der orthodoxen Kirchen (seit 1961 im ÖRK) ihrerseits ein Konzept, das bei allen Variablen an der *Unverrückbarkeit* der *Lehre* der ökumenischen Konzilien der früheren Kirche dergestalt festhält, daß auch hier eine „Reintegration" späterer Lehren anderer Kirchen in den dogmatisch fixierten Wahrheitsschatz der ökumenischen Konzilien als absolute Bedingung erscheint. Damit sind sowohl → Ekklesiologie als auch das Verständnis des Wahrheitsanspruchs der klassischen, altkirchlichen Dogmen die großen Problembereiche heutiger Ökumene. In dieser Problemlage nimmt die römisch-katholische Kirche insofern nur im unscharfen Sinn eine Sonderstellung ein, als sie zwar - ihrem Selbstverständnis entsprechend - nicht Mitglied des ÖRK ist, jedoch in „Faith and Order" und freilich in zahlreichen anderen ökumenischen Organisationen voll vertreten ist. Zudem sind die sachlichen und persönlichen Beziehungen zwischen reformatorischen und katholischen Theologen, Pfarrern und Gemeindegliedern weithin sehr eng und vertrauensvoll. Oft sind de facto die Differenzen innerhalb einer konfessionellen Tradition größer als zwischen Gruppen und einzelnen verschiedener Konfessionen. Damit ist wieder die oben in 3.3 erwähnte Frage nach den Trägern konfessioneller Identität berührt. Folgende Modelle von Ökumene zeichnen sich ab:

• ein die Lehrunterschiede relativierendes (weithin protestantisch inspiriertes) Streben nach einer völligen Vereinigung aller Kirchen, ein Modell, das heute kaum mehr vertreten wird,

• das soeben genannte römisch-katholische Modell der Reintegration, wobei Änderungen bzw. Erweiterungen der eigenen Lehre als möglich angesehen werden, (schon heute bestehen innerhalb der römisch-katholischen Kirche in dieser Hinsicht beachtliche Differenzen),

• das Verständnis von Ökumene in den Kirchen der Orthodoxie, das Änderungen im Grundstock der Lehre völlig ausschließt,

• das Modell der „konziliaren Gemeinschaft", das bei den Vollversammlungen in New Delhi (1961), Uppsala (1968) und Nairobi (1975) als Einigungsmodell relfektiert und weithin vertreten wurde; die „New Delhi-Formel" - in manchem dem katholischen Dekret nicht unähnlich - strebt auf gegenseitige Anerkennung der Ämter hin und betont die gegenseitige Verpflichtung der Gläubigen an jedem Ort gegenüber der ökumenischen Kirche im Zeugnis und Dienst,

• die Ausdifferenzierung des vorhergehenden Modells unter stärkerer Wahrung der konfessionellen Identitäten unter dem Stichwort „Einheit in versöhnter Verschiedenheit", wobei auch die Einsicht wichtig wird, daß die Kirchen gegenseitig aneinander schuldig geworden sind und ihr gegenseitiges Vertrauen nicht einfach auf Toleranz, sondern auf Vergebung und gemeinsame Hoffnung gründen müssen.

Die gegenwärtig weltweit bearbeiteten Projekte „Integrität der Schöpfung, Gerechtigkeit und Friede" sowie der Versuch eines „Gemeinsamen Ausdrucks des apostolischen Glaubens" (anhand des Nicänischen Glaubensbekenntnisses) stehen im Licht des letztgenannten Modells. Es läßt sich noch nicht absehen, welche Konflikte mit anderen Modellen entstehen werden, zu denen auch unscharf definierbare Strömungen wie evangelikale, charismatische und regional-politisch getönte Konzepte von Ökumene gehören.

5. Zu den heute sichtbar werdenden Problemen der Ökumene gehören:

• die Vorherrschaft der euro-amerikanischen Theologie in der Ökumene und die Schwierigkeit, Frömmigkeit und theologische Artikulation in Kirchen der sog. Dritten Welt dergestalt auf den Begriff zu bringen, daß Diskurs und Austausch ermöglicht werden,

• die Kopflastigkeit und Wort-Gebundenheit ökumenischer Aktivitäten bei gleichzeitiger Oberflächlichkeit der theologischen Analyse (bedingt durch das Fehlen gemeinsamen Lebens - „Konvivenz" - und durch kirchlichen Anti-Intellektualismus),

• die Aufspaltung der Kirchen der Ökumene im Altar-, Sakrament- und Priester-bezogene Kirchen gegenüber Pfarrer-, Lehrer und Berater-orientierten Konfessionen,

• der ungebrochene bzw. seit kurzem verstärkt auftretende kirchliche und nationale Provinzialismus bei Pfarrern und Gemeindegliedern in allen Teilen der Erde, teilweise verbunden mit dem aus anderen Gründen begrüßenswerten Regionalismus,

• die Unsymmetrie im Hinblick auf die beherrschende Rolle des Kirchenrechts gegenüber der Theologie in einigen Konfessionen,

• die Rücksichtnahme einiger Großkirchen auf erhoffte Vereinbarungen mit anderen auf Kosten der Wahrheitsfindung und der bereits bestehenden Konsens- oder Konvergenz-Chancen (z.B.die retardierende Wirkung der Rücksicht auf die Orthodoxie katholischerseits in Fragen des Amtes und der Frauenordination ähnlich die Hemmungen auf seiten der Anglikaner,

• das Zurückschrecken vor der Problematik Juden/Christen und die Unsicherheit, wie die Beziehung zu den nichtchristlichen Weltreligionen theologisch gehandhabt werden soll.

6. Im Licht dieser Probleme und in der Erkenntnis der Gefahren für das Weiterbestehen der Menschheit in den Bedrohungen durch Krieg, Hunger und Zerstörung der Lebensbedingungen heutiger und späterer Generationen kommt der Arbeit an der Verwirklichung der Ökumene große *reale* (Stärkung des Friedens, Tröstung Verängstigter, Klärung von Problemen, Entwicklungshilfe in gemeinsamer Mission) sowie exemplarische Bedeutung zu (Vorbild für konziliare Entscheidungen in Parlamenten, der UN, in Gemeinden und Familien; Umgang mit Minderheiten und Ausländern; Beispiele für Vergebung und Versöhnung; Begründung von Therapie und Hilfeleistungen). Theologie hat dabei sowohl eine analytische wie eine visionäre Funktion: analytisch in der Erforschung der Gründe für die Entstehuung von spezifischen und differierenden Traditionen und in dem Bemühen um die Übersetzung der Sprache der einen Tradition in die der anderen, visionär in der Bereitstellung neuer Konzepte, Aufgabenstellungen und Einsichten, die mehr sind als eine Auswahl, Neugewichtung oder Kombination von bisher bekannten Traditionen und Positionen. Die Verwirklichung der Ökumene ist aber nicht nur Aufgabe theologischer Arbeit. Zusammenleben, Vertrauensbildung, gemeinsames Handeln und gemeinsame Gottesdienste müssen der theologischen Aktivität vorausgehen und ihr folgen.

Lit.: *Fink, B. E.*, Der Weg zur Bewegung für Praktisches Christentum, „Life and Work", 1985. - *Fries, H./Rahner, K.*, Einigung der Kirchen - reale Möglichkeit, 1983, ²1985. - *Gassmann, G.*, Art. Einheit der Kirche I, EKL³, 1002-1007. - *Huber, W./Ritschl, D./Sundermeier, T.*, Ökumenische Existenz heute, OEh1 1986. - *Krüger, H.*, Ökumenischer Katechismus, ⁷1977. - *Lange, E.*, Die ökumenische Utopie, oder Was bewegt die ökumenische Bewegung?, 1972, Neudr. 1986. - *Maron, G.* (Hrsg.), Evangelisch und Ökumenisch, 1986. - *Meyer, H.*, Art. Einheit I, Ök. Lexikon, 1983, 285-303. - *Neuner, P.*, Kleines Handbuch der Ökumene, 1984. - *Nissiotis, N.*, Towards a New Ecumenical Era, in: ER, 1985, 326-335. - *Papandreou, D.*, Orthodoxie und Ökumene. Gesammelte Aufsätze, 1983. - *Potter, P.*, Life in all its fullness, 1981. - *Raiser, K.*, Einheit der Kirche - Einheit der Menschheit, in: ÖR 1, 1986, 18-38. - *Urban, J./Wagner, H.* (Hrsg.), Handbuch der Ökumenik, Bd. I, 1985, Bd. II, 1986.

D. Ritschl

ÖKUMENISCHER RAT DER KIRCHEN

1. Wesen und Einheit der Kirche in der Mission. 2. Mission und Evangelisation. 3. Die Bedeutung der Laien für die Mission. 4. Mission und Erneuerung der Kirche. 5. Einsatz für Gerechtigkeit. 6. Missionarischer Lebensstil. 7. Die Mission der Armen.

1. Der Ökumenische Rat der Kirchen (ÖRK) verdankt seine Existenz maßgeblich der neuzeitlichen protestantischen Missionsbewegung. Seinem Selbstverständnis nach war er schon immer eine Bewegung zur Förderung der Einheit der Kirche in ihrer Sendung. Seit der Integration des Internationalen Missionsrates obliegt es ihm als einem Rat von Kirchen besonders, Mission aus dem Auftrag der Kirche selbst zu verstehen. Zwangsläufig nehmen so die Themen „Mission und Kirche" sowie „Mission und Einheit" den prominentesten Platz im missionsbezogenen Denken und Reden des ÖRK ein. Zusammen damit gewinnen die johanneischen Sendungs- und Abschiedsworte Joh 20,21 und Joh 17,21 eine zentrale Bedeutung. Der ÖRK weiß sich dem Auftrag zur Einheit der Kirche verpflichtet. Zunehmend ist inzwischen ebenfalls klar geworden, daß die Mission integral zum Wesen und Auftrag der Kirche gehört (→ Theologie der Mission). Die Kirche bestimmt sich vor allem daher, daß sie in die Welt gesandt ist, um Christi Sendung fortzuführen. Faktisch bedeutet also von der Kirche zu reden bereits, von ihrer Sendung zu reden, mit der sie am Heilswerk des Dreieinigen Gottes in der Welt teilhat. Als der Zentralausschuß des ÖRK im Jahre 1982 das Dokument „Mission und Evangelisation - Eine Ökumenische Erklärung" (ÖE) verabschiedete, wurde dieses Verständnis für seinen Bereich festgeschrieben. Die Ökumenische Erklärung entfaltet sieben ökumenische Überzeugungen, die als gemeinsames ökumenisches Verständnis christlicher Mission bekräftigt werden. Eine von ihnen heißt: „Die Kirche und ihre Einheit in Gottes Mission" (Artikel Nr. 20-27). Auch die Einheitsbewegung für „Glauben und Kirchenverfassung" setzte 1952 als Kommission des ÖRK in Lund den Auftrag zu Mission und Einheit in enge Beziehung zueinander, gemäß dem NT, wie man ausdrücklich sagte. Hier wurde übrigens die maßgebliche Rolle der Vertreter aus „jungen" Kirchen hervorgehoben. Sie haben aus ihrer missionarischen Situation eingebracht, daß man den Auftrag zur Einheit nur dann vollständig begreift, wenn man ihn auf die Ausrichtung des Evangeliums bezieht. Tatsächlich haben die regionalen ökumenischen Zusammenschlüsse für Ostasien und Afrika damals Erhebliches zur Diskussion um Mission und Einheit beigetragen. Der Zentralausschuß des ÖRK hatte im Jahr davor, 1953 in Rolle, mit einer Definition des Begriffs „ökumenisch" einen Markstein gesetzt. Danach wird das Wort richtig gebraucht, wenn es zur Beschreibung dessen dient, „was zu dem umfassenden Auftrag der gesamten Kirche gehört, das Evangelium der ganzen Welt zu bringen". Die Kommission für Glauben und Kirchenverfassung nimmt 1971 in Löwen die missionarische Dimension der Kirche in mehrfacher Hinsicht auf: Man bezeichnet die Kirche als eine missionarische Gemeinschaft, man definiert die missionarische Dimension der Eucharistie (→ Abendmahl) für Wesen und Auftrag der Kirche und man beschreibt die Apostolizität der Kirche als Teilhabe an der Sendung Christi (→ Ekklesiologie).

Die Verfassung des ÖRK nennt seit der 5. Vollversammlung von Nairobi (1975) unter den Funktionen und Zielen des ÖRK, „das gemeinsame Zeugnis der Kirchen an jedem Ort und überall zu erleichtern", „die Kirchen in ihrer weltweiten missionarischen und evangelistischen Aufgabe zu unterstützen", „die Erneuerung der Kirche in Einheit, Gottesdienst, Mission und Dienst zu ermutigen". Die Vollversammlung hat die Notwendigkeit unterstrichen, die Dimensionen von Zeugnis und → Evangelisation in allen Programmen des ÖRK stärker hervortreten zu lassen (Sektion I), was von der 6. Vollversammlung in Vancouver (1983) bekräftigt wurde.

2. Damit stellt sich die Frage nach *Definitionen.* Wie werden durch den ÖRK die Begriffe Mission, Evangelisation, Zeugnis und Bekenntnis zu Christus (Nairobi) bestimmt? Erkennbar handelt es sich bei den drei letzten um Synony-

me. Es bleibt die Frage nach dem Verhältnis von Mission und Evangelisation zueinander. Beide treten ja im Namen der einschlägigen Abteilung und Kommission nebeneinander auf, präziser freilich als „Weltmission und Evangelisation". Beide gehören eng zusammen. Die Ausrichtung der guten Nachricht durch Wort und Tat bildet den Kern der Sendung der Kirche. In der Kommission waren es gerade die Vertreter der Kirchen der sog. Dritten Welt, die beides meist für identisch erklärt haben. Mit der Einführung des Begriffs Weltmission wollte man seinerzeit unterstreichen, daß man Mission nicht mehr als eine Unternehmung westlicher Kirchen in anderen Kontinenten („Westmission") verstand, sondern als universale Aufgabe der gesamten Kirche. Dahinter steht das Konzept von der „Mission in sechs Kontinenten", das auf der Weltmissions-Konferenz von Mexico City (1963) propagiert worden ist. Es schreibt die Verantwortung für die Mission der universalen Kirche zuvörderst der jeweiligen Ortskirche zu und hebt den Unterschied zwischen Außenmission und Heimatmission auf. Dieses wiederum fußt auf dem theologischen Konzept der „missio Dei". Es geht um Gottes Mission in und mit der Welt, an der die Kirche im Auftrag des Sohnes Gottes unter der Leitung des → Heiligen Geistes teilhat. Im Gehorsam gegenüber der Sendung durch die Gemeinde an ihrem Ort vollzieht sich der Gehorsam der Kirche gegenüber der Sendung ihres Herrn. Komplementär dazu muß das Bewußtsein der Gemeinde treten, an dieser universalen Sendung teilzuhaben. Indem sie durch Interesse, Information, → Gebet und gegenseitige Hilfe an der weltweiten Mission teilnimmt, beweist die Gemeinde ihre Katholizität (ÖE Nr. 37). Den Artikeln 6 und 20 der ökumenischen Erklärung kann man eine unterschiedliche Nuancierung bei der Bestimmung von Mission und Evangelisation entnehmen. Mission ist die Wahrnehmung und Entfaltung ihrer Apostolizität durch die Kirche („das Handeln des Leibes Christi in der Geschichte der Menschheit"). Evangelisation bildet den inneren Wesenskern dieser Sendung und betrifft die Proklamation des → Reiches Gottes, wie es im Leben, Wirken, Leiden und Auferstehen Jesu Christi manifest geworden ist. Diese Proklamation vollzieht sich freilich nicht allein im gepredigten Wort, sondern im Rahmen aller Lebensäußerungen einer Kirche, die sich ihrer Sendung bewußt ist. Das hierin ausgedrückte „ganzheitliche" Verständnis von Evangelisation trägt der Tatsache Rechnung, daß „das Evangelium immer zum Menschen in seiner Ganzheit spricht" (Bangkok). Seine ihm innewohnende Dynamik drängt darauf, als Verheißung und als Anspruch der Herrschaft Gottes in alle Lebensbereiche hinein wirksam zu werden. Die vom ÖRK und dem Vatikan gemeinsam herausgegebene Schrift „Gemeinsames Zeugnis" entfaltet dieselbe Position. Die ökumenische Erklärung behandelt sie unter der Überschrift „Das Evangelium für alle Lebensbereiche" (Nr. 14-19).

3. Die Bedeutung der → Laien für die Mission spielt für den ÖRK eine große Rolle. Der Laos, das Volk Gottes, wird im ökumenischen Missionskonzept zum maßgeblichen Träger der Mission. In Mexico Citiy handeln drei von vier Sektionen vom Zeugnis der Christen und der Gemeinde. Studienarbeit zur Mission wird abgelöst durch Bildungsarbeit/Bewußtseinsbildung. Schon die 2. Vollversammlung von Evanston (1951) hatte in Sektion II dem Zeugnis der Laien eine eigene Untergruppe gewidmet („The Witnessing Laity"), seine Bedeutung unterstrichen („die Laien stehen an den Außenposten des Reiches Gottes") und

die Notwendigkeit der Laienbildung betont. Der gewichtigste Beitrag zur Sache war die Studie über die missionarische Struktur der Gemeinde. Apostolat der Laien und missionarische Erneuerung der Gemeinden (von der „Komm-Struktur" zur „Geh-Struktur") sowie völlige Umbesinnung im Selbstverständnis der Kirche („Kirche für die Welt" - unter Aufnmahme von D. Bonhoeffers „Kirche für andere"), das waren ihre entscheidenden Beiträge.

4. Zu dem weiteren großen Thema „Mission und Erneuerung" erbrachte diese Studie, daß Erneuerung nicht vor der Mission steht, sondern sich in der Mission vollzieht. Uppsala hatte konsequenterweise seine Sektion II „Erneuerung in der Mission" genannt und dabei die Kirche unter den vordringlichen Missionsfeldern aufgezählt. Die Sektion III von Bangkok hieß „Erneuerung der Kirchen in der Mission". - Hier wurde deutlich: Die Besinnung auf die Mission ist eine Besinnung auf die Frage, ob die Kirche bei ihrer Sache, d.h. bei dem Auftrag ihres Herrn ist. Notwendigerweise erwächst daraus immer wieder ein Impuls zur Umkehr und Erneuerung für die Kirche (Kirchenkritik und Kirchenreform). Die ökumenische Erklärung widmet unter dem Stichwort „Bekehrung" den Artikel 13 diesem Sachverhalt und stellt fest, daß der Ruf zur → Bekehrung mit der Buße derer zu beginnen habe, die den Ruf aussprechen. Die Gemeinde erneuert sich, indem sie ihren Sendungsauftrag befolgt. So ist Mission nicht nur ein Wesensmerkmal der Kirche, sondern auch ihr Lebenszeichen. Ein Spezialfall, sozusagen als verweigerte Erneuerung, sind die Macht- und Abhängigkeitsstrukturen, die zwischen den Kirchen und Missionsorganisationen der ehemals sendenden Länder und der Kirchen der sog. Dritten Welt bestehen. Sie wurden in Bangkok unter Aufnahme des Moratoriumsvorschlages diskutiert (Sektion III). Das entstandene Machtgefälle wurde für unvereinbar mit dem wahren Verständnis der Kirche und ihrer Einheit erklärt. Die Sektion IV der Weltmissionskonferenz von Melbourne (1980) hat als die bewegende Kraft der Mission die Macht der selbstaufopfernden Liebe des gekreuzigten Christus identifiziert. Kirchenstrukturen, Evangelisationsmethoden orientieren sich daran ebenso wie die Mission, welche die Kirche an die „Ränder" führt, wohin ihr Herr, der außerhalb der Stadttore gekreuzigt wurde, ihr vorangeht. Macht- und Geldmittel, die den Kirchen zur Verfügung stehen, müssen für die Mission an der Seite der Armen und Machtlosen eingesetzt werden. Wenn Erneuerung in der Mission so weit geht, dann haben die meisten Kirchen die Mission wie die Erneuerung noch vor sich.

5. Eine gehorsame Kirche wird also hineingezogen in das menschliche Ringen um *Gerechtigkeit*, weil ihre Mission sie nötigt, neben die Ohnmächtigen, die Opfer sozialer, politischer und wirtschaftlicher Ungerechtigkeit zu treten. Bangkok II, Nairobi V und Melbourne II haben dazu deutliche Aussagen gemacht: Wer die Botschaft vom → Reich Gottes vertritt, wird zur Konfrontation mit den Mächten des Unrechts und der Unterdrückung genötigt. Der Weg, auf dem das geschieht, ist durch das Wirken und Leiden Jesu Christi vorgezeichnet, mit dem das Reich Gottes seinen Anfang nahm. Einsatz für Gerechtigkeit und → Menschenrechte ist integraler Bestandteil der Verkündigung der Liebe Gottes sowie von der Überwindung der Macht der Sünde in der Welt. Wer diese Befreiungsbotschaft vertritt, muß auch bereit sein, das Kreuz auf sich zu nehmen (→ Befreiung, → Theologie der Befreiung).

6. Mission als Nachfolge auf dem Weg Jesu bedingt einen entsprechenden missionarischen *Lebensstil*, zu dem sich die Kirchen erneuern müssen. „Mission verlangt nach einer dienenden Kirche in jedem Land, einer Kirche, die bereit ist, mit den Stigmata (den Wundmalen) des gekreuzigten und auferstandenen Herrn gezeichnet zu werden", so drückt es die Ökumenische Erklärung (Nr. 30) aus. Die Kirche hat dem Evangelium zu dienen und mit dem Evangelium vor allem den Menschen, denen es zuallererst gilt, nämlich den „Armen" (→ Armut). Ihre Lebensformen und ihre Strukturen müssen so sein, daß sie dies ermöglichen und nicht verhindern. Darum erklärt es Melbourne II für eine Anomalie, daß eine Kirche Teil des Establishments einer Gesellschaft werden kann. Melbourne IV nennt eine Kirche, in der die Machtausübung in Demut und Liebe geschieht, ein Zeichen des Reiches Gottes für die Welt. Dazu bedarf es natürlich partizipatorischer Prozesse: Die Kirchenführer müssen z.B. das Urteil der Gemeinschaft darüber abfragen, ob ihre Machtausübung wirklich den Armen und Unterdrückten dient.

7. Das große neue Thema ist seit Melbourne *Die Rolle der Armen in der Mission*. Die Armen sind wirklich einzubeziehen als Subjekte kirchlich-missionarischen Handelns, nicht lediglich als Objekte der Fürsorge. Hier liegt die größte Herausforderung für eine Erneuerung und einen veränderten Lebensstil. Die christologische Grundlegung in Phil 2,5-11, 2Kor 8,8, Lk 4,18 + 19, die Rückbesinnung auf Jesu Reich-Gottes-Verkündigung als gute Nachricht für die Armen, führen Melbourne zu der Feststellung: Ihm nachzufolgen beinhaltet eine Verpflichtung für die Armen (Sektion IV). Worauf es letztlich für die Kirchen ankommt ist, die Armen auch als Träger der Botschaft zu begreifen und von ihnen die gute Nachricht neu und authentisch zu hören. Die Ökumenische Erklärung erinnert daran, daß Gottes universaler Heilswille sich immer in partikularen Akten verwirklicht, heute durch die Entrechteten, Unterdrückten, Verfolgten, die Armen der Erde. Die Kirche ist aufgerufen, ihn dort wiederzufinden und so das Leben in der Nachfolge neu zu lernen, verdeckte und vergessene Dimensionen des Evangeliums wiederzuentdecken, wenn sie beginnt, die Bibel mit den Augen der Armen zu lesen (Nr. 35 + 36). Darum liegt die Zukunft der Mission bei den Kirchen der Armen.

Lit.: *van der Bent, A. J.*, Vital Ecumenical Concerns. Sixteen documentary surveys, 1986. - Bericht aus Nairobi 1975. Offizieller Bericht der Fünften Vollversammlung des Ökumenischen Rates der Kirchen. - Bericht aus Uppsala 1968. Offizieller Bericht über die Vierte Vollversammlung des ÖRK. Deutsche Ausgabe v. W. Müller-Römheld, 1968. - Bericht aus Vancouver 83. Offizieller Bericht der Sechsten Vollversammlung des ÖRK, 1983. - *Castro, E.*, Freedom in Mission. The Perspective of the Kingdom of God, 1985 (Lit.). - Das Heil der Welt heute. Ende oder Beginn der Weltmission? Dokumente der Weltmissionskonferenz Bangkok 1973, hg. im Namen des ÖRK v. Ph. A. Potter, 1973. - Dein Reich komme. Bericht der Weltkonferenz für Mission und Evangelisation in Melbourne 1980, ²1982. - Evanston Dokumente. Berichte und Reden auf der Weltkirchenkonferenz in Evanston 1954, ³1954. - Faith and Order, Louvain 1971. Study Reports and Documents, 1971 (Faith and Order Paper, No. 59). - Gemeinsames Zeugnis. Ein Studiendokument der Gemeinsamen Arbeitsgruppe der Römisch-Katholischen Kirche und des ÖRK. Arbeitshilfen 24, hg. v. Sekretariat der Deutschen Bischofskonferenz, Januar 1982. - In sechs Kontinenten. Dokumente der Weltmissionskonferenz Mexico 1963, hg. v. Th. Müller-Krüger, 1964. - International Review of Mission: LXV, 1976; LXX, 1981: Missions and Church; LXXI, 1982: Ecumenical Affirmation; LXXII, 1983: Sixth Assembly; LXXIII, 1984: Ten Years after Bangkok. - *Lehmann-Habeck, M.*, Evangelisation im umfassenden Sinne - eine ÖRK-Position, in: EvMiss, Jahrbuch 1984, 1984, 25-38. - Lund. Dritte Weltkonferenz der Kirchen für Glauben und Kirchenverfassung, 1954. - Minutes and Reports of the Fourth Meeting of the Central Committee at Rolle (Switzerland), Aug. 4-11, 1951, 1951. - Mission und Evangelisation - Eine ökumenische Erklärung. Verabschiedet vom Zentralausschuß des ÖRK auf seiner Sitzung im Juli 1982. Mit einem Vorwort v. M. Lehman-Habeck, hg. v. Evangelisches Missionswerk im Bereich der Bundesrepublik Deutschland und Berlin-West, 1982. - Mission als Strukturprinzip. Ein Arbeitsbuch zur Frage missionarischer Gemeinden, hg. v. H. J. Margull, 1965. - *Potter, Ph. A.*, Evangelism and the World Council of Churches, in: ER 1968, No. 2, 171-182.

M. Lehmann-Habeck

OPFER

1. Begriff. 2. Religionswissenschaftliche Erweiterung des Begriffs. 3. Theorien über den Ursprung des Opfers. 4. Probleme der Missionspraxis. 5. Neuere theologische Diskussionen.

1. Nach der theologischen Tradition, die im AT und NT ihren Ausgangspunkt hat, ist Opfer eine rituelle Handlung, in der Gott eine sichtbare Gabe dargebracht wird zur Anerkennung seiner Oberherrschaft. Mit dieser Huldigung können auch die Motive des Dankes, der Sühne und der Bitte verbunden sein. Durch den Ritus, der in mehr oder weniger feierlicher Form die Trennung der Gabe vom profanen Bereich und ihre Heiligung darstellt, unterscheidet sich das Opfer von anderen religiös motivierten Gaben. Ein abschließendes Mahl kann die Gemeinschaft der Darbringenden mit dem Empfänger und untereinander noch stärker betonen. Zerstörung der Opfergabe ist häufig ein Bestandteil des Ritus, gehört aber nicht wesentlich zum Opfer als solchem. Weil die Anerkennung der Oberherrschaft nur dem wahren Gott gebührt, mußten Opfer an andere, fälschlich als göttlich betrachtete Wesen als sakrilegische Abirrung verurteilt werden. Daher werden im AT Opfer an fremde Götter oder an Dämonen ausdrücklich verboten und als Abfall von Jahwe gebrandmarkt, zumal da die Opferfeste der kanaanäischen Fruchtbarkeitskulte auch mit sexuellen Orgien verbunden waren (Ex 22,19; 34,13-15; Lev 17,7; Num 25,1-5; Dt 32,16f; Ri 6,25; 1Kön 11,4-9; 16,31f; 18,16-40; 2Kön 10,18-27; Hos 2,8-15; 4,12-14; 13,1-4; Jes 57,3-7; Jer 7,18; 11,13; 44,15-25 Ez 6,4.13; 8,8-11; 16,18-21; 23,37-39; Bar 4,7; Ps 106,28. 36-38, u.ö.). Ebenso verbietet Paulus den Gläubigen grundsätzlich die Beteiligung an heidnischen Opfermahlzeiten (1Kor 10,14-22).

2. Da uns heute neben Monotheismus und Polytheismus noch andere Religionsformen bekannt sind, mußte auch die Definition des Opfers erweitert werden: (1) *Empfänger* des Opfers können nicht nur Gott bzw. „Götter" sein, sondern auch andere Wesen, denen religiöse Verehrung erwiesen wird, z.B. Naturgeister, Ahnen, Heilige (in synkretistischer Volksreligion); (2) die *Intention* des Opfers schließt nicht notwendig die Anerkennung absoluter Oberherrschaft ein; es kann auch an Wesen von zwar übermenschlicher, aber begrenzter Macht und amoralischem Charakter gerichtet und daher eine Art Bestechungsversuch sein (kommerzielle Haltung, „do ut des", Besänftigung böswilliger oder launenhafter Wesen). Oft ist damit die Vorstellung verbunden, daß das Opfer (bzw. die „Seele" der sichtbaren Gabe) dem Empfänger als Nahrung dient und daß er dieser Nahrung bedarf.

3. In der *Religionswissenschaft* sind neben dem traditionellen Verständnis des Opfers als Gabe auch Deutungen aufgekommen, die diesen Gabencharakter leugnen, minimieren oder als sekundäre Fehlentwicklung bzw. Fehldeutung betrachten. So soll das Opfer ursprünglich nur die *Auslösung magischer Kraft* durch Zerstörung (Tötung eines lebenden Wesens) bezweckt haben, ohne daß ein persönlicher Empfänger nötig war. Nach anderen Deutungen war der jetzt als Opfer bezeichnete Ritus zuerst nur die *dramatische Darstellung eines mythischen Urzeitgeschehens* (Tötung eines göttlichen oder halbgöttlichen Wesens, mit der die jetzige kosmische Ordnung ihren Anfang nahm) oder *Ableitung der Aggressionstriebe* auf ein marginales Objekt, „sakralisierte Gewalt". Alle diese Theorien berücksichtigen fast nur die blutigen Opfer (Tötung von Tieren oder Menschen) und können daher das Phänomen des Opfers in seiner Gesamtheit nicht erklären, vor allem nicht die (oft unblutigen) Primitialopfer.

4. Bei der *Begegnung mit nichtchristlichen Religionen* im Rahmen der Missionstätigkeit ist zunächst zu fragen, welche Vorstellungen und Intentionen die Anhänger dieser Religionen mit den von ihnen geübten Opfern verbinden. Für die Missionspraxis bestehen drei Möglichkeiten: (1) *Verurteilung der Opfer* als moralisch verwerflich (wegen ihres do-ut-des-Charakters, eventuell damit verbundener Orgien oder einfach deswegen, weil sie nicht an den wahren Gott gerichtet sind) und daher *vollständige, ersatzlose Unterdrückung.* Ein solches Vorgehen nimmt aber zu wenig Rücksicht auf das Bedürfnis nach anschaulichen, symbolischen Handlungen und hat wenig Aussicht auf Erfolg; das Ergebnis wird oft sein, daß die betreffenden Riten heimlich weiter ausgeführt werden. (2) *Umgestaltung* bzw. *Umdeutung* zu *profanen Festen*, symbolischen Riten mit *sozialer Bedeutung*, ohne den früheren religiösen Inhalt. (Vgl. die Gregor d. Gr. zugeschriebene Instruktion für die Angelsachsen-Missionare - Erntedankfeste; Umgestaltung des „Schweinefestes" in Papua-Neuguinea von einer Schlachtung für die Ahnen zum Volksfest im Anschluß an die Eucharistiefeier.) (3) *Einbeziehung von traditionellen Opferriten* (vegetabilischen Gaben und Tierschlachtungen) *in den christlichen Kult*, als paraliturgische Formen der → Volksfrömmigkeit. Dies wäre am leichtesten durchzuführen in Anknüpfung an Primitialopfer, die dem Schöpfergott aus Dankbarkeit dargebracht werden; solche finden sich aber nur bei wenigen nichtchristlichen Völkern (und speziell bei solchen, bei denen die Mission noch besonderen Schwierigkeiten begegnet, z.B. nichtseßhaften Jägern und Sammlern). Bei sehr vielen nichtchristlichen Völkern spielt aber der Schöpfergott, auch wenn an sein Dasein geglaubt wird, im Kult nur eine geringe Rolle: Opfer werden dort gewöhnlich an andere Wesen, z.B. niedere Gottheiten, Ahnen oder Naturgeister, gerichtet. → Inkulturation

J. Henninger

5. In der kontroverstheologischen Diskussion über das christliche Verständnis des Opfers hat seit dem 16. Jahrhundert auf seiten der römisch-katholischen sowie der evangelischen Autoren die Polemik und die Bemühung um Abgrenzung meist stärker im Vordergrund gestanden als die Absicht eindeutiger Klärung der Grundfragen: Was heißt es, den Tod Jesu als Opfer zu bezeichnen?, und: Wie kann das nach dem biblischen Zeugnis einmalige Opfer Christi mit den ständig wiederholten Eucharistiefeiern - sofern ihnen der Charakter eines Opfers zukommt - zusammengesehen werden? Erst in diesem Jahrzehnt ist durch gemeinsame katholisch-evangelische Arbeiten insofern eine Wende eingeleitet worden, als ein ökumenischer Konsens über die Unsachgemäßheit der Anwendung religionsgeschichtlicher Opferbegriffe auf die → Christologie und die Lehre von den Sakramenten vorbereitet worden ist. Auch Vertreter der Orthodoxie sind in diesen wichtigen Prozeß des Dialogs um ein neues Verständnis des Zusammenhangs zwischen dem Opfer Christi und der → Liturgie bzw. der → Eucharistie eingetreten. Es geht vor allem um die exegetische, dogmenhistorische und systematisch-theologische Klärung folgender Fragenkomplexe:

5.1 Die *grundlegende Umkehrung* antiker Opferkonzepte durch die christliche Verkündigung des von Gott dargebrachten „Opfers" Jesu Christi bedurfte der religionsgeschichtlichen und exegetischen Klärung. Inwiefern ist der Tod Jesu als „Opfer" zu verstehen? Gott (der Vater) ist hier doch der Darbietende, der Mensch der Nehmende. Allerdings gibt es Parallelen aus vor- und außerchristlichen Traditionen zu dieser „Umkehrung"; sie finden sich jedoch vor allem in der hebräischen Bibel, und das ist nicht ohne Bedeutung. Die neuen ökumenischen Studien (K. Lehmann/E. Schlink, auch Th. Schneider) bezeichnen das Verkennen der „Umkehrung" des Opferverständnisses der Religionsgeschichte durch das neutestamentliche Zeugnis eindeutig als Irrweg. Das ist freilich nicht nur historisch, sondern vor allem missionstheologisch wichtig, denn dadurch werden die beliebten Vorstellungen, außerchristliche Opferpraxis könne eine günstige, verinnerlichende Vorbereitung auf das Verständnis des Opfers Christi oder auch der Eucharistie sein, in den Bereich theologischer Naivität und missionstheologischen Opportunismus' gewiesen.

5.2 Die *klassische Satisfaktionslehre* (vor allem Anselms v. Canterbury) bedarf differenzierter und sorgsamer Interpretation. Wird hier wirklich ein zornig-wütender Gott durch ein Menschenopfer versöhnt, ist nicht der gesamte Rahmen der Argumentation durch die Aussage bestimmt, Gott sei der Geber dieses Opfers? Die zahlreichen gelehrten Analysen der klassisch-christlichen Satisfaktions- bzw. Versöhnungslehren erhalten in der heutigen ökumenischen Diskussion neues Gewicht.

5.3 *Reformatorische Theologie* hat strikt zwischen Sühnopfer (sacrificium propitiatorium) und Lob- bzw. Dankopfer (sacrificium „eucharistikon") unterschieden und damit zwischen sacrificium und sacramentum. Als Sühnopfer konnte nur der Tod Jesu gelten. Die geschichtliche Situation im 16. Jahrhundert rechtfertigte wohl die Verurteilung des Meßopfers als Menschenwerk der sich durch ihr Opfer selber rechtfertigenden Menschen, weil damals die Einmaligkeit des Opfers Christi in fundamentaler Weise bedroht schien. Auch noch im Tridentinum konnte nicht mit letzter Klarheit die Verbindung zwischen dem Tod Jesu und dem Meßopfer, der Eucharistie, dargelegt werden. Die Lehrverurteilungen (z.B. „Wer sagt, das Meßopfer sei nur Lob- und Danksagung oder das bloße Gedächtnis des Kreuzesopfers, nicht aber ein Sühnopfer; oder es bringe nur dem Nutzen, der kommuniziere; und man dürfe es nicht für Lebende und Verstorbene, für Sünden, Strafen, zur Genugtuung und für andere Nöte aufopfern, der sei ausgeschlossen") von Trient zeigen eine bemerkenswerte Unschärfe in der Beurteilung der Gegenposition (der Reformatoren). Wir können heute - in der historisch-kritischen sowie ökumenisch-emphatischen Rückschau - beide Verurteilungen als zeitgebunden und als für heute nicht mehr sachgemäß bezeichnen. So haben denn auch neuere römisch-katholische Verlautbarungen, bes. die Liturgiekonstitution des → II. Vaticanum, einen Opferbegriff in den Mittelpunkt der Diskussion um Werk bzw. Tod Jesu und Herrenmahl/Eucharistie gestellt, der die damaligen Verurteilungen durch reformatorische Bekenntnisschriften weitgehend oder völlig entkräftet. Freilich sind die Zweifel noch nicht völlig ausgeräumt, wie etwa der Brief Johannes Paul II. über die Eucharistie (1980) zu denken Anlaß gibt. Zuversichtlich auf einen Konsens hin argumentieren hingegen die von K. Lehmann/E. Schlink (1983) bzw. K. Lehmann/W. Pannenberg (1986) herausgegebenen Erklärungen. In ihnen hat das Konzept der „repraesentatio" des einmaligen (Selbst-)Opfers Christi und der „participatio" der Gläubigen eine zentrale Bedeutung. Dabei wird auf der Grundlage des NT das Opfer Christi personalisiert und von herkömmlichen Opfervorstellungen ganz abgehoben, der kultische Aspekt mit Bedacht umgedeutet von einem selbständigen Akt (z.B. als Gabe an eine Gottheit, an Gott) zu einer Teilhabe am Opfer Christi.

5.4 Trotzdem verbleibt die *Doppelheit* eines „absteigenden" (katabatischen) und eines „aufsteigenden" (anabatischen) Verständnisses von Opfer. Das zweite sei Teilhabe an Christi Gehorsam und Selbstopfer: dies ist die christologische Begründung des Opfers der Christen bzw. der Kirche, ein Konzept, in dem die wahre Menschheit („menschliche Natur") Christi von großer Bedeutung ist, wie schon die gesamte → Christologie der Alten Kirche betonte. Wer also sein Leben als Gottesdienst versteht, „geistliche Opfer" (1Petr 2,5) und seinen Leib als „Gott wohlgefälliges Opfer" (Röm 12,1) darbringt, schenkt nicht Gott ein Neues, sondern partizipiert an der Selbsthingabe Jesu Christi und vereinigt so das „anabatische" mit dem „katabatischen" Opfer. Dieses Opfer „bewirkt" das Heil keineswegs, sondern ist Ausdruck des empfangenen Heils. Die Anwendung dieses Verständnisses auf das römisch-katholische bzw. evangelische Verständnis des Gottesdienstes (im Alltag und in der Liturgie) und der Eucharistie/des Abendmahls im besonderen ist die Grundtendenz des sich jetzt abzeichnenden Konsenses.

5.5 Freilich bleibt auch bei dem sich entwickelnden transkonfessionellen Verständnis die systematisch-theologische (und sprachphilosophische) Frage bestehen, in welchem Sinn der Begriff „Opfer" in der Interpretation des Todes Jesu sowie des Dienstes, der Hingabe der Christen (der Kirche) verwendet werden soll. Besteht keinerlei Verbindung mehr zu den allgemeinen, aus der Religionsgeschichte bekannten Opferkonzepten, wieso wird der Begriff dann noch verwendet? Und wird er nicht durch die völlige „Umkehrung" (s.o. 5.1) letztlich zu einer analogielosen Aussage? Wer dies bejaht, kann sich bei der liberalen Theologie des 19. Jahrhunderts Unterstützung suchen, der ein Opfer annehmender Gott ähnlich suspekt war wie ein Opfer spendender Gott. Auch wer sich diesen (moralisch begründeten) Bewertungen nicht anschließen möchte, muß sich doch fragen, inwiefern nicht letztlich die Rede vom „Opfer Christi" nur ein modus loquendi für eine andere Aussage sei, die nicht in Antithese zu einer Gott-geschenkten-Opfergabe steht. Völlig neuzeitlich ist diese Frage nicht, denn schon neutestamentliche Autoren (einschließlich Paulus) lassen die Erwägung erkennen, ob die vom AT geprägte Opferterminologie unverzichtbar ist, wenn es um die Verkündigung dessen geht, was durch das Kommen, Wirken, Sterben und Auferwecktwerden Jesu geschehen ist.

D. Ritschl

Lit.: *Barth, K.*, Kirchliche Dogmatik, IV, 1, 1953, 305-311. - *Barth, M.*, Was Christ's Death a Sacrifice?, in: SJT, Occasional Papers No. 9, 1961. - Die Eucharistie im Gespräch der Konfessionen, hg. v. Bistumskommission für ökumenische Fragen, 1986. - *Girard, R.*, Das Ende der Gewalt, 1983. - *Ders.*, La violence et le sacré, 1972. - *Henninger, J.*, Les fêtes de printemps chez les Sémites et la Pâque israélite. Etudes Bibliques, 1975 (Lit.). - *Ders.*, Primitialopfer und Neujahrsfest, in: Anthropica. (FS P. W. Schmidt) (Studia Instituti Anthropos 21) 1968, 147-189 (Lit.). - *Ders.*, Art. Sacrifice, in: The Encyclopedia of Religion 12, hg. v. M. Eliade, 1987. - *James, E. O.*, Sacrifice and Sacrament, 1962. (Lit.). - Kirchliches Außenamt (Hrsg.), Das Opfer Christi und das Opfer der Christen, 7. Gespräch Russisch-Orthodoxe Kirche und EKD (BÖR 34) 1979. - *Lehmann, K./Pannenberg, W.* (Hrsg.), Lehrverurteilungen - kirchentrennend?, I, (Dialog der Kirchen 4) 1986, 89-124. - *Lehmann, K./Schlink, E.* (Hrsg.), Das Opfer Jesu Christi und seine Gegenwart in der Kirche (Dialog der Kirchen 3) 1983. - Le sacrifice, Systèmes de pensée en Afrique noire, Cahiers 2-6, 1976-1983. - *te Maarssen, H.*, Vom Schweine-Festival zur Eucharistie, in: Verbum SVD 18, 1977, 257-262 (Lit.). - *Perlitt, L.*, Opfer und Priester in der Bibel, in: Eucharistie und Priesteramt (BÖR 38), hg. v. Kirchliches Außenamt, 1980, 34-48. - *Schlink, E.*, Ökumenische Dogmatik, 1983. - *Warnach, V.*, Vom Wesen des kultischen Opfers, in: B. Neunheuser, B. (Hrsg.), Opfer Christi und Opfer der Kirche, 1960, 29-74 (Lit.). - *Weber, O.*, Grundlagen der Dogmatik, II, 1962, 215-257.

ORTHODOXE MISSION

1. Geschichte und Gegenwart. 2. Theologische Grundlage. 3. Sinn der Mission. 4. Bedeutung der Mission. 5. Beweggrund der Mission. 6. Ziel der Mission. 7. Werk der Mission.

1. Die Orthodoxe Kirche übte und übt Mission hauptsächlich durch ihre Nationalkirchen im Rahmen der historischen Gegebenheiten ihrer Nationen aus. Heute wird, vorwiegend durch die griechischsprechende Orthodoxie, ein kleiner Beitrag zur missionarischen Arbeit in einigen afrikanischen Ländern (Uganda, Kenia, Tansania, Zaire, Ghana, Kamerun, Nigeria) und im asiatischen Raum (Korea, Japan, Indien) geleistet.

Missionsliteratur wurde in neuerer Zeit vor allem im russischen Raum gepflegt. Seit dem vergangenen Jahrhundert beteiligten sich in geringem Umfang auch Griechen daran, seit Mitte unseres Jahrhunderts ist ein bedeutender Anstieg im Zusammenhang mit der Aufnahme missionarischer Arbeit durch Griechen zu verzeichnen. Der Art nach ist diese Literatur vorwiegend historisch und nur in ge-

ringem Maß theoretisch. Die wenigen theoretischen Schriften haben bruchstück-
haften Charakter. Im Lauf der Zeit, besonders in den letzten Jahrzehnten, erfuhren sie eine ständige Zunahme. Daher ist bisher noch keine vollständige Theorie
der orthodoxen Mission zusammengestellt worden.

1970 wurde die Missionswissenschaft von der Theologischen Fakultät der
Universität Athen als Fach theologischer Wissenschaft anerkannt, seit 1978 ist ein
entsprechender Lehrstuhl gegründet worden.

2. Wille und Energie Gottes zur Verwirklichung seiner göttlichen Ökonomie
kommt vielgestaltig und einheitlich zugleich zum Ausdruck. Diese Einheitlichkeit
gründet sowohl im gemeinsamen Ausgangspunkt und Endzweck der Taten der
göttlichen Ökonomie als auch in ihrer engen Beziehung zueinander als gegenseitige Funktion und Wiedergabe von Eigenschaften und Ergebnissen. Parallel dazu
erhält jede dieser Taten ihre eigene Funktionsweise aufrecht, die in ihrem Wesen
einheitlich bleibt, dennoch vielfältig, und jede auf ihre Weise analog zu dem Teil,
das sie jeweils zu erfüllen hat, ausgedrückt wird.

Mission als Tat des Heilswillens und der Heilsenergie Gottes stellt jene Wirkung dar, in der Göttliches und Geschöpfliches nach seinem je eigenen Maß und
gleichzeitig in gemeinsamer Arbeit die gefallene Schöpfung zur Teilnahme am →
Heil und der Vollendung erweckt. Diese Funktion wird „vielmals und auf mancherlei Art" (Hebr 1,1) ausgedrückt, analog den verschiedenen Stadien, die zur
Heilserlangung zurückgelegt werden müssen. Im Licht der Menschwerdung wirkt
die Mission allgemein als lebenstragendes Zeugnis in der menschlichen Gesamtheit auf den Beginn der neuen Zeit hin, speziell im Hinblick auf den rettenden
Ruf an die außerhalb der Kirche.

3. Der dreifaltige Gott hat in seiner unendlichen Liebe den Plan der Rettung
des gefallenen Menschen innerhalb der Zeit wie auch seine Vergöttlichung durch
Gnade und die Unvergänglichkeit der Natur im Eschaton, wenn Gott „alles in allem" sein wird, beschlossen (1Kor 15,28).

Erfüllung dieses Ziels bewirkt die Heilige Dreifaltigkeit sowohl durch ihre
ständige Vorsorge als auch durch ihre unerschaffenen Energien, an denen der
Mensch beteiligt ist. Gleichzeitig schreitet sie zu bestimmten Initiativen, bei denen
sie die Engelsmächte positiv, die bösen Geister negativ gebraucht und mit dem
Menschen gemeinsam wirkt, sowohl die belebte als auch unbelebte Natur einbe-
ziehend.

Die Taten gipfeln im Lauf der Geschichte in dem entscheidenden Moment
der Menschwerdung des Logos und der durch ihn erfolgten Gründung der Kirche.
Seither ist die Teilhabe des Menschen am Rettungswerk Gottes nicht mehr gelegentlich wie im AT, wo die Gesamtheit der Israeliten „als Volk Gottes" in Beziehung auf Personen eine entscheidende Rolle spielten.

Innerhalb des neuen Volkes Gottes trugen sowohl die Kirche als auch jedes
ihrer Glieder organisch zum Heilswerk bei, jedoch nicht selbständig, sondern in
gegenseitiger Beziehung zueinander. Unter dem Begriff Kirche wird hier die Gesamtkirche verstanden, d.h. auch die triumphierende Kirche, insofern sie am
Heilswerk beteiligt ist. Ihr Beitrag besteht vor allem in der Fürbitte, aber auch im
Gedenken, das ihre Glieder hinterlassen haben oder in den vielfältigen übernatürlichen Werken, die auch auf Nichtchristen Wirkung ausüben.

Die unterschiedliche Art der menschlichen Mitwirkung am Heilswerk zwischen altem und neuem Volk Gottes ist nicht unabhängig von der teilweisen und völligen Offenbarung Gottes im AT und NT in seiner gegenseitigen Beziehung als „der Einheit in der Dreiheit und der Dreiheit in der Einheit".

Die neue Weise menschlicher Beteiligung am Plan der göttlichen Ökonomie leitet und bildet die Mission. Unter diesem Blickwinkel stellt die Mission einen Teil des von Gott gewollten Heils dar, und zwar den Teil, der von der Kirche und ihren Gliedern in der Geschichte vollzogen wird.

Wenn die Mission wesentlichen Anteil am Heilswerk hat, das durch die Menschwerdung eingeleitet wurde, bedeutet dies doch nicht, daß sie in ausschließlicher Weise wirkt. Das wird bezüglich ihrer Initiativen, ihrer Möglichkeiten und ihrer Ergebnisse deutlich.

Die Mission besitzt keine Ausschließlichkeit in bezug auf die Initiative, denn Gott wird durch seine gesamte Schöpfung bezeugt, auch durch Menschen, die formell nicht zu den „Geretteten" gehören. Zu diesen Initiativen gehören die Gewissenserweckungen von Menschen, die dann als selbstberufene Prediger (Mk 1,45; 7,36; Joh 4,39; 9,17-27; Apg 10,24f) oder als Wundertäter (Mk 9,39; Lk 9,50) oder mittelbar (Apg 5,34) oder passiv (1Kor 7,12) wirken. Auch den Möglichkeiten nach hat die Mission keinen ausschließlichen Charakter, denn Gott bereitet nicht nur Menschen zu ihrem Werk vor, sondern leitet und begleitet sie gleichzeitig durch seine unerschaffenen Energien. Bei den Ergebnissen schließlich reicht der Anteil der Mission am Heilswerk bis zur Schaffung des Anlasses, der Beweggrund zur Rettung gehört ausschließlich Gott sowohl gegenwärtig als auch während des Endgerichts (Röm 2,14; 1Kor 5,13; Offb 20,12. Ebenso: Röm 9,16 1Kor 3,6; 2Kor 3,5; Phil 2,13; auch Mt 3,9 und 12,41-42).

4. Die Tatsache, daß die Mission entscheidend zum Heilswerk des dreieinigen Gottes in der Geschichte beiträgt, genügt, ihre Bedeutung aufzuzeigen. Wird sie gleichzeitig mit der oben angeführten allgemeinen Bedeutung auch im Hinblick auf ihre eschatologische Dimension im Bedeutungssinn der Rettung und Vergöttlichung des einzelnen Menschen und der Vorbereitung der Gesamtheit der einzelnen als Kirche zur endgültigen Begegnung mit dem, ständig gegenwärtigen, kommenden Herrn gesehen, so ist ihre Bedeutung entscheidend.

Der Mission wurde diese große Bedeutung schon in den ersten Tagen des Lebens der Kirche beigelegt, indem den Aposteln zuerkannt wurde, daß der Heilige Geist ihnen die höchsten Würden geistlichen Dienstes anvertraut habe (1Kor 12,28; Eph 4,11; Apg 6,2; 1Kor 1,17). Daß diese Auffassung im Bewußtsein der Kirche allgemein gewesen ist, ist in der gesamten Tradition zu belegen: so bei Origines; Johannes Chrysostomos; Pseudoökumenios, Euthymios Sygabenos, Hermeneia eis tas 14 Epiotolas tou apo Paulou kai eis tas 7 katholikas.

5. Hat Gott die Mission in seinen Heilsökonomieplan einbezogen, der vorewig (vor der Erschaffung der Engel) als Ausdruck seiner Liebesfülle gefaßt wurde, die als deren Offenbarung in der Menschwerdung ihren Höhepunkt fand (Joh 3,16; 1Joh 4,9), so kann die Mission keinen anderen Beweggrund als allein die Liebe haben. Wenn wir hier von der Liebe sprechen, beziehen wir uns nicht auf vereinzelte Ereignisse der Mission, sondern auf ihren innigen Antrieb.

Daher muß allen anderen Motiven wie: Erfüllung eines Auftrags (unter Heranziehung von Mt 28,19), innere Notwendigkeit (1Kor 9,11), Gott den Ruhm geben (2Kor 4,15; 1Petr 4,11) usw. eine Mißdeutung zugrundeliegen, da sie dem Ganzen nur Teilbedeutung angedeihen lassen. Mit anderen Worten: Hinter den verschiedenen Formulierungen der partitiven Begriffe wird ihr gemeinsamer Sinnzusammenhang und dessen Zurückführung auf einen gemeinsamen allgemeinen Ursprung nicht gesucht.

Wenn Liebe also den Beweggrund der Mission darstellt, so ist sie auch Kriterium jedes ihrer Werke. Jedes ihrer Werke, das nicht nach dem Schema der Menschwerdung (Kenose-Annahme) auftritt - der einzig richtigen Form des Liebesausdrucks in der Praxis -, dient dem Ziel der Mission nicht und ist gleichzeitig Ausdruck einer zweifelhaften Form von Mission.

Solche Missionsformen hat es in der Kirche immer gegeben. Ihre Anlässe waren vielfältig und erstrecken sich von den bösartigen (Apg 8,9-24) und unerlaubten (2Kor 11,13-26; Gal 2,4) bis zu der später auftretenden Vermischung von Mission und Politik und zu den weniger tadelnswerten (Phil 1,15). In vielen dieser Fälle, unabhängig vom Anteil der Verantwortung ihrer Träger an der eigenwilligen Fälschung des wahren Missionauftrags, ist ihr Werk trotzdem durchführbar gewesen (Phil 1,18). Diese Tatsache bezeugt den Vorrang, den Gott beim Missionswerk hat.

6. Die Mission ist Endzeitereignis nicht nur ihrer Bedeutung für die neue Zeit nach, die durch Christus eingeleitet wurde, sondern auch im Sinn ihres entscheidenden Beitrags am Kommen des Neuen Zeitalters (Mt 24,14). Demnach erreicht die Mission naturgemäß ihr Ziel innerhalb der Geschichte.

Innerhalb dieses Zeitraums ist es Ziel der Mission, die Menschen zur Einreihung in den Leib der Kirche aufzurufen, die die Arche der Rettung ist als ewige Ausdehnung des Leibes Christi. In Übereinstimmung mit diesem Plan wendet sich die Mission an die Menschen, die sich außerhalb der Kirche befinden. Missionierung von Kirchengliedern ist nicht erlaubt (Röm 15,20), besonders dann nicht, wenn die Prediger dieser Mission fremde Dogmen verkünden (Gal 1,6f). Ausnahme von dieser Regel stellt der Fall jener Kirche dar, deren Lehre eine solche Verfälschung der Wahrheit beinhaltet, daß ihre Glieder sich soteriologisch nicht von Menschen außerhalb der Kirche unterscheiden oder sich sogar in einer schlechteren Situation als diese befinden.

Der Fall des geistigen Kirchenaufbaus durch andere Missionare gleichen Glaubens (Apg 18,25; 1Kor 3,6; 16,12) unterscheidet sich von dem oben Gesagten. Anders ist auch die Wiederevangelisierung von Kirchenmitgliedern aufzufassen, die auf die eine oder andere Weise mehr oder weniger den Bezug zur Kirche verloren haben.

Ist es also Ziel der Mission, die Menschen zur Einreihung in den Leib der Kirche aufzurufen, so ist dieser Plan erfüllt, auch wenn das gewünschte Ergebnis nicht verwirklicht werden kann (nämlich die Einreihung in die Kirche), unter der Annahme, daß sie in Verbindung mit der menschlichen Freiheit der Entscheidung außerhalb der Verantwortung der Mission liegt. So kann der alleinige Aufruf an die Völker, sich zu bekehren - unter der Bedingung, daß die Taufe nicht verweigert wird -, den Missionsplan voll erfüllen (Mt 24,14 in Verbindung mit Lk 18,8).

7. Die Kirche in ihrer Gesamtheit als liturgische Gemeinschaft und Gnadenverwalterin hat die Verantwortung für die Ausübung der Mission. Die gleiche Verantwortung hat jedes ihrer Glieder, besonders diejenigen, die in besonderer Weise begnadet und geladen sind zu diesem Dienst. Elementare Bedingung für die Missionsausübung durch Kirchenglieder ist die Einfügung der neuen Gläubigen in die Kirche.

Voraussetzung zur Missionsausübung seitens ihres Trägers ist die Liebe, ausgedrückt in der Praxis nach dem Schema der Menschwerdung, durch Kenose und Annahme, die auch die theologischen Grundsätze des Missionswerkes bestimmt.

In Übereinstimmung mit der Kenose (Entäußerung) als Beispiel sollte der Träger sich der weltlichen Zusammenhänge und der irdischen Anschauungen entkleidet haben, so daß er nur Christus predigt. Die Mission als solche muß sich dagegen den Gegebenheiten des Lebens je nach Lebensraum anpassen. Nach dem Beispiel der Annahme ist die Mission aufgerufen, den ganzen Menschen ins Auge zu fassen, nicht als abstrakten Begriff, sondern als lebendige Wirklichkeit mit den jeweiligen Problemen und Nöten, den geistigen, leiblichen und den aus dem Lebensraum entstehenden. Zu diesen Anforderungen an die Mission gehört auch die Verpflichtung, die Werte der Völker in Ehren zu halten. Auf diese Weise fügt sie sich dem gegebenen Raum ein und wandelt ihn in den Leib der Kirche um.

Missionswerk besteht in Aussendung und Predigt (Röm 10,14f). Die Aussendung ist sowohl räumlich als Aufbruch und Überführung an einen anderen Ort als auch sinnbildlich als Zuwendung zum Nächsten und als Gebrauch verschiedener moderner Kommunikationsmittel zu verstehen. Die Predigt ist sowohl als gerichtetes Wort als auch als äußernde Tat zu verstehen wie auch als Dialog und Zusammenarbeit.

Der Predigtinhalt ist zweifach: Ein Teil betrifft den Empfänger, an den sie gerichtet ist, ein anderer die Botschaft, die dargestellt wird. Inhalt des ersten Teils ist: (a) Darstellung des Menschen in bezug auf seinen Lebensraum, auf sich selbst und den Sinn seines Lebens; (b) die Versicherung seiner Würde sowohl in seiner Einzigartigkeit als auch in der Gemeinschaft und (c) die Feststellung seiner Existenzunerfüllbarkeit in bezug auf das Beabsichtigte und das Wirkliche sowohl im weltlichen als auch übernatürlichen Bereich.

Inhalt des zweiten Teils ist (a) die Botschaft des Heils in Christus als Sieg über das Böse und den Tod und das Ereignis des Lebens in der Gegenwart und Zukunft; (b) die Lehre von der Notwendigkeit der Reue zur Errettung, zum Glauben und Beitritt zur Kirche und (c) die Betonung der Folgen für denjenigen, der die Predigt annimmt, die sich daraus für sein jetziges und künftiges Leben nach dem Tod ergeben, falls er den Ruf ablehnt.

Der Inhalt der Missionspredigt ist kein gewöhnliches Menschenwort, sondern „Wort des Lebens zum Leben", substantielles Wort nach der Teilhabe und Fortsetzung des fleischgewordenen → Wortes Gottes. Unter dieser Voraussetzung ist die Predigt eine Tat höchster Verantwortung, die beim Hörer eine ähnliche Verantwortung zur Folge hat.

Ist das Verkündigungswort also Lebenswort, das vom ganzen Menschen kommt und sich auf den ganzen Menschen bezieht, so bedeutet dies, daß es sich auf den Menschen sowohl als psychosomatische Einheit als auch auf seine Bezie-

hungen zu anderen Menschen und auf seine Beziehung zur materiellen Natur erstreckt. Demnach hat die Annahme der Predigt nicht nur für ihn selbst, sondern
auch für seine gesamte Umgebung positive Folgen.

Innerhalb dieser einenden Perspektive, deren Erfüllung im nachgeschichtli-
chen Leben des Menschen zu erwarten ist, erhält jedwedes soziale Werk der Mission seinen Sinn und seine Rechtfertigung. Wo im gegenteiligen Fall dies Missionswerk unabhängig oder ohne das Wort des Lebens vorangetrieben wird, predigt
es die Spaltung der Welt. Die Mission würde dann fortlaufend ihren Auftraggeber
verraten, ihren Träger mit Verantwortung belasten wie „taubes Salz" und endlich
ohne wesentliches Ergebnis bleiben.

Lit.: *Alivisatos, H. S.*, Die Frage der äußeren und inneren Mission der Orthodoxen Kirche, in: Procès Verbaux de premier Congrès de Théologie Orthodoxe à Athènes 1936,
1939, 328-332. - *Bria, I.*, Go forth in Peace. Orthodox Perspectives on Mission, 1986. -
Calian, C. S., The Scope and Vitality of the Orthodox Missionary Activity, in: OBMRL
5/6, 15, 1964. - *Khodre, G.*, Misión y desarrollo en la teología ortodoxa, in: Misiones Ex-
tranjeras, 1970, 191-202. - *Nissiotis, N.*, Die ekklesiologische Grundlage der Mission, in:
ders., Die Theologie der Ost-Kirche im oekumenischen Dialog, 1968, 186-216. - *Panagou-
polos, I.*, Ekklesiologia kai hierapostole (Ekklesiologie und Mission), 1972. - *Papapetrou,
K.*, Kirche und Mission. Zum Missionsverständnis der orthodox-katholischen Kirche, in:
Kyrios, 1966, 105-116. - *Patronos, G.*, Biblikes proipotheseis tes hierapostoles (Biblische
Voraussetzungen der Mission), 1983. - *Philippides, L.*, Hagiographike themeliosis tes chri-
stianikes hierapostoles (Biblische Untermauerung christlicher Mission), 1956. - *Schme-
mann, A.*, The Missionary Imperative in the Orthodox Tradition, in: G. H. Anderson, The
Theology of the Christian Mission, 1961, 250-257. - *Stamoolis, J. J.*, An Examination of
Contemporary Eastern Orthodox Missiology, 1980. - *Ders.*, Eastern Orthodox Mission
Theology Today, 1986 (Lit.). - *Veronis, A.*, Orthodox Concepts of Evangelism and Mission, in: GOTR 27, 1982, 44-57. - *Voulgarakis, E.*, Hai Katecheseis tu Kyrillu Hierosoly-
mon. Hierapostolike prosengisis (Die Katechesen Kyrills von Jerusalem. Missionarische
Annäherung), 1977. - *Ders.*, He hierapostole kata ta hellenika keimena apo tu 1821 me-
chri tu 1917 (Mission nach griechischen Texten 1821-1917), 1971. - *Ders.*, Mission and
Unity. From the Theological Point of View, in: Poreuthentes, 24, 1965, 4-7; 26, 1965,
31-32; 27/28, 1965, 45-47. - *Yannoulatos, A.*, The Purpose as Motive of Mission, in: IRM
54, 1965, 281-297.

                                                            E. Voulgarakis

ORTSKIRCHE

1. Ökumenische Aktualität. 2. Theologie der Dritten Welt. 3. Realisierungsformen.

1. Die Thematik des Verhältnisses zwischen der universalen Kirche und den Ortskirchen ist heute höchst aktuell. Dies zeigt sich in der katholischen Kirche zum
Beispiel, wenn es darum geht, welche Befugnisse in Sachen wie Kirchenstruktur,
Ämter, Theologie und Liturgie erteilt werden können. Aber auch Kirchen, die
eine andere Tradition besitzen, kämpfen mit ähnlichen Schwierigkeiten, wenn z.B.
Kirchen verschiedener Traditionen eine vereinigte Kirche gründen möchten, oder
wenn Kirchen in der Dritten Welt, die von Missionaren westlicher Herkunft ge-

gründet wurden, eigene Wege gehen wollen. Das Thema der Unabhängigkeit ist darum ein Tagesgespräch im weltweiten Raum der Christenheit. Es gibt zwar allgemeine Prinzipien, die von Konzilien, Bischofssynoden oder von führenden Gremien der großen Kirchen angenommen wurden, aber das bedeutet nicht, daß die konkrete Verwirklichung spannungsfrei verläuft. Auf dem II. Vatikanischen Konzil (→ Vaticanum II) wurde festgelegt, daß die Ortskirche nicht als kleinste Verwaltungseinheit zu verstehen sei: „Diese Kirche Christi ist wahrhaft in allen rechtmäßigen Ortsgemeinschaften der Gläubigen anwesend, die in der Verbundenheit mit ihren Hirten im Neuen Testament auch selber Kirchen heißen" (Lumen gentium 26). Die Gemeinschaft aller Ortskirchen macht die Katholizität der Universalkirche aus. Im apostolischen Schreiben Evangelii nuntiandi heißt es: „Dennoch nimmt diese universale Kirche in den Teilkirchen konkrete Gestalt an, die ihrerseits aus einer bestimmten konkreten Menschengruppe bestehen, die eine bestimmte Sprache sprechen, einem kulturellen Erbe verbunden sind, einer Weltanschauung, einer geschichtlichen Vergangenheit und einer bestimmten Ausformung des Menschlichen. Offenheit für die Reichtümer der Teilkirche trifft beim Menschen unserer Zeit auf besondere Empfänglichkeit" (Evangelii nuntiandi 62, Übersetzung v. H. Rzepkowski). In der Geschichte der Kirchen der Reformation hat es immer Führer wie Rufus Anderson, Henry Venn und Roland Allen gegeben, die das Recht der Kirchen, in der Dritten Welt selbständig zu sein, verteidigt haben, und diese Führer üben bis heute einen großen Einfluß auf den Vollversammlungen der reformatorischen Kirchen aus. Die Geschichte und die Kirchenlehre der großen orthodoxen Kirchen vertreten ganz klar das Prinzip der Unabhängigkeit, aber empfinden es als schwierig, sich zu einigen über das Prinzip der Universalität. Pluralismus und Einheit, Ortskirche und Universalkirche sind Themen, die alle Kirchen angehen (vgl. Camps, Bassham, Kramm, Collet, Shenk, Metzner, Stamoolis, Bühlmann).

2. Theologen der Dritten Welt sind besonders mit dieser Problematik beschäftigt. Bei ihnen kann man fünf Modelle unterscheiden (vgl. Maen Pongudom). Diese Theologen empfinden das Verhältnis zu den westlichen Kirchen als eine Gefangenschaft oder Fremdherrschaft (Cook, Torres, Balasuriya, Mundadan, Eboussi Boulaga, Ting, Tu Shihua).

2.1 Das *erste* Modell ist die *Hauskirche*. Diese Kirche wird als eine Gemeinschaft der Liebe betrachtet, worin arm und reich brüderlich zusammenleben und alles teilen. Die Hauskirche macht es möglich, daß die Kirche ihre Sendung in einer gegebenen Situation erfüllt. Sie ist dynamisch und schafft Leben. In ihr wird die Religion als genauso notwendig für das gesamte Leben der Menschen wie ein Haus betrachtet, genauso einfach wie ein Haus und genauso intim für menschliche Beziehungen wie ein Haus. Die Institution wird mit einer Familiengemeinschaft gleichgesetzt. Während der ersten Jahrhunderte des Christentums war diese Art des Kirche-seins bestimmend, aber sie ist auch später nie ganz verloren gegangen, z.B. in den alten religiösen Orden und in Zeiten der Krise, wenn die Kirche wieder ein Zufluchtshafen für die Leidenden wurde. Konkret kann man hier an Basisgemeinschaften, unabhängige Kirchen und Hausgemeinden denken.

2.2 Das *zweite* Modell ist die *institutionelle Kirche*. Diese hat sich früh entwickelt, war aber anfangs eher auf theologische Stabilität als auf die Machtposition der kirchlichen Führer ausgerichtet. Letztere wurde erst während des Endes des Mittelalters und der Gegenreform sichtbar als eine Verteidigung gegen Gegner. Die Kirche wurde als eine vollkommene Gesellschaft von allen Gesellschaften unterschieden betrachtet. Strukturen der Lehre, der Sakramente und der kirchlichen Führung wurden von der göttlichen Offenbarung abgeleitet. So wurden Änderungen der Strukturen fast unmöglich. Dies trifft nicht nur für die katholische Kirche zu, sondern auch für die Kirchen der Reformation, die ein pyramidales Modell beibehalten haben. Eine institutionelle Kirche lebt in der Überzeugung, daß nur in der Kirche → Heil vorhanden ist und diese deshalb eine triumphierende Kirche ist. Konkret wird hier von den Dritte-Welt-Theologen an die großen Kirchen abendländischer Herkunft gedacht wie auch an die Präsenz dieser Kirchen in der übrigen Welt.

2.3 Das *dritte* Modell wird die *inkarnierte* und *leidende Gemeinschaft* genannt. Sie lebt in der Nachfolge → Jesus von Nazareth, der der inkarnierte und leidende Herr ist. Der Herr wurde ein einfacher Mensch, lebte mit den Ausgestoßenen und starb am Kreuze. Diese Kirche wird die Bedeutung der menschlichen → Kulturen und → Geschichte niemals minimalisieren, sondern versuchen, die Frohbotschaft in diesen zu inkarnieren. Diese Gemeinschaft inkarniert sich besonders in der Geschichte des leidenden Menschtums und möchte ein leidender Diener der Gesellschaft sein. Hier denkt man an die frühe Kirche, die Ordensgemeinschaften, bestimmte Bewegungen gegen den Reichtum der großen Kirchen und die Ideale von Bonhoeffer, Cox und Robinson, aber auch an die Ortskirchen in Afrika und Asien, die sich bemühen, die → Inkulturation und Kontextualisation des ganzen christlichen Lebens voranzutreiben (→ Kontextuelle Theologie.

2.4 Das *vierte* Modell ist die Kirche als eine *sakramentale* und *eschatologische Gemeinschaft*. Die Gnade Gottes bringt sündhafte Männer und Frauen zusammen, und so bilden sie eine Kirche. Die Gnade Gottes ist eine unsichtbare Kraft, die im Zeichen der Sakramente sichtbar wird. Christus und die Kirche als Fortsetzung von Christus sind das Sakrament des Heiles. Die Kirche ist die sichtbare Gestalt der Gnade Gottes und des Heiles, und sie übt diese Funktion besonders mittels der Sakramente der Taufe und der Eucharistie (→ Abendmahl) aus. Die Kirche ist aber zur gleichen Zeit eine eschatologische Gemeinschaft. Sie ist Anfang der Gottesherrschaft in der Welt, aber sie ist nicht bleibend. Die Kirche ist ein Vorgeschmack des kommenden Gottesreiches, inaugurierte → Eschatologie oder eine Pilgerkirche. Es ist nicht unbedingt notwendig, zwischen der sakramentalen Kirche - als stark auf die eigenen Mitglieder ausgerichtet - und der eschatologischen Kirche - als zukunftsorientiert - zu unterscheiden. Dieses Modell wurde vom II. Vatikanischen Konzil ausgearbeitet und hat der katholischen Kirche eine neue Dynamik gegeben. So wurde → Dialog, Lernen von anderen → Religionen und Inkulturation möglich. Konkret wurde diese Dynamik in anderen Kirchenmodellen.

2.5 Als *fünftes* Modell wird die Kirche als eine *prophetische* und *befreiende Bewegung des* → *Volkes* genannt. Die Kirche als eine Volksbewegung Gottes geht weit in die Vergangenheit zurück: Moses war ein Prophet und Befreier seines Volkes. Als später sein Volk Gottes im eigenen Land unterdrückt wurde, wurden andere als Propheten und Befreier berufen. Diese prophezeiten gegen die bestehenden sozio-politischen und wirtschaftlichen Strukturen, und sie forderten Könige und Reiche heraus. Jesus von Nazareth, der Gründer der christlichen Bewegung, war ein Prophet und Befreier oder sogar ein Revolutionär in den Augen der jüdischen Autoritäten. Viele einfache Menschen sowohl in der Vergangenheit als auch in der heutigen Zeit betrachten ihn als solchen. Ihre Motive waren und sind aber verschiedene. Es gibt Menschen, die ihn als einen destruktiven Feind der heutigen Ordnung betrachten, und es gibt andere, die ihn als einen kreativen Propheten und Befreier oder Revolutionär gegen die korrupte heutige Ordnung verstehen. In gleicher Weise wurde und wird die Kirche gedeutet. In der Kirchengeschichte hat es immer Bewegungen gegeben, die sich der Befreiung der Armen, Frauen, Sklaven und Unterdrückten oder dem Kampf gegen Korruption oder die Übermacht des Staates verschrieben. Als die christlichen Kirchen sich in der nichtwestlichen Welt verbreiteten, übten sie öfters eine befreiende Aktivität aus, weil die Frohbotschaft befreiend wirkte. Aber bald wurden sie von herrschenden Ordnungen, von importierten Strukturen und Kirchenlehre gekennzeichnet. Die Kirchen waren auch nicht imstande, prophetisch und befreiend wirksam zu sein in Gesellschaften, die schnellen sozialen Änderungen und technologischen Entwicklungen unterworfen sind. Die Kirchen sollen als Volksbewegungen Gottes auf die Stimmen der Unterdrückten und der von Ausbeutung Betroffenen hören. Die Kirchen sollen keine statischen Institutionen sein. Heute kann man diese Einsichten besonders in Asien und in Lateinamerika antreffen, obgleich Befreiungstheologen in den erwähnten Kontinenten verschiedene Akzente setzen (→ Theologie der Befreiung).

3. Es wird klar sein, daß diese fünf Modelle sowohl während der langen Geschichte der Kirchen als auch in der heutigen Zeit eine Rolle gespielt haben und spielen. Dies ist als ein Vorteil zu betrachten. Diese Analyse soll aber richtig verstanden werden: Es ist nicht so, daß die einzelnen Modelle als solche in der Wirklichkeit existieren können. Man wird immer Elemente der fünf Modelle in den Ortskirchen vorfinden. Das hängt von der konkreten Situation der Ortskirchen ab. Kirche als Institution kann nicht einfach beiseite geschoben werden. Bestimmte Ortskirchen wie die in China, Lateinamerika, Asien, Afrika und Ozeanien werden andere Akzente setzen. Auf diese Weise entstehen Modelle, die Charakterzüge verschiedener Modelle harmonisch zusammenfügen. In den meisten asiatischen Ortskirchen zum Beispiel harmonieren Inkarnation und → Befreiung (Religion und spirituelle Bedeutung der → Armut), in Afrika wird man öfters sowohl die Charakterzüge der Hauskirche als die der inkulturierten Gemeinschaft vorfinden (unabhängige Kirchen), und in Lateinamerika gehen Hauskirche und prophetische-befreiende Gemeinschaft Hand in Hand (Basisgemeinschaften). Westliche Ortskirchen werden auf diese Weise einen neuen Anstoß bekommen und auf den Weg gewiesen werden, kontextuelle Ortskirchen zu werden (Bertsch).

Lit.: *Balasuriya, T.*, Planetary Theology, 1984. - *Bassham, R. C.*, Mission Theology: 1948-1975: years of worldwide creative tension, ecumenical, evangelical and Roman Catholic, 1979. - *Boulaga, F. E.*, Christianisme sans fétiche, révélation et domination, 1981. - *Bühlmann, W.*, Weltkirche, neue Dimensionen - Modell für das Jahr 2001, 1984 (Lit.). - *Camps, A.*, Evangile et inculturation, l'aspect théologique du problème, in: Eglise et Mission, no. 204, décembre 1985, 25-42 (Lit.). - *Ders.*, Missionstheologie aus interkontinentaler Sicht. Der Beitrag Afrikas, Asiens und Lateinamerikas, in: E. Klinger/K. Wittstadt (Hrsg.), Glaube im Prozeß. Christsein nach dem II. Vatikanum. Für Karl Rahner, 1 u.2, 1984, 666-678 (Lit.). - Chinese Christians Speak Out. Addresses and sermons by Bishop K. H. Ting and other Church leaders, 1984. - *Collet, G.*, Das Missionsverständnis der Kirche in der gegenwärtigen Diskussion, 1984. - *Cook, G.*, The Expectation of the Poor. Latin American Basic Ecclesial Communities in Protestant Perspective, 1985. - Evangelisation in der Dritten Welt. Anstöße für Europa, hg. v. L. Bertsch/F. Schlösser, 1981. - *Kramm, T.*, Analyse und Bewährung theologischer Modelle zur Begründung der Mission, 1979 (Lit.). - *Metzner, H. W.*, Roland Allen. Sein Leben und Werk, 1970. - *Mundadan, A. M.*, Indian Christians: Search for identity and struggle for autonomy, 1984. - *Pongudom, M.*, Models of the Church in Church History, in: Tradition and Innovation, a search for a relevant ecclesiology in Asia, hg. v. CTC-CCA, 1983, 125-134. - *Rzepkowski, H.*, Der Welt verpflichtet. Text und Kommentar des Apostolischen Schreibens Evangelii Nuntiandi, 1976. - *Shenk, W. R.*, Henry Venn, missionary statesman, 1983. - *Ders.*, Rufus Anderson and Henry Venn, special relationship?, in: International Bulletin of Missionary Research 5, 1981, 168-172. - Searching for an Indian Ecclesiology, hg. v. G. van Leeuwen, 1984. - *Shihua, A. T.*, To have an independet, self-ruled and self-managed Church ist our sacred right, in: A New Beginning, an international dialogue with the Chinese Church, hg. v. T. Chu/C. Lind, 1983, 99-103. - *Stamoolis, J. J.*, Eastern Orthodox Mission Theology Today, 1986. - The Challenge of Basic Christian Communities, hg. v. S. Torres/J. Eagleson, 1981.

A. Camps

PARTNERSCHAFT

1. Entwicklung. 2. Verständnis von Partnerschaft. 3. Modelle.

Der Begriff Partnerschaft hat im ökumenischen Sprachgebrauch einen Bedeutungswandel erfahren, so daß er nur noch wenig mit dem ursprünglichen kommerziellen Verständnis gemein hat.

1. Es ist nicht zufällig, daß der Begriff Partnerschaft auch im kirchlich-missionarischen Wortschatz zu finden ist. Die kirchengeschichtliche Entwickung brachte es mit sich, daß im Laufe der Zeit in den Arbeitsgebieten der europäisch-amerikanischen Missionsgesellschaften selbstverantwortliche Kirchen entstanden. Es zeichnete sich bereits vor dem Zweiten Weltkrieg ab, daß das paternalistische Zeitalter, in dem die Missionare des Westens die Verantwortung für die kirchlichen Entwicklungen auf „ihren Missionsfeldern" trugen, zu Ende ging. Beschleunigt wurde dieser Vorgang durch den Zweiten Weltkrieg.

Der Wendepunkt in der Entwicklung der Beziehungen zwischen den Missionen des Westens und den „Missionskirchen", zwischen den „sendenden" und „werdenden" Kirchen, wie in den zwanziger Jahren und auch nachher noch gern unterschieden wurde, kam mit der Einberufung zur → Weltmissionskonferenz nach Whitby bei Toronto (Kanada) durch den Internationalen Missionsrat (1947). Es war dies die erste Weltmissionskonferenz, in der sich Vertreter der Weltchristenheit als Partner gegenüberstanden. Unter dem Eindruck der Berichte über das Durchhaltevermögen und die Leiden eines großen Teils der jüngeren Kirchen während des Krieges fand man zueinander und begegnete einander mit dem festen Entschluß, daß hinfort die Erfüllung des Missionsauftrages gemeinsame Sache der „älteren" und „jüngeren" Kirchen - in Ermangelung einer besseren Ausdrucksweise hielt man damals noch an diesen Begriffen fest - sein sollte. So wurde die Formel „partnership in obedience" gegenüber dem Missionsbefehl Jesu Christi, der wegweisend für die Verhältnisbestimmung der Kirche zueinander werden sollte, eingeführt. So befreiend diese Formel auf die Teilnehmer der Whitby-Konferenz gewirkt hat, so löste sie doch für die kommenden Jahrzehnte mit der Frage, was rechte, glaubwürdige, mündige Partnerschaft sei, Diskussionen aus, die zeigten, daß es ein mühsamer Weg ist von der Erkenntnis zur Tat.

2. Was heißt Partnerschaft? Wie wirkt sie sich in den gemeinsam durchzuführenden Aktionen, die der Erfüllung des Missionsauftrages dienen sollen, aus?

Vorauszuschicken bleibt, daß Partnerschaft immer ein *gemeinsames Handeln* einschließt. Hier unterscheidet sie sich vom Begriff der „Bruderschaft", die als in Jesus Christus gegründete Bruderschaft stärker die gemeinsame Bekenntnisgrundlage betont. Dabei sollte nicht außer acht gelassen werden, daß die Voraussetzung gemeinsamer Erfüllung des Missionsauftrages zumindest auf der Bekenntnisgrundlage der Basis des Ökumenischen Rates der Kirchen beruht. Daß der Begriff der Partnerschaft gelegentlich als unzureichend empfunden wurde, um die schriftgemäßen Beziehungen der Kooperation der Kirchen und Missionen in den „sechs Kontinenten" zu umschreiben, soll nicht übersehen werden; z.B. kann Ph. Potter anstelle des Begriffs Partnerschaft den der companionship setzen, „weil der Begriff ‚Partner' - der im ursprünglichen Sinn des Wortes eine Teilung, eine Gewaltenteilung impliziert - nicht mehr genügt und man statt dessen lieber von ‚companionship' reden sollte: das ist der, der mit mir das gleiche Brot ißt".

Partnerschaft soll die Basis gemeinsamen missionarischen Handelns sein. Das heißt beispielsweise, daß Partnerschaft nicht Selbstzweck ist. Hier geht es nicht um Partnerschaft um der Partnerschaft willen, sondern um der Mission willen. Partnerschaft soll verstanden werden als „ein Instrument zur Erfüllung gemeinsamer Aufgaben".

Wie soll es aber zu einer fruchtbaren Partnerschaft kommen, wenn die Partner ungleich sind? Alle möglichen Faktoren tragen zu dieser Ungleichheit bei: die andere Herkunft, die unterschiedliche Lebens- und Weltanschauung, der Lebensstandard, der Lebensstil, die Kluft zwischen arm und reich u. dgl.

Das Unmögliche wird möglich, wenn zunächst einmal die Ungleichheit akzeptiert wird, wenn der Partner respektiert wird, wenn die gegenseitige Abhängigkeit - nicht die anderen bedürfen unserer Hilfe, sondern wir brauchen sie (Interdependenz) - erkannt wird.

Ein mit Recht erhobener Vorwurf lautet von seiten afrikanischer und asiatischer Kirchen: bisher habt ihr uns geleitet und bestimmt, was gut für uns war. Wir wurden nach euren Mustern und Vorbildern geprägt. Es war euer Lebensstil, der für uns vorbildlich war, ihr habt uns die Botschaft in europäischer Verkleidung gebracht, wir waren nicht eure Partner, sondern ihr wart die Väter, wir die Kinder, ihr die Lehrer, wir die Schüler. Wo die Partnerschaft zur Regel des Miteinanderlebens und Miteinanderhandelns erhoben wird, muß der eine den anderen höher achten als sich selbst (Phil 2,3), einer komme dem anderen mit Ehrerbietung zuvor (Röm 12,10). Durch die bejahte Partnerschaft kann die Last, die durch die Ungleichheit aufgebürdet wird, bewältigt werden. Die Partner stehen einander gegenüber mit ihren Schwächen und mit ihren Gaben, sie sind gleichzeitig Gebende und Empfangende. Für die praktizierte Partnerschaft hat es die Folgen, daß nach dem in der Geschichte geübten Einbahnverkehr die „Ströme, die rückwärts fließen" (F. von Bodelschwingh II) in Anspruch genommen werden, daß die Erkenntnis zunimmt, daß wir nicht nur Partner sind, sondern Partner haben, daß wir „Jochgenossen" (dongan saauga = bataksche Bezeichnung für zwei Partner, die gleich zwei Ochsen unter einem Joch einen Karren miteinander ziehen) sind und nur als „Partner in Mission", als Partner, die zur „joint action in Mission" berufen sind, aufgetragene Aufgaben der Weltmission erfüllen.

Knapp zusammengefaßt heißt dies: Partnerschaft bedeutet, daß aller Ungleichheit zum Trotz der Partner als solcher akzeptiert wird, ihm die volle Gleichberechtigung gewährt ist, seine Entscheidungsfreiheit respektiert wird. Nur in dieser Haltung dürfen Partner es miteinander wagen, dem Missionsauftrag nachzukommen.

Die theoretische Umschreibung dessen, was Partnerschaft ist, mag nicht das Schwierigste sein. Die Problematik setzt mit der *Durchführung* der gemeinsam zu verantwortenden Aufgabe ein. Es müßte zu einer klaren Bestimmung der Aufgaben kommen bzw. zu einer dem heutigen Missionsverständnis entsprechenden Aufgabenbeschreibung. Die Schwierigkeiten liegen nicht darin, daß nicht eine Fülle von Aufgaben genannt werden könnten (z.B. Projekte, die der finanziellen und personellen Zusammenarbeit bedürfen und der Entwicklung dienen: Personalaustausch; gegenseitiger Visitationsdienst: Stipendien; Literaturprogramme u.a.), sondern mehr in der Abgrenzung dessen, was Mission heute heißt. Wenn wir Mission fassen als Überschreitung der Grenze zwischen Glauben und Unglauben, so ist damit das unermeßlich große Arbeitsfeld, auf dem es das Zeugnis Jesu Christi in Verkündigung und Dienst (Diakonie) auszurichten gilt, abgesteckt. Es umfaßt die ganze Welt. Bedarf es dann aber, wenn jeder an seinem Ort zur Erfüllung des Missionauftrages gerufen ist, überhaupt einer partnerschaftlichen Koalition? Ist nicht jede Kirche in ihrer Region, an ihrem Ort zur missionarischen Verkündigung und zum missionarischen Dienst berufen? Gerade diese Berufung ist es ja, die nach dem Partner Ausschau zu halten nötigt. So trägt man miteinander die Last und wird zum „Gehilfen der Freude" des Partners. So praktizierte Partnerschaft verhilft den Partnern zu der Erkenntnis, daß man nur im Miteinanderhandeln voneinander lernen kann. Partnerschaft in der Mission ist das sichtbare Zeichen dafür, daß man aufeinander hören und miteinander handeln will.

Nachzutragen bleibt noch, daß die Diskussionen um die Partnerschaft in den letzten Jahrzehnten die Integrationsbemühungen um das Miteinander von Kirche und Mission (genauer auf die deutsche Situation bezogen: Landeskirchen und → Missionsgesellschaften) beeinflußt und gefördert haben. Ein Teilaspekt der Partnerschaftsdiskussion bezog sich - vor allem bei der Weltmissionskonferenz in Bangkok (1983) und nachher - auf das „Moratorium". Die Meinung war, daß ein Ruhen der Partnerschaft auf Zeit der Selbstbesinnung und Selbstfindung dienen könnte. Ich weise hier nur hin auf ein Wort des Ökumenischen Rates der Kirchen aus dem Jahr 1982 in einem Dokument zum Thema „Mission und Evangelisation": „Moratorium bedeutet nicht das Ende der missionarischen Berufung noch unserer Verpflichtung, Unterstützung für die Missionsarbeit bereitzustellen, sondern bedeutet die Freiheit, bestehende Engagements zu überdenken und zu überlegen, ob eine Fortsetzung dessen, was wir so lange getan haben, der richtige Missionsstil in unseren Tagen ist. Das Moratorium muß als Bestandteil des Bemühens um Weltmission verstanden werden."

3. Zuletzt sollen einige Modelle von Partnerschaftsbeziehungen benannt werden:

3.1 Communauté évangélique d'action apostolique (Evangelische Gemeinschaft der apostolischen Aktion - CEVAA). Dieser Zusammenschluß der Kirchen, die aus der Pariser Mission hervorgegangen sind, mit ihren Trägerkirchen in Frankreich und der französischen Schweiz, erfolgte zunächst unter der Bezeichnung „Gemeinsame missionarische Aktion der französisch sprechenden Kirchen" 1966. Erste gemeinsame Unternehmung war eine Missionsarbeit zusammen mit der Methodistenkirche von Dahomey im Gebiet der Fon. 1972 löste sich die Pariser Mission auf, es entstand die „Communauté". Das leitende Gremium besteht aus neun Delegierten von Europa und zehn von Übersee.

3.2 Die Europäische Arbeitsgemeinschaft für ökumenische Beziehungen mit Indonesien (EUKUMINDO) ging 1974 aus der im Jahr 1962 gegründeten Kontinentalen Kommission für Kirche und Mission in Indonesien (KKMI) hervor. Es handelt sich um ein Gremium, das partnerschaftlich mit der Gemeinschaft der Kirchen in Indonesien (PGI) zusammenarbeitet. Als spezielle Aufgaben werden genannt: Die Intensivierung des Zweibahnverkehrs und „der PGI partnerschaftlich bei der Durchführung seiner Aufgaben zur Seite zu stehen." Durch diese multilaterale Verbindung sind die bilateralen Beziehungen einzelner europäischer Kirchen und Missionen zu ihren indonesischen Partnern nicht tangiert.

3.3 Lutheran Coordination Service (LCS) und Evangelical Lutheran Church in Tanzania (ELCT). Nachdem im Jahr 1963 die ELCT gegründet war, begannen die Bemühungen um eine Zusammenfassung der verschiedenen schon bestehenden Verbindungen europäischer und amerikanischer lutherischer Missionen, die in Tansania nach dem Zweiten Weltkrieg angesiedelt waren. Sie kamen mit der Bildung des LCS im Jahr 1973 zum Abschluß. Die Verfassung von 1974 beschreibt: „Der LCS soll als Forum der Konsultation und Diskussion dienen. Seine Mitglieder werden alle Aspekte ihrer Beziehungen zur ELCT und ihren Synoden und Diözesen im Auge behalten." In einer vertragsähnlichen Übereinkunft zwischen den Partnern von LCS und ELCT heißt es, daß LCS ein Instrument der Koordination für beide Partner sei und daß man die Verantwortung für die Verkündigung der christlichen Botschaft und die Ausrichtung des christlichen Dienstes teilen wolle.

3.4 Schließlich sei noch hingewiesen auf die mannigfachen Bemühungen, partnerschaftliche Beziehungen von Gemeinden und Kirchenkreisen unter *deutschen Kirchen* zu den Gemeinden und Kirchenkreisen afrikanischer und asiatischer Kirchen herzustellen: Zeichen eines gesunden Bemühens, Partnerschaft wirklich werden zu lassen. Die Gefahr, daß es bei diesen Basispartnerschaften mehr um patenschaftliche Freundschaft geht, ist sicher vorhanden, kann aber vermieden werden, wenn die Zielvorstellung eingehalten wird: „Ziel der Partnerschaft ist die gemeinsame Beteiligung am Zeugnis und Dienst der Kirche, damit alle Menschen

gerettet werden und zur Erkenntnis der Wahrheit kommen, und viele Gott loben
und danken. In der Partnerschaft lernen Christen aus unterschiedlichen Kulturen
sich verstehen und wachsen zusammen im gemeinsamen Lobpreis ihres Herrn
(1Tim 2,4; 2Kor 9,12; Ps 96; 45, 147)."

3.5 Das II. Vatikanische Konzil suchte die Forderung partnerschaftlicher Zusammenarbeit aus der kollegialen Natur der Kirche zu begründen. Da sämtliche
Bischöfe in „kollegialer Einheit" miteinander verbunden sind und in den einzelnen Teilkirchen und aus ihnen „die eine und einzige katholische Kirche" existiert
(Lumen Gentium 23), sind Partnerschaft und Verantwortlichkeit der Kirchen füreinander theologisch gefordert. Die Bischöfe als Vorsteher und Hirten von Teilkirchen sind, insofern sie gleichzeitig Glieder des Bischofskollegiums und rechtmäßige Nachfolger der Apostel sind, „aufgrund von Christi Stiftung und Vorschrift"
zur Sorge für die Gesamtkirche gehalten (ebd. 24). So wird Partnerschaft zu Mit-
verantwortlichkeit im weitesten Sinn. Der Unterschied zwischen gebenden und
empfangenden, alten und jungen, reichen und armen Kirchen ist grundsätzlich
aufgehoben; alle teilen von dem ihnen eigenen Reichtum mit. Alle haben - in den
ökumenischen Konzilien, in den Bischofssynoden, in den leitenden Gremien der
Kirche, in der Verantwortung für die Gesamtkirche - gleiche Rechte und gleiche
Pflichten. Partikuläre Partnerschaften von Gruppe zu Gruppe, Gemeinde zu Gemeinde, Diözese zu Diözese, Land zu Land, Missionsgesellschaften zu „Missions-
bischöfen" usw. haben ihren Sinn, soweit sie dem Ganzen dienen.

3.6 Die deutliche Heraushebung des Bischofsamtes im II. Vatikanischen
Konzil hatte auch Folgen für das Verhältnis der → Missionsgesellschaften zu den
Bischöfen der jungen Kirchen. An die Stelle des „Ius Commissionis" trat das
„Mandatum", d.h., der auf die Hilfe von Missionsgesellschaften angewiesene Bischof lädt diese zur Mitarbeit ein und regelt durch einen Vertrag das gegenseitige
Verhältnis. Innerhalb der einzelnen Orden gibt es immer noch eine Vielfalt struktureller Beziehungen, aber das Prinzip der vollen Gleichberechtigung aller einzelnen Mitglieder und der Verantwortlichkeit der einzelnen Ordensprovinzen füreinander gilt allgemein. In dem Maße, in dem auch die Mitglieder junger Kirchen
am missionarischen Auftrag ihrer Ordensgemeinschaften teilnehmen und selber in
der zentralen Leitung vertreten sind, schwinden Grenzen und Verschiedenheiten
und es entstehen Gemeinschaften, die über Unterschiedlichkeiten und Herkunft
hinweg dem einen und gemeinsamen missionarischen Auftrag dienen.

Lit.: Chancen und Grenzen von Partnerschaftsprogrammen (Texte zum kirchlichen Entwicklungsdienst 36), 1986. - *Freytag, W.*, Der große Auftrag. Weltkrise und Weltmission
im Spiegel der Whitby-Konferenz des Internationalen Missionsrates, 1948. - Keine Ein-
bahnstraßen. Von der Westmission zur Weltmission, hg. v. H. J. Margull und J. Freytag,
1973. - *Lindquist, I.*, Partners in Mission, 1982. - *Merker, H.*, Partnerschaft statt Paten-
schaft. Chancen und Grenzen von Partnerschaftsprogrammen und Direktkontakten, gd-
Dritte Welt Information, 718, 1986. - *Müller-Krüger,T.* (Hrsg.), In sechs Kontinenten. Dokumente der Weltmissionskonferenz 1963, 1964. - *Nababan, S. A. E.*, Zusammenwachsen
zu mündiger Partnerschaft, in: ZM 9, 1983, 69-71. - Ökumenische Partnerschaft. Ein Ar-
beitspapier des Amtes für Mission und Ökumene der Evangelischen Kirche in Hessen und
Nassau, 1985. - *Rakotoarimanana, V.*, CEVAA - A Response to the Gospel's Demands,

in: IRM 62, 1973, 407-414. - *Rosenkranz, G.*, Die christliche Mission, 1977. - *Schekatz, H.*, Learning the Meaning of Partnership, in: IRM 62, 1973, 415-424.

G. Menzel / K. Müller (3.5, 3.6)

PAULUS

1. Berufung zum „Apostel der Heiden". 2. Missionsreisen des Paulus. 3. Missionsverständnis und Missionspraxis. 4. Verkündigung von der Rechtfertigung aus Glauben.

1. Anfang des 1. Jahrhunderts wurde Paulus als Sohn eines Diasporajuden in Tarsus, der Hauptstadt der römischen Provinz Kilikien in Kleinasien, geboren. Seiner Herkunft nach gehört er damit sowohl dem jüdischen als auch dem griechisch-römischen Lebenskreis an. Beide Bereiche haben ihn stark beeinflußt, wenngleich ihn die jüdische Gesetzesschule des Jerusalemer Rabbinats (Gamaliel, Apg 22,3) in seiner Jugend besonders geprägt hat (vgl. Phil 3,5; Gal 1,14).

Zur entscheidenden Lebenswende wurde für ihn die Begegnung mit dem auferstandenen Christus vor Damaskus (etwa 33 nChr). Aus dem die Kirche verfolgenden „Saulus" (Apg 9,1; Gal 1,13) wird der engagierte Verkünder des Evangeliums: Paulus - der Apostel Jesu Christi. Autobiographisch kommt er Gal 1,15-16 auf die sein Leben verändernde Berufung zu sprechen: „Als es aber dem gefiel, der mich von meiner Mutter Schoß her ausgesondert und durch seine Gnade berufen hat, mir seinen Sohn zu offenbaren, damit ich ihn unter den Heiden verkündige ..." Mit deutlichem Anklang an die Berufungstopik der alttestamentlichen Propheten (Jer 1,4f) führt Paulus seine Berufung auf Gott selbst zurück. Wahrscheinlich nimmt er auch bewußt auf die Rolle des Gottesknechtes Bezug (freilich ohne Jes 53): „Es ist zu wenig, daß du mein Knecht bist, nur um die Stämme Jakobs wieder aufzurichten und die Verschonten Israels heimzuführen. Ich mache dich zum Licht für die Völker, damit mein Heil bis an das Ende der Erde reicht" (Jes 49,6). (Dieses Wort wird in Apg 13,47 durchaus sachgemäß auf die Sendung des Paulus und Barnabas angewandt.) Paulus sieht in seiner Berufung Gottes Heilswillen am Werk, der über Israel hinaus auf die Völkerwelt gerichtet bleibt. Daher umfaßt die Gnade Gottes als seine berufende Gnade (1Kor 15,10) auch das Wirken des Apostels, durch das Gottes Heil unter den Menschen verkündet und vermittelt wird.

Die Hauptsache, von der Paulus in Gal 1,15f sprechen will, ist die *Offenbarung*, die ihm von Gott zuteil geworden ist (die im Zusammenhang dieser Textstelle auch seine Distanz zu vorgegebenen menschlichen Autoritäten begründet). Gott hat sich dem „Eiferer" Paulus so einschneidend zugewandt, daß er in Jesus den Sohn Gottes erkennt. Die entsprechende Kurzformulierung in V. 16 („seinen Sohn mir zu offenbaren") läßt keinen Zweifel daran, daß diese Erkenntnis Gnade ist, also über die rationalen Möglichkeiten des schlußfolgernden Denkens eines Schriftgelehrten hinausgeht. Die Erkenntnis von Jesus als dem Sohn Gottes wird zum Inhalt seiner Verkündigung (Kim, Dietzfelbinger). Zwischen Offenbarung und Sendung ergibt sich so ein Begründungsverhältnis, durch das er sich gebunden und in Pflicht genommen weiß: „Wenn ich das Evangelium verkünde, kann ich mich deswegen nicht rühmen denn ein Zwang (ananke) liegt auf mir" (1Kor 9,16).

2. Als berufener Apostel war Paulus vorzugsweise missionarischer Verkünder des Evangeliums, wenngleich seine apostolische Sendung darüber hinaus auch die Sorge um das Feststehen der Gemeinden im Glauben umfaßt, wofür ja gerade seine Briefe einschlägige Zeugnisse sind.

Von der Missionstätigkeit des Paulus bietet uns die Apostelgeschichte einen zusammenhängenden Eindruck. Danach ergibt sich das Bild von den drei Missionsreisen des Paulus, die jeweils ihren Ausgang vom syrischen Antiochien nehmen. Die erste führt ihn - zusammen mit Barnabas - nach Zypern und weiter nach dem südlichen Kleinasien in die Provinzen Pisidien und Lykaonien. Von der ersten heben sich die zweite und dritte Missionsreise deutlich ab. 15,1-35 berichtet über die Probleme, die sich durch die beschneidungsfreie Heidenmission des Paulus in der Gemeinde von Antiochien ergaben, und die Lösung dieser Probleme auf dem „Apostelkonzil" in Jerusalem. Dieses zweifellos wichtige und den weiteren Weg der urchristlichen Missionsbewegung entscheidend bestimmende Ereignis einer Zusammenkunft der führenden Männer des Urchristentums hat Lukas seiner Bedeutung nach richtig eingeschätzt und zur Grundlage der beiden großen Missionsreisen des Paulus (15,36-18,22 und 18,23-21,17) gemacht. Die zweite Reise führt ihn zunächst (wohl auf dem Landweg) nach Kleinasien über Derbe und Lystra und „durch Phrygien und das galatische Land" bis nach Troas, um von dort aus auf besondere Veranlassung durch den „Geist Jesu" und aufgrund einer nächtlichen Erscheinung des Mazedoniers nach Griechenland zu reisen. Dort ergibt sich eine wechselvolle, aber insgesamt sehr fruchtbare Tätigkeit. An allen wichtigen Orten gelingt es ihm, Gemeinden zu gründen: Philippi, Thessalonich, Beröa, Athen (mit bemerkenswert geringerem Erfolg) und vor allem Korinth, wo er anderthalb Jahre bleibt. Die Rückkehr erfolgt auf dem Seeweg von Kenchreä aus über Ephesus, wo er gleichsam nur kurz seinen baldigen Missionsbesuch ankündigt, nach Cäsarea und Antiochien. Die dritte Reise läßt Lukas sogleich nach einem kurzen Aufenthalt in Antiochien anschließen: Er durchwandert das galatische Land und Phrygien und gelangt nach Ephesus, wo er zweieinhalb Jahre bleibt und in der Form von regelmäßigen Lehrunterweisungen („täglich im Lehrsaal des Tyrannus", 19,9) ein Missionszentrum für die Provinz Asia errichtet. In enigmatischer Kürze berichtet Apg 20,1-3 sodann von seiner Reise nach Mazedonien und Griechenland, näherhin wohl Korinth, wo er drei Monate bleibt. Danach tritt er den Rückweg über Mazedonien, Troas und Milet nach Cäsarea an dieser Weg endet mit seiner Gefangennahme in Jerusalem.

Die Darstellung des Lukas vom Missionswirken des Paulus folgt einem bestimmten Plan, nach dem das Wort Gottes seinen Lauf durch die Oikoumene nehmen sollte - mit maßgeblicher Hilfe des großen Heidenmissionars Paulus (vgl. Apg 20,24). So sehr dieser Plan die Anlage der Apostelgeschichte bestimmt, so daß auch die Einzelschilderungen der Gesamtanlage zugeordnet werden, so wenig ist daran zu zweifeln, daß Lukas im wesentlichen geschichtsgetreu arbeitet. (Die Zuverlässigkeit des Lukas in der Darstellung der urchristlichen Geschichte ist größer als aufgrund der theologischen Zielsetzung seines Doppelwerkes oft angenommen wurde. Lukas stützt sich auf Traditionen und Quellen, die auch für das Detail seiner Darstellung vielfach Authentizität beanspruchen läßt (Hengel, Roloff, Schneider). Die Folge der drei Missionsreisen wie auch die Angaben über den Aufenthalt des Paulus an den einzelnen Orten bieten nach wie vor auch für die historisch-kritische Rückfrage nach dem „wahren" Bild seiner Missionstätigkeit einen brauchbaren Geschehensrahmen, mit dem sich die Nachrichten aus den Briefen des Apostels oft mühelos verbinden lassen. Gestützt wird die Zuverlässigkeit der Angaben nicht zuletzt auch durch eine synchronische Zuordnung einzelner Daten aus der Profangeschichte. Hierzu ist besonders auf die Bedeutung einer in Delphi aufgefundenen Inschrift zu verweisen, die eine Errechnung des korinthischen Aufenthalts des Apg 18,12-17 erwähnten Prokonsul Gallio ermöglicht (Barrett). Diese Angaben erlauben auch eine annähernde Datierung der Reisen und Aufenthalte des Paulus. Danach kommen wir für die Hauptzeit seines Missionwirkens, die sich nach der Darstellung der Apostelgeschichte auf die zweite und dritte Missionsreise bezieht, auf die Jahre 49-58. In diese Zeit fällt auch die Abfassung der authentischen Paulusbriefe: 1Thess - etwa 50 nChr., Phlm, Phil, 1 und 2Kor, Gal - etwa 55-57, Röm - im Winterhalbjahr 57/58 von Korinth aus (vgl. Apg 20,2f). Das missionarische Wirken des Paulus auf seinen Wegen durch die Oikoumene hat dem christlichen Glauben in entscheidender Weise zu geschichtlicher Wirkung verholfen (Biser, Hunzinger, Kallis, Ben-Chorin). In seinem beispiellosen Einsatz für die Verkündigung des Evangeliums unter den Heiden wurde er zum Vorbild für christliche Mission schlechthin (Haas).

3. Paulus ist im Urchristentum nicht der erste Missionar; er lernte das Urchristentum als Missionsbewegung kennen, er wurde ihr Mitträger von Antiochien aus (Apg 13,1-3) und konnte sich die anfänglichen Missionserfahrungen dienstbar machen, als er nach dem „Apostelkonzil" die Mission in größerer Unabhängigkeit von Antiochien durchführte. Hatte er anfangs zusammen mit Barnabas im Bereich des hellenistischen Judenchristentums die Heidenmission bereits als theologische Möglichkeit und Notwendigkeit kennen und praktizieren gelernt, nämlich als Sammlung des eschatologischen Gottesvolkes für den Kyrios in universaler Ausrichtung auch über Israel auf die Heidenwelt hinausgreifend, so gewinnt eben diese universale Bestimmung des Gottesvolkes in der Folgezeit eine radikalere Ausprägung. Aus dieser Israel-bestimmten Perspektive versteht sich die Verwendung des Wortes „ethne = Heiden" bei Paulus. Die Benennung der Nichtjuden bzw. Nichtchristen als → „Heiden" hat natürlich nichts „Diffamierendes" an sich, wie bei der Verwendung dieses Wortes im heutigen Sprachgebrauch - auch in der Missionswissenschaft - gelegentlich befürchtet wird (Dabelstein). Er begnügt sich nicht mit den Heiden im Umkreis der Synagoge (wenngleich die Proselyten für seine Missionspraxis eine starke Brückenfunktion haben), sondern er wendet sich den Zentren der Heidenwelt, d.h. den Städten und regionalen Mittelpunkten, zu und sucht in ihnen Christengemeinden als neue Zentren des universalen Gottesvolkes zu gründen. Sein Ziel ist anspruchsvoller als es noch das der missionierenden Gemeinde von Antiochien war: Er will über Kleinasien und Griechenland hinaus nach Rom und, wenn möglich, bis nach Spanien. In Röm 15,23f erklärt er hierzu: „Jetzt aber, da ich in diesen Gebieten kein (neues) Arbeitsfeld mehr habe, seit mehreren Jahren jedoch mich danach sehne, zu euch zu

kommen, wenn ich nach Spanien reise ...". Der Ausblick auf Rom und Spanien, den er hier bemerkenswerterweise mit dem Rückblick auf seine bisherige Missionsarbeit im Osten des Mittelmeerraumes („von Jerusalem aus ringsum bis nach Illyrien", 15,19) verbindet, ist nicht von einer betriebsamen Rastlosigkeit eines Eiferers bestimmt, sondern von der Mitte seines Evangeliums her. Paulus hat die Oikoumene im Blick, weil er sich als der Botschafter Jesu Christi dazu berufen weiß, ihn als den Kyrios der Welt zu verkündigen und seinem im Evangelium ergehenden Anspruch Geltung zu verschaffen. Im Evangelium des Apostels greift Gott über Israel hinaus und läßt jetzt schon unter den zum eschatologischen Heil berufenen Völkern seine heilschaffende Macht im Zeichen seines gekreuzigten und auferweckten Sohnes wirksam werden. Der Weg des Evangeliums durch die Welt wird so zum „Triumphzug" Gottes, in dem er seinen Apostel als Gefangenen mitführt, damit er bei seinem Dienst „Christi Wohlgeruch" sei „für Gott unter denen, die gerettet werden ..." (2Kor 2,14f). Das Evangelium ist Botschaft für die Welt - über Israel hinaus, und Paulus ist als sein berufener Verkündiger von diesem eschatologischen Heilswerk ganz in Anspruch genommen. „Weltmission" im besten Sinne des Wortes - als die Oikoumene durchdringende Verkündigung vom Heil in Jesus Christus - wurde von Paulus praktiziert und hat durch ihn ihre unverwechselbare theologische Begründung erhalten. Hierzu konnte er sich auf die Vorgaben des alttestamentlichen Motivs der endzeitlichen Völkerwallfahrt zum Zion (Jes 2,1-5; Mi 4,1-3; vgl. Jes 51,4) und der geistgewirkten Öffnung der zunächst judenchristlichen Gemeinde der Anfangszeit stützen. Für ihn ist es freilich bemerkenswert, daß er die Sammlung der Völker am Zion nicht einer ferneren Endgeschichte überläßt, sondern sie in der Gegenwart schon durch die universale Verkündigung des Evangeliums vorbereitet und in der Ekklesia Gottes aus Juden und Heiden proleptisch realisiert sieht. Mit guten Gründen läßt sich auch das Kollektenwerk für die „Heiligen in Jerusalem" in diese Sicht von der voweggenommenen Sammlung der Völker am Sion einbeziehen. Die Reise nach Jerusalem (Röm 15,25-27, vgl. Apg 20-21) ist so „ein Zeichen für das eschatologische Dankopfer der Heiden und die Völkerwallfahrt nach dem Zion. Aber eben doch nur ein Zeichen ..." (Hahn). Insbesondere sieht er darin eine Abstattung der Schuld der Heiden an die judenchristliche Urgemeinde, weil sie auch an „ihren geistlichen Gütern Anteil erhalten haben". Die ab 1,16 im ganzen Römerbrief durchgehaltene heilsgeschichtliche Priorität der Juden bzw. Israels verbindet sich für Paulus auch mit der Vorrangstellung der Jerusalemer Urgemeinde, wenngleich sich die Israel gegebene Verheißung endgültig in der eschatologischen Rettung von „ganz Israel" realisiert (11,25f).

Damit wird deutlich, daß die von Paulus entwickelte theologische Konzeption der Heidenmission heilsgeschichtlich umschlossen bleibt von der an Israel ergangenen Verheißung und ihrer eschatologischen Realisierung, die das Volk der Verheißung mit den Völkern zusammenschließt, die aber auch für die Gegenwart schon eine im Glauben an Jesus Christus begründete universale Heilsgemeinde ermöglicht. Ihr konstitutives Zeichen ist daher ihre Offenheit zu den heilsbedürftigen Völkern in der Welt und zu Israel hin, dessen Weg zum Heil trotz einstweiliger Selbstverschließung nicht aussichtslos ist, sondern von der Verheißungsgnade Gottes umfangen bleibt.

Zur *Missionspraxis* des Apostels Paulus gehört daher die Gründung von Gemeinden. Diese verstehen sich nach Paulus nicht einfach nur als gesellschaftlicher Zusammenschluß von Gleichgesinnten, auch nicht nur als hilfreiche Stützpunkte der weiteren Missionstätigkeit (was sie sicher waren, vgl. Phil 1,5; 4,10-19; Röm 15,24), sondern als Vorposten der jetzt schon in Geltung gesetzten „neuen Schöpfung". „Wenn also jemand in Christus ist, dann ist er neue Schöpfung: Das Alte ist vergangen, Neues ist geworden" (2Kor 5,17). Das Missionswerk des Paulus ist eschatologisch motiviert und orientiert. Er teilt die urchristliche Naherwartung der Parusie Christi, und dadurch wird Mission „dringlich" (Zeller). Dennoch bleibt eine Zeit bis zum Ende, um die Gemeinden „für die Begegnung mit dem wiederkommenden Christus zuzurüsten" (ebd.). Die Parusieerwartung motiviert also nicht die scheinbare Eile und Rastlosigkeit des Missionars Paulus - etwa mit der Aussicht, daß „das Maß der Ausbreitung über den Anbruch des Heils" entscheidet (Wiefel), sondern die Hinordnung der Gemeinden auf den kommenden Christus und ihre Einübung in die christliche Grundhaltung der Hoffnung auf die Vollendung des im Evangelium begründeten und anfanghaft schon realisierten Heiles. Die „zusammengedrängte, knapp bemessene" (Balz) Zeit, als welche Paulus die Gegenwart begreift (1Kor 7,29, vgl. Röm 13,11; Phil 4,5), fordert „die Konzentration auf das Wesentliche" (ebd.). Die Endzeit und ihre Anforderungen läßt Paulus die Bedeutung von „Kirche" in der Gegenwart nicht übersehen.

Die eschatologische Neuheit, die die Glaubenden in der Taufe gewonnen haben, schließt sie zum „Leib Christi" zusammen (1Kor 12,27), sie befähigt sie zugleich zu einem „neuen Lebenswandel" (Röm 6,4), der inspiriert ist von der „Liebe Christi" (2Kor 5,14).

Paulus weiß sich den von ihm gegründeten Gemeinden auch über die Gründungszeit hinaus als ihr „Vater" verpflichtet: 1Kor 4,14f. „Darum ermahne ich euch: Ahmt mein Beispiel nach!" Lehre und Leben des Apostels werden zum orientierenden Maßstab für die Gemeinden. Er beläßt sie dadurch nicht in Abhängigkeit und Unmündigkeit. Im Gegenteil, er traut ihnen zu, daß sie dank des in ihnen wirkenden Geistes in der Lage sind, selbst ihre Angelegenheiten, vor allem die Fragen des Gemeinschaftslebens, zu regeln. Realistisch gesehen könnte man urteilen, Paulus habe seine Gemeinden in dieser Hinsicht - zumindest zum Teil - überschätzt. Wenn sie sich über die Anfangszeit hinaus gehalten haben, dann nur deswegen, weil sie bald schon in der nachapostolischen Zeit den Gemeindeämtern ein stärkeres Profil gegeben haben. Hierfür wäre besonders auf Eph 4,7-16 sowie das Presbyteramt in den Pastoralbriefen (und in Apg 14,23; 20,17-35) zu verweisen. Dennoch bleibt das Prinzip des Geistwirkens, auf das Paulus aus theologischen Gründen (weniger aus kirchenrechtlichen) gesetzt hat, auch für die Kirche der Folgezeit grundlegend und kennzeichnend.

4. Im Mittelpunkt der paulinischen Verkündigung steht Jesus Christus als der Gekreuzigte und Auferstandene. Wo Paulus wie in 1Kor 2,2 die Wirklichkeit des Gekreuzigten - aus gegebenem Anlaß - besonders betont, ist die Auferwekkung des Gekreuzigten entsprechend dem urchristlichen Glaubensbekenntnis (vgl. 1Kor 15,3-5) die selbstverständliche und notwendige Voraussetzung, um theologisch sachgemäß über das Kreuzesgeschehen zu sprechen. Das Kreuz Jesu Christi wird für Paulus so zum Inbegriff des von Gott geschenkten Heiles, das der sündige Mensch nicht anders erlangt als durch den „Glaubensgehorsam" (Röm 1,5), und zwar Juden wie Heiden (1,16f).

Eben diese grundlegende Bedeutung des Kreuzestodes bzw. von Tod und Auferstehung Christi als Ort und Mittel der Heilsgabe Gottes reflektiert Paulus am stärksten in seiner „Rechtfertigungslehre", wobei die Eigenart dieser „Lehre" als theologisch reflektiertes Verkündigungswort zu beachten ist. Die Rechtfertigungsterminologie und -vorstellung, die ihm aus dem AT und der Überlieferung des Judentums schon in soteriologischer Verwendung vorgegeben waren, erlaubten es, das Heilsgeschehen im Modell des Bundesverhältnisses zwischen Gott und seinem Volk darzustellen (Kertelge, Art.). Stellen wie 2Kor 5,21; Röm 5,3.25-26 lassen in ihrer Rede von der „Gerechtigkeit Gottes", d.h. von dem Recht schaffenden Handeln Gottes an den Sündern, diesen Zusammenhang gut erkennen. Paulus vertieft diese Anschauung allerdings in doppelter Hinsicht: Selbstverständlich ist die sündenvergebende Gnade Gottes in und durch die Sühne Jesu Christi vermittelt, aber die Sühne Christi wirkt *durch den Glauben*", so daß jeder, der glaubend die Sühne Christi annimmt, die Gerechtigkeit Gottes als neuschaffendes Geschehen erfährt. Der Glaube, der Jesus Christus als Grund für das Heilshandeln Gottes annimmt, bedarf der „Werke des Gesetzes" nicht mehr. Da die Gesetzeswerke von judenchristlichen Gegnern des Paulus in den galatischen Gemeinden den Heidenchristen als (zusätzliche) Heilsbedingung vorgestellt wurden, kommt Paulus zur antithetischen Formulierung seiner Heilsverkündigung: „... damit wir aus Glauben an Christus gerechtfertigt würden und nicht aus Werken des Gesetzes" (Gal 2,16, vgl. Röm 3,28). So wird dem Glaubenden sein Glaube zur Gerechtigkeit angerechnet - aus Gnade und nicht nach Verdienst, wie auch schon dem glaubenden Abraham von Gott geschehen war (Gen 15,6 in Röm 4,3; Gal 4,6). Ist das Heil daher die unverdiente und unverdienbare Tat Gottes an den Sündern, die zum Glauben gelangen, dann erweist sich das Christusgeschehen, in dem die Tat Gottes ihren geschichtlichen Grund und Ort hat, als Ermöglichung des Heiles Gottes für *alle*. Die „Voraussetzung" für die Erlangung dieses Heiles ist daher das Sünder-Sein von Juden und Heiden. Darin sind alle zusammengeschlossen, damit alle aus Gnade gerettet werden. Die *Universalität* des Heiles, die Paulus in seinem Missionsprogramm, auch gegen gewisse Einwendungen und Widerstände vertreten hat, hat ihren letzten Grund im biblischen Gottesgedanken (vgl. Röm 3,29f), und sie hat ihre theologische Sicherung in seiner Rechtfertigungslehre gefunden.

Lit.: *Balz, H.*, Art. systello, in: Exegetisches Wörterbuch zum Neuen Testament III, 1983, 750. - *Barrett, C. K.*, Die Umwelt des Neuen Testaments (WUNT 4), 1959. - *Biser, E./Hunzinger, C. H./Kallis, A./Ben-Chorin, S.*, Paulus - Wegbereiter des Christentums. Zur Aktualität des Völkerapostels aus ökumenischer Sicht, 1984. - *Bornkamm, G.*, Paulus, [5]1983. - *Bussmann, C.*, Themen der paulinischen Missionspredigt auf dem Hintergrund der spätjüdisch-hellenistischen Missionsliteratur (EHS.T 3), 1971. - *Dabelstein, R.*, Die Beurteilung der Heiden bei Paulus (BBE 14), 1981. - *Dibelius, M.*, Paulus (SG 1160), [4]1970. - *Dietzfelbinger, C.*, Die Berufung des Paulus als Ursprung seiner Theologie (WMANT 58), 1985. - *Haas, O.*, Paulus der Missionar: Ziel, Grundsätze und Methoden der Missionstätigkeit des Apostels Paulus nach seinen eigenen Aussagen (MüSt 11), 1971. - *Hahn, F.*, Das Verständnis der Mission im Neuen Testament (WMANT 13), 1965. - *Hengel, M.*, Zur christlichen Geschichtsschreibung, 1979. - *Kertelge, K.*, Art. dikaiosyne, in: Exegetisches Wörterbuch des Neuen Testaments I, 1980, 784-796. - *Ders.*, Art. dikaioo, in: EWNT I, 796-807. - *Ders.*, „Rechtfertigung" bei Paulus. Studien zur Struktur und zum Bedeutungsgehalt des paulinischen Rechtfertigungsbegriffs (NTA N.F. 3), ²1971. - *Kim, S.*, The Origin of Paul's Gospel (WUNT 2. Reihe 4), 1981. - *Kuss, O.*, Paulus. Die Rolle des Apostels in der theologischen Entwicklung der Urkirche (Auslegung und Verkündigung III), 1971. - *Lüdemann, G.*, Paulus, der Heidenapostel I: Studien zur Chronologie (FRLANT 123), 1980. - *Oepke, A.*, Die Missionspredigt des Apostels Paulus. Eine biblisch-theologische und religionsgeschichtliche Untersuchung (MWF 2), 1920. - *Ollrog, W.-H.*, Paulus und seine Mitarbeiter. Untersuchungen zu Theorie und Praxis der paulinischen Mission (WMANT 50), 1979. - *Pratscher, W.*, Der Verzicht des Paulus auf finanziellen Unterhalt durch seine Gemeinde: Ein Aspekt seiner Missionsweise, in: NTS 25, 1979, 284-298. - *Prümm, K.*, Zum Vorgang der Heidenbekehrung nach paulinischer Sicht, in: ZKTh 84, 1962, 427-470. - *Rengstorf, K. H.* (Hrsg.), Das Paulusbild in der neueren deutschen Forschung (WdF 24), 1964. - *Rigaux, B.*, Paulus und seine Briefe. Der Stand der Forschung (BiH 2), 1964. - *Roloff, J.*, Die Apostelgeschichte (NTD 5), 1981. - *Schelkle, K. H.*, Paulus. Leben - Briefe - Theologie (EdF 152), 1981. - *Schneider, G.*, Die Apostelgeschichte (HThK VI), 1980. - *Suhl, A.*, Paulus und seine Briefe. Ein Beitrag zur paulinischen Chronologie (StNT 11), 1975. - *Wiefel, W.*, Die missionarische Eigenart des Paulus und das Problem des frühchristlichen Synkretismus, in: Kairos 17, 1975, 218-231. - *Wilckens, U.*, Die Bekehrung des Paulus als religionsgeschichtliches Problem, in: ZThK 56, 1959, 273-293. - *Zeller, D.*, Juden und Heiden in der Mission des Paulus, (FzB 8) 1973. - *Ders.*, Theologie der Mission bei Paulus, in: K. Kertelge (Hrsg.), Mission im Neuen Testament (QD 93), 1982, 164-189.

K. Kertelge

PHILIPPINISCHE THEOLOGIE

1. Spanische Periode (1521/65-1898). 2. Amerikanische Periode (1898-1946). 3. II. Vatikanisches Konzil und nachkonziliare Periode (1965-1984). 3.1 Die sechziger Jahre. 3.2 Die siebziger Jahre. 3.3 Gegenwärtige Situation.

1. Die Philippinen wurden im Jahr 1521 von Magellan „entdeckt". Die erste spanische Daueransiedlung in Manila erfolgte unter Legazpi im Jahre 1565. So ergab es sich, daß der „erste theologische Horizont" der Kirche in der spanischen Kolonialzeit derjenige der „Gegenreformation" war. Die christliche Glaubensunterweisung war, soweit uns bekannt ist, pädagogisch ausgezeichnet, wobei aber die gegenreformatorische Weichenstellung nicht zu übersehen ist. Eine ganze Reihe von Katechismen wurde veröffentlicht. Es waren entweder einfache Übersetzungen von Bellarmin und Darstellungen, die von seinem methodischen Ansatz ausgingen. Andachtsbücher (Novenenbüchlein, Predigtsammlungen) spiegeln „implizit" die gleiche theologische Gedankenführung wider. Von großer Bedeutung unter den katechetischen Schriften und den Andachtsbüchern ist das *Pasyong Mahal*, eine epische Darstellung der ganzen biblischen Geschichte in Versmaß, jedoch mit besonderer Betonung des Leidens und Todes Christi. Hiervon gibt es mehrere Versionen in verschiedenen Dialekten. Das Pasyong macht reichlich Gebrauch von Symbolen und Erzählungen, um die christliche Lehre zu vermitteln. Es stellt das Leiden und den Tod Christi als wesentliche Schlüsselereignisse für die Ausrichtung des christlichen Lebens heraus.

Im allgemeinen konzentrierte sich die theologische Literatur der spanischen Kolonialzeit auf positive Darlegung des Evangeliums und der kirchlichen Lehre, sei es in katechetischen Werken, Predigten, Andachtsbüchern oder Moraltraktaten. Apologetische Darstellungen gab es nur wenige (A. Lopez SJ macht eine rühmliche Ausnahme). Das änderte sich erst im 20. Jahrhundert. In seiner „History of the Church in the Philippines" (418-425) bietet P. Fernandez einen ziemlich vollständigen Überblick, der auch „mehr formale theologische Werke" einschließt.

Zu erwähnen ist der Einfluß der Schule von Salamance (Francisco de Vitoria OP) und ihre Stellungnahme zur Kolonisierung und ihren Folgeerscheinungen. Dies wird besonders deutlich im Lebenswerk von Bischof Domingo Salazar OP und der Synode von Manila, die von 1582 bis 1586 tagte.

2. In den Seminarien (Sto. Tomas, San José u.a.) benutzte man weiterhin lateinische Lehrbücher und Texte, meistens römischer oder spanischer Herkunft. Die englischen Textbücher sind weitgehend Übersetzungen und Zusammenfassungen von „klassischen" scholastischen Lehrbüchern, die religiöse Broschürenproduktion hält sich, in verkleinertem Maßstab, ans Vorbild des volkstümlichen Schriftenapostolats, das sich in der Kirche der USA sehr starker Verbreitung erfreut.

Apologetische Werke nehmen an Anzahl erheblich zu. Sie sind eine Reflexion über die kirchlichen Anliegen der USA und bieten Antworten auf Entwürfe des „modernen" Zeitgeistes und des wissenschaftlichen Fortschritts (vgl. z.B. Rev. MacCarthy und später Rev. John P. Delaney an der Universität of the Philippines).

Neu ist auch, daß man der christlich-katholischen Soziallehre mehr Bedeutung zuerkennt (z.B. am Ateneo von Manila, in der Arbeit von Rev. Joseph A. Mulry, seitens der Chesterton Evidencde Guild, in der katholischen Stunde im Rundfunk, im Katechismus zur katholischen Soziallehre). Die Zeitschrift *Cultural Social*, veröffentlicht von Jesuiten, wurde zum aktuellen Sprachrohr für diese Art von Schrifttum. Damit übte man ziemlichen Einfluß aus auf die Heranbildung katholischer Laien, besonders auf der Ebene politischer Verantwortung. So trifft man später auf Leute wie Soc Rodrigo, Manny Manahan, Raul Manglapus, u.a.

Schließlich stoßen wir auch auf philippinische Schriftsteller, die sich katholische philosophische und theologische Themen zu eigen machen (z.B. Horacio de la Costa SJ, vor allem seine volkstümlichen Artikel in der Zeitschrift *Commonweal*).

3.1 Das II. Vatikanische Konzil (→ Vaticanum II) hat ohne allen Zweifel „die Dinge in Bewegung gebracht". Doch fürs erste spürte man lediglich ein recht zögerndes „Auftauen" des theologischen Klimas. Im Juli 1965 liest man in einem Leitartikel einer Sondernummer der *Philippine Studies*:

„Nicht einmal dem derzeitigen ökumenischen Konzil, das bereits so viel bemerkenswerten theologischen Auftrieb in den meisten Ländern verursacht hat, ist es gelungen, in unserer katholischen Volksgemeinschaft ein theologisches Erwachen hervorzurufen. Die Erscheinung eines theologischen Werkes ... ist leider eine wirkliche Seltenheit auf den hiesigen Veröffentlichungslisten. Es gibt einfach keine nennenswerte Nachfrage für solche Erscheinungen in unserm Land; und die

Theologen, die wir aus unserer Mitte aufzählen mögen, wenden sich gewöhnlich nur an die Studenten in unseren Priesterseminarien und sind gewöhnlich so verwickelt in Verwaltungs- und Seelsorgsaufgaben, daß sie einfach nicht die Zeit haben, um sich ihrer beruflichen Sonderaufgabe ernstlich widmen zu können. Und so wird eben in unserm Land keine theologische Arbeit von nennenswerter und universell beachtlicher Qualität geleistet, - oder - falls es derartig gute Arbeit gibt, dann verhindert die allgemeine Interessenlosigkeit, daß sie rechtzeitig dem weiteren Publikum zur Kenntnis gebracht wird."

Auch für den protestantischen Bereich verzeichnet R. Tano (Theology in the Philippine Setting, 10-12) einen allgemeinen Mangel an theologischem Schrifttum, verursacht durch stets neue unmittelbare Belange (Seelsorge, kirchliche Organisation) und durch eine gewisse Distanz von der öffentlichen Verantwortung in sozialen, politischen und ähnlichen Angelegenheiten.

Doch die Bewegung, die vom II. Vatikanischen Konzil ausgelöst wurde, gewann allmählich an Boden und Dynamik. Maßgebend dafür waren Erneuerungsprogramme sowohl für Priester als auch für Ordensschwestern, sowie Vorlesungsreihen für das weitere Publikum. Einen guten Teil dieser Programme bildeten Kommentare zum II. Vatikanischen Konzil. Doch im Zusammenhang damit machten sich Tendenzen zeitgenössischer europäischer Philosophie und Theologie bemerkbar. Besonders begann „liberale europäische Theologie" die theologische Landschaft auf den Philippinen zu beeinflussen.

Immerhin, diese Konferenzen und Vortragsserien befaßten sich auch mit Angelegenheiten, die an Ort und Stelle von Bedeutung waren und großes Interesse auslösten. Man konnte jetzt von einem gewissen „Erwachen" auf dem theologischen Plan sprechen.

Zuerst gibt es Versuche, die Forschungsweise und Forschungsergebnisse der Gesellschaftswissenschaften zur Theologie in Beziehung zu bringen (z.B. bei F. Lynch SJ und H. de la Costa SJ). Andere „übersetzen oder transponieren" neuere, vor allem „liberale" westliche Theologie auf die religionspädagogischen Gegebenheiten im eigenen Lande. Gute Beispiele dafür bieten V. Gorospe und R. Deats in ihrer Arbeit „The Filipino in the Seventies: An Ecumenical Perspective". Unter den protestantischen Theologen der sechziger und siebziger Jahre ragt Dr. Emerito Nacpil als ausdrucksvollster und imposantester theologischer Schriftsteller heraus.

Wir erwähnen in diesem Zusammenhang, was man als „historische Theologie" bezeichnen kann. Dabei handelt es sich um theologische Reflexion über dieses oder jenes Ereignis, diese oder jene Bewegung, entweder in der Landesgeschichte oder der Kirchengeschichte der Philippinen, oder über Gegebenheiten, denen soziologische und anthropologische Forschung gewidmet wird. Erwähnenswert sind in diesem Zusammenhang folgende Studien: (1) die grundlegende Arbeit von H. de la Costa SJ in philippinischer Kirchengeschichte, besonders seine Studien über den philippinischen Klerus, weitergeführt und ausgeweitet von J. Schumacher SJ; (2) G. Andersons Forschungsarbeit über philippinische Kirchengeschichte; (3) des Jesuiten P. de Achutegui umfangreiche Bände über Aglipay; (4) die Studien von J. Sanders, J. J. Kavanagh und Elesterio unter dem Titel „Iglesai ni Kristo"; (5) D. Elwoods Arbeiten zur Christologie; (6) die Forschungen von V.

Marasigan SJ über Volksfrömmigkeit und volkstümlichen Katholizismus. Andere geschichtstheologische Arbeiten warten bis jetzt noch auf Veröffentlichung, vergraben in Stapeln von Dissertationen in Seminarien und Universitäten. Ein Überblick über dieses jetzt weit verzweigte Literaturfeld kann leider zur Zeit nicht erstellt werden.

Die Grundstruktur, die bei solchen Dissertationen angewandt wird, ist ungefähr die folgende: man verfolgt zuerst ein spezifisches gesellschaftswissenschaftliches oder geschichtliches Forschungsprojekt; man analysiert die vorliegenden Daten (z.B. die Ursachen für eine bestimmte Situation oder die Entstehung eines bestimmten Phänomens); zu guter Letzt stellt man eine theologische Reflexion an über das erarbeitete Material in der Absicht, seinen Stellenwert und seine Bedeutung im Leben und in der Geschichte der Kirche auf den Philippinen zu erfassen und einzustufen.

Ein sehr bedeutender Faktor im Auftauen des theologischen Klimas auf den Philippinen war in den sechziger Jahren die Berücksichtigung marxistisch-maoistischer Denkweise als „Dialogpartner" für theologische Reflexion. Dazu verstand man sich vor allem in bestimmten Kreisen von Aktivisten, z.B. unter Universitätsstudenten, in Bauerngruppen, in Seminarien mit sozialkritischer Ausrichtung. In der Folge der lateinamerikanischen Bischofskonferenz von Medellin (1968) begann der Einfluß der lateinamerikanischen Befreiungstheologie deutlich spürbar zu werden.

3.2 Die siebziger Jahre darf man die Spanne eines geradezu unerwarteten „Ausbruchs" theologischer Tätigkeit nennen, ein „Aufgehen ungezählter Blumen". Doch das meiste der theologischen Produktion dieser Zeit existiert leider nur auf Magnetophon-Kassetten oder in Manuskriptform oder, sofern veröffentlicht, in Sammelbänden, die systematisch schwer einzuordnen sind. Anstatt einen chronologischen Überblick zu versuchen, erscheint es uns besser, da wir es nur mit einer kurzen Zeitspanne zu tun haben, eine Anordnung nach Interessensgebieten zu wählen. Da uns keine sorgfältige Aufarbeitung des einschlägigen Materials vorliegt, mag unsere Aufschlüsselung als ziemlich grob und provisorisch angesehen werden. Auf alle Fälle darf man sagen, daß das zeitgenössische theologische Denken auf den Philippinen um drei hauptsächliche Schwerpunkte zu kreisen scheint.

• *Das Lehramt als Grundlage.* Von der „allgemein vertretenen Theologie", die sich seit dem Vaticanum II auf den Philippinen herausgebildet hat, kann man, mit viel mehr positivem als negativem Beigeschmack, sagen, daß sie sich auf das „Lehramt" beruft. Dabei geht es, im großen und ganzen, allerdings nicht um ein bloßes Nachsprechen von Lehramtstexten, sondern - vor allem in den besseren Vorträgen, Vorlesungen und Veröffentlichungen - um einen ausgesprochenen schöpferischen und vorausschauenden Gebrauch der Texte des II. Vatikanischen Konzils und anderer Lehramtsdokumente und um ihre praktische Anwendung auf die philippinische und allgemein asiatische Situation.

Die Texte der Föderation der Bischofskonferenzen Asiens (FABC) erwiesen sich als eine wirklich bereichernde Quelle für ausschlaggebendes - vielleicht sogar schlechthin entscheidenes - theologisches Denken (durchweg „pastoral und missionarisch" orientiert) sowohl für bischöfliche Stellungnahmen als auch für theologische Veröffentlichungen auf den Philippinen (wie auch in den anderen Regionen Asiens). Besonders ist hier die berühmte Schlußerklärung der Ersten Vollversammlung der FABC (Taipei, 1974) hervorzuheben. J. Kroeger ist der Auffassung, daß die philippinischen Bischöfe auf die sozialen und politischen Gegebenheiten im Sinne der „Zeichen der Zeit" antworteten. Es ging ihnen vor allem um „promotio humana", womit man die Förderung aller Aspekte der menschlichen Existenz in ihrer gesellschaftlichen Situiertheit meint, und zwar aus christlicher Glaubenssicht heraus.

„Promotio humana" ist nach Kroeger im praktischen Sendungsbewußtsein der philippinischen Kirche eine ausdrückliche neue Weichenstellung geworden. Sie bemüht sich um *integrale Evangelisierung*. „Seelsorge am ganzen Menschen" („Integralität") ist ein Schlüsselbegriff geworden, der uns den Zugang bietet zu den hauptsächlichen Anliegen der Kirche auf den Philippinen in den zwei Jahrzehnten nach dem II. Vatikanischen Konzil.

Obwohl man üblicherweise zwischen Lehramtstexten und Theologie unterscheidet, kann man dennoch sagen, daß in der philippinischen Situation die erwähnten bischöflichen Erklärungen durchaus den „Hauptstrom" der post-konziliaren philippinischen Theologie darstellen. Sie haben für das Leben und Handeln der Kirche die Gesamtausrichtung geboten gerade in solchen Belangen ihres Auftrags, die man als „neu" bezeichnen kann oder als Antwort auf die neuen Anforderungen unserer Zeit, geradezu als die „Wachstumszentren" der Geschichte sowohl auf den Philippinen als auch in Gesamtasien.

Unter den Autoren, die man als Vertreter dieser „Theologie der breiten Mitte" aufführen kann - obschon mit verschiedenen Interessen und Akzentsetzungen - sind zu erwähnen: Bischof T. Bacani, Bischof F. Claver, S. Vengco, C. G. Arevalo, A. A. Lambino, J. H. Kroeger, J. Schumacher, P. S. de Achutegui, R. Intengan, V. Gorospe, A. Balchand, F. Clark, F. gomez, G. W. Healy und andere.

Rev. Pedro Sevilla hat sich einen Namen gemacht mit der Abfassung mehrerer Lehrbücher *in philippinischer Sprache*. Bischof Leonardo Legaspi tat ähnliches für den Bereich der Ekklesiologie, Rev. Braulio Pena für die Christologie. P. C. H. Peschke SVD verfaßte einen gesamten Kursus über christliche Ethik, der sich großer Beliebtheit erfreut und über mehrere Kontinente hin verbreitet ist.

• → *Inkulturation* („Einheimisch-Machen"). Hier geht es um die Entwicklung einer *„Philippinischen Theologie"*. Man geht sehr bewußt daran, theologisches Denken neu zu verwurzeln in philippinischen Begriffen und Werten, wie man sie vor allem *in der traditionellen Kultur* vorfindet: in traditioneller Religiosität und → Volksfrömmigkeit, in traditionellen und zeitgenössischen Glaubens- und Wertungsweisen (wie sie sich in ortsgebundenen Gepflogenheiten, Handlungsweisen, volkstümlichen Sinnsprüchen und sozialen Beziehungssystemen ausdrücken) in der Struktur, den Redeweisen und dem Wortschatz der einheimischen Sprachen.

Die Methodologie, die man dabei anwendet, läßt sich etwa wie folgt formulieren: Man studiert zunächst bestimmte Lebensgewohnheiten einer Kulturform unter soziologischer und anthropologischer Rücksicht (hier sind die Arbeiten von F. Lynch, M. Hollsteiner und J. Bulatao besonders hervorzuheben). Man schreitet dann weiter, indem man eine begriffliche Systematisierung und die Hervorhebung einer gewissen „Weltanschauung" anhand der vorliegenden Gegebenheiten versucht. Daraufhin erlaubt man sich eine Gegenüberstellung der so erläuterten philippinischen Kultur mit der biblischen und dogmatischen Lehre der Kirche, um dabei Übereinstimmungen und Unterschiede festzustellen. Das angestrebte Fernziel ist die Entwicklung einer Theologie, die die spezifischen Anliegen und Akzentsetzungen der philippinischen Situation in voller Weise berücksichtigt.

Am ausführlichsten entwickelt ist auf den Philippinen die Untersuchung der Sprachformen, vor allem der Wortverwendung, Etymologie und ähnliches. Man untersucht die wichtigeren Wörter einer betreffenden Sprache (z.B. Tagalog) und fördert von daher das Verständnis der hauptsächlichsten Begriffe, Themen und Werte zutage, die Zugang bieten zum Sinn und Herzen der Filippinos. Nehmen wir z.B. den Begriff *Loob*, ein Wort, das sowohl allein als in Wortkombinationen vorkommt und so eine ganze Reihe von Bedeutungsabwandlungen ermöglicht. Dieses Wort bietet besonders reiche Ausdrucksmöglichkeiten für eine bestimmte Sichtweise vom Selbst, von sozialen Beziehungen, vom Leben, von Gesellschaft und Welt.

Theologen, die in dieser Richtung arbeiten, sind u.a. R. Villote, L. Mercado, B. Beltran, J. de Mesa, V. Gorospe, V. Marasigan, R. Ferriols, D. Miranda. Ihre Arbeitsweise zeigt Verbindungslinien mit der „geschichtlich orientierten Theologie", von der wir vorher sprachen.

• *Die „Befreiungsproblematik"*. Wie man wohl erwarten kann, ist die „Befreiungsproblematik" (→ Theologie der Befreiung) von erstrangigem Interesse, vielleicht sogar *der* hauptsächlichste Gegenstand zeitgenössischer Aufmerksamkeit. In Anbetracht der Situation der sog. „Dritten Welt", die auch durchaus auf unser Land zutrifft, und die man seit Ende der sechziger Jahre ausdrücklich ins Bewußtsein hebt, ist man bei aller ernsthaften theologischen Arbeit seitens der bereits erwähnten Autoren - natürlich mit mehr oder weniger Emphase und Intensität - das brennende Problem der → Armut von 70 % des philippinischen Volkes angegangen und sich den Fragen, die es aufwirft, gestellt.

Bischof Francisco Claver hat darauf hingewiesen, daß die philippinische Kirche bereits seit mehreren Jahrzehnten auf der Suche nach einer theologischen Stellungnahme zu den Problemen von „Armut, Entbehrung und Unterdrückung" war und daß das Erscheinen der lateinamerikanischen Befreiungstheologie (→ Lateinamerikanische Theologie) zu guter Letzt einen willkommenen begrifflichen Rahmen für die ernste Reflexion, die bereits seit einiger Zeit angelaufen war, anbot. Da gab es z.B. die weitläufige Verbreitung von marxistisch-maoistischem Denken in Intellektuellen- und Studentenkreisen, besonders in den späten sechziger Jahren, mit den Schlagworten „Imperialismus, Feudalismus, bürokratischer Kapitalismus" und seiner arteigenen Analyse der philippinischen Gesellschaft. Da konnte eine theologische Antwort nicht ausbleiben und zwar eine, die sich von lateinamerikanischer Befreiungstheologie nich allzusehr unterscheidet. Papst Paul VI. Enzyklika *Populorum progressio* (1967) wurde das Leitdokument des ersten Treffens der Bischöfe Asiens während der ersten päpstlichen Visitationsreise in Asien (1970). Sie lenkte die Aufmerksamkeit auf die Ursachen der Armut, auf Entwicklungsprobleme (→ Entwicklung) und die Verantwortung der Kirche mit ihrem Sendungsauftrag für soziale Gerechtigkeit sowohl auf den Philippinen als auch innerhalb der weltweiten internationalen Völkergemeinschaft.

Die theologische Reflexion, die sich aus dem Zusammenspiel der oben genannten und sonstiger Tendenzen ergab, kann man mit Recht als „Befreiungstheologie" einstufen, unter dem Vorbehalt, daß der Begriff hier im weiteren Sinne gebraucht wird und daß es verschiedenartige Formen dieser Theologie gibt.

Man kann eine Klassifizierung der verschiedenen „Arten von Befreiungstheologie" versuchen, indem man die Intensität und Reichweite des Einflusses „marxistischer Analyse" und „marxistischer Rezepte für die Umformung der Gesellschaft" zum Parameter wählt. Solch eine Klassifizierung wird ohne Umschweife mehrere Typen von theologischer Reflexion unterscheiden, die sich im Lauf der Zeit jeweilig auf ihre eigene Art abwandeln. Man darf darüber hinaus nicht übersehen, daß alle theologische Reflexion aus dieser Warte auf Umsetzung in die Tat ausgerichtet bleibt, d.h. daß sie auf konkreten Einsatz in Aktionsgruppen oder Bewegungen hinzielt, sogar auch auf direkte politische und revolutionäre Interventionen.

Die philippinische EATWOT-Gruppe (Ecumenical Association of Third World Theologians) und die „Christen für nationale Befreiung" (CNL) zeigen sich im großen und ganzen recht einverstanden mit der Situationsbeurteilung und den Reformvorschlägen von politischen Gruppierungen der „äußersten Linken" und der „National Democratic Front" (NDF). Die folgenden Personen vertreten diese Position: E. de la Torre, C. Abesamis, M. J. Mananzan, L. Hechanova, K. Gaspar, V. Fabella. Weil es ihnen gelungen ist, ein Netzwerk von internationalen Kontakten zu flechten, ist diese Gruppe weltweit besser bekannt als andere, und ihre Arbeiten wurden in der ganzen Welt mehr in Umlauf gebracht.

Andere theologische Autoren stützen ihre Arbeit bewußt und ausdrücklich auf die Dokumente des Lehramts (Vaticanum II, CELAM, FABC, sonstige römische Verlautbarungen). Sie suchen eifrig nach Anhaltspunkten für philippinische Christen in den Quellen der kirchlichen Soziallehre. Die Katholische Bischofskonferenz der Philippinen (BCP) hat eine Tendenz, sich öfters auf den Rat und die Darstellungen einer „mehr zentristischen" Gruppe zu stützen. Darunter sind zu nennen: Bischof F. Claver, Bischof T. Bacani, C. G. Arevalo, A. Lambino, J. Blanco.

Einen dritten Typ von Befreiungstheologie findet man in dem „einfacher gefaßten Schrifttum", das für und auf Versammlungen der Kirchlichen Basisgemeinschaften (BEC) und der Christlichen Basisgemeinschaften (BCC) verfaßt und verbreitet wird. Hier variieren die Stellungnahmen von „linksaußen" bis so etwa „halblinks". Eine genauere Einteilung der verschiedenen Positionen in den BECs und BCCs läßt sich leider nicht liefern. J. Carroll und F. Claver hoben hervor, daß die BECs und BCCs eine Spannweite aufweisen, die von „ausschließlich ritueller Orientierung" bis zum „entschiedenen sozialen und politischen Einsatz" läuft. Sehr wenig von dieser Gedankenrichtung zirkuliert in schriftlicher Form, es sei denn durch Vervielfältigung von Manuskripten. Wir haben diesen Sektor aber erwähnt, weil er gerade an der Basis viel Einfluß ausgeübt hat in kirchlich interessierten Kreisen sowohl auf dem Lande als auch im städtischen Bereich.

3.3 Die „soziale und politische Lage" bleibt das Hauptinteresse der Theologen, die sich der „unmittelbar wichtigeren Dinge" annnehmen. Ein gutes Beispiel solcher Arbeit ist die theologische Reflexion über die „EDSA Revolution" vom Februar 1986 (vgl. de Achutegui). Die „ideologische Ausrichtung" der derzeitigen Regierung, ihres Einstehens für Demokratie und Gewaltlosigkeit, ist der Gegenstand andauernder Überlegungen in Sachen Glaube und Ideologie (vgl. D. Elwood, Faith encounters Ideology).

Die theologischen Erörterungen über gewaltlosen Widerstand liefen weitgehend erst nach der Ermordung (1983) des philippinischen „Märtyrers" Benigno Aquino an. Es war besonders J. Blanco, der daraufhin wirkte, daß dieses Programm der Gewaltlosigkeit außerordentlichen Einfluß ausübte auf die Folge der Ereignisse, die zur Februar-Revolution von 1986 führten. Es war also die „Gruppe der Mitte" unter den theologischen Autoren, die sich zusehends deutlicher auf eine Position aktiven gewaltlosen Widerstandes zubewegte und es damit fertigbrachte, auf die gemäßigteren Sektoren der philippinischen Gesellschaft Einfluß auszuüben.

Andere Bereiche, für die allerhand „theologisches Interesse" besteht, sind Religionspädagogik und Katechese, kirchliche Basisgemeinschaften und, vielleicht mehr noch als irgendwelche anderen Anliegen, die Erarbeitung und Ausfeilung einer authentischen philippinischen Spiritualität für unsere Zeit. Studienwochen und Kurse zu diesem Thema haben in den achtziger Jahren sehr zugenommen.

Betreffs „Inkulturation" sollte man folgende Veröffentlichungen erwähnen: (1) Arbeiten über Texte aus der spanischen Kolonialzeit, sowohl auf spanisch als in den einheimischen Sprachen, sind entweder neu angefangen worden oder werden fortgesetzt. Man zeigt besonderes Interesse dafür, die Beziehungen dieser Texte zu den sozialen und politischen Erwartungen des Volkes aufzuzeigen (vgl. R. Ileto). (2) In ähnlicher Weise werden einheimische religiöse Texte und „nichtkirchliche" Quellen und Formen der Volksfrömmigkeit untersucht (vgl. V. Marasigan). (3) In jüngster Zeit sind Anliegen des Umweltschutzes in Beziehung gesetzt worden zu Fragen der Inkulturation (vgl. B. Lovett).

Die Literatur, die charismatische Gruppen vor allem in den siebziger und achtziger Jahren in Umlauf brachten, enthält nichts Originelles. Es handelt sich da hauptsächlich um Übersetzungen charismatischen Schrifttums zur Bibel aus den USA.

Lit.: *de Achutegui, P. S.*, The „Miracle" of the Philippine Revolution (Loyola Papers 15) 1986. - *Anderson, G. H.*, Asian Voices in Christian Theology, 1976. - *Arevalo, C. G.* (Hrsg.), For all the peoples of Asia, 2 Bde, 1985/1987. - *Beltran, B.*, Prolegomena to Christology in the Philippines, in: DIWA, IX, 1, 1984, 1-29. - *Claver, F./Cullen, V./Lambino, A./Arevalo, C. G.*, In the Philippines: Christian Faith and Ideologies (Loyola Papers 10). - *dela Costa, H./Schumacher, J.*, The Filipino Clergy: Historical Studies and Future Perspectives (Loyola Papers 12). - *Dies.*, Church and State: The Philippine Experience (Loyola Papers 3). - *dela Costa, H./Lambino, A.*, u.a., On Faith and Justice (Loyola Papers 5). - *dela Costa, H./Lambino, A./Arevalo, C. G.*, On Faith, Ideologies and Christian Options (Loyola Papers 7/8). - DIWA, II, 1, 1977, Special Issue: „Filipino Patterns in Adult Catechesis". - DIWA, VI, 1, 1981, Special Issue: „The Filipino Face of Christ". - *Elwood, D./Magdamo, P.*, Christ in the Philippine Context, 1971. - *Elwood, D.*, Asian Christian Theology: Emerging Themes, 1980. - *Ders.*, Faith encounters Ideology: Christian Discernment and Social Change, 1985. - *Fernandez, P.*, History of the Church in the Philippines, 1521-1898, 1979. - *Gorospe, V./Deats, R. L.* (Hrsg.), The Filipino in the Seventies: An Ecumenical Perspective, 1973. - *Gorospe, V.*, Church and Society: Challenges for Tomorrow, (Budhi Papers 5), 1985. - *Ders.* (Hrsg.), Filipino Theology Today (Budhi Papers 3). - *Ders.* (Hrsg.), Faith and Justice and the Filipino Christian, 1976. - *Gresh, T.* (Hrsg.), Basic Christian Communities in the Philippines, 1977. - *Hardy, R. P.* (Hrsg.), The Philippine Bishops Speak (1963-1983), 1984. - *Ders.*, Ating Mga Kapatid: A Spirituality of the CBCP, 1984. - *Ileto, R.*, Pasyon and Revolution: Popular Movements in the Philippines: 1840-1910, 1979. - *Kroeger, J.*, The Philippine Church and Evangelization: 1965-1984, 1985. - *Labayen, J.*, To be the Church of the Poor, 1986. - *Lambino, A./Martinez, E./Arevalo, C. G.*, Towards doing Theology in the Philippine Context (Loyola Papers 9). - *Lowett, B.*, Life before Death, 1986. - *Lynch, F., u.a.* (Hrsg.), Modernization: Its Impact in the Philippines, 1971. - *Marasigan, V./Ysaac, W., u.a.*, Inculturation, Faith and Christian Life (Loyola Papers 6). - *de Mesa, J.*, And God said „Bahala na": The Theme of Providence in the Lowland Filipino Context, 1979. - *Mercado, L.*, Elements of Filipino Theology, 1975. - *Miranda, D.*, Pagkamakatao: Reflections on the Theological Virtues in the Philippine Context, 1987. - *Nacpil, E./Elwood, D.*, The Human and the Holy, 1978. - Philippine Studies, 13, 3, 1965, Special Issue: „Some Aspects of Contemporary Theology", 1965. - Philippiana Sacra, XIV, 1979: „International Colloquium on Contextual Theology" - *Tano, R. D.*, Theology in the Philippine Setting: A Case Study in the Contextualization of Theology, 1981. - *dela Torre, E.*, Touching Ground, Taking Roots, 1986.

(Übers.: G. Gessinger)   C. G. Arevalo

POLYGAMIE

1. Traditionelle Polygamie in Afrika. 2. Aufgabe der christlichen Verkündigung und pastoral-ethische Beurteilung der Polygamie in Afrika.

Polygamie, wiewohl sie terminologisch sowohl Polyandrie (Ehe zwischen einer Frau und mehreren Männern) als auch Polgynie (Ehe zwischen einem Mann und mehreren Frauen) umfaßt, bezieht sich in herkömmlicher Bezeichnung auf letzteres. Diese Sprechweise wird auch im folgenden übernommen und meint die simultane Polygynie.

Daß es solche Polygynie im AT gegeben hat, steht außer Zweifel. Die Patriarchen hatten mehr als eine Frau (z.B. Abraham, Jakob u.a.). Das gleiche gilt für den königlichen Harem. Ein deutliches Beispiel ist König Salomon, der siebenhundert Frauen und dreihundert Konkubinen hatte (vgl. 1Kön 11,3). Es ist sicher, daß auch die Nachbarvölker Israels die polygame Praxis kannten (R. De Vaux).

Die jüngste Missionsgeschichte kennt die polygame Ehe nicht nur in Afrika, sondern auch in anderen Erdteilen, etwa in Neu- oder Papua-Guinea. Am bekanntesten ist jedoch der Fall Afrikas, dem folgende Betrachtung gewidmet werden soll.

1. Die Polygamie war und ist keine zwingende Institution. Abgesehen von der Leviratsehe, die jemanden zur polygamen Praxis „zwingen" kann, stellt die afrikanische Gesellschaft jedem frei, sich an eine oder mehrere Frauen ehegemeinschaftlich zu binden. Diese Ehepartnerschaft - sowohl in der Monogamie als auch in der Polygamie - muß wie folgt verantwortet sein: (1) Jeder Monogame oder Polygame wird angehalten, für seine Frau oder seine Frauen materiell-wirtschaftlich zu sorgen. (2) Überdies muß ein Polygamer eine solch starke Persönlichkeit sein, daß er Eintracht und Frieden zwischen seinen Frauen zu stiften weiß. (3) Der Ehemann, besonders der Polygame, hat zur unveräußerlichen Aufgabe, die Kinder materiell-wirtschaftlich zu unterhalten und nach bewährten Grundsätzen der Vätertradition zu erziehen.

Es ist an dieser Stelle äußerst wichtig, nach Gründen und Funktion der Polygamie in Afrika zu fragen.

1.1 *Hintergründe.* Die Polygamie ist nicht - wie oft behauptet - durch sexuelle Begierde bedingt, sondern hat viel tiefer gehende Gründe, die sich vor allem in drei Punkten verdichten.

• *Die Kinderlosigkeit.* Die Unfruchtbarkeit in der negro-afrikanischen Ehe ist ein Unglück, das nur schwerlich geduldet werden kann. Kinder sind nämlich ein Segen Gottes. Zudem überlebt man in der Nachkommenschaft, und die ganze Ahnengemeinschaft braucht letztere wie umgekehrt. In einem Wort: Verstorbene und Hinterbliebene leben in einer Art mystischer Gemeinschaft. In diesem Kontext ist eine große Kinderzahl zu begrüßen. Die Unfruchtbarkeit der Frau kann deshalb zu polygamer Praxis führen. Wichtig dabei ist jedoch, daß die erste Frau ihre Erlaubnis dazu erteilt.

• *Das Fehlen des männlichen Nachkommen.* Erbe in Stämmen mit patriarchalischer Struktur ist immer ein Junge. Das Mädchen kann keineswegs die Genealogie seines Vaters fortführen. Der Vater überlebt nur im Sohn. Falls keine männliche Nachkommenschaft vorhanden ist, kann der Mann - mit Erlaubnis seiner (ersten) Frau - eine zweite, dritte ... Frau unter Beibehaltung der ersten nehmen.

• Die *sozio-ökonomischen Motive.* Die negro-afrikanische Gesellschaft befindet sich mehrheitlich in der Agrarkultur, ohne ultramoderne Technik. Daß hier die Kinderzahl eine große, wohltuende Rolle spielen kann, ist kaum zu bestreiten. Ebenso offenkundig ist es, daß dieses Ziel sich am besten in der Polygamie verwirklichen läßt.

1.2 *Die soziale Funktion der Polygamie.* Trotz ihrer Unzulänglichkeit und ihrer Grenzen trug die simultane Polygamie zum Wohl der Tradition in Afrika bei.

• *Die Stabilität der Ehe.* Die traditionelle Polygamie in Afrika schloß die Ehescheidung aus oder machte sie selten. So war etwa die Unfruchtbarkeit der Frau kein Grund zur Scheidung. Heute werden immer mehr Scheidungsfälle registriert, da die Kirchen die Polygamie verbieten. Ferner: In einer Gesellschaft, in der die Stillzeit sich auf zwei bis drei Jahre erstreckte, war die Polygamie eine große Hilfe für den Mann gegen den Ehebruch. Heute, mit der Einführung der Einehe, ist das Konkubinat bzw. der Ehebruch verbreiteter als früher, und die Stabilität der Ehe wird mehr denn je in Frage gestellt.

• *Die Aufwertung der Frau.* (1) In der Regel verwirklicht die afrikanische Frau vollends ihr Ideal erst, wenn sie verheiratet ist und vor allem, wenn sie Kinder geboren hat. Auch in der Gesellschaft genießt sie - selbst in der Polygamie - ein großes Ansehen. Da eine Mutter einer unfruchtbaren Frau vorzuziehen ist, kann die Polygamie trotzdem eine gewisse Hilfe für die erste Frau bieten. Diese wird nämlich bei manchen Stämmen als Mutter der weiteren Frauen und deren Kinder bezeichnet. (2) Die Polygamie hat außerdem die afrikanische Frau vor der Prostitution geschützt. Jede Frau hatte einen Mann und lebte in einer regulären Ehegemeinschaft, in der sie vollkommen versorgt war. Das Ideal der Einehe hat nicht selten Frauen in der afrikanischen Gesellschaft zur Prostitution gezwungen.

• *Das Bündnis mit verschiedenen Familien- und Sippengemeinschaften.* Eine der wichtigsten Funktionen der Polygamie ist die Ausweitung der Solidarität auf andere Familien und Sippen. Jede Heirat fügt nämlich neue Mitglieder aus anderen Sippengemeinschaften zur Familie des Ehemannes hinzu und sorgt damit für eine neue soziale Beziehung, in der das solidarische Handeln in allen Lebensbereichen gefördert wird.

2. Ein in etwa adäquates Urteil über die Polygamie in Afrika bedarf eines Rückblicks auf den christlichen Umgang mit der traditionellen Vielehe.

2.1 *Die bisherige Praxis.* Die Missionskirche hat die Polygamie rücksichtslos bekämpft, da für sie die Monogamie die einzige anerkannte Eheform war. Der Polygame wurde und wird immer noch zur Taufe nur dann zugelassen, wenn er alle seine Frauen mit Ausnahme einer entläßt. Der römisch-katholische *CIC* vom 25.1.1983 beharrt auf dieser Praxis und verpflichtet den Ortsordinarius einzig dazu, für eine gerechte Güterverteilung unter den entlassenen Frauen zu sorgen. Als wichtig ist anzumerken, daß die zu behaltende Frau nicht unbedingt die erste sein muß, wobei der Kodex hier die Ehescheidung dort ermöglicht, wo die traditionelle afrikanische Gesellschaft sie gerade verbietet (CIC, can. 1148, §§ 1-3).

Die Theologie, die hinter dieser Konzeption steht, besagt, daß die Polygamie den Plan Gottes leugnet und der gleichen personalen Würde von Mann und Frau widerspricht. Danach ist eine polygame Ehe keine echte Liebe, keine echte Partnerschaft und Gemeinschaft (Johannes Paul II.). Sie ist vielmehr mit „freier Liebe" gleichzusetzen (Gaudium et spes 17).

Damit aber tut man der traditionellen afrikanischen Polygamie unrecht, die weder die Frau noch den Mann zum bloßen Objekt herabwürdigte. Der Polygame weiß sich nämlich nicht nur in materieller Hinsicht für die Frau verantwortlich er bietet ihr auch umfassende Geborgenheit und Sicherheit.

Hilfreich wäre es, das Problem vom Hintergrund des AT her anzugehen, wo die Monogamie das Ergebnis einer langen Entwicklung ist. Es ist anzunehmen, daß die wirtschaftliche Entwicklung, der interkulturelle Austausch und nicht zuletzt die Vertiefung der gegenseitigen Liebe zwischen Jahwe und seinem Volk den Übergang von der Polygamie zur Monogamie herbeiführt hat (H. Ringeling).

Auch wenn die Liebe, so wie sie im NT verstanden wird, letztendlich zur monogamen Ehe führen muß, findet man trotzdem keine Stelle, an der man mit voller Gewißheit sagen kann, die Vielehe sei ausdrücklich verboten und die Einehe allgemein geboten (K. Barth). Daher sollte die Kirche auch in Afrika die geduldige Pädagogik des alttestamentlichen Gottes nachahmen (B. Häring).

2.2 *Die Kirche und die moderne Polygamie in Afrika.* Gegenwärtig herrscht eine neue Form von Polygamie in Afrika, die jene der Vätertradition pervertiert. Sie geht so vor, daß die zweite, die dritte ... Frau gegen den Willen oder ohne Wissen der ersten genommen wird. Die zweite, dritte ... Frau hat meistens keinen

Kontakt zur Sippengemeinschaft des Mannes und wird praktisch wie eine Konkubine gehalten. Auch unter Christen ist diese Praxis verbreitet.

In der Regel setzt die Kirche dem die strikte Forderung der monogamen Ehe entgegen und beruft sich auf das NT. Pastoral effektiver wäre es jedoch, die modernen Polygamen zunächst auf die viel anspruchsvollere Form der traditionellen Vielehe zu verpflichten. Dazu gehörte u.a. - aber durchaus maßgeblich - sowohl das Einverständnis der ersten Frau als auch das friedliche Zusammenleben aller Frauen und ihrer Kinder. Da dies mit der zunehmenden Emanzipation der Frau auch im heutigen Afrika immer weniger Chancen hat, würde die moderne Polygamie unhaltbar und zwar aufgrund der eigenen, d.h. der Idealforderung der afrikanischen Tradition.

Man sollte auch - gerade im Hinblick auf die Emanzipation der Frau - darauf hinweisen, daß die Polygamie schließlich eine männliche Institution ist. Wenn heute für die offizielle Anerkennung dieser Institution plädiert wird, sind Frauen kaum an dieser Forderung beteiligt. Mit fortschreitender Alphabetisierung und zunehmenden Berufsmöglichkeiten wird die Frau immer weniger als früher auf den Mann angewiesen.

Auf jeden Fall müßten die Kirchen statt mit Exkommunikation zu drohen, die polygam Lebenden mit einfühlsamer Pastoral begleiten und mit einer guten Katechese das Bewußtsein der Bevölkerung an der Basis ändern.

Lit.: *Barth, K.*, Kirchliche Dogmatik III/4, ³1969. - *Boka-di-Mpasi-Londi*, Inculturation chrétienne du mariage, in: Telema 17, 1979, 3-4. - *Bühlmann, W.*, Fragen zu Ehe und Familie. Bringt „Familiaris Consortio" die Antwort?, in: TGA 25, 1982, 159-171. - *Bujo, B.*, Die pastoral-ethische Beurteilung der Polygamie in Afrika, in: FZPhTh 31, 1984, 795-804. - *Ders.*, Les Dix Commandements pour quoi faire? Actualité du problème en Afrique, ²1985. - *Ders.*, Afrikanische Theologie in ihrem gesellschaftlichen Kontext, 1986. - *Cazelles, H.*, Art. Mariage (NT), in: Dictionnaire de la Bible, Supplément (DBS), V, 926-935. - *de Cleene, N.*, Contribution à l'étude de la polygamie, in: Bulletin d'Institut Royal et Colonial Belge, 13, 1942, 126-169. - *Decapmaker, J.*, Le lévirat chez les Bakongo, in: Aequatoria 6, 1943, 54-55. - *Dirven, E.*, La polygamie admise par la philosophie, in: RCA 27, 1970, 49-73. - *Grelot, P.*, Le couple humain dans l'Ecriture, 1962. - *Ders.*, Die Entwicklung der Ehe als Institution im Alten Testament, in: Conc 6, 1970, 320-325. - *Häring, B.*, Frei in Christus, II, 1980. - *Hastings, A.*, Christian Marriage in Africa, 1973. - *Hillman, E.*, Perspective nouvelles sur la „polygamie", in: Conc 33, 1968, 159-175. - *Ders.*, Le problème de l'évolution des structures du mariage chrétien, in: Conc 55, 1970, 25-37. - *Ders.*, Polygamie Reconsidered, 1975. - *Kalanda, P.*, Christian Marriage and Widow Inheritance in Africa, in: A. Shorter (Hrsg.), Church and Marriage in Eastern Africa, 1975. - *Kisembo, B./Magesa, L./Shorter, A.*, African Christian Marriage, 1977. - *Kornfeld, W.*, Mariage (AT), in: DBS, V, 905-926. - *Lamburn, R.*, Polygamy, in: A. Shorter (Hrsg.), Church and Marriage in Eastern Africa, 1975, 89-118. - *Legrain, M.*, Mariage chrétien, modèle unique? Questions venues d'Afrique, 1978. - *Mariama Bâ*, Ein so langer Brief. Ein afrikanisches Frauenschicksal, 1980. - *Mbiti, J. S.*, Love and Marriage in Africa, 1973. - *Mulago, V.*, Mariage traditionnel africain et mariage chrétien, 1981. - *Radcliffe-Brown, A. R./Forde, D.*, African Systems of Kinship and Marriage, ⁶1962. - *Ringeling, H.*, Die biblische Begründung der Monogamie, in: ZEE 10, 1966, 81-102. - *Ritzer, K.*, Formen, Riten und religiöses Brauchtum der Eheschließung in den christlichen Kirchen des ersten Jahrtausends, 1962. - *Schillebeeckx, E.*, Le Mariage. Réalité terrestre et Mystère de Salut, 1966. - *de Vaux, R.*, Les institutions de l'Ancien Testament, I, ²1961, 45-91, 177-182.

                                                                                            B. Bujo

PREDIGT

1. Missionspredigt in der Neuzeit. 2. Kontextuelle Predigt in der „Dritten Welt". 3. Ökumenische Predigt in der westlichen Industriegesellschaft.

Predigt ist mündliches Medium der Verkündigung des Wortes Gottes in der Kirche Jesu Christi. Sie ist dabei gebunden an die Bedingungen von Zeit und Ort ihrer Ausrichtung. Sie bringt das Kerygma in je besonderer Situation und in einer bestimmten Gemeinschaft mit unverwechselbarem Kontext zur Sprache. Predigt geschieht daher in der Nachfolge der Kommunikation, die Gott mit der Menschheit sucht: „Sie kennt die Sprache als Mittel, mit dem Gott sich den Menschen offenbart" (M. Traber, 684; Joh 1,14).

1. Unter Missionspredigt wurde im 19. Jahrhundert bis zur Mitte unseres Jahrhunderts die Predigt verstanden, die vor allem von Missionaren gehalten wurde - zum einen in deren Heimat, um das Anliegen ihrer überseeischen Missionsarbeit zu vertreten und in Freundeskreisen und Kirchengemeinden um Unterstützung zu bitten, zum anderen im Missionsgebiet, um Menschen mit der biblischen Botschaft bekannt zu machen und sie zum christlichen Glauben zu rufen. In diesem Sinne galt sie als Kasualie. Dabei trat von Anbeginn zurück, daß Missionspredigt im biblischen-theologischen Sinn, d.h. als Bedingung jeder Predigt zu verstehen sei, die auf Sammlung von Gemeinde und eschatologische Sendung des Gottesvolkes zielt. Insofern stand Missionspredigt im Spannungsfeld von geglaubter Mission Gottes und organisierter Mission der Gesellschaften und Vereine. Sie wurde vor allem auf protestantischer Seite erst sekundär als Sache der Kirchen betrachtet und war auch in Übersee nicht unmittelbar auf Kirchengründung angelegt. Daran läßt sich bereits erkennen, worin seit jeher die Gefahren von Missionspredigt hier und in Übersee bestanden: Im Pragmatismus und in der Geschäftigkeit, die durch den Missionsbetrieb diktiert waren; in der Trennung zwischen Drinnen und Draußen, zwischen Christen und → „Heiden"; in der moralisierenden Gesetzlichkeit; in der Ausgrenzung des täglichen Lebensvollzuges der Adressaten aus der Predigt; damit unmittelbar verknüpft: in der Individualisierung der Adressaten durch die Anrede einzelner anstelle der Anrede der lokalen Gemeinschaft, deren Umfeld es ja gerade einzubeziehen galt; in der Festschreibung geschichtlicher Tatsachen, die zur Mission veranlaßt haben. Diese Entwicklungen haben die Missionspredigt zur „speziellen Predigt" oder zur Kasualansprache werden lassen; bestimmte der Kasus die Missionspredigt, war dann auch der Zeugnischarakter umso stärker in Gefahr.

Die Ansätze zu einer expliziten Missionshomiletik sind gering, jedoch bemerkenswert, als aus ihnen hervorgeht, welche Bedeutung der Predigt in der organisierten Mission eingeräumt wurde. Nikolaus Ludwig von Zinzendorf (1700-1760) stand der öffentlichen Proklamation des Evangeliums im Missionsgebiet in Form der Predigt skeptisch gegenüber, da er ihr keine Aussicht auf Resonanz zuerkannte. Er wollte sich bewußt beschränken auf das Sammeln von „Erstlingen", von einzelnen, denen „in Zuspruch, nicht in öffentlicher Predigt" das Heil anzusagen sei (O. Uttendörfer, 11). Homolie tritt an die Stelle des Kerygmas nicht laut, sondern verhalten solle das Evangelium weitergesagt werden, „wo es uns deucht, daß der Heilige Geist Seelen in Bereitschaft hat, die leise hören" (in: M. Richter, 97, Anm. 2).

Den ersten Entwurf einer Missionshomiletik hat 1830 Rudolf Stier vorgelegt, damals Lehrer an der Basler Missionsanstalt. Sein „Grundriß einer biblischen Keryktik, oder einer Anweisung, durch das Wort Gottes sich zur Predigtkunst zu bilden" (^{2}1844) betont die missionarische Aufgabe der Gemeindepredigt und damit den engen Zusammenhang zwischen Gemeinde- und Missionspredigt (vgl. 5), deren beider Zweck nach Apg 20,20-21 es sei, zu verkündigen, zu lehren und zu bezeugen (4). Diese Zweckbestimmung hat zur Voraussetzung, daß der „natürliche Mensch in seiner Blindheit und Sündigkeit" (3) Adressat der Predigt sei und es daher darauf ankomme, die Bibel als „Lehrbuch" für die Predigt zu begreifen und aus ihr den „Predigtvorrath" zu schöpfen (39). Das setzt nun doch voraus, daß der Prediger bereits „ein Mensch Gottes" sei, „Vorbild" und „Vertrauter der göttlichen Rathschlüsse" (46f), und insofern auf einer unterschiedlichen Stufe gegenüber dem „natürlichen" Menschen stehe.

Stier rollt also die Gemeindepredigt von ihrem Verständnis als Missionspredigt her auf. Bemerkenswert ist sein Hinweis, daß neben die „einfachen Ansprachen" als der ersten Gestalt missionarischen Zeugnisses das Gespräch „als die zweckmäßigste Hauptform der fortschreitenden Mission" zu treten habe (142f). Im Gespräch werde Frage und Antwort veranlaßt und Annäherung oder Widerstreit ermöglicht. Jesu Gespräch mit der Samariterin Joh 4 ist ihm beispielhaft.

Der lebendige Zeugnischarakter im Gegenüber und im Unterschied zur Predigt wurde um die Jahrhundertwende auch von Christoph Blumhardt d.J. in seinen Briefen an seinen Schwiergersohn Richard Wilhelm, seinerzeit Missionar in China, immer wieder zum Ausdruck gebracht: „... wenn Du in ein fremdes Dorf kommst, nie predigen ..., ehe Du gesellschaftlich bei den Leuten warm geworden bist. ... erst bekannt werden, Vertrauen erwerben ..., dann erst predigen, aber auch dann noch vorsichtig. Nicht unser Predigen, sondern unser Leben muß dem Volke Licht geben" (Blumhardt, 5.6.1902, 85).

In die Zahl derer, die im späten 19. Jahrhundert nach „spezieller Predigt" Ausschau hielten, hat sich auch Gustav Warneck, erster deutscher Lehrstuhlinhaber für Missionswissenschaft (in Halle 1896-1908) eingereiht, indem er Besonderheit und Kasus der Missionspredigt hervorhob: Sie habe beides zu leisten - in die Missionsgedanken der Bibel einzuführen und dadurch zu misionarischer Aktivität zu erziehen *und* missionsgeschichtliche Tatsachen bekannt zu machen, da die Zeit dränge (Warneck, Missionslehre). In seiner Artikelreihe zu Mt 28,19 (AMZ 1874) bot Warneck eine Zusammenschau von Schrift und Erfahrung, um die Volkschristianisierung biblisch zu legitimieren und dementsprechend eine „Veranlagung" der Weltgeschichte auf Mission hin entdecken zu können (vgl. Holsten, 159). Predigt solle daher durch das ganze Volk hindurchhallende Verkündigung sein (AMZ 1874, 185-194). Daß bei ihm die „Fülle der Zeit" eine andere als ausschließlich eschatologische Bedeutung hat, kommt in der Missionslehre wieder in der Auslegung von Mt 28,19f zur Sprache (III.1, 258). Weltgeschichtliche Entwicklungen machen dem Kerygma Platz. Dennoch legt Warneck eine Verlegenheit seiner Zeit offen: daß Missionsaktivitäten nur eine Zukunft haben, wo das Volksleben im Blick ist und Kirchenaufbau das Ziel bleibt.

Die neueren Ansätze sind stärker auf den Inhalt der Missionspredigt bezogen - mit nur geringen Hinweisen auf die Missionspredigt draußen. Adolf Schlatter hat 1929 besonders auf die Gefahr der Gesetzlichkeit in der Missionspredigt hingewiesen, die „unvermeidlich das Gottesbild entstellt" (263); er klagt die Einheit von Evangelium und Gesetz in der Predigt ein, die erst zur Schärfung der Gewissen im Sinne von Röm 12,2 und damit in wirkliche Freiheit führe: „Die Frage: ‚Was soll ich tun?' wird in ihr eigenes Gewissen gelegt; das Gesetz Gottes ergreift sie und bewegt sie durch das Evangelium" (263). Einen heute noch vielbeachteten Ansatz legte Hendrik Kraemer 1938 der Weltmissionskonferenz in Tambaram/ Madras vor, als er in „Die christliche Botschaft in einer nichtchristlichen Welt" aufrief, den Kontext - die politischen, sozialen und religionsbedingten Faktoren - „mitzulesen" und zu interpretieren. Er strebte - wie schon der Internationale Missionsrat zehn Jahre zuvor in Jerusalem - einen „Comprehensive Approach" an, der den einzelnen in seiner Ganzheit anspricht und gleichzeitig öffnet für die sozialen Bezüge, die auch im Aufbau der christlichen Gemeinde zur Geltung kommen sollten. Nachweislich haben hier die protestantischen Missionen, bei aller Stärke in der methodisch reflektierten Verkündigung, der intensiven Sozialfürsorge und im interkulturellen Gespräch, ihre größte Schwäche bewiesen, auch im Unterschied zu den katholischen Missionen mit ihren starken Gemeinden (Latourette).

Walter Holstens Anliegen war es, die „Missionstatsachen und -erfahrungen" bewußt dem Hören auf den Text unterzuordnen und Mission als „Inhalt des Kerygmas", ja als „Artikel des Glaubens" zu begreifen (Holsten, Möglichkeit und Sinn einer heimatlichen Missionspredigt, bes. 142). Wolfgang Trillhaas unterscheidet die Missionspredigt „auf dem Missionsfeld" von der Missionspredigt „daheim"; das eine sei mehr Katechese und Taufunterricht als Predigt im europäischen Sinne, das andere eine die Heimatgemeinde aus dem Schlaf weckende Predigt (Trillhaas, 17f). Das drängt darauf, daß durch die Predigt das Neue, Aufregende und Fremdartige „hereingebracht" wird - gewissermaßen als Teil, der untrennbar zum Gewohnten und Althergebrachten dazugehört. Wenn auch nicht explizit, so erhofft Trillhaas aus der Missionspredigt Bereicherung für die eigene Theologie und für die „Mutterkirchen".

Ansätze eines interkulturellen Verständnisses von Predigt hat Walter Freytag entwickelt, der die Verkündigung der ökumenischen Kirche, der „Gemeinde Jesu aus allen Völkern" zuweist und die „Echtheit" des Zeugnisses davon abhängig macht, inwieweit die Kirche „konform wird mit ihrem Herrn" und teilhat an seinem Leiden: „Solange wir als Kirche nicht auf diesem Weg des Leidens sind, ist unser Zeugnis nicht echt, hat es nicht das Siegel des Herrn, der sendet" (Freytag, I, 217). Allerdings wehrt Freytag dem Mißverständnis, das im Vorbildcharakter des Zeugnisses angelegt ist: Es gehe nicht um unsere Christlichkeit oder darum, „daß aus uns etwas wird", sondern: „Was er an uns tut, wenn wir ihn Herrn sein lassen, das ist es, was ihn bezeugt" (I, 219).

2. Schlatter, Kraemer und Freytag wiesen bereits die Richtung für kontextuelle Predigt, wie sie sich später in den eigenständigen Kirchen der „Dritten Welt" entwickeln sollte. Kontextuelle Predigt bedeutete für die neuen Kirchen, Gottes Versöhnung mit der Welt und sein befreiendes Geschichtshandeln so zu bezeu-

gen, daß erstens diese Erde bewohnbarer und das Zusammenleben menschlicher werde (Ökumenizität von Predigt), daß zweitens die Kirche sich öffne und ihr Zeugnis gestalte im Blick auf ihr soziales, religiöses, kulturelles, wirtschaftliches und politisches Umfeld, dies auch als dessen kritisches Korrektiv (Kontextualität von Predigt), daß drittens Menschen im Tun des Willens Gottes seine liebende Gegenwart erfahren (ethische Ausrichtung von Predigt). Dies war Absage an eine Predigt, die sich dem Konfessionalismus, der Einzelbekehrung sowie der Trennung von Heils- und Profangeschichte verpflichtet wußte. Auch ging es nicht um „Missionstatsachen", sondern um die Zukunft der Mission Gottes - die eschatologische Ausrichtung gewann neue Bedeutung.

Den profiliertesten Entwurf einer kontextuellen Homiletik hat der südafrikanische reformierte Theologen Allan Boesak vorgelegt. Er gibt der Predigt - angesichts seiner Erfahrungen als „Farbiger" im unterdrückerischen Apartheidssystem - die Gestalt der ethischen Forderung. Die Befreiung der schwarzen und farbigen Bevölkerung aus Unterdrückung ist das entscheidende Kriterium, an dem sich die Verkündigung von Versöhnung messen lassen muß (Boesak, Fingerzeig, bes. 21-25). Er definiert: „Die Predigt ist die Verkündigung des Evangeliums in verstehbarer Sprache an Menschen in einer bestimmten Situation" (27). Eine verstehbare, kontextbezogene Predigt kann nun für die Gemeinde „relevant" werden. Ausdrücklich hält er die rein analytische Aufnahme des Kontextes in der Predigt für nicht hinreichend, denn es gelte ja, die je spezifische biblische Aussage als gegenwärtiges Wort Gottes „prophetisch" zu verkündigen und durch Aufweisen der ethischen Dimension die Hörer in die Entscheidung zu stellen. Dies könne nur „authentisch" tun, wer „von der Person her echt ist" (Fingerzeig, 39; vgl. Freytag, I, 201-217, bes. 217). Im Bemühen um Authentizität schließt sich der Kreis von Predigt und Kontext: Wer selbst das befreiende Handeln Gottes erfahren hat, kann glaubwürdig Zeugnis geben vom Wirken Gottes in konkreten Konflikten. Dieser Aspekt findet sich - bis zu Überhöhungen des Predigers - in zahlreichen kontextuellen Predigtansätzen, z.B. auch in Melanesien, wo von der Gefahr des unechten, seine Predigt nicht lebenden Predigers gesprochen wird, daß alle seine Worte „zum Hindernis" für die Gemeinde werden (Waida, 24).

Im Dienste authentischen Zeugnisses stehen drei Predigtformen, die besonders in Lateinamerika (→ Lateinamerikanische Theologie) und Asien und im Zuge hermeneutischer Neuorientierung zunehmende Resonanz erfuhren: das Predigtgespräch, die Erzählung und die kontextbezogene Bibelarbeit. „Das Evangelium der Bauern von Solentiname" von Ernesto Cardenal und die philippinischen Bauerngespräche über „Fische, Vögel und die Gerechtigkeit Gottes" von Charles Avila sind zwei anschauliche Beispiele, wie die biblischen Geschichten den häufig entrechteten Bauern relevant wurden und auch in den reichen Kirchen konkret und verstehbar sind, das heißt auch: Anstöße geben für veränderte Existenz: „Wir beten doch: ‚Dein Wille geschehe'. Was aber ist Gottes Wille in bezug auf das Land? ... Wenn Er unser Vater ist, dann müssen doch alle Güter Familiengüter sein, die wir untereinander teilen" (Avila, 9f). Im Mittelpunkt sozialgeschichtlicher Bibelauslegung sind Erzählungen und Interpretationen, wie sie besonders der ursprünglich holländische Karmeliter Carlos Mesters aus brasilianischen Basisgemeinden vorgelegt hat - nach über 20 Jahren „Wanderung auf den Straßen der

Bibel Brasiliens" (Mesters, die Botschaft des leidenden Volkes, 10.24). Theologische Prämisse seiner Arbeiten ist, daß Gott ein Gott der Leidenden und Entrechteten ist und Partei nimmt für ihre Geschichte - für ihre Befreiung und alle hoffnungsvollen Schritte, die deren Leben gerechter werden lassen. Methodisch bedeutet dies, den Konflikt zur Sprache zu bringen, der sich dann ergibt, wenn man den kritischen Verdacht äußert, daß die vorfindliche Wirklichkeit und die sie beherrschenden Dinge nicht so sind, wie sie vor Gott, im Hören auf sein befreiendes Wort und angesichts gehorsamen Tuns sein sollen. Die Befreiungsgeschichte Gottes mit der Menschheit darf nicht totgeschwiegen werden, sondern will ins Leben treten: „Vom Leben zur Bibel - von der Bibel zum Leben", wie Mesters' Hauptwerk überschrieben ist. Daran ist auch das hermeneutische Dreieck in Auslegung und Erzählung der Bibel orientiert: Realität sehen, aufgrund biblischen Zusammenhanges zum ethischen Urteil kommen, durch Lösungsmöglichkeiten - auf dieses Urteil gestützt - zu einem veränderten, neuen Handeln gelangen. Mesters' Arbeiten sind innerhalb Lateinamerikas ein Beispiel, das „einfache" → Volk, das Volk Gottes zur Sprache zu bringen, ihr Leben in die biblische Befreiungsgeschichte einzuschreiben und uns Reichen mahnend vor Augen zu führen, wie Gott seinem Volk - denen, die keine Stimme haben - eine unüberhörbare Stimme und bildhafte Sprache gibt, die das Reich Gottes buchstäblich herbeirufen.

Auch in Asien haben sich im Rahmen der Minjung-Theologie (→ Koreanische Theologie) und einer asiatischen Theologie des Volkes ähnliche Ansätze entwickelt. (Bild)-Meditationen, Gedichte und biblische Reflexionen, vor allem im Rahmen der Basisbewegung „Urban and Rural Mission" und mit Unterstützung der Gruppen und Theologen, die ihr nahestehen, entstanden (Kosuke Koyama, Geroge Ninan, Choan-Seng Song, Raymond Fung, Masao Takenaka, Preman Niles) erzählen von den Erfahrungen von Leiden und Hoffnung - und von einem befreiten Asien, daß nicht den „Kreuzigungsgeist" westlicher Kontrolle und Vorherrschaft, sondern den „gekreuzigten Geist" an den Anfang seiner Erneuerung stellen will (Koyama, Kim Chi Ha, Edicio de la Torre, Marianne Katoppo). Charakteristisch ist besonders, daß der Prediger hinter das leidende Volk zurücktritt - das Volk, das sich gesegnet weiß als Träger seiner Mission (vgl. Mesters, Botschaft, 10). Immer wieder kommt der Grund für die missionarische „Aufgabe" des Volkes zur Sprache: „weil das Wort Fleisch wurde (Joh 1,14), findet das Fleisch zu seinem Wort" (Mesters, Wort Gottes, 7). Dieses im Gegenüber und im Widerspruch zu historisch distanzierter und weltabgewandter Auslegung und Predigt entstandene Erzählen hat auch seinen Niederschlag gefunden in bewußtseinsbildenden Bibelarbeiten, wie sie etwa der Theologe und Soziologe Raul Macin in Mexico City Arbeitern und Bauern vorgelegt hat, unter dem Einfluß der „Pädagogik der Unterdrückten" von Paulo Freire; ein Wort oder Thema wird sichtbar gemacht in seiner existentiellen, auch konfliktbezogenen Bedeutung: „Die Sünde: Wenn wir die Dinge mehr lieben als unsere Mitmenschen, dann beherrscht uns Kain. Kain bedeutet ‚erwerben' ... Etwas erwerben ist gut, aber es mit Ehrgeiz tun, mit Egoismus, und damit anderen schaden, ist nicht gut und verstößt gegen die Schöpfung" (Macin, 6f).

Horst Bürkle hat im Blick auf die afrikanische Predigt das Ineinander von biblischer Überlieferung und Gegenwart beobachtet; biblische Personen sind Zeitgenossen und Ereignisse damals werden unmittelbar. Applikation in Form direkter Anrede und Beteiligung der Gemeinde führt mitunter zu Responsorien, wie sie auch aus den schwarzen Gemeinden Nordamerikas bekannt sind. Dadurch und durch das Element der zyklischen Wiederholung, angereichert mit Illustrationen, allegorischen Redeweisen und Symbolsprache, ziehen sich Predigten notwendigerweise in die Länge (vgl. Löytty, „The Ovambo Sermon", 113). Das setzt seine Vertrautheit zwischen Gemeinde und Prediger sowie gemeinsame Alltagserfahrung voraus, wie sie auch durch die Rolle des Predigers als „Sprachrohr" Jesu und Lehrer der Gemeinde bedingt ist (eigene Beobachtungen anhand der Predigt zu Lk 5,1-11 von E. Lutashobay, Tanzania, gehalten am 25.6.1967). Dabei wird der Text in erster Linie als Lehrtext verstanden; soweit er aus den Evangelien stammt, ist mit präsentischer Jesulogie zu rechnen: „Jesus sagt heute, daher wir/ihr heute ...". Durch die „nahezu zeitlose Kontinuität" (Bürkle) tritt der historische Charakter des Evangeliums zurück, so daß auch eschatologische Passagen kaum Bedeutung haben oder fehlen.

3. Predigt in den industrialisierten, materiell reichen Ländern ist nicht schon dadurch ökumenisch, daß sie die Wirklichkeit der anderen mit eigenen Augen sieht oder gar eigenen Wertmaßstäben und Glaubensformen unterwirft. Die westliche Industriegesellschaft neigt zur usurpatorischen Vereinnahmung zum Zwecke des Erhalts eigener Macht einerseits und zur „Marginalisierung" und Ausgrenzung ihrer Kritiker andererseits.

Die Predigt vom menschgewordenen Gott, der die Menschheit versöhnt, indem er Gerechtigkeit unter den Menschen aufrichtet und sich kompromißlos den Armen zuwendet - diese Predigt hat es dabei schwer, weil sie kritische Distanz dieser Gesellschaft zu sich selbst einfordert, weil sie die „Ökonomisierung" und „Militarisierung" des Geistes durch Gottes Heiligen Geist überwunden wissen will. Dies nicht aus purem Widerspruchsgeist, sondern weil die Gerechtigkeit, die von Gott kommt, zu den Menschen kommen will. Das heißt: Eine Gerechtigkeit, die nicht für die Menschheit als ganze spürbar wird, kommt nicht von Gott. Daher braucht Gott Menschen, die diese die Menschheit versöhnende Gerechtigkeit an sich geschehen lassen. Menschen zu rufen und zu wecken, die dazu bereit sind, ist Aufgabe ökumenischer Predigt.

Als Teil ökumenischer Existenz zielt Predigt darauf, die eigene Wirklichkeit mit den Augen der anderen sehen zu lernen. Das setzt die Bereitschaft voraus, selbst ein anderer oder eine andere zu werden, und Veränderungen bei sich und der Mitwelt als genuin ökumenische Teilhabe zu begreifen. So gestaltete Predigt wird ihren Inhalt darin wissen, nicht nur die anderen zu sehen und zu hören, sondern noch stärker mit den anderen zusammen sehen, hören und entdecken zu lernen - ihre Bibellektüre, ihre Gespräch, ihren Gehorsam und vor allem ihre Sicht von unserem Hören und unserem Sehen - und von unserem Verständnis von Gehorsam und Nachfolge. Ökumenische Predigt spricht daher nicht das aus, was über die anderen zu sagen sei, sondern das, was sie selbst sagen und was es für die Kirche Jesu Christi in der Industriegesellschaft bedeutet, sich auf Denken, Tun und Mahnung der anderen, ja auf das Fremde, Ungewohnte und Neue einzulassen.

In diesem Sinne steht ökumenische Predigt im Dienst theologischer Dekolonisation: Sie will Nachfolge am eigenen Ort und maßt sich nicht an, andere Orte und Erdteile zu vereinnahmen oder sich ihrer durch theologische, kulturelle oder politische Anmaßungen zu bemächtigen. Sie weiß um die Gefahr eines hohlen, pfäffischen Geschwätzes, wo zwar → „Partnerschaft", „ökumenischer Austausch", „weltweite Versöhnung" beschworen werden, aber die weltweiten, besonders politischen und wirtschaftlichen Spannungen um die Vorherrschaft der reichen, westlichen Industrieländer unbußfertig verniedlicht, beiseite geschoben oder verschwiegen werden. Eine wohlmeinende Predigt, die im Verschweigen harmonisieren will, die dabei die Leiden der anderen und unseren Mangel an Verantwortung und Solidarität überfliegt, unterwirft jede ökumenische Begegnung dem geistlich-kolonialen Würgegriff einer „smiling mission" und wird anstatt ersehnter ökumenischer Nähe noch mehr Distanz und Mißtrauen schaffen. Die das Ganze menschlichen Lebens einschließende Predigt ist insofern der Testfall für unsere Glaubwürdigkeit (Mt 25,31-46; 1Kor 12,26; 2Kor 8,14): Je unnachgiebiger Predigt sich einläßt auf die Schwachen und Leidenden - gleich ob hier oder dort -, sich also kompromißlos durch das biblische Zeugnis die Schwachpunkte der gewohnten Gemeinschaft und der eigenen Gesellschaft sagen läßt, desto verheißungsvoller wird die hörende Gemeinde wahrnehmen, daß sie in Wirklichkeit bei ihrem Herrn ist, bei ihrer eigenen Sache, bei sich selbst. Die Frage, ob und inwieweit Predigt in actu das leisten kann und die Hörer „bei der Stange" hält, ob etwa der „emotionale Anknüpfungspunkt" zu fern ist, bleibt nur dann berechtigt, wenn solches Predigen zu einer sonntäglich bequemen Marotte wird und nicht zunächst die alltägliche Begegnung das Mitgehen und Mitleiden mit den anderen, Fremden und Ausgestoßenen in der eigenen Gesellschaft gesucht wird: „Wer mitzuleiden fähig wird, erfährt, entdeckt den Sinn, für den zu leben sich lohnt; den Sinn wahren Lebens, der in Gott seinen Grund hat. Er erhält mit denen, denen er half, Anteil am Besitz der neuen Welt Gottes" (K. Scharf, in: Die Mülltonnen der Reichen ..., 60).

Lit.: *Avila, Ch.*, Fische, Vögel und die Gerechtigkeit Gottes, 1981. - *Blumhardt, Ch.*, Christus in der Welt. Briefe an Richard Wilhelm, 1958. - *Boesak, a. A.*, Ein Fingerzeig Gottes. Zwölf Südafrikanische Predigten, 1980. - *Brandt, H.* (Hrsg.), Die Glut kommt von unten. Texte einer Theologie aus der eigenen Erde, Brasilien, 1981. - *Bürkle, H.*, Predigt in Afrika. Anmerkungen zu ihrer Hermeneutik, in: VuF 26, 1981, 72-84. - *Cardenal, E.*, Das Evangelium der Bauern von Solentiname, 4 Bde, 1980. - Die Dritte Welt als Thema der Gemeinde, in: WuPKG 67, 1978. - Die Mülltonnen der Reichen und der arme Lazarus. 15 Predigten über Arme und Reiche in der Mission, hg. v. H. Liebich, 1982. - *Dürr, H.*, Art. IV. Heidenpredigt, ³RGG V, 537-539. - *Freytag, W.*, Reden und Aufsätze, 2 Bde, 1961. - *Grafe, H.*, Die volkstümliche Predigt des Ludwig Harms, 1965. - *Holsten, W.*, Missionspredigt, in: Ders., Das Kerygma und der Mensch, 1953, 155-163. - *Ders.*, Möglichkeit und Sinn einer heimatlichen Missionspredigt, in: EvTh 6, 1946/47, 115-142. - *Koppe, R.*, Wie können wir ökumenisch predigen?, in: Werkstattpredigt Nr. 18, 1976 (Themenheft Predigt und Ökumene), 4-10. - *Kraemer, H.*, Die christliche Botschaft in einer nichtchristlichen Welt, 1940. - *Linz, M.*, Anwalt der Welt. Zur Theologie der Mission, 1964. - *Löytty, S.*, The Ovambo Sermon, 1971. - *Macin, R.*, Bibelkunde für Arbeiter und Bauern, 1976. - *Mesters, C.*, Abraham und Sara, 1984. - *Ders.*, Das Wort Gottes in der Geschichte der Menschheit, 1984. - *Ders.*, Die Botschaft des leidenden Volkes, 1982. - *Ders.*, Sechs Tage in den Kellern der Menschheit, 1982. - *Ders.*, Maria, Mutter Jesu, 1985.

- *Ders.*, Vom Leben zur Bibel - von der Bibel zum Leben, 2 Bde, 1983. - *Richter, M.*, Der Missionsgedanke im evangelischen Deutschland des XVIII. Jahrhunderts, 1928. - *Schlatter, A.*, Das Gesetz und das Evangelium in der Heidenpredigt und in der Christengemeinde, in: ders., Gesunde Lehre, 1929, 254-265. - *Stier, R.*, Grundriß einer kritischen Keryktik oder einer Anweisung, durch das Wort Gottes sich zur Predigtkunst zu bilden, ²1874, - *Traber, M.*, Art. Kommunikation, in: Ökumenelexikon, 1983, 682-685. - *Trautwein, D.*, Gottesdienst als Feld ökumenischer Realisierungen, in: WuPKG 63, 1974, 161ff. - *Trillhaas, W.*, Grundsätzliches zur Aufgabe der Missionspredigt, in: Jahrb. f. Mission 1947/48, 16-20. - *Uttendörfer, O.*, Die wichtigsten Missionsstrukturen Zinzendorfs, 1913. - *Waida, G.*, Communication through Preaching in Melanesia, in: Catalyst 2, 1981, 18-35. - *Warneck, G.*, Der Missionsbefehl als Missionsinstruction, in: AMZ 1, 1874, 41ff. - *Ders.*, Evangelische Missionslehre, 3 Bde, 1892ff. - *Ders.*, Warum hat unsere Predigt nicht mehr Erfolg?, 1880. - *Wegener, R.*, Das Gesetz in der missionarischen Verkündigung, in: EMM 61, 1917, 6-18. - *Wohlrab, K.*, Schöpfung, Sünde und Gnade in der afrikanischen Heidenpredigt, in: Die deutsche evangelische Heidenmission, Jahrb. 1936, 28-35. - *Zahn, F. M.*, Die evangelische Heidenpredigt, in: AMZ 22, 1895, 26-37.

W. Gern

PROPHETIE

1. Im AT. 2. Im NT. 3. In der weiteren Kirchengeschichte. 4. Theologische Beurteilung der Prophetie.

In den meisten Religionen treten Propheten auf. Sowohl die biblischen als auch die Propheten in und außerhalb das Christentums können ihre Prophetie im Zustand der Trance oder im normalen Wachzustand erhalten. Das phänomenologische Kriterium der Ekstase (oder des „Altered State of Consciousness", Bourgignon) eignet sich nicht als theologisches Beurteilungskriterium, weder positiv noch negativ. Das Phänomen ist weiter verbreitet als gemeinhin angenommen wird, insbesondere in den → Unabhängigen Kirchen Afrikas (Baëta, Barrett, Greschat, Guariglia, Schlosser, Sundkler), Indiens (Hoerschelmann, Raj) und Koreas, in den Jungen Kirchen Indonesiens (Müller-Krüger) in afro-brasilianischen (Gerbert, Bento) und afro-karibischen (Mulrain) Volksreligionen, im koreanischen, nord- und zentralasiatischen Schamanismus (Schüttler). Es war auch bekannt in den Religionen der Griechen (Krämer), Römer, Kelten, Germanen und Indianer. Auffallende Parallelen zeigen sich zwischen außerisraelitischen und israelitischen, zwischen hellenistischen und christlichen, zwischen traditionell afrikanischen und christlich-afrikanischen, zwischen vorchristlichen und christlichen Propheten Lateinamerikas. Die Prophetie tritt sowohl als Voraussage wie auch als pastorales Instrumentarium der Seelsorge und als Sozialprophetie auf. Echte Voraussagen, seelsorgerliche Hilfe, sozialkritische Analyse wie auch Mißbrauch der Propethie zum Zweck der Machterweiterung des Propheten sind zu beobachten. Im folgenden konzentriere ich mich auf die Prophetie der biblischen Religionen.

1. Im AT sind die Grenzen zwischen Falschpropheten und den echten Propheten fließend. Die Unterscheidung zwischen echter und falscher Prophetie geschah dadurch, daß im allgemeinen das, was als echte Prophetie erfahren, überlie-

fert wurde. Der Rezeptionsvorgang folgt hier dem von dem Wissenschaftshistoriker Kuhn beschriebenen Modell der Rezeption eines neuen Paradigmas durch die Gemeinschaft der Wissenschaftler. Die falsche Prophetie wurde (von wenigen, aber signifikanten Ausnahmen abgesehen - vgl. 1Kön 22) nicht in die alttestamentliche Überlieferung aufgenommen. Die echte Prophetie war aber in ihrer Entstehung immer kontrovers. Man vergleiche dazu die wirtschaftspolitische Kontroverse eines Amos, die Kritik Jesajas an der Jerusalemer Bündnispolitik und die Aufforderung Jeremias, sich in Babylon heimisch zu machen.

2. Die Prophetie im NT hat wenig gemeinsam mit der überlieferten Prophetie des AT. Die großen politischen, sozialen und theologischen Themen der alttestamentlichen Prophetie kommen in der neutestamentlichen Prophetie kaum zur Sprache. Eine Ausnahme bildet lediglich die Apokalypse, die religiöses Gut des Hellenismus und der spätjüdischen Apokalyptik aufnimmt und selbständig verarbeitet. Im allgemeinen wurde die Prophetie liturgisch eingebaut und als Verkündigungsinstrument der Gesamtgemeinde verstanden. Einige minimale Kriterien zur liturgischen Handhabung gibt Paulus in 1Kor 12-14: Die Prophetie soll, wie alle anderen Charismata, dem „gemeinen Nutzen" dienen. Sie soll nicht im Gegensatz zur Offenbarung im fleischgewordenen Wort stehen und von den andern beurteilt werden. Modern gesagt: sie darf den Traditionszusammenhang zu Jesus von Nazareth nicht zerstören. Sie muß die Gemeinde (oder die Gesellschaft?) aufbauen, und sie muß der ökumenischen Kritik unterworfen werden. Für Paulus ist es gleichgültig, ob Prophetie unter ekstatisch-enthusiastischen Bedingungen entsteht und ob sie präkognitive Elemente enthält. Man vergleiche z.B. die interessante Stelle in Apg 21,4,10-14, wo → Paulus (oder Lukas?) die Echtheit der Prophetie nicht bestreitet, sich aber trotzdem nicht an die Anweisungen des Propheten hält. Das bedeutet für uns, für die ein „altered state of consciousness" verdächtig ist, daß auch die ekstatische und intuitive → Kommunikation (und nicht nur die rationale und analytische) prophetischen Gehalt haben kann. Sie muß sich aber den gleichen Kriterien, wie jede andere menschliche Äußerung unterwerfen. Sie muß am Geist des Evangeliums orientierte, von der Gesamtgemeinde verantwortete, für die Welt verstehbare (1Kor 14.14f) und nützliche, wenn auch nicht notwendigerweise akzeptierte Verkündigung sein.

3. In der Alten Kirche treten gelegentlich noch prophetische Äußerungen auf (Material bei Aune, Friedrich und Yoccum). Im allgemeinen jedoch ist festzustellen, daß die Prophetie mehr und mehr in den Bereich der Schismatiker und Häretiker abgeschoben wurde (Montanismus). Hill, Aune und andere zeigen überzeugend, daß die prophetische Rolle - die ursprünglich von jedem Gemeindeglied ausgeübt werden konnte - schon früh von „Katecheten, Predigern, Gelehrten und Theologen" übernommen wurde. Ihre Autorität basierte in der Erklärung und Extrapolation einer existierenden Tradition, insbesondere der Schrift.

Die *Verdrängung* der Prophetie in kirchlichen Randgruppen finden wir auch in der weiteren Kirchengeschichte: Albigenser, Katharer, Täufer, Propheten der Cevennen (Gagg), im frühen Pietismus, in der Pfingstbewegung und in den Unabhängigen Kirchen. Die Reformatoren, vor allem Zwingli und Calvin, haben die prophetische Gabe an den Predigtdienst des Pfarrers gebunden, der vor allem bei Zwingli nicht vom einzelnen Prediger, sondern von der gesamten Gemeinde zu verantworten war. Instrument dazu war die „Prophezei", ein theologisches Institut, wo Laien und Theologen um die praktische, zum Beispiel wirtschafts- und militärpolitische Anwendung der biblischen Botschaft miteinander stritten.

Zwei Propheten der Kirchengeschichte können uns für das Verständnis der prophetischen Bewegungen der Dritten Welt besonders hilfreich sein: Blaise Pascal und George Fox. Pascal hielt seine ekstatische Initiation ins Christentum während seines ganzen Lebens geheim. Er hielt das ekstatische Erlebnis in einem Memorial fest, das nach seinem Tode in seiner Jacke eingenäht gefunden wurde. Pascal ist es gelungen, diese prophetische Berufungserfahrung in seinen Schriften kognitiv zu vermitteln, ohne je von seiner persönlichen Erfahrung zu sprechen (A. Rich).

Noch wichtiger ist für uns George Fox, weil er der Gründer einer prophetischen Gemeinde in Europa wurde (Quäker). Die Quäker haben in wichtigen Fällen gegen den Wortlaut der Schrift, aber im Sinne des Evangeliums prophezeit. Ich erwähne nur ihre Friedenspolitik (für die sie 1947 den Friedensnobelpreis erhielten), ihren Kampf gegen die Sklaverei (gegen 1Kor 7,21; Eph 6,5; Kol 3,22; Tit 2,9; Phlm 1; Petr 2,18), gegen die Todesstrafe (zahlreiche Stellen in Ex), gegen die körperliche Züchtigung der Kinder (gegen Spr 13,24), gegen die Ausschließung der Mädchen aus den Schulen, gegen die wirtschaftliche Ausbeutung der Indianer, gegen die Verfolgung Andersgläubiger (William Penn und die Gründung von Pennsylvania). Ihre Prophetie geschieht aufgrund einer lebenslangen Übung im Schweigen. Bis vor kurzem wurden sie als Schwärmer verurteilt, weil ihr Prinzip des „inneren Lichtes" mit den Lehrern und Predigern der großen Kirchen in Konflikt geriet. Heute aber erkennt man mehr und mehr, daß das Prinzip des „inneren Lichtes" nicht in abstracto, sondern von dem her zu beurteilen ist, was es die Quäker lehrte. In allen wichtigen Kontroverspunkten erkennen wir, daß die Quäker gegen „die Bibeltheologen" im Recht waren (R. C. Scott).

4. In den westlichen Kirchen scheint die Prophetie heute abwesend zu sein. Die RGG z.B. bietet unter dem Stichwort „Propheten" viel religionsgeschichtliches und biblisches Material, aber kaum kirchengeschichtliche, praktisch-theologische und systematische Beiträge. Daraus könnte man schließen, daß die Prophetie in den westlichen Kirchen aufs Pfarramt beschränkt ist. Diese Feststellung trifft aber auf viele neuentstandene Kirchen der Dritten Welt nicht zu. Inwieweit die prophetischen Phänomene der Jungen und Unabhängigen Kirchen und des NT für uns gültig und durchführbar sind, ist eine offene Frage. Kaum jedoch kann die amtliche Verkündigung der Kirche das ganze Spektrum des Prophetischen legitim abdecken. Das scheitert schon daran, daß jedenfalls die biblischen Propheten selten für ihre Prophetie bezahlt wurden. Kompliziert wird die Fragestellung noch dadurch, daß wir heute fragen, ob Propheten wie Schumacher (Small ist beautiful), Ota Sik (Argumente für einen dritten Weg), Einstein oder Bonhoeffer echte Propheten waren oder sind.

Diese Problematik und der Kontakt mit Propheten aus der Dritten Welt macht die Herausarbeitung von Kriterien der echten Prophetie dringlich. Folgende Kriterien werden in der Literatur diskutiert:

• Der echte Prophet stimmt mit der *Schrift* überein. Das ist in dieser Allgemeinheit ein unbrauchbares Kriterium, denn der echte Prophet wird auch gele-

gentlich gegen den Wortlaut der Schrift prophezeien (s.o. die Quäker), wie auch
viele banale oder falsche Propheten mit Leichtigkeit Bibelsprüche im Munde führen. Dabei spielt es überhaupt keine Rolle, ob die Prophetie im Zustand der
Trance oder im Wachzustand entstand.

• Mt 7,16: „An ihren *Früchten* werdet ihr sie erkennen!" Wenn dies ein Ur-
teilskriterium und nicht ein (auf mich selber anzuwendendes) Handlungskriterium
ist, so ist es problematisch. Meist wird unter „Früchten" Konformität zur herrschenden Moral verstanden. Mit dem Kriterium der „Früchte" konnte man
George Fox mundtot machen. „,Aberglaube' ist ... der in einer Gesellschaft abge-
lehnte Glaube. ,Glaube', so könnte man ironisch formulieren, der offiziell anerkannte Aberglaube. Wo die Grenze zu ziehen ist, bestimmen die maßgeblichen
Kreise" (Theißen). Luz macht in seinem Matthäuskommentar auf die Problematik der Früchte als Unterscheidungsmerkmal aufmerksam und belegt dies vor allem aus der Wirkungsgeschichte des Textes. „Er wurde u.a. deswegen so oft aufgenommen, weil er von jedem und gegen jeden verwendbar war". Die Reduktion
des prophetischen Handelns auf das Akzeptable ist auch verantwortlich für die
Trivialitäten in vielen prophetischen Mitteilungen, inklusive derjenigen „aus dem
Jenseits" (Köberle).

• Aufgrund der deuteronomistischen Theologie (Dtn 18,22) wird echte *Präkognition* als Kriterium angegeben. Aber auch dies eignet sich nicht als Kriterium,
denn Präkognition ist eine natürliche menschliche Gabe, wie Singen, Tanzen oder
Träumen (Bender, W. H. C. Tenhaeff, H. J. Eysenck). „Die menschliche Seele
besitzt, parapsychologische Begabung vorausgesetzt, auch die Fähigkeit, in der
Vergangenheit und in der Zukunft zu lesen" (Köberle). Diese Gabe kann sowohl
„prophetisch" (im Sinne von 4,5.) wie auch „sarkisch" gebraucht werden.

• Oft wird gesagt: Echte Prophetie kommt *von Gott*, falsche von Menschen.
Das ist jedoch eine Tautologie. Ob ein Prophet „von Gott" her redet oder nicht,
ist ja gerade strittig. Zudem sind alle Propheten, auch die großen Schriftpropheten
des AT, vom biographischen, psychologischen und kulturellen Kontext mitbestimmt. Noch unbrauchbarer ist die Aussage, daß die Geisterunterscheidung eine
rein „geistliche", der normalen menschlichen Unterscheidungsweise unzugängliche
Geistesgabe sei.

• Mir scheint, daß eine *„gelebte theologia crucis"* am ehesten als „geistli-
ches" Kriterium gelten kann. Theißen beschreibt die Jesusbewegung des NT als
„ungrundsätzlich", weil sie sowohl Widerstandskämpfer wie auch Kollaborateure
der römischen Besatzungsmacht in ihren Reihen hatte. Die latente Aggression gegen die Römer wurde „verschoben", insbesondere bei der Verarbeitung des Todes
ihres Führers. „Nicht die Schuld der Römer offenbarte sich da, sondern ihre eigene Schuld ... Jesus mußte für unsere Sünden sterben. Der gescheiterte Messias
wurde zum Heilbringer." Daß die Schuld auf einen „Sündenbock", den Messias,
projiziert wurde, war noch nichts Besonderes. Daß aber die Jesusbewegung sich
mit diesem Sündenbock identifizierte und ihn im → Abendmahl feierte (soma
Christou), krempelte die sozialen Beziehungen von innen her um. „Diese Aggressionsverarbeitung schuf Raum für die neue Vision von Liebe und Versöhnung, in
deren Mittelpunkt das neue Gebot der Feindesliebe steht. Das Entstehen der
,Vision' selbst ist ein Rätsel. Den es gilt auch der umgekehrte Schluß: Vorausset-

zung für die verschiedenen Formen von Aggressionsverarbeitung war eine angstfreie Grundstimmung, ein erneuertes Grundvertrauen in die Wirklichkeit, das von der Gestalt Jesu ausstrahlt bis heute" (Theißen).

Für die heutige Kirche wäre ein prophetischer Dienst denkbar, der sich - theologisch gesprochen - als gelebte Theologie des Kreuzes und - psychologisch gesprochen - als Aggressionsverarbeitung (Kelsey) beschreiben läßt.

Anstatt sich als Zensoren der Propheten zu verstehen, können sich kirchliche Institutionen als Gastgeber für Aggressionsverarbeitung, für eine neue Vision von Liebe und Versöhnung verstehen. Von Kirchenleitungen, Bischöfen oder dem Ökumenischen Rat der Kirchen Prophetie zu verlangen, ist illusorisch. Wer solches erwartet, verkennt die soziologische Realität von Organisationsspitzen, die zuerst ihre Organisation und erst in zweiter Linie ihre Botschaft verteidigen. Was wir erwarten können, ist, daß diese kirchlichen und ökumenischen Instanzen Kritik an sich selbst und an den von ihnen mitverantworteten gesellschaftlichen und kirchlichen Strukturen nicht im Prinzip unterdrücken (auch nicht im Prinzip gutheißen), sondern es darauf ankommen lassen, ob „die andern" in dieser Kritik Prophetie erkennen.

Lit.: *Aune, D.E.*, Prophecy in Early Christianity and the Ancient Mediterranean World, 1983. - *Baëta, C.*, Prophetism in Ghana. A Study of Some „Spiritual" Churches, 1962. - *Barrett, D. B.*, Schism and Renewal in Africa. An Analysis of Six Thousand Contemporary Religious Movements, 1968. - *Bender, H.* (Hrsg.), Parapsychologie. Entwicklung, Ergebnisse, Probleme, 1974. - *Bento, D.*, Malungo. Decodificação da Umbanda. Contribuãão à historia des religiões, 1979. - *Bourgignon, E.*, Religion, Altered States of Consciousness and Social Change, 1973. - *Cavendish, R.* (Hrsg.), Encyclopedia of the Unexplained. Magic, Occultism and Parapsychology, 1974. - *Eysenck, H.-J.*, Telepathie und Hellsehen, in: Bender, 710-733. - *Gagg, R.*, Kirche im Feuer. Das Leben der südfranzösischen Hugenottenkirche nach dem Todesurteil durch Ludwig XIV, 1961. - *Gerbert, M.*, Religionen in Brasilien. Eine Analyse der nicht-katholischen Religionsformen im sozialen Wandel der brasilianischen Gesellschaft, Bibl. Ibero-Americana 13, 1970. - *Greschat, H.-J.*, Westafrikanische Propheten. Morphologie einer religiösen Spezialisierung, 1974. - *Guariglia, G.*, Prophetismus und Heilserwartungs-Bewegungen als völkerkundliches und religionsgeschichtliches Problem, 1959. - *Hasenhüttl, G.*, Charisma. Ordnungsprinzip der Kirche, 1969, ÖF.E 1/5. - *Hill, D.*, New Testament Prophecy, 1979. - *Hoerschelmann, W.*, Christliche Gurus. Darstellung von Selbstverständnis und Funktion indigenen Christseins durch unabhängige charismatisch geführte Gruppen in Südindien, Studien zur interkulturellen Geschichte des Christentums 12, 1977. - *Hollenweger, W. J.*, Konflikt in Korinth. Memoiren eines alten Mannes, KT 31, 1978, [4]1985. - *Ders.*, Funktionen der ekstatischen Frömmigkeit der Pfingstbewegung, in: Th. Spoerri, Beiträge zur Ekstase, Bibl. Psych. et Neurologica 134, 1968, 53-72. - *Ders.*, Prophetische Verkündigung, in: ders., Erfahrungen der Leibhaftigkeit. Interkulturelle Theologie I, 1979, 337-342. - *Ders.*, Geist und Materie. Interkuturelle Theologie III, 1988 (zum parapsychologischen Aspekt). - *Kelsey, M. T.*, Prophetic Ministry. The Psychology and Spirituality of Pastoral Care, 1982. - *Köberle, A.*, Okkultismus, RGG[3] IV, 1614-1619. - *Ders.*, Spiritismus, RGG[3] VI, 251-254. - *Kuhn, T. S.*, Die Struktur wissenschaftlicher Revolutionen, [4]1979. - *Luz, U.*, Das Evangelium nach Matthäus (Mt 1-7), EKK I/1, 1985. - *Müller-Krüger, T.*, Der Protestantismus in Indonesien. Geschichte und Gestalt, Die Kirchen der Welt V/V, 1968. - *Mulrain, G. M.*, Theology in Folk Culture. The Theological Significance of Haitaian Folk Religion, Studien zur interkulturellen Geschichte des Christentums 33, 1984. - *Raj, P. S.*, A Christian Folk-Religion in India. A Study of the Small Church Movement in Andhra Pradesh, with a Special Reference to the Bible Mission of Devadas, SDGSTh 40, 1985. - *Rich, A.*, Pascals Bild vom Menschen. Eine Studie über die Dialektik von Natur und Gnade in den „Pensées",

Studien zur Dogmengeschichte und systematischen Theologie III, 1953. - *Schlosser, K.,* Propheten in Afrika, KGF 3, 1949. - *Dies.,* Eingeborenenkirchen in Süd- und Südwestafrika. Ihre Geschichte und Sozialstrukturen. Ergebnisse einer völkerkundlichen Studienreise, 1953. - *Schüttler, G.,* Die letzten tibetischen Orakelpriester. Psychiatrisch-neurologische Aspekte, 1971. - *Scott, C.* (Hrsg.), Die Quäker, KW XIV, 1974. - *Sundkler, B.,* Bantupropheten in Südafrika, KW V/III, 1964. - *Ders.,* Zulu Zion and Some Swazi Zionists, Studia Missionalia Upsaliensia XXIX, 1976. - *Sundkler, B./Mayer, R./Fichtner u.a.,* Propheten, RGG³ V, 608-635. - *Tenhaeff, W. H. C.,* Präkognitive Träume, in: Bender, 165-175. - *Ders.,* Über die Anwendung paranormaler Fähigkeiten. Leistungen von Sensitiven für polizeiliche und andere Zwecke, in: Bender, 285-305. - *Theißen, G.,* Soziologie der Jesusbewegung. Ein Beitrag zur Entstehungsgeschichte des Urchristentums, TEH 194, 1977. - *Ders.,* Urchristliche Wundergeschichten. Ein Beitrag zur formgeschichtlichen Erforschung der synoptischen Evangelien, 1974. - *Yoccum, B.,* Prophecy, Exercising the Prophetic Gifts of the Spirit in the Church Today, 1976.

W. J. Hollenweger

RECHTFERTIGUNG

1. Grundsätzliches. 2. AT und Frühjudentum. 3. Synoptische Evangelien und vorpaulinische Tradition. 4. Paulus. 5. Nichtpaulinische Briefe und Johannesevangelien. 6. Geschichte der Kirche.

1. Rechtfertigung des Gottlosen ist Inhalt und Ziel missionarischer Verkündigung wie jeder christlichen Botschaft. Es handelt sich nicht um ein Thema unter anderen, sondern um das ntl. Grundthema schlechthin; es geht auch nicht um den Leitgedanken in einer bestimmten, nämlich der paulinischen Theologie, vielmehr um das fundamentale Motiv des urchristlichen Zeugnisses überhaupt. Dabei darf man natürlich nicht nur nach dem Vorkommen des Wortfeldes Gerechtigkeit, Rechtfertigung, Gerechtmachen fragen, das zweifellos nur in einzelnen Schriften des NT nachweisbar ist; es muß gleichzeitig nach der Übereinstimmung der speziellen Rechtfertigungsaussagen mit der übrigen ntl. Verkündigung gefragt werden. Das kann so geschehen, daß die Rechtfertigungsterminologie zum Ausgangspunkt genommen wird, um von da aus den inneren Zusammenhang des ntl. Zeugnisses und die Relevanz der Rechtfertigungsthematik für die christliche Botschaft insgesamt zu erkennen. In diesem Sinne haben die Reformatoren, vor allem Martin Luther, die Rechtfertigungslehre als „Mitte und Grenze der Theologie" (E. Wolf) verstanden, was durch spätere Auffassungen, die in ihr lediglich eine besondere Ausprägung der Theologie bei Paulus oder gar nur einen „Nebenkrater" in der paulinischen Theologie selbst sahen (A. Schweitzer), zu Unrecht bestritten worden ist.

2.1 Rechtfertigung ist bereits ein wichtiges Thema für das *AT* und insofern mit gewissen Einschränkungen ein gesamtbiblischer Grundgedanke. „Gerechtigkeit" (zedaqa) ist hier keine übergeordnete Norm, sondern ein gesellschaftsgemäßes Verhalten, es hat die Bedeutung der Gemeinschaftstreue (H. Cremer, G. v. Rad). Als Relationsbegriff ist Gerechtigkeit im besonderen geprägt durch das Verhältnis → Gott und Mensch bzw. Gott und Gottesvolk. Innerhalb dieses Bezuges erweist es sich, ob jemand als gerecht angesehen werden kann oder Rechtfertigung von Gott her erfährt. Gottes eigenes Handeln ist Gerechtigkeitshandeln, sofern er seine Verheißungen verwirklicht und damit → Heil stiftet. Demgegenüber ist das Herausfallen aus der Gemeinschaftstreue selbst schon Gericht. Interessanterweise ist an der Mehrheit der Stellen, wo von Gottes Gerechtigkeit die Rede ist, der Plural verwendet, im Sinne der „Gerechtigkeitstaten" bzw. „Gerechtigkeitserweise". Nur in Dtn 33,21 ist der Singular verwendet, ohne daß dies eine unmittelbare Voraussetzung für den ntl. Begriff wäre. Das betrifft zunächst schon die Terminologie, da im AT durchweg von der „Gerechtigkeit Jahwes", nicht aber von der „Gerechtigkeit Gottes" wie im NT gesprochen wird. Außerdem ist die Gerechtigkeit als Gemeinschaftstreue ein primär auf die einstige Bundeskonstituierung bezogener und von dort her verstandener Begriff.

2.2 Gerechtigkeit und Rechtfertigung im Zusammenhang eschatologischer Erwartung sind erst in spätalttestamentlicher und frühjüdischer Tradition nachweisbar. In Dan 9,24 ist von der Aufrichtung der „ewigen Gerechtigkeit" die Rede, und in den apokalyptischen Büchern 4. Esra und aeth. Henoch wird mehrfach auf die endzeitliche Verwirklichung der heilstiftenden Gerechtigkeit Gottes hingewiesen. Besonders aufschlußreich sind als Voraussetzung für die ntl. Redeweise die *Qumran-Texte*, weil hier in vorchristlicher Zeit von der „Gerechtigkeit Gottes" (zidqat el) und von der Rechtfertigung des umkehrwilligen Sünders gesprochen wird, wobei allerdings die gewissenhafte Erfüllung der radikalisierten Tora eine entscheidende Funktion besitzt. Daß dies eine nicht nur in der Gemeinschaft von Qumran vertretene Auffassung war, zeigen verwandte Texte aus dem Jubiläenbuch und den Testamenten der zwölf Patriarchen.

3.1 Es gibt eine Reihe von außerpaulinischen Texten im NT, wo von der „Gerechtigkeit Gottes" oder von der „Rechtfertigung" des Menschen die Rede ist. Beachtenswert ist in den *synoptischen Evangelien* vor allem der Schluß des Gleichnisses von Pharisäer und Zöllner Lk 18,14a, wonach der Zöller „gerechtfertigt in sein Haus hinabging", der Pharisäer jedoch nicht. Die Bedingungslosigkeit der Rechtfertigung aufgrund des uneingeschränkten Bekenntnisses zum Sündersein ist hierbei entscheidend. Daß die „Gerechtigkeit, die vor Gott gilt" (M. Luther) nicht erworben, sondern nur empfangen werden kann, macht Mt 6,33 deutlich, sofern hier die Aufforderung an die Jünger ergeht, die „Herrschaft Gottes" und „seine Gerechtigkeit" zu „suchen". Dementsprechend werden nach Mt 5,6 diejenigen selig gepriesen, die „hungern und dürsten nach Gerechtigkeit". Auch Jak 1,20f gehört in diesen Zusammenhang, sofern das rettende Wort nur angenommen werden kann, während der Zorn die „Gerechtigkeit Gottes" nicht bewirkt, vielmehr ausschließt.

3.2 Daß → Paulus seine Rechtfertigungslehre nicht frei entworfen hat, zeigen mehrere seiner Texte, die eindeutig als *vorpaulinische Tradition* zu erkennen sind. Das gilt für die Aussage in 1Kor 6,11, bei der das „Abgewaschenwerden", das „Geheiligtwerden" und das „Gerechtfertigtwerden" Beschreibungen des Taufgeschehens sind, was bedeutet, daß der auf den Namen Jesu und in der Kraft des Heiligen Geistes Getaufte die Rechtfertigung empfangen hat. Das ist insofern auffällig, als für Paulus sonst die Rechtfertigung des Menschen ein Geschehen ist, von dem der Mensch bleibend abhängig ist, das sich also jeweils neu vollzieht.

Auch das christologische Bekenntnis von Röm 4,25 erweist sich als vorpaulinisch, sofern nur hier die Sündenvergebung mit dem Tod, die Rechtfertigung mit der Auferstehung Jesu verbunden ist, während Paulus sonst die Rechtfertigung des Menschen im Sterben Jesu begründet sieht. Das ist in der Überlieferung von Röm 3,24-26 der Fall, wo Jesu Tod als das von Gott gewährte Sühnegeschehen für die menschliche Sünde bezeichnet wird, das als „Erweis" seiner heilschaffenden Gerechtigkeit gilt. Doch hat Paulus diesen Text nicht unverändert übernommen, vielmehr durch zwei Zusätze ergänzt, wie sich sprachlich am Urtext zeigen läßt: Er spricht dabei ausdrücklich vom Glauben des Menschen und von dem jeweils neu in der Gegenwart („jetzt") sich verwirklichenden Rechtfertigungshandeln Gottes.

4.1 Für *Paulus* selbst ist im Galater- wie im Römerbrief die ausgeführte Rechtfertigungslehre die Explikation der „Wahrheit des Evangeliums" (Gal 2,5 u.ö.). Die Rechtfertigung des Menschen als Heilsgeschehen gründet in der Verheißung Gottes und in der Verwirklichung seiner Zusagen durch Person und Werk Jesu Christi, und zwar wesentlich durch sein Sterben. „Gerechtigkeit Gottes" wird dabei weder als Eigenschaft Gottes verstanden noch als Maßstab des Gerichts, aber auch nicht einfach nur als eine Gabe Gottes, vielmehr als Gerechtigkeitshandeln, durch das Gott Heil gewährt und der Mensch einbezogen und zur Antwort aufgerufen wird. Dieses Gerechtigkeitshandeln wird nach Röm 1,17 in der Verkündigung des Evangeliums offenbar und wirksam. Da „Gerechtigkeit Gottes" das alleinige Handeln Gottes im Sinne der iustitia salutifera umschreibt, bedeutet dies für den Apostel einerseits, daß Verheißung und Realisierung dieser Gerechtigkeit unabhängig sind von jeder Forderung an den Menschen und von jedem Tun des Menschen, weshalb auch das Gesetz gegenüber der Verheißung nur eine sekundäre und für das Heil irrelevante Funktion haben kann (Gal 2,15ff) und daß hierbei alle „Werke des Gesetzes" als ein menschliches Streben nach Selbstverwirklichung und Ruhm ausscheiden müssen (Röm 3,27f). Andererseits bedeutet die Verwirklichung der Gerechtigkeit Gottes, daß es für den Menschen nichts anderes geben kann als das bedingungslose Sich-Verlassen und Sich-Anvertrauen, ein „Glauben wider Hoffnung auf Hoffnung", wobei der Mensch sich darauf stützt, daß Gott das, was er verheißen und zugesagt hat, auch verwirklicht (Röm 4,18-22). Dafür ist Abraham das Urbild, dessen bedingungsloser Glaube ihm nach Gen 15,6 „angerechnet wurde als Gerechtigkeit" (Gal 3,6-23; Röm 4,3-25). Die Ausschließlichkeit des Gnadenhandelns Gottes, die Bindung an Person und Sterben Jesu Christi und die Bedingungslosigkeit menschlichen Glaubens im Sinn des Sich-Verlassens auf Gott sind für Paulus die konstitutiven Elemente seiner Rechtfertigungsbotschaft. Das bedeutet für ihn, daß grundsätzlich jeder Mensch dieses Heil empfangen kann und daß es gerade der Gottlose ist, der von Gott gerechtfertigt wird (Röm 4,3-5). Gott hat den, „der von keiner Sünde wußte", d.h. der aus der Gemeinschaft mit Gott nicht herausgefallen war, „für uns" stellvertretend „zur Sünde gemacht", damit wir „Gerechtigkeit werden in ihm" (2Kor 5,21), was besagt, daß wir Gerechtigkeit empfangen, indem wir und soweit wir „in ihm", nämlich „im Leibe Christi", der Zugehörigkeit zu ihm, leben (vgl. 1Kor 12,13; 2Kor 5,17). Rechtfertigung beinhaltet die Wiederaufnahme in die Gemeinschaft mit Gott und zugleich die Ermöglichung eines neuen Lebens (Röm 8,1-11).

Durch das Wort des Evangeliums, die Heilszusage, wird der Mensch gerechtge-
sprochen und damit auch gerechtgemacht in dem Sinn, daß er aus Gott und vor
Gott leben kann. Deshalb kann um der Erkenntnis Christi willen alles zurückge-
lassen werden, weil die „Gerechtigkeit von Gott aufgrund des Glaubens" dem
Menschen festen Halt und Zukunft gibt (Phil 3,7-11). Mit dem Glauben ist ja die
Hoffnung auf Heilsvollendung unlösbar verbunden (Röm 5,1-11). Es gilt: „Der
aus Glauben Gerechte, der wird leben"; denn die Gerechtigkeit Gottes wird im
Evangelium offenbar „aus Glauben in Glauben" (Röm 1,17).

4.2 Paulus hat im Galaterbrief dargelegt, daß das christliche Leben insgesamt
als Existenz des Gerechtfertigten verstanden sein will, und er hat im Römerbrief
aufgezeigt, daß die gesamte Evangeliumsverkündigung sowie der *Dienst der Mission* Konkretisierung und Aktualisierung des rechtfertigenden Handelns Gottes ist.
Besonders aufschlußreich sind dafür Röm 9,30-10,17 zusammen mit Röm
11,11-31 und 15,1-13. Es ist die Verkündigung des Evangeliums, die Heil und Leben wirkt: „Jeder, der den Namen des Herrn anruft, wird gerettet werden. Wie
sollen sie nun den anrufen, an den sie nicht glauben? Wie sollen sie an den glauben, von dem sie nichts gehört haben? Wie sollen sie hören, wenn niemand verkündigt?" (Röm 10,13f). Denn „der Glaube kommt aus der Predigt, die Predigt
aber aus dem Wort Christi" (Röm 10,17). Für Paulus wie die ganze Urchristenheit war dies Grund für eine unermüdliche missionarische Tätigkeit. Es geht um
das Bekenntnis, daß „Jesus Christus der Herr" ist, und zwar nicht der Herr einzelner oder einer geschlossenen Gemeinschaft, sondern der Herr der Welt. Darum
zitiert Paulus den Hymnus Phil 2,6-11. Er ist auch überzeugt, daß mit der Botschaft des Evangeliums die Mächte dieser Welt, die die Menschen versklaven,
überwunden werden. Wie in einem Triumphzug sieht er die Boten Christi trotz
allen Leidens und aller Verfolgung durch die Länder ziehen (2Kor 2,14-17). Er
selbst weiß sich mit dieser Botschaft zu einem priesterlichen Dienst bestimmt
(Röm 15,16). Denn es geht nicht um Menschenwort, sondern um vollmächtige
Verkündigung, zu der Christus selbst den Auftrag erteilt hat (1Thess 2,13; Röm
10,16). Durch die heilschaffende Gerechtigkeit, die im Evangelium wirksam wird,
werden alle Unterschiede aufgehoben, hier gibt es weder den Unterschied von
Heiden noch Juden, noch die Über- oder Unterordnung von Mann und Frau,
von Herr und Sklave (Gal 3,28). Es geht um den gemeinsamen Lobpreis aller
(Röm 15,7-13). Auch das Rätsel, daß Israel, von einem „Rest" abgesehen, die
Botschaft nicht annimmt, steht für den Apostel im Zusammenhang mit dem missionarischen Dienst (Röm 9-11). Um der Nichtjuden willen muß Israel zunächst
zurückstehen, soll dereinst aber ebenfalls zum Glauben kommen und gerettet
werden (Röm 11,23.25-31). So entspricht der missionarische Dienst der universalen Heilsabsicht Gottes. Mit Recht ist in der neueren Exegese festgestellt worden,
daß die „Gerechtigkeit Gottes" nicht nur den einzelnen betrifft, sondern eine
weltweite Dimension hat und daß es letztlich darum geht, daß Gottes Recht auf
Erden verwirklicht wird (E. Käsemann). Wo Gott sein Recht aufrichtet, bedeutet
das für die Menschen Heil.

5.1 Paulus selbst hat die Rechtfertigungsbotschaft in 1Kor 1,18-31 als Wort
vom Kreuz, durch das alle Weltweisheit überwunden, den Unweisen und Schwachen aber Heil gewährt wird, unter Verzicht auf die Rechtfertigungsterminologie

entfaltet. In den *nichtpaulinischen Briefen* des NT liegt derselbe Sachverhalt vor, sofern es um die Bedingungslosigkeit der Heilszusage aufgrund der Offenbarung Gottes in Christus und um das menschliche Vertrauen und Glauben geht. Das ist nicht überall mit derselben Konsequenz wie bei Paulus durchgeführt, aber es fehlt nirgendwo. Christliche Botschaft ist von ihrem Ursprung her bedingungslose Heilszusage und Ruf zum Glauben. Jesu Botschaft von der anbrechenden Gottesherrschaft und sein vorösterliches Wirken waren nichts anderes als Ausdruck der Heilszuwendung Gottes. Er hat deshalb den Sündern und Ausgestoßenen gepredigt und sie in seine Gemeinschaft aufgenommen. Die Rechtfertigungslehre will lediglich eine Interpretation dieser Botschaft von der anbrechenden Gottesherrschaft sein, und zwar nachösterlich unter Berücksichtigung des Todes und der Auferstehung Jesu. Da das rechtfertigende Handeln Gottes Sünde überwindet und aufhebt, ist es weithin für die Urchristenheit die sühnestiftende Funktion des Todes Jesu gewesen, durch die Heil und Gerechtigkeit vermittelt wird. Vertrauen auf die stellvertretende Kraft dieses Sterbens sowie die Zugehörigkeit zu Jesus und seiner Heilsgemeinschaft haben darum zentrale Bedeutung für die nachösterliche Botschaft erlangt. Aber ebenso wie die Rechtfertigungsbotschaft ohne Rechtfertigungsterminologie weitergegeben werden konnte, ist auch die Christusbotschaft in vielfältiger Gestalt verkündigt und in ihrer soteriologischen Relevanz expliziert worden. Fundamentale Bedeutung behielt dabei die an Jesu Person gebundene Zuwendung Gottes zu den Menschen, weil in seinem Wort und Werk die bedingungslose Heilszuwendung offenbar geworden ist.

5.2 Unter den ntl. Schriften verdient noch das *Johannesevangelium* Berücksichtigung. Explizit wird hier nicht von Rechtfertigung gesprochen, wohl aber geht es im Zusammenhang der Parakletverheißungen um die Gerechtigkeit, und zwar hat diese göttliche Gerechtigkeit nach 16,8-11 etwas mit Jesu Hingang zum Vater zu tun. Sein Hingang ist die Besiegelung der Macht des Lebens, die in Jesu Menschwerdung offenbar geworden ist und durch die Sünde, Welt und Tod überwunden werden. Es ist im 4. Evangelium nicht primär die Thematik der Sünde und Sündenvergebung, so wenig dies fehlt (1,29; 3,16). Es ist auch nicht in erster Linie Jesu Sterben als Sühnegeschehen, sondern in Jesu Tod ereignet sich bereits die Erhöhung und Verherrlichung, von der sonst erst im Zusammenhang mit der Auferstehung gesprochen wird. Es geht dabei vor allem um die Befreiung der Menschen vom Tod und um die Gabe des Lebens (3,36; 5,24; 6,33 u.ö.). Mit dieser Überwindung des Todes wird auch die Bindung an die gottfeindliche Welt, die dem Bösen unterworfen ist (1Joh 5,19b), aufgehoben. Das alles bedeutet, daß durch Jesu Wort allein und das Vertrauen auf seine Person das Heil gewährt und den Menschen neues, bleibendes Leben geschenkt wird (11,25f). Vielleicht ist diese Deutung des Rechtfertigungsgeschehens als bedingungslose und uneingeschränkte Befreiung vom Todesgeschick und vom Verhaftetsein an die Welt die heute am leichtesten nachvollziehbare Gestalt der christlichen Botschaft. Es ist zugleich ein Hinweis darauf, daß die biblische Tradition selbst eine Fülle von Ansatz- und Deutungsmöglichkeiten bietet, die vielfach nur unzureichend in der innerkirchlichen und der missionarischen Praxis aufgegriffen worden sind bzw. aufgegriffen werden.

6. In der *Geschichte der Kirche* ist die Rechtfertigungsbotschaft oft nur sehr eingeschränkt oder gebrochen weitergegeben worden. Es waren die großen Kirchenlehrer, die die Tragweite erkannt und unter den Verstehensbedingungen ihrer eigenen Zeit neu zum Leuchten gebracht haben: Augustin, Thomas von Aquin, Martin Luther und Karl Barth. Man muß sich klarmachen, warum es vielfach so schwierig gewesen ist, an dieser Botschaft in ihrer biblischen Gestalt festzuhalten. Sicher haben dabei Probleme der Übersetzung in eine andere Sprache und in eine andere, nicht-biblische Vorstellungsweise von Gerechtigkeit und Rechtfertigung eine Rolle gespielt, weshalb der Gedanke einer Rechtsnorm allzu stark in den Vordergrund getreten ist. Aber das Kernproblem lag doch in der Rechtfertigungslehre selbst: Sie ist nur dann in ihrem wahren Sinn aufgenommen und weitergegeben, wenn die Bedingungslosigkeit der Heilszusage und die Rückhaltlosigkeit des menschlichen Vertrauens samt einem entsprechenden Leben miteinander verbunden bleiben. Die Gefahr ist dabei entweder, daß die Bedingungslosigkeit des Heilsempfangs zu einer Bindungslosigkeit führt, oder daß die Notwendigkeit der Bindung an Christus und die christliche Gemeinschaft zur Preisgabe der grundlegenden Bedingungslosigkeit durch Verpflichtungen aller möglichen Art führt. Bindungslosigkeit, wie sie sich dann häufig einstellt, braucht nicht unbedingt Libertinismus zu sein, sie ist in der Regel weitgehender Verzicht auf eine genuin christliche Lebensweise und eine Anpassung an die Lebensbedingungen der Umwelt. Umgekehrt enden Verpflichtungen, die die Notwendigkeit einer Bindung sichtbar machen sollen, häufig in Moralismus oder Klerikalismus. Es bedarf nicht nur einer sachadäquaten theologischen Konzeption, um die Einheit von Bedingungslosigkeit und Bindung in rechter Weise verständlich zu machen, es bedarf vor allem einer missionarischen Verkündigung - und heute ist so gut wie jede Verkündigung eine missionarische -, in der die Freiheit, die das Evangelium von der Rechtfertigung des Sünders ermöglicht, ein wahrhaft christliches Leben und eine christliche Verantwortung, die nicht als weltliche Freiheit mißverstanden werden, einschließt.

Lit.: *Bultmann, R.*, Theologie des Neuen Testaments, ⁹1984. - *Cremer, H.*, Die paulinische Rechtfertigungslehre, ²1900. - *Härle, W./Herms, E.*, Rechtfertigung. Das Wirklichkeitsverständnis des christlichen Glaubens, 1980. - *Käsemann, E.*, Exegetische Versuche und Besinnungen, II, ⁶1970, 181-193. - *Müller, G.*, Die Rechtfertigungslehre. Geschichte und Probleme, 1977. - *Pesch, O. H./Peters, A.*, Einführung in die Lehre von Gnade und Rechtfertigung, 1981. - *v. Rad, G.*, Theologie des Alten Testaments I, ⁹1987. - *Reumann, J.*, Righteousness in the New Testament, 1982. - *Schweitzer, A.*, Die Mystik des Apostels Paulus, 1930 = 1981. - *Stuhlmacher, P.*, Gerechtigkeit Gottes bei Paulus (FRLANT 87), 1965. - *Wolf, E.*, Peregrinatio II, 11-21.

F. Hahn

REICH GOTTES

1. Reich Gottes-Theologie und Missionsbewegung. 2. Gegenwart und Zukunft des Reiches Gottes. 3. Das Reich Gottes als neue Schöpfung. 4. Das Reich Gottes und die Armen. 5. Das Reich Gottes im Zeichen des Kreuzes. 6. Die Zeichen des Reichs. 7. Das Reich der Versöhnung. 8. Dein Reich komme!

1. Bis in die Neuzeit hinein war das von der Apokalyptik geprägte biblische Welt- und Geschichtsbild der gegebene Rahmen aller Zukunftserwartungen; ihm wurde auch die Anschauung von der Unsterblichkeit der Seele eingefügt. Aufklärung und moderne Religionskritik haben daran die Abwertung des Diesseits, die Vertröstung auf ein Jenseits und die illusionäre Verdoppelung der Welt kritisiert. Da aber für die christliche Botschaft und den Glauben die → Eschatologie konstitutiv ist (A. Schweitzer, J. Weiss u.a.), gibt es eine Reihe von Versuchen, das Reich Gottes neu geltend zu machen. Sie können auf vier Grundtypen reduziert werden, die einzeln oder kombiniert auch für die Mission und die Ökumene von Bedeutung sind:

1.1 Das Reich Gottes ist das *Reich der Sittlichkeit*. Zukunftshoffnung gehört in den Bereich personaler Gewißheit und des Vertrauens. „Nichts kann uns scheiden von der Liebe Gottes" (Röm 8,38; moralische und existentiale Interpretation in Abgrenzung gegen alles Jüdische).

1.2 Das Reich Gottes ist das *Reich des messianischen Friedens, der Gerechtigkeit und der Versöhnung*; es gilt den Armen und Unterdrückten. „Siehe ich mache alles neu" (Apk 21,5; messianische und gesellschaftskritische Interpretation in Abgrenzung gegen subjektivistische Engführung, philosophische Metaphysik und Bündnisse von Kirche mit Mächtigen).

1.3 Das Reich Gottes ist das *Reich des Richters*. Gegen den Säkularismus und die Selbsterlösungstendenzen der Moderne ist an das kommende Gericht über die menschliche Sünde und an die Erlösung der Glaubenden zu erinnern. „Denn wir alle müssen vor dem Richterstuhl Christi offenbar werden, damit jeder empfange, je nachdem er im Leibe gehandelt hat ..." (2Kor 5,10; neopietistische Aufnahme der klassischen Eschatologie in Reaktion auf Schwächen anderer Positionen).

1.4 Das Reich Gottes ist *Gottes Mission an der Welt und die tätige Sendung der Menschen in die Welt*, die ihrerseits auf das kommende Reich ausgerichtet sind und es ankündigen. Herkömmliche Kirchen- und Missionsbegriffe müssen von da her immer wieder revidiert werden. „Dieses Evangelium vom Reiche wird auf dem ganzen Erdkreis gepredigt werden allen Völkern zum Zeugnis, und dann wird das Ende kommen" (Mt 24,14; Reich Gottes-Pietismus, religiöser Sozialismus, Theologie der missio Dei, charismatische Gemeindeerneuerung in Abgrenzung gegen die kirchliche Vernachlässigung der Sendungstraditionen).

Die neuzeitliche Missionsbewegung ist so einer der sozialen Träger der Frage nach dem Reich Gottes. Immer war ihr Anliegen die Beförderung des Reiches Gottes auf Erden, obwohl von chiliastisch-schwärmerischen Vorstellungen oder von apokalyptischen Erwartungen her auch der Verzicht auf missionarische Tätigkeit denkbar gewesen wäre. Mission - den messianischen Weissagungen gemäß „Stundenanzeiger an der Uhr des Reiches Gottes" (Jung-Stilling) - war praxis pie-

tatis und als solche Reichgottesarbeit. Auch wenn die Mission zunächst als See-
lenrettung und zugleich als Beitrag zur Sozialdisziplinierung verstanden wurde (H.
Lehmann), so enthielt doch die Reichgottestheologie auch die Möglichkeit einer
„Reinigung der Missionsmotive" (J. Dürr), der Kritik an Missionstheorie und
-praxis. So konnten die Impulse zur Befreiung der Sklaven und zur Wiederherstellung von Menschenwürde von der pietistisch-erwecklichen Missionsbewegung
ausgehen. Ebenso nährt sich die Mission des 20. Jahrhunderts, verstanden als
Mission Gottes in und an der Welt, als Kampf um Gerechtigkeit für die Armen,
von der Reich Gottes-Botschaft Jesu und der frühen Kirche (Bangkok, Melbourne, → Theologie der Befreiung. E. Castro). Dabei kann sie von intensiven
exegetischen, hermeneutischen und dogmatischen Bemühungen profitieren oder
sie beeinflussen; diese werden im folgenden mit einigen, auch für die Missionstheologie (→ Theologie der Mission) wichtigen Problemen beleuchtet.

   2. Die *biblische* Erwartung des Reiches Gottes entsteht aus der Verbindung
der Befreiungtradition mit der Gerichts- und Unheilssituation Israels. Das Kommen Jahwes als König und die messianische Hoffnung auf umfassenden Schalom
(→ Frieden) in Geschichte und Natur erfahren vor dem Auftreten Jesu tiefgreifende Veränderungen und Erweiterungen. „Das Reich Gottes ist genaht; tut Buße
und glaubet an das Evangelium" (Mk 1,15). Das ist, in verschiedenen Gestalten
überliefert und auf apokalyptischem Hintergrund formuliert, der zentrale Satz der
Predigt Jesu und das Kriterium seines messianischen Verhaltens. Wie die christliche Gemeinde dann formuliert, ist in → Jesus das Reich Gottes in Person erschienen.

   Jener Satz artikuliert die grundlegende Gewißheit des Glaubens, ohne die
Differenz zu aller Erfahrung zu überspringen. → Gott ist noch verborgen, seine
Herrschaft noch umstritten, aber sie greift nach der Welt. Dadurch bekommen
Zeit eine Richtung und Geschichte einen Sinn. Existenz wird zum Kampf um die
noch ausstehende Liebe und Gerechtigkeit. Und doch ist das, was kommen soll,
bereits in die Geschichte eingesenkt. In der Sendung Jesu hat das Reich Gottes
bereits Geschichte. Die Zeit des Noch-Nicht steht unter dem Zeichen des Nicht-
Mehr und im Zeichen des Jetzt-Schon. Das macht die Hoffnung realistisch und
die Realität hoffnungsvoll (Moltmann).

   Seit Kant ist *modernen* Menschen die Reich Gottes-Hoffnung verdächtig
das Letzte ist nicht jenseits, sondern in der Gegenwart. In der Tat lassen sich die
Geschichte und ihr Ende nicht mehr metaphysisch als Diesseits und Jenseits, innerweltlich und außerweltlich, als Zeit- und Ewigkeitsdialektik verrechnen. Aber
schon die Apokalyptik hat das Königreich Gottes, den künftigen Äon als gegen-
wartsbestimmende Macht, wenngleich verborgen, verkündigt.

   Auch *heutige Erfahrung* lehrt, daß eine andere Zeit einbrechen muß in die
Gegenwart, um Hoffnung zu stiften. Die christliche Botschaft vom Reich Gottes
weiß, daß das → Heil nahe und Freiheit im Elend der Gegenwart möglich ist. Im
hungernden Glauben, im leiblichen Gehorsam, in den Befreiungen und Auf-
brüchen hebt das Reich verborgen an, mitten in der Geschichte. Man darf darum
nicht die praktische Vernunft gegen die → Eschatologie ausspielen. Das Friedensreich ist auch für die Vernunft eine eminente Notwendigkeit, denn man muß die
Eschatologie „einweltlichen" (Cornehl), damit die „Genesis des Rechten" (Bloch)

anhebe. Mit dem Gott der Hoffnung und seinem in Jesus bereits Gegenwart geworden Reich hat es nur dann zu tun, wenn es den Armen Gerechtigkeit, den Schwachen Liebe, den Gottlosen Gemeinschaft und der Natur Frieden schafft.

3. Jenseits von Innerlichkeit und Materialismus, Individualismus und Kollektivismus bedeutet Reich Gottes eine neue Leiblichkeit, eine Existenz der Hoffnung und nicht der Resignation. Die Tradition der Moderne lokalisiert das Letzte in der Tätigkeit des menschlichen Geistes. Nicht diese ist Gegenstand der christlichen Hoffnung auf das Reich, sondern das *Leben*, das frei werden will. „Der Geist ist Leben um der Gerechtigkeit willen" (Röm 8,10). Der eschatologische Geist Gottes ist unter den Bedingungen der Geschichte am Werk und schützt das Leben, indem er es erneuert. Die Gegenwart des Geistes setzt die neue Schöpfung in Kraft. „Brüder, in eurer Hoffnung auf einen neuen Himmel und eine neue Erde, bleibt der Erde treu", sagt ein ökumenisches Dokument. Ist es dann noch möglich, das Reich Gottes idealistisch als Herzensangelegenheit zu deuten? Ist der Streit um individuelle oder universale Hoffnung nicht gegenstandslos? Als Geist der Totenauferweckung ist Gottes Geist der Geist des Lebens; zu wissen, daß er Leben schafft und erhält, genügt dem Leben im Angesicht des Todes. Das Wort vom Reich gibt so den Toten Zukunft. Es ist ein Wort der Gerechtigkeit und des Widerstands „gegen jeden Versuch, den immer wieder ersehnten und gesuchten Sinn menschlichen Lebens ... für die jeweils Kommenden, für die glücklichen Endsieger und Nutznießer unserer Geschichte zu reservieren" (J. B. Metz).

Die Erwartung des Reiches Gottes als neue Schöpfung verarbeitet die Erfahrung der Negativität zu Hoffnungsprojekten, Bildern und Gemälden. Wir können vom neuen Himmel und der neuen Erde nur eben in Gleichnissen sprechen, und das Reden in Bildern ist Zeichen dafür, daß Jesus als Christus noch nicht evident ist. Sie ermöglichen die Schau des Seinsollenden (Buber). Sie von vornherein als unsachgemäß zu disqualifizieren ist ebenso verfehlt wie es unerlaubt ist, die Fremdheit und historische Distanz solcher Bilder durch Modernisierung zu überspielen, obwohl sie oft von bestürzender Aktualität sind. Sie formulieren die Alternative von Heil und Unheil, fragen nach der Hoffnung und nach dem Sinn des von der Zerstörung bedrohten Lebens. Sie gehören zu dem, was der Geist des Lebens von der Zukunft des Lebens, von der neuen Schöpfung, vorweggibt und hoffen lehrt.

4. Anknüpfend an atl. (z.B. Halljahr Lev 25) oder ntl. (Seligpreisungen Mt 5, Verkündigung in Nazareth Lk 4,18) Traditionen, aber auch an das im Religiösen Sozialismus entwickelte Reich Gottes-Verständnis, hebt gerade die heutige missionstheologische Besinnung die enge Verbindung von Reich und Armen stark hervor. Zu Recht. Die Begegnung mit den armen Völkern der Dritten Welt und mit der „Kirche der Armen" stehen als Metapher für vielerlei Bedrückungen, Entbehrungen, Leiden und Entrechtungen, aber auch für Menschen, denen Erlösung verheißen ist. Jesus predigte das Evangelium vom Reich den Armen: das sind die Zerschlagenen, Gefangenen, Blinden, Lahmen, Aussätzigen und Toten. Biblisch reicht die → Armut von ökonomischer, sozialer und physischer bis zu psychischer, moralischer und religiöser Armut. Arm sind diejenigen, die nichts zum Leben und nichts vom Leben haben. Entsprechend ist auch „Reichtum" mehrdimensional und reicht von ökonomischer Ausbeutung über soziale Vorherrschaft

bis zur Selbstzufriedenheit derer, die sich selbst helfen. Das parteiliche Evangelium an die Armen bringt Reiche und Arme, Gesunde und Kranke, Mächtige und Ohnmächtige in eine Gemeinschaft der Armut aller Menschen vor Gott, aber die konkrete Gestalt der kommenden Gottesherrschaft ist die Gemeinschaft der Armen und Umkehrenden, denen Erlösung verheißen ist. Jesu Erbarmen gilt Gruppen, denen es an Brot oder an gesellschaftlicher Achtung fehlt. Sie werden seliggepriesen, weil sie hilflos sind und angewiesen auf Hoffnung. Christusnachfolge besteht in einem Leben der Liebe und der Solidarität mit den Armen und Geächteten, und das entspricht wiederum Gottes Weg in die Armut (2Kor 8,9). Hilfe an die Armen geschieht aber entscheidend in deren Anteilhabe am Reich. Wichtig ist in diesem Zusammenhang die Vorstellung von der Gegenwart Christi in den Armen (Mt 25,31-46). Der kommenden Weltenrichter ist jetzt in der Welt gegenwärtig in seinen geringsten Brüdern; was man ihnen tut, tut man ihm. Solidarisierung mit den Armen geschieht aber auch in Kreuz und Auferstehung Jesu. Im Kontext des einbrechenden Reiches Gottes ist das Kreuz die Konfrontation mit den herrschenden Mächten der Versklavung, die hier scheinbar triumphieren, in Wirklichkeit jedoch unterliegen. Dem Reich Gottes wird widerstanden von den etablierten Mächten; es macht arm und führt ins Leiden. Aber als Kreuz des durch Gott Erweckten ist es eine Alternative zur Herrschaft der Mächtigen und also die „Macht der Machtlosen". Die messianische Rolle der Armen (hervorgehoben durch die Befreiungstheologien, die neuere Entwicklungsdiskussion und die Weltmissionskonferenz von Melbourne 1980; → Theologie der Befreiung, → Entwicklung) kann ideologisch mißbraucht werden. Umso wichtiger ist die christologische Verankerung in der Randexistenz Jesu: „gekreuzigt draußen vor dem Tor" (Hebr 13,12).

5. In Jesus und seinem Tun ist das Reich verborgen schon da. Darum ist Christus unsere Hoffnung (1Tim 1,1; Kol 1,27). Das ist der Spitzensatz aller Hoffnungen und zugleich die Quintessenz der reflektierenden Interpretation der Reich Gottes-Botschaft. Eschatologie ohne → Christologie ist leer, wie umgekehrt Christologie ohne Eschatologie leer ist. Die Geschichte Jesu, sein Tod und seine Auferstehung, haben das, was kommen soll, offenbart. Darum ist der Christen Hoffnung und Kampf um den neuen Menschen und die neue Welt begründete Hoffnung und begründeter Kampf. Aber auch die Frage nach der Wahrheit eschatologischer Vorstellungen wird hier beantwortet. Daß in Christus unsere Sache aufgehoben und einem sinnvollen Ende entgegengeführt wird, daß er allein unsere Hoffnung ist, das bedeutet die Reduktion aller Endhoffnungen, die Wahrheit aller Entmythologisierung, gleichzeitig aber auch die notwendige Entschränkung des Christusereignisses hin auf seine universale Geltung. Entmythologisierung, weil Jesu Geschichte keine Sieges-, sondern eine Leidensgeschichte ist; nur unter dem Kreuz, als dem Schicksal der Liebe, ist Freiheit zu haben; nur in seiner Gestalt ist das Reich Gottes anwesend. Entschränkung, weil das Geschick Jesu zu unserem und demjenigen der Geschichte werden soll; die Zukunft ist diejenige Jesu Christi, wo Gott bei den Menschen und die Menschen bei Gott sind. Das ist der „spekulative Sinn" dessen, daß Christus unsere Hoffnung ist. Der Glaube an das Reich kennt also keine leid- und schuldfreie Gesellschaft, bringt vielmehr die „anonyme Leidensgeschichte der Welt" (Metz) an den Tag und widerstreitet ihr.

Er kritisiert „das pseudoreligiöse Symbol der Evolution", die von einer überraschungsfreien Unendlichkeit, in die alle und alles gnadenlos eingeschlossen sind, träumt. Das Symbol des Reichs, vermittelt durch das Kreuz, bedeutet dagegen „Unterbrechung" (Metz).

6. In der Perspektive des Reiches Gottes ist die Kirche (wie die Mission) dazu berufen, zu kommen und zu gehen. Sie ist antizipierendes Zeichen, indem sie nach den Maßstäben des Reichs und seiner Gerechtigkeit lebt. Sie betet stellvertretend für die ganze menschliche Gemeinschaft. Sie feiert das Kommen des Reichs, verkündet es und dient ihm als missionarisches Volk Gottes (Castro). Ihre eschatologische Bestimmung sind Universalität und Einheit. Wort und Sakrament, Amt und Charisma sind Vermittlungen des Reichs, mit denen die Kirche als messianische Gemeinschaft ihre Hoffnung demonstriert und in Taten umsetzt. Sie strukturieren die Gegenwart des eschatologischen Geistes Gottes in der Geschichte. „Wenn wir dagegen hoffen, was wir nicht sehen, so warten wir darauf mit Geduld" (Röm 8,25). Aber das Warten vollzieht sich nicht ohne vergewissernde Zeichen. In der → Taufe bekundet die Kirche den Glauben an ihren Ursprung, indem sie das Geheimnis des Aufbruchs feiert; im Mahl hofft sie auf ihre Zukunft, indem sie die Gaben der Schöpfung als Wegzehrung bekommt (Jüngel). Die Sakramente bringen die Geschichte Gottes mit der Realität unseres Lebens zusammen. Sie versorgen die Armen mit der Teilhabe an der Fülle des Lebens. Sie sind Speise für Missionare (Melbourne 1980). Die Zeichen des Reichs sind also nicht bloß Erinnerungszeichen an den Gekreuzigten und den Auferstandenen, sondern auch Zeichen seiner Zukunft. Wie das Wort weist das Sakrament zurück auf den in seiner Anwesenheit abwesenden und hin auf den in seiner Abwesenheit anwesenden Gott. Weil sich der Geist an konkrete Institutionen bindet, wird man Gottes Präsenz zu Recht in den Zeichen identifizieren. Solange Gott jedoch den Sinn, dessen Träger sie sind und in denen dieser Sinn sich vorläufig realisiert, nicht selbst bestätigt, bleibt alles offen und also dem Widerspruch und der Ablehnung ausgesetzt. Der Glaube setzt aber darauf, daß die durch die Zeichen des Reichs verkündete und repräsentierte Hoffnung sich wahrmacht. Daß Gott recht behält (Ps 51,6), ist der Logos aller Hoffnung. Ihre Wahrheit bleibt offen und ist nicht anders denn als Hoffnung zu haben; Ekklesiozentrismus und Sakramentalismus bleiben verbannt. Daß Gott recht behält und also sein Reich heraufführt, ist dann aber auch Verheißung und Zuversicht, derer sich der Glaube in den Zeichen freut (→ Abendmahl, → Ekklesiologie).

7. „Er legte in uns das Wort von der Versöhnung" (2Kor 5,19). Das Ziel des Reiches Gottes ist die Versöhnung, die Aufhebung der Differenz von Glauben und Wissen, Natur und Gnade, Hoffnung und Erfahrung - Differenz, die gerade durch die Verheißung ins Bewußtsein erhoben wird. Ist das Reich Gottes - und Gott selbst als sein Inhalt - Versöhnung und → Kommunikation, also Aufhebung der Entzweiung und der Widersprüche, so sehe man aber zu, daß sie, angesichts des Grauens und des Terrors in der Welt, nicht erschlichene oder bloß religiös konstruierte Versöhnung sei; diese bildet eine besondere Versuchung der Glaubenden sowohl als auch der Denkenden. Das Wort von der Versöhnung sagt: Versöhnung in der Differenz zu aller Erfahrung. Gerade weil christliche Gemeinde auf die „Zukunft der Versöhnung" hin existiert, hält sie fest, daß Versöh-

nung nicht zum Ist-Zustand gehört, sondern in der Zukunft liegt als zu entwer-
fende und zu verwirklichende Utopie. Zum Ist-Zustand gehören Konflikte, die im
Akt der Versöhnung transzendiert, durch mutige und schöpferische Interventionen überwunden werden. So kann das Moment der Gegenwärtigkeit nicht verlo-
rengehen; es darf aber auch das Moment der Differenz nicht getilgt werden, ohne
welches das Wort der Versöhnung zur zynisch-reaktionären Parole würde. Denn
die Wahrheit Gottes ist die Versöhnung, aber ihre endgültige Gestalt steht noch
aus. Man darf weder die Differenz überspringen noch alle Versöhnung in die Zukunft verlegen. Sonst ist das Neue verloren und die Unterscheidung zwischen den
jetzt möglichen Realisierungen der Hoffnung und dem Horizont, der diese ermöglicht, aufgegeben. Gerade die Bemühungen der → Schwarzen Theologie und der
Befreiungstheologie lehren uns solche Unterscheidungen. Es gibt keine wirkliche
Versöhnung, solange ihr nicht tatsächliche historische Befreiungen, etwa diejenige
der Unterdrückten, vorangehen. Der Wegcharakter der christlichen und kirchlichen Existenz im Horizont des Reiches gehört seit dem → II. Vatikanum zu den
ökumenischen Überzeugungen er gehört zu den missionarischen Erfahrungen.

8. So wie in der gesamten biblischen Tradition der tätige Einsatz für das
Reich Gottes und seine Gerechtigkeit mit dem Warten auf das Reich verbunden
ist, so entspricht diesem die Sprache des → Gebets. „Dein Reich komme" (Mt
6,10) und „Maranatha" (1Kor 16,22; Offb 22,20) bezeugen dies für Jesus und seine Jünger bzw. für die frühe Kirche. Gegen alle Hoffnungen kann die Realität des
Bösen geltend gemacht werden. Ihrem erdrückenden Gewicht gegenüber erscheint
die Rede vom Reiche Gottes immer wieder als ein idealistisches Geschwätz. Die
Reichshoffnung tritt darum mit der Bitte um das Reich gegen das Böse an. Wie
die Erlösung vom Bösen kein Faktum ist, so auch das Reich; es ist letztlich immer eine Bitte. Sie bekennt, entgegen verbreiteter Meinung und trotz aller bewun-
dernswürdiger „Reichsgottesarbeit", eine letzte Angewiesenheit, die für den Glauben das erste und fundamentalste ist. Das Reich Gottes ist nicht das Reich des
Menschen, obwohl es gerade auch den Menschen zu seiner Verwirklichung kommen läßt. Alle missionarische Arbeit ist eschatologisch ausgerichtet: sie beginnt
mit der Bitte um das Reich. Da das Reich Gottes ja mitten unter uns ist (Lk
17,21), kann es so aussichtslos nicht mehr sein, dem „Weltreich" (Ragaz), soviel
in unserer Macht steht, zu Leibe zu rücken. Das verpflichtet aber zu intensiver
Wirklichkeitsanalyse. Zur Bitte „Dein Reich komme" ist dann immer noch und
immer wieder Grund genug. Wir bauen keinesfalls das Reich, doch bauen wir an
der menschlichen Gemeinschaft im Lichte des kommenden Reiches (Castro).
Daß die Bitte um das Reich nicht doch heimlich ideologisch verkomme, dafür
sorgt das Maranatha. Wir beten um das Kommen des Königs, dessen gänzlich offenbarte Gegenwart dann selbst die Bitte um das Reich überflüssig macht, weil
Gott alles in allem ist. Damit wäre das Ziel und Ende der Mission erreicht (→
Theologie der Mission).

Lit.: *Barth, K.*, Das christliche Leben (KD IV/4), 1976. - *Blaser, K.*, Mission und Erwek-
kungsbewegung, in: Pietismus und Neuzeit. Jahrbuch zur Geschichte des neueren Protestantismus Bd. 7, 1982, 128-146. - *Bornkamm, G.*, Jesus von Nazareth, 1956. - *Bright, J.*,
The Kingdom of God in Bible and Church, 1953. - *Buess, E.*, Gottes Reich für diese Erde,
1981. - *Burchard, Ch.* Jesus für die Welt, in: Fides Pro Mundi Vita, Missionstheologie

heute (FS H.-W. Gensichen), hg. v. Th. Sundermeier, 1980. - *Castro, E.*, Freedom in Mission. The Perspective of the Kingdom of God, 1985. - *Coppens, J.* La relève apocalyptique du messianisme royal, 1979. - *Cornehl, P.*, Die Zukunft der Versöhnung, 1971. - *Ders.*, Art. Eschatologie I, evang. Sicht, in: Ökumen-Lexikon, 1983, 337-339. - *Cullmann, O.*, Royauté du Christ et Eglise selon le Noveau Testament, 1971. - Dein Reich komme. Bericht der Weltmissionskonferenz für Mission und Evangelisation, Melbourne 1980, hg. v. Lehmann-Habeck, 1980. - *Freytag, W.*, Mission im Blick aufs Ende, in: ders., Reden und Aufsätze, 2, 1961. - *Kraus, H.-J.*, Reich Gottes - Reich der Freiheit, 1975. - *Ladd, G. E.*, Jesus and the Kingdom. The Eschatology of Biblical Realism, 1966. - *Matthey, J.*, Art. Reich Gottes, in: Ökumen-Lexikon, 1983, 1025-1027. - *Metz, J. B.* Glaube in Geschichte und Gesellschaft, [4]1984. - Mission und Evangelisation. Eine ökumenische Erklärung, 1982. - *Moltmann, J.*, Theologie der Hoffnung, 1964. - *Ders.*, Trinität und Reich Gottes, 1980. - *Newbigin, L.*, Your Kingdom come, 1980. - *Nordsieck, R.*, Reich Gottes - Hoffnung der Welt, 1980. - *Osthatios, M.*, Theologie einer klassenlosen Gesellschaft, 1980. - *Pannenberg, W.*, Ethik und Ekklesiologie, 1977. - *Pixley, G.*, God's Kingdom, 1981. - *Schmidt, K. L.*, Art. basileia, ThWNT I, 579ff. - *Sobrino, J.*, Christology at the Crossroads, 1976. - *Song, C. S.*, The Compassionate God, 1982. - *Verkuyl, J.*, Contemporary Missiology, 1978. - *Visser't Hooft, W. A.* The Kingship of Christ, 1948. - *Walther, Chr.*, Typen des Reich Gottes Verständnisses, 1961.

K. Blaser

RELIGION, RELIGIONEN

1. Definitionsprobleme. 2. Wesen der Religion. 3. Typen der Religion. 4. Religionsgeschichte. 5. Synkretismus. 6. Religionskritik. 7. Modelle theologischer Beurteilung der Religion.

1. Die Frage, was Religion sei, verrät abendländische Herkunft. Sie ist nur möglich, wo eine Differenz besteht zwischen der Gesamtheit einer Kultur und ihrer Religion. In Kulturen, wo die Religion integraler Teil des ganzen Lebens und nicht sektoral ausgegliedert ist, wo sie als Weg des ganzen Lebens der Gemeinschaft und des einzelnen in ihr verstanden wird, wie in den östlichen Kulturen, oder Basis aller Lebensgestaltungen ist, wie in den Stammesgesellschaften, wird diese Frage nicht gestellt. Ein spezieller, nur auf sie anwendbarer Begriff fehlt weitgehend. Es ist signifikant, daß das Problem der Definition von Religion im römischen Staat akut wurde. Hier wurde das gesamte Leben durch ein umfassendes Rechtssystem gestaltet und geregelt. Deshalb mußte auch die Religion als Teil des öffentlichen Lebens definiert und rechtlich handhabbar werden. Die sprachliche Ableitung des Begriffes führt nicht weiter, zumal er im Lateinischen eine große Bedeutungsvariante aufweist. (Muß „religio" von „relegere" = wieder zusammennehmen, von „religere" = rücksichtsvoll beachten, oder von „religare" = anbinden, festbinden, abgeleitet werden?) Das Problem verschärft sich noch dadurch, daß damit ein Phänomen beschrieben werden soll, das einerseits weltweite Gültigkeit und Verbreitung besitzt, andererseits solch unterschiedliche Wirklichkeiten wie den Hinduismus (den als „eine" Religion zu bezeichnen schon in sich problematisch ist), den Islam, den Shintoismus und Lamaismus auf den Begriff bringen soll. Maximal- und Minimaldefinitionen (z.B. „Religion ist Umgang mit dem Heiligen"), die inklusiv oder exklusiv verstanden werden, halten sich die Waage und können dann einerseits den Marxismus einschließen oder sind andererseits nicht auf den Buddhismus anwendbar, weil der den Gottesbegriff auszuschließen scheint. Hinzu kommen die Zielsetzungen und Interessen der verschiedenen Wissenschaftszweige der Religionsgeschichte. Es macht einen großen Unterschied aus, ob Religion aus soziologischer Sicht und funktional definiert wird, oder von Psychologen, die sich meist auf Religiosität beschränken, von Religionsphilosophen, die in der Religion ein Orientierungssystem sehen, oder von Religionsphänomenologen, die eine substantielle oder Realdefinition vorziehen und sich weitgehend der Wertung enthalten. Diesen Weg schlagen wir hier zunächst ein und stellen die wichtigsten Elemente zusammen, die konstitutiv sind für das, was unter dem Begriff Religion zusammengefaßt wird.

2.1 Es gibt keine Religion ohne *Transzendenzerfahrung*. Wie die Erfahrung im einzelnen inhaltlich zu füllen ist, läßt sich nicht auf einen Nenner bringen. Die Variabilität scheint unerschöpflich zu sein. In den meisten Religionen ist das Eintreten Gottes in das Leben einer Gruppe oder eines Menschen konstitutiv. Diese Erfahrung ist kontingent und bestimmt fortan das Leben des Menschen. Sie wird ihre Lebensmitte und definiert das Verhältnis des Menschen zur Welt und zu sich selbst. Voraussetzung dieser Erfahrung ist gleichsam die Trennung von Himmel und Erde, die Grunderfahrung des Menschen schlechthin und mythologisches Vor-Wort aller Stammesreligionen. Es macht letztlich nur einen graduellen Unterschied aus, ob Gotteserfahrung mehr in Analogie zum Menschen und seinem Körper (so in den Stammesreligionen Afrikas) oder apersonal und in Analogie zur Natur (in den indianischen Religionen), zum Kosmos (in den chinesischen Religionen) oder in personal-geschichtlichen Kategorien (so den „prophetischen" Religionen) begriffen oder so abstrakt formuliert wird, daß Gott hier nicht mehr unterzubringen ist (so der frühe Buddhismus). Der Erleuchtungsvorgang Buddhas muß hier eingeordnet werden. Er geschah trotz der langen Vorbereitung plötzlich und radikal und veränderte sein Leben, seine Ethik und sein Denken. Buddha nannte das plötzlich Erkannte das „Unbedingte, Unveränderliche, Unvergängliche". Weil es das gibt, gibt es Erlösung, und so lehrte er seine Jünger, daß sie schon jetzt daran teilhaben können, sofern sie Erleuchtung erlangen. Die Wirklichkeit Gottes hat Buddha negiert, doch das „god shaped gap" füllte er mit Vorstellungen vom Nirwana einerseits und dem „dharma", dem ewigen Gesetz, dem alles Vergängliche unterworfen ist, andererseits, - mit Begriffen also, die in anderen Religionen Gottesprädikate sind.

Es ist wichtig, an dieser Stelle festzuhalten, daß man, religionsgeschichtlich gesehen, keine „Entwicklung" der Gotteserfahrung erkennen kann, wie es noch eine frühere Forschergeneration meinte (vom vagen Ahnen im Animismus über den Polytheismus zum Monotheismus), sondern hinter jeder monotheistischen oder polytheistischen Gotteserfahrung steht das Wissen der Stammesreligion um die eine, alles umfassende und bedingende Wirklichkeit, Gott genannt, und hat sie zur Voraussetzung (vgl. Pettazzoni, 81).

2.2 Erfahrungen wollen *Gestalt* annehmen, sie müssen rituell wiederholbar sein, sonst wirken sie zerstörerisch. Sie müssen tradierbar sein, sonst geraten sie in Vergessenheit. Der *Ritus* ist die elementarste Antwort auf den Einbruch der

Transzendenz. Im Ritus ist der Mensch ganzheitlich involviert, emotional, kognitiv, ästhetisch und ethisch. Wo sich der Einbruch des Jenseits vor allem naturhaft ereignet und als unmittelbare Lebensbedrohung erfahren wird, wird sich der Ritus in den Bereichen ansiedeln, die am gefährdetsten sind, den Übergängen im Jahres- und Lebenszyklus (→ Initiation). Ritus und Mythos stehen dabei in reziprokem Verhältnis. Der Mythos ist Interpretation des Ritus, der seinerseits als seine Gestalt angesehen werden kann. Im Mythos, der symbolischen Erzählung vom Unsagbaren und sonst nicht Aussagbaren, wird die Transzendenzerfahrung lehrbar und lernbar.

2.3 Die *ethische Orientierung* gehört zum Grundereignis von Religion. Es gibt keine Transzendenzerfahrung ohne ethische Folgen. Jede Ethik ist letztlich im Religiösen begründet und bleibt diesem Ursprung verhaftet, wie weit sie sich auch davon entfernen mag, ja, durch die Segmentierung der Lebensräume bedingt, entfernen und neusetzen muß. Frömmigkeit ist die der Religion bleibend zugeordnete Seite der Ethik, das dem Gewissen verpflichtete Handeln die zweite, die von der Gesellschaft und dem Gesetz sanktionierte und geregelte markiert die dritte Seite der Ethik. Daß die Religion der „Kitt" ist, der das ethische Handeln zusammenhält, wird von religionssoziologischer Seite behauptet, die darin überhaupt Sinn und Funktion von Religion erkennen will (Durkheim u.a.).

2.4 Religion kommt von Transzendenzerfahrung her und beantwortet die Frage nach der „Transzendenz" des Menschen, d.h. die nach seinem *Tod*. Sie gewährt Lebenssicherung und gestaltet das Todesproblem von ihrer Mitte her. Wo die Kontinuität der Lebenskette und der Geschlechterfolge zentral ist, wie in den Stammesreligionen, wird der Tod als Übergang zum Leben mit den Vorvätern verstanden; wo Erlösung von der Vergänglichkeit und dem Leid des Daseins zentrale Lehre ist (Hinduismus, Buddhismus), wird der Übergang ins „Jenseits" als Zerstörung der Wiedergeburtskette, als Eingang ins Unbedingte, ins Nirwana verstanden; wo Gott Zentrum der Religion ist, das → Heil durch eine Erlösergestalt vermittelt wird, muß der Tod als Tor zum Leben mit Gott verstanden werden, wie immer dieses begriffen wird, ob spirituell oder materiell-paradiesisch.

2.5 Die Transzendenzerfahrung mag individuell sein, in ihr drückt sich immer eine für die soziale Gruppe relevante Erfahrung aus. Sie wirkt sinnstiftend für andere. Es gibt keine Religion ohne eine Gemeinschaft. Ritus, Kult, Ethik sind in ihr, und in ihr allein, gültig. Das gilt unabhängig davon, ob die Gemeinschaft natural vorgegeben ist oder neu gestiftet wird, als Orden, Sekte, Kirche.

2.6 Die *Glaubenslehre* gehört zu den konstitutiven Elementen von Religion, wenn auch in abgeleitetem Sinn. Die Transzendenzerfahrung wird rituell und verbal vermittelt. Insofern der Ritus die kognitive Ebene des menschlichen Zusammenlebens anspricht, enthält er auch in nuce eine Lehre, ob sie nun verbalisiert wird oder nicht, und in welcher Form das geschehen mag, ob als Bekenntnis, als rituelle Vorschrift, als Preisgesang oder als weisheitliche, sprichwörtliche Redewendung, die die Prädikate Gottes festhält und ethisch relevant macht.

Fassen wir zusammen: Religion verwirklicht sich immer nur in den konkreten Gestaltungen der Religionen. Trotz aller zu Recht vorgetragenen, tiefen Bedenken gegen eine Definition von Religion sei folgende phänomenologische Erfassung gewagt: Religion ist die Antwort des Menschen auf Transzendenzerfahrung, die im Ritus, in Kult und Ethik in einer Gemeinschaft Gestalt annimmt.

3. Die religionsgeschichtliche Erforschung hat sich neben der diachronen intensiv der synchronen Erfassung der Religionen zugewandt. Sie sucht nach Typen, nach Grundstrukturen, die Differenzen und Übereinstimmungen aufzeigen, „Wahlverwandtschaften" deutlich machen und begründen, warum Affinitäten zwischen bestimmten Religionen bestehen und warum andere sich abstoßen. Die Gefahr solchen Vorgehens liegt darin, die Differenzen zwischen den Religionen, die letztlich jede für sich eine Größe sui generis ist, einzuebnen, ihre spezifischen Eigenheiten zu übersehen und einen Raster anzulegen, der der Geschichte einer Religion, ihrem Zentrum und Metazentrum nicht mehr gerecht wird. Trotzdem hat das diachrone Vorgehen sein Recht und ist religionsgeschichtlich relevant. Im Islam zum Beispiel, wo die Unterscheidung zwischen Buchreligionen und Religionen, die kein „Buch" und damit keine gültige Offenbarung besitzen, hat sie durchaus religiöse und politische Bedeutung. Zu den Buchreligionen nimmt der Islam eine positive Haltung ein, weil er sie seinem Verständnis von Heilsgeschichte einordnet, während die anderen seinem massiven missionarischen Angriff ausgesetzt sind. Der indonesische, mehrheitlich islamische Staat hat daraus die Konsequenzen gezogen und die Anhänger der Stammesreligionen aufgefordert, sich einer der anerkannten Buchreligionen (Islam, Christentum, Hinduismus, Buddhismus) zuzuwenden.

Die aus soziologischen Kriterien gewonnene Unterscheidung von *Stammes-* und *Welt*religion (resp. Volks- und Universalreligion) macht auf eine wichtige Differenz aufmerksam: Stammesreligionen haben nur im vorgegebenen sozialpolitischen Rahmen Geltung und sind prinzipiell unmissionarisch. Sie bestimmen das ganze kulturelle Leben der vitalen Volksgemeinschaft und zielen auf das Wohl dieser Gruppe. Wer zur in-group gehört, wird von ihr gestärkt, solange er sich normenkonform verhält; der zur out-group Gehörende wird zunächst als Feind angesehen. Bundesschlüsse, Handelsverbindungen können die Feindschaft überwinden, ein Zusammenleben regulieren. Das schließt eine Übertragung der religiösen und ethischen Vorstellungen nicht ein. Religiöse Verfehlungen werden als Verfehlungen gegen die Gruppe angesehen, so daß der Kult (Pflege!) auf die Wiederherstellung der sozialen Gemeinschaft zielt, von der die Ahnen (abgestuft auch die Gottheiten, nicht aber Gott, der alles transzendiert) ein integraler Teil sind. Die Volks- (Stammes-)Religion, in die man hineingeboren wird, zielt letztlich auf das Diesseits, nicht auf das Jenseits. Dagegen drängen die Universalreligionen auf Entscheidung, sie wollen ihren Einflußbereich ausdehnen. Religion, Gemeinschaft und Territorium sind nicht mehr identisch. Die Segmentierung des Lebens fordert Zugeständnisse an die ethischen Überzeugungen. Der Anspruch der Universalreligion aber ist total. Deshalb ist er intolerant nach außen, muß aber eine gewisse Toleranz nach innen aufbringen, während die Volksreligionen nach innen in Sachen des Verhaltens intolerant, nach außen aber in Fragen der Religion tolerant sind, da sie das Außen nicht berührt. Das Streben nach Heil richtet sich in den Universalreligionen eher auf das Jenseits als das Diesseits. Gott - oder sein Substitut - wird zu seinem Garant.

Die gleiche Differenzierung, jedoch aus kulturanthropologischer Sicht entworfen, meint die Unterscheidung von *Natur-* und *Kulturreligion,* oder die aus religionsgeschichtlicher Sicht getroffene von *animistischer* und *theistischer* Religion. Auch wenn diese Typisierungen aufgrund ihrer scheinbaren Plausibilität große Verbreitung gefunden haben, sind sie trotz einzelner richtiger Beobachtungen falsch. Sie setzen ein religionsevolutionistisches Modell von Religion voraus, das sich historisch nicht halten läßt. Zudem ist die Begrifflichkeit unklar, die Gegensätze sind konstruiert und lassen sich durch die religiöse Wirklichkeit nicht abdecken. Das darin zum Ausdruck kommende abendländische religiöse Überlegenheitsgefühl, gepaart mit einem latenten Rassismus, liegt auf der Hand.

Die von N. Söderblom aus religionsgeschichtlicher Sicht eruierte, letztlich auf religionspsychologischen Einsichten basierende und von F. Heiler vertiefte (Gebet, 248ff) Unterscheidung von *mystischer* und *prophetischer* Religion, die sich an der zoroastrischen/alttestamentlichen und der griechischen Mysterienreligion bzw. der indischen Frömmigkeit orientiert, hat sich als fruchtbares heuristisches Prinzip erwiesen. Der mystischen Frömmigkeit geht es um die Vereinigung mit Gott, der Leib soll ertötet werden, die Seele zur Ruhe kommen. Dagegen steht der Glaube im Mittelpunkt der prophetischen Religion, er will das Leben gestalten. Der Fromme lebt aus Hoffnung, die sich nicht erschüttern läßt. Die Ekstase gilt hier wenig, die rationale Überlegung viel. In den mystischen Religionen ist Gott unendliche Majestät und Ruhe, er ist der Welt überlegen und immanent zugleich. Er handelt - wenn überhaupt - eher zeitlos als durch die Geschichte, wie die Theologie der prophetischen Religionen behauptet. Offenbarungen besitzen hier nicht wie in der prophetischen Tradition die historische Erdenschwere, Geschichte stellt keinen Wahrheitsanspruch, im Gegenteil, der Fromme muß die Geschichte überwinden, um ihr Gültigkeit zu verleihen. Die mystische Frömmigkeit ist individualistisch, die Überwindung der Sünde dient nur der Reinigung der Seele, ist Stufe auf dem langen Weg zur Vollendung. Die prophetische Vorstellung von der Sündenvergebung eröffnet dagegen den Freiraum zu Handeln, zum sozialen Engagement, zur ungebrochenen Lebenszugewandtheit im Dienst am Guten und Nächsten. Dort zielt alles auf Esoterik, hier auf Gemeinschaft und Gemeinde. Dort ist man den anderen Religionen gegenüber tolerant, da sie allemal höchstens als niedrigere Stufen auf dem Weg der Erkenntnis angesehen werden. Die prophetischen Religionen hingegen denken eher dualistisch und unterscheiden scharf zwischen Gut und Böse. Gegen das Böse und die Unwahrheit ist man intolerant, die Wahrheit aber muß im missionarischen Sendungsbewußtsein verbreitet werden, in aller Welt. Das den Tod transzendierende Ziel der Religion, das ist in der mystischen Tradition die Vereinigung mit dem summum bonum, die schon jetzt in der Ekstase, in der Vision, in der Erleuchtung erreicht werden kann, so daß die Übergänge fließend sind. In den prophetischen Religionen sind die Menschen auf die Vernichtung dieser Welt eingestellt und zugleich auf ihre Vollendung, für die man sich einsetzt. Nach ewiger Seligkeit sehnen sich die Mystiker, nach Vollendung des Reiches der Gerechtigkeit die aus Glauben und Hoffnung lebenden Mitglieder der prophetischen Religionen. In dem Gedanken der Liebe können sich jedoch beide Traditionen treffen, wie unterschiedlich sie auch koloriert wird.

Es hieße die idealtpyische Konstruktion mißverstehen, sähe man in den beiden Typen unüberbrückbare Gegensätze. Im Gegenteil, durch sie soll ein Verstehen ermöglicht und der → Dialog der Religionen um so dringlicher werden. Tatsächlich überschneiden sich die Typen in den gelebten Religionen vielfach. Daß sich beide Traditionen zu vollendeter Reife verschmelzen lassen, dafür ist das Johannesevangelium mit seiner, der prophetischen Tradition verpflichteten Sendungschristologie und der auf Einheit drängenden Liebesethik das tiefste Beispiel.

4. Die Frage nach dem Ursprung der Religion, die die religionsgeschichtliche Forschung des vorigen Jahrhunderts in Atem gehalten hat, wird heute kaum mehr gestellt. Sie ist historisch nicht beantwortbar. Wir kennen keine Gesellschaft ohne Religion. Religion ist offenbar ein Konstituens von Menschsein überhaupt. Auch die neue Fassung jenes Problems, ob Religion endogenen oder exogenen Ursprungs sei, erweist sich damit als Scheinproblem. Die in der protestantischen Theologie seit W. Herrmann verbreitete Auffassung, die Religion aus der Defiziterfahrung, der Fraglichkeit des Lebens zu erklären (Bultmann, Barth, Tillich, vgl. aber auch schon Augustin), greift allemal zu kurz.

Die *soziologischen Modelle* der Interpretation von Religion stellen weder die Frage nach dem Ursprung der Religion, noch wollen sie sie auf irgendeine Weise beantworten, da sie an der historischen Fragestellung nicht interessiert sind. Dennoch ist sie impliziert und läßt sich im Rückschlußverfahren bloßlegen. Das *Integrationsmodell*, vor allem von E. Durkheim entworfen, der seitdem viele Nachfolger gefunden hat, versteht die Religion als den wichtigsten integrativen Faktor der Gesellschaft. Sie stellt das Wertesystem zur Verfügung, an dem sich die Gesellschaft orientiert, und ahndet das den Normen nicht konforme Verhalten. In den Riten werden diese Werte externalisiert und zugleich als kommunales Geschehen durch Mythus und Partizipation internalisiert. In der Religion begegnet sich die Gesellschaft in überhöhter, verobjektivierter, idealisierter Form. Das heißt aber, die Religion ist Produkt der Gesellschaft selbst. Sie braucht einen Lehrer und Zuchtmeister und hat ihn sich in der Religion geschaffen.

Das *Kompensations-* oder *Projektionsmodell* ist letzlich psychologisch ausgerichtet und versteht die Religion als Ersatz für die Nichterfüllung von Wünschen, als Fluchtweg aus dem Elend der Welt, als Hafen, der die Stürme des Lebens vergessen läßt. Der Mensch projiziert seine Wünsche in den Himmel, die ihm auf Erden nicht erfüllt werden. Positiv gewendet heißt das, die Religion hat eine tröstende Funktion, sie vermittelt Sinn und Durchhaltevermögen. In beiden Fällen aber gilt, sie ist falsches Bewußtsein in falscher, d.h. einer den Menschen entfremdenden Situation. Der Ursprung der Religion ist der Mensch. Er „macht" die Religion, die Religion macht nicht den Menschen (Marx).

Das *Säkularisationsmodell*, von M. Weber zuerst vertreten, setzt das Dreistadien-Modell A. Comtes voraus und besagt, daß die Religion zwar in einem frühen Stadium der Menschheit Sinn hat, dann aber durch den ordnenden Verstand des Menschen überwunden wird. Mit der Segmentierung des Lebens setzt die Religion Räume säkularen Handelns frei; sie zieht sich selbst in die Privatsphäre zurück, bis daß sie überflüssig wird und von der Säkularisation abgelöst wird. Religion ist als Sinnstiftung und gesellschaftlicher „Leim" im kindlichen Menschheitsstadium möglich. Auch hier wird der Mensch letztlich als Ursprung der Religion angesehen. Religion ist nicht Betrug, nicht Ersatz, nicht Projektion, sondern notwendiges Durchgangsstadium.

Religionsgeschichtlich läßt sich dieses Modell ebensowenig verifizieren wie die Vorstellung von einer Entwicklung der Religionen, wie sie im 18. und 19. Jahrhundert geglaubt wurde, eine Vorstellung, die wesentlich vom Sozialdarwinismus geprägt war. Eine Entwicklung von einem primitiven Stadium (z.B. dem der Magie) über eine diffuse Religion (des Animismus und Polytheismus) zur reinen Form der sog. „Hochreligionen" ist historisch nicht aufweisbar. Jede Religion, auch die der Stammesgesellschaften, ist ein hochkomplexes Ganzes, das alle Facetten des Lebens umfaßt. Es gibt keine Entwicklungen der Religionen von der primitiven zur höheren Stufe, sondern nur *Wandlungen* (G. Mensching). Daraus ergibt sich eine neue Fragestellung. In welchem Verhältnis stehen die Stammesreligionen zu den Weltreligionen und wie ist dieses religionsgeschichtlich zu deuten?

Wir haben die konstitutiven Faktoren der *primären* Religionserfahrung, wie sie uns in den Stammesreligionen noch zugänglich ist, von der *sekundären* Religionserfahrung der Weltreligionen zu unterscheiden. Die primäre Religionserfahrung, Basis aller Religiosität, ist auf das vitale Leben ausgerichtet, sie orientiert sich am Lebenszyklus und Jahreskreis und definiert sich wesentlich als Partizipation von Mensch und Mitwelt. „Partizipation" ist dabei sowohl ontologisch als Teilhabe, dynamistisch als Teilnahme wie sozial als Teilgabe zu verstehen. Das → Symbol ist elementares Kommunikationsmittel primärer Religionserfahrung, das im Ritus ganzheitlich dargestellt wird. Ihre Ethik ist von der Ehrfurcht vor dem Leben bestimmt, das transzendental verstanden, in Gott verankert wird. Gott wird hier als der *eine* begriffen, auch wenn es nicht korrekt wäre, von einem Mono*theismus* zu sprechen. Sehr diffus wird Gott als der eine in vielen Facetten und Vermittlungen begriffen. Der Erfahrung der einen Welt entspricht das Wissen um den Ursprung des Lebens in dem Einen, und die Erfahrung der Vielfalt dieser Welt spiegelt sich in der Vielfalt der Möglichkeiten, sie transzendental zu bewältigen. Monotheismus und Polytheismus sind in der primären Religionserfahrung keine Gegensätze, sondern verschiedene Möglichkeiten, der Wirklichkeit zu begegnen. Leben zu steigern, zu stabilisieren und die Minderung des Lebens und den Abbruch der Geschlechterfolge zu verhindern ist Ziel primärer Religionsgestaltung in der Kleingesellschaft, die nur in der jeweils betroffenen Gemeinschaft Gültigkeit hat. Man wird in sie hineingeboren, wie man in die Gesellschaft geboren wird. Man kann sich nicht für sie entscheiden, wie man letztlich auch nicht aus ihr heraustreten kann, es sei denn, man zerschnitte den Stammesverband. Das Problem des Religionswechsels entsteht nicht. Wenn Sklaven in den Verband aufgenommen werden oder Feinde durch Bundesschluß zu Handels- oder Heiratspartnern werden, dann ist das keine Frage der Glaubensveränderung oder -übernahme, sondern die der Observanz neuer Gesetze und Tabus. Die Gottesepitaphe können ausgewechselt und angereichert werden.

Kulturkontakt und -wandel, Handelsbeziehungen und Vergrößerung des Territoriums, aber auch Naturkatastrophen, Kriegsniederlagen, Epidemien haben oft dazu geführt, die Begrenztheit der traditionalen Religion zu begreifen, die nicht mehr die neuen, ausdifferenzierten Lebensgebiete abdecken konnten. Das Neue wird initiiert durch Propheten, Seher, Reformer, Religionsstifter. Die *sekundäre*

Religionserfahrung trägt dem Rechnung. Sie löst das Sinnlich-Intuitive durch übergreifende rationale Begrifflichkeit ab. Jetzt gibt es eine Lehre, die die Einheit der Welt in neuer Weise durchschauen hilft und auch die Transzendenz, Gott selbst, neu zu verstehen lehrt. Nun kann und muß man sich für das Neue entscheiden. Der rituelle Vollzug genügt nicht mehr, es geht auch um den innerlichen Nachvollzug. Glaube, Nachfolge wird gefordert, Wahrheit von Lüge unterschieden. Das individuelle Verhalten ist wichtiger als das kollektive. Es gibt jetzt „wahre" und „falsche" Religion. Die Religion dient nicht mehr der Integration der naturalen Gruppe, sondern der Unterscheidung von anderen Gruppierungen. Die Wahlfreiheit, der Handlungsspielraum des einzelnen wächst. Die Religion deckt nicht mehr alle Lebensräume ab, der Raum der Profanität vergrößert sich. Mission wird möglich, sie wird nötig.

Die Religionsgeschichte verläuft nun nicht einfach so, daß das Neue, das die Seher und Stifter bringen, die sekundäre Religionserfahrung, die primäre ablöst, sondern in einer dritten Phase, einem komplexen Prozeß von Abstoßung und symbolischer Neuintegration werden die lebenswichtigen Elemente der sekundären Religionserfahrung in die primäre integriert und zur neuen Synthese verschmolzen. Hier gibt es einen *gewachsenen Synkretismus*, der unvermeidbar und positiv zu werten ist. Je tiefer diese Synthese gelingt, um so lebendiger wird die neue Religion sich als *Volks*religion etablieren können (vgl. die Integration des Jerusalemer Kultes in den davidischen und salomonischen Tempelkult, die Integration der vorislamischen Traditionen Mekkas in den Wallfahrtskult Mohammeds, die der germanischen Sonnenwendfeier in das Weihnachtsfest). In diesem Dreierschritt ist der „Fortgang" der Religionsgeschichte erkennbar. Er ist nicht als „Entwicklung" zu verstehen, sondern als Wandlung und Anpassung. Ob die Religionsgeschichte darüber hinaus auf ein alle Religionen umfassendes Ziel drängt, ist naturgemäß kaum voraussagbar, wäre theologisches, religionsphilosophisches Postulat, das - bisher jedenfalls - historisch nicht verifiziert werden kann. Eher ist eine „Verfallsentwicklung" in dem Sinne zu erkennen, daß jede gestiftete Religion dahin tendiert, sich von ihrem Ursprung neu zu entfernen und durch Reformbewegungen oder Spaltungen gezwungen wird, sich auf ihren Ursprung zu besinnen, d.h. der religionsgeschichtliche Dreierschritt von Basiserfahrung, Neusetzung und Integration wird unter anderen Umständen und Bedingungen, oft gepaart mit politischen Zielsetzungen, jeweils neu initiiert.

5. Das Problem des *Synkretismus* hat seinen Ursprung in der Notwendigkeit der Integration von primärer und sekundärer Religionserfahrung, die zugleich die Bedingung der Möglichkeit von → Inkulturation und Einheimischwerdung einer Religion überhaupt ist. Dieser Prozeß der Integration kann enger oder weiter, radikaler oder toleranter vonstatten gehen. Die Toleranzschwelle wird durch das zentrale Axiom der jeweiligen Religion bestimmt. Wo eine Überfremdung des Neuen durch das Vorgegebene droht, wird der Prozeß der Auseinandersetzung härter geführt (vgl. die Kritik am Fremdkult durch die israelitischen Propheten). Vermeidbar ist diese Auseinandersetzung nicht, da jede Religion die Tendenz zu umfassender, absoluter Geltung hat, wenn nicht im exklusiven, dann im inklusiven Sinn (→ Absolutheitsanspruch). Die Stammesreligionen beanspruchen diese Geltung nach innen, die Weltreligionen in verschiedenen Abstufungen nach außen.

Von diesem gewachsenen Synkretismus, der jedem Religionswandel immanent ist, ist der *bewußte Synkretismus* (G. Mensching) zu unterscheiden. Er hat verschiedene Ursprünge und Motive, rechtliche, politische und religionsphilosophische. Da Verträge zwischen Völkern in der Antike nur im Namen von Göttern abgeschlossen werden konnten, mußten Listen gleichrangiger Gottheiten aufgestellt werden, die die Gültigkeit des Vertrages garantierten (z.B. Sumer). Bei Gebietsinkorporationen wurden die fremden Götter den eigenen unterstellt oder so gleichgestellt, daß sie mit diesen identifiziert werden konnten. Neuformierungen dualer oder selbst triadischer Art waren möglich. Wo jedoch ein tiefes Streben nach der Einheitsreligion vorherrscht, weil man, wie in der mystischen Tradition, von ihrer ursprünglichen, wesensmäßigen Einheit überzeugt ist, werden Elemente verschiedener religiöser Traditionen miteinander verschmolzen, so daß ein Neues entsteht, das oftmals als Rückkehr zum Ursprung reklamiert wird. Die religiösen Neugründungen und Bewegungen des 20. Jahrhunderts sind hier einzuordnen. In ihrem radikalen Selektionsverfahren sind sie Anfragen an die etablierten Religionen und fordern diese zur Neubesinnung heraus. Ob sich aus ihnen weltweit gültige, neue Religionen entwickeln werden, ist nicht zu erkennen und eher unwahrscheinlich. Möglicherweise sind sie ein Indikator dafür, daß das Bild der modernen Religionsgeschichte von einer diffusen Form beliebiger, subjektiver, vagabundierender Religiosität geprägt sein wird.

6. Da jede Religion dazu neigt, sich von ihrem Zentrum zu entfernen, zu verflachen oder zu pervertieren, ist die *Religionskritik* jeder Religion immanent. Wo Anspruch und Verwirklichung auseinanderklaffen, ist Kritik am Platz. Die Stammesreligionen haben sie oft ritualisiert. Das Bundeserneuerungsfest im alten Israel ist solch eine rituelle Möglichkeit, auf Kritik einzugehen. Die Herero/Namibia löschen das Ahnenfeuer rituell und erneuern es, wenn die geglaubte und die erfahrene Kraft der Religion und der Ahnen nicht mehr kongruent sind. Den Sehern, Priestern, Propheten obliegt Kritik. Jede Religionsreform und jede neue Stiftung beginn mit immanenter Religionskritik. Die politisch motivierte Religionskritik der Antike und der Neuzeit (Kolonialismus) muß hier eingeordnet werden. Durch Vergleiche stellte man die anderen Völker und ihre Religionen negativ dar, um zur eigenen Identitätsgewinnung einen Beitrag zu liefern. Solche Religionskritik dient dazu, die politische Unterwerfung der anderen oder ihre Ausrottung religiös zu sanktionieren. Davon zu unterscheiden ist die Religionskritik der Neuzeit, die sich außerhalb jeder Religion zu stellen versucht, um mit soziologischen, psychologischen und philosophischen Mitteln die Religion ihres umfassenden sinnstiftenden Anspruchs zu berauben und sie zu ersetzen. Wo die *externe* Religionskritik politisch umgesetzt wird, nimmt sie selbst die Stelle der Religion ein und initiiert „Religion außerhalb von Religion" (H.R. Schlette).

Gewisse Strömungen in der evangelischen Theologie haben - via Feuerbach - die externe Religionskritik aufgenommen und radikalisiert, zur Reinigung der Motive und Lehre der eigenen Religion. Die Säkularisation wurde auf diese Weise legitimiert. Das konnte allerdings nur geschehen, indem das „Unwesen der Religion als ihr Wesen" bestimmt wurde (H. Fries). Der theologische Preis war sehr hoch. Das Christentum wurde aus der Verflechtung mit den anderen Religionen gelöst, die eigene religionsgeschichtliche Vergangenheit (die primäre Religionserfahrung und die natürliche, nicht die theologische Verbindung mit der Mutterreligion, dem Judentum) verleugnet, was einen weitreichenden Verlust im Blick auf das Verständnis des ersten Glaubensartikels bedeutet. Ein ethizistisch-kognitiver Rigorismus ist die Folge. Der Beweis, daß mit diesem theologischen Ansatz eine relevante Theologie im Kontext der nichtchristlichen Dritten Welt entworfen werden kann, muß noch geliefert werden (K. Barth hielt allemal nichts von „einheimischer" Theologie.).

7. Das Verhältnis des Christentums zu den anderen Religionen (→ Theologie der Religionen) wurde im Laufe der Kirchengeschichte auf verschiedene Weise bestimmt. Insgesamt lassen sich fünf Grundmodelle in verschiedenen Variationen herausarbeiten. Das grundlegende, von den Kirchenvätern entwickelte, von der protestantischen Orthodoxie im großen und ganzen rezipierte und in der römisch-katholischen Kirche heute noch gültige Modell ist das *„Erfüllungsmodell"*. Klassisch wird es im II. Vaticanum vertreten. Die nichtchristlichen Religionen wurden auf die Kirche hingeordnet. Das wird auf verschiedene Weise begründet. Gott selbst hat sich in ihnen offenbart (Röm 1,19; vgl. Apg 14,17). Diese Offenbarung ist gültig, auch wenn sie von den Menschen pervertiert wurde. Die Christusoffenbarung vollendet das verschüttete Wissen der Religionen. Die Lehre vom „logos spermatikos" eröffnet eine andere Argumentationskette und und ermöglicht in besonderer Weise, die vorchristliche Zeit der antiken Philosophie bruchlos in der christlichen Glaubenslehre fruchtbar zu machen. Auch K. Rahners Überlegungen zum „anonymen Christen" sind hier einzuordnen, wobei er vertieft christologische Überlegungen einbezieht: Den Menschen ist nicht nur eine natürliche Gotteserkenntnis, sondern aufgrund des Werkes Christi auch Gnade zuteil geworden. Ein „übernatürliches Existential" ist geschaffen, so daß nach Christi Tod und Auferstehung niemand mehr außerhalb des Bereiches Christi lebt und jeder Mensch auf sein verborgenes Christsein hin angesprochen werden kann.

Wie stark sich dieser Gedankengang mit dem diametral entgegengesetzten *diastatischen Modell* der dialektischen Theologie trifft, wird daran deutlich, daß K. Barth von einem „ontologischen Zusammenhang" zwischen Christus und allen Menschen spricht, der der „Rechtsgrund" der Verkündigung ist, so daß alle Menschen „de jure" auf ihr designiertes Christsein hin anzusprechen sind (KD IV, 2, 305; 3, 927). Diastatisch muß dieses Modell genannt werden, weil es in seinem Ansatz die Religion negativ beurteilt als „konzentrierter Ausdruck des menschlichen Unglaubens", jede „natürliche Offenbarung" leugnet und das Christentum einerseits in die massa perditionis aller Religionen einreiht, andererseits im radikalen Schnitt als die begnadete Religion aus dem Gesamtzusammenhang der Religionen herauslöst. Erst im dialektischen Schritt des christologischen Neuansatzes können die Religionen wieder ins System hereingeholt und dem Christentum, genauer, dem Christus zu- und untergeordnet werden.

Das *dualistische Modell*, im Frühmittelalter und der Zeit der scharfen Auseinandersetzung mit dem Islam im Zeitalter des Kolonialismus und heute wieder in evangelikalen, fundamentalistischen Kreisen vertreten, sieht in den Religionen

Werke des Bösen, wenn nicht Kreationen des Satans. Eine Verbindung zum christlichen Glauben besteht nicht. Die Religionen müssen überwunden werden. Sie sind verdammt zum Sterben, die Menschen aber müssen aus dem Reich der Finsternis ins Reich des Lichts versetzt werden (vgl. 1Pet 2,9). Diese Aufgabe übernimmt die Mission (→ Heiden), die dadurch heilsgeschichtliche, heilssetzende Dignität bekommt. In diesem Modell schwingen in besonderer Weise Obertöne mit, die im abendländischen Überlegenheitsbewußtsein ihren Ursprung haben.

Das *Fortschrittsmodell* orientiert sich an der Geschichte, die dialektisch als Selbstentäußerung des absoluten Geistes verstanden wird und im Christentum den Konvergenzpunkt aller Religionen sieht (vgl. Pannenberg). In der liberalen Tradition Troeltschs wird das Christentum aufklärerisch als die relativ höchste Entwicklung aller Religionen angesehen. In diesem Modell ist der Gedanke der Absolutheit des Christentums zu Hause, wenn auch nicht in der schroffen Form wie in der des dualistischen Modells.

Das *dialektische Modell* nimmt in gleicher Weise die Religionsgeschichte ernst, wie es im trinitarischen Glauben zu Hause ist. Es kehrt gleichsam das Barthsche Modell um (Ratschow 1967, Sundermeier 1979). Die religionsgeschichtliche Erkenntnis „Immer steht am Anfang der Gott" (Walter F. Otto) wird theologisch ernstgenommen. Das Entstehen der Religionen steht unter dem Segen Gottes (C. Westermann). Die primären Religionserfahrungen, die Basis aller Religionen, sind das Mittel Gottes, des Schöpfers, das menschliche Leben zu erhalten und die Menschen in ihrem Humanum zu bewahren. Sie sind Mittel seines Schöpferwaltens, in denen er seinen Willen zur Erhaltung der Welt durchsetzt. Jesu Auftreten inmitten jüdischer Religion gehört zum Bereich sekundärer Religionserfahrung. Daß sich Gott in Jesus in unvergleichlicher, nichtwiederholbarer Weise selbst ereignet, trennt den christlichen Glauben von allen anderen Religionen und ist eine Wahrheit, die nicht bewiesen, sondern nur bezeugt werden kann. Als Ende aller Religionsgestalt sind sein Tod und seine Auferstehung zugleich der Ermöglichungsgrund konvivialer Existenz der Religionen, so daß der Heilige Geist als der Geist Christi alle in alle Wahrheit führen kann. Wie sich seine Wahrheit in der Integration primärer Religionserfahrung in der des Abraham, Moses und David durchsetzte und sich gegen alle Irrtümer und Verdunklungen im Judentum und Christentum weiterhin durchsetzt, so will sie bei jedem Menschen und in allen Religionen Wirklichkeit werden.

Lit.: *Asmussen, J. P./Laessøe, J./Colpe, C.* (Hrsg.), Handbuch der Religionsgeschichte, 3 Bde, 1974. - *Bianchi, U.*, Probleme der Religionsgeschichte, 1964. - *Bürkle, H.*, Einführung in die Theologie der Religionen, 1977 (Lit.). - *Colpe, C.*, Theologie, Ideologie, Religionswissenschaft, ThB 68, 1980. - *Fries, H.*, Die katholische Religionsphilosophie der Gegenwart, 1949. - *Goldammer, K.*, Die Formenwelt der Religionen, 1960. - *Heiler, F.*, Das Gebet, [4]1921. - *Ders.*, Erscheinungsformen und Wesen der Religion, 1961. - *Küng, H.*, u.a., Christentum und Weltreligionen, 1984. - *Lamper, D./Wulf, Chr.* (Hrsg.), Das Heilige. Seine Spur in der Moderne, 1987. - *Lanczkowski, G.*, Einführung in die Religionsphänomenologie, 1978. - *Ders.*, Begegnung und Wandel der Religionen, 1971. - *Ders.*, Einführung in die Religionswissenschaft, 1980. - *Mensching, G.*, Die Religion. Erscheinungsformen, Strukturtypen und Lebensgesetze, 1959. - *Oelmüller, W.* (Hrsg.), Wiederkehr von Religion? Perspektiven, Argumente, Fragen, 1984. - *Ders.*, Wahrheitsansprüche der Religionen heute, 1986. - *Pannenberg, W.*, Erwägungen zu einer Theologie der Religionsgeschichte, in: Ders., Grundfragen Systematische Theologie 1, 1967, 252-295. - *Pettazzoni, A.*, Der allwissende Gott. Zur Geschichte der Gottesidee, 1960. - *Ratschow, C. H.*, Die Religionen (HST 16), 1979. - *Robertson, R.*, Einführung in die Religionssoziologie, 1973 (Lit.). - *Ritschl, D.*, Zur Logik der Theologie, 1984. - *Schlette, H. R.*, Einführung in das Studium der Religionen, 1971. - *Sundermeier, Th.*, Die Einzigkeit Christi und andere Glaubenssysteme. Die Frage nach dem Dialog der Religionen, in: Beih. ÖR 1979, 26-35. - *Ders.*, Gott im Buddhismus?, in: EvTh 4, 1987. - *Ders.*, Warum sollte, nein, muß der Theologiestudent auch Religionsgeschichte studieren?, in: Kirchlicher Dienst und theologische Ausbildung (FS H. Reiß), 1985, 35-42. - *Ders.*, Zur Verhältnisbestimmung von Religionswissenschaft und Theologie aus protestantischer Sicht, ZMR 1980, 241-258. - *Volp, R.* (Hrsg.), Chancen der Religion, 1975. - *Waardenburg, J.*, Religionen und Religion, 1986 (Lit.).

Th. Sundermeier

RELIGIONSWISSENSCHAFT

1. Die Wurzeln der Religionswissenschaft. 2. Methoden. 3. Die vergleichende Religionswissenschaft. 4. Bedeutung für die Mission und die Missionswissenschaft.

1. Die *Wurzeln* der Religionswissenschaft sind in drei Strömungen der abendländischen Geistesgeschichte zu suchen, nämlich in der Aufklärung, der Romantik und der Theologie. Die neuere *Aufklärung*, die ihre Vorläufer in der antiken Aufklärung mit ihrer Kritik und Neudeutung des Mythos hatte, ermöglichte jene Distanz zum Gegenstand der Forschung, die religionswissenschaftliche Arbeit im Gegensatz zur theologischen Reflektion zu wahren hat. Freilich ist diese Distanz allzu häufig in dem Sinne gewertet worden, daß die Welt der Religionen dem kritischen Seziermesser der Vernunft auszuliefern sei. Heute ist klar, daß diese Forscherhaltung zu ergänzen ist durch ein hermeneutisches Horchen auf die Inhalte religiöser Botschaften. Als Erbe der Aufklärung erhob sich die Ratio zunächst als Richterin über die religiöse Mythologie, die sie glaubte in ihrem Sinne interpretieren zu können. Dennoch ist die Erkenntnis gereift, daß es keinen geradlinigen Weg vom Mythos zum Logos gibt und daß sich mythologische Inhalte nicht ohne Substanzverlust in rationale Wahrheiten umgießen lassen. Auch jene keineswegs nur in der Theologie geübte „Entmythologisierung", die den „kerygmatischen Gehalt" einer religiösen Botschaft glaubt auf den Begriff bringen zu können, hat ihre Grenzen im Bemühen um religiöse Inhalte erkennen müssen. Bereits Schleiermacher, der Überwinder der Aufklärung, betont, daß der Geist der → Religion nur aus sich selbst verstanden werden könne, daß er sich also nicht in rationale Fässer umgießen läßt. Wenn heute in der Philosophie eine neue Besinnung auf den Mythos und seine Irreduzibilität erfolgt, so ist das Ungenüge einer rein aufklärerischen Betrachtung in der Religionswissenschaft schon früher empfunden worden.

Das aber führt zur zweiten Wurzel der Religionswissenschaft, der *Romantik*, die die Sehnsucht nach einem fernen, reinen, ursprünglichen Glauben hegte. Die Romantik war es, die die religiöse Volkskunde wie auch die orientalistische Religionsforschung stärkstens beflügelte. Glaubte man doch, in längst vergangenen, räumlich entfernten Kulturen zu den Quellen religiösen Lebens zurückfinden zu können. Mit großem Enthusiasmus ist nach den historischen, dann auch nach den sozialen und psychologischen Wurzeln der Religion gefragt worden. Denn man meinte, das „Wesen" der Religion in seinen Ursprüngen erkennen zu können, ob dieser Ursprung nun in einem allen Religionen gemeinsamen Urgrund oder in einer spezifischen Form des Gottesglaubens (z.B. Monotheismus) gesehen wurde.

Die neuere Frage nach der Funktion, also der funktionalen Auswirkung der Religion, die vor allem in diesem Jahrhundert in soziologischen und psychologischen Zugängen zum Gegenstand der Religionswissenschaft gestellt wird, setzt im Grunde die Frage nach dem Ursprung insofern fort, als sie wiederum Religion nicht aus sich, sondern von ihren Rahmenbedingungen erklären will. Statt nach den Ursprüngen der Religion wird nach deren Auswirkungen gefragt, was natürlich nicht mehr von der Romantik, sondern von einer handfesten, mit Zahlen und objektivierbaren Größen operierenden Pragmatik her inspiriert ist. Dennoch haben romantische Impulse neben solchen soziologischen und psychologischen immer wieder das Bild der Religionsforschung geprägt.

Die dritte Wurzel der modernen Religionswissenschaft ist zweifellos in der *Theologie* zu suchen, und zwar zunächst in der historischen Theologie. Diese zog die historischen Kreise um das AT und NT immer weitläufiger und trug damit wesentlich zur religionsgeschichtlichen Erforschung des Alten Orients und der klassischen Spätantike bei. Die Bibelwissenschaft und auch die Geschichte der frühen Kirche haben somit wesentliche Anregungen zur historischen Erforschung antiker Religionen gegeben. Aber auch die systematische Theologie hat seit Schleiermacher nach dem Wesen des Religiösen gefragt, und es führt zweifellos eine Linie von ihm zu Rudolf Otto, der in seiner Analyse des „Heiligen", genauer des „Numinosen", glaubte zum Kern aller Religionen vordringen zu können. Ist das Numinose bei Otto noch eine Kategorie, die nur in der religiösen Erfahrung der Menschheit aufgesucht und deskriptiv evoziert werden kann, so wird sie bei G. Mensching zu einer ontologischen Größe, deren Begegnung mit dem Menschen das Wesen der Religion ausmacht. Unabhängig von der Otto'schen Linie ist das Heilige bei den Phänomenologen eine in der Religionsgeschichte vorgegebene Größe, die erlebt wird, z.B. als heilige Macht bei G. van der Leeuw, oder als eine dem Profanen gegenüberstehende Seinsqualität, z.B. bei M. Eliade. Hierbei handelt es sich zweifellos um eine Kontinuierung theologischen Denkens ins Religionswissenschaftliche. Andererseits fängt die Religionswissenschaft erst damit an, eine eigene Hermeneutik zu entfalten, die dem Gegenstand in seiner fachspezifischen Einmaligkeit gerecht werden will, so daß wir heute eine Vielzahl von Neuansätzen beobachten, die um ein angemessenes Verstehen eigenen und fremden Glaubens ringen. Bei alledem ist klar, daß völlige Objektivität nicht möglich ist und daß stets latente Vorentscheidungen und bewußte Perspektiven schon das Bild des Religionshistorikers prägen werden.

2. Dennoch herrscht Einigkeit darüber, daß Religionswissenschaft im Gegensatz zur Religionsphilosophie erst auf der *Basis religionsgeschichtlicher Forschung* möglich ist. Diese ist zunächst nach profangeschichtlichen Maßstäben zu betrei-

ben, wobei die historisch-kritische Methode voll zur Anwendung zu bringen ist. Allerdings bedarf diese einer Ergänzung durch ein hermeneutisches Verstehen, denn es sind nicht nur Fakten zu konstatieren und historische Zusammenhänge zu beschreiben, sondern es ist lebendiger Glaube sichtbar zu machen (W. C. Smith). Damit führt die religionshistorische Forschung über objektivierbare Sachverhalte hinaus, denn sie muß zur Erkenntnis führen, wie und warum sich bestimmte Glaubensformen geschichtlich bewährt haben oder auch nicht.

Der zweite Schritt jeder religionsgeschichtlichen Arbeit ist der *systematische Religionsvergleich.* Ziel einer solchen systematischen Forschung ist es, allgemeine Strukturen zu erkennen, immer wiederkehrende Grundmuster und „Archetypen" (M. Eliade) aufzuweisen. Vor allem die Religionsphänomenologie hat in der Herausstellung solcher Konstanten ihre Hauptaufgabe gesehen. Dabei hat sie es allerdings vielfach versäumt, die Bedingungen aufzuzeigen, unter denen diese oder jene Formen des Gottesglaubens, des Menschenbildes und der Welterfahrung zutage traten. Im Hinblick auf diese Frage ist die vergleichende Kulturwissenschaft teilweise einen Schritt weitergegangen, indem sie aufzeigt, unter welchen Voraussetzungen bestimmte Erscheinungen wie Nativismus und Messianismus auftreten.

3. In der vergleichenden Religionswissenschaft lassen sich *drei Typen* des Vorgehens unterscheiden. Da ist zunächst jene Vorgehensweise, die man als „nicht-religiöse Interpretation religiöser Begriffe" bezeichnen könnte, wenn der Begriff nicht schon von theologischer Seite (Bonhoeffer, Ebeling) okkupiert wäre. Das gemeinsame Anliegen dieser an sich sehr unterschiedlichen Forschungsbemühungen ist es, Religion von Dimensionen her zu erfassen, die im Grunde nichtreligiös sind. So bemüht sich vielfach die sozialwissenschaftlich orientierte Religionsforschung, religiöse Erscheinungen von der Matrix sozialer Phänomene her zu verstehen und sie z.T. auf diese zu reduzieren. Eine Spielart des Reduktionismus kann die Religionspsychologie sein. Weiter gefaßt ist dabei schon jenes Bemühen, das Religion als kulturelle Erscheinung in das Gesamtbild der Kultur einordnet, aber eben nicht als eigenständige Größe behandelt. Geben die bisher behandelten Formen der Interpretation religiöser Sachverhalte vor, ohne Bewertungsmaßstäbe auszukommen, obgleich auch sie von latenten Kriterien geleitet sind, so geht die ideologiekritische Religionswissenschaft (z.B. C. Colpe) von einem vorgegebenen Maßstab aus, nämlich der Emanzipation des Menschen im modernen Sinne der Autonomie. Von hier aus muß Religion nach ihrem „emanzipatorischen Potential" beurteilt werden. Dabei ist natürlich der Maßstab, der an die Religion herangetragen wird, von einem Menschenverständnis geprägt, das diesen zunächst fremd ist. Der zweite Typ religionswissenschaftlicher Arbeit ließe sich als „verstehende Religionswissenschaft" beschreiben. Sie bemüht sich um eine Deutung religiöser Phänomene, die von der Eigenart des Religiösen selbst her bestimmt ist. Sie sieht, wie schon oben angedeutet, in einem Heiligen oder Transzendenten den eigentlichen Bezugspunkt religiöser Erfahrung. So können die Religionen als unterschiedliche Erlebnisse des einen Heiligen verstanden oder als verschiedene mythologische Ausprägungen eines Transzendenzbezuges aufgefaßt werden. Im Extremfall ist es wieder der eine - letztlich christliche - Gott, der in allen Religionen wirksam ist (F. Heiler). Die Religionswissenschaft wird derartige Fundamentaldeutungen zur Kenntnis nehmen, aber niemals solche Positionen dogmatisieren können. Eine dritte Möglichkeit religionswissenschaftlicher Arbeit ergäbe sich aus dem Ansatz jener von W. Dilthey zu O. F. Bollnow führenden Linie, die die Religionen als Ausdrucksformen eines religiösen Lebens sieht, das es kritisch und zugleich verstehend zu interpretieren gilt und das so tiefendimensional bestimmt ist, daß sich in ihm Immanenz und Transzendenz verquicken.

4. Die *Bedeutung* der Religionswissenschaft für die Mission und die → Missionswissenschaft liegt darin, daß diese die religionshistorischen Kontexte aufweist, innerhalb deren sich missionarische Arbeit zu vollziehen hat. Der in der Mission angesprochene Gesprächspartner läßt sich nicht verstehen ohne die kulturelle und religiöse Tradition, in der er steht. Dazu gehört zunächst seine Sprache, sodann aber die Eigenart der gesamten Überlieferung, der er angehört. Diese ist aber in den Kulturen Afrikas und Asiens primär religiös geprägt. Schon die Bibelübersetzung wird sich darüber im klaren sein müssen, welche Begriffe sie für grundlegende religiöse Termini verwendet, angefangen vom Begriff für Gott über die Begriffe für religiöse Inhalte wie Gnade, Liebe, Demut, Sünde usw. bis hin zu anthropologischen Begriffen wie Sinn, Herz und Seele. Erst recht wird sich eine den christlichen Glauben explizierende Verkündigung über Grundbegriffe der religiösen Tradition des Ansprechpartners Klarheit verschaffen müssen. Die religionswissenschaftliche Forschung kann wesentlich zum Verständnis dieser fremden Begriffe und Grundvorstellungen beitragen und somit Voraussetzungen schaffen für eine missionswissenschaftliche Reflexion darüber, wie an die durch die fremde Tradition gegebenen Kategorien angeknüpft werden kann, wo diese aber auch von christlichen Parallelbegriffen abweichen. Das gilt nicht nur für sprachliche Begriffe, sondern auch für religiöse Grundvorstellungen, die z.T. von christlichen erheblich divergieren, z.T. aber auch ungeahnte Parallelen darstellen. So wird man vor allem in der ethischen Spruchweisheit der Völker manche gnomischen Sätze finden, die formal und inhaltlich denen des alttestamentlichen Sprüchebuches ähneln, das ja selbst fremde orientalische Elemente aufgenommen hat. Aber auch zu sittlichen Lehren des NT weist das Spruchgut der Völker viele Analogien auf. Selbstverständlich treten Differenzen zur biblischen Botschaft vor allem dort auf, wo die fremde Religion aufgrund einer langen eigenständigen Entwicklung ein differenziertes autochthones Begriffssystem entfaltet hat, das es zunächst als solches zu verstehen gilt. Die Frage der Inbeziehungsetzung der weitgehend durch den Hellenismus und die griechisch-römische Philosophie geprägten westlich-christlichen Tradition zur religiösen Tradition der Ansprechpartner ist dann eine missionarische Aufgabe (→ Theologie der Mission).

Die Religionswissenschaft kann aber nicht nur dazu verhelfen, die jeweilige Eigenart der fremden religiösen Tradition zu begreifen. Hat zumal die Phänomenologie immer wiederkehrende religiöse Grundgedanken und „Archetypen" aufgewiesen, die - freilich mehr strukturell als inhaltlich - gleichsam Konstante in der Religionsgeschichte darstellen, so wird auch die missionswissenschaftliche Arbeit an diesen Erkenntnissen nicht vorbeigehen können (→ Theologie der Religionen).

Lit.: *Colpe, C.*, Theologie, Ideologie, Religionswissenschaft: Demonstrationen ihrer Unterscheidung, 1980. - *Eliade, M.*, Das Heilige und das Profane - Vom Wesen des Religiösen, 1984 (Neubearbeitung der Originalausgabe von 1957). - *Ders.*, Die Religionen und das

Heilige - Elemente der Religionsgeschichte, 1986 (Nachdr. der Ausgabe von 1954). - *Evans-Pritchard, E. E.*, Theorien über primitive Religionen, 1968. - *Gensichen, H.-W.*, Religionswissenschaft und Theologie, in: G. Picht, E. Rudolph (Hrsg.), Theologie - was ist das?, 1977, 107-125. - *Heiler, F.*, Erscheinungsformen und Wesen der Religion. Die Religionen der Menschheit, 1, 1961. - *Kitagawa, J. M./Eliade, M.*, Grundfragen der Religionswissenschaft, 1963. - *v.d. Leeuw, G.*, Phänomenologie der Religion, 1956. - *Luhmann, N.*, Funktion der Religion, 1977. - *Otto, R.*, Das Heilige - Über das Irrationale in der Idee des Göttlichen und sein Verhältnis zum Rationalen, 1963 (ungekürzter Neudruck). - *Rudolph, K.*, Basic Positions of Religionswissenschaft, in: Religion 11, 1981, 97-101. - *Ders.*, Die „ideologiekritische" Funktion der Religionswissenschaft, in: Numen 25, 1978, 17-39. - *Ders.*, Religionswissenschaft auf alten und neuen Wegen, ThLZ 104, 1979, 12-34. - *Smith, W. C.*, The Meaning and End of Religion, 1962. - *Ders.*, Towards a World Theology, 1981. - *Stephenson, Q.* (Hrsg.), Der Religionswandel unserer Zeit im Spiegel der Religionswissenschaft, 1976. - *Sundermeier, Th.*, Zur Verhältnisbestimmung von Religionswissenschaft und Theologie aus protestantischer Sicht, in: ZMR 64, 1980, 241-258. - *Waardenburg, J. D. J.*, Über die Religion der Religionswissenschaft, in: NZSTh 26, 1984, 238-255. - *Ders.*, Religion und Religionen. Systematische Einführung in die Religionswissenschaft, 1986.

H.-J. Klimkeit

RITENSTREIT

1. Ritenstreit allgemein. 1.1 Begriffsbestimmung. 1.2 Ritenstreit in China. 1.3 Heutige Problematik. 2. Ritenstreit im indischen Kontext. 2.1 De Nobili. 2.2 Eklipse De Nobilis. 2.3 Neuentdeckung De Nobilis. 2.4 „Die 12 Punkte".

1. Der Ritenstreit, der im 17. und 18. Jahrhundert in Indien und China über die Erlaubtheit und Verwendbarkeit einheimischer religiöser Gebräuche und Sprachformen geführt wurde, gehört der Vergangenheit an. Denn die kirchlichen Verbote von 1742 und 1744 wurden 1940 wegen Modernisierung und Säkularisierung des Lebens aufgehoben.

1.1 In *Indien* handelte es sich um die sog. Malabarischen Riten, eigentlich um die von Roberto de Nobili (s.u. 2.) begonnene, an das religiöse Leben der Brahmanen angepaßte Lebensweise. Die wichtigsten Probleme waren das Tragen der hl. Schnur, das Haarbüschel, die Waschungen und der Gebrauch des Sandelholzes. In *China*, wo der Streit viel größere Ausmaße annahm, ging es um eine dem Staatskonfuzianismus entgegenkommende Missionsmethode, die Matteo Ricci begonnen hatte. Hier war man unterschiedlicher Meinung, ob die chinesische Philosophie als Hinführung zum christlichen Glauben geeignet sei, ob die altchinesischen Wörter wie „Himmel" und „Höchster Herrscher" den Gott der christlichen Offenbarung bezeichnen könnten, ob der Konfuziuskult und der der Ahnen auch für Christen geduldet werden könne, ob man Ahnentafeln, die für den Sitz der Verstorbenen gehalten wurden, auch im christlichen Bereich zulassen dürfe, ob man bei der Sakramentenspendung Zeremonien, die den Chinesen anstößig waren, unterlassen könnte, ob kirchliche Gebote, die für Europa galten, auch für China bindend seien.

1.2 Die *Jesuiten*, die der Methode Riccis folgten, waren von der besten Absicht geleitet, dem Christentum in China schnell zum Siege zu verhelfen, und waren überzeugt, daß die gebildete Schicht Chinas nicht christlich werden würde, wenn nicht wenigstens der Konfuziuskult und die Ahnenopfer gestattet würden. Tatsache ist, daß der Hl. Stuhl schon 1704, dann offiziell 1710 und endgültig 1742 eine negative Entscheidung fällte, die für die weitere Mission schlimme Wirkungen hatte. Aber es wäre ungerecht zu behaupten, er habe damit die gesamte chinesische Kultur verurteilt. Vielmehr wußte die damalige römische Theologenkommission sehr wohl um die Weisungen von 1659, man solle unter keinem Vorwand jenen Völkern raten, ihre Riten, Sitten und Gebräuche zu ändern, vorausgesetzt, daß sie nicht offen der wahren Religion und der guten Sitte entgegen seien.

Der Hl. Stuhl verbot nicht einmal alles das, was damals an Bedenken vorgebracht wurde, sondern nur bestimmte Riten, die er als in sich abergläubisch bezeichnete. Diese seien mit dem christlichen Glauben unvereinbar. So wurden „Himmel" und „Höchster Herrscher" als mißverständlich abgelehnt, und der Name „Herr des Himmels", den schon Ricci eingeführt hatte, wurde verbindlich vorgeschrieben. Die Opferriten zu Ehren des Konfuzius, die man bei der Sonnenwende, beim Amtsantritt der Beamten vollzog, sowie die Ahnenopfer in der Familie wurden als unchristlich verurteilt, da sie in der Praxis nicht vom Aberglauben getrennt werden könnten. Doch blieb das Verbot in Grenzen. Eine rein materielle Präsenz bei diesen Feiern wurde nicht verboten. Auch die Ahnentafeln wurden nur dann abgelehnt, wenn sie als Sitz der Seele bezeichnet wurden. Enthielten sie nur den Namen der Verstorbenen, konnten sie auch von Christen benützt werden.

Es ging demnach bei dieser Verurteilung nicht darum, nationale Sitten und Gebräuche abzulehnen, nur weil sie anders waren, sondern darum, die Reinheit des christlichen Glaubens zu gewährleisten. Vom Standpunkt damaliger Theologie hielt man es für den sichereren Weg, bestimmte Riten als mit dem christlichen Glauben unvereinbar zu bezeichnen. Auch unter den protstantischen Missionaren gab es derartige Probleme. Noch 1890 wurde auf einer Konferenz in China festgestellt, daß im Ahnenkult die Idolatrie immer noch eine wesentliche Rolle spiele, und bei der Wahl des rechten Gottesnamens gab es so große Meinungsverschiedenheiten, daß bis heute noch keine Einigkeit besteht. Katholischerseits wurden 1940 die Verbote aufgehoben, weil inzwischen durch die Säkularisierung des religiösen Denkens sowohl in Indien als auch in Ostasien die umstrittenen Gebräuche zu neutralen Volksbräuchen geworden waren. Hinzukommt, daß sich im Westen das theologische Denken derart verändert hat, daß man heute weithin der Meinung ist, daß die Stellungnahme des Hl. Stuhles bezüglich dieser Riten unnötig streng gewesen sei. So kennen wir durch die → Religionswissenschaft die → Religionen und den Sinn ihrer Riten besser.

1.3 Das Studium der Kulturen hat uns gezeigt, daß fremde Religionen bedeutende Werte, eine in Jahrhunderten gewachsene → Kultur, eine eigene tiefgreifende Mentalität und ihre eigene in der Tradition verankerte Religiosität besitzen. Das hat die heutige Theologie zur Kenntnis genommen. Seit der Entkolonialisierung zeigen diese Völker ein gestärktes Kulturbewußtsein und dringen auf größere → Inkulturation, d.h. auf die großzügige Einbeziehung ihrer kulturellen Werte in das Leben ihrer Kirchen. Soll die Einheit in der heutigen, alle Kontinente umspannenden Kirche gewahrt bleiben, kann auf ein großes Maß an Toleranz und

auf Anerkennung dieser Werte nicht verzichtet werden. Aber wenn man heute
den einzelnen Völkern bereitwillig zugesteht, den christlichen Glauben ihrer Kultur gemäß zu formulieren, ihre Liturgie und ihre Theologie nach eigener Art zu
gestalten, so stellt sich allerdings auch die Frage, ob es nicht Grenzen gibt, die
nicht überschritten werden dürfen, ohne das Christentum zu gefährden. Offenbar
stellt sich das Problem des Ritenstreites heute noch intensiver als früher. Denn
auch heute gibt es eine Verschiedenheit der Bewertung, und mancherorts ist diese
zum offenen Streit geworden. Zwar ist wahr, daß viele Formen christlicher Frömmigkeit im europäischen Kulturraum entstanden sind und anderen Völkern nicht
aufgezwungen werden dürfen, aber es gibt zweifelsohne einen Grundbestandteil
christlichen Glaubens, der unabhängig von jeglicher menschlichen Kultur aus der
Offenbarung Gottes stammt und allen Kulturen vorgegeben ist. Hier sind der Inkulturation Grenzen gesetzt. Aufgabe der Theologie ist es, diese oft schwer zu bestimmenden Grenzen aufzuweisen. Kulturelle Gegensätze werden bleiben, aber
wo die Einheit der Gemeinschaft der Gläubigen gefährdet ist, hat der Pluralismus
seine Berechtigung verloren. In dem Augenblick, so K. Rahner, in dem sich eine
regionale Kirche, die Kirche eines bestimmten Kulturkreises oder eine bestimmte
Theologie hinter ihre Eigenart verschanzen und abschließen will, wäre der Wille
zur Wahrheit und die universale Offenbarung Gottes verraten. Die Kirchen der
Welt müssen bei aller Wahrung ihrer Eigenart in liebevoller Offenheit zueinander
stehen und voneinander lernen wollen. Die Kirche und die Theologen dürfen
nicht so weit gehen, daß sie aus dem Gefühl einer verschwommenen Liebe und
Toleranz alles zulassen. Die uns überkommene Offenbarung Gottes muß der letzte Maßstab bleiben (→ Chinesische Theologie).

B. H. Willeke

2.1 Der Ritenstreit wurde ausgelöst und ausgefochten in dem Land, das sich
damals als den Mittelpunkt der Welt verstand: China. Hier war Matteo Ricci die
Zentralfigur. Der chinesische Ritenstreit löste aber zu gleicher Zeit eine Paralleler-
scheinung des ganzen Vorganges in Indien aus. Hier tritt de Nobili, von Ricci inspiriert, als die Schlüsselfigur auf den Plan. Obwohl die Probleme und die Methoden, wie der Kampf von beiden Parteien ausgetragen wurde, nicht identisch sind,
handelt es sich doch um die gleiche entscheidende Grundfrage, die ein für allemal
für die Mission in einem zwei Jahrhunderte währenden Kampf entschieden wurde, nämlich: daß sich die Mission und die christlichen Kirchen einer vorgegebenen → Kultur einzufügen haben.

Während es sich aber mit dem Ritenstreit in China um etwas handelt, das
der Geschichte angehört, ist das Problem in Indien heute durchaus lebendig
geblieben, ja kann vielleicht der christlichen Mission und ihren Kirchen entscheidende Impulse geben.

Die → *Inkulturation* besagt, daß sich das Christentum unter Wahrung seines
übernatürlichen Charakters in die äußere Lebensform der indischen Kultur einfügen muß. Das ist eine Einsicht, die uns heute selbstverständlich erscheint, die aber
in Wirklichkeit das Ergebnis von zweihundert Jahren theologischer Auseinandersetzung, aber noch mehr von einer fortschreitenden Säkularisierung des Lebens in
Indien war. Erst langsam wurden Gebräuche, die untrennbar mit den religiösen

Ausdrucksformen des südindischen Hinduismus verbunden schienen, entflochten und gewandelt und stehen heute als religiös neutrale Ausdrucksformen indischer Kultur da.

Zusammen mit dieser religiösen Umwandlung des Problems hat sich auch die Stellungnahme der katholischen Kirche, der Theologen und des christlichen Volkes gewandelt: von kirchlichen Erlassen, die eine Übernahme dieser „Riten" in wachsender Schärfe in den Dekreten von 1704, 1710 und schließlich von 1742 verurteilten, bis zur Freigabe der früher so heiß umstrittenen „Riten" im Jahre 1940. In dieser Situation geht die Grenze zwischen Anhängern und Gegnern De Nobilis quer durch indische und europäische Christen und Missionare, wenn sich auch die portugiesische Führungsschicht, vor allem die Hierarchie, mit Schärfe gegen De Nobili stellte, da sie nur ein Christentum kannte, das sich mit der portugiesischen Kultur identifizierte und in der negativen Haltung der römischen Kurie die Warnung Gottes zu hören glaubte.

Die *Syrische Kirche* kannte den Ritenstreit der Lateiner nicht. Erstens waren die syrischen Christen alle Angehörige der hohen Kasten, und tiefe Kasten wurden bis in die jüngere Vergangenheit nicht zu dieser Kirche zugelassen. So unterschied sich das kulturelle Niveau der syrischen Christen in keiner Weise von dem der sie umgebenden hohen Kasten der Hindus. Zweitens lehnten die syrischen Christen eine religiöse Verbindung mit dem Hinduismus in jeder Form ab. Nicht einmal das Betreten der Hindutempel, geschweige denn die Teilnahme an irgendwelchen Hinduriten war ihnen erlaubt. Ihre Liturgie, vor allem ihre liturgische Sprache, und ihre Theologie bezogen sie aus dem syrischen und damit ur-christlichen Raum. Befürchtungen für die Orthodoxie der Christen, wie sie sich aus den Methoden De Nobilis ergaben, gab es für die syrische Kirche nicht. Da sie sich drittens nicht missionarisch in den Hinduraum hinein ausdehnten und noch weniger kulturell und kastenmäßig verschiedenartige Elemente in ihre Kirche integrieren wollten, hatte ein Missionsversuch wie der De Nobilis für sie weder Interesse noch Bedeutung. Die Auseinandersetzung mit De Nobili und die Stellungnahme zu seinen Methoden blieb somit auf die lateinischen Inder beschränkt. Das änderte sich für sie erst im letzten halben Jahrhundert, als der Kampf schon entschieden war.

Eine Stellungnahme zu De Nobili hätte man unter den *protestantischen Missionaren* und den von ihnen gegründeten *Kirchen* erwarten können. Aber auch hier kam es nicht dazu. Vorausschauende Missionare wie *Ziegenbalg* paßten sich der indischen Kultur vielfach an, wo ihnen das geraten schien. Es gab aber keine kirchliche Autorität außerhalb des Landes, die - wenn auch noch so wenig mit den wirklichen Problemen vertraut - ihnen eine bestimmte Stellungnahme zu diesem entscheidenden Missionsproblem im Namen des Glaubens aufgezwungen hätte.

2.2 Mit der zeitweiligen Auflösung des Jesuitenordens und dem Zusammenbruch seiner Missionen in Indien, den stärker werdenden Missionsbestrebungen protestantischer Gruppen, dem bitteren Bruderkrieg der Padroado- und Propagandakirchen, dem Aufkommen eines starken Neo-Hinduismus und der fortschreitenden Säkularisierung des indischen Lebens trat das ganze für De Nobili zentrale Thema der christlichen Mission - Angleichung an die indische Kultur -

zunächst für lange Zeit wieder in den Hintergrund, nachdem diese Missionsmethode auch von der römischen Zentralautorität verworfen worden war. Man wird
weithin im Schrifttum der Zeit vergeblich nach Stellungnahmen zu de Nobili suchen. Gelegentliche neue Missionsversuche, die in die gleiche Richtung gingen,
berufen sich zuweilen auf De Nobili, so z.B. der bekannteste und radikalste Reformer, Brahmabandhab Upadhyaya (geb. 1907), der eine Neuorientierung von
Kirche und Mission suchte und sich zur Rechtfertigung gegen seine Gegner auf
De Nobili beruft, ohne auf die theologischen Hintergründe einzugehen.

2.3 Erst heute gewinnt De Nobili wieder größere *Aktualität*: einmal gibt die
wachsende Notwendigkeit, Mission und Kirche in Indien zu „indisieren", De Nobilis Lebenswerk der → „Inkulturation" eine grundlegende Bedeutung, wenn
auch heute noch Gegner auf indischer Seite bleiben, die diese Methode nicht als
„Indisierung", sondern als „Hinduisierung" bezeichnen wollen.

Was De Nobili aber heute eine große Aktualität gibt, ist die Fortführung
und Vollendung seiner Idee, das Christliche ganz ins Indische einzugliedern, und
zwar nicht nur in die indische Kultur, sondern auch in die indisch-hinduistische
Religion selbst. De Nobili hat freilich nie daran gedacht, außer der kulturellen
auch eine theologisch-lebensmäßige Verbindung zum Hinduismus zu suchen und
zu schaffen, also den Hinduismus als einen Heilsträger für den indischen Menschen zu sehen. Heute aber geht es in der indischen Mission nicht mehr nur darum, Ideale und Werte der hinduistischen Kultur ins indische Christentum zu
übernehmen, sondern sich die grundlegende - für manche schockierende und für
alle aufrüttelnde Frage zu stellen: Wie weit ist der Hinduismus selber heilsträchtig
und heilsmächtig? Nachdem die Frage nach dem II. Vatikanischen Konzil erstmalig theologisch diskutabel geworden war, suchen immer mehr indische Theologen
(wie Amalorpavadass, Amaladoss, Fr. D'Sa, I. Hirudayam, K. Kunumpuram, S.
Rayan, G. Soares-Prabhu, vor allem R. Panikkar u.a.) - teilweise der Vision eines
Abhishiktananda (Le Saux) folgend - neue Wege, die in die gleiche Richtung führen. De Nobili selbst, dessen Vison man konsequent auch bis ins Religiöse hinein
verfolgen will, hätte sich energisch dagegen gewandt, da er mit den ihm zu seiner
Zeit zur Verfügung stehenden Prämissen nur zu der Schlußfolgerung kommen
konnte, daß der Hinduismus selbst unentrinnbar und unerlösbar monistisch sei.
Er hätte bei aller Hochschätzung der indischen Kultur und ihrer religiösen Werte
nie den Versuch gemacht, eine indische christliche Theologie (→ Indische Theologie) darauf aufzubauen. Aber auch hier ist die Zeit über De Nobili hinwegge-
schritten und hat uns neue Sichten eröffnet. Für viele indische Theologen ist der
in der indischen Kultur inkarnierte Hinduismus für die überwältigende Mehrheit
der Inder aller Zeiten der Weg gewesen, der sie zum → Heil geführt hat und der
ihnen auch heute noch in ihrer religiös-sozialen Situation der einzig konkrete Weg
zu Gott bleibt, bis sich ihnen vielleicht einmal das volle Licht des Göttlichen
Wortes zeigt, das jeden Menschen erleuchtet. Natürlich kommt die heilswirkende
Kraft nicht vom Hinduismus selber, sondern von dem „verborgenen Christus im
Hinduismus" (R. Panikkar). Wir stehen erst vor den ersten Versuchen, ein ent-
scheidendes Problem zu lösen, das die indische Theologie für die nächsten Jahrzehnte beherrschen wird.

Für die *praktische Missionsarbeit* wird die Vision De Nobilis entscheidende Konsequenzen haben, da die neue Missionslage in Indien uns zwingt, Alternativen zu der traditionellen Missionsarbeit zu schaffen. Diese beschränkte sich nach De Nobili fast ausschließlich auf die Ausgestoßenen (Harijans, Parias) und die Ureinwohner (Adivasis), die allein dieser „Missionsarbeit" zugänglich waren. Diese beiden Gruppen, die in den letzten hundert Jahren das Hauptmissionsobjekt der christlichen Mission in Indien darstellten, wehren sich aber gegen eine von De Nobili inspierte brahmanische Form des Christentums. Die Alternative, der große Durchbruch zu den höheren Kasten, ist bis jetzt noch nicht in Sicht. Die Kasten, obwohl gesetzlich abgeschafft, stellen aber immer noch eine entscheidende Grundkraft im indischen Leben dar, die seine Zukunft formt.

Trotzdem hat De Nobilis *Idee der Indisierung* in letzter Zeit einen erstaunlichen Triumph auf einem Gebiete erzielt, wo man ihn am allerwenigsten erwartet hätte: in der Liturgie der katholischen Kirche.

2.4 Diesen Triumph feierten die Ideen von De Nobili (und anderen, vor allem durch D. S. Amalorpavadass), als ein Zwölf-Punkte-Programm in die offizielle Liturgie der katholischen Kirche aufgenommen wurde. Infolge der großen kulturellen Verschiedenheit Indiens bleibt aber die konkrete Ausführung immer der verbindlichen Leitung der indischen Regionalkonferenzen (mit Billigung Roms) und des zuständigen Ortsbischofs überlassen und wird nicht vorgeschrieben, sondern nur freigegeben. Diese Neuerungen, die etwas Einmaliges in der modernen Liturgie darstellen, wurden auch durch die späteren Verordnungen des Heiligen Stuhls über die Liturgie (Inaestimabile Donum vom 3.4.1980) nicht außer Kraft gesetzt. Diese zwölf Punkte können auch in die Eucharistiefeier integriert werden und geben ihr dann optisch einen völlig neuen „indischen" Charakter (z.B. Sitzen auf dem Boden um ein kleines Tischchen statt des Altares; ein Safran-Schal als priesterliche Kleidung statt der römischen Meßgewänder; weite Verwendung von Öllampen statt Kerzen, von Weihrauchstäbchen statt des Weihrauchfasses, von Blumen in symbolischer Anordnung; von indischen Gesten, die erstmalig liturgisch verwendet werden usw.). Ausdrücklich verboten ist aber nun in dieser „indischen Messe" die indische, mit Hindutexten, meist aus den Veden und Upanishaden, angereicherte Anaphora (sie war nie formell erlaubt gewesen) und der Gebrauch nichtchristlicher heiliger Schriften innerhalb der Liturgie (wohl außerhalb). Die kluge Abgrenzung dieser Erlaubnisse sichert einmal, daß indisches Kulturgut erstmalig in die römische Liturgie eingeht, und vermeidet zugleich einen kulturellen Schock für Altchristen, die sich mit diesen Neuerungen noch nicht abgefunden haben.

So hat De Nobili auch heute noch Denk- und Aktionsanstöße selbst für unsere Zeit gegeben, die sich in vielfacher Richtung auswirken, sich freilich mit der sich wandelnden Situation auch selber wandeln müssen.

E. Zeitler

Lit.: *Amalorpavadass, D. S.,* Gospel and Culture. Evangelization, Inculturation and „Hinduization", 1978. - *Ders.,* Interreligious Dialogue in India, o.J. - *Ders.,* Cf. Reports of the All India Liturgy Meetings. - *Ders.,* Post-Vatican Liturgical Renewal in India, 1968. - *Ders.,* Research Seminar on Non-Biblical Scriptures, 1974 (s. auch: Word and Worship,

NBCLC organ). - *Bachmann, B.*, Roberto Nobili. Ein missionsgeschichtlicher Beitrag zum christlichen Dialog mit dem Hinduismus, 1972. - *Beckmann, J.*, Ritenstreit, in: LThK ²VIII, 1322-1324. - *Berentsen, J. M.*, The Ancestral Rites - Barrier or Bridge?, in: JCQ 49, 1983, 160-168. - *Beyreuther, E.*, Bartholomäus Ziegenbalg. Bahnbrecher der Weltmission, ²1956. -*Boyd, R. H. S.*, An Introduction to Indian Christian Theology, 1979. - *Griffiths, B.*, Christ in India. Essays towards a Hindu-Christian Dialogue, 1967. - *Ders.*, Vedanta and Christian Faith, 1978. - *Le Saux, H. (Abhishiktananda).*, , Hindu-Christian Meeting-point, 1969. - *Kulanday, V. J. F.*, The Paganized Church in India, 1985. - *Minamiki, G.*, The Chinese Rites Controversy from its Beginnings to Modern Times, 1985. - *Mookenthottam, A.*, Indian Theological Tendencies, Approaches and Problems ... in the works of some Leading Indian Theologians, 1978. - *Mundadan, M.*, Sixteenth Century Traditions of St. Thomas Christians, 1970. - *Ntetem, M.*, Die negro-afrikanische Stammesinitiation. Religionsgeschichtliche Darstellung, theologische Wertung und Möglichkeit der Christianisierung, 1983. - *Panikkar, R.*, Der Unbekannte Christus im Hinduismus, 1986. - *Ders.*, The Vedic Experience, 1983. - *Rahner, K.*, Ritenstreit - Neue Aufgaben für die Kirche, in: Schriften zur Theologie XVI, 1984, 178-184. - *Thomas, M. M.*, The Acknowledged Christ of the Indian Renaissance, 1976. - *Uzukuru, E.*, Africa's Right to be different - Christian Liturgical Rites and African Rites, in: Bulletin de Théologie Africaine, 4, 1982, 87-100. - *Ziegenbalg, B.*, Malabarisches Heidentum, hg. v. W. Caland, 1926.

SCHÖPFUNG

1. Bedeutung der Schöpfungstheologie für die Missionstheologie. 2. Schöpfungstheologische Aspekte der Missionstheologie.

1. In der neueren Missionswissenschaft hat schon 1936 K. Hartenstein auf die Bedeutung der Schöpfungstheologie für die missionstheologische Diskussion aufmerksam gemacht, ohne allerdings den Ansatz näherhin zu entfalten. Für die Abklärung der Fragen des Heidentums und der Tatsache der Gemeinde Christi komme den ersten Kapiteln der Genesis eine besondere Bedeutung zu.

In den mittelalterlichen theologischen Entwürfen wird auch ein Zusammenhang zwischen dem Schöpfungsgeschehen und der Völkerwelt - den → Heiden - erstellt. Bei der Schöpfung und der Schöpfungsordnung könne man nicht von einer Offenbarung sprechen, dieses seien Lehren - Weisheit für die Heiden, für die Philosophie (der Ausdruck kommt bei Hugo von Viktor vor ; vgl. Abälard, Thomas von Aquin, Summa contra gentiles).

In den missionstheologischen Entwürfen der frühen Missionstheoretiker und in den Diskussionen und Auseinandersetzungen nach der Entdeckung und Evangelisierung Lateinamerikas wird die Schöpfungstheologie und die Schöpfungsordnung in breiter Form in der Missionstheologie berücksichtigt (Las Casas, Zumárraga, Julian Garcés).

Für die Theologie und für einen missionstheologischen Ansatz bei Martin Luther ist die Genesis prägend. Die Botschaft von der Schöpfung allen Lebens, die Güte Gottes muß in den Missionsgedanken eingebracht werden und hier begründend mitwirken. Bei dem Werden und der Grundlegung der Missionswissenschaft wird zwar der schöpfungstheologische Ansatz in Hinweisen und spurhaft erwähnt, erfährt aber keine eigene Vertiefung und Ausformung. Es sind eher Andeutungen und Hinweise im Vorbeigehen (G. Warneck, J. Grendel).

Der missionstheologische Diskussionsentwurf für den ÖRK im Jahre 1961 von Blauw bezieht das AT wesenhaft in die Missionstheologie ein, beschränkt sich nicht nur auf einige Missionstexte. Er nimmt die universale Botschaft des AT zur Grundlage, weil das AT die ganze Welt gemeint hat und für alle Gültigkeit hat. Es wird ausgegangen vom theologischen Schlüssel zum ganzen AT (Gen 1-11) und es ergibt sich, daß von Anfang an die Völker im Blickpunkt stehen: Gottes Botschaft und Handeln ist universal angelegt.

In der Schöpfungstheologie bietet sich für die gegenwärtige Missionstheologie (→ Theologie der Mission) und ihre Diskussion um die Beziehung von Kirche und Welt, Christentum und Religionen (→ Theologie der Religionen) und damit dem theologischen Stellenwert von → Geschichte, Religionen und Kulturen, ein einheitlicher Ansatz und zugleich ein Zugang für eine theologische Deutung.

2. Die Missionstheologie ist durch gesamtkirchliche Fragestellungen, durch die Aufbrüche der kontextuellen, einheimischen Theologie (→ Kontextuelle Theologie) in den Dokumenten und die kritische Durchdringung in die Richtung der Schöpfungstheologie gewiesen. Sie kann so den gemeinsamen Grund herausheben, aber auch der Sendung der Kirche und der Christen den Weg und die theologische Richtung bieten.

2.1 Die theologische Einordnung der *Religionen* (→ Theologie der Religionen), die Offenheit des Christentums zum → Dialog sind deutlich und begreiflich vom Schöpfungsgedanken her. Nicht die Erlösungstheologie bietet hier den direkten Zugang und die theologische Interpretierung, da darin wesentliche Bereiche des Christentums ausgeklammert werden. Die christliche Theologie und die Theologie der Evangelisierung - als Verkündigung und Weltverantwortung - brauchen die Schöpfungslehre, um die Botschaft von der Erlösung voll zu verstehen (Buchanan). Die Schöpfung fordert die Christen und die Menschen als homines religiosi heraus, sich selbst wie auch alle Menschen als Geschöpfe des gemeinsamen Vaters zu erfahren und zu verstehen, die alle an der geschaffenen Welt teilhaben.

Die Schöpfungstheologie bildet die Grundlage und den Hintergrund der Aussagereihe des II. Vatikanischen Konzils (→ Vaticanum II) über die Religionen und ihre Zuordnung zum Christentum und die gemeinsamen Fragen und das Suchen der Menschheit - sie sind alle geschaffen und haben Gott zum Vater. Die Voraussetzung, daß alle Menschen als eine einzige Gemeinschaft angesehen werden, wird nur durch die heilsgeschichtliche Sicht vom Ursprung des Menschen in der Welt und dem Ziel sichtbar. Der göttliche Heilswille ist universal, da er der Universalität des Schöpfungshandelns entspricht. Die Schöpfungsordnung und die theologische Aussage über Gott als den einzigen und alles umfassenden Schöpfer wird zur gemeinsamen Wurzel der Heilsordnung für die Menschen. Die Schöpfung ist die Wirklichkeit, die von Gott her gewirkt und in allen Menschen als begründende und setzende Tatsache vorhanden ist. Die Religionen sind in dieser Ordnung mit eingefangen. Von daher ergibt sich für die Missionstheologie und einen missionstheologischen Ansatz die Dringlichkeit, beim Schöpfungsgedanken einzusetzen.

Die Aussagen und die Darstellungen des interreligiösen Dialogs durch den ÖRK haben die schöpfungstheologische Grundlage und ihre Wurzel in den Aussagen der Bibel zum Schöpfungsartikel. Die Begegnung mit den Religionen hat die *eine* Welt als Schöpfung Gottes und das gottbestimmte Sein des Menschen zur tragenden Grundlage.

Für die Evangelisierung kommt es darauf an, „die Einheit der ganzen Schöpfung im Lichte des christlichen Menschenbildes" zu betonen. Die Missionstheologie muß vom Menschenbild der Bibel und der Schöpfungstheologie ausgehen, um den Aussagen über die Religionen gerecht zu werden.

Im schöpfungstheologischen Ansatz wird eine theologische Begründung und die Glaubensverankerung für die → Entwicklung und → Befreiung des Menschen geboten. Eine wachsende Emanzipation und Vermenschlichung der Welt entspricht dem Schöpferwillen Gottes. Ein entsprechendes Schöpfungsverständnis bildet den Hintergrund für die Aussagen des II. Vatikanischen Konzils in der Konstitution über die Kirche und die Welt von heute. Das Eintreten für Entwicklung und Befreiung ist im Schöpfungsplan zugrunde gelegt und kann nicht vom Erlösungsplan getrennt werden (Evangelii nuntiandi 31). Die Schöpfungsordnung verlangt vom Menschen Solidarität mit allen Menschen und bietet den theologischen Hintergrund für die Aussagen über die christliche Weltverantwortung (Gaudium et spes 69). Die Geschöpflichkeit stiftet die Bruderschaft unter den Menschen und bietet den tragenden Grund für den Auftrag und die Sendung der Kirche und des Christen, für Entwicklung und Befreiung und Gerechtigkeit einzutreten. Durch das „Geschaffensein" haben die wirtschaftlichen, politischen und sozialen Ordnungen des Menschen ihren Bestand und ihre Rückbindung an die Gesellschaft und Gott (Gaudium et spes 37, 36). Der wirtschaftliche und politische Beitrag der Kirche zur heutigen Entwicklung wird immer wieder ausdrücklich in der Schöpfungstheologie begründet. Gott hat die ganze Wirklichkeit geschaffen und den Menschen nach seinem Bild, so daß er in seinem „Personsein" auf den anderen Menschen in Verantwortung und Solidarität bezogen ist.

So ist es folgerichtig, daß die Verletzung der Menschenwürde und damit der Schöpfungsordnung als Schuld und Sünde bezeichnet wird. Die Strukturen sind deshalb sündhaft, weil sie ein Nein gegenüber der Schöpfung und dem Menschen darstellen. Eine Situation, die sich gegen den Menschen richtet und ihn in Abhängigkeit und Unterdrückung bringt, richtet sich gleichzeitig gegen die Schöpfung und gegen den Schöpferwillen Gottes. Aufgrund des Bezuges von Gott und Mensch durch die Abbild- und Ebenbildlichkeit des Menschen werden Angriffe gegen den Menschen zur Ablehnung Gottes und der Schöpfungsordnung. Die „Situation der Ungerechtigkeit" ist identisch mit der Verneinung der Schöpfungsordnung und des Heilsplanes Gottes.

Bei → *Paulus* wird die Schöpfungstheologie im Hinblick auf das Heilsgeschehen in Christus gedeutet. Das Erwarten einer neuen Schöpfung, eines neuen Himmels und einer neuen Erde führt zur solidarischen Teilnahme am gegenwärtigen Elend und der drückenden Not der *ganzen* Schöpfung. Diese Theologie des Römerbriefes des Mitleidens am Elend der Welt wird als ein Element der Nachfolge verstanden. Im Mitleiden an der leidenden Schöpfung und am Elend des Menschen äußert sich die Teilhabe an der Geschichte Christi. Wenn auch die Solidarität mit der gesamten Schöpfung in Christus begründet wird, so findet sie doch wesentliche Ansätze in der Schöpfungstheologie. Diese Solidarität und das Mitleiden sind nicht ethische Forderungen, sondern Grundteil der christlichen Lebenspraxis und des christlichen Lebensvollzuges.

Innerhalb des gegenwärtigen politisch-gesellschaftlichen Kontextes der neueren Theologie wird eine Verlagerung von der ntl. Bibeltheologie auf das AT vorgenommen. In der Schöpfungstheologie findet die Verklammerung statt. Schöpfungstheologie ist dabei nicht ein Mittel zur Aussage über Gott und die Welt und den Menschen, sondern es geht darum, den Sinn der Welt und des Menschseins zu erhellen. Die Würde des Menschen und seine Freiheit werden schöpfungstheologisch begründet.

Die *Befreiungstheologie* greift auf die Schöpfungstheologie in Verbindung mit dem Exodus zurück. Sie bestimmt den Menschen und sein Bild aus dem Gedanken der Schöpfung, der dann zwangsläufig mit der „neuen Schöpfung" verbunden wird. Die Hinführung des Menschen zur Befreiung, zum „neuen Menschsein", zur „neuen Welt" ist eine Fortsetzung des Schöpfungswerkes.

Die Schöpfungstheologie wird ausdrücklich zur Grundlage der Theologie der Ökumenischen Vereinigung der Theologen der Dritten Welt (EATWOT) gemacht. Die kontextuelle Theologie hat das sozio-kulturelle Umfeld als eine ihrer Grundlagen der theologischen Reflexion und damit die Aussagen der Schöpfungswirklichkeit.

Seit der Schöpfung ist Gott in der Welt gegenwärtig. Die Schöpfung ist das erste Geschichts- und Heilswerk auf einer Wegstrecke, durch die der Mensch auf die neue Schöpfung zugeführt wird.

Zwischen der Schöpfungslehre und der Soteriologie besteht eine Spannung, so auch zwischen den beiden Weltbegrifflichkeiten. Neben der Welt im Widerspruch zu Gott, die missionarisch in die Kirche heimzuholen ist, steht die „Werde-Welt", die durch die Schöpfung und Erlösung auf Gott hin angelegt ist. Es ist eine ganzheitliche Weltsicht, ein integrales Modell, das im Ansatz schon vom Weltbezug des Heils ausgeht. Weltverantwortung und soziales Eintreten des Christen sind nicht ethische Folgen und Ableitungen aus dem Glauben, sondern Leben aus dem Glauben selbst. „Heil der Welt" ist nur in konkreter, welthafter (schöpfungsentsprechender) Heilswirklichkeit vorhanden, wenn auch nur bruchstückhaft und vorläufig, so doch im Glauben und in der Hoffnung auf die Vollendung der Welt.

In der *Menschwerdung Gottes* in dieser Welt wird diese Einheit von Schöpfung und → Heil (Erlösung) in der Einheit des Handelns Gottes an seiner Welt vereint. Es ist die „äußerste Gestalt der Annahme der vorfindlichen Welt" (Steck), da der Schöpfer dem Menschen nahekommt. Und weil Gott „auf die Welt als seine Schöpfung" Anspruch erhebt, trägt Paulus die Botschaft in die Welt. Für ihn ist die „Neuschöpfung" fast immer Schöpfung im ganzen. Bei Lukas steht die Verkündigung des Evangeliums „unter dem Thema der Fürsorge des Schöpfers" (Hahn). Gott ist im paulinischen Sinn der Schöpfer der Welt und der bleibt er auch. Die unversöhnte Welt ist Schöpfung Gottes, wie auch die versöhnte Welt seine Schöpfung bleibt.

Dennoch ist eine Dualität und eine Zweigliedrigkeit in der theologischen Reflexion und der Theologiegeschichte nicht zu leugnen: Schöpfung - Erlösung; Natur - Gnade; Notwendigkeit - Freiheit. Diese Zweigliedrigkeit des Denkens ist aber nicht die volle Wirklichkeit, da die Gegenbegriffe in einem Dritten umfangen sind. Die Neuschöpfung ist schon das Ziel der Schöpfung, die ihren Anfang in der Hingabe und Auferweckung Jesu Christi nimmt. Das Ziel der Schöpfung ist nicht die Menschwerdung Gottes, das Kommen Jesu, sondern das Reich Gottes, um dessentwillen Jesus gekommen ist, das der „innere Grund der Schöpfung" (Barth) ist. Schöpfung ist nicht auf die Erschaffung des Menschen als Ebenbild Gottes bezogen, sondern auf die Herstellung der ursprünglichen Bestimmung des Menschen. So ist die Menschwerdung auch auf die ursprüngliche Schöpfung des Menschen als Bildes Gottes bezogen. Es geht in der Schöpfung um die Herstellung der ursprünglichen Bestimmung des Menschen mit seiner Zukunft in einer „menschlichen Weltgemeinschaft".

Im NT wird die Schöpfung oder die Mittlerschaft bei der Schöpfung ausdrücklich Christus zugelegt (1Kor 8,6; Kol 1,16; Hebr 3,4; vgl. Joh 1,3). Die christliche Dimension ist die entscheidende Linie der Schöpfung. Die Leitidee, die ihr die Einheit gibt, ist der Bund, der auch für die Schöpfung das bestimmende Element ist. Die Schöpfung und der Bund haben Gott zum Urheber. Die Schöpfung ist nicht Voraussetzung, sondern nur „erster" Heilsansatz, und somit sind Bund und Schöpfung nicht wesentlich zu unterscheiden. Die Schöpfungsgeschichte hat eine Art „logischer" Vorrangstellung gegenüber der übrigen Überlieferung (Baar). Beide Aussagen hängen innerlich zusammen. Die Schöpfung ist in der Sicht des Bundes und Heiles zu verstehen, die Botschaft vom Heilswirken Jesu Christi muß dann folgerichtig die Schöpfungslehre integrieren. Da Jesus Christus der einzige Heilsbringer ist, muß die Schöpfung als Heilseröffnung unweigerlich auf Christus bezogen werden. Somit ist die Neuschöpfung in Christus nicht ein unvorhergesehenes Ereignis, sondern das bestimmende und primäre Faktum, worin die Schöpfung ihren Sinn erhält und verwirklicht wird. Darin liegt „das Ziel der Schöpfung überhaupt" (Rahner).

Innerhalb der religiösen Aussagewelt gibt es zwei Hauptlinien. Bei der einen steht die „Erscheinung" (Manifestation) stärker im Vordergrund und bei der zweiten wird die „Verkündigung" (Proklamation) mehr betont. Die Unterscheidung und das Deutemuster werden oft verwendet, um eine Gegensätzlichkeit und eine Differenzierung zwischen einer verbalen und einer vorverbalen Form der religiösen Aussage zu begründen (Ricoeur). Dabei wird die religiöse Erfahrung dem religiösen Ausdruck der Erscheinung der vorverbalen Bekundung, dem Mythos und der vorliterarischen Kultur zugeschrieben. Eine Festlegung des religiösen Ausdrucks auf eine Kategorie ist aber nicht streng durchführbar. Es zeigt sich, daß jede dieser Dimensionen sich in den Kategorien der anderen Form auch bekundet, d.h., daß beide Formen der religiösen Ausdruckswelt miteinander verbunden sind. Der Unterschied zwischen beiden liegt in der Art der Teilhabe des Menschen an ihnen. Die vorverbale wird durch das Ritual vermittelt, während die Verkündigung dem Wort den Vorrang bietet. Eine Zuordnung beider Deutelinien findet in der Schöpfungstheologie statt. Sie ist nicht nur die Wirklichkeit, die der Vermittlung durch Symbol und Wort bedarf, sie ist auch der Urgrund der Aussage. In ihr werden aber auch die Gliederung des Raumes und der Zeit vollzogen, in ihr sind auch für die Verkündigungslinie Erscheinungen sichtbar. Für beide religiöse Ausdrucksformen wird die Schöpfung zu einem Symbol und zugleich zur Vermittlung zwischen beiden Formen der religiösen Erfassung, da sie als Symbol in beiden Bereichen vorhanden ist. Von daher sind die Schöpfung und ihre Theologie von Wichtigkeit auch für die theologische Vermittlung in der missionarischen Verkündigung.

Lit.: *Altner, G.*, Schöpfung am Abgrund, 1974. - *Bindermann, W.*, Die Hoffnung der Schöpfung. Römer 8,18-28 und die Frage einer Theologie der Befreiung von Mensch und Natur, 1983. - *Blauw, J.*, Gottes Wort in dieser Welt. Grundzüge einer biblischen Theologie der Mission, 1961. - *Bonnard, P. L.*, La sagesse en personne annoncée et venue, in: Jésus Christ, 1966, 133-144. - *Borges, P.*, Métodos misionales en la cristianización de América siglo XVI, 1960. - *Buchanan, J.*, Schöpfung und Kosmos: Die Symbolik der Verkündigung und der Teilhabe, in: Conc 19, 1983, 439-445 (Lit.). - *Bürkle, H.*, Einführung in die Theologie der Religionen, 1977 (Lit.). - *Cloes, H.*, La systématisation théologique pendant la première moitié du XIIe siècle, in: EThL 34, 1958, 277-329. - *Ganoczy, A.*, Der schöpferische Mensch und die Schöpfung Gottes, 1976. - *Ders.*, Schöpfung im Christentum - Versuch einer Neuformulierung im Hinblick auf den Dialog in der abrahamitischen Ökumene, in: H. Waldenfels (Hrsg.), „... denn Ich bin bei Euch". Perspektiven im christlichen Missionsbewußtsein heute. (FS Josef Glazik und Bernward Willeke), 1978, 351-362. - *Ders.*, Die Bedeutung des christlichen Schöpfungsglaubens für die Einheit der Menschheit, in: A. Ganoczy H.-W. Gensichen, Christliche Grundlagen des Dialogs mit den Weltreligionen, 1983, 127-150. - *Grendel, J.*, Die zentrale Stellung des Missionsgedankens im ewigen Heilsplan Gottes, in: ZMR 1, 1911, 281-293. - *Moltmann, J.*, Gott in der Schöpfung. Ökologische Schöpfungslehre, 1985 (Lit.): - *Øberg, I.*, Mission und Heilsgeschichte bei Luther und in den Bekenntnisschriften, in: Lutherische Beiträge zur Missio Dei, 1982, 25-42. - *Perlitt, L.*, Auslegung der Schrift - Auslegung der Welt, in: T. Rendtorff (Hrsg.), Europäische Theologie. Versuch einer Ortsbestimmung, 1980, 27-71 (Lit.). - *Ricoeur, P.*, Manifestation and Proclamation, in: Journal of the Blaisdell Institute, 1978, 13-21. - *Rosenkranz, G.*, Die christliche Mission, 1977. - *Rzepkowski, H.*, Ganzheitliches Heil - Entwicklung - Frieden, in: H. Fries/F. Köster Fr. Wolfinger (Hrsg.), Warum Mission? Theologische Motive in der Missionsgeschichte der Neuzeit. Ereignisse und Themen der Gegenwart, 1984, 223-263. - *Schmid, H. H.*, Schöpfung, Gerechtigkeit und Heil. „Schöpfungstheologie" als Gesamthorizont biblischer Theologie, in: ZThK 70, 1973, 1-19. - *Schoonenberg, P.*, Bund und Schöpfung, 1970. - *Strolz, W.*, Das Schöpfungswort im Anfang (Gen 1,1-31) und das fleischgewordene Wort (Joh 1,14). Eine sprachtheologische Besinnung, in: A. Ganoczy/H.-W. Gensichen, Christliche Grundlagen des Dialogs mit den Weltreligionen, 1983, 98-126. - *Thiel, J. F.*, Die Bedeutung von Raum und Zeit als religiöse Dimensionen, in: Verbum SVD 22, 1981, 19-38. - *Thuren, J.*, Mission und Heilsgeschichte aus biblischer Sicht, in: Lutherische Beiträge zur Missio Dei, 1982, 17-24.

H. Rzepkowski

SCHWARZE THEOLOGIE

1. Der soziale Kontext. 2. Die Entstehung. 3. Der Name. 4. Hauptthemen der Schwarzen Theologie. 4.1 Die Welt im Konflikt zwischen Unterdrückern und Unterdrückten. 4.2 Gottes vorrangige Option für die Armen und Unterdrückten.

Die Schwarze Theologie nimmt Bezug auf einen Aspekt des recht neuen theologischen Arbeitsfeldes, das als Befreiungstheologie bekannt ist. Diese weltweite theologische Erscheinung umfaßt eine Mehrzahl aufeinander bezogener, aber nuancierter und unterschiedlicher Merkmale. So u.a.: die lateinamerikanische → Theologie der Befreiung, die mit Klassenherrschaft und -unterdrückung ringt ; die Schwarze Theologie, die es mit Problemen der Rassenherrschaft und -unterdrückung in Nordamerika und Südafrika zu tun hat; die feministische Theologie, die die Aufmerksamkeit der Kirche auf das uralte Problem der Männerherrschaft und der Ausbeutung der → Frau in allen Gesellschaften lenken will. Diesen Typ der Befreiungstheologie zeichnet aus, daß er sich von der Erfahrung menschlicher Unterdrückung in dieser oder jener Form herleitet. So richtet diese Theologie ihr Augenmerk auf konkrete, insbesondere die zerbrochenen Beziehungen in der Gesellschaft, die sich in vielfältiger Entfremdung ausdrücken. Im Licht des Evangeliums sucht sie nach Wegen, diese zu beseitigen, so daß die Menschen schließlich aus Bedrückung und Gefangenschaft ausbrechen und Freiheit und Unabhängigkeit erlangen können.

1. Ihren Ursprung verdankt die Schwarze Theologie der besonderen Erfahrung der Menschen dunkler Hautfarbe (speziell derer afrikanischer Herkunft) in Nordamerika und Südafrika. Dort genügte die schwarze Haut der Menschen, um zu rechtfertigen, daß sie einem leidvollen und demütigenden Leben als Degradierte, Ausgebeutete und Unterdrückte unterworfen wurden. Das bedeutet: Schwarze Theologie ist eine bestimmte theologische Antwort und korreliert mit einer besonderen Situation der rassistischen Herrschaft und Unterdrückung. Im Zusammenhang mit rassistischer Dominanz ist auf den bewußten oder unbewußten Glauben an die inhärente Überlegenheit aller Menschen europäischer Abstammung zu verweisen: eine Überlegenheit, die die Weißen in eine privilegierte Position der Macht und Herrschaft stellt.

In Nordamerika hat die Rassenherrschaft ihren Angelpunkt in der brutalen und entwürdigenden Geschichte der Sklaverei, die eine zerstörerische Wirkung auf die schwarze Persönlichkeit ausübte. Millionen von Afrikanern wurden, nachdem sie gefangen waren, wie Tiere gehetzt, wie ein Stück Vieh behandelt; sie wurden per Schiff über das Meer gebracht und ihrer Sprache und Kultur beraubt. Der Rassismus legte nicht nur die maßgebenden Institutionen der amerikanischen Gesellschaft fest, sondern stellte zugleich sicher, daß die Schwarzen am Rande der Gesellschaft verharren mußten. In Südafrika dagegen waren die Schwarzen nicht die Opfer rassistischer Unterdrückung durch bloße Sklaverei, vielmehr aufgrund des europäischen → Kolonialismus. Dieser nutzte seine kulturelle, wissenschaftliche, ökonomische und politische Macht, um die Menschen dunkler Hautfarbe zu unterjochen und ihnen ihre Würde zu nehmen.

Anders gesagt: Die Schwarze Theologie gründet in einer leidvollen rassistischen Situation, in der jemandes Hautfarbe eine enorme soziopolitische Bedeutung hat. Hier determiniert die Farbe eines Menschen sein Geschick und die Qualität des Lebens, das ihm eröffnet wird, weil seine ganze Existenz abhängt von der Tatsache, daß er Schwarzer oder Weißer ist. Wo jemand lebt, wo er arbeitet, welchen Bus oder Zug er benutzt, welche Schulen und Kirchen er besucht, wen er liebt und wessen Nachbar er wird, - all dies ist von der Frage bestimmt, ob er schwarz oder weiß ist.

2. Die Schwarze Theologie hat sich aus dem leidvollen sozialen Kontext der Unterdrückung und Destruktion der schwarzen Persönlichkeit heraus entwickelt, als ein theologischer Protest gegen die Herrschaft einer Rasse und des Menschen Unmenschlichkeit gegenüber seinen Mitmenschen. *Daher kann die Schwarze Theologie als eine bewußte, systematische und theologische Reflexion über die schwarze Erfahrung definiert werden,* welche durch die Unterdrückung, Demütigung und das Leiden in den weißen, rassistischen Gesellschaften Nordamerikas und Südafrikas gekennzeichnet ist. Aber die Geschichte des schwarzen Kampfes gegen die Mächte des weißen Rassismus reicht weiter zurück. Sie begann, als schwarze Kirchenführer aus rassischen, politischen und theologischen Gründen mit den weißen Kirchen brachen und so das Fundament für die spätere, explizite Schwarze Theologie legten. In Gesellschaften, wo der christliche Glaube herangezogen wurde, um die Versklavung zu rechtfertigen, war es nur natürlich, daß die unterdrückten Schwarzen, indem sie ihre Situation im Licht des Evangeliums reflektierten, das übliche Christentum verwarfen. Sie bejahten ihre Humanität und verwandelten so das Evangelium in ein Instrument des Widerstandes gegen die extremen Forderungen der rassistischen Gewaltherrschaft. Als sie das taten, hoben die bedrückten Schwarzen die Schwarze Theologie aus der Taufe. Sie sucht diese unterdrückerischen Bedingungen im Licht des biblischen Gottes zu interpretieren, dessen Gerechtigkeit verlangt, daß die Unterjochten befreit werden sollen. Darum ist die Schwarze Theologie, als eine Antwort auf die weiße Theologie, die rassistische soziale Institutionen gutheißt, ein leidenschaftlicher Ruf nach Freiheit; in Gottes Namen lädt sie alle Menschen dunkler Hautfarbe zur authentischen, menschlichen Existenz und Freiheit ein.

3. Schwarze Theologie leitet ihren Namen ab aus der besonderen schwarzen Erfahrung in rassistischen Gesellschaften, die sie reflektiert. Um abschätzen zu können, welche Tragweite das hat, ist es entscheidend, zu sehen, daß der Begriff „schwarz" in den kulturellen und religiösen Gesellschaften des Westens immer eine negative Konnotation hatte. „Weiß" galt immer als positiv und gut, „schwarz" dagegen als negativ und schlecht. Die Bibel leistet dieser Ansicht Vorschub, wenn sie etwa lehrt, daß Jesus unsere Herzen weißer wäscht als Schnee, während die Sünde sie verdunkelt. So wurde schwarze Kleidung zum Symbol der Trauer, weiße aber zum Symbol der Freude. Es ist die Rede vom „schwarzen Tag" oder von „düsterer Stimmung" (black mood). In Situationen, da die Hautfarbe eine so entscheidende Rolle spielt und die Menschen in schwarz und weiß unterteilt sind, erinnert das bloße Schwarzsein mancher Menschen spontan an etwas Schmutziges, Böses und Schändliches, also an etwas, das abgewiesen werden muß. Tatsächlich hat der Rassismus, weil er die Humanität der Menschen dunkler Hautfarbe radikal unterminiert und in Frage gestellt hat, bewirkt, daß Schwarze sich selbst verachten und sich ihrer gottgegebenen schwarzen Menschlichkeit schämen. Denn es fällt ihnen schwer, zu verstehen, warum allein ihr Schwarzsein solch einen Haß, solche Geringachtung und zügellose Gewalt seitens der Weißen hervorrufen sollte.

Vor diesem Hintergrund war nicht zu erwarten, daß sich die Schwarze Theologie mit der weißen Theologie identifizierte, welche den Mythos aufrechterhalten wollte, daß das *Weißsein* die Norm authentischer Humanität sei - wenn anders den schwarzen Menschen eine positive Botschaft zu verkünden war, so daß sie ihre wahre Menschlichkeit wieder bejahen und realisieren könnten. Vielmehr mußte die Schwarze Theologie selbstbewußt vom Schwarzsein sprechen als von einer legitimen Weise menschlicher Existenz, autorisiert von Gott, dem Schöpfer. Sie mußte unmißverständlich erklären, daß Humanität schwarze Humanität bedeute, und daß, wenn Gott in → Jesus wirklich Mensch wurde, um die Menschheit zu befreien, Jesus Christus der schwarze Befreier von weißer, rassistischer Unterdrückung war. Mit anderen Worten: Wer von *Schwarzsein* spricht, macht eine theologische wie eine philosophische Aussage: erstens ist das Schwarzsein ein Geschenk Gottes, für das Schwarze sich nicht schämen oder entschuldigen müssen, zweitens bedeutet es *nicht*, eine *Unperson* zu sein, ein Nichts, ein Mensch ohne Vergangenheit, die es nicht zu erinnern lohnte. Also: Schwarz ist schön, es ist etwas Hochzuschätzendes, über das es gut zu denken gilt. Diese Bejahung der schwarzen Humanität durch die Schwarzen selbst grenzt in rassistischen Gesellschaften an ein Wunder. Denn sie beinhaltet einen solchen qualitativen Sprung, wie er nur mit der radikalen Umwandlung des Herzens und Bewußtseins des schwarzen Menschen zu vergleichen ist. Er gipfelt in einer Wiedergeburt und totalen Umkehr (*metanoia*), die die Schwarzen befähigt, an der Erschaffung ihrer neuen Menschlichkeit in Christus, dem schwarzen Befreier, teilzuhaben.

In einer Situation, da jemandes Identität von seinem Schwarz- oder Weißsein determiniert ist, ist es eine logische Konsequenz der Inkarnation, Christus oder die Theologie als schwarz oder weiß darzustellen. Abgesehen davon gilt es - um Mißverständnisse bezüglich des Namens „Schwarze Theologie" zu vermeiden - festzuhalten, daß der Begriff „Schwarzsein" im Sprachgebrauch der Schwarzen Theologie eine zweifache Bedeutung hat: Zum einen ist „Schwarzsein" eine *physiologische* Eigentümlichkeit, auf bestimmte Menschen bezogen, die zufällig schwarze Hautfarbe haben und historisch gesehen die Opfer des weißen Rassismus sind. Zum anderen ist das Schwarzsein ein *ontologisches* Symbol, das sowohl auf eine Situation der Unterdrückung verweist wie auf eine Haltung, ein Bewußtsein, das entschlossen ist, mit und an der Seite Gottes zu wirken; des Gottes, der zu jeder Zeit für die Unterjochten und Benachteiligten Partei ergreift, um dem Menschen jene Freiheit zu ermöglichen, für die er geschaffen wurde. Dieser zweite Aspekt des Schwarzseins macht die universale Bedeutung der Schwarzen Theologie aus, da er auf die menschliche Solidarität im Leiden und im Kampf zugunsten der und zusammen mit allen unterdrückten Menschen abhebt.

4.1 Wie schon angezeigt, ist die Schwarze Theologie aus der historischen Erfahrung des Leidens und der Not geboren. In der Folge konnten die Schwarzen nicht umhin festzustellen, daß sie nicht zufällig oder durch göttliche Fügung arm, ohnmächtig und beherrscht sind. Sie wurden arm und schwach *gemacht*, von einer anderen Klasse von Menschen: den dominanten Weißen, die den Schwarzen das Recht verweigerten, ihr Leben selbst zu gestalten. Und diese Erkenntnis führt Schwarze dazu, für einen radikalen Wandel zu optieren, was sie in eine Konfrontation mit weißen Rassisten verwickelt, welche die gegenwärtigen, ungerechten materiellen Verhältnisse aufrechterhalten wollen. Indem sie so die Unmenschlichkeit des weißen Rassismus theologisch reflektieren, sehen sich die Schwarzen genötigt, die Welt als ein Feld der Auseinandersetzung zwischen weißen Unterdrückkern und schwarzen Unterdrückten zu verstehen. Gerade die Tatsache, daß der weiße Rassismus versucht, den Schwarzen die etablierte soziale Ordnung schmackhaft zu machen, obschon sie ungerecht und entmenschlichend ist, wird als ein deutlicher Beweis gewertet, daß die Welt alles andere als ruhig und normal ist, sich vielmehr in einem Zustand des Konfliktes befindet.

Angesichts dieses Konflikts besteht die Schwarze Theologie darauf, daß die Realität unserer konfliktreichen Welt zum Thema, zum Grunddatum der theologischen Besinnung werde. Das bedeutet den tiefgreifenden Abschied von der traditionellen Theologie, die, als eine aus dem Blickwinkel der privilegierten Weißen betriebene Theologie, versucht, vielen Christen den Blick für die Realität des Konflikts zu verschleiern. Weil sie sich dem konfliktgeladenen Ursprung der rassistischen Gesellschaften zuwendet, ist es der Schwarzen Theologie möglich, die Wirklichkeit der sündhaften Entfremdung zwischen Schwarz und Weiß realistischer und konkreter anzugehen. Auf diese Weise hebt sie hervor, daß das konfliktreiche Wesen unserer Welt symptomatisch ist für den menschlichen Sündenfall - dem fundamentalen Bruch der Gemeinschaft zwischen Gott und Mensch, zwischen Mensch und Mensch. Der Rassismus wird verstanden als die sündhafte Verweigerung der Liebe, der Gemeinschaft, der eigenen Verfügbarkeit um des Wohles des Nächsten willen, der zufällig eine andere Hautfarbe besitzt. Diese Sünde der Entfremdung ist der Grund aller Ungerechtigkeit, Unterdrückung und des Willens zu herrschen; sie resultiert im Konflikt zwischen und in der Polarisierung von weißen Unterdrückern und schwarzen Unterdrückten. Um dieser Sünde zu begegnen, verlangt die Schwarze Theologie einen radikalen Wandel der persönlichen und sozialen Gegebenheiten. Denn die Botschaft des Evangeliums proklamiert die Überwindung aller Entfremdung zwischen Gott und Mensch und zwischen den Menschen untereinander. Das Evangelium als freie Gabe Gottes trägt die Verheißung in sich, daß Versöhnung und Gemeinschaft in dieser konfliktreichen Welt erfahrbare Wirklichkeit werden können. Im Evangelium liegt die Kraft zu völliger Umkehr, zur Abkehr von früheren, unterdrückerischen Neigungen und zum Aufbau einer tiefen Solidarität zwischen Schwarz und Weiß. Die Schwarze Theologie ist davon überzeugt, daß die Menschen, sobald sie sich den Faktoren, die Entfremdungen und Konflikte hervorrufen, unvoreingenommen stellen, für die verwandelnde Kraft des Evangeliums offen sein werden.

4.2 Ist es richtig, daß die Welt durch einen Konflikt zwischen weißen Unterdrückern und schwarzen Unterdrückten gekennzeichnet ist, so folgt, daß jede Theologie, die diesen Konflikt wahrnimmt, sich es nicht länger leisten kann, in sozialer und politischer Hinsicht neutral zu bleiben. Denn letztlich ist dies ein Kampf auf Leben und Tod, inmitten dessen die Kirche und ihre Theologie Partei ergreifen müssen, überzeugt davon, daß die Forderungen des Evangeliums unvereinbar sind mit den ungerechten, polarisierenden Sozialordnungen der rassistischen Gesellschaften. Konsequenterweise legt die Schwarze Theologie, als eine durch und durch inkarnatorische Theologie, allergrößten Wert auf die Feststellung, daß Gott, der König der Könige, als er in Jesus Mensch wurde, nicht in den prächtigen Palästen der Herrscher zur Welt kam. Der allmächtige und transzendente Gott entschloß sich im Gegenteil, die Gottheit von göttlicher Macht und Herrlichkeit zu entleeren und die Gestalt eines Sklaven anzunehmen. Gott kam von seinem Thron herab und zog es vor, von armen Eltern geboren zu werden, zu leben und zu sterben als ein armer und unterdrückter Mensch, um den unterdrückten Schwarzen neue Hoffnung und neues Leben zu geben. Das ist, wie die Schwarze Theologie plausibel macht, die Grundbedeutung der niederen Geburt Jesu. Auch in seinem Wirken wurde Jesus zu denen gezählt, die die Gesellschaft verachtete und verstieß. So zeigte er, daß Gott kein neutraler Gott ist, aber ein durch und durch befangener Gott, der zu allen Zeiten auf der Seite der Schwachen, der Hungernden, des Abschaums der Gesellschaft steht.

Schwarze Theologen sind der Überzeugung, daß das Motiv der vorrangigen Option Gottes für die Armen (→ Armut) und Unterdrückten wie ein roter Faden durch die Bibel läuft. Es ist im Exodusereignis sichtbar, wo Gott für die unterdrückten Israeliten gegen den Pharao und seine Untergebenen Partei nahm. Gott schlug sich nicht auf die Seite der Israeliten, weil sie es verdienten, befreit zu werden. Der Grund war nicht, daß ein bestimmtes → Volk sündlos, liebens- und darum rettenswert war. Vielmehr ging es um das konkrete Böse der Unterdrückung, der Ungerechtigkeit und des Leidens, dem die versklavten Israeliten unterworfen waren. Es gehört zu seiner Auseinandersetzung mit diesen Manifestationen des Bösen, daß Gott sich auf die Seite der Armen und Bedrückten stellen muß. Durch die Weise seiner Geburt, durch sein Leben und seinen Tod identifizierte Jesus sich mit den Marginalisierten. Auch darin ist die Parteilichkeit Gottes in der Verteidigung der Interessen der Armen erkennbar. Jesus wählte mit Bedacht nicht die Priester, Sadduzäer, Pharisäer und Schriftgelehrten zu seinen Freunden, sondern die Sünder und Prostituierten, den Abschaum der Gesellschaft. Kurz: Seine Gefährten waren die Kranken, die verzweifelt einen Arzt brauchten, und die sich dessen bewußt waren. Die anderen dachten, sie seien heil. Als Gott für die Unterdrückten optierte, erklärte er, daß die Gottheit selbst nicht bereit sei, sich mit sozialen Gegebenheiten abzufinden, in denen die Armen um ihrer Hautfarbe, Religion oder Klasse willen gedemütigt werden. Folglich argumentieren Schwarze Theologen, daß Gott die bedrückten Schwarzen befreien wird, von ihren persönlichen Sünden und ihrer Schuld, wie von den historischen Strukturen des Bösen, der Ausbeutung und Unterdrückung, die sich in den rassistischen Sozialstrukturen manifestieren. Genau, wie Gott Israel nicht allein von geistlicher Schuld erlöste, sondern auch von sozialpolitischer und ökonomischer Ausplünderung. Schließlich sei bemerkt, daß sich Schwarze Theologen völlig darüber im klaren sind, daß das Eintreten für Gottes vorrangige Option für die Armen denen, die gutgestellt sind, unbarmherzig und hart erscheinen muß. Denn hier wird deutlich, daß Gott nicht mehr neutral ist, daß er seine Vorlieben hat, daß er nicht Herren und Sklaven in derselben Weise liebt. Allerdings haben wir es dabei nicht mit sentimentaler Begünstigung der sündlosen Armen und Unterdrückten zu tun. Vielmehr schlagen die Schwarzen Theologen einen sorgfältig ausgearbeiteten hermeneutischen Zugang zur Bibel vor; er ist notwendig, weil er die Theologie mit einem kritischen Prinzip ausstattet, dessen alleinige Intention es ist, kritische Einsichten für den Aufbau einer menschlichen Gesellschaft anzubieten. Und dieses kritische Prinzip zielt darauf, den Christen in ihrer Arbeit für die jedermann zukommende Gerechtigkeit - *vor, während und nach* der sozialen Revolution - Anleitung zu geben, so daß auch neue Machthaber davon abgehalten werden, selbst Unterdrücker in einer neu geschaffenen Gesellschaftsordnung zu sein. Es erinnert uns daran, daß Gott durch die Bedrückung eines Menschen durch den anderen beleidigt wird.

Lit.: Bekenntnis und Widerstand. Kirchen Südafrikas im Konflikt mit dem Staat, Dokumente zur Untersuchung des Südafrikanischen Kirchenrats durch die Eloff-Kommission, hg. v. EMW, 1983. - *Blaser, K.*, Wenn Gott schwarz wäre ... Das Problem des Rassismus in Theologie und christlicher Praxis, 1972. - *Boesak, A. A.*, Ein Fingerzeig Gottes. Zwölf Südafrikanische Predigten, 1980. - *Ders.*, Gerechtigkeit erhöht ein Volk. Texte aus dem Widerstand, 1985. - *Ders.*, Unschuld, die schuldig macht. Eine sozialethische Studie über Schwarze Theologie und Schwarze Macht, 1977. - *Buthelezi, M.*, Einheit der Kirche in der Zerrissenheit der Menschheit durch Rassismus, in: Politik als Glaubenssache? Beiträge zur Klärung des Status Confessionis im südlichen Afrika und in anderen soziopolitischen Kontexten, hg. v. E. Lorenz, 1983, 13-23. - *Cone, J. H.*, Gott der Befreier. Eine Kritik der weißen Theologie, 1982. - *Ders./Wilmore, G.S.*, Black Theology. A Documentary History 1966-1979, 1979. - Eine Herausforderung an die Kirche. Ein theologischer Kommentar zur politischen Lage in Südafrika - Das KAIROS Dokument (EMW Informationen 64) 1985. - *Farisani, T. S.*, „... in der Hölle, siehe, so bist du auch da". Ein Tagebuch aus südafrikanischen Gefängnissen, 1985, Erlanger Taschenbücher 70. - *Kamphausen, E.*, Schwarze Theologie: Allan Aubrey Boesak, Südafrika, in: Theologen der Dritten Welt. Elf biographische Skizzen aus Afrika, Asien und Lateinamerika, hg. v. H. Waldenfels, 1982, 95-114. - *Ders.*, Schwarze Theologie in Südafrika, in: VuF 30,1/1985, 47-57 (Lit., 28 + 29). - *Khumalo, B.*, Art. Schwarze Theologie (Black Theology), in: Ökumene-Lexikon, 1983, 1077-1080. - *Ders.*, Black Theology, in: DEAE/Akafrik (Hrsg.), Südafrika-Handbuch, 1982, 36-37. - *Maimela, S. S.*, Man in „white" Theology, in: Missionalia 9/1981, 64-78. - Menschliche Beziehungen der Völkerherrschaften Südafrikas im Lichte der Heiligen Schrift, hg. v. Dienststelle Ökumenische Beziehungen der Nederduits-Gereformeerde Kerk, 1976. - *Mofokeng, T. A.*, The Crucified Among the Crossbearers. Towards A Black Christology, 1983. - *Moore, B.*, Schwarze Theologie in Afrika. Dokumente einer Bewegung, 1973. - *Mosothoane, E.*, Toward a theology for South Africa, in: Missionalia 9/1981, 98-107. - *Randall, P.*, Prophet im eigenen Land: Beyers Naudé, 1983. *Scherzberg, L.*, Schwarze Theologie in Südafrika, 1982 (Lit.). - *Sundermeier, T.* (Hrsg.), Christus, der schwarze Befreier. Aufsätze zum Schwarzen Bewußtsein und zur Schwarzen Theologie, [3]1981. - *Ders.*, Das Kreuz in afrikanischer Interpretation, in: ders., Das Kreuz als Befreiung. Kreuzesinterpretationen in Asien und Afrika, 1985, 45-72. - *Ders.*, Zwischen Kultur und Politik. Texte zur afrikanischen und schwarzen Theologie, Zur Sache - Kirchliche Aspekte heute 15, 1978. - *Tödt, I.* (Hrsg.), Theologie im Konfliktfeld Südafrikas. Dialog mit Manas Buthelezi (Studien zur Friedensforschung 15) 1976. - *Tutu, D. M.B.*, Gott segne Afrika. Texte und Predigten des Friedensnobelpreisträgers, 1984. - *Ders.*, Versöhnung ist unteilbar. Interpretation biblischer Texte zur Schwarzen Theologie, 1977. - *Villa-Vicencio, Ch./de Gruchv, J.W.* (Hrsg.), Resistance and Hope. South African essays in honour of Beyers Naudé, 1985. - Zum Schweigen verurteilt, in Südafrika gebannt, hg. v. Evang. Pressestelle für Weltmission, [3]1979.

(Übers.: Thomas Weiß)   S. S. Maimela

SPIRITUALITÄT

1. Die missionarische Dimension christlicher Spiritualität. 2. Konkrete Ausformungen. 3. Dialog mit den Religionen. 4. Für eine gerechte Welt.

Das Wort Spiritualität kann übersetzt werden mit „Geistigkeit, geistgemäßes Leben, Leben im Geist". Sachlich meint es die Beziehungen des Menschen zu Gott, wobei traditionell mehr die persönliche Seite dieses Verhältnisses gemeint war. Heute betont man stärker die Bezogenheit der Spiritualität auf das Offenbarungsgeschehen im Schöpfungs- und Christusmysterium. Man kann verschiedene Typen der Spiritualität unterscheiden: Passions-, eucharistische, marianische Spiritualität; paulinische, johanneische, benediktinische, ignatianische Spiritualität usw. Dabei ist die „missionarische Spiritualität" nicht eine neben vielen, sondern Grundzug jeder echten Spiritualität.

1. Nicht selten ist der Einwand zu hören, man dürfe im Bekehrungsprozeß nicht zu rasch durch den Welthorizont das eigentliche Anliegen des Menschen verdecken, wie er sich vor Gott verstehen solle; die Menschen würden negativ reagieren, wenn man sie mit Weltmission von ihren persönlichen Problemen ablenke. Trotzdem muß man darauf beharren, daß jede → Bekehrung immer Bekehrung ist zu einem Gott, der sich der Menschen annimmt, in die Geschichte eingegriffen hat und den Menschen immer zu einer Sendung beruft.

Die klassische Gotteserfahrung widerfuhr Mose auf dem Berg Horeb in Form des brennenden Dornbusches. Mose sagte zu sich: „Ich will dorthin gehen und mir die außergewöhnliche Erscheinung ansehen". Er wollte in diesem mystischen Erlebnis verweilen. Der Herr aber riß ihn kurzerhand heraus und gab ihm unvermittelt den Auftrag zu einer Mission: „Komm nicht näher heran! ... Jetzt geh! Ich sende dich zum Pharao. Führe mein Volk, die Israeliten, aus Ägypten heraus! ... Ich bin mit dir; ich habe dich gesandt ..." (Ex 3). Deutlicher könnte der innere Zusammenhang zwischen Berufung und Sendung nicht ausgedrückt werden.

Auf gleiche Weise ereignete sich die Berufung des Jesaia. Gegenüber dem Erlebnis des dreimal heiligen Gottes auf dem hohen Thron kam er spontan zur Einsicht: „Weh mir, ich bin verloren. Denn ich bin ein Mann mit unreinen Lippen". Der Herr aber ließ ihn nicht lange in seinem Sündenkomplex verweilen, sondern sagte ihm: „Deine Schuld ist getilgt, deine Sünde gesühnt ... Geh und sag diesem Volk ..." (Jes 6). Auf ähnliche Weise verhielt es sich mit der Berufung und Sendung des Jeremia (Jer 1) und der meisten Propheten.

Das gleiche wiederholt sich bei → Jesus. Der „Geist trieb ihn" (Spiritualität!) in die Wüste. Derselbe Geist trieb ihn nach Galiläa, wo er in der Synagoge von Nazareth auftrat und den Jesaia-Text vorlas: „Der Geist des Herrn ruht auf mir ... Denn er hat mich gesandt, damit ich den Armen gute Nachricht bringe ..." (Lk 4,14-21; Mk 1,12). Noch einmal bei den Jüngern: Jesus berief sie mit einer Vollmacht, die ihm nur von Gott her kommen konnte, der über das Leben der Menschen verfügen kann, nicht damit sie bei ihm in gottseliger Versunkenheit verharrten, sondern um sie - mit gleicher Vollmacht - auszusenden: „Kommt her, folgt mir nach! Ich werde euch zu Menschenfischern machen" (Mk 1,17). „Danach suchte der Herr zweiundsiebzig andere aus und sandte sie zu zweit in alle Städte und Ortschaften ..." (Lk 10,1). Nachdem sie dann drei Jahre mit ihm gegangen waren und Zeugen seiner Auferstehung geworden waren, „zweifelten" einige immer noch, so daß Jesus ihren „Unglauben und ihre Verstocktheit tadelte". Aber der beste Weg, diese Zweifel zu überwinden, war, ihnen einen großen Tages-, Lebensbefehl zu erteilen: „Geht hinaus in die ganze Welt und verkündet das Evangelium allen Geschöpfen!" (Mk 16,14f; Mt 28,17-20).

Noch einmal wird der enge Zusammenhang zwischen Berufung und Sendung sichtbar in den ersten christlichen Gemeinden. Der „Heilige Geist" ließ es nicht zu, daß die Leute der Gemeinde von Antiochia eine Spiritualität entfalteten, mit der sie bloß „zu Ehren des Herrn Gottesdienst feierten und fasteten", sondern er sprach zu ihnen: „Wählt mir Barnabas und Saulus zu dem Werke aus, zu dem ich sie mir berufen habe ... Vom Heiligen Geist ausgesandt, zogen sie nach Seleuzia hinab und segelten von da nach Zypern ..." (Apg 13,2-4).

Es war somit urbiblische Neuorientierung, wenn das → Vatikanum II die Mission wieder in die Kirche integrierte, wenn betont wurde, daß die missionarische Tätigkeit nicht an die Missionsgesellschaften subdelegiert werden könne, sondern daß die „Kirche ihrem Wesen nach missionarisch ist" (Ad gentes 2, Lumen gentium 1), daß eine nicht missionarische Kirche nicht Kirche Christi, sondern Karikatur wäre, daß somit alle in der Kirche sich zur Evangelisierung der Welt gesandt wissen sollen. Man kann es so sagen: Alle Evangelisierten müssen evangelisieren, aber nur Evangelisierte können evangelisieren. Getauftwerden geschieht also nicht nur, um „seine Seele zu retten", sondern um volles Mitglied der Kirche zu werden und an der Mission der Kirche vollen Anteil zu nehmen. Das alles geht auch hervor aus dem Dokument Pauls VI. „Evangelii nuntiandi" (1975) und aus allen Vollversammlungen und → Weltmissionskonferenzen des Ökumenischen Rates der Kirchen.

2.1 *Eifer für das Reich Gottes:* Die erste missionarische Aufgabe ist es nicht, alle Menschen unter allen Umständen in die Kirche zu bringen, sondern allen Menschen ohne Ausnahme, vorab den Armen und Kleinen, den Gescheiterten und Ausgestoßenen, das Reich Gottes auszurufen, Gottes allumfassende und bedingungslose Liebe zuzusagen. Das ist die vorgegebene Tatsache der Heilsgeschichte, der Kern der Botschaft Jesu an uns. Das Axiom „Außer der Kirche kein Heil" würde heute besser so formuliert: „Außer der Welt der Menschen kein Heil" (E. Schillebeeckx). Das auszurufen heißt „evangelisieren", frohe Botschaft verkünden, „schalomisieren", Heil und Frieden bringen. Nachdem die Kirchen so lange die Welt gespalten haben und „gegen" die Juden, die „Heiden", die Andersgläubigen waren und sogar Krieg gegen sie führten, müssen sie heute „für" alle sein und die Einheit des Menschengeschlechtes fördern. Denn „die Kirche ist ja in Christus gleichsam das Sakrament, das heißt Zeichen und Werkzeug für die innigste Vereinigung mit Gott wie für die Einheit der ganzen Menschheit" (Lumen gentium 1).

2.2 *Eifer für die Kirche:* Wenn Menschen aus dem → Reich Gottes heraus zur engeren Nachfolge Jesu berufen werden, treten sie auch durch die Taufe und die anderen Sakramente in den Verband einer Kirche ein, nicht bloß um da in der Gemeinde Gleichgesinnter selig Halleluja zu singen, nicht um die Kirche stärker

und mächtiger zu machen, sondern um sie zum aussagekräftigeren und glaubwür-
digeren „Keim und Anfang des Reiches Gottes" (Lumen Gentium 5) zu machen
und darüber hinaus, als zweite Aufgabe, die Botschaft über Jesus ausdrücklich der
Welt zu verkünden.

Nachdem die westlichen Kirchen durch Jahrhunderte hindurch die Aufgabe
der Evangelisierung mit Eifer, wenn auch nicht immer mit den besten Missionsmethoden, ausgeführt haben, zeigen sie heute eindeutig missionarische Ermü-
dungserscheinungen. Dafür haben die „jungen Kirchen" erkannt, daß sie nicht
mehr bloß Objekt der Evangelisierung bleiben, sondern selber Subjekt werden
sollen. Etwas vom Erfreulichsten in der gegenwärtigen Kirchensituation ist der
missionarische Aufbruch in den „jungen Kirchen" (Degrijse). Die „alten Kirchen" haben nun ihre ehemaligen „Missionen" als Schwesterkirchen mit Sympathie zu begleiten und können auch von ihnen neu den missionarischen Impuls
übernehmen, um „Mission in sechs Kontinenten" (erstmals so formuliert bei der
Weltmissionkonferenz in Mexiko City 1963) durchzuführen, nachdem Europa mit
so vielen nicht mehr Praktizierenden, nicht mehr Glaubenden, das wohl schwierigste Missionsland geworden ist.

3. Früher ging es darum, die Religionen möglichst auszurotten und alle
Menschen zu Christen zu machen. Heute geschieht echte Evangelisierung im
Spannungsverhältnis von → Dialog und Zeugnis. Wir haben inzwischen auch
eine neue → Theologie der Religionen entwickelt, die zwar von den fundamentalistischen Kreisen der Kirchen nicht angenommen wird. Aufgrund des neuen gegenseitigen Verständnisses und um es zu verstärken und wirksam zu machen, hat
sich seit Kyoto/Japan 1970 die Weltkonferenz der Religionen für den Frieden organisiert. Ferner haben eine ganze Anzahl Kongresse, oft von Rom und Genf zusammen einberufen, zwischen Vertretern der Kirchen und der Religionen stattgefunden. Was da auf höchster Ebene geschah, sickert allmählich an die Basis hin-
unter, wenn man auch diesbezüglich erst am Anfang eines neuen Weges steht.

4. Da die Kirche nicht „für sich", sondern immer „für die anderen" da ist,
steht sie auf ihrem Weg in die Zukunft neben dem Dialog mit den Religionen
noch vor einer anderen großen Herausforderung: dem Dialog mit den Armen.
Gemeint ist nicht bloß ein Wort-Dialog, sondern ein Lebens-Dialog, ein kompe-
tentes Reden und ein engagiertes Sicheinsetzen für eine gerechte Welt, für Frieden
und Abrüstung, für Ökologie und alternativen Lebensstil, für Menschenwürde
und Menschenrechte, gegen Hunger und Krankheit, → Armut und Unterdrükkung. Das ist neben den offiziellen Kirchen das ausdrückliche Anliegen der politischen Theologie und der Befreiungstheologie, konkret auch der EATWOT (Ökumenische Vereinigung der Dritte-Welt-Theologen). Hier hat sich zu bewähren,
daß Mystik und Politik nicht nur biblisch (s.o. Mose), sondern auch empirisch
aufeinander verwiesen sind. Eine Mystik ohne Politik bliebe ein zu billiges und
wahrscheinlich gar nicht echtes Schwelgen in der Liebe Gottes; Politik ohne Mystik hingegen riskierte, ein gigantischer Staat mit brutaler Herrschaft der Mächtigen zu werden. Also nie bloß Aufstiegsmystik zur Erlösung der einzelnen Seele,
sondern immer Brudermystik zur Befreiung der ganzen Welt (J. B. Metz), wobei
einzelne Christen entsprechend ihrer besonderen Berufung die Akzente verschieden setzen können.

Lit.: *Auer, A.*, Frömmigkeit, in: LThK IV, 403-405. - *von Balthasar, H. U.*, Christlich meditieren, 1984. - *Bonnin, E.* (Hrsg.), Spiritualität und Befreiung in Lateinamerika, 1984. - *Bühlmann, W.*, Alle haben denselben Gott. Begegnung mit den Menschen und Religionen Asiens, 1978. - *Ders.*, Wenn Gott zu allen Menschen geht. Für eine neue Erfahrung der Auserwählung, 1981. - *Crosby, M.*, Spirituality of the Beatitudes, 1981. - *Degrijse, O.*, Der missionarische Aufbruch in den jungen Kirchen, 1984. - *Dorr*, Spirituality and Justice, 1984. - *Hengel, M.*, Nachfolge und Charisma, 1968. - *Henkel, W.* (Hrsg.), Bibliografia missionaria 1984, 1985, 136-140. - Herausgefordert durch die Armen. Dokumente der Vereinigung der Dritte-Welt-Theologen, 1984. - *Kamphaus, F./Bours, J.* (Hrsg.), Gelebte Spiritualität, 1979. - *Lombardi, R.*, Chiesa e Regno di Dio, 1976. - *Metz, J. B.*, Zeit der Orden? Zur Mystik und Politik der Nachfolge, 1977. - *Ders.*, Glaube in Geschichte und Gesellschaft, 1977. - *Mieth, D.*, Gotteserfahrung und Weltverantwortung. Über die christliche Spiritualität des Handelns, 1982. - *Rotzetter, A.* (Hrsg.), Seminar Spiritualität, 4 Bde, 1979-1982. - *Sudbrack, J.*, Spiritualität, in: Sacramentum mundi IV, 674-691.

W. Bühlmann

SPRACHE

1. Sprache in der Bibel. 2. Die Sprache in ihrer Eigenständigkeit als Mittel für die christliche Verkündigung. 3. Wert der Muttersprache. 4. Christianisierung der Sprache und ihre Folgen.

Religion und Sprache sind aufs engste miteinander verbunden. Vorstellungen, Empfindungen und Aussagen einer → Religion setzen das Vorhandensein der Sprache voraus. Ohne über den Ursprung der Sprache zu reflektieren, sei gesagt, daß diese ein konstitutiver Bestandteil des Menschen ist. Man könnte sie mit hohem Recht in die Erklärung des 1. Artikels einfügen, wo einzelnes aufgezählt wird, was Gott jedem Menschen bei seiner Geburt als besondere Gabe zuteilt.

1. In der *Bibel* finden sich wenige allgemeine Aussagen. Nach Gen 11 besaß die Menschheit ursprünglich eine gemeinsame Sprache. Die sprachliche Differenzierung ist das Ergebnis eines göttlichen Strafgerichtes. Trotzdem gibt die Sprache dem Menschen die Möglichkeit, Gottes Anruf in ihr zu vernehmen, zu beten und Gott zu preisen. Die menschliche Sprache ist an der Inkarnation beteiligt, indem Gott sie unmittelbar oder mittelbar zur Kundgabe benutzt. Obwohl auch sie der Sünde unterworfen ist, bleibt sie ein hohes Gut in der → Schöpfung, das in der Form der Muttersprache zu den Grundrechten des Menschen gehört.

2. Sprache dient nicht nur zur Verständigung. Sie ist vor allem Ausdruck des Denkens und Empfindens. Sie erschließt sich erst im Kontext ihrer Sprecher. Daher müssen sich Verkündigung und Mission zunächst eingehend mit der fremden Sprache befassen. Das gilt auch für Seelsorge, Unterricht und → Dialog. Dabei war es für den deutschen Missionar vergangener Zeiten selbstverständlich, daß er eingehend die Erlernung der Sprache seines Gebietes betrieb. Laute, Grammatik, Syntax und Prosodologie erforderten umfangreiches Studium, das in Prüfungen seinen Erfolg zeitigen mußte. Dabei stieß der Missionar nicht auf eine tabula rasa, sondern in der Regel auf ein wohlgeordnetes geistiges System. Die fremde Religion hatte in der Sprache ihren Niederschlag gefunden. Besonders galt dies für magische Vorstellungen. In Bantusprachen gibt es eine Nominalklasse, in der sich alle Substantiva befinden, die nach Meinung der Sprecher in die magische Welt gehören. Dazu können im Zulu außer Bäumen, Flüssen, Tieren, Werkzeugen auch Freund und Kraal zählen. Namen sind nicht Schall und Rauch, sondern Machtpotentiale, deren Wirkung positiv oder negativ sein kann. Namens- und Schwiegerscheu haben hier ihren Ursprung. Die Beachtung von Sprachtabus ist für ein geordnetes Zusammenleben wichtig. Ein besonders schwieriges Kapitel sind die Geheimsprachen (→ Initiation, Geheim- und Kultbünde).

Es gilt also zunächst, die fremde Sprache ihres Machtcharakters zu entkleiden und dann nach Worten zu suchen, in denen die christliche Botschaft gebracht werden kann. Dabei muß, da wir es nicht mit Arithmetik zu tun haben, auf konkordante Wiedergabe verzichtet werden. Weil die christliche Botschaft sich erst durch die Offenbarung Gottes in der Bibel als etwas Neues erschloß, wird man vergeblich in den fremden Sprachen nach deckungsgleichen Ausdrücken suchen. Man kann nur analog reden. In vielen afrikanischen Sprachen hat man als Gottesbezeichnung die Benennung des weithin vorhandenen Hochgottes genommen. Ihm fehlen gerade die wesentlichen Züge des biblischen Gottes. Es blieb meistens aber keine andere Möglichkeit. Der so gewählte Name muß erst durch stetige intensive → Predigt, Lehre und Seelsorge so umgewandelt werden, daß er dem biblischen Bilde Gottes entspricht. Dasselbe gilt für alle Vorstellungen und Begriffe der Heiligen Schrift (→ Bibel).

Die Wiedergabe christlicher Vorstellungen ist also mit subjektiven Erwägungen verbunden. Wenn diese aber die Textgemäßheit als obersten Grundsatz befolgen, darf man darauf vertrauen, daß auch die Übersetzung Gottes Wort darstellt. Grundsätzlich ist jede Sprache fähig, eine inhaltlich einwandfreie Bibelübersetzung zu besitzen. Die Sprache als „irdenes Gefäß" bietet durch die Inkarnation dafür ausreichende Möglichkeit. Im Islam dagegen, der keine Inkarnation kennt, spricht Allah arabisch, wodurch dieses zu einer heiligen Sprache wird, dessen religiöse Urkunde, der Koran, nach orthodoxer Lehre nicht übersetzt werden darf. Ein freies Wirken des → Heiligen Geistes, auf das ein Bibelübersetzer nicht verzichten kann, hat im Islam keinen Platz.

3. Eine besondere Aufgabe erwuchs der Mission aus theologischen und religionspädagogischen Gründen durch die Bewahrung und Pflege der Muttersprache. Hier regte sich vielfacher Widerstand. In der Kolonialzeit wünschten einige Mächte den möglichst ausschließlichen Gebrauch einer europäischen Sprache, etwa des Französischen oder Portugiesischen. Einige Staaten erlaubten nur die Anwendung der Staatssprache, z.B. des Amharischen in Äthiopien. Viele moderne Staaten, die noch auf der Suche nach nationaler Einheit oder Identität sind, sehen in den Stammessprachen ein Hemmnis für die politische Entwicklung und möchten sie daher zurückdrängen. Gegenüber solchen Bestrebungen müssen Mission und Kirche immer wieder für das Recht auf den Gebrauch der Muttersprache eintreten. Ohne sie verkümmert das geistliche Leben.

Wenn das Recht der Muttersprache gesichert ist, sollte die Kirche bei den zahlreichen sprachlichen Bestrebungen der Neuzeit mitarbeiten. Dazu gehört die Standardisierung. Diese ist unerläßlich und verlangt Kompromisse von allen Seiten. Eine Sprache ohne obligatorische Orthographie und Grammatik hat keine

Zukunft. Eigensinniges Besserwissen muß dem Konsens weichen. Einer Mitarbeit an einer Schulsprache steht ebenfalls nichts im Wege, sofern der Religionsunterricht der unteren Klassen in der Muttersprache gesichert ist. Und wenn eine Nationalsprache oder auch eine europäische Sprache eingeführt werden, sollten diese zur Verkündigung zusätzlich benutzt werden. Falls es in einigen Ländern für nötig gehalten wird, eine Literatur mit einem sog. Basic-Wortschatz zu schaffen, könnte auch die Bibel in entsprechende Überlegungen einbezogen weren.

Die Kirche darf keine Handhabe zum Schaden einer Sprache bieten. Das Bestreben der Wyclif-Bibelübersetzer, jedem → Volk die Bibel in seiner Sprache zugänglich zu machen, ist zu begrüßen. Auch für die kleinste sprachliche Einheit sollte eine Minimalliteratur geschaffen werden. Für größere Einheiten sind das NT oder die Vollbibel mit entsprechendem Schrifttum nötig. Für kreolische Sprachen dürfte ein christliches Schrifttum angebracht sein, ob auch für Pidginsprachen, mag von Fall zu Fall entschieden werden.

4. Wenn eine Sprache den Inhalt der Bibel wiedergibt, hat dies beachtliche Folgen. Die in sich differenzierte biblische Umwelt, die von der Kultur der Nomaden bis zur antiken Hochkultur reicht, bringt eine umfangreiche Erweiterung des Vokabulars. In viel stärkerem Maße erfolgt diese aber durch alles, was an geistlichen und ethischen Werten durch die Offenbarung der Bibel den Menschen vermittelt wird. Abgesehen von wenigen Fremdwörtern benutzt der Übersetzer vorhandenes Wortmaterial; durch hinzugefügte Bildungselemente, vor allem aber durch Interpretation entstehen neue christliche Vorstellungen und Begriffe, welche die Sprache bisher nicht kannte. Dadurch hat diese eine formale und eine inhaltliche Ausweitung erfahren. Zwar gibt es für einen Christen keine heilige Sprache, aber jede Sprache, die sich mit Gott beschäftigt, empfängt dadurch eine besondere Dignität. Für manche Sprachen, in denen infolge des zyklischen Denkens das Futurum eine geringe Bedeutung besitzt, gibt die mit der profanen Geschichte verbundene Heilsgeschichte der Sprache eine Ausrichtung auf die Zukunft. Schließlich sei darauf hingewiesen, daß bei den Völkern traditionaler Religionen fast nur eine mündlich tradierte Volksdichtung bestand. Dort begann mit der Übersetzung der Bibel das Zeitalter der Literatur. Hier fand eine Initialzündung statt, durch die bei vielen schriftlosen Völkern eine umfangreiche Literatur entstanden ist, die inzwischen weithin ihre eigene Wege geht.

Die *Methoden* sprachlicher Arbeit in Kirche und Mission haben sich am Ende unseres 20. Jahrhunderts geändert. Die Zeit der großen Einzelarbeiten ist vorbei. Die Zukunft wird bestimmt werden von gemeinsamer Arbeit über die konfessionellen und völkischen Grenzen hinaus. Das Wichtigste sind dabei die Impulse, die von der Bibel ausgehen.

Lit.: *Cassirer, E.*, Philosophie der symbolischen Formen, I, Die Sprache, 1923. - *Ders.*, Sprache und Mythos, 1925. - *Dammann, E.*, Die Übersetzung der Bibel in afrikanische Sprachen, 1975. - *Knobloch, J.*, Sprache und Religion, 1979. - *Müller-Schwefe, H.-R.*, Die Sprache und das Wort, 1961. - *Renck, G.*, Contextualization of Christianity and Christianisation of Language. A Case Study from the Highlands of Papua New Guinea, 1987. - *Wiegräbe, P.*, Gott spricht auch Ewe, 1968.

E. Dammann

STAAT

1. Begriff und Merkmale des Staates. 2. Staatstheorie. 3. Mission - Staatsreligion. 4. Konflikte zwischen Staat und Mission.

1. Abgeleitet vom lat. status (Zustand), wurde der Begriff Staat über das italienische *lo stato* (Machiavelli) Ende des 18., Anfang des 19. Jahrhunderts in den deutschen Sprachraum in der allgemeinen Bedeutung eines Zustandes, nach dem ein bestimmtes, geographisch umschriebenes Herrschaftsgebiet geordnet ist, übernommen. Der gegenwärtige Sprachgebrauch in den politischen Wissenschaften, in Staats- und Verfassungslehre, beinhaltet einen politischen Verband oder ein politisch organisiertes Gemeinwesen, das innerhalb bestimmter und (international) anerkannter (Völkerrecht) geographischer Grenzen (Staatsgebiet) als ganz oder teilweise selbstbestimmend (vgl. Staat im Bundesstaat) gilt. Mit anderen Worten, es besitzt Autonomie (griech.: autonomos sc. demos: Ein Volk, das sich die Gesetze selbst gibt) oder Souveränität (franz.: souverain - ohne Fremdkontrolle).

2. Das philosophische Bemühen um das Phänomen Staat läßt sich den beiden grundlegenden Denkweisen von Platon (Staat als überzeitliches Gebilde) und Aristoteles (Staat als realer Wirkungszusammenhang) zuordnen. In beiden Denktraditionen wird der Staat als mit der menschlichen Natur gegebene Organisationsform verstanden. Das marxistisch-leninistische Denken dagegen sieht im Staat ein grundsätzlich zu überwindendes, historisch bedingtes politisches Machtinstrument der ökonomisch herrschenden Klasse, das mit der klassenlosen, entfalteten kommunistischen Gesellschaft verschwinden wird.

Nach allgemeiner Auffassung gelten für einen politischen Verband oder ein politisches Gemeinwesen folgende Elemente als wesentlich (konstitutiv), um von einem Staat (auch im weiteren Sinne) sprechen zu können:

• Eine nach Anzahl der Personen nicht näher bestimmbare Bevölkerung (Staatsvolk), vgl. Republik Nauru mit 8421 und Volksrepublik China mit 1,05 Mrd. Einwohnern.

• Ein dauernd von dieser Bevölkerung besiedeltes Gebiet (Staatsgebiet), vgl. Republik Nauru mit 21,3 km² und die Volksrepublik China mit ca. 9,6 Mill. km².

• Eine wie immer geartete, nicht fremdbestimmte, öffentlich zu nennende Ordnung, die nach innen (Gesetz, Gerichtsbarkeit) und nach außen (Verteidigung) mit letzter Autorität ausgestattet ist (Souveränität).

• Das Vorhandensein eines Gemeinwillens über Generationen hinweg, unabhängig von der konkreten Verfassung (Identität).

Die genannten Elemente gelten für politisch geordnete Gruppen, die Großfamilie oder Klan überschreiten, unabhängig von ihrer Organisationsform (Monarchie, Aristokratie, Demokratie und deren Variationen) und ihrer Bezeichnung (Imperium, Reich, Staat).

Staat und Nation, letztere verstanden als Menschengruppe gemeinsamer Abstammung, Sprache, Kultur, Geschichte und Heimat, sind bereits bei größeren Stammesherrschaften (Staaten) nicht mehr deckungsgleich (vgl. das Reich der Zulus, Anfang des 19. Jahrhunderts).

Die Zustimmung der innerhalb eines Herrschaftsbereiches und unter dessen Ordnung lebenden Bevölkerung als ganze oder in Teilen (Minderheiten) zum konkreten Staat ist zwar für Staatstheorie (Allgemeinwohl, Frieden nach innen und außen als Staatszweck) und Staatsphilosophie (societas perfecta: Vollkommene, den Menschen in seiner gesellschaftlichen Veranlagung allseitig in Anspruch genommene und ihn als gesellschaftliches Wesen allseitig vollendende Gemeinschaft, Verwirklichung der „sittlichen Idee", Hegel), kaum in der staatlichen Wirklichkeit von Bedeutung.

3. Dagegen spielt die Einheit von Kultgemeinschaft und Staat als tatsächliche Gegebenheit (Staatsreligion) oder in der Vergangenheit angestrebtes Ziel (Reichskirche, Staatskirche mit Benachteiligung religiöser Minderheiten, unter anderem Ausschluß von Thronfolge, vgl. Bill of Rights von 1689 in England) bis heute eine erkennbare, wenn auch unterschiedliche Rolle.

Im Interesse dieser Einheit wurden in der Antike Christen (Opferbefehl Diokletians im 2.-4. Edikt, 303 und 304), später in christlichen Staaten, Ketzer als staatsgefährdend verfolgt (Inquisition). Über die Schutzmachtfunktion gegenüber Missionspersonal und Liegenschaften verschafften sich die Kolonialmächte auch außerhalb des von ihnen annektierten Territoriums beträchtlichen Einfluß (Portugal, Frankreich in Ostasien - kurzzeitig auch das II. Deutsche Reich in China).

Durch enge Bindung von Kultgemeinschaft und Staat haben sich die prophetischen Universalreligionen, Christentum und Islam, bei ihrer Missionsarbeit auch des Staates bedient.

Während im Islam vor allem in der Kalifenzeit (661-1258 bzw. 1924) Religion und Staat als untrennbare Einheit betrachtet und der Koran gleichzeitig Gesetzbuch wurde - gegenwärtig erlebt diese Auffassung eine Renaissance -, sah die seit Konstantin I. (306-337) beginnende Reichstheologie im christlichen Kaiser die Idee einer Weltchristenheit verwirklicht, was sich etwa in der Konzilseinberufung nach Nicäa (325) durch Konstantin ausdrückte, in deren Dienst Kaiser und Papst standen. Unter dieser Veraussetzung ist der spanisch-portugiesische Patronat entstanden, d.h. die Verpflichtung des Staates durch den Papst (Bulle Papst Alexanders VI., Inter caetera vom 3.5.1493), in den entdeckten und zu entdeckenden Ländern die Ausbreitung des Glaubens verantwortlich zu übernehmen (Missionare wurden zu Dienern beider Majestäten, d.h. Gottes und des Kaisers bzw. des Königs, also des Staates). Die moralische Verpflichtung der protestantischen Kolonialmächte zur Missionierung wurde vor allem im Calvinismus wahrgenommen (Confessio Belgica von 1561). Der Herrschaftswechsel in Kolonialgebieten führte u.U. zum Austausch der Missionare bzw. zum Konfessionswechsel der christlichen Bevölkerung (so in Sri Lanka). Die häufige Unverträglichkeit staatlicher und kirchlicher Ziele - in Amerika wurde die Gründung einer indianischen Kirche durch den Staat verhindert - führte auf katholischer Seite zur Gründung der Kongregation für die Ausbreitung des Glaubens (Sacra Congregatio de Propaganda Fide 1622) und auf protestantischer Seite zu unabhängigen Missionsgesellschaften. Konflikte gab es auch zwischen Vertretern der Kolonialmächte und einzelnen Missionaren. Es seien nur Las Casas, Franz Xaver, William Penn, Lavigerie genannt.

4. In Staaten mit enger Bindung an die Kultgemeinschaft sind bei Missionierungsversuchen Konflikte auch dann vorgegeben, wenn keine „Schutzmacht" hinter ihnen steht. Der durch Missionierung angestrebte, wenigstens teilweise Austausch religiöser, als staatstragend erachteter Werte durch eine andere Religion, wird als Bedrohung des Gemeinwesens gewertet. Das führte bis in die Gegenwart zu generellen staatlichen Verboten von Missionsarbeit, etwa in Israel und Saudi-Arabien, und zu Sanktionen gegenüber Missionaren, heute meist in der Form von Einreise- und „Arbeitsverbot" bzw. von Ausweisungen bereits tätigen Missionspersonals, z.B. in Indien, Burundi.

Formal ist in den meisten gegenwärtigen Staatsverfassungen Religionsfreiheit verankert und unter Umständen durch UNO-Mitgliedschaft auch international verpflichtend verbürgt. Die Grenzen von Religionsfreiheit und deren Inhalt - einschließlich Religionswechsel - werden äußerst unterschiedlich interpretiert und gehandhabt.

Lit.: *Aldea, Q.*, Spanien und Portugal bis 1815, in: HKG (J) V 1970, 180-193. - *Beckmann, J.*, Die Glaubensverbreitung in Amerika, in: HKG (J) V, 255-294. - *Ders.*, Die Glaubensverbreitung in Afrika, in: HKG (J) V, 295-304. - *Ders.*, Die Glaubensverbreitung in Asien, in: HKG (J) V, 304-350. - *Dussel, E. D.*, Historia de la Iglesia en América Latina, Coloniaje y Liberacón 1492/1972, 1972. - *Ehler, S. Z.*, 20 Jahrhunderte Staat und Kirche, 1962. - *Eichmann, E.*, Kirche und Staat, [2]1968. - *Fürstenberg, F.*, Art. Staat I: Systematisch, in: RGG[3], 6, 291-295. - *Raab, H.*, Kirche und Staat von der Mitte des 15. Jahrhunderts bis zur Gegenwart, 1986. - *Rivinius, K. J.*, Weltlicher Schutz und Mission. Das deutsche Protektorat über die katholische Mission von Süd-Shantung, 1987. - *Schilling, W.*, Art. Staat II: Religion und Staat in der außerchristlichen Welt, in: RGG[3], 6, 295-297. - *Schweitzer, W.*, Art. Staat III: Staat in der christlichen Lehre, RGG[3] 6, 297-305. - *Ting Pong Lee, I.*, La actitud de la Sagrada Congregación frente al Regio Patronato, in: Sacrae Congregationis de Propaganda Fide memoria rerum, 1622-1972, 1, 1971, 353-435.

O. Noggler

SYMBOL

1. Begriff. 2. Symbol im Leben der Kirche. 3. Anpassung von Symbolen in den Missionen.

1. Der gegenwärtige anthropologische Sprachgebrauch unterscheidet das Symbol vom Zeichen. Zeichen ist der allgemeine Ausdruck für die Beziehung zwischen Bezeichnendem und Bezeichnetem. Symbol dagegen ist ein spezifischer Begriff, der eine gewisse Gegenwart der bezeichneten Wirklichkeit beinhaltet, auch wenn eine solche Wirklichkeit nur teilweise wahrgenommen oder mitgeteilt wird. In diesem Sinne können Sakramente Symbole genannt werden, sei es in ihrer rituellen Gesamtheit von Worten, Handlungen und materiellen Elementen oder in ihrer spezifischen materiellen Sicht. Der Begriff „Symbol" schließt auch eine in der Natur mitgegebene Gemeinsamkeit (connaturalitas) zwischen dem Sinnbild und seinem Gegenstand ein. Solch eine Gemeinsamkeit stammt von der Fähigkeit des Sinnbildes her, die Wirklichkeit dessen gegenwärtig werden zu lassen, was versinnbildet wird, und zwar aufgrund natürlicher Eigenschaften des ersten, als Bild, Ikone, Emblem usw. des letzten zu dienen. Daher werden Symbole weltweit verstanden im Gegensatz zu Zeichen, die durch Übereinkunft gewonnen werden. So sind z.B. das Waschen mit Wasser, das Essen und Trinken in Gemeinschaft und die Salbung der Kranken mit Öl Symbole, die in der Natur der Dinge und in der Erfahrung der Völker begründet sind.

Ein Symbol erlangt eine tiefere Aussage im Bereich der Religion. Hier ist es auf die Erfahrung der Gegenwart des Göttlichen und dessen Wirken in einer Gemeinschaft ausgerichtet. Die Grundform von Symbol im religiösen Bereich ist der Ritus, der sich umschreiben läßt als eine Handlung, die aus einer die Gesten begleitenden Formel und/oder aus der Anwendung eines materiellen Elementes besteht. Seiner Natur nach ist ein Ritus für die Gemeinschaft, die ihn feiert, festgelegt und überliefert. Diese Feier wird bei verschiedenen Anlässen im Leben der Gemeinschaft oder im Lebensverlauf ihrer Mitglieder wiederholt. Diese Anlässe sind besondere Situationen des menschlichen Lebens wie Geburt, Reifezeit, Ehe, Krankheit usw. Die Übergangsriten (rites of passage) (→ Initiation) symbolisieren, d.h. zeigen die Gegenwart des Göttlichen an den Wendepunkten menschlichen Lebens an. Ein Symbol schafft aber nicht nur die Gegenwart einer Wirklichkeit; es begründet und stärkt auch die Beziehung zu dieser Wirklichkeit, die eine Beziehung der Furcht, Bewunderung, Dankbarkeit, Verbundenheit sein kann. Dieses Verständnis von Symbol unterscheidet sich von einem weit gefaßten Begriff, der Symbol als die Darstellung und Vergeistigung eines Zeichens festlegt. Als Beispiel dafür läßt sich anführen: eine Waage als Sinnbild für Gerechtigkeit oder Weihrauch als Symbol für Gebet. In diesen Fällen läßt das Bezeichnende die bezeichnete Wirklichkeit nicht gegenwärtig werden, und darin unterscheidet sich ein solches Verständnis von Symbol von dem anthropologischen.

2. Die Kirche als eine Glaubensgemeinschaft ist gesandt, ihren Glauben zu verkünden und zu feiern. Glaubensverkündigung geschieht durch die → Predigt des Wortes Gottes, Glaubensbekenntnis in erster Linie durch das „Symbol" des Glaubens, dem feierlichen Bekenntnis des Glaubens der Kirche. Der Glaube wird verkündet durch gesprochenes „Symbol"; er wird gefeiert durch rituelle Symbole oder durch Riten. Unter diesen sind zuerst die Sakramente zu erwähnen, bei denen beide, die gesprochenen und die rituellen Symbole, sich zur Form einer liturgischen Feier vereinen. Darum besteht die volle Liturgie der Sakramente in der Verkündigung des Wortes Gottes und im Vollzug der rituellen Symbole. Das → Wort Gottes führt zu Glaube und Bekehrung und leitet die Versammlung zu der Wirklichkeit, die sich unter dem sakramentalen Symbol darstellt.

Zum sakramentalen Ritus gehört eine gesprochene Formel, die das rituelle Tun begleitet und ausdeutet. In manchen Sakramenten schließen Formel und Geste den Gebrauch materieller Elemente wie Wasser, Öl, Brot und Wein mit ein. Sakramente als Symbole sind in erster Linie ein Geschehen und nicht so sehr eine materielle Gegebenheit. Die Kirche ist der Auffassung: der Handelnde in diesem Geschehen ist Christus selber, denn „mit seiner Kraft ist er gegenwärtig in den Sakramenten, so daß, wenn immer einer tauft, Christus selber tauft" (Sacrosanctum Concilium 7). Das gleiche gilt für die Verkündigung des Wortes, „da er selber spricht, wenn die heiligen Schriften in der Kirche gelesen werden". Die Gegenwart Christi - und damit die Gegenwart seines österlichen Heilsgeheimnisses in der Verkündigung des Wortes Gottes wie im Vollzug des rituellen Symbols - reiht die Sakramente in die Kategorie des Symbols ein. In den Sakramenten sind in der Tat die Bedingungen erfüllt, die von der gegenwärtigen Anthropologie für ein Symbol gefordert werden: Gegenwart der bezeichneten Wirklichkeit, eine von Natur aus gegebene Eignung des Bezeichnenden, das Versinnbildete darzustellen, eine Beziehung der Gemeinschaft zu der Wirklichkeit, die durch das Symbol wiedergegeben wird. Sakramente bewirken und stärken Beziehungen zwischen Christus und der Gemeinschaft. Sie sind Symbole der Begegnung mit Christus. Sie machen sein österliches Heilsgeheimnis im rituellen Symbol gegenwärtig und vermitteln es der Gemeinschaft.

Außer den Sakramenten besitzt die Kirche noch andere Symbole. Diese werden am besten verstanden, wenn sie in ihrer Beziehung zur Verkündigung des Wortes Gottes und dem Vollzug der rituellen Symbole gesehen werden. Ihre Aufgabe ist es, die Gemeinschaft vorzubereiten, Gottes Wort und Sakrament zu feiern, sie auf die Wirklichkeit hinzuweisen, die durch die Sakramente dargestellt wird, und diese Wirklichkeit zu veranschaulichen und auszudeuten. Sie werden in dem Sinne Symbole genannt, weil sie nur in der Hinordnung auf die „Ur-Symbole" existieren, von denen sie ihre Bedeutung herleiten. Beispiele für diese Art von Symbolen finden sich in sakramentalen Feiern und werden „ausdeutende Riten" genannt. Die Salbung nach der Taufe, das Anstecken der Eheringe usw. sollen bestimmte Aspekte des Sakramentes veranschaulichen. Außerhalb der sakramentalen Feiern, dennoch in Verbindung mit der Liturgie, können hier solche Symbole wie Weihwasser, Ikonen, Palmzweige usw. erwähnt werden. Wegen der Beziehung dieser Symbole zu den Sakramenten anerkennt die Kirche in ihrem Gebrauch eine gewisse Wirkgegenwart des Christusgeheimnisses.

3. Die Symbole, die in der Kirche Verwendung finden, entstammen zu einem großen Teil der Bibel und verschiedenen Kulturen, mit denen die Kirche in Berührung kam. Im Westen sind die griechisch-römische und die fränkisch-germanische Kultur die wichtigsten. Obwohl eine ganze Reihe von Symbolen kulturelle Grenzen überschreiten und deshalb gemeinsamer Besitz verschiedener Kulturen sind, so entstammen doch viele kirchliche Symbole bestimmten Kulturen und Epochen. Wegen der unterschiedlichen Kulturen in der Kirche gewinnt die Frage nach Anpassung eine gewisse Dringlichkeit. Das trifft in besonderer Weise auf die Missionsländer zu, denen das → II. Vatikanische Konzil in den Dokumenten wie Lumen gentium, Sacrosanctum Concilium und Ad gentes besondere Aufmerksamkeit geschenkt hat. Sakramentale Symbole wie Waschen mit Wasser, Essen und Trinken, Salben mit Öl sind kulturenübergreifend. Trotzdem hat jede Kultur ihre besondere Art und Weise, wie diese Symbole vollzogen werden. Eine kulturelle Anpassung (→ Inkulturation) erfordert in diesen Fällen nicht notwendigerweise eine Änderung des materiellen Elementes des Symbols, wohl aber eine Änderung der Art und Weise wie das Symbol in Übereinstimmung mit einer vorgegebenen Kultur ausgestaltet werden müßte. Mit Hilfe von Kulturanthropologen müßten sich Fachleute der Liturgie der Frage stellen, wie etwa die Wassertaufe vollzogen werden kann, wenn die Form angewandt würde, die in einer bestimmten Kultur für ähnliche Handlungen gebraucht wird. Asiatische und afrikanische

Kulturen sind reich an solch rituellem Tun, das z.T. zum Bestand der religiösen Gepflogenheiten gehört. Ob man aber die Methode der Akkulturation oder die der Inkulturation wählt, der Prozeß der Anpassung sollte zu keiner Zeit zum Synkretismus führen. Dies läßt sich vermeiden, indem der kulturenübergreifenden Beschaffenheit der Symbole Aufmerksamkeit gewidmet wird, und indem das kulturelle Element mit christlichem Sinngehalt durch biblische Typologie gefüllt wird. Andere Symbole, besonders die ausdeutenden Riten einer liturgischen Feier, sind oft nicht über die Grenzen einer Kultur hinaus verständlich. Das Überreichen eines weißen Kleides bei der Taufe z.B. sagt nichts über Freude und Würde des Neugetauften in den Kulturen aus, wo Weiß die Farbe der Trauer ist. Symbole wie die Geste des Stehens, Kniens oder des Schreitens und Gegenstände wie die Insignien von Macht und Würde werden in verschiedenen Kulturen nicht gleich bewertet. In diesen Fällen kann eine Anpassung etwas Gleichwertiges oder eine Ersatzform aus der entsprechenden Kultur übernehmen, vorausgesetzt, daß die Normen des Glaubens und die der liturgischen Anpassung gewahrt bleiben. Manchmal sind ausdrucksvolle Äquivalente oder Ersatzformen nicht ausreichend, um der Anforderung an Symbole zu genügen, die im kulturellen Erfahrungsbereich des Volkes verwurzelt sind. Dann ist Kreativität vonnöten.

Symbole kommen im Verlaufe des liturgischen Jahres in Fülle vor. Diese Symbole stehen in Verbindung mit den Jahreszeiten, mit kosmischen Gegebenheiten wie Frühling, Sonnenwende, Vollmond und mit menschlichem Schaffen wie Pflanzen und Ernten. Feste mit solchem Hintergrund sind z.B. Ostern, Pfingsten, Weihnachten, Erscheinung des Herrn, die Geburt Johannes des Täufers, Bitt- und Quatembertage. Eine Anpassung dieser Feste kann eine Änderung des Datums erfordern, um sie in den Ablauf des menschlichen Lebens einfügen zu können, wie etwa die Bittage, oder die Einführung eines kosmischen Symbols, um den Sinn des Festes zu veranschaulichen. Ostern, das in den Tropen in den Sommer fällt und auf der südlichen Hemisphäre in den Herbst, kann mit Texten und Symbolen gefeiert werden, welche die jeweilige Jahreszeit anbietet. Es gibt auch Symbole, die an einen Ort gebunden sind: der Platz für Zusammenkünfte, der Platz für den Vorsteher einer Versammlung, der Platz für Verkündigung und Gebet usw. Diese Plätze haben einen kulturellen Hintergrund. Die Anpassung des Kirchengebäudes z.B. als das Symbol für die versammelte Gemeinde, ursprünglich *domus Ecclesiae* genannt, kann die Bauweise und die Aufgabe von Zentren des Gemeindelebens berücksichtigen, wie sie kulturspezifisch anzutreffen sind. Taufort, Chorraum, Ambo und Altar sind Orte, die eine starke Symbolik in der → Liturgie besitzen. Sie haben aber zugleich auch einen kulturellen Sinngehalt. Die Anpassung in der Gestaltung solcher Orte ist notwendig, um einen in der Kultur beheimateten und ansprechenden Raum für die Verkündigung des Wortes Gottes und die Feier der sakramentalen Symbole zu schaffen.

Lit.: *Carletti, C.*, Simboli-Simbolismo, in: Dizionario Patristico e di Antichità cristiane GZ, 1984, 3196-3203. - *Chauvet, L.-M.*, Du symbolique au symbole, 1979. - *Chupungco, A.*, Cultural Adaptation of the Liturgy, 1982. - *Isambert, F.*, Rites et efficacité symbolique, 1979. - *Masure, E.*, Le signe. Psychologie, histoire, mystère, 1953. - *Rahner, H.*, Griechische Mythen in christlicher Deutung, 1957. - *Sartore, D.*, Segno/Simbolo, in: Nuovo Dizionario di Liturgia, 1984, 1370-1381. - *Turner, V.*, The Ritual Process. Structure and Anti-Structure, 1969.

(Übers.: E. Zeitler)   A. J. Chupungco

TAUFE

1. Ursprung der Taufproblematik. 2. Komplexer Sinn der Taufe. 3. Kontroverse über die Kindertaufe. 4. Taufe als Initiation. 5. Heiligung als Ziel. 6. Eingliederung in die kirchliche Gemeinschaft. 7. Auswirkungen auf die Umwelt.

Seit der apostolischen Zeit stand die Taufe als Sakrament der Eingliederung in Jesus Christus und in die Gemeinschaft der Kirche am Beginn des christlichen Lebens. Ihr Wesen und ihre missionarische Bedeutung müssen aus dem Gesamtverständnis der christlichen Existenz und der kirchlichen Gemeinschaft verstanden werden.

1. Die heutigen Probleme haben ihre Wurzeln schon im *Ursprung* und in der *Symbolik des Taufritus*. Rituelle Waschungen und Bäder gab es in vielen Religionen im biblischen Umkreis, vorab in den Mysterienkulten. Mit der jüdischen Proselytentaufe hat die christliche Taufe die endgültige Eingliederung des Täuflings in das Bundesvolk Gottes gemeinsam. Wie die Johannes-Taufe ist auch die christliche Taufe nicht bloß rituelle Absonderung von der heidnischen Welt, sondern Zeichen innerer Umkehr. Neu aber ist in ihr die glaubende Hingabe an Jesus Christus und der Empfang der heiligenden Kraft des Geistes, die vom Erstandenen Herrn dem Täufling zuteil wird und ihm neues Leben schenkt. So hebt sich die christliche Taufe von religionsgeschichtlichen Parallelen dadurch ab, daß sie die Bindung des Getauften an Jesus Christus besiegelt. Sie bedeutet von seiten des Täuflings Abkehr von Sünde und gläubige Hingabe an Jesus Christus; von ihm empfängt er die reinigende und heiligende Kraft des Geistes und wird so der Gemeinde der Gläubigen eingegliedert. Die Taufe hat also ihren Platz in religionsgeschichtlichen Zusammenhängen, hat aber zugleich ihre einmalige Besonderheit.

Dieselbe Verbundenheit mit der religiösen Menschheit und zugleich die Abgrenzung von ihr zeigt sich im Symbolismus des Taufritus. Wasser, Eintauchen in Wasser sind reiche Symbole. Sie bedeuten vor allem Reinigung. In den großen Stromkulturen der antiken Welt, Ägypten und Babylon, ist Wasser außerdem göttliches → Symbol (die Parallele zu den Flüssen Indiens ist deutlich). Dem frühen biblischen Verständnis, das ganz vom Bewußtsein der göttlichen Transzendenz geprägt ist, bleibt diese ausgeweitete Symbolik fremd; sie findet sich weder in der Proselyten- noch in der Johannes-Taufe. Doch schon die Schriften des AT kennen die lebenspendende Kraft des Wassers und ermöglichen so die spätere Ausweitung der Tauf-Symbolik, ohne daß man von Synkretismus reden muß. Jesaja sieht Israels → Heil im Symbol der blühenden Wüste, wo lebendige Wasser fließen (Jes 41,17-20), und Ezechiel beschreibt das messianische Heil als Strom, der Leben und Heilung bringt (Ez 47,1-12). Das NT führt diese Symbolik weiter

(Offb 22,1f; s. 21,6). Im besonderen wird Wasser Symbol des Geistes (Jes 44,3); Jesus übernimmt diese Symbolik (Joh 7,38f).

Die Taufsymbolik des *NT* wächst also aus der biblischen Tradition, die sich nicht völlig von der Symbolik anderer Religionen abgrenzen läßt. Sie ist zunächst Reinigung des Herzens: Die Taufe „dient nicht dazu, den Körper von Schmutz zu reinigen, sondern sie ist eine Bitte an Gott um ein reines Gewissen aufgrund der Auferstehung Jesu Christi" (1Petr 3,21). Sie ist zugleich Heiligung: „Ihr seid reingewaschen, seid geheiligt, seid gerecht geworden im Namen Jesu Christi, des Herrn, und im Geiste unseres Gottes" (1Kor 6,11). Es liegt im Reichtum des Wasser-Symbols, daß es sich noch weiter, über Reinigung und Heiligung hinaus, entfalten kann und daß dabei nochmals uralte Bedeutungen wieder auftauchen, in denen sich die zerstörende und belebende Kraft des Wassers begegnen, ohne daß man einen geschichtlichen Zusammenhang zu suchen braucht: Das griechische Wort bapto bedeutet ursprünglich versinken, ertrinken. Im Isiskult Ägyptens bedeutete Eintauchen in Wasser die Vergöttlichung. → Paulus kennt den gleichen Symbolismus, aber nicht auf ein Naturgeschehen, sondern auf das Sterben und Auferstehen Jesu bezogen: In der Taufe nehmen wir an Jesu Tod, an seinem Begräbnis, an seiner Auferstehung teil (Röm 6,3-11). Der Sünder stirbt der Sünde, lebt für Gott. Alte biblische Erinnerungen steigen auf: die Errettung Israels aus dem Roten Meer (1Kor 10,1), die Flut, in der die Sünder ertranken und Noah in der Arche gerettet wurde (1Petr 3,19-22). Von solchen Erwägungen ist es nicht mehr weit bis zu dem spätapostolischen Taufverständnis als Wiedergeburt: „Er hat uns gerettet ... durch das Bad der Wiedergeburt und der Erneuerung im Heiligen Geist" (Tit 3,5). Johannes schreibt: „Wenn jemand nicht aus Wasser und Geist geboren wird, kann er nicht in das Reich Gottes kommen" (Joh 3,5). Es ist begreiflich, daß sich dieser Symbolismus in der frühen Kirche noch weiter entwickelte, und so mag es auch heute geschehen im Zusammenhang einheimischer Kulturen, wenn nur die Substanz erhalten bleibt: Taufe als Zeichen der Umkehr und der Gemeinschaft mit Jesus Christus.

2. Der Sinn der Taufe ist also komplex. Er umfaßt die persönliche Umkehr des Täuflings, endgültig und doch nur „Geburt", d.h. Anfang, Vereinigung mit Christus, Heiligung, Geistempfang, neues Leben, Aufnahme in die kirchliche Gemeinschaft. Das theologische Verständnis und die rechte pastorale Praxis der Taufe muß all diese Elemente in ihrer Polarität einschließen. Hier liegen die Probleme der heutigen Taufpraxis.

Taufe ist also zuerst freie Tat des Täuflings und zugleich vergebende, heiligende und lebenspendende Gnade Gottes. Beides wird in der Taufe gefeiert. Im Pfingstbericht werden die Juden zur freien Hinkehr zu Jesus Christus gerufen und 3000 folgen der Einladung (Apg 2,37-41). So war es in der ganzen apostolischen Zeit. Immer ist Glaube freie Tat, in der „sich der Mensch als Ganzer in Freiheit Gott überantwortet" (Dei Verbum 5). Von Anfang an aber ist die Taufe·nicht nur Bekenntnis zur Bekehrung, sondern Heil, Vergebung der Sünden, Mitteilung des Geistes (Apg 2,38). Denn Jesu Botschaft war nicht wie bei Johannes drohendes Gericht, sondern nahendes → Reich Gottes und Heil, das allen, die an Jesus Christus glauben, zugesichert ist (Joh 3,16).

3. Hier ist der theologische Ort der Kontroverse über *Kindertaufe* oder *Erwachsenentaufe*. Schon in der apostolischen Zeit lesen wir von der Taufe von Familien (oikos), die die Kinder miteinschloß (1Kor 1,18; Apg 16,15.33), und Ende des 2. Jahrhunderts ist die Kindertaufe ausdrücklich bezeugt; sie wird nicht als Neuerung, sondern als apostolische Tradition dargestellt. In neuerer Zeit wird die Legitimität dieser Praxis von bedeutenden christlichen Gemeinden in Frage gestellt (Baptisten), eben weil ein persönliches → Bekenntnis zu Christus nur von einer gereiften Person verantwortlich abgelegt werden kann. Die Problematik der Kindertaufe wurde auch von Katholiken wachsend empfunden. Eine eingehende Antwort auf die Einwände gegen die Kindertaufe wurde von der Glaubenskongregation 1980 gegeben.

Man wird festhalten, daß in jedem Fall das Glaubensbekenntnis wesentlich zur Taufe gehört. Bei der Erwachsenentaufe wird es vom Täufling gesprochen, bei der Kindertaufe von Stellvertretern. Das ist möglich und sinnvoll, weil ja die Gemeinde der Glaubenden als Ganzes die Heilsverheißung trägt und der Täufling eben in diese Gemeinschaft aufgenommen wird; weil christlicher Glaube in dieser Gemeinschaft sich entfalten und zum persönlichen Bekenntnis reifen muß; weil in der Kindertaufe deutlicher die zuvorkommende Gnade Gottes dargestellt wird, die das Kind von Anfang an ergreift und durch die Jahre geistigen Wachstums begleitet. Damit ist freilich für die Eltern, für die ganze Gemeinde, die Verpflichtung verbunden, den Neugetauften in einer christlichen Atmosphäre zu erziehen. Diese Verantwortung muß bei der Praxis der Kindertaufe stark betont werden. Denn immer bleibt die Gefahr eines übersteigerten Sakramentalismus bestehen, d.h. einer fast magisch anmutenden Auffassung der Taufwirkung, so daß sich jemand Christ nennen kann, wenn er als Kind getauft wurde, ohne je seinen Glauben innerlich bejaht zu haben. Wo die Kindertaufe geübt wird, muß die glaubende Hingabe an Jesus Christus in einem späteren bewußten Bekenntnis neu personal angenommen und vollzogen werden. Das geschieht z.B. bei der Firmung oder bei der Taufwasserweihe in der Osternacht. Wo nur Erwachsene zur Taufe zugelassen werden, soll doch das Kind einer christlichen Familie schon in einer besonderen Feier in die christliche Gemeinschaft eingeführt werden, so daß sich Eltern und Gemeinde der Verantwortung der christlichen Erziehung bewußt werden.

4. So ist mit der Frage der Kindertaufe die weitere Spannung zwischen der Endgültigkeit der Taufe und der Taufe als → *Initiation* christlichen Lebens verbunden. Die Taufe ist endgültige Bindung an Jesus Christus; sie kann niemals wiederholt werden. (Wo christliche Gemeinden neue Mitglieder, die aus anderen christlichen Gemeinschaften kommen, taufen, geschieht dies aus dem Zweifel an der Authentizität der früher empfangenen Taufe.) Deshalb ist die Taufe auch Abschluß einer eingehenden Vorbereitung im Katechumenat, dessen Bedeutung im Missionsdekret des II. Vatikanischen Konzils neu betont wurde (Ad gentes 14). Die Taufe ist aber auch nur Anfang eines neuen Lebens, das erst reifen muß. So wird das Sakrament der Geistmitteilung, die Firmung, als eigenes Sakrament verstanden, obwohl es manchmal mit der Taufe verbunden wurde. Zwar wird schon in der Taufe der → Heilige Geist mitgeteilt, symbolisiert im Ritus der Salbung, denn alles christliche Leben ist ein Leben im Geist. Aber diese Geistgabe muß sich im reifenden Alter als Sendung zur Weltheiligung entfalten. Firmung bedeutet also eine neue, reifere Stufe christlichen Wachstums.

5. Ebenso ist Taufe nur der Anfang auf dem Weg der *Heiligung*. Zwar bedeutet sie bedingungslose Vergebung aller Sünden und die endgültige Weihe an Jesus Christus. Aber diese Endgültigkeit wurde in der frühen Kirche oft falsch als exklusiv verstanden, so daß die nochmalige Vergebung der nach der Taufe begangenen Sünden oft verweigert, lange Zeit nur einmal gewährt und jedenfalls außerordentlich erschwert wurde (s. Bußpraxis). Das führte zum Mißbrauch, daß im 4. Jahrhundert die Taufe oft bis ins Alter, ja bis zum Tod verschoben wurde. In der späteren Bußpraxis bleibt die Taufe zwar das grundlegende Sakrament der Sündenvergebung, ist aber zugleich der Anfang eines Weges der Bewährung und steter Wiedererneuerung in einem lebenslangen Prozeß der Reinigung. Dies bedeutet für die missionarische Praxis, daß die Taufe stets das Tor bleibt, durch das neue Mitglieder der Gemeinde den Weg christlichen Lebens beginnen. Aber sie ist doch nur ein Anfang. Wir bleiben Pilger, die in der christlichen Gemeinschaft zu voller persönlicher Reife wachsen und ihre christliche Verantwortung für die Mitwelt entfalten sollen (Ad gentes 15; Lima 11-14).

6. Die Taufe verbindet auch die persönliche Entscheidung für Christus mit der *Eingliederung* in die kirchliche Gemeinschaft. Schon im Pfingstbericht wurde sie als Band der werdenden christlichen Gemeinschaft verstanden. Auch diese Doppelbedeutung der Taufe wurde durch einseitige Deutung mißverstanden. Wo persönlicher Glaube allein betont wird, zerfällt die Gemeinschaft. Christentum ohne soziale Gemeinschaftsform ist nicht im Sinn Jesu und der urchristlichen Tradition. Umgekehrt aber ist es falsch, die Taufe als ein Monopol der hierarchischen Kirche anzusehen. Dieser Irrtum Cyprians wurde schon von Papst Stephan I. abgelehnt (DS 110). Zusammen mit dem Glauben an Jesus Christus bleibt die Taufe das bedeutendste Band, das alle Christen verbindet (Lumen gentium 15; Unitatis redintegratio 22; Lima 6). Die Verbindung mit Jesus Christus in der Taufe enthält die Dynamik zu einer universalen Gemeinschaft aller Christen. Sie schließt die Verpflichtung ein, auf sie hinzuarbeiten (ebd.).

7. Taufe hat ihre *Auswirkung* auch *auf die säkulare Umwelt* in scheinbar gegensätzlicher Weise. Einerseits trennt sie den Getauften von der Umwelt und bringt ihn in Konflikt mit ihr. → Jesus selbst sieht den Gegensatz zwischen seinen Jüngern und der Welt voraus; das Missionsdekret weist auf die mögliche Entfremdung des Neuchristen von seiner Umgebung hin, wenn sich „der Wandel seines Empfindens und Verhaltens ... in seinen sozialen Wirkungen kundtut" (Ad gentes 13). Jeder Christ leidet unter dem Widerspruch, den Jesu prophetische Botschaft hervorruft. Umgekehrt ist der Getaufte in neuer Weise mit seiner Umwelt verbunden in kultureller und sozialer Solidarität und Verantwortlichkeit. Christen leben in neuer Gemeinschaft unter Mitmenschen in Achtung und Liebe; sie „geben durch die enge Verbindung mit den Menschen in ihrem Leben und Arbeiten ein wahres Zeugnis ab ... fördern die Würde der Menschen und brüderliche Gemeinschaft" (Ad gentes 12). Taufe bedeutet eben Eingliederung ins Gottesreich, das sich in der Erneuerung der irdischen menschlichen Gesellschaft zu offenbaren beginnt (Ad gentes 11,12; Lima 7,10).

Wieder wurde der Sinn der Taufe durch das *Mißverständnis der Beziehung zur Welt* entstellt. Einerseits hat sich im Mittelalter Christentum mit der europäischen → Kultur zu sehr identifiziert. Wenn sich aber Kirche und die bestehende Ordnung gleichsetzen, geht die prophetische Herausforderung der Jüngerschaft Jesu verloren. Als Kehrseite zu dieser falschen Identifizierung wurde von Neuchristen in fremden Kulturen mit der Taufe die Annahme westlicher Namen und Gepflogenheiten verlangt, so daß die christliche Botschaft als Entfremdung von der nationalen Kultur erfahren wurde. Die Taufe sah man als Verleugnung der nationalen Kultur an, als Verrat an der sozialen Gemeinschaft (Initiationskonflikte: → Initiation 3.1). Wegen solcher Mißverständnisse der Taufe sucht man gelegentlich nach neuen Zeichen, die Bindung an Jesus Christus auszudrücken, ohne die kostbaren Bande der Volksgemeinschaft zu zerreißen. Solche Bemühungen verdienen Beachtung, aber eine dauernde Lösung des Problems ist nicht von neuen Formen zu erwarten, sondern von dem erneuerten Verständnis der Taufe. Sie muß wieder verstanden werden als vertiefte und verpflichtende Eingliederung in die menschliche Gesellschaft mit der Aufgabe, das Reich Gottes zu verkünden, zu leben und in unserer Gesellschaft, bei allen Völkern, zu verwirklichen.

Lit.: *Aland, K.*, Die Säuglingstaufe im Neuen Testament und in der alten Kirche, 1961. - Baptists in the United Kingdom, in: Worship 52, 1978, 46-57. - *Beasley-Murray, G. R.*, Baptism, in: Dictionary of New Testament Theology I, hg. v. Colin-Brown, 143-154. - *Beckwith, R. I.*, Infant Baptism, in: Dictionary of New Testament Theology I, 154-160. - *Betz, O.*, Die Proselytentaufe der Qumram Sekte und die Taufe im Neuen Testament, in: Rev.Qumram 1, 1958/9, 213-234. - *Covino, P. F. X.*, The Post-Conciliar Infant-Baptism Debate in the American Catholic Church, in: Worship 56, 1982, 240-260. - *Cullen, M.*, Adaptation in Infant Baptism in Nigeria, in: Afer 21, 1979, 44-45 Reply ebd. 22, 1980, 22-28. - *Francis, M.*, Le Baptème dans L'Esprit, in: NRTh. 106, 1984, 23-59. - Glaubenskongregation, Instruktion über den Ritus der Kindertaufe „Nomine parvulorum", 24.6.1973, in: Enchiridion Vaticanum 3, nn 1127ff. - Instruktion über die Kindertaufe „Pastoralis Actio", 20.10.1980, in: AAS LXXXII, 1980, 1137-1156. - *Falconer, A. D.*, To walk together, the Lima report on B.E.M., in: The 34, 1983, 35-42. - *Gnilka, J.*, Die essenischen Tauchbäder und die Johannestaufe, Rev.Qumram 3, 1961/2, 185-267. - Kindertaufe oder Erwachsenentaufe, eine falsche Alternative. Bericht über die Taufdiskussion in der evangelischen Kirche Deutschlands, in: EK 2, 1969, 559ff. - *Lorenzen, T.*, Baptism and Church-membership, some Baptist positions and their ecumenical implications, in: JES 18, 1981, 561-574. - *Oepke, A.*, bapto, in: Theological Dictionary of the New Testament, hg. v. G. Kittel, I, 529-546. - *Thomas, I.*, The Adult Catechumenate, Pastoral Applications of Vatican II, in: LouvSt 9, 1982, 211-220. - Towards a Church of England. Response to B.E.M. (Lima Document) and A.R.C.I.C. (Anglican-Roman Catholic International Commission), 1985, 17-24, 48-50. - *Videcom, G. F.*, Die Taufe unter den Heiden, 1960. - *Walter, G.*, Ein Beitrag zur Diskussion über die Kindertaufe, Theologische Versuche, 1966, 46ff. - World Council of Churches, Faith and Order Paper 111, Baptism, Eucharist, Ministry, „Lima Dokument", 1982.

J. Neuner

THEOLOGIE DER BEFREIUNG

1. Sozio-politischer Kontext. 2. Ekklesialer Kontext. 3. Falsche Definitionen. 4. Grundlegende Optionen. 5. Neues hermeneutisches Vorgehen der Theologie der Befreiung. 6. Praxisbezug der Theologie der Befreiung. 7. Richtungen der Theologie der Befreiung in Lateinamerika. 8. Afrikanische Theologie der Befreiung. 9. Asiatische Theologie der Befreiung.

In den Ländern der Dritten Welt und insbesondere in Lateinamerika stellt die Theologie der → Befreiung eine sozio-politische Wirklichkeit dar, die bereits im politischen Bereich Eingang gefunden hat, ganz zu schweigen von dem breiten Raum, den sie in den Medien einnimmt. Repressive kapitalistische Regime verfolgen ihre Anhänger mittels Gewaltanwendung und verbieten entsprechende Publikationen. Regime, die sich mehr an den Volksmassen orientieren, zeigen Interesse an ihr in der Hoffnung, mit ihrer Hilfe Unterstützung religiöser Gruppen für Projekte zu erhalten, die sie als befreiend für die Volksmassen erachten. Die Theologie der Befreiung ist jedoch vor allem eine *ekklesiale Wirklichkeit*. Diözesen - Hirten, Theologen, Pastoralhelfer -, die mehr in der Linie der Option für die Armen engagiert sind, suchen in ihr die theoretische Hilfestellung und Rechtfertigung. Ein einmaliges Faktum in der Theologiegeschichte der Länder an der ekklesialen Peripherie ist die Tatsache, daß ihre Theologie im Innern der europäischen Theologie und der höchsten Instanzen der Kirche widerhallt (vgl. die jüngsten Verlautbarungen des Heiligen Stuhls).

1. Die Theologie der Befreiung entstand in Lateinamerika (→ Lateinamerikanische Theologie), wurde hier heimisch und breitete sich in anderen Ländern der Dritten Welt mit eigenen charakteristischen Zügen aus. Drei soziale Faktoren waren entscheidend: die Situation der Gewaltherrschaft und Unterdrückung, das Entstehen eines befreienden Bewußtseins und das Fehlen politischer Kanäle, es aufzufangen und weiterzubilden. Die *Situation der Gewaltherrschaft* hat eine lange Geschichte. Sie hängt vor allem von der Kolonialherrschaft selbst und der damit verbundenen Sklaverei ab, die von Anbeginn der spanisch-portugiesischen Kolonisation auf dem Kontinent eingepflanzt wurden. Die Unabhängigkeitskriege und die daraus resultierende politische Situation brachten es nicht fertig, mit dieser Gewaltstruktur zu brechen. Es folgten der englische Imperialismus, der amerikanische und zuletzt der Neokapitalismus mit seinen modernen und raffinierten Formen der Ausbeutung. Die lateinamerikanischen Bischöfe haben in Puebla ein realistisches Bild dieser Situation gezeichnet (Nr. 15-70 allenthaben). In dieser Situation der Unterdrückung kommt ein starkes *Bewußtsein der Befreiung* zum Vorschein, das sich in mannigfachen Aktivitäten äußert. Die fünfziger Jahre kannten die Mobilisierung des Volkes für nationalistische Ziele, die sich gegen die Ausbeutung von seiten ausländischer Mächte richteten. Wenn auch diese Bewegungen teils durch die Machenschaften charismatischer politischer Führergestalten (populistischer Pakt), teils durch die Intervention repressiver miltärischer Kräfte (aufeinanderfolgende Militärputsche in Lateinamerika) neutralisiert wurden, ließen sie dennoch ein freiheitliches Klima entstehen. Es wurde durch eine breite Bewegung verschiedener Länder verstärkt, Reformen an der Basis auf dem Land, in der Verwaltung, in der Universität, am Wahlsystem usw. durchzusetzen. In Verbindung

mit studentischen Bewegungen anderer Teile der Welt (USA, Frankreich usw.) schlossen sich die Studenten Lateinamerikas zu Befreiungskorps zusammen, die sich in kleinerer Zahl sogar in klandestinen revolutionären Gruppen organisierten. Die Gewerkschaften auf dem Land und in der Stadt vervielfältigten sich und erlangten, vor allem in Bolivien und Brasilien, mit ihren programmatischen Forderungen ein signifikantes Gewicht. Auf dem Gebiet der Basiserziehung ließ die Pädagogik Paulo Freires Erfahrungen mit der politischen Bewußtseinsbildung in staatlichen Schulen und kirchlichen Gruppen sammeln. Lateinamerikanische Politwissenschaftler begannen die Ideologie der → Entwicklung, die auf dem Kontinent in Mode war, einer Kritik zu unterziehen und zeigten, daß die Länder Lateinamerikas gegenüber den hochentwickelten Ländern nicht einfachhin unterentwickelt waren, in einer Vorstufe der Entwicklung oder sich auf dem Sprung befanden, eine neue Entwicklungsphase einzuleiten, sondern daß „sie ursprünglich und konstitutiv abhängig" waren. Daher ging die politisch-ökonomische Option nicht in die Richtung der Entwicklung, sondern der Befreiung aus den inneren und äußeren Abhängigkeiten. Die Befreiungsbewegung ernährte sich auch von kulturellen Phänomenen. Protestlieder und Filme gaben die nationale Situation kritisch wieder. Theaterstücke, die auf die politische Bewußtseinsbildung abzielten, wurden von studentischen Gruppen nicht nur auf die konventionellen Bühnen, sondern auch vor die Tore der Fabriken und auf die öffentlichen Plätze gebracht. Damit wollte man das Volk auf die Situation der Gewaltherrschaft, in der es lebte, aufmerksam machen, um so die politischen Wege der Befreiung zu suchen. Schließlich kam es in verschiedenen Ländern zum Entstehen unzähliger Volksbewegungen in der Stadt und auf dem Land. Charakteristisch für alle ist ihre befreiende Perspektive, die von Gruppen universitärer oder im Berufsleben stehender Intellektueller genährt wird. Zu diesem Zeitpunkt besaßen aber die politischen Strukturen der lateinamerikanischen Länder nicht die ausreichende demokratische Beschaffenheit, um einen solchen Reichtum kanalisieren zu können. In der Mehrzahl der Fälle verdrängten Militärputsche diese Befreiungsbewegungen in den Untergrund. Chile gelang es, auf der politischen Ebene weiter vorzustoßen und die Emanzipationsbewegung zu institutionalisieren. Der Ausgang jedoch wurde durch einen gewaltsamen Militärputsch zur Tragik.

2. Im Gegensatz zu den politischen Stellen zeigte die katholische Kirche sich reif, die Befreiungsbewegungen aufzufangen und zu kanalisieren. Einerseits war sie in ihnen präsent, andererseits entstand in ihr ein Klima der Öffnung, das von Papst Johannes XXIII., vor allem durch seine Enzykliken „Mater et Magistra" und „Pacem in Terris", ausgelöst und durch das II. Vatikanische Konzil (→ Vatikanum II) gefestigt wurde. Militante Laien der Katholischen Aktion beeinflußten nicht nur die Öffnung des Klerus, sondern konnten auch in Kontakt mit dem Verlangen des Volkes nach Befreiung und mit einem anfänglichen theoretisch-theologischen Instrumentar, das an eine kompetente Arbeitsgruppe von Beratern geknüpft war, die Thematik der Befreiung auf theologischer Ebene in Angriff nehmen. Wahrscheinlich stand hier die erste Wiege der Theologie der Befreiung. Diese Bewegung hätte sich im Innern der Kirche nicht ausbreiten können, wäre nicht auch unter den Bischöfen eine vorausschauende und offene Gruppe gewesen. Sie wußte die Zeichen der Zeit zu verstehen, sie theologisch und pastoral aufzuarbei-

ten und sie in die Beschlüsse von Medellín (1968) umzusetzen - in den Spuren der theologischen Methode von „Gaudium et spes". Die Präsenz der Kirche auf befreiender Ebene ergab sich ebenfalls auf dem Gebiet der Basiserziehung und in den kirchlichen Basisgemeinschaften. Hier gelang es, das schwierige Verhältnis zwischen Glauben und Leben, Wort Gottes und sozialer Verpflichtung zu leben, so daß die theologische Reflexion mit der Praxis integriert werden konnte. Dies sollte die Eigentümlichkeit der Theologie der Befreiung werden.

3. Diese kurze Beschreibung des sozialen und ekklesialen Kontextes des Entstehungsprozesses der Theologie der Befreiung in Lateinamerika erlaubt es uns, eine Reihe falscher Definitionen auszuschließen. Sie ist nicht eine Theologie der Gewalt noch der Revolution. Diese bemänteln sich mit einer Ersatztheorie dadurch, daß sie die Theologie zu einem strategischen Arsenal verkürzen, um revolutionären Aktivitäten oder begrifflich abstrakten Diskussionen theologische Rückendeckung zu geben. Weder handelt es sich um eine theoretische Begegnung mit dem Marxismus, noch um eine Theologie des Klassenkampfes, noch kann man sie zu einer Ideologie, Soziologie oder Politik verkürzen, so daß man auf den Primat des Glaubens verzichtet. Auch kann man sie nicht als einen Teil der kirchlichen Soziallehre, der Sozialethik oder Moral ansehen, wobei man gerade ihre theologische Eigentümlichkeit außer acht ließe. Noch kann man sie definieren als eine Theologie, die auf ihre theoretische Wissenschaftlichkeit keinen Wert lege und sich ausschließlich auf die Effizienz der Praxis verlege, die aus ihr resultiert und von ihr gefördert wird. Noch ist sie die Nachfolgerin oder der Auswuchs gewisser europäischer Theologien - der Politischen Theologie, der Theologie der Hoffnung und der Revolution -, heutzutage in offensichtlichem Verfall, wodurch eine jahrhundertelange Abhängigkeit von der → europäischen Theologie verewigt und diese linkisch und verarmt in der Dritten Welt wiedergegeben wäre.

4. Die Theologie der Befreiung hat es grundsätzlich mit dem Armen zu tun, nicht als Individuum, sondern als die große Masse der Dritten Welt, für die die Kirche sich entscheidet. Diese Option ihrerseits setzt eine spirituelle Erfahrung voraus, Gott bei eben diesen Armen zu begegnen. Sie is sozusagen die „ständige geistige Antriebsfeder aller theologischer Abhandlungen" der Theologie der Befreiung (Internationale Theologenkommission). Theologie einer Kirche, die sich an der Peripherie der Welt mit einer befreienden Pastoral verpflichtet. Sie ist der zweite Schritt einer vorausgehenden konkreten Verpflichtung, den ehrenwerten Kampf für die Befreiung der Armen auf sich zu nehmen (erster Schritt).

5. Die Theologie der Befreiung bricht mit der traditionellen und konservativen Theologie durch ihre hermeneutische Ausgangsstellung. Sie läßt sich nicht in die noch gültige Schultheologie einordnen, die sich auf die Aufgabe des Definierens, Erklärens, Darlegens und Systematisierens der herauskristallisierten Lehre des katholischen Dogmas und der neueren Unterweisung des Lehramtes konzentriert. Sie stellt sich die· Aufgabe, die Offenbarung innerhalb der lebendigen → Tradition der Kirche, vom aktuellen geschichtlichen Augenblick ausgehend, zu deuten. Darin stimmt sie mit der neoliberalen Theologie überein, die sich in den Jahren des II. Vatikanischen Konzils durchsetzte. Sie unterscheidet sich aber ihrerseits durch die Einführung eines neuen hermeneutischen Zirkels, nämlich einer neuen Art und Weise, das Wort Gottes aus der Situation des Armen zu lesen. Die

geschichtliche Situation Lateinamerikas wird nicht mehr als ein einfacher verspäteter Reflex der europäischen Situation gesehen, die als universal angesehen wurde. Man versucht vor allem in einem *vor-theologischen* Schritt, die wirkliche gesellschaftliche Situation der Gewaltherrschaft und der Befreiungsbewegungen der
Dritten Welt kennenzulernen, nicht durch die Erfassung der allgemeinen Bedeutung, sondern mit Hilfe theoretischer Instrumente dialektischer Art. Solche gesellschaftsanalytischen Vermittlungen müssen unter dem Gesichtspunkt der Grundoption ausgewählt werden, die die Theologie der Befreiung für die Befreiung der
Armen macht. Die marxistische Analyse, wie auch jedes andere Instrument der
Wirklichkeitsanalyse, muß sich denselben Kriterien der spirituellen Option für die
Armen unterwerfen, wobei man keine autonome Wissenschaftlichkeit noch einen
aufgezwungenen Dogmatismus akzeptieren kann. Kein Instrumentarium kann
sich einer solchen Wissenschaftlichkeit erfreuen, daß es nicht wissenschaftlich und
ethisch hinterfragbar wäre. Noch kann es sich als fertige Wahrheit aufzwingen, da
es wie jede menschliche Wissenschaft der historischen Begrenzung und Parteilichkeit unterworfen ist. Noch kann diese wissenschaftliche Vermittlung dergestalt
sein, daß sie absolut unvereinbare Elemente mit dem Bild vom Menschen, der
Gesellschaft, der Welt und der transzendenten Offenbarung in sich trägt. In einem
Wort, der Glaube besitzt gegenüber dem gesellschaftsanalytischen Element eine
Rolle der negativen Auswahl, so daß er diejenigen Elemente aussondert, die mit
seiner Grundoption für die Armen und mit der Offenbarung, aus der er sich
nährt, unvereinbar sind. Die Sozialwissenschaftler ihrerseits beurteilen es nach seinem Grad der Objektivität und wissenschaftlichen Genauigkeit. Das spezifisch
theologische Moment jedoch besteht darin, im Licht der Offenbarung die Fragen
aufzunehmen, die durch die befreiende Praxis aufgeworfen werden. Die Problematik, die durch die Wahrnehmung der gesellschaftsanalytischen Situation zutage
tritt, wird im Licht der christlichen Schriften innerhalb der kirchlichen Tradition
neu gedeutet und gleichzeitig werden dieselben theologischen Quellen aufgrund
der Begegnung mit der Neuheit der Situation und ihrer gesellschaftsanalytischen
Wahrnehmung neu interpretiert. Noch einmal, der Theologe muß die Klippe des
Determinismus vermeiden, als ob die Interpretation der geoffenbarten Wahrheiten
durch die gesellschaftspolitische Situation festgelegt und hervorgebracht wäre, und
andererseits die des Dogmatismus, als ob es eine einfache Anwendung ein und
desselben Inhaltes, ein für allemal geoffenbart, ahistorisch, abstrakt, unveränderlich, für verschiedene Situationen gäbe. Es handelt sich hierbei um ein dialektisches Verhältnis zwischen der konkreten Situation und dem Wort Gottes, zwischen dem gesellschaftsgeschichtlichen Ort und der Offenbarung. Das theologische Moment ist Frucht eines hermeneutischen Dreiecks, dem Text, dem Kontext
und dem Prä-Text. Innerhalb eines Prä-Textes (= Situation der Gewaltherrschaft
und der Suche nach Befreiung, erfaßt durch die gesellschaftsanalytischen Vermittlungen) wird in einem ekklesialen Kontext gelebt (= Kirche der Dritten Welt, engagiert in einem Prozeß der Befreiung) und versucht, die Bedeutung des Offenbarungstextes zu durchdringen (= was sagt uns Gott über diese, zu dieser und in
dieser Situation). Die Theologie der Befreiung versucht daher, die grundlegende
Frage aller Theologie zu beantworten: Wer ist Gott in einer Situation der Dritten
Welt? Was sagt er uns hinsichtlich seines Heilsplanes? Wie muß man in diesem

Kontext den im AT und vor allem in der Person Jesu Christi geoffenbarten Gott verstehen? Wie kann man in einer Situation der Ungerechtigkeit und Unterdrükkung und dennoch in einem Prozeß der Befreiung Christ sein?

6. Diese letzte Frage führt uns zum praktischen Moment der Theologie der Befreiung. Die Theologie der Befreiung will eine zuinnerst mit der Praxis verbundene Theologie sein, d.h. eine kritische Reflexion der theologischen Praxis selber, der pastoralen Praktiken der christlichen Gemeinschaften und der gesellschaftspolitischen Praktiken der Christen und der Menschen im allgemeinen. Die Theologie der Befreiung ist eine *Theologie der Praxis*, denn sie entnimmt das Material ihrer Reflexion der innertheologischen, der innerkirchlichen und/oder der gesellschaftspolitischen Praxis. Die Praxis bietet ihr den Rohstoff an. Sie ist ferner eine Theologie *für die Praxis*, denn das theologische Produkt richtet sich danach aus, die theologische, innerkirchliche und/oder gesellschaftspolitische Praxis zu erhellen. Sie ist auch eine *Theologie in der Praxis*, denn der Theologe, der theoretisch reflektiert, muß gewissermaßen mit der Praxis, über die er und für die er reflektiert, verbunden sein. Man setzt bei ihm eine echte und konkrete Option für und Verpflichtung mit der befreienden Praxis der Armen voraus. Sie ist zuletzt eine *Theologie durch die Praxis*, denn die erarbeitete Theologie muß es auf sich nehmen, sich der Kritik der Praxis zu unterziehen. Sie als wahres Kriterium - wenn auch nicht als einziges - wird die Theologie beurteilen, ob die theologische Aufgabe gut oder nicht gut im Sinne einer Förderung des Befreiungsprozesses und des Glaubens in ihm durchgeführt wurde. Es handelt sich um das Kriterium der Orthopraxis, das nicht im Gegensatz zur Orthodoxie steht, sondern sich zusammen mit ihr ausdrückt und sie vor allem nicht als einziges und ausschließliches Kriterium ansieht.

7. Eine erste Richtung, die am eigentlichen Ursprung der Theologie der Befreiung stand, bemüht sich darum, die theologischen Begriffe selber von ihrem entfremdenden und lähmenden Inhalt aus der Sicht der Befreiung des → Volkes frei zu machen (J. L. Segundo). Eine zweite Richtung sucht eine dialektische Verbindung mit der Volkskultur zu finden. Sie sieht das Volk mehr in seiner historisch-kulturellen Dimension und weniger unter dem Aspekt der Klasse und daher als Subjekt *einer* → Geschichte und *einer* → Kultur. Es geht ihr darum, die Volksweisheit, die de facto christlich ist, das Volk in seinem jahrhundertelangem Kampf begleitet und ihm bis heute Widerstandskraft, Organisation und Ausdauer verleiht, in theologische Kategorien zu fassen (L. Gera, J. C. Scannone). Auch ist dieser Theologie der Befreiung eine Sorge um die Volksreligiosität zu eigen, die sich vor allem in den kirchlichen Basisgemeinden niederschlägt. Hier versucht sie, im Leben der Gemeinschaften das Wort Gottes und das Leben, das Evangelium und das Engagement, den Glauben und die soziale Wirklichkeit zu verbinden (C. Mesters, L. Boff, A. Barreiro u.a.m. besonders in Brasilien). Eine dritte Richtung betont in ihrer Reflexion die historisch politische und pastorale Praxis der bewußteren und politisch ausgerichteten christlichen Gruppen, wobei jeder Avantgardismus und Elitismus vermieden wird. Der vorzügliche Ort, diese Frage aufzufangen, sind die Volksbewegungen oder/und die KBG, die sich in solchen Bewegungen ausdrücken und in ihnen agieren. Im Vergleich zur vorhergehenden Richtung, die vorzugsweise vom Volksglauben ausgeht und in dem Engagement, das von ei-

nem solchen Glauben genährt wird, endet, geht diese vor allem von dem Lebenskampf des Volkes aus und entdeckt in ihm eine Quelle der Deutung und des Verstehens des Glaubens selber (G. Gutiérrez, Cl. Boff, L. Boff u.v.a.). In einer anfänglichen Phase der Theologie der Befreiung gab es Autoren, die es vorzogen,
von der Praxis christlicher, politisch ausgerichteter Gruppen bis hin zur Verpflichtung revolutionären Agierens (das nicht unbedingt gewaltsam sein mußte) auszugehen und darin über die Implikationen des Glaubens und für den Glauben nachzudenken (H. Assmann). Diese Phase entsprach einer allgemeinen lateinamerikanischen Zeittendenz, die heute weniger relevant ist - ausgenommen in Mittelamerika. Trotz der Hartnäckigkeit der Gegner der Theologie der Befreiung geht diese
Tendenz zurück. Eine vierte Richtung sieht in der Befreiung der Armen eines der
Zeichen der Zeit und sucht, ihr eine spirituelle Dimension zu verleihen. Der
Christ muß die befreiende Dimension seines Glaubens an Jesus Christus verstehen und bezeugen. Die Tatsache der Gewaltherrschaft bedeutet für sie einen Aufruf zum befreienden Engagement und daher zu notwendigen Veränderungen, auf
die der lateinamerikanische Mensch ein Recht besitzt. Der christliche Glaube hat
hier ein Wort mitzureden dadurch, daß er den spezifisch christlichen Inhalt der
befreienden Praxis und der spezifischen Mission der Kirche im Horizont der integralen Befreiung enthüllt. Dieser theologische Diskurs bedient sich nicht der gesellschaftsanalytischen, sondern nur der ethisch-anthropologischen Vermittlung
(Kard. E. Pironio). Eine fünfte Richtung nennt sich „teologia pé-no-chão" (Cl.
Boff; wörtl.: „Theologie mit dem Fuß auf dem Boden"), die von Theologen erarbeitet wird, die nahe beim Volk stehen; die sich in der Sprache des Volkes ausdrückt oder durch die Basisgemeinschaften selber durchgeführt wird. Sie erscheint
auf hektographierten Blättern oder in kleinen Broschüren, in Form von Glaubensgedanken über den Alltag und die kleinen Überlebenskämpfe, in Form von
Kreuzwegen, Novenen und liturgischen Feiern. Hierin zeigt sich ihre befreiende
Glaubenssicht. Unter dem Namen „Teologia da enxada" (wörtl.: „Theologie der
Hacke") versteht man eine theologische Praxis, verbunden mit der religiösen Erfahrung des Volkes, für die Heranbildung zukünftiger Pastoralhelfer und Priester
in ländlichen Gebieten (ITER-Recife, J. Comblin, S. Gamaleira, I. Gebara u.a.).
Hinsichtlich der Thematik hat sich die Theologie der Befreiung vor allem auf dem
Gebiet der Christologie (J. Sobrino, L. Boff), der Ekklesiologie (R. Muñoz, L.
Boff) der Spiritualität (G. Gutiérrez) und der Methodologie (Cl. Boff, G. Gutiérrez) entwickelt. Eine breit angelegte Publikationsreihe „Theologie und Befreiung"
wurde in Angriff genommen, in der die hauptsächlichen, systematisch-theologischen Themen abgehandelt werden. Beachtung muß auch die neue exegetische
Methodologie finden (E. Támez, C. Mesters). Die Protestanten besitzen ebenfalls
einen bedeutsamen Anteil an der Theologie der Befreiung (M. Bonino, J. Santa
Ana, R. Alves, Mitglieder des DEI-Costa Rica, CEDI-Rio).

   8. Die → Afrikanische Theologie (→ Schwarze Theologie) der Befreiung
entsteht auf einem Kontinent, der eine lange Zeit der Gewaltherrschaft in der
Form des Imperialismus, des → Kolonialismus, der Präsenz der Transnationalen,
des ausländischen Kapitals, des Agierens einer nationalen Bourgeoisie, des Rassismus usw. durchlitten hat. Auf der anderen Seite erheben sich unzählige Befreiungsbewegungen, die entweder bereits neue, eigene Regierungen bilden konnten

oder noch im Kampf gegen das System der Unterdrückung und der Ausbeutung, sowohl der äußeren wie der inneren, stehen. Diese Theologie präsentiert sich in zwei verschiedenen Formen. Die eine ist geprägt von einem einheimischen, kulturellen und ethnographischen, die andere von einem anthropologischen, soziopolitischen Charakter. Beide wollen das eigene Bild des Schwarzen wiederherstellen, das durch die Europäer und weißen Amerikaner stark entstellt worden ist (G. Muzorewa).

8.1 *Einheimische Theologie.* Sie geht von der Feststellung aus, daß „die Kirche in Afrika eine Kirche ohne Theologie und eine Kirche ohne theologische Besorgnis ist" (J. Mbiti, Kenya). Man muß die Theologie aus den Fesseln einer weißen, europäischen, kulturellen Bevormundung befreien und das religiöse, kulturelle afrikanische Erbe wiederherstellen. Denn die Missionare sahen in der einheimischen Religion die Herrschaft Satans. Die Afrikanische Theologie der Befreiung macht sich zum Vorsatz, Christus in einer dem Afrikaner relevanten und wesenhaften Begrifflichkeit zu deuten, so daß der Afrikaner nicht „stammlos gemacht" werden muß, um Christ zu sein (B. Sundkler, H. Sawyerr). Die Afrikanische Theologie der Befreiung wählt typische Themen der afrikanischen Kultur und vergleicht sie mit ähnlichen christlichen Themen, wie z.B. die kommunale Solidarität und der Mystische Leib, der Ahnenkult und die Heiligenverehrung, in der Absicht, sich gegenseitig zu bereichern, sich nicht allein mit einer einseitigen Kritik der christlichen Sicht der afrikanischen Religion zufriedenzugeben noch bei einigen Einzelproblemen stehenzubleiben (Ch. Nyamiti). Der „hermeneutische Abgrund" zwischen beiden religiösen Welten könnte vermindert werden, sei es durch ein besseres Kennenlernen der Weltanschauung, der Kategorien und des Denksystems der mythisch-poetischen Philosophie, des „corpus" afrikanischer Begriffe, sei es durch eine Neuinterpretation der Theologie vor einem solchen kulturellen Hintergrund, so daß sie von einer europäisch weißen Tradition frei werden könnte (K. Appiah-Kubi). In einem Wort, die Theologie muß „sich in Sprache, Stil, Veranlagung, Charakter und Kultur der afrikanischen Völker kleiden" (E. W. M. Fashole-Luke).

8.2 *Kritisch-soziale Theologie.* Die andere Richtung der afrikanischen Theologie stellt die vorhergehende in Frage und weist auf das Risiko hin, aus der religiösen Vergangenheit einen Mythos aufzubauen. Es besteht die Gefahr, die aktuelle, gegenwärtige Situation der Unterdrückung zu vergessen und die ethnische Vergangenheit zum Schaden der Analyse der ungerechten Gegenwartssituation zu romantisieren (M. Buthelezi). Die Rassenstruktur der Gewalt in der Apartheid Südafrikas unterstreicht noch das Problem der gesellschaftspolitischen Befreiung auf besondere Weise. Die Ungerechtigkeit eines solchen Systems verbindet die weißen Mutterkirchen mit der Unterdrückung und Ausbeutung durch die Investmentgesellschaften der Ersten Welt. Je mehr sich ein solches System verhärtet, desto eher entwickelt sich ein schwarzes Bewußtsein. Es sucht, das Verständnis des Evangeliums mit den Übeln des Rassismus und der Apartheid in Verbindung zu bringen (S. Biko, D. Tutu, A. Boesak). Es reinterpretiert Gott und Jesus Christus in befreiender Weise, die nun auf der Seite der rassisch Unterdrückten stehen. Es sucht Fragen zu beantworten wie: Was bedeutet es, an Jesus Christus zu glauben, wenn man schwarz ist und in einer durch die weißen Rassisten kontrollierten

Welt lebt? Und was bedeutet es, wenn diese Rassisten sich Christen nennen? (A. Boesak). Es verkündet das Ende der „Unschuld" der Weißen. Der Weiße wird nur dann frei sein, wenn es der Schwarze sein wird. In gewisser Abweichung von der anderen Richtung zieht diese Theologie nicht so sehr die afrikanischen Themen in Betracht, sondern mehr den afrikanischen Menschen, damit er materiell und spirituell in die Lage komme, Person zu sein, am Leben und an der Freiheit teilnehmen zu können. Die Befreiung ist nicht nur ein Teil des Evangeliums, sondern das Ganze. Man nimmt die Situation des Leidens, der Unterdrückung der Schwarzen und die ganze Dimension der Befreiung, die von Christus gebracht wurde, im Gegensatz zur Rassenideologie, die das Evangelium manipuliert hat, ernst. Einige ziehen es vor, die Besonderheit der afrikanischen Theologie der Befreiung zu betonen, während andere aufzeigen, daß alle Befreiungstheologien - Lateinamerikas, der USA, Afrikas, Asiens - sich zusammenschließen müssen, weil sie denselben gemeinsamen Horizont der Befreiung besitzen (A. Boesak).

9. Asien zeichnet sich dadurch aus, daß es ein riesiger Kontinent ist, immer noch hart unterdrückt und ausgebeutet durch das Kapital der Ersten Welt, durch die Existenz der großen → Religionen - Hinduismus, Buddhismus, Konfuzianismus - und dadurch, daß das Christentum, mit Ausnahme der Philippinen, eine kleine Minderheit darstellt und als ein Produkt der westlichen Kolonialmacht erscheint. Die Asiatische Theologie der Befreiung muß auf diese drei Herausforderungen antworten und ihre Dimension der Befreiung verstärkt auf die gegenwärtige Unterdrückung, den → Dialog mit den großen Religionen und den universalen Charakter des Christentums jenseits des kolonialen Westens richten.

9.1 Die Philippinen (→ Philippinische Theologie) haben seit der spanischen Herrschaft (16. Jahrhundert) bis zur Diktatur F. Marcos' (1986) Invasionen, Gewaltherrschaften und Unterdrückung kennengelernt. Die philippinische Theologie der Befreiung unternimmt eine befreiende Deutung der Mission Jesu Christi, die auf einer konkreten Analyse der Unterdrückungssituation des Volkes basiert, ohne der Konfrontation mit dem Marxismus auszuweichen, und bindet die Kirche in den Kampf gegen die Ungerechtigkeit mit ein (E. de La Torre, F. Claver). Eine solche Theologie der Befreiung wird nur dann wirklich philippinisch sein, wenn sie nicht mit Hilfe westlicher theologischer Erzeugnisse erarbeitet ist und wenn sie Fragen beantwortet wie: Was ist die Bedeutung der gegenwärtigen philippinischen Situation in der Heilsgeschichte? Was bedeutet Heil für die Philippinos? Daher muß sie das Wissen um die gegenwärtige geschichtliche Situation deutend ausdrücken, wobei sie sich der Erfahrung und gesellschaftsanalytischer Vermittlungen bedient, und gleichzeitig die Heils- und Erlösungsgeschichte für heute interpretieren, in einer Linie der ganzheitlichen Entwicklung und Veränderung der sozialen Ordnung. Die Theologie der Befreiung muß im Grunde durch die Christen der Basisgemeinden erarbeitet werden, ausgehend von ihren alltäglichen Erfahrungen wie → Gebete, schöpferische → Liturgie, Dramen, Gesänge, Erzählungen und Gedichte (C. Abesamis).

9.2 Die Theologie der Befreiung Indiens (→ Indische Theologie) läßt sich von zwei Fragen herausfordern: Wie kann man Gottes Gegenwart und Christi Wirken im Phänomen der großen Religionen und im Prozeß der Befreiung und der → Entwicklung des Landes erkennen? Zeichen der Zeit, die theologisch gedeutet werden müssen. Die Theologie der „Semina Verbi" (Ad gentes 15), die die Gegenwart und das Wirken des kosmischen und der Menschheit heilbringenden Christus, wirksam und handelnd, vor der eigentlichen Gründung der Kirche und außerhalb ihrer anerkennt, erlaubt ein positives Verhältnis zwischen der christlichen Theologie und den großen Religionen. Die Religionen sind sowohl Heilsvermittlungen als auch Offenbarungsausdruck Gottes. Von dieser zweifachen Feststellung ausgehend, versucht die Theologie der Befreiung Indiens, das Thema der Evangelisierung zu erarbeiten, so daß es weder auf eine Exklusivität, noch auf eine Beherrschung durch das Christentum, sondern auf einen fruchtbaren Dialog hinausläuft. Die Befreiung in Indien bedeutet Dialog zwischen den Religionen (D. S. Amalorpavadass). Die europäischen Kleider des Katholizismus müssen sobald als möglich beiseite gelegt werden. Man muß sich der Bekleidung der Hindu bedienen, damit er dem indischen Volk annehmbar werde (B. Upadhyaya). Die indische Philosophie stellt eine propädeutische Stufe für den katholischen Glauben dar. Daher kann man den christlichen Glauben nach den Kategorien der religiösen und philosophischen Tradition Indiens interpretieren (A. J. Appasamy). Eine solche Aufgabe darf sich nicht nur auf die Innerlichkeit der religiösen Erfahrung beschränken, sondern muß soweit vordringen, um das Evangelium in seiner Sorge um die Befreiungskämpfe und seine Rolle in ihnen aufzuzeigen. Die Sendung des Heils und die Aufgabe der Humanisierung sind integral miteinander verbunden, wenn auch nicht identisch (M. M. Thomas).

9.3 In Sri Lanka entwickelt der Theologe T. Balasuriya vor allem in der Beziehung zwischen einer Eucharistie, die auf das Handeln ausgerichtet ist, und ihrer gesellschaftlichen Dimension die Utopie einer neuen Weltordnung.

9.4 In Südkorea (→ Koreanische Theologie) vertieft man die Reflexion über Gottes Gegenwart inmitten des menschlichen Leids, der wie ehedem das Klagen seines Volkes hört (Kim Chung-Choon).

In allen Theologien der Befreiung trifft man auf dasselbe gemeinsame Grundanliegen. Ausgehend von einer Situation der konkreten Unterdrückung, sucht man die befreiende Kraft von Gottes Offenbarung zu entdecken, die man als prophetische Klage gegen die Ungerechtigkeit und Aufruf zu einem die Situation verändernden Handeln neu interpretiert.

Lit.: *Alves, R.,* A theology of human hope, 1969. - *Appiah-Kubi, K./Torres, S.* (Hrsg.), African Theology En Route, 1979. - *Assmann, H.,* Opresión-Liberación. Desafio a los cristianos, 1971. - *Ders.,* Teología desde la práxis de la liberación, 1973. - *Balasuriya, T.,* The Eucharist and Human Liberation, 1979. - *Boesak, A.,* Unschuld, die schuldig macht. Eine sozialethische Studie über Schwarze Theologie und Schwarze Macht, 1977. - *Boff, Cl.,* Theologie und Praxis. Die erkenntnistheoretischen Grundlagen der Theologie der Befreiung, 1983. - *Ders.,* Die Befreiung der Armen. Reflexionen zum Grundanliegen der lateinamerikanischen Befreiungstheologie, 1986. - *Ders.,* Teologia Pé-no-chão, 1984, - *Boff, Cl./Boff, L.,* Como fazer Teologia da Libertação, 1986. - *Boff, L.,* Teologia do Cativeiro e da Libertação, 1976. - *Ders.,* Jesus Christus, der Befreier, 1986. - *Ders.,* Kirche: Charisma und Macht. Studien zu einer streitbaren Ekklesiologie, 1985. - CELAM, Die Kirche Lateinamerikas. Dokumente der II. und III. Generalversammlung des Lateinamerikanischen Episkopats in Medellín und Puebla, 6.9.1968/13.2.1979, 1979. - *Comblin, J.,* Teologia da Libertação, Teologia neoconservadora e Teologia liberal, 1985. - *Ders.,* Antropologia cristã, 1985. - *Dussel, E.,* Teología de liberación e história. Caminos de la liberación latino-americana I y II, 1975 und 1974. - Encuentro Latinoamericano de Teología. Liberación y Cautiverio. Debates en torno al método de la Teología en A.L., 1976. - *England, J. C.* (Hrsg.), Living Theology in Asia, 1982. - *Ferm, D. W.*, Third World Liberation Theologies. An Introductory Survey, 1986. - *García Rubio, A.*, Teologia da Libertação: Política ou profetismo, 1977. - *Gutiérrez, G.*, Theologie der Befreiung, 1973. - *Ders.*, La fuerza histórica de los pobres, 1980. - *Ders.*, Beber en su propio pozo: en el itinerario espiritual de un pueblo, ²1983. - Kongregation für die Glaubenslehre, Instruktion über einige Aspekte der „Theologie der Befreiung", in: AAS LXXVI, 1984, 876-909. - *Dies.*, Instruktion über die christliche Freiheit und Befreiung, 1986. - *Libânio, J. B.*, Evangelização e libertação, ²1976. - *Libânio, J. B./Bingemer, M. C.*, Escatologia cristã, 1985. - *Mondin, B.*, La teologia della liberazione, 1977. - *Muñoz, R.*, A Igreja no Povo. Para una Eclesiologia Latino-americana, 1985. - *Oliveros, R.*, Liberacón y Teología: genesis y crecimiento de una reflexión 1966-1977, 1977. - Paul VI., Evangelii Nuntiandi, in: AAS LXVIII, 1976, 5-76 (dt. Ausgabe: Über die Evangelisierung in der Welt von heute, 1975). - *Pironio, E. Card.*, La Iglesia que nace entre nosotros, 1970. - *Scannone, J. C.*, Teología de la liberación y práxis popular, 1976. - *Ders.*, Teología de la Liberacón, in: Conceptos fundamentales de Pastoral (hg. v. C. Floristán/J. J. Tamayo), 1983, 562-579. - *Segundo, J. L.*, Liberación de la Teología, 1975. - *Ders.*, El hombre hoy ante Jesús de Nazareth, 3 vol., 1982. - *Sobrino, J.*, Cristología desde América Latina, 1977. - *Ders.*, Resurrección de la verdadera Iglesia. Los pobres, lugar teológico de la eclesiología, 1981. - *Taborda, F.*, Cristianismo e Ideologia, 1984. - *Torres, S./Fabella, V.* (Hrsg.), The Emergent Gospel: Theology from the Underside of History, 1978. - Zur Theologie der Befreiung, in: LebZeug 40, 1985, 3.

(Übers.: J. G. Piepke)   J. B. Libânio

THEOLOGIE DER MISSION

1. Missionstheologisches Modelle. 1.1 Das Plantations- und das Konversionsmodell. 1.2 Das heilsgeschichtliche Modell. 1.3 Das verheißungsgeschichtliche Modell. 1.4 Das Kommunikationsmodell. 2. Missionstheologische Neubesinnung. 2.1 Gegenwärtige Probleme. 2.2 Biblische Aspekte. 2.2.1 AT 2.2.2 Jesus. 2.2.3 Matthäus. 2.2.4 Markus. 2.2.5 Lukas. 2.2.6 Johannes. 2.2.7 Paulus. 3. Konkretionen. 3.1 Mission und Religionen. 3.2 Mission und Dialog. 3.3 Mission und Entwicklung.

1. Das Christentum ist eine missionarische Religion. Das verbindet es mit Buddhismus und Islam und unterscheidet es von den traditionalen Religionen, z.B. dem Shintoismus und den Stammesreligionen Afrikas, die nur Gültigkeit für einen Stamm oder ein Volk beanspruchen. Mission gehört zum Wesen des Christentums resp. der Kirchen wie das Brennen zum Feuer (E. Brunner), sie ist aber auch Stiftung und Auftrag. Als „Stadt auf dem Berge" *ist* die Kirche missionarisch nach ihrem Sein (Mt 5) und zugleich wird sie durch einen besonderen Auftrag in die Welt gesandt (Joh 20,21). Beide Bestimmungen sind gleichwertige Missionsbegründungen und werden in vielfältigen Variationen von den neutestamentlichen Zeugen entfaltet. Dennoch haben sie in der Kirchengeschichte eine unterschiedliche Rolle gespielt. Wo immer die Kirche das Evangelium verkündigt und ihm gemäß gelebt hat, war sie missionarisch. Dem Auftrag, in die Welt der Völker zu gehen, ist sie nur in periodischen Schüben nachgekommen. Schon sehr bald glaubte man in der Alten Kirche, daß der Missionsbefehl durch die Apostel erfüllt (Röm 10,18) und für die Kirche als ganze nicht mehr gültig sei - eine Anschauung, der sich auch die reformatorischen Kirchen angeschlossen hatten. Missionstheologische Überlegungen im engeren Sinn waren deshalb nicht nötig und wurden auch nur selten angestellt. Erst der missionarische Neuaufbruch in der Neuzeit führte zu einer Neubesinnung über das Wesen des Missionsauftrages der Kirchen. Sie war deshalb besonders nötig, weil der Neuaufbruch gleichzeitig und gelegentlich gleichursprünglich mit dem expansiven Herrschaftsanspruch des Abendlandes geschah, was die Missionsarbeit in vieler Hinsicht beeinflußt und belastet hat.

1.1 Eine theologische Reinigung der Missionsmotive und eine Neubesinnung auf angemessene Missionsmethoden und -ziele wurde notwendig. G. Warneck, Pfarrer in Rothschirmbach und nach seiner Pensionierung 1896 ordentlicher Honorarprofessor für Missionswissenschaft an der Universität Halle, hat diese Aufgabe als erster umfassend angepackt und eine evangelische Missionslehre geschrieben (Teil I 1892), die bis in die Zeit des Zweiten Weltkrieges weit über die deutschen Sprachgrenzen hinaus Gültigkeit besaß und eine nicht geringe Wirkung auf die katholische Missionstheologie hatte (J. Schmidlin 1923). Bis heute gibt es auf protestantischer Seite keine ihr an Umfang und Bedeutung zu vergleichende Missionstheologie. Warnecks fünffache Begründung der Mission diente nicht nur dem apologetischen Zweck, die Mission so umfassend wie möglich zu rechtfertigen und ihr als Wissenschaft einen Platz im Chor der klassischen theologischen Disziplinen zu sichern, sondern hatte durchaus auch einen triumphalistischen Klang: Die wichtigen Zweige der Theologie, die Dogmatik, die Ethik, die Ekklesiologie, die Kirchengeschichte und selbst die Ethnologie beweisen einhellig, daß das Christentum Mission treiben und die Kirche eine missionarische Orientierung haben muß. Die Welt der Religionen wartet auf das Christentum, das sich zur Gestaltung der modernen Welt seiner Flexibilität und Anpassungsfähigkeit wegen als geistige Grundlage anbietet. „Es ist dazu bestimmt, die *allgemeine* Religion der Menschheit zu werden" (I, 96). „Weil das Christentum nicht Form und Gesetz, sondern Geist und Leben ist, so vermag es das ganze menschliche Person- und Gemeinschaftsleben zu durchdringen, welche volklichen, staatlichen, gesellschaftlichen, kulturellen Formen dasselbe auch angenommen haben mag" (I, 292). Eine Identifizierung von „Europäisierung und Christianisierung" lehnt Warneck ab, es geht um die universale Dimension: das Christentum für die Menschheit, und die Menschheit für das Christentum (I, 319).

Warneck ist dem pietistischen Erbe der Mission verpflichtet, hat aber aus den konfessionellen Streitigkeiten des 19. Jh. gelernt, daß es eine kirchenlose Mission nicht geben kann, ihr jedoch die konfessionellen Auseinandersetzungen möglichst erspart bleiben müssen. Seine Definition der Mission, die weite Verbreitung gefunden hat, ist darum sehr offen gefaßt und lautet: „Unter christlicher Mission verstehen wir die gesamte auf die Pflanzung und Organisation der christlichen Kirche unter Nichtchristen gerichtete Tätigkeit der Christenheit" (I, 1). Missionssubjekt ist die Christenheit, doch Missionsorgan sind einzelne, besonders beauftragte Christen. Zur Mission bedarf es der speziellen Berufung durch den Heiligen Geist und durch die Kirche. Ziel der Mission ist die Kirchenpflanzung. Ist in einer nichtchristlichen Umgebung Kirche gegründet, hat die Mission ihr Ziel erreicht. Mission im christlichen Abendland wäre nach Warneck ein Widerspruch in sich selbst und müßte Proselytismus, dürfte aber nicht Mission genannt werden. Mission zielt auf Bekehrung und Taufe von Nichtchristen.

Warneck ist dem Geschichtsdenken der Romantik verpflichtet. Gott wirkt nicht nur in der Natur, sondern ist in der Geschichte präsent, die als Raum seines Handelns erkannt wird. In ihr haben die Völker ihren jeweiligen Platz und ihre besondere Bestimmung. Sie werden zu Medien der Gottesoffenbarung. Darum muß die Mission sich der Völkerbekehrung zuwenden und Volkskirchen gründen. Das heißt konkret, sie muß sich an die jeweilige Mittelklasse eines Volkes wenden, denn der „Mittelstand ist der gesunde *Volkskern*" (III, 279f). Mit dieser Forderung glaubt Warneck sich an Jesus zu orientieren, denn Jesus war zwar arm, aber nicht „pauvre" (I, 108). Hier wird deutlich, wie die Erfahrungen im eigenen Land in die fernen Völker projiziert werden. Man will Kirchen nach dem eigenen Modell bauen, seien es volkskirchlicher - so Warneck - oder konfessioneller Art, so andere Missionstheologen (K. Graul, L. Harms u.a.).

G. Warneck vereinigt in seinem missionstheologischen Entwurf die verschiedenen Strömungen der Missionsbewegung, er spricht von Einzelbekehrung und zielt auf Völkerbekehrung, er will christliche Kirchen und sieht zugleich die Menschheit durch das Christentum geprägt und neu gestaltet. Was bei ihm noch vereint ist, hat sich, zumal in der katholischen Missionstheologie, auseinanderdividiert, auch wenn J. Schmidlin, der allgemein als der Vater des *Konversionsmodells* gilt, unter dem Eindruck Warnecks noch beides miteinander verbindet. Akzentverschiebungen dürfen aber nicht übersehen werden. Sie sind vor allem dadurch gegeben, daß es bei ihm über die Verfaßtheit der Kirche keine Diskussion gibt. Das Bild der hierarchisch gegliederten römischen Kirche wird nicht hinterfragt. Im Gegenteil, es wird durch die Identifikation mit dem Reich Gottes überhöht (Einführung, 22). Letztes Ziel der Mission kann nur die Eingliederung in die verfaßte Kirche sein, vorgängiges Ziel ist die Bekehrung. Gesinnungswandel und Taufe sind Kennzeichen der Bekehrung, die ein durch und durch religiöser Akt ist, aber soziale und kulturelle Folgen hat: Ausgliederung aus dem alten religiösen und sozialen Verband und Eingliederung in eine neue, religiös und kulturell anders geprägte Umgebung, nämlich die des christlichen Abendlandes mit seinen „sittlichen Begriffen" und „besseren Arbeitsmethoden", seiner „höheren Kultur" und Zivilisation.

Das *Plantationsmodell* der Löwener Schule (P. Charles, J. Masson) unterscheidet sich darin vom Konversionsmodell, daß Bekehrung, Wiedergeburt zur Gotteskindschaft, also „Rettung der Seelen", nicht als Ziel der Mission angesehen werden, sonst müßte die Mission vor der Haustür jeder Kirchengemeinde beginnen. Bekehrung kann nur Mittel sein, Ziel ist die Ausbreitung der sichtbaren Kirche. „Die Mission geht von der Kirche aus, sie wird durch die Kirche, für die Kirche durchgeführt, und ihr Ziel ist die Kirhe in dieser Welt" (J. Masson). Aus dem Horizont juridisch verfaßter Kirche kommt man nicht heraus. Ein Jenseits der sichtbaren Kirche gibt es in der Bestimmung des Missionszieles nicht, weil sich im Glauben, den die Kirche vermittelt, in den Sakramenten und dem gegliederten Amt die unsichtbare Kirche selbst mitteilt. Sie ist das „Sakrament der Welt", sie ist der „Sinn der Erde", sie ist das Reich Gottes (P. Charles).

Das Problem dieser beiden missionstheologischen Modelle liegt nicht allein in der Identifizierung der verfaßten Kirche mit dem Reich Gottes - das vertritt heute niemand mehr - noch auch in dem eurozentrischen Ansatz und Orientierungsrahmen, sondern darin, daß bei ihnen - und das gilt in gleicher Weise auch für Warneck - der Mensch der anderen Religion nur als „Missions*objekt*" angesehen wird. Man teilt die Menschen in Kategorien ein, die sich am Haben orientieren. Die Menschen werden zur Zahleneinheit innerhalb des Besitzstandes von Kirche, sie werden verrechnet unter dem Aspekt von Verdammnis und Rettung. Damit wird das Wesen des Evangeliums verraten, das darin besteht, daß es den Menschen auf sein Subjektsein hin anspricht. Der Mensch wird durch das Gotteswort der Liebe in seinem unverwechselbaren und unaustauschbaren Ichsein konstituiert.

In reiner Form werden die beiden Modelle heute von niemandem mehr vertreten, dennoch geht man kaum fehl, die Mission evangelikaler Kreise, vor allem die → *Glaubensmissionen* dem ersten Modell zuzurechnen, abgekoppelt allerdings von den expliziten ekklesiologischen Bindungen. Mission hat hier das einzige Ziel, Menschen zu bekehren, die ihrerseits Missionare werden sollen, um andere zu Christus zu bringen. Mission setzt sich von Bekehrung zu Bekehrung fort. Entsteht Gemeinde durch die Verkündigung, so gilt das gleichsam als Nebenprodukt, dessen theologische Bedeutung kaum reflektiert wird, dessen Gestalt aber gerade darum oft Gegenstand heftigster Kontroversen und Ursache von Spaltungen ist.

Das → Kirchenwachstumsmodell der *Church Growth School* von D. McGavran ist ebenfalls hier anzusiedeln. Detaillierte, soziologisch, ethnologisch und statistisch präzis ausgearbeitete Pläne werden in dieser Schule entworfen, um gezielt Strategien für einen effizienten missionarischen Einsatz für das Wachstum der Gemeinden zu ermöglichen. Die ekklesiologisch-theologischen Voraussetzungen dieses Vorgehens werden nicht oder kaum reflektiert. Daß sich gerade evangelikale Missionen dieses Modell aneignen konnten, zeigt, in verfremdeter Umgebung, daß sich das Konversions- und das Plantationsmodell durchaus nicht so exklusiv gegenüber stehen, wie es in der innerkatholischen Diskussion erscheinen konnte. Ihre Einheit war schließlich auch bei Warneck und Schmidlin vorgegeben.

1.2 Der Zweite Weltkrieg mit seinen politischen und geistigen Auswirkungen machte ein Umdenken in der Mission nötig. Das Zeitalter des Kolonialismus neigte sich dem Ende zu, das Abendland verstand sich nur noch zu Unrecht als Zentrum der Welt. Die Kirchen der Dritten Welt waren aus den durch den Krieg verursachten Krisen gestärkt hervorgegangen und konnten nicht länger in Unselbständigkeit oder einfach als „Tochterkirchen" betrachtet werden. Die Weltmissionskonferenz von Whitby (1948) versuchte dem gerecht zu werden und prägte den zum Slogan gewordenen Begriff der „partnership in obedience", der die Beziehungen der „alten" und „jungen" Kirchen so zu definieren suchte, daß das gemeinsame Ziel der einen Mission im Blick blieb. Zugleich eröffnete sie mit dem Stichwort „expectant evangelism" eine Perspektive für die Neuausrichtung der Missionstheologie. Die Eschatologie trat in den Vordergrund. In Verbindung mit dem abendländischen Geschichtsbewußtsein bestimmte sie von nun an die Missionstheologie. Welche Geschichte jedoch gemeint war und welches Geschichtsverständnis zur Interpretation des missionarischen Geschehens herangezogen werden sollte, an dieser Frage schieden sich die Geister, ohne daß immer genau erkannt wurde, wo der eigentliche Grund des Dissenses liegt. Oft stritt man gegeneinander auf Nebenschauplätzen und verwechselte Ursachen mit sekundären Symptomen oder Folgen.

Das *heilsgeschichtliche* Missionsmodell gewann die weiteste Verbreitung und besitzt bis heute in Kreisen der Missionspraktiker die größte Breitenwirkung. Die theologische Bandbreite ihrer Vertreter ist weit. Ihr sind W. Freytag, G. Vicedom, J. Blauw, D. Bosch ebenso zuzurechnen wie wichtige missionstheologische Konsenspapiere des Ökumenischen Rates der Kirchen, des Lutherischen Weltbundes u.a. Aber auch Texte aus dem römisch-katholischen Bereich sind hier einzuordnen, so Vaticanum II, Evangelii nuntiandi (1975).

Die heilsgeschichtlich orientierte Missionstheologie findet ihre exegetische Begründung in den Arbeiten von O. Cullmann, vor allem seiner Arbeit „Christus und die Zeit" (1946). Im folgenden wird diese Sicht der Mission exemplarisch nach der Missionstheologie von B. Sundkler dargestellt, denn er bietet den geschlossensten Entwurf und prägte eine Reihe von Begriffen, die - oft ohne Herkunftsangabe - weite Verbreitung fanden. Die Geschichte der Mission beginnt nach Sundkler mit dem heilsgeschichtlich entscheidenden Ereignis der Berufung Abrahams. Sie ist Gottes Antwort auf die Verlorenheit der Menschen seit Adams Fall und dem Aufstand der Menschen beim Turmbau zu Babel. Gott handelt auf eine doppelte Weise, er *erwählt* Menschen und handelt an ihnen exemplarisch, „substitutiv". Sundkler erkennt im Verlauf der Heilsgeschichte das Gesetz der „progressiven Reduktion" (Erwählung eines Volkes, Erwählung des getreuen „Restes", Erwählung des Menschensohnes), das im Kreuz seinen Höhe- und Wendepunkt findet, denn von nun an verläuft sie kraft des Gesetzes der „progressiven Expansion": Erwählung der Apostel, Gründung der Kirche, die sich über die Welt ausbreitet, um der Menschheit die Botschaft von der Erlösung anzusagen. Der Universalismus des NT hat im Partikularismus des AT sein inversives Gegenbild, gründet aber in ihm, denn nur so wird der Sinn der Geschichte deutlich, der Mission heißt. Das zeitliche Interim zwischen dem ersten und zweiten Kommen Christi wird durch die Ansage der Herrschaft Christi bestimmt. Mission füllt diese Zeit aus, sie wird zur Weltuhr, an der das Ende der Geschichte abgelesen werden kann. Mk 13,10 (und 2Thes 2,5-7 nach O. Cullmann) wird zum Schlüsseltext der Missionstheologie. Die Kirche darf nicht stillstehen, sie muß sich in die Welt hinein begeben. Zeit und Geographie stehen in einem engen Korrespondenzverhältnis: Je länger sich die Zeit bis zur Wiederkunft Christi dehnt, um so größer sind die Chancen zur geographischen Expansion der Evangeliumsverkündigung. Mission ist nach Sundkler „Grenzüberschreitung", und zwar sowohl im geographischen wie im weiteren Sinn der „Übersetzung" in andere Sprachen, in andere Kulturen, in andere soziale „Milieus". Die „zentripetale" und die „zentrifugale" Bewegung der Mission stehen dabei korrelativ zueinander: Nur wer im Zentrum fest steht, kann die Peripherie erreichen. Das „Amt der Grenzüberschreitung", das Missionarsamt, dient allein dem Ziel, daß die Völker sich zur Völkerwallfahrt aufmachen (Mt 8,11f), um am großen Festmahl teilzunehmen, das schon jetzt im Abendmahl prospektiv realisiert wird. Das Abendmahl ist ein Missionssakrament.

Mission geschieht „im Blick aufs Ende" (W. Freytag), sie bereitet es vor. Das Ende wird hereinbrechen, wenn alle Menschen das Evangelium gehört haben. Von diesem missionstheologischen Ausblick, der schon auf der → Weltmissionskonferenz in Edinburgh (1910) vorherrschte, sind große Impulse in die Missionsbewegung ausgegangen. Man wollte dieses Ziel „in dieser Generation" (J. Mott) erreichen. Eine Weltverantwortung hat freilich in diesem Konzept keinen zentralen Platz. Die Mission will die Menschen aus der (sündigen) Welt herausrufen. Die Differenz von Kirche und Welt wird bei verschiedenen Vertretern dieses Modells zur Diastase ausgeweitet. Der zu leistende diakonische Liebesdienst ist an der Individualethik orientiert, er trägt keinen Sinn in sich selber, sondern dient der Verkündigung, indem er dieser den Boden bereitet, sie begleitet oder ihr als Frucht des Glaubens folgt. Das „eigentliche" Werk der Mission ist die Verkündigung an Nichtchristen, ist geistlicher Rettungsdienst - so die generelle Linie. Einige Missionstheologen, wie Sundkler, versuchen, einen anderen Gedanken auszuziehen, der bei dem Herrsein Christi einsetzt: Die „Königsherrschaft der Liebe Christi" ist ganzheitlich zu verstehen und muß ganzheitlich gelebt werden! - Im heilsgeschichtlichen Modell werden die anderen Religionen - anders als im Vaticanum II - als Wege beschrieben, die ins Verderben führen. Das gilt auch für die Vertreter dieses Modells, die den Fremdreligionen einen anthropologischen und kulturellen Wert nicht absprechen wollen und sich vor einer generellen Verteufelung hüten. In beiden Fällen aber gilt: Bekehrung ist nötig, sie wird durch die Taufe besiegelt, die beides ist, Herausführung aus dem Bereich der alten Religion und Einpflanzung in den Leib Christi, die Kirche. Auch die Taufe wird hier im eigentlichen Sinn als Missionssakrament verstanden.

Kirche entsteht unter der Wortverkündigung im Bereich der anderen Religionen. Aber sie ist nicht das Ziel der Mission, Ziel ist das Reich Gottes. Die Kirche ist das wandernde Gottesvolk, das diesem Ziel entgegengeht. Sie weist auf das Ziel, ist sein Bild und vermittelt es im Namen Gottes. Sie kann als „Heilssakrament" (Vat II) bezeichnet werden. Die Mission ist nicht berufen, sagt Sundkler, „Festungen" auf dieser Erde zu bauen, sondern „Schwellen, die den Zugang verschaffen zum Tempel des Herrn". Mission baut also nicht das Reich Gottes, wie man im 19. Jh. noch sang, sondern nur „Kolonien des Reiches Gottes". Diese sind untereinander verschieden, haben aber eine unverkennbare christliche Identität. In jedem Volk verbinden sie sich mit den vorgegebenen Kulturen. Die Kirche wird immer und in jeder Umgebung einen gewissen Fremdlingscharakter behalten, sie muß sich aber so in das Fremde hineinbegeben, daß ein hoher Grad von Einheimischwerdung erreicht wird. Der Missionsbefehl ist ein „Übersetzungsauftrag", „Übersetzer" ein anderer Name für Missionar (Sundkler).

Auf der Weltmissionskonferenz von Willingen (1952) führte der Basler Missionsdirektor K. Hartenstein den Begriff der „missio dei" ein, der schnelle Verbreitung fand (veranlaßt durch G. Vicedom), ohne daß man bemerkte, wie unterschiedlich er verwandt wurde. Das hat zur missionstheologischen Konfusion wesentlich beigetragen. Im heilsgeschichtlichen Missionsmodell ist die Bedeutung dieses Begriffes eindeutig: Die Mission nimmt ihren Ursprung nicht bei den Menschen, nicht bei der Kirche, sondern bei Gott. Gott selbst sendet den Sohn. Jesus ist der eigentliche „Missionar", Erstling und Urbild. Seine Sendung setzt sich in der Sendung der Kirche fort. Trotz eines trinitarischen Ansatzes bleibt in diesem Modell undeutlich, wie sich die missio dei zur missio hominum verhält. H.-W. Gensichen macht die Spannung zwischen dem Heilswillen Gottes und dem Zeugnis der Menschen zum Ausgangspunkt und Strukturprinzip seiner Missionstheologie und versucht sie mit den vor allem auf L. Newbigin zurückgehenden, allerdings etwas schillernden Begriffen von „Dimension" und „Intention" auszuhalten und theologisch fruchtbar zu machen.

1.3 Von verschiedenen Seiten sind gegen das heilsgeschichtliche Modell Bedenken vorgetragen worden. Man konstatiert einen Geschichts- und Weltverlust. Es findet eine Ausblendung der Geschichte statt, wenn sie in Heils- und Weltgeschichte geteilt wird und man sich auf die kleinen Ausschnitte konzentriert, die sich mit Israel und der Kirche befassen. Hier kommt nicht mehr die ganze Welt in den Blick, höchstens als massa perditionis, da es nur um die Rettung der wenigen geht. Gewinnt zudem apokalyptisches Denken die Oberhand über das eschatologische, dann steht allein die Kirche im Zentrum allen Denkens, Planens und Handelns. Mission als *Welt*mission gerät aus dem Blick. J. Chr. Hoekendijk war der erste, der schon zur Vorbereitung der Weltmissionskonferenz von Willingen (1952) seine Kritik vortrug. Durch die auf der Vollversammlung des ÖRK in New Delhi (1961) in Auftrag gegebene Studie „Die missionarische Struktur der Gemeinde", die zentral seinen Ansatz aufnahm, fand dieser weltweite Aufmerksamkeit und Verbreitung. Auf katholischer Seite wurde das neue Modell, nun unter Rückbezug auf J. B. Metz und J. Moltmann, vor allem durch L. Rütti vertreten, auf evangelischer mit unterschiedlichen Akzentsetzungen u.a. von H.-J. Margull, W.J. Hollenweger, M. Linz. Ebenso wie im heilsgeschichtlichen Denken macht man im *verheißungsgeschichtlichen Modell* den Begriff der missio dei zum Ausgangspunkt missionstheologischer Überlegungen. Doch anders als dort ist hier nicht die Sendung des Sohnes und die vom Geist initiierte Sendung der Kirche im Blick, sondern allein die Sendung Gottes selbst. Mission wird als Prädikat Gottes verstanden. „Gott ist ein missionarischer Gott" (Hoekendijk). Er selbst macht sich bekannt. Ziel seines umfassenden Heilshandelns ist die Welt. Die Versöhnung gilt nicht der Kirche und gibt es nicht allein in der Kirche. Sie gilt der Welt. Darum lautet die Reihenfolge Gott - Welt - Kirche und nicht Gott - Kirche - Welt, wie im heilsgeschichtlichen Modell. Die Mission ist nicht eine Funktion der Kirche, sondern die Kirche eine Funktion der Mission. In der Kirche kommt nicht das Heil zur Darstellung, sie führt keine exemplarische Existenz, sie teilt nicht das Heil durch Verkündigung und Sakramente aus, sondern sie existiert nur im Ereignis ihrer Ex-zentrität. Darin verwirklicht sie ihre „Pro-existenz" - sie muß „Kirche für andere" sein, sagt man gern mit D. Bonhoeffer.

Inhalt der missio dei ist die Geschichte im umfassenden Sinn. In scharfer Antithese zum hierophanen Gottesbild, das man dem Griechentum und dem Baalsglauben zuordnet, begreift man hier Gott als den, der sich in der promissio der Welt bekannt macht. Es gibt keinen „ansässigen" Gott, sondern nur den des Exodus, der in die Geschichte eingeht und diese durch sein Verheißungswort je neu konstituiert und dem Ziel entgegenführt. Welt, abgelöst von Gott, gibt es nicht. Sie ist keine statische Größe, sie hat kein Sein für sich, sondern ist „einfach eine Stufe in der Geschichte, die man mit Gott lebt, nicht länger ein starrer Rahmen ... sondern knetbar, transformabel" (Hoekendijk, Strukturprinzip 34), sie befindet sich in fortschreitender Bewegung. Gibt es im heilsgeschichtlichen Modell Geschichte letztlich nur um der Mission willen, so gilt hier der umgekehrte Satz: Mission, ja auch Kirche, gibt es nur um der Geschichte willen. Die Kirche steht im Dienst der Geschichte und wird von ihr provoziert und in Frage gestellt. Die Kirche muß zum umfassenden Dienst der Befreiung bekehrt werden. Wenn es überhaupt die Universalität der Kirche gibt, so heißt es später in der lateinamerikanischen Befreiungstheologie (→ Lateinamerikanische Theologie), dann kann sie nur in der universalen → Befreiung der Armen bestehen (Comblin, 1980, 354).

Dieser missionstheologische Ansatz wird konkret in der Solidarität mit den Unterdrückten und Armen. Das ist im verheißungsgeschichtlichen Ansatz angelegt, wird aber erst auf der Weltmissionskonferenz von Melbourne (1980) vollzogen. Hoekendijk und seine Freunde bleiben dagegen allgemeiner und argumentativ vager. Sie sprechen vom „messianischen Lebensstil": Mission wird als „Schalomatisierung" der Welt verstanden, Mission ist „Hoffnung in Aktion" (H.-J. Margull).

Durch K. Hartenstein hatte K. Barths Theologie zwar auch Einfluß auf das heilsgeschichtliche Missionsverständnis genommen (es war K. Barth, der als erster 1932 daran erinnerte, daß „Mission" ein innertrinitarischer Begriff der Dogmatik ist), doch hier ist er greifbarer, auch wenn es falsch wäre, die verheißungsgeschichtliche Missionstheologie als einen Ableger Barth'scher Theologie begreifen zu wollen. Zwei Defizite teilt sie aber mit dieser: Die Differenz zwischen Gesetz und Evangelium wird eingeebnet und die innertrinitarische Unterscheidung zwischen Gott dem Schöpfer und dem Versöhner wird auf eine verbale Differenz reduziert. Die Auferstehung Jesu wird universalisiert, sie hat ontologisch die Welt so verändert, daß sich nun, sagt Barth, jeder, ob er es weiß oder nicht, durch die Faktizität seines Lebens im „Tätigkeitsbereich" und „Lebensgebiet" Jesu befindet, so daß eine „Verbindung zwischen Gott und uns Menschen (jedem Menschen!) besteht und daß sie unzerreißbar ist" (KD IV, 3, 43). Diese Überzeugung spricht auch aus jedem Satz des verheißungsgeschichtlichen Modells. Die Religionen werden zur quantité négligeable, die sozialen Fragen stehen im Vordergrund. Religion signalisiert Konservatismus, status quo, Baalisierung der Welt. Gott hat alle Religionen abgetan. Religion lenkt von der Freisetzung der Welt ab, verhindert die Bewegung der universalen Hoffnung im Geschichtsprozeß. Missionarische Verkündigung hat nicht bei den „Götzen" anzuknüpfen, denn die sind entthront. Das Evangelium schafft sich selbst seinen Anknüpfungspunkt, den Raum seiner Wirkung. Missionarische Verkündigung hat allein bloßzulegen, wie Gott, gerade auch in den säkularen Bewegungen, die der Befreiung dienen, am Werke ist, um die Welt dem umfassenden Schalom entgegenzuführen. Sie sagt nicht das Heil an, sondern deckt auf, daß das Heil „als solches weltbezogen oder welthaft ist, daß es die eine Wirklichkeit betrifft, die wir Welt nennen" (Rütti, 178). Die Frage nach dem ewigen Heil wird nicht mehr oder nur mehr beiläufig gestellt, denn Schöpfung ist schon Heilssetzung, Geschichte als ganze implizite Heilsgeschichte.

Konkret heißt das für die Missionsarbeit, daß nicht vom Zentrum zur Peripherie, von der Kirche zur Welt gedacht wird, sondern von Welt zur Welt. Der → Missionar ist nicht der besonders Berufene, nicht der Priester oder Pfarrer, sondern an erster Stelle der Laie. Die anderen, fernstehenden Menschen werden nicht gerufen, Glieder der Kirche zu werden - das wäre Proselytismus - sondern sollen sich in die Bewegung der Sendung Gottes in die Welt und die alles zurechtbringende Zukunft hineinnehmen lassen. Nur so erkennt der Mensch sein wahres Menschsein. Der Mensch ist sich selbst verborgen, erst in der Sendung, die ihn in die Zukunft führt, wird ihm sein Wesen erschlossen (J. Moltmann, Theologie der Hoffnung, 263). Mission, das ist also Sendung zur Sendung. Die Sendung führt in die Zukunft und die Zukunft führt in die Sendung.

1.4 Seitdem H. Krämer sich dem Problem der → Kommunikation des christlichen Glaubens gestellt hat (1956) und aufzeigte, daß es sich nicht um eine Frage der Verkündigungsmethodik und der Rhetorik (Kommunikation „von") handelt, sondern ihr eigentliche Problematik das der Verhältnisbestimmung von Menschen (Kommunikation „zwischen") ist, hat die Frage der Kommunikation in der Missionstheologie eine größere Aufmerksamkeit gefunden; oft jedoch ersetzt der moderne Begriff nur die alte Sache. Anders bei E.A. Nida (1960), bei dem das Missions- und Kommunikationsmodell identisch werden (H. Balz). Ähnlich wie im verheißungsgeschichtlichen Modell gibt es auch bei Nida kein Sein des Christen für sich, sondern indem der Mensch Empfänger der Botschaft Gottes wird, wird er zugleich ihre neue Relais-Station, wird er Sender. Es gibt nur die Bewegung, den Akt der Kommunikation. Christsein besteht im Empfangen und Weitergeben des Evangeliums, und zwar an den, der noch nicht Christ ist. Kommunikation meint also die missionarische Sendung zum Nichtchristen. Wie die Kommunikation des Glaubens beim Christen aussieht, reflektiert Nida nicht. Sie kommt auch deshalb in seinem Systen nicht vor, weil in seinem reinen Bewegungsschema letztlich kein Platz für die Kirche ist. Nida analysiert sehr sorgfältig die anthropologischen und transkulturellen Probleme der Kommunikation von einem Kulturbereich in einen anderen. Dabei ist die Differenz zwischen dem Sender und dem Empfänger der Botschaft konstituitiv. Sie hat letztlich ihren Ursprung in der unendlichen Differenz zwischen dem ewigen Gott und dem zeitlichen Menschen. Aber wie Gott in der Kenosis seines Sohnes sich dem Menschen kommunikativ verband, so muß sich der Mensch in die Begrenzungen des Raumes und der → Kultur des anderen hineinbegeben, und zwar so, daß er ihre Sprache und Kultur annimmt, ohne jedoch seine eigene Identität aufzugeben. Dabei geht es um mehr als um die Übersetzung des biblischen Wortes in eine andere Sprache. Jede Kultur ist ein in sich geschlossenes „Wertesystem", dessen vier Pfeiler, Religion, Sprache, Gesellschaft und Kultur, Weltsicht und Weltanschauung umfassend bestimmen. In dieses andere System übersetzt der Missionar seine Botschaft und knüpft dabei an das vorgegebene Denken und Wissen an. Das ist eine Notwendigkeit, jedoch darf die Identität der Botschaft nicht gefährdet werden. Die gültige Offenbarung steht nicht zur Disposition. Daß sich das Wissen und das Verständnis eben des Offenbarungswortes verändert, erweitert oder neugesetzt wird, diesem Gedanken folgt Nida nicht. Ihm geht es allein um die Schwierigkeit der Kommunikation als solcher. Da diese jedoch von Gott ausgeht und durch seinen Geist noch heute bewirkt wird, sind die Schwierigkeiten nicht unüberwindbar.

Nida ist von Haus aus Linguist und Bibelübersetzer. Sein Modell bleibt weitgehend den formalen Problemen verpflichtet. Darum liegt es nahe, es mit anderen zu kombinieren und ihm eine inhaltliche Füllung zu geben. Das ist jedoch bisher kaum geschehen. G. Collets missionstheologischer Neueinsatz mit dem aus der Wissenschaftstheorie stammenden Begriff der „kommunikativen Freiheit" z.B. bietet sich an, doch Collet nimmt Nida nicht zur Kenntnis. H. Balz hat eine wichtige Ergänzung vorgenommen, indem er darauf aufmerksam macht, daß es in der Mission nicht allein darum geht, den Glauben zu gründen, sondern auch, ihn zu bewahren, wenn der Glaube in einer jungen Kirche „altzuwerden" droht. Für diesen Aspekt verwendet er den die neutestamentliche Auslegung bestimmenden Begriff der „Hermeneutik". Beide zusammen machen erst in ihrer Komplementarität das Ganze der missionarischen Verkündigung und Theologie aus.

2. Missionstheologische Neubesinnung. **2.1** Missionstheologie wird durch vier korrelativ zueinander stehende Grundgegebenheiten bestimmt: die Heilige Schrift als der grundlegende Text, die missionsgeschichtliche und -theologische Tradition, die zu überspringen ein ungeschichtliches Denken verriete, die ökumenische Diskussion, in der vor allem auf die Theologien der Dritten Welt zu hören ist, und schließlich die Weltsituation und die spezifischen Kontexte, in die hinein Theologie sprechen will. Innere und äußere, theologische und situative Gründe stellen heute die Mission in Frage, fordern heute zumindest eine Neubesinnung über ihren Grund, ihre Gestalt und ihr Ziel. Die von außen kommenden Infragestellungen sind: Der Säkularisierungsprozeß in den traditionell „christlichen" Ländern, das Ende der Vorherrschaft des Abendlandes und seiner Kultur, das Erstarken des Selbstbewußtseins der Religionen und ihres politischen Einflusses, das Entstehen neuer religiöser und quasi-religiöser Bewegungen, die wirksame Lebenshilfe anbieten und die ethische Orientierung vieler Menschen bestimmen (→ Neue religiöse Bewegungen). Hierzu gehört schließlich das ökonomische Nord-Süd-Gefälle, das die Existenz vieler Länder der Dritten Welt zentral bedroht und nicht nur für die Kirchen in den betroffenen Ländern eine theologische Herausforderung ersten Grades darstellt (→ Entwicklung). Zu den inneren, theologischen Gründen, die die Mission in Frage stellen, gehören exegetische Einsichten, aber auch, auf katholischer Seite, bestimmte Aussagen des Vaticanum II über die Heilsmöglichkeit in anderen Religionen. Die oft spürbare Diskrepanz zwischen der Botschaft, die die Kirchen verkündigen, und dem Leben und Lebensstil ihrer Glieder, ja, die Entchristlichung des Lebens vieler Christen hat deutlich gemacht, daß die missionarische Situation mitten im Herzen des Abendlandes beginnt. „Mission in sechs Kontinenten" war die Antwort der Weltmissionskonferenz in Mexico City 1963. Sie signalisierte damit eine tiefgreifende Veränderung im Missionsbegriff: Wo immer Kirche ist, ist sie in ihrem Sein und ihrer Verkündigung missionarisch. Überall geht es darum, Unglauben zu überwinden und Glauben zu wecken, Feindschaft durch Liebe zu überwinden, soziale Verzweiflung durch Hoffnung zu transformieren. Überall ist die „ganze Kirche" verpflichtet, die „ganze Botschaft der ganzen Welt" zu bringen, hieß die Botschaft von Mexiko.

Die innerevangelische Debatte um die Missionstheologie, die in abgewandelter Form auch in der katholischen Diskussion erkennbar ist, besteht wesentlich in einer Auseinandersetzung zwischen den Vertretern des heilsgeschichtlichen und des verheißungsgeschichtlichen Modells. Sie wird dadurch verschärft, daß auf evangelikaler Seite das erstgenannte Modell durch ein apokalyptisches Denken zu einem eschatologischen Dualismus radikalisiert wird (P. Beyerhaus). So kommen die beiden Modelle in einen diametralen Gegensatz zu stehen, der noch dadurch zugespitzt wird, daß man sich an „Randsätzen" des verheißungsgeschichtlichen Modells aufhält und sie einseitig im Sinne eines revitalisierten „social gospel" interpretiert. Man glaubt einen Verrat an der Mission zugunsten eines Humanisierungsprozesses der Welt auf das Reich Gottes hin zu erkennen. Diese Kontroverse, aber auch die um ein universales Heilsverständnis, wie es im Vaticanum II angedeutet wird, hat schließlich zu verschiedenen Konsenspapieren geführt („Evangelii nuntiandi", 1974, „Mission und Evangelisation. Eine ökumenische Erklärung" aus dem ÖRK, „Die Frage nach dem Missionsverständnis heute" auf seiten des Evgl. Missionswerkes und der EKD; die Erklärungen zu Mission und Ökumene der Vollversammlung des Lutherischen Weltbundes in Budapest, 1984, u.a.). Ein universal gültiges Missionsverständnis wird man daraus nicht erstellen wollen, so hilfreich die vielfältigen Übereinstimmungen sind. Der jeweilige Kontext, für den eine Missionstheologie entworfen wird, darf in seiner Bedeutung nicht unterschätzt werden.

Im folgenden seien wichtige Elemente aus diesen Papieren aufgegriffen und mit Einsichten aus der biblischen Exegese und denen der Theologien der Dritten Welt zueinander in Beziehung gesetzt.

2.2.1 „Die Erde ist des Herrn und was darinnen ist" (Ps 24,1). „Es danken dir, Gott, die Völker, es danken dir alle Völker" (Ps 67,4). Der Psalter enthält eine Missionstheologie in nuce. Gottes ist die Erde, und er will, daß die Erde sein bleibt und ihm das umfassende Lob darbringt, zu dem sie geschaffen ist. Gott denkt an seine Erde und will, daß alle Völker einstimmen in den ewigen, unhörbaren Gesang der Schöpfung, des Kosmos. In Israel erklingt dieses Lob, klar und unzweideutig. Israel lobt Gott, und alle Völker werden aufgefordert, zusammen mit Israel ihn zu preisen. Gott sendet sein Wort zur Schöpfung, so wie er Tau und Regen und Reif zur Erde sendet (Ps 147,25ff). Durch sein Wort schafft und erhält er die Erde, durch sein Wort baut er Israel. Alle Welt gehört ihm, aber an Israel kann die Welt das erkennen. Allen Völkern gibt er Recht und übt in allen das Gericht aus, doch in Israel unmittelbar und unzweideutig durch sein Gesetz und seine Rechte. Alle Völker sind sein Eigentum, aber an Abraham macht Gott dieses Anrecht deutlich (Gen 12). Pars pro toto, im Teil wird das Recht auf das Ganze ausgesprochen. Das entspricht damaligem Recht und stimmt mit dem symbolischen Denken in allen Religionen überein. Abrahams Präsenz inmitten anderer Völker und Religionen besitzt Modellcharakter. Abraham wird gerufen, er verläßt das Land. Aber sein Exodus trägt nicht den Sinn in sich selbst, Ziel ist das Wohnen im Lande in der Präsenz Gottes. In Kanaan ruft Abraham Gott an. Er schlägt keine „Donarseiche" nieder, sondern baut neben einem vorgegebenen Heiligtum Gott einen Altar (Gen 12,6). Er vertreibt nicht die anderen Bewohner, er lebt mitten unter ihnen. Er lernt durch sie - so nach dem gegenwärtigen Textbestand der Genesis - das messianische Königtum kennen, das für den Glauben seines Volkes und der Völker solch entscheidende Heilsbedeutung bekommen sollte (Gen 14,48ff; Ps 110). Abrahams Gotteserkenntnis wird durch das Zusammenleben mit den anderen Religionen erweitert, aber gerade darin bleibt er er selbst. So entsteht das „Volk des Eigentums", in dem und mit dem Gott seinen Heilswillen für alle Völker anschaulich und erfahrbar macht. Abrahams, Israels Erfahrungen mit Gott sind grundlegend für alle christliche Gotteserkenntnis, Israels Gottesverhältnis in Lob, Bitte und Klage zeigt an, wie Menschen mit Gott leben.

Ob man den Weg Gottes mit seinem Volk bis hin zur Geburt Jesu unter dem Begriff der „Heilsgeschichte" begreifen, oder ihn, wie vielfach in der katholischen Theologie, als „Heilsplan" definieren soll, ist unerheblich, wichtiger ist vielmehr, daß jene Geschichten des Alten und Neuen Testaments immer wieder erzählt werden, so daß man mit ihnen lebt. Darin verwirklicht sich die Kontinuität und Einheit von Gottes Heilshandeln, um die es geht. Das ist wichtiger als eine systematische Umgreifung, die leicht die lebendige Einheit von Gottes inklusivem Handeln zerstören kann.

Jesu Kommen setzt die Geschichte Abrahams und damit die Existenz seiner Nachkommen ins Recht, indem Jesus das neue Recht des Reiches Gottes in Israel verkündigt und die zwölf Jünger als Repräsentanten des alten Israels beruft. Jesus kam in sein Eigentum, das ist in gleicher Weise Israel und die Welt. Doch beide, Israel und die Welt, haben ihn gleicher Weise abgelehnt. Darum beginnt nach Ostern der Weg der Mission noch einmal in Israel und führt zu den Völkern. Für Paulus ist der Gedanke, „erst Israel" und dann den Völkern zu predigen, kein zeitliches Nacheinander, sondern „Prinzip": Auf dem Umweg zu den Völkern ist er immer unterwegs zu Israel. Und: Wie Gott in Israel mit den Menschen handelt, so handelt er mit allen Menschen in allen Völkern. Wie Gott sich Israel zugewendet hat, so wendet er sich allen zu. Nicht die Völkermission wird zum Modell der Israelmission (dagegen wehrt sich zu Recht der Beschluß der Landessynode der Evangelischen Kirche im Rheinland, 1983, zur Israelfrage, der solch heftige Diskussionen hervorgerufen hat), sondern umgekehrt, die Sendung Jesu und seiner Jünger in Israel ist bleibendes Modell für die Völkermission. Die Einheit mit Israel ist grundlegend für die Einheit der Kirchen untereinander, und ihr Verhältnis zur Religion Israels bildet, trotz aller Singularität dieser Bindung, das Vorbild für das Verhältnis zu den anderen Religionen (s. 2.2.6).

2.2.2 Die Sendung Jesu, die missio filii, geschah so, daß das Wort bei den Menschen „wohnte" (Joh 1,14). → Jesus lebte mit den Menschen, aß mit ihnen, er war fröhlich und traurig wie sie. Nicht als der Fremde unter Fremden, sondern als der Vertraute, als der, der ihre Sprache kannte, redete er zu ihnen, als derjenige, der von ihnen stammte, war er unter ihnen. Er lebte nicht allein *für* sie, sondern *mit* den Menschen. Nicht Pro-existenz kennzeichnete sein Leben, sondern Konvivenz.

Seine Konvivenz gestaltet sich vor allem in der das Alltägliche hinter sich lassenden festlichen Tafelgemeinschaft. Wo Jesus einkehrt, ist Festzeit, wird der Alltag überhöht, wird Leben gesteigert, erfüllt sich, was Jesus mit seinem Kommen bezweckt, daß die Menschen Leben haben, „Leben in Fülle" (Joh 10,10). Nirgends wird Leben in seiner Fülle so erfahrbar wie in der Gemeinschaft stiftenden gemeinsamen Mahlzeit. Hier kommt der Mensch zu sich selbst, weil er zugleich beim anderen ist: Beide handeln gleichgestimmt, sie essen die gleiche Speise, freuen sich in gleicher Weise am gut zubereiteten Mahl, man macht die gleichen Bewegungen. Einstimmung ins Wort des Gesprächs geschieht. Es ist nicht zufällig, daß Jesus die gemeinsame Abendmahlzeit zur grundlegenden Integrationshandlung seiner Gemeinde macht. In seiner Verkündigung schildert Jesus das → Reich Gottes als ein Festmahl, zu dem der Hausherr einlädt (Lk 14,15ff). Es ist Jesu Mission, die Menschen zu diesem Fest einzuladen. Wer zu einem Fest eingeladen wird, verändert sich, weil er sich auf das Kommende freut. Ist es eine ehrenvolle Einladung, wird er alles tun, um ihre Annahme zu ermöglichen, er stellt sich lange darauf ein. Diese Veränderung ist nicht Bedingung, sondern Folge der Einladung. Das meint Jesu Ruf zur Buße, der ein Ruf zur Freude ist (J. Schniewind) (vgl. Mt 13,44ff).

Ein Fest kann man nicht allein feiern, es ist ein Gemeinschaftsereignis schlechthin. Gott will die Gemeinschaft mit den Menschen. Dafür steht die Botschaft vom Reich Gottes ein. Sie wird in Jesu Leben mit den Menschen verwirklicht (Lk 17,21). Jesu Ruf zur Nachfolge ist Einladung in die Gemeinschaft derer, die gemeinsam dem Fest entgegengehen, ist Einladung zur Gliedschaft des wandernden Gottesvolkes. Das Reich ist zukünftig, doch schon jetzt erfahrbar. Die Festgemeinschaft des Abendmahls feiert den Gekommenen und das Kommende. Feier-Abendmahl, Fest der missionierenden Kirche, „Speise für Missionare" (Melbourne).

Die Befreiungstheologie hat auf Jesu „Option für die Armen" aufmerksam gemacht. → Armut ist im AT und NT durchaus ein ambivalenter Begriff, der nicht die Klarheit und Eindeutigkeit besitzt, wie ökumenische Texte manchmal den Eindruck erwecken. Armut wird im AT auch als Folge von Faulheit dargestellt (Spr 10,41; 20,13). Gerade darum fällt Jesu unkonditionale Hinwendung zu den Menschen über die sozialen und moralischen Grenzen hinweg auf. Er wandte sich den Armen zu, nicht um ihnen herablassend zu helfen, sondern um „mit" ihnen zu sein, um mit den Armen das Brot der Armen zu essen, um so deren Identität und Menschenwürde anzuerkennen und wiederherzustellen. Weil er die Grenzen zu ihnen überschritt und mit seinem Dabeisein die Nähe des Reiches erfahrbar machte, verursachte sein Kommen Befreiung und Heilung. Das zeigt - in Umkehrung zu traditionellen Vorstellungen, die im alten Israel ebenso zu Hause sind wie in den traditionalen Religionen Afrikas und Asiens - daß Gott sich nicht von den Armen und Kranken abwendet, sondern daß die Zusagen des AT gültig sind, daß Gott das Recht der Armen und Witwen beachtet und ihr Fürsprecher ist (Ps 146, Amos, Jesaja u.a.).

Jesus hat die Reichen nicht vor der Tür gelassen, wohl aber dafür gesorgt, daß alle, arm und reich, bei Tisch zusammen waren (vgl. schon Spr 22,2). Es ging ihm um die communio oppositorum: Wer zusammen ißt und feiert, verändert sich in seinem Verhalten zum anderen, man verändert sich aufeinander zu. (Es sollte beachtet werden, daß auch Paulus später die Korinther nicht deshalb schilt, weil sie Reiche zum Abendmahl zulassen, sondern weil die Reichen mit dem Essen nicht warten, bis die Sklaven und Tagelöhner gekommen sind und man gemeinsam essen kann (1Kor 11,17ff).

Einer der Grundzüge von Jesu Leben und Verkündigung ist die durchgehende Überschreitung der Grenzen zum Menschen hin, die das Gesetz, die Moral, die sozialen und politischen Differenzierungen und die Religion aufgerichtet haben. Auf den Menschen hin interpretiert Jesus das mosaische Gesetz. Um des Menschen willen ist es gegeben, und vom Menschen aus werden die gängigen Vorstellungen von rein und unrein, vom Sabbath uminterpretiert und neu gesetzt (Mk 2,27f; Mk 7,15f). Daraus für die Mission zu folgern, daß es ihr allein um die Humanisierung des Menschen gehe, verfehlt den Weg Jesu. Wer eine Sache um ihrer selbst willen verfolgt, und sei es das Leben, verfehlt sie (Mt 10,39; 16,25). Jesus will nicht die Bejahung des Bestehenden. Umgekehrt wird man jedoch folgern müssen, daß man ebenso die Sache Jesu verfehlt, wenn es in der Mission nicht wesentlich um den Menschen geht und seine Würde und Freiheit mißachtet werden (sei es aus rassischen, nationalen, zivilisatorischen, religiösen oder sozialen Gründen). Es geht in der Mission in der Tat um die Wiedergewinnung der Menschlichkeit des Menschen, um Neugewinnung seines entfremdeten Lebens. Aber das heißt, sie bewirkt Wandlung, Veränderung, Hinwendung zum Leben, das von Gott kommt. Sie zielt auf Befreiung - aufgrund der Freude des Kommenden. Darum gilt: Wer sein Leben verliert, der wird es gewinnen (Mk 8,35; Lk 17,33).

Jesus hat sein Zusammensein mit den Menschen bis zum Tode am Kreuz inmitten von Verbrechern durchgehalten. Man sollte beachten, daß die Auferstehung den Jüngern erst in dem Moment real wurde, als Jesus mit ihnen am Tische saß (Lk 24,13ff), Brot und Fisch austeilte (Joh 21). Jesus, das ist nicht der Mensch für andere (Bonhoeffer), sondern der Mensch „mit" den anderen. Darum kann auch die Kirche in seiner Nachfolge nicht anders, als ihre Mission aus der Konvivenz heraus zu gestalten.

Das Problem der anderen Religionen wird bei Jesus nicht expressis verbis thematisiert. Das mag überraschen, entspricht aber dem Gesamtrahmen seines Auftretens. Er ist zu Israel gesandt. Darin sind - pars pro toto - alle Menschen gemeint. Während der Einsetzung des Abendmahls, der ersten Deutung seines Todes, verweist er darauf: „Für *alle* gegeben" („viele" = inclusiv, Mt 26,28!). Weil es ihm um den Menschen und eben darin um Gott geht, steht das Gebot der Liebe im Mittelpunkt seiner → Ethik. Gottes- und Menschenliebe sind dabei nicht identisch, aber auch nicht zu trennen. „Unvermischt und ungetrennt" sind sie, weil nach hebräischem Verständnis im Antlitz des anderen Menschen auch immer der andere aufleuchtet, Gott selbst (vgl. auch Slav. Hen 44; Jak 3,9). Darum wird das Verhältnis des Menschen zum geringsten Mitmenschen der Maßstab sein, nach dem der ewige Richter richten wird (Mt 25). Auch hier stößt Jesus durch die Hüllen und Grenzen der Religionen hindurch - ad hominem. Die „Wahrheit des Menschen" ist in jeder Religion möglich, die Frage nach ihrer religiösen Wahrheit ist dem gegenüber sekundär. Jesus stellt sie nicht.

2.2.3 Die Evangelisten haben je auf ihre Weise die Sendung Jesu interpretiert und damit auf jeweils verschiedene Weise die Sendung der Kirche begründet. Wer nur eine Missionsbegründung sucht und nur eine anerkennen will, verfehlt den Reichtum biblischer Missionstheologie.

Matthäus hat von Anfang an die Völker im Blick (2,1ff u.a.). Die Kirche ist nach Matthäus missionarisch in ihrem Sein, nicht erst in ihrer Bewegung. Sie *ist* Salz der Erde, sie *ist* Stadt auf dem Berge (Mt 5). Verliert die Kirche ihre missionarische Dimension, geht sie ihres Kircheseins verlustig, und umgekehrt. Matthäus fordert deshalb die Kirche nicht auf, missionarisch zu werden, sondern wirklich Kirche zu sein. Das ist sie, wenn sie (1) lernende Kirche ist (Mt 11,29 ist die Mitte des Evangeliums!), d.h. wenn sie von Jesus lernt, und (2) indem sie lehrende Kirche ist (Mt 28, 20 als Schluß des Evangeliums!) und d.h. Jesu Lehre ausbreitet und Menschen durch die Taufe in die Gemeinschaft derer aufnimmt, die auf das Wort Jesu hören und von ihm bestimmt werden. Zur Zeit des irdischen Jesu lehrten er und seine Jünger nur in Israel (Mt 10,5f), Tod und Auferstehung aber haben Jesu Vollmacht entschränkt, darum ist nunmehr die ganze Welt Verkündigungsbereich der Kirche. Mt 28 bezieht sich entgegen früherer Exegese *nicht* auf Dan 7, spricht also nicht von der Einsetzung Jesu zum Weltenherrscher, sondern zieht die Summe aus dem ganzen Evangelium und bindet die Vollmacht der Jünger zur Verkündigung an die des Irdischen und Auferstandenen. Die Jünger hörten einen *Lehr*befehl. Sein Evangelium aber schreibt Matthäus so, daß den Lehrern ein Kompendium der Lehre Jesu zur Hand ist, von dem und mit dem sie lernen und lehren können, ein Handbuch also für Katecheten, Gemeindeleiter und Missionare.

2.2.4 Das *Markusevangelium* beschreibt „in exemplarischer Weise die Ausbildung von Missionaren durch Jesus" (K. Stock). Mk 1,17 trägt programmatischen Charakter. Was inhaltlich gemeint ist, faßt Markus in dem Begriff „Evangelium" zusammen, der bei ihm explikativ zur Christologie gebracht wird (cf. 8,31ff nach dem Petrusbekenntnis, das zusammen mit der Verklärungsgeschichte 9,2ff die Mitte des Evangeliums bildet). Markus entwirft eine Gottessohnchristologie. Sie ist für alle Menschen relevant. „Das ist mein lieber Sohn, den sollt ihr hören", lautet die Vorstellungsformel (9,7). Am Ende des Evangeliums bekennt der heidnische (!) Hauptmann unter dem Kreuz: „Amen, dieser ist Gottes Sohn gewesen" (15, 39). Hier kommt das Evangelium zu seinem Ziel. Der Glaubende erkennt den Gottessohn, dem Nichtglaubenden ist er verborgen. Darum muß das Geheimnis dieses Menschen verkündigt werden - in aller Welt (Mk 14,9; 13,10). Damit das geschehen kann, beruft Jesus die Jünger, bereitet sie auf ihre Aufgabe vor, ja sendet sie aus, gleichsam als „Generalprobe" für später (K. Stock).

Es fällt auf, daß bei Markus der Adressat der Predigt der Jünger nicht genannt wird. Israel im speziellen Sinn ist nicht gemeint. Markus hat offenbar eine andere Gruppe im Blick. Die Minjung-Theologie Koreas (B.-M. Ahn) (→ Koreanische Theologie) macht darauf aufmerksam, daß Markus den ochlos-Begriff verwendet statt laos, wie es von der LXX her nahegelegen hätte. Jesus steht nach Markus zum → Volk in einem besonderen Verhältnis. Auch wenn einige der Minjung-Thesen exegetisch überzogen sein mögen, es ist richtig, daß Jesus das Volk nach Markus unkonditional annimmt, es heilt und mit ihm ist. Das Gericht wird den Führern, der Oberschicht verkündigt. Mk 2,13ff hat exemplarische Bedeutung. Jesus lehrt das Volk und ißt mit den Menschen. Die Freude, daß „ein bestimmter Typ von Menschen als Jünger berufen ist", ist der Grund für die Freude beim Mahl (B.-M. Ahn). Die missionarische Situation ergibt sich bei

Markus nicht durch die Fremdreligion, sondern der soziale Kontext ist relevant für missionarische Verkündigung und konvivale Existenz.

2.2.5 Das *lukanische Werk* ist von Anfang an als eine Geschichte der urchristlichen Kirche und Mission konzipiert, und zwar so, daß der Weg von der Peripherie ins Zentrum, von Galiläa nach Jerusalem, von Jerusalem nach Rom geschildert wird. Lukas ist Historiker. Ordnung, Sichtung, Schematisierung und Typologisierung sind Mittel seiner Geschichtsschreibung. Er historisiert die eschatologischen Ereignisse um den Jesus von Nazareth und zeigt, wie Jesus Judenmissionar war und sein Weg mit seinem Tod, der Auferstehung und der Himmelfahrt zu Ende geht. Den Neuanfang setzt der Geist. Er ist der eigentliche Heidenmissionar. Auf Lukas trifft diese von R. Bohren gemachte Unterscheidung zu. Der Geist sucht sich seinen Raum, er erwählt sich sein Werkzeug, durch das er wirkt. Vornehmstes Werkzeug ist → Paulus. - Das lukanische Werk ist nicht nur Geschichtsbuch der Urkirche, sondern eine groß angelegte Beispielserzählung für Missionare. Wer sich so vom Geist leiten läßt wie Paulus und die Apostel, dem wird es ebenso wie ihnen ergehen, bei dem werden die gleichen Wunder und Zeichen geschehen wie in der Urkirche, will Lukas sagen. Es ist folgerichtig, daß sich das lukanische Werk, zumal die Apostelgeschichte, in der neueren Missionsgeschichte als ein Text bewährte, in dem sich die Missionare wiederfinden und in den hinein sie sich bergen konnten. Die durchgehend sozialkritische Seite des Lukas wurde dabei jedoch vielfach übersehen. Die missionarische Kirche ist bei Lukas die kleine Herde der Armen, der sozial Schwachen, derer, die verkaufen, was sie haben und eben darin in ihrer Hoffnung stark werden. Die wenigen Reichen werden zum Teilen angehalten. So wird die Gemeinde zum Licht, das in der Welt leuchtet (Lk 12,32ff. 35).

Während es Matthäus um die Entschränkung der Verkündigung Jesu geht und er deutlich macht, daß sie überall und zu allen Zeiten gelehrt werden muß, geht es Markus im prägnanten Sinn um die „*Volks*mission". Bei Lukas erst kann man im strikten Sinn von „*Heiden*mission" sprechen. Lukas schildert die Fremdreligionen jedoch in einer höchst offenen, fast liberal zu nennenden Weise (Apg 17): Die Heiden suchen Gott, auch wenn sie ihn nicht kennen. In all ihrer Religiosität meinen sie ihn, den einen Gott, und bauen ihm trotz ihrer Ignoranz Altäre. Die Verkündigung Jesu und der Anschluß an die Kirche zwingt nicht nur zu einem radikalen Bruch mit dem Bisherigen, sondern es gibt Übergänge, Anknüpfungen. Das Evangelium ist Erfüllung geheimer Sehnsüchte und Hoffnungen, ist Vervollkommnung des Unvollkommenen. Wie bei den anderen Evangelien steht auch bei Lukas das Leben Jesu im Mittelpunkt. Zentral darin ist der Verweis auf Gott und d.h. die Botschaft von der Freude Gottes (Lk 15). Gott will sich an und mit seinen Geschöpfen freuen. Ihrer Heimholung dient das Evangelium, darum gibt es Mission. Eingeladen sind alle, doch die Armen, Geknechteten, Unterdrückten, die Randsiedler der Gesellschaft allein kommen (Lk 14,23, vgl. die Antrittspredigt 4,18f). Christsein heißt bei Lukas teilhaben an an der eschatologischen Freude (vgl. 1,14.47; 15; Apg 2, 26.46 f u.ö.). Die Christen sind - so jedenfalls bei Lukas - die „ersten Freigelassenen der Schöpfung" (Herder), ihr Leben ist das „Fest der Befreiten" (Hoekendijk). Für den aber, der gesandt ist, die Einladung auszusprechen, heißt Zeugesein „teilhaben an der Geschichte Jesu - und dies ist eine Geschichte des gehorsamen Leidens" (J. Kremer) (vgl. Apg 14,22; Lk 24,26).

2.2.6 Das *Johannesevangelium*, oft als „Missionsschrift" schlechthin bezeichnet, spricht nur sekundär von der missio hominum. Es ist an der missio filii interessiert. Der Sinn des Kommens Jesu wird unter dem Begriff der Sendung zusammengefaßt. Gesandtsein ist bei Johannes ein christologischer Begriff. Zwar kann damit auch die Aufgabe und das Sein der Jünger resp. der Gemeinde beschrieben werden, doch immer nur im abgeleiteten Sinn. Der Begriff stammt aus dem durch die LXX vermittelten jüdischen Rechtssystem und meint „sich repräsentieren lassen" (Bühner, EWNT). Der Bote ist vollgültiger Repräsentant dessen, der ihn gesandt hat (Joh 14,9), seine Worte vergegenwärtigen dessen Worte. Johannes nimmt die prophetische Tradition des AT auf und gestaltet die Sohneschristologie von der prophetischen Sendung her. Der Gesandte richtet sein Wort an die Welt, es ist ein richterliches Wort. Es bewirkt Scheidung (sie wird bei Johannes fast dualistisch begriffen). Sünden werden vergeben - und behalten (20,22f). Dennoch ist nicht die Verdammung, sondern die Rettung das Ziel, denn der Grund der Sendung ist Gottes Liebe zur Welt (3,16f).

Sendung gibt es nicht ohne Beauftragung. Wie Jesu Beauftragung direkt auf den Vater zurückgeht, so muß auch die Beauftragung der Jünger direkt auf Jesus zurückgehen. Der Auftrag zur Sendung ist der Gründungsakt der Kirche (20,21f) und wird mit der Verleihung des Geistes verbunden. - Die johanneische Gemeinde kennt Bedrohungen (9,22 u.ö.) und leidet unter dem Problem der Kirchenspaltung. Die Einheit der Kirche wird mit der Frage nach ihrer Mission gekoppelt (Kap 17): Mission und Einheit gehören zum Wesen der Kirche, weil beide in der Liebe gründen. Liebe kennt nicht Trennung, sondern sucht die Einheit. Gespaltene Liebe ist kontraproduktiv, sie sammelt nicht, sondern zerstört. Eine gespaltene Kirche kann nicht überzeugen. Leben und Zeugnis müssen eins sein, Liebe ist ganz oder gar nicht.

2.2.7 Die Evangelisten erzählen vom Leiden, Sterben und von der Auferstehung Jesu, → *Paulus* (→ Rechtfertigung) interpretiert das Geschehen und macht es zum Ausgangspunkt seiner Theologie: Die von Gott entfremdete Welt wird durch den Sühnetod Jesu mit Gott versöhnt. Das ist ein objektives, umfassendes Geschehen, das für alle Gültigkeit besitzt. Gültig heißt aber nicht, automatisch für alle wirksam. Gott zwingt, überwältigt die Menschen nicht, sondern ruft sie zu sich. Im Glauben wird die Freiheit Gottes wie die des Menschen gewahrt, darum sucht Versöhnung den Glauben. Glauben aber kommt aus dem Hören (Röm 10). Deshalb muß das Wort der Versöhnung verkündigt werden, allen Menschen bis an die Enden der Erde (Röm 1,5, 2Kor 5,19f). Auch Paulus greift auf das israelitische Rechtssystem des Gesandten zurück, wendet es aber ausschließlich auf das Predigtamt an. Das Predigtamt (→ Predigt) ist missionarisches Amt per definitionem, weil Gott sich durch dessen Wort an alle wendet, damit der „Gehorsam des Glaubens" unter allen Heiden aufgerichtet wurde (Röm 1,5; 15,18). Die allen geltende Versöhnung muß angesagt werden, lokal und global. Die Neuschöpfung des Menschen ist das Ziel der Verkündigung, so daß alle Menschen, die ganze Schöpfung, Gott das ihm zustehende Lob darbringt (Phil 2,10f). Der Gedanke der Herrschaft Christi gehört bei Paulus in den Bereich der Doxologie, weniger in den der theologischen Argumentation oder der Ethik.

Das wird anders in den Deuteropaulinen, zumal im Epheserbrief (Kap. 1), wo er zur Missionsbegründung herangezogen wird: Weil Christus Herr über alle Mächte und Herrschaften ist, muß seine Herrschaft angesagt werden. Die Mission führt die Menschen in den Herrschaftsbereich Christi, der durch die Kirche repräsentiert wird. Die Gefahr, daß damit die Mission zum Ausbreitungsinstrument einer sich herrscherlich gebenden und Gehorsam fordernden Kirche wird, ist groß. Ihr sind im Laufe der Kirchengeschichte Kirche und Mission oft erlegen. Damit wird aber die paulinische Missionstheologie ebenso verraten wie die der Evangelien.

3. Drei Kernprobleme der Misionstheologie heute seien im folgenden herausgegriffen, um an ihnen die Konsequenzen, die sich aus den biblischen Einsichten und dem Gespräch mit den Erkenntnissen der ökumenischen missionstheologischen Debatte ergeben, exemplarisch zu erarbeiten.

3.1 *Die Beurteilung der Religionen* (→ Theologie der Religionen) ist für die Missionstheologie in jeder Hinsicht relevant, weil sie nicht nur über die Frage der Missionsmethode entscheidet, sondern sich aus ihr auch die Verhältnisbestimmung der Kirchen zur indigenen Kultur ergibt, die durch die jeweilige Religion tief geprägt und umfassende Lebenswelt der Christen in der Dritten Welt ist.

Zwischen den katholischen und evangelischen Antworten muß bei diesem Problem unterschieden werden. Auf katholischer Seite hat sich seit der Alten Kirche bis in die Gegenwart die Lehre vom logos spermatikos in seinen verschiedenen Variationen und Schattierungen ausgeprägt und durchgehalten. Auch das II. Vaticanum greift darauf zurück und ist in seinen Aussagen weniger neu, als oft behauptet wird, und weniger einheitlich, als spätere Interpretationen glauben machen. Außerhalb der Kirche, heißt es in Lumen Gentium 1, sind „Elemente der Heiligung und der Wahrheit zu finden ..., die als der Kirche Christi eigene Gaben auf die katholische Einheit drängen"! Es gibt einen Heilsplan Gottes von Anbeginn der Zeit: Gott ist den Menschen nahe, so daß sie ihn ergreifen und in ihren religiösen Bemühungen finden möchten. Doch gerade diese Bemühungen in den Religionen bedürfen „der Erleuchtung und der Heiligung", heißt es sehr vorsichtig in Ad Gentes 3. Daraus zu folgern, daß die Religionen der „ordentliche" und das Christentum der „außerordentliche" Weg zum Heil seien, wie es H.R. Schlette in konsequenter Weiterführung der Gedanken K. Rahners tut, heißt, die Intentionen des Vaticanum einseitig ausdeuten. Evangelii nuntiandi jedenfalls präzisiert in entgegengesetzter Richtung: Die Religionen sind bei aller Wertschätzung nichts als „Vorbereitung auf das Evangelium", heißt es unter Aufnahme eines Zitates von Euseb von Caesarea. „Unsere Religion stellt tatsächlich eine echte und lebendige Verbindung mit Gott her, was den übrigen Religionen nicht gelingt, auch wenn sie sozusagen ihre Arme zum Himmel ausstrecken" (Evangelii nuntiandi 53).

Auf evangelischer Seite reicht die Beurteilung der anderen Religionen von der Extremposition, die auf evangelikaler Seite noch immer vorgetragen wird, daß die Religionen dämonisches Machwerk seien und in die Verdammnis führen, zu der anderen, daß die Religionen eigenmächtige Versuche des Menschen zu Gott hin sind (so der frühe Barth), bis dahin, daß man in dem, was eine Religion zur

Religion macht, also in „der Kontingenz ihres Heilsereignisses - sei es das Hervortreten der Gottheit, das Eintreten der bodhi oder das Auftreten des Inspirierten
- das Walten des Vatergottes Jesu" erblickt (C.H. Ratschow). Ein gewisser Konsens besteht heute in der Überzeugung, daß es alle Religionen mit dem Schöpfergott zu tun haben, der in ihnen das Menschsein des Menschen bewahrt. Alle Religionen, einschließlich des Christentums, neigen dazu, ihren Auftrag zu pervertieren, und statt daß sie das Leben fördern und menschlich zu gestalten helfen, vernichten sie es und mißachten die Würde des Menschen. Auch darin herrscht
Übereinstimmung, daß die Religionen die Frage nach Gott bei den Menschen
wachgehalten und „zahllose Generationen von Menschen beten gelehrt" haben
(Evangelii nuntiandi 53). Die Frage aber, inwieweit in den Religionen Heil angeboten und wirklich wird, muß neu gestellt werden. Die biblische Einsicht, daß
„Gott will, daß allen Menschen geholfen werde und sie zur Erkenntnis der Wahrheit gelangen" (1Tim 2,4), muß darin auf evangelischer Seite ernster genommen
werden, daß bei Gott Wille und Akt nicht auseinanderfallen, sondern identisch
sind. Aber auch Jesu Lehre muß neu bedacht werden: In der Liebe zum Menschen verwirklicht sich die Liebe zum ewigen Menschensohn, gerade auch dann,
wenn das dem Liebenden nicht bewußt und bekannt ist (Mt 25). Jesus bricht
durch die Grenzen, die die Religionen selbst aufrichten, indem er die Verhältnisbestimmung zwischen rein und unrein, die alle Religionen prägt, neu setzt und
auf den Menschen hin interpretiert (Mt 15,11). Wer diese offene Tür zu den Religionen wieder zustößt, gefährdet damit seinen eigenen Glauben. Er leugnet dann
die im hebräischen Denken und von Jes 53 her zu begründende und von Jesus
bestärkte Wahrheit, daß im anderen Menschen uns auch das Angesicht Gottes
aufleuchtet, oder anders ausgedrückt, daß unser Leben in jeder Lebensgestaltung
immer etwas mit der Gottesbeziehung zu tun hat - in allen Religionen! Weiterhin
muß die Dialektik in der Bewertung der Religionen neu bedacht werden, die im
Römerbrief zutage tritt. Dabei muß das Verhältnis des Christentums zu den anderen Religionen in Analogie zum Verhältnis von → Judentum und Christentum
verstanden werden, ohne daß davon die besondere und einmalige historische Bindung an Israel berührt wird. Wenn Christus das Ende des Gesetzes, und das heißt
der religösen Gestaltung des Lebens ist (Röm 10,4), dann ist damit das Gesetz,
die Religionsgestalt, nicht einfach überflüssig und aufgehoben. Im Gegenteil, nun
wird es erst, sagt Paulus, zu seiner Eigentlichkeit gebracht, denn von Gott her ist
die religiöse Gesetzes- und Lebensgestaltung gut und heilig (Röm 7,12). Ohne die
Religion, allein durch Gott wird das Heil gegeben, aber gerade darum kann die
Gestalt der Religionen neu bewertet werden. Im Glauben werden sie neu akzeptiert, werden sie aufgerichtet (Röm 3,31). Die Schlußfolgerung ist unausweichlich:
Es gibt die Möglichkeit des Heils in den Religionen. Wer das leugnet, verengt den
umfassenden Heilswillen Gottes, leugnet das Evangelium Jesu. Wer aber andererseits als Christ aussagen will, wo in den uns noch fremden Religionen Heil tatsächlich angeboten und erworben wird, der übersieht, daß die Menschen in allen
Religionen an den eigenen religiösen Gestaltungen scheitern und schuldig werden,
der versucht, sich jenseits von Gesetz und Evangelium zu stellen.- Solange wir in
diesem Leben sind, leben wir diesseits von Gesetz und Evangelium und müssen
die Spannung aushalten, die in der doppelten Beurteilung der Religionen begrün-

det ist, die der des Gesetzes bei Paulus entspricht. Die Überzeugung jedoch, daß im Wort des Evangeliums und in den Sakramenten Heil angeboten wird, ist ein im Glauben begründetes Bekenntnis. Jenseits des Glaubens kann sich aber ein Christ nicht stellen. Das ist ein weiterer Grund dafür, warum ein Christ nicht angeben kann, in welcher Religion unter welchen Umständen Heil angeboten wird.

Die Folgen aus diesem Verständnis der anderen Religionen für das Verhalten gegenüber der durch die jeweiligen Religionen bestimmten → Kultur sind groß und treffen sich mit dem vielfachen Bemühen der einheimischen Kirchen, zu einem positiven, reflektierten Verhältnis zur eigenen Kultur zu gelangen. In den bisherigen in der Mission entwickelten Verhältnisbestimmungen kann man drei Modelle unterscheiden. Das erste Modell orientiert sich am alttestamentlichen, prophetischen Auftrag, das Alte „auszureißen, zu zerstören, zu verderben", um dann das Neue zu bauen und zu pflanzen (Jer 1,10). Der Missionar schlägt die Donarseichen nieder, zerstört die Götzentempel und macht tabula rasa. Das zweite Modell der selektiven Annahme orientiert sich an Paulus (1Thes 5,21) und nimmt die dem christlichen Kult entsprechenden und alle ihm nicht widersprechenden Elemente auf und inkorporiert sie in den christlichen Gottesdienst. Das dritte Modell orientiert sich an der Inkarnation: Das Christentum inkarniert in der neuen Umgebung und nimmt die Farbe und Gestalt der jeweiligen Umgebung an. Die vorgegebenen Feiertage und Feste werden übernommen, jedoch „umbenannt" und als Festtage für christliche Heilige gefeiert. In den alten Kultstätten werden Kreuze errichtet. Das Vorgegebene wird „getauft". Dies ist das heute ökumenisch am stärksten befürwortete Modell.

Nehmen wir ernst, daß in der Verkündigung das Gegenüber nicht Objekt, sondern Subjekt des Verkündigungsgeschehens ist, nehmen wir weiter ernst, daß die Religionen zum Welthandeln Gottes gehören und Gott in ihnen präsent ist, so daß uns im Antlitz des anderen Gott selbst aufleuchtet und die Begegnung Interdependenz anzeigt, dann darf die bisherige Einbindung des Christentums in die abendländische Tradition und Kultur nicht als essentiell, sondern nur als akzidentiell betrachtet werden (→ Interkulturelle Theologie). In der theologischen Bewertung interkultureller und interreligiöser Begegnung muß dann der Subjektcharakter der anderen Kultur beachtet und respektiert werden. Das heißt, daß in der Begegnung ein „Frontwechsel" stattfinden muß: Die Kirchen müssen lernen, von der anderen Kultur her zu denken und das Verständnis des christlichen Glaubens von dort her zu sehen, zu verbalisieren und Gestalt werden zu lassen. Begegnung also aus der konvivalen Existenz, wie sie bei Abraham sichtbar wurde! Die Sorge, daß der christliche Glaube im bodenlosen Sumpf der fremden Kultur versinkt, ist ebenso unbegründet wie die zu große Frucht vor synkretistischer Überfremdung (eine Gefahr, die als solche selbstverständlich beachtet werden muß), denn eine jede derartige Begegnung steht unter der Wirkung des Heiligen Geistes, der die Neuschöpfung bewirkt. Die geschieht nicht aus dem „Nichts", sondern der Geist wirkt als derjenige, der das Werk des Schöpfers heiligt!

3.2 *Mission und Dialog* (→ Dialog). Das Verhältnis der Kirche zu den Religionen wird in der gegenwärtigen ökumenischen Diskussion oft unter dem Begriffspaar „Zeugnis und Dialog" zusammengefaßt. Daß der Dialog das Zeugnis ersetzt, ist dabei, trotz gegenteiliger Behauptungen, nie vorgetragen worden. Zu sehr ist man sich dessen bewußt, daß ein unverbindliches Gespräch, bei dem jeder jedes sagen darf, ohne daß sich daraus Konsequenzen ergeben, dem Wesen der Religion mit ihrem Anspruch auf das ganze Leben ihrer Anhänger widerspricht. Das eigentliche Problem ist vielmehr, in welchem Verhältnis Zeugnis und Dialog zueinander stehen. Vier Verhältnisbestimmungen lassen sich herauskristallisieren. (1) Der Dialog geht dem Zeugnis voran. Er übt in das Hören ein. Durch ihn lernt der Missionar sein Gegenüber kennen, so daß er das Zeugnis gezielter ausrichten kann. Dialog ist Vorbereitung auf das Zeugnis. Dieses Modell wird vor allem von evangelikaler Seite vertreten. (2) Der Dialog ergänzt das Zeugnis und dient der Bereicherung des eigenen Glaubens. Der Zeugnisträger ist sich seines Glaubens sehr wohl bewußt. Doch ist er davon überzeugt, daß Gott sich in den anderen Religionen „nicht unbezeugt gelassen hat" (Apg 17). Deshalb geht er auf die anderen Religionen zu, um das, was an ihnen fremd und neu ist, aber mit seinem eigenen Glauben übereinstimmt, kennenzulernen, zu übernehmen und zu inkorporieren (1Thes 5,21). Dialog heißt hier nicht, sich dem Fremden aussetzen, sondern das Fremde sich zu assimilieren, um es übernehmen zu können. Die Dialogaussagen des II. Vaticanum sind aus diesem Modell heraus gestaltet. (3) Dialog und Zeugnis gehen parallel nebeneinander her, sie überschneiden sich nicht, wohl aber können sie einander abwechseln und sich dadurch gegenseitig befruchten und begrenzen. Im Dialog läßt man sich wirklich auf das noch Fremde und Andere ein. Es wird kein Versuch unternommen, die Gegensätze der verschiedenen Glaubensweisen zu überbrücken, wohl aber werden Verstehenshorizonte eröffnet. Eine Zeitlang läßt man sich ganz auf die andere Religion ein. Erst wenn sie zur Versuchung wird, beginnt man sie zu verstehen (W. Freytag). Zurückgekehrt in den eigenen Glaubensraum wird diese Erfahrung als Bereicherung aufgenommen, weil sie dazu führt, den eigenen Glauben und seine Wahrheit vertieft zu verstehen. K. Cragg und weite Teile des Dialogprogramms des ÖRK sind bei diesem Modell unterzubringen. (4) Trotz mancher Ähnlichkeit ist das folgende Modell vom vorigen deutlich unterschieden. Dialog und Zeugnis sind hier eng miteinander verwoben, und zwar so, daß das Zeugnis als integraler Teil des Dialogs angesehen wird. Die Möglichkeit des gegenseitigen Zeugnisses ist der Gradmesser für die Echtheit des Dialogs. Die Wahrheit, wie sie die Dialogpartner bekennen, darf nicht verschwiegen werden. Im Gegenteil, der Dialog setzt sie voraus, denn nur auf dieser Grundlage kann neue Wahrheit gefunden werden. Dieses Dialogkonzept geht allerdings von der Voraussetzung aus, daß die Wahrheitsfindung noch nicht abgeschlossen ist, auch wenn der Glaubende als der eine Dialogpartner trotz seiner „Verwundbarkeit" (H.-J. Margull) seines Gottes so gewiß ist, wie es zum Heile nötig ist. Der Geist aber will in *alle* Wahrheit führen (Joh 16,13). In den Worten der Vollversammlung des ÖRK in Uppsala (1968): Christus selbst will durch die Begegnung mit den anderen Religionen das „begrenzte und verzerrte Wissen derer korrigieren, die ihn kennen."

Dieses Modell muß aufgrund der oben vorgetragenen Einsichten in zweifacher Hinsicht vertieft und ergänzt werden. Weil Mission Einladung zum Fest ist, das Gott selbst zubereitet, kann diese Einladung nur im Rahmen einer konvivalen Existenz ausgesprochen werden. Konvivenz ist die Bedingung der Möglichkeit missionarischen Zeugnisses, sahen wir. So lebte Jesus mit den Menschen, so Petrus inmitten der stinkenden Umgebung der sozial und religiös ausgestoßenen Gerber„kaste" (Apg 9,43). Hier führte ihn der Geist zu Einsichten über Menschen anderen Glaubens, die ihm bis dahin verborgen waren. Dialog ist nicht das zufällige intellektuelle Gespräch einzelner Vertreter verschiedener Religionen, sondern kann nur in gelebter Gemeinschaft geschehen, ist „dialogue in community", wie es auf der Dialogkonsultation in Chiang May (Thailand) 1977 hieß.

Die oft geäußerte Frage hat auch in diesem Zusammenhang ihr Recht: Warum genügt nicht das missionarische Zeugnis, die Einladung, gemeinsam den Weg zum Fest zu gehen, das Gott uns in Christus bereitet hat? Warum muß es eingebettet sein in den Dialog? Der dogmatische Grund dafür liegt bei Gott selbst. Der Dialog der Religionen gründet im Gespräch Gottes mit den Menschen, das mit der Schöpfung des Menschen begann und nicht enden wird, bis daß die Menschen heimgekommen sind ins Vaterhaus. Weil es dieses Gespräch gibt, gibt es Religionen. Das ist auch der Grund für die „Analogisierbarkeit" der Religionen (C.H. Ratschow 1970) und ihre historischen Verschränkungen. Es gibt kein Detail der Gestalt der christlichen Religion, das nicht Analogien in anderen Religionen hat, kaum eines, das nicht aus anderen stammt oder von ihnen mitgeformt wurde. Die Eingebundenheit des Christentums in die allgemeine Religionsgeschichte mindert nicht seine Verankerung im Christusereignis, sondern ist dessen vorgegebener historisch-universaler Horizont.

Wie das Christentum in der Nachfolge Jesu und nach dem Vorbild der Apostel nicht leben kann, ohne den intensivsten konvivalen Dialog mit Israel, so darf es nicht das Gespräch mit den Religionen abbrechen, auch wenn es das oft in imperialem Hochmut getan hat. Während aber der Dialog mit Israel wie das Gespräch des Sohnes mit seiner Mutter ist, der er sich entfremdet hat, so ist der Dialog mit den anderen Religionen wie ein Gespräch unter Brüdern, die sich neu kennenlernen und ihre Fremdheit, ja Feindschaft überwinden müssen.

Fassen wir zusammen. Dieses Dialogmodell hat sein Zentrum im Zeugnis. Das Zeugnis ist von allen Seiten von Dialog umgeben. Das Recht auf das gegenseitige Zeugnis macht den Dialog ehrlich und echt. Allerdings wird der Dialog nicht für das Zeugnis funktionalisiert wie im ersten Modell, die prinzipielle Offenheit für das Ende des Gespräches bleibt gewahrt. In diesem Modell vertraut man darauf, daß kraft des Gespräches Gottes mit den Menschen, das der Geist mit allen Menschen führt, er auch hier in alle Wahrheit führen wird. Dialog ist lebensmäßige Zuwendung zum anderen. Weil uns im Antlitz des Juden Jesus von Nazareth Gottes Epiphanie in unvergleichlicher Klarheit aufleuchtete, sind wir zur dialogischen Existenz befähigt und aufgerufen.

3.3 *Mission und Entwicklung* (→ Entwicklung). Im heilsgeschichtlichen Missionsmodell wird die Weltgeschichte auf die Mission hin entworfen, im verheißungsgeschichtlichen dagegen dient die Mission der Geschichte. Dort ist die Welt zufälliger Horizont missionarischen Handelns, dem keine konstitutive Bedeutung zukommt, hier bestimmt sie die Tagesordnung von Mission und Kirche. Im ersten Fall kann entwicklungsbezogenes Handeln nur Begleittext des eigentlichen Auftrages der Verkündigung sein, ist es nur das gute Werk, das dem Glauben folgt. Im zweiten Modell kann Entwicklung - so jedenfalls in extremer Konsequenz des Ansatzes - zum eigentlichen Werk werden, dem die Predigt, wo nötig, als ein „erklärendes Postscriptum" angefügt wird (Hoekendijk, Kirche und Volk, 337). Heute wird kaum jemand mehr diese Extrempositionen vertreten. Die intensiven Diskussionen über die Gräben der gegensätzlichen Meinungen hinweg haben neue Einsichten vermittelt und die Zusammengehörigkeit von Verkündigung und weltweitem diakonischem Einsatz, von Zeugnis und Eintreten für Gerechtigkeit und → Frieden als essentiell christlich aufgewiesen. Die Verpflichtung des Internationalen Kongresses für Weltevangelisation (Lausanne 1974) spricht eine ebenso deutliche Sprache wie die Denkschrift der Evangelischen Kirche in Deutschland „Der Entwicklungsdienst der Kirche - ein Beitrag für Frieden und Gerechtigkeit" (1973) oder die Weltmissionskonferenz von Melbourne (1980), u.a. Dennoch bricht die Diskussion - auch im katholischen Bereich - immer wieder an der Frage auf, wie die Zuordnung von Entwicklungshandeln und missionarischer Verkündigung im einzelnen zu bestimmen ist. Der Grund für die Unsicherheit liegt darin begründet, daß bisher keine Klärung darüber erzielt wurde, wie „Welt", der primäre Kontext der Sendung, zu verstehen sei, und welcher Stellenwert ihr zukommt (vgl. Kramm). Der Begriff bleibt in der Diskussion vage und jener Abstraktion verhaftet, die abendländischer Theologie eigen ist.

Es sind die Erfahrungen der Befreiungstheologien in Lateinamerika, Südafrika, Korea, die das Umfeld dieser Diskussion entscheidend verändert haben (→ Lateinamerikanische Theologie, → Koreanische Theologie, → Schwarze Theologie). Sie führten in die Konkretion, machten Welt „ansichtig." Die Welt, in die die Kirche gesandt ist, das sind die Armen, Ausgebeuteten, Unterdrückten, die Mehrheit der Menschheit. Welt, das sind die Menschen, die untereinander in Feindschaft leben. Sie hat Gott geliebt, in ihre Mitte kam er in seinem Sohn und lebte mit ihnen. Die Befreiungstheologen haben diese Wahrheit in einer Tiefe entdeckt, die der abendländischen etablierten Theologie verloren gegangen war. Der aus der Erfahrung der Basisgemeinden Lateinamerikas stammende Begriff der Konvivenz, der uns oben verschiedentlich Interpretationshilfen bot, kann dazu beitragen, aus der Sackgasse der theoretischen Interpretation von Welt herauszukommen (vgl. Sundermeier 1986). Er stammt aus dem Milieu der Nachbarschaftshilfe von städtischen und dörflichen Kleingruppen Brasiliens und gewinnt als Hilfs-, Lern- und Festgemeinschaft Gestalt. Konvivenzerfahrung läßt erkennen, daß es keinen Gegensatz von predigendem Subjekt und hörendem „Missionsobjekt", und das heißt von sendender Kirche und empfangender Welt gibt. Konvivenzerfahrung heißt, daß der Lehrende zugleich Lernender ist, daß Lehren und Lernen ein wechselseitiges Geschehen ist. In gleicher Weise wird die Subjekt-Objekt-Spaltung im Begriff der Hilfe überwunden. Hilfe im abendländischen Verständnis (darin ist noch die altorientalische Herkunft und Prägung erkennbar, vgl. Bolkestein), geschieht von oben nach unten, vom Reichen zum Armen, vom Besitzenden zum Habenichts, sie hat es mit Überlegenheit und Macht zu tun und fordert vom Empfänger Demut und Dankbarkeit. Die Konvivenzerfahrung aber lehrt, daß Helfen ein wechselseitiges Geschehen ist, bei dem immer beide Seiten geben und beide Seiten empfangen, heißt mutuelle Partizipation. Hier wird im elementaren Sinne Rechtfertigung gelebt, denn jeder spricht dem anderen das Recht auf Leben und Lebensraum, das Recht auf Existenz zu und anerkennt bedingungslos die menschliche Würde des anderen. Jeder behält seine Identität,

Selbstaufgabe wird nicht gefordert. Die aus dem Helfersyndrom stammende Vorstellung der Pro-Existenz mit ihren vielfältigen Folgen wird überwunden, der Freiraum aber, *mit* dem anderen zu leben, wird gewährt, Freiheit gewonnen.

Die lateinamerikanische Theologie spricht aus der Perspektive der Armen und hat damit urchristliche Optionen wiedergewonnen, denn die Urgemeinde lebte in der Nachfolge Jesu so, daß die Christen voneinander lernten, einander mit ihren Gütern halfen und zusammen feierten und der Freude über die Erlösung Ausdruck gaben (Apg 2,42ff). Wortverkündigung und Helfen, in diesem konvivalen Sinn verstanden, sind keine Alternativen. Sie als Gegensätze zu sehen, heißt aus der Konvivenz heraustreten, heißt trennen, was Gott zusammengefügt hat. Unvermischt und ungetrennt gehören Mission und Entwicklung zusammen. Mission ohne Entwicklungshandeln ist leer, kirchliches Entwicklungshandeln ohne Mission ist blind, beide aber sind krank ohne die gemeinsame Feier des Lebens, das sich Gott verdankt.

Ebenso wie es keinen Dialog mit den Menschen anderen Glaubens geben kann, ohne daß das gemeinsame Leben vorangeht, so kann es keine kirchliche Entwicklungshilfe, kein weltweites soziales Engagement geben, ohne daß man zuvor bei den fernen Menschen ist und sie durch gemeinsames Leben zum nahen Menschen geworden sind. Es muß nicht noch einmal entfaltet werden, daß dies in gleicher Weise auch für die Verkündigung selbst gilt. Nur so wird die die abendländische Theologie der Neuzeit prägende Subjekt-Objekt-Spaltung überwunden, nur so die Leiblichkeit des Glaubens zurückgewonnen, wie sie Jesus lebte, nur so das lebensbedrohliche Ungleichgewicht des Nord-Süd-Gefälles durchbrochen.

Biblische Einsichten und Erkenntnisse aus dem ökumenischen Gespräch mit den Traditionen und den Theologien der Dritten Welt haben uns unter der Hand zu einem neuen missionstheologischen Modell geführt. Es nimmt seinen Anfang bei Abraham - initium est principium -, wird neu gesetzt durch Jesus, orientiert sich an der Urgemeinde, findet seine Vorläufer in der Praxis der ersten Missionseinsätze der Brüdergemeine, wird heute u.a. verwirklicht im Leben der Kleinen Schwestern und Brüder Jesu des Ch. de Foucauld und der Brüder von Taizé. Fassen wir seine Kennzeichen stichwortartig zusammen, so wird man die folgenden nennen müssen: Etre présent, Stadt auf dem Berg und Salz der Erde sein, Dasein - Mitsein mit den Armen, in der konvivalen Existenz die Einladung zum Fest aussprechen und im Dialog Rechenschaft ablegen von der Hoffnung, die in uns ist (1Pt 3, 15). Man kann es das abrahamitische Missionsmodell nennen.

Lit.: *Amstutz, J.,* Kirche der Völker, Skizze einer Theorie der Mission, 1972. - *Balz, H.,* Theologische Modelle der Kommunikation, Bastian/Krämer/Nida, 1978. - *Barth, K.,* Die Theologie und die Mission in der Gegenwart, ZZ 10, 1932, 189-215. - *Bassham, R. C.,* Mission Theology 1948-1975: Years of Worldwide Creative Tension, Ecumenical, Evangelical, and Roman Catholic, 1979. - *Blauw, J.,* Gottes Werk in dieser Welt, Grundzüge einer biblischen Theologie der Mission, 1961. - *Blaser, K.,* Gottes Heil in heutiger Wirklichkeit. Überlegungen, Beispiele, Vorschläge, 1978. - *Bohren, R.,* Mission und Gemeinde, 1962. - *Bolkestein, H.,* Wohltätigkeit und Armenpflege im vorchristlichen Altertum. Ein Beitrag zum Problem „Moral und Gesellschaft", 1967. - *Bosch, D. J.,* Witness to the World. The Christian Mission in Theological Perspective, 1980. - *Bürkle, H.,* Missionstheologie, 1979. - *Burchard, Chr.,* Jesus für die Welt. Über das Verhältnis von Reich Gottes und Mission, in: Fides pro mundi vita (FS H.-G. Gensichen) 1980, 13-27. - *Ders.,* Der dreizehnte Zeuge. Traditions- und Kompositionsgeschichtliche Untersuchungen zu Lukas' Darstellung der Frühzeit des Paulus, 1970. - *Castro, E.*, Zur Sendung befreit. Mission und Einheit im Blick auf das Reich Gottes, 1986. - *Collet, G.*, Das Missionsverständnis der Kirche in der gegenwärtigen Diskussion, 1984. - Christentum zwischen den Weltreligionen, in: Conc 22, 1986. - *Cragg, K.*, Christianity in World Perspective, 1969. - *Ders.*, Sandals at the Mosque, Christian presence amid Islam, 1965. - *Evers, G.*, Mission, nichtchristliche Religionen, weltliche Welt, 1974. - Die Frage nach dem Missionsverständnis heute. EMW Informationen Nr. 21, 1981. - *Freytag, W.*, Reden und Aufsätze, 2 Bde, 1961. - *Friedrich, G.*, Die formale Struktur von Mt 28, 28-20, ZThK, 1983, 137-183. - *Gay, J. L.*, Missiologica Contemporanea, in: Missiologia Oggi 1985, 97-121. - *Gaßmann, G. u.a.* (Hrsg.), Neue transkonfessionelle Bewegungen. Dokumente aus der evangelikalen, der aktionszentrierten und der charismatischen Bewegung, 1976. - *Gensichen, H.-W.*, Glaube für die Welt. Theologische Aspekte der Mission, 1971 (Lit.). - *Ders.*, Mission und Kultur. Gesammelte Aufsätze (ThB 74), 1985. - *Hoekendijk, J. Chr.*, Feier der Befreiung. Was ist Mission?, in: Kontexte, IV, 1967, 124-132. - *Ders.*, Kirche und Volk in der deutschen Missionswissenschaft, 1967. - *Hollenweger, W. J.*, Erfahrung der Leiblichkeit, 1979. - *Jongeneel*, Missiologie. I. Zendingswetenschap, 1986 (Lit.). - *Kasper, W.*, Fremde werden Freunde, in: Missio Pastoral 3, 1980, 35-42. - *Ders.*, Warum noch Mission?, in: ders., Glaube und Geschichte, 1970, 259-274. - *Kertelge, K.* (Hrsg.), Die Mission im Neuen Testament, 1982 (Lit.). - *Klose, O.*, Kirchliche Entwicklungsarbeit als Lernprozeß der Kirche (SPT 30), 1984 (Lit.). - *Kohler, W.*, Was ist überhaupt Mission?, in: Spuren. Hundert Jahre Ostasien-Mission, 1984, 38-54. - *Kramm, Th.*, Analyse und Bewährung theologischer Modelle zur Begründung der Mission, 1979. - *Krieger, D. J.*, Das interreligiöse Gespräch. Methodologische Grundlagen der Theologie der Religionen, 1986. - *Lehmann-Habeck, M.* (Hrsg.), Dein Reich komme. Weltmissionskonferenz in Melbourne, 1980. - *M. Linz*, Anwalt der Welt. Zur Theologie der Mission, 1964. - *Margull, H. J.* (Hrsg.), Mission als Strukturprinzip, 1968. - *Ders.*, Zu einem christlichen Verständnis des Dialogs zwischen Menschen verschiedener religiöser Traditionen, in: EvTh 39, 1979, 915-211. - *Ders.*, Verwundbarkeit, in: EvTh 34, 1974, 410-420. - *Mildenberger, M.* (Hrsg.), Denkpause im Dialog, 1978. - Mission und Evangelisation. Eine ökumenische Erklärung, 1982. - *Müller, K.*, Missionstheologie. Eine Einführung, 1985 (Lit.). - *Mulders, A.*, Inleiding tot de Missiewetenschap, 1937. - *Newbigin, L.*, Missionarische Kirche in weltlicher Welt. Der dreieinige Gott und unsere Sendung, 1966. - *Nürnberger, K.*, Die Relevanz des Wortes im Entwicklungsprozeß, 1982 (Lit.). - *Ohm, T.*, Machet zu Jüngern alle Völker, 1962. - *Rahner, K.*, Grundprinzipien zur heutigen Mission der Kirche, in: Handbuch der Pastoraltheologie II, 2, 46-80. - *Ratschow, C. H.*, Die Möglichkeit des Dialogs angesichts des Anspruchs der Religionen auf den Menschen, in: EvMis 1970, 110-116. - *Ders.*, Die Religionen, 1979. - *Ders.*, Die eine christliche Taufe, 1972. - *Ders.*, Eschatologie, in: TRE 10, 334-361. - *Rosenkranz, G.*, Der christliche Glaube angesichts der Weltreligionen, 1967. - *L. Rütti*, Zur Theologie der Mission: Kritische Analysen und neue Orientierungen, 1972. - *Rzepkowski, H.* (Hrsg.), Allen alles werden. Beiträge zur missionarischen Spiritualität (SIM 21) 1978. - *Ders.*, Mission: Präsenz - Verkündigung - Bekehrung (SIM 13) 1974. - *Ders.*, Der Welt verpflichtet. Text und Kommentar des Apostolischen Schreibens Evangelii nuntiandi: Über die Evangelisierung in der Welt von heute, 1976. - *Sauter, G.*, Dialogik, in: TRE 8, 703-709 (Lit.). - *Scherer, J. A.*, That the Gospel may be sincerely preached throughout the world. A Lutheran Perspective on Mission and Evangelism in the 20th Century, 1982. - *Schmidlin, J.*, Katholische Missionslehre im Grundriß, ²1932, 446 S. - *Schütte, J.* (Hrsg.), Mission nach dem Konzil, 1967. - *Schmithals, W.*, Evangelien, in: TRE 10, 470-627. - *Seumois, A. V.*, Introductionà la Missiologie, 1952. - *T. Sundermeier*, Das Kreuz als Befreiung. Kreuzesinterpretationen in Asien und Afrika, 1985. - *Ders.*, Die „Stammesreligionen" als Thema der Religionsgeschichte. Thesen zu einer „Theologie der Religionsgeschichte", in: Fides pro mundi vita, (FS H.-W. Gensichen) 1980, 159-167. - *Ders.*, Die Stellung des Missionars in der gegenwärtigen ökumenischen Diskussion, in: Afrikanischer Heimatkalender 1969, 67-75. - *Ders.*, Konvivenz als Grundstruktur ökumenischer Existenz heute, in: W. Huber, D. Ritschl, T. Sundermeier (Hrsg.), Ökumenische Existenz heute, 1986 (ÖEh1) 49-100. - *Sundkler, B.*, The World of Mission, 1965. - *Verkuyl, J.*, Contemporary Missiology: An Introduction, 1978 (Lit.). - *Vicedom, G.*, Actio Dei, Mission und Reich Gottes, 1975. - *Ders.*, Missio Dei, 1958. - *Waldenfels, H.* (Hrsg.), „... denn Ich bin bei Euch", 1978. - *Warneck, G.*, Evangelische Missionslehre: Ein missionstheologischer Versuch, 5 Bde, 1892-1905. - Warum Mission? Theologische Motive in der Missionsgeschichte der Neuzeit, 2 Bde, 1984 (Lit.). - *Weiße, W.* (Hrsg.), Ökumenische Bewegung und weltweites Christentum. Texte und Materialien einer Vorlesungsreihe, 1985.

Th. Sundermeier

THEOLOGIE DER RELIGIONEN

1. Allgemein. 2. Katholische und protestantische Konkretionen. 3. Systematische Entfaltung.

1.1 Das nächstliegende Verständnis des Themas ist dies, daß nach den theologischen Gedankengängen gefragt ist, mit denen das Problem der vielen Religionen in der Welt innerhalb einer christlichen Theologie bewältigt werden kann. Die vielen Religionen stellen mit ihren vielen Weisen, einen Gott zu verehren, Fragen an die Weise, in der in den christlichen Kirchentümern Gott - dieser ist der Gott Israels, wie er in Jesu Wort Werk und Person als Vatergott prädiziert ist, der sich als Heiliger Geist in seinem Wort präsent macht - verehrt wird. Diese Fragen stellen sich dem christlichen Glauben unausweichlich, weil die Weisen der Gottesverehrung in den vielen Religionen jede eine letztgültige Wahrheit als Überzeugtheit aus Gottes- und das heißt stets auch aus Lebenserfahrung proklamieren. Der christliche Glaube, der sich selbst als letztgültige Wahrheit - und das heißt auch hier: aus Gottes- und Lebenserfahrung - versteht, muß sich den andersartigen religiösen Wahrheiten stellen. Dies kann nur in einer Reflexion über dieses „Ärgernis" vieler letztgültiger Wahrheiten als Selbstreflexion der eigenen Überzeugtheit geschehen. Jede Selbstreflexion des christlichen Glaubens ist Theologie. Wo Theologie in Hinsicht auf die vielen letztgültigen, d.h. religiösen Wahrheiten geschieht, da vollzieht sich Theologie der Religionen.

1.2 Aber kann man heute überhaupt von einer Theologie der Religionen insgesamt sprechen? Christliche Theologie hat sich stets als Religion unter Religionen verstanden. Es ist für Tertullian und Augustin wie für Thomas von Aquin und Luther ganz eindeutig, daß die nichtchristlichen Religionen - zunächst als hellenistische, als keltisch-germanische und slawische Religionen, zumal als Islam - Religionen seien wie das Christentum auch. Aber die nichtchristlichen Religionen sind „falsche", „widergöttliche" und „dämonisch verzerrte" Religionen. Der Gegensatz ist ausschließend. Das Bild ist schlicht dies: auf der einen Seite stehen die Religionen alle, auf der anderen das Christentum. Sie stehen sich wie dämonische Verzerrung und göttliche Wahrheit gegenüber. Dieses Bild hat bis zur Aufklärung des 18. Jahrhunderts Geltung. Mit dem 18. Jahrhundert werden die primitiven Religionen, wird China bekannt und interessant. Mit dem 19. Jahrhundert werden die antiken Religionen durch Textfunde und archäologische Erschließung - zumal die altägyptische und babylonisch-assyrische Religion - bekannt.

Mit dem Beginn des 20. Jahrhunderts beginnt eine neue Epoche: Der Babel-Bibel-Streit im ersten Jahrzehnt zeigt die „Pansumerier" mit ihrer Überzeugung, in Sumer sei die für alle Religion - auch für das AT und NT - maßgebende religiöse Grundwahrheit gefunden, im Angriff auf das Christentum.

Mit dem 20. Jahrhundert ist die Situation in bezug auf die Fragen, die Religionen durch ihr Dasein dem Christentum stellen, völlig verändert. Vier wesentliche Neuansätze wirken dabei zusammen: Der wachsende Einblick in die Religionen durch die wissenschaftliche Beschäftigung mit ihnen (1), der Aufbruch der asiatischen Religionen zur Mission in Westeuropa und Nordamerika (2), die kleiner werdende Welt und der dazu gehörende Massentourismus, durch den jährlich Tausende christlicher Menschen mit nichtchristlichen Kulturen in nahe Berührung kommen (3), sowie zumal das nach dem Zusammenbruch des Kolonialismus sich neu aufbauende Selbstbewußtsein asiatischer, afrikanischer wie lateinamerikanischer Populationen (4). Unter diesen Voraussetzungen bemerken wir, daß die Religionen jede für sich eine Eigenart darstellen. Wer den Islam eine Religion nennt, zögert mit Recht, den tibetischen Lamaismus eine Religion zu nennen! Das heißt aber, daß nicht mehr die Religionen auf der einen Seite und das Christentum auf der anderen Seite - wie Lüge und Wahrheit oder wie auch immer - erörtert werden können. Das Christentum steht vielmehr dem Islam andersartig gegenüber als dem Krishna-Kult, wie die Bhagavadgita ihn bezeugt. Wiederum sehr andersartig ist das Christentum durch den Theravada-Buddhismus oder den Zen-Buddhismus herausgefordert. Kann es dann noch eine Theologie der Religionen geben? Dies wird nicht ohne Grund in Zweifel gezogen. Eine einheitliche theologische Verantwortung der christlichen Wahrheit gegenüber „den" Religionen scheint es nicht geben zu können. Diese Fraglichkeit einer Theologie der Religionen dürfen wir nicht aus dem Auge verlieren.

1.3 Das Christentum hat sich stets als Religion gewußt. Sein Sieg über die hellenistischen Religionen wie über die keltisch-germanischen und slawischen Religionen schufen das corpus Christianum in dem Bewußtsein, das Christentum sei die einzige wahre Religion der Ökumene. Der Islam hat dieses Bewußtsein nicht erschüttert, da man Muhammad als „zweiten Arius", den Islam als nachchristliche Imitatio Diaboli verstand. Das corpus Christianum lebte lange in dem Bewußtsein, daß Kultur, Menschlichkeit und Christentum identisch seien.

Wir leben heute in einem anderen Bewußtsein. Die Vielheit der Religionen, die überall auf der Welt aufeinander treffen, die überall auf der Welt sich befruchten und auch voneinander absetzen, schafft eine neue innige Vertrautheit der Religionen. Man braucht von Europa aus nicht mehr nach Asien zu reisen, um Muslime in ihrer tief eschatologischen Frömmigkeit und eigenartigen Weltbeziehung zu erleben, um hinduistische Gurus und ihre Meditation eingehend zu studieren, um die Gottesdienste der lamaistischen Kagyudpa und ihre verschiedenen → Initiationen zu teilen oder die japanischen zen-buddhistischen Meditationspraktiken zu erlernen. Daher bemerken wir heute besonders, welche „Welten" diese religiösen Weisen trennen. Der christliche Glaube in seiner Eigenart ist eine Religion unter anderen.

Aber wenn nun die Religionen in all ihrer Verschiedenheit nebeneinander herleben, so ist zu fragen, was denn eine Religion als Religion erkennen läßt. Der

Hinduismus kennt keine „Gemeinde" oder religiöse Institution, der Buddhismus kennt scheinbar keinen Gott, der Islam kennt keine Priesterschaft, und nur bei der Wallfahrt in Mekka zeigt er einen eigentlichen Kult. Das heißt, je tiefer die Vertrautheit mit verschiedenen Religionen wird, um so fraglicher wird die Bezeichnung ihrer aller mit dem einen einheitlichen Allgemeinbegriff - Religion.

Was macht dann das Reden von Religionen noch möglich und plausibel? Erstens und vor allem ist dies der eine und selbe Stellenwert, den die Religionen in ihren Kulturen haben. Die Kulturen zeigen alle ein Neben-, zum Teil auch ein Gegeneinander, von Religion, Jagd, Wirtschaft und Wissenschaft, Politik und Kunst. Nachdem diese verschiedenen Lebensäußerungen aller Kulturen zunächst in den Kulten und Mythen integriert waren, erfolgte als ein langsamer Prozeß der Vorgang der sog. Segmentierung, in dem sich die verschiedenen Lebensäußerungen voneinander ablösten. Plausibel ist jedem, was Politik und Kunst z.B. gegenüber der Religion bedeuten. Die Religion ist der Lebensbereich, in dem der Mensch seines Alltags Mühe und Zweifel wie seine „Sonntags" Festlichkeit „begeht", d.h., daß er Gutes wie Böses von diesem Lebensbereich zu empfangen überzeugt ist, daß er seinen Dank wie sein Bitten hier niederlegt, ob es sich nun um Liebe oder Kindersegen, Gewinn oder Verlust, Leben oder Tod handelt. Dargestellt in Tempeln, Moscheen und Kirchen leben die Religionen ihr unverwechselbares Eigenleben in diesem Horizont. Sie nehmen in den zugehörigen Kulturen einen Stellenwert ein, der sie in spezifischer Weise von Wissenschaft, Wirtschaft, Politik und Kunst unterscheidet. Dieser Stellenwert ist der christlichen Religion in den christlichen Kulturen ebenso eigen wie dem Islam in den muslimischen oder dem Lamaismus in den lamaistischen Kulturen.

Die Religionen - das ist zweitens zu sagen - stellen den Lebensbereich dar, in dem das Zuvor und das Hernach von Welt und Selbst, sei es als persönlicher Gott, sei es als ultimate concern - heilvoll „einst" hervorgetreten - neu und neu Ereignis werden soll. Der „Inhalt" der Religionen - die Epiphanie des Gottes, die Urzeit als Ahnen-Heilszeit, die unableitbare Erleuchtung oder die einbrechende Offenbarung - macht die besondere Stelle aus, die die Religionen im Verhältnis zu wirtschaftlichen, politischen, wissenschaftlichen oder künstlerischen Bereichen einnehmen. Dieser „Inhalt" stellt das „mythische" Ereignis dar, um dessen immer neue Ereignung der Kult kreist. Dieses Ereignis „ist" als es selbst alles. Es ist zu nichts anderem gut oder nützlich. Der Gott ist als er selbst präsent. Das ist alles - als das Heil. Da kann nicht nach Utilität oder Funktion gefragt werden. Diese rationalen Konklusionen gehören nicht in das Grundreignis, zerstören es vielmehr.

2. In einem zweiten Gedankengang sollen einige Beispiele besprochen werden, in denen eine Theologie der Religionen erörtert ist. Die Frage nach der religiösen Anlage des Menschen wie die nach der Vielheit der Religionen ist im Zusammenhang der sog. Fundamentaltheologie stets verhandelt worden.

2.1 Als Beispiel der stets geübten Behandlung dieser Fragen wählen wir ein Dokument aus dem katholischen Bereich, weil in ihm in großer Klarheit die Einsichten zusammengestellt sind, die für die „üblichen" Grundlagen theologischer Behandlung der Religionen charakteristisch sind. Das II. Vatikanum hat in der „Erklärung über das Verhältnis der Kirche zu den nichtchristlichen Religionen", „Nostra aetate", diese Fragen abgehandelt. Zwei Grundgegebenheiten menschli-

chen Daseins bilden das theologische Fundament. Die erste ist die Tatsache, daß
alle Völker denselben Ursprung in Gott (Act 17,26) haben, daß sie alle von Gottes Vorsehung (Act 14,17) geleitet werden und daß sie alle auf das eine Ziel in der
Herrlichkeit Gottes (Act 21,23ff) zugeführt werden (Art. 1,2). Die zweite Grund-
tatsache ist darin gegeben, daß es zum Menschen gehört, daß er nach dem letzten
Geheimnis seiner Existenz fragt (Art. 1,3). Beide Seiten gehören zum Menschen
und machen es möglich, die Religionen theologisch miteinander unter diese anthropologischen Gemeinsamkeiten zu bringen. Die Religionen geschehen als „gewisse Wahrnehmung jener verborgenen Macht". Auf diesem Hintergrund er-
mahnt die Kirche die Christen mit den Bekennern anderer Religionen „durch Gespräch und Zusammenarbeit ... so wie durch ihr Zeugnis des christlichen Glaubens" die „geistlichen und sittlichen Güter" jener Religionen zu „wahren und zu
fördern" (Art. 2,3). Der Art. 5 verwirft sodann alle Diskriminierung eines Menschen aufgrund seiner Rasse, seines Standes oder seiner Religion. In diesem Dokument sind die Religionen theologisch in der Weise dargestellt, wie sie traditionell unter dem Maßtab einer „natürlichen Offenbarung", wie man das nannte,
auch in der evangelischen Dogmatik behandelt sind. Wir fügen dem drei neuere
Denkmodelle zur Theologie der Religionen an, wie sie von Horst Bürkle, Michael
von Brück und Ulrich Schoen vorgelegt sind.

2.2 Die „Einführung in die Theologie der Religionen" von Horst Bürkle
zeigt einen neuen Ansatz in besonders instruktiver Weise. Das Corpus dieser Arbeit wird durch eine Besprechung des Hinduismus, des Buddhismus und der afrikanischen Stammesreligionen gebildet. Die anderen Religionen stellen der Theologie ihre Fragen! Der Hinduismus fragt die christliche Theologie nach der Wahrheit des Mythos, wie zumal nach dem Verständnis der Gnade im Verhältnis zum
Gesetz wie nach der Begründung sittlichen Handelns: Die christliche Theologie
muß sich also mit ihrer oft blinden Abweisung des Mythos vor dem berechtigten
Anspruch des Hinduismus ausweisen. Oder der Buddhismus stellt Fragen in bezug auf die Stellung Jesu im Glauben der Christen. Die Eigenart buddhistischer
Jüngerschaft läßt die christliche Nachfolge neu bedenken. Zumal aber stellt der
moderne Buddhismus dem Christentum die Frage der Toleranz neu. Oder in der
Behandlung der afrikanischen Stammesreligionen muß sich der christliche Schöp-
fungsglaube gegenüber dem lebendigen Glauben der Afrikaner, daß sich der
Mensch „einem ihm überlegenen Ursprung" verdankt, ausweisen. Hier stellt sich
die theologische Behandlung der Zeit als religiöser Zeit und der starke religiöse
Gemeinschaftssinn der Afrikaner läßt uns unser Dasein als Glieder am Leibe
Christi neu befragen.

Dieser kurze Blick auf einige Einzelheiten kann zeigen, worum es Bürkle
geht: Theologie der Religionen geschieht nicht wie noch im II. Vaticanum in den
allgemeinen Erwägungen von dem gemeinsamen Ursprung und Ziel aller Menschen. Es geht vielmehr um ein sehr konkretes Gefordertsein christlichen Theologisierens - z.B. der existentialen Interpretation - durch die außerchristlichen Religionen. Da läßt sich christliche Theologie von hinduistischem oder buddhisti-
schem religiösen Denken befragen. Die christlichen Grundeinsichten von dem
Gott in Christo z.B. stehen nicht als solche zur Debatte. Aber die Weise unseres
frommen und theologischen Umgehens mit diesem Grundereignis wird von dem

indischen oder afrikanischen religiösen Denken in Frage gestellt! Darauf aber kommt es an. Von hier aus wird die Absolutheit des Christentums wie die Toleranzfrage neu sichtbar und die Universalität der christlichen Botschaft - so bemerkt Bürkle mit Recht - kommt von den asiatischen Religionen her neu auf uns zu, und ist im Geben und Nehmen neu zu bewähren.

Als zweites Beispiel wähle ich das Buch von Michael von Brück, das er „Möglichkeiten und Grenzen einer Theologie der Religionen" nennt. Diese Arbeit geht von den Bemühungen Karl Barths und Rudolfs Ottos aus. Dabei interessieren uns vor allem die Forderungen, die von Brück an eine Theologie der Religionen (111ff) stellt: Die erste Forderung ist die, das „Proprium des Christentums" im Gespräch mit anderen Religionen nicht in seinen „dogmatischen Denktraditionen" vorzutragen, sondern „immer neue Bilder und Begriffe" zu verwenden, um die Wahrheit darzustellen. Dies soll die Christen selbst sensibel dafür machen, „entleerte Symbolinhalte" aufzugeben. Die zweite Forderung ist, daß eine Theologie der Religionen dabei allein von den „geschichtlichen Religionen" ausgeht. Diese konkreten Religionen aber zeigen uns Menschen, die in ihrer Beziehung zu Gott ihren unverfügbaren Lebensgrund bewährt wissen. Abstrahierte Religionsbegriffe sind ganz uninteressant. Die dritte Forderung betrifft die Toleranz, die fremden Religionen gegenüber darum stets erneut ein Problem ist, weil die eigene Glaubensgewißheit ihr immer wieder widerspricht. Das Wissen um die Bedingtheit jedes geschichtlichen Glaubensausdrucks und die Gewißheit um das Unbedingte zeigen den Weg der Lösung an. Die vierte Forderung handelt von der Universalität Gottes bzw. „der christlichen Heilsbotschaft". Universalität steht gegenüber der Absolutheit. Das heißt, daß der Gott in seiner Zuwendung zur Welt, wie die Christen ihn im AT und NT bezeugt finden, allen Religionen „im Sinne eines inklusiven Geschehens" präsent ist. Die fünfte Forderung geht die „Einheit der Religionsgeschichte" an. Diese Einheit - der Religionen und nicht der Religionsgeschichte - liegt „in Gott, der alle geschichtliche Wirklichkeit transzendiert". Die Pluralität der Religionen aber folgt „aus der Geschichtlichkeit menschlicher Existenz". Von Brück meint, daß Pluralität und Einheit der Religionen „darum als dialektische Begriffe zu denken" seien. Ob das wirklich eine Dialektik sein kann, kann man fragen. Aber das unauflösbare Miteinander von Gottes Weltzuwendung und den vielen individuierten Geschichtsgestalten ist angemessen erfaßt.

Wenn wir zu diesen Forderungen die acht „Möglichkeiten einer Theologie der Religionen" (s. 150ff) ansehen, so wird als Spezifikum dieses Versuches die - christologisch zwar eingeengte - Universalität Gotts sichtbar. Dabei verwendet von Brück die von Tillich gerade in der Christologie verwendete Symbol-Begrifflichkeit: „Jesus Christus ist das Symbol der Zuwendung Gottes zur Schöpfung". Dieser Satz faßt das zusammen, was zu sagen ist: „Ihm kommt universale Bedeutung zu" oder „wir ... begründen theologisch die Wirksamkeit Christi in den anderen Religionen". In dieser christologischen Engführung der Welt-Wirksamkeit des dreieinigen Gottes liegt die Eigenart dieser Theologie der Religionen, die am „Symbol des Kreuzes" die „Universalität Jesu Christi" darstellt. In dieser Universalität Jesu Christi ist die Solidarität wie der Dialog der Religionen angelegt. Beides aber ist nicht aus dogmatischer Festgelegtheit heraus möglich, sondern ergeht als „Wagnis des Vertrauens auf die Kraft des Heiligen Geistes". Die Bewußtmachung dessen, daß Christus innerhalb der „Symbole ... anderer Religionen" wirksam ist, heißt dann auf dem Hintergrund des Dialoges: Mission! In dieser Form von einer Theologie der Religionen zu sprechen, läßt durch die christologische Engführung den Teil des Ganzen zurücktreten, der bei Bürkle im Vordergrund steht, nämlich die Selbst-Betroffenheit der christlichen Theologie durch die nichtchristlichen Religionen. Von Brück übersieht diese durch die Religionen ausgelöste Selbstreflexion der christlichen Theologie nicht. Aber sie tritt zurück. Dies scheint auch durch die Übernahme des Tillich'schen Symboldenkens gegeben zu sein. Wenn man die zentralen Überzeugtheiten der Religionen wie des Christentums als Symbole kennzeichnet, dann ist damit eine Meta-Ebene betreten, auf der eine Reflexion über die Symbole ersinnende religiöse Reflexion in dem Sinne stattfinden kann, daß Symbole auswechselbar werden. Wie weit das Symbol an der Wirklichkeit partizipiert - wie weit wir also mit dem Symbol in der Verbindlichkeit bleiben - war schon bei Tillich selbst ein offenes Problem.

Als drittes Beispiel wählen wir als Kontrast und auch als Fortführung der Entwürfe von Horst Bürkle und Michael von Brück die Arbeit von Ulrich Schoen: „Das Ereignis und die Antworten", das den Untertitel „auf der Suche nach einer Theologie der Religonen heute" trägt. Bei dieser Arbeit handelt es sich um in sich wenig ausgeglichene Versuche, eine Theologie der Religionen im wesentlichen aus einer „interreligiösen Existenz" - d.h. zunächst einfach, daß ein Christ innerhalb einer islamischen oder buddhistischen Welt sein Christsein lebt - zu beschreiben. Dies charakterisiert Schoen an drei Theologen: dem anglikanischen Bischof Kenneth Cragg, der in einer islamischen Welt arbeitete, dem französischen Theologen Jean Faure, der im Umkreis der afrikanischen Stammesreligionen lebte, und dem bekannten japanischen Religionsphilosophen Katsumi Takizawa. Schoen meint offenbar, daß es solcher interreligiöser Existenz bedarf, um eine Theologie der Religionen mit Erfolg zu beginnen. Dabei gibt Schoen in einleitenden Erklärungen den Religionsbegriff bekannt, den er seiner Arbeit zugrundelegt: „Religion ist eine Methode zur Herstellung des Wirklichkeitsbezuges" (20). Diese rein funktional gedachte (Religion als Methode!) Begrifflichkeit wundert den Leser, weil das Buch ja doch auf Konkretion drängt, auf wirkliche Öffnung zu fremder Religionsübung. So bleibt denn dieser Religionsbegriff auch ohne Einfluß auf das Ganze des Entwurfes. Es geht dem Buch von Schoen um „die Befreiung der Theologie der Religionen aus dem Elfenbeinturm der christlichen Theologie" (57). Dabei, so meint er, wird ein christlicher Autor stets nur von seiner christlichen Seite aus urteilen können (58). Darum, meint Schoen, sollte eine Theologie der Religionen von nichtchristlichen Theologen mit geschrieben sein (58). Schoen meint auch, daß nur ein Dialog zu einer Theologie der Religionen führen kann (59). Wenn wir an den Entwurf von Bürkle zurückdenken, so sehen wir, daß so ein „Dialog", in dem die nichtchristlichen Religionen sogar die Fragenden sind, allerdings die Grundlage einer Theologie der Religionen ist. Aber dazu braucht man wohl keinen Sprechsaal, sondern einen Mann mit den erforderlichen Kenntnissen der fremden Religionen. Man wird in Beachtung der bisherigen „Dialoge" z.B. zwischen christlichen und islamischen Theologen auch wohl sagen, daß sie einerseits wie in Colombo auf der Entgegennahme von Erklärungen bestanden, andererseits aber auf der spiritualen Ebene des gemeinsamen Gebetes verschwanden. Schoen hat aber auch offenbar von der seitherigen Arbeit der Religionswissenschaften an den Fremdreligionen eine merkwürdige Vorstellung, denn er meint etwas Wichtiges zu sagen, wenn er darauf verweist, daß es von nichtchristlichen Autoren Beiträge zur Theologie der Religionen gebe (59). Von der großen Arbeit, die sich an den heiligen Texten der nichtchristlichen Religionen vollzogen hat, erwähnt er nichts. Aber eine andere Seite ist ihm wichtig. Er meint, alle Religionen verbinde eine „gemeinsame ontologische (sic!) Struktur", womit er die „ursprüngliche Mentalität" einer „primitiven" Religiosität meint (63). Diese gemeinsame Grundlage hält er offenbar für einen der Gründe der Gemeinsamkeit der Religionen.

Die ganze Arbeit ist nun aber von einem anderen unausgeglichenen Widerspruch durchzogen. Da ist die Frage, ob es eine Theologie der Religionen allgemein oder nur die spezielle Theologie zweier oder dreier Religionen (z.B. 133) geben kann. Wir sind diesem Problem auch bei Bürkle und von Brück begegnet. Jedenfalls ist zu sagen, daß eine Theologie der Religionen grundsätzlich nur an einzelnen konkreten Religionen erarbeitet werden kann, daß dies aber allerdings an allen Religionen durchgeführt sein sollte. Allgemein in bezug auf Religion überhaupt gibt es keine Theologie der Religionen, sie müßte an den gelebten Religionen vorübergehen, wie das viele berühmte theologische Entwürfe zeigen.

Das Wesentliche des Entwurfes von Ulrich Schoen aber besteht in der sog. „interreligiösen Existenz", wie er sie an den drei genannten Männern vorführt. Dabei müssen wir das damit Gemeinte etwas näher erörtern. Schoen zitiert Kenneth Cragg: „Wir sind alle in einer interreligiösen Situation, die weit mehr voller Geheimnisse und voller Forderungen ist, als wir bisher weithin annahmen" (113). Dies ist so gemeint, daß heute die Religionen in allen Kontinenten sich so weit durchdringen, daß die Menschen in einer derartigen Situation leben, ohne dies im allgemeinen zu realisieren. Schoen behandelt demgegenüber die interreligiöse Existenz als etwas ganz Besonderes - aber vielleicht ist dieser Eindruck ja auch nur durch die abgeschlossene Darstellung der drei Exponenten hervorgerufen. Wir müssen hierzu aber hinzufügen, was Friedrich Heiler stets betonte, daß man nämlich nur die Religion verstehe, die einem zu einer echten Versuchung geworden sei. Das heißt, daß die interreligiöse Situation zumal in dieser Versuchtheit von anderen Religionen geschieht. Diese Bemerkungen sind darum wichtig, weil Schoen aus dem Werk von Kenneth Cragg zwei Stufen erschließt, deren erste eine vom Christentum als unserer Wahrheit auf den Muslim z.B. zuführt, um ihm die Wahrheit zu bezeugen; deren zweite nun aber auf die tiefe Wahrhiet des Islam hören läßt. In dieser zweiten Stufe geht es „übertrieben gesagt" um eine Islamisierung des Christen und eine Kenosis seines eigenen Glaubens (123ff). Dieser letzte Vorgang ist das, was Heiler als die echte Versuchung durch eine Fremdreligion meinte.

Schoen findet also den Ansatz einer Theologie der Religionen in einer „interreligiösen Existenz". Diese wird möglich durch eine altbewährte Unterscheidung, die als „Ereignis" und „Antwort" dem Buch seinen Namen gab. Das Grund- oder Heils-„Ereignis", an dem sich jede Religion ausrichtet, ist unterscheidbar von der „Antwort" des Menschen, die er mythisch wie kultisch gibt. Wir brauchen hierzu nicht viel zu sagen, denn dieser Gesichtspunkt gehört seit langem zum Grundbestand der aneignenden Behandlung der Religionen. Zu bemerken ist, daß Schoen diese Grundunterscheidung anhand der Darstellung von Takizawa sehr spekulativ erläutert, was - wie er bemerkt - von Karl Barth stammt (148f). Mit dieser Unterscheidung kann Schoen die sog. „Gemeinsamkeitserfahrung" bestimmen: „Es ist die Erfahrung, daß der andere denselben Gott verehrt wie ich" (114, 125). Diese Gemeinsamkeit bezieht sich auf das Grundereignis und ist an ihm zu erläutern. In dieser Gemeinsamkeitserfahrung liegt der Grund der Möglichkeit für eine Theologie der Religionen wie für eine interreligiöse Existenz, weil an ihr sich das Ereignis von den Antworten scheidet.

2.3 Die drei Entwürfe zur Theologie der Religionen zeigen in ihrem Unterschied, daß das Vorgehen von Horst Bürkle das tut, was getan weden kann und muß: Er führt diese Theologie „praktisch" vor. Die anderen Entwürfe theoretisieren. Erst in der durchgeführten Auseinandersetzung werden die Fragen so konkret, wie sie de facto sind. Denn darin sind sich alle einig: Es geht in einer Theologie der Religionen um das Einzelne im Konkreten religiöser Erscheinungen. Es geht um die gelebte Religion, die nur in einer „interreligiösen Existenz" erfahrbar wird! Aber auch dies zeigen alle Entwürfe: Eine Theologie der Religionen führt zur Bestimmung der Universalität Gottes. Universalität Gottes heißt, daß der Gott, den das NT als den Vater-Gott prädiziert, und der sich als Heiliger Geist neu und neu präsent macht, in dem Grundereignis aller Religion wirksam ist. Dies ist die eine Seite der Sache. Die andere Seite, die die Arbeit der Theologie der Religionen zumal betrifft, ist die Frage, wie die verschiedenen Antworten des Menschen - als Mythos, Ritus und Frommes Leben - miteinander so in ein theologisches „Gespräch" gebracht werden können, daß nicht nur wechselseitige Ehrfurcht, sondern auch gegenseitiges Verständnis rege werden kann. Das Schwergewicht solcher Arbeit liegt in einem selbstkritischen Prozeß, der - im Zusammenhang mit der Universalität - die Frage der Toleranz neu einsetzt.

Erstaunlich sind die christologischen Engführungen in manchen Entwürfen. Das christologische Grundereignis ist als Versöhnung ein Epiphänomen, das es zu dem Grundzusammenhang von Schöpfung und Schuld in allen Religionen gibt. Das zentrale Heil ist das Schöpfungsheil: Es geht nicht nur den afrikanischen Christen um die heile Welt. Darum meinte Luther mit Recht, daß der Schöpfungsartikel der schwerste und Hauptartikel christlichen Glaubens sei. Diese Fragen sind gewiß nur trinitarisch sachgemäß zu erörtern. Aber gerade in diesem Horizont fällt die christologische Engführung in sich zusammen.

3.1 Der zentrale Grund der Möglichkeit einer Theologie der Religionen ist in der Tatsache der Universalität Gottes gegeben und wird in allen Entwürfen als zentrales Thema sichtbar: Gottes Welthandeln unterfängt alle Religionen. Die Überzeugung, daß es nur einen Gott gibt, daß er hinter allem Götterwirken wirkt, steht in allen Versuchten einer Theologie der Religionen heute an entscheidender Stelle. Dies bedeutet anderes als jener alte Ansatz von dem gemeinsamen Ursprung und Bestimmtsein aller Menschen, der geschlossen war aus ihrer aller tiefstem Empfinden (s.o. 2.1). Es geht um Gott und nicht um Menschen-Fühlen. Der Menschen Erfahren und Gestalten steht als Mythen- oder Riten-Antwort oder denn als frommes Tun auf jener anderen Seite, wo der Menschen Antworten auf Gottes Wirken sich als Interpretationen häufen, die der Mensch aus seinem

Eignen und seiner Umwelt Eigenart ersinnt. Die Antworten analysiert eine Theologie der Religionen. Selbstkritisch ist dies Tun. Es dient damit der eigenen Wahrheitssuche. Dabei verschwinden alle die alten törichten Scheidungen von Kriegsgöttern und Liebesgöttern und Götterhierarchien. Das heißt, die funktionalen Deutungen zerfallen. Es verschwinden die ebenso aus der Luft gegriffenen Unterscheidungen von Monotheismus und Polytheismus und Henotheismus. Das heißt, die abstrakte Unverbindlichkeit im Reden von Gott und den Religionen zerfallen. Die Unverbindlichkeiten fallen in der Forschungswelt einer Theologie der Religionen - und damit all die funktionalen Gleichmachereien der Religionen. Die interreligiöse Existenz, in der heute alle Religionen zu leben haben, wie Cantwell Smith vor allem betonte, verlangt von einer Theologie der Religionen anderes als eine Suche nach unverbindlichen Verallgemeinerungen, die auf jede Religion passen. Hiermit haben wir die Wendung im Arbeiten der Theologie der Religionen erfaßt, auf die es heute in allen Entwürfen ankommt, wenn man noch zur Sache reden will.

3.2 Es gibt im NT den Entwurf einer Theologie der Religionen, der durch seine Fehldeutung den Ansatz theologischen Redens von den Religionen lange blockierte, und zu jener leeren Formel von der „natürlichen Offenbarung" führte. Das ist der Beginn des Römerbriefes. Aber nicht nur das 1. und 2. Kapitel darf man ansehen, sondern der Gedankengang reicht vom 1. bis zum Ende des 8. Kapitels: Die Rede von dem Zorn Gottes kommt erst im letzten Teil des 8. Kapitels zu ihrem Ende.

Bei Paulus erscheinen die Religionen (1,21-23) als der Sündenfall der Menschheit, die Gott zwar kennt, aber nicht anerkennt. Die Menschheit kennt Gott, denn er zeigt ihnen sein unsichtbares Wesen an seinen Werken (1,19-20). Die Menschheit aber betet statt seiner die Werke an. Sie vergißt Gott über den Werken. Darum hat Gott sie in dreifacher Weise in all die moralischen Verworrenheiten verstrickt (1,24-29), in denen sich der Mensch vorfindet, und deren Schlußpunkt die Unentschuldbarkeit des Menschen (1,20 und 2,1) und das Gericht Gottes (2,1-11) ist. Damit ist das Thema gegeben, an dem sich (2,12-3,20) die israelitische wie die hellenistischen Religionen als Frage nach dem Gesetz und den Werken des Gesetzes aufbauen. Diese ganzen religiösen Antworten des Menschen führen in den völligen Zusammenbruch, „damit jeder Mund gestopft und alle Welt schuldig sei - vor Gott" (3,19). Der Weg der religiösen Antworten ist in die Schuld verschlungen. Aber Gott greift ein und läßt seine Gerechtigkeit erscheinen in Wort, Werk und Person Jesu - ohne des Gesetzes Werke allein aus Gnade (3,21-31). Aber dazu muß man sagen: Ist denn damit das Gesetz - das heißt all das religiöse Wesen - beseitigt? Keineswegs, sagt Paulus! Wir richten das Gesetz - und das ist nicht das AT, sondern das ganze religiöse Antworten in all seiner Verbindlichkeit - unter der Voraussetzung der Versöhnungstat Gottes erneut auf (3,31).

Die Kapitel 4-7 Ende beschreiben diesen Vorgang. Wir Christen haben auf dem Hintergrund einer angemessenen Aneignung des AT (Kot 4), nach der die Gnade Gottes den Glauben „errechnet", Frieden mit Gott (5,1-11) und dennoch bleiben wir der Sünde verfallen und gehören darum dem Gesetz. Wir Christen sind in der Taufe diesem Weltverhängnis weggestorben (6.1-14) und unterliegen dennoch der Knechtschaft der Sünde, wie der Tod anzeigt (6,15-25). Was wollen wir denn auch gegen das Gesetz sagen? Es ist ja doch heilig, gerecht und gut. Ja, es vertieft unsere Schuld bis zum Äußersten (7,1-13). Daher werden wir als die sichtbar, die wir sind. Das Gesetz demaskiert uns Christen als die zwischen Wollen und Vermögen heillos Zerrissenen. Diese Einsicht (7,14-23) führt v. 24 zu der tief aussichtslosen Selbsterkenntnis des Christen im „Soma dieses Todes". In der unerhörten Spannung dieser vier Kapitel schildert Paulus das Christentum als Religion unter der Voraussetzung der Gerechtigkeit Gottes in Christo. Aber das 8. Kapitel setzt noch einmal neu an und es geht immer noch um einen Nomos. Dieser aber ist der Nomos des Heiligen Geistes. Nicht in Wort, Werk und Person Jesu, sondern erst hier unter dem Heiligen Geist kommt der universale Zorn Gottes - und der ist ein religionsgeschichtlich zu definierender Zorn - zu seinem Ende: Unter dem Nomos des Geistes. d.h. unter den religiösen Intentionen (phronema 8,5-8) des Geistes geschieht etwas ganz Neuartiges: Das religiöse Subjekt „verschwindet", das nicht einmal mehr weiß, was es beten soll (8,26f); aber der Geist tritt für diesen sprachlos seufzenden Christen, der gar nicht mehr alles besser weiß, ein! Und damit endlich sind die Wege des Zornes Gottes zu Ende gegangen. Von der Liebe Gottes und der Liebe Christi kann uns Christen nun nichts mehr scheiden (8,35). Diese Theologie der Religionen, die, soweit ich weiß, noch nie streng auf diesen ihren Zusammenhang ausgelegt wurde, zeigt, wie eine trinitarisch durchgeführte Gotteseinsicht das Problem der Religionen so wie das Christentum als Religion auf das dritte Eintreten Gottes zuführt, in dem der Zorn Gottes zur Ruhe kommt, weil und so gewiß er als Geist auch noch die religiöse Antwort-Verbindlichkeit des Menschen übernimmt.

Lit.: *Beyerhaus, P.*, Zur Theologie der Religionen im Protestantismus, in: KuD 1969, 87-104. - *Benz, E.*, Ideen zu einer Theologie der Religionsgeschichte, AAWLMG, 1969. - *v. Brück, M.*, Möglichkeiten und Grenzen einer Theologie der Religionen, 1979. - *Bürkle, H.*, Einführung in die Theologie der Religionen, 1977 (Lit.). - *Ders.*, Der Glaube im Dialog mit den nichtchristlichen Religionen, in: EMM 1969, 54-68. - *Chandrau, R.*, Christian encounter with men of other beliefs, in: ER 1964, 451-455. - *Drummond, R. H.*, Christian Theology and the History of Religions, in: JES 1975, 389-398. - *Freytag, W.*, Das Rätsel der Religionen und die biblische Antwort, 1956. - *Frick, H.*, Das Evangelium und die Religionen, 1933. - *Goldammer, K.*, Die Bibel und die Religionen, 1966. - *Ders.*, Die Gedankenwelt der Religionen, in: KuD, 1969, 105-135. - *Heiler, F.*, Das Christentum und die Religionen, 1964. - *Knitter, P.*, Towards a Protestant Theology of Religions, 1974. - *Leuze, R.*, Möglichkeiten und Grenzen einer Theologie der Religionsgeschichte, in: KuD 1978, 230-243. - *Mann, U.*, Die Religion in den Religionen, 1974. - *Neill, St. G.*, Gott und die Götter. Christlicher Glaube und die Weltreligionen, 1963. - *Nürnberger, K.*, Systematisch-theologische Lösungsversuche zum Problem der anderen Religionen und ihre missionsmethodischen Konsequenzen, in: NZSTh 1970, 13-43. - *Panikkar, R.*, Die vielen Götter und der eine Herr, 1964. - *Pannenberg, W.*, Erwägungen zu einer Theologie der Religionsgeschichte, in: Grundfragen systematischer Theologie, 361-374. - *Rahner, K.*, Das Christentum und die nichtchristlichen Religionen, 1964. - *Ratschow, C. H.*, Die Religionen und das Christentum, 1967. - *Ders.*, Die Religionen (HST 16), 1967. - *Rosenkranz, G.*, Der christliche Glaube angesichts der Weltreligionen, 1967. - *Rust, H.*, Entwurf einer Theologie der Religionsgeschichte, in: ZMR 1933, 289-309. - *Schlette, H. R.*, Die Religionen als Thema der Theologie, 1967. - *Schoen, U.*, Das Ereignis und die Antworten, 1984. - *Waldenfels, H.*, Zur Heilsbedeutung der nichtchristlichen Religionen in katholischer

Sicht, in: ZMR 1969, 257-278. - *Ders.*, Das Verständnis der Religionen und seine Bedeutung für die Mission in katholischer Sicht, in: EMZ 1970, 126-159.

C.-H. Ratschow

THEOLOGISCHE AUSBILDUNG

1. Begriff. 2. Gründungs- und Aufbauphase. 3. Krise. 4. Wandel der theologischen Ausbildung. 5. Erfahrungsaustausch.

1. Der *Begriff* theologische Ausbildung wird hier verstanden als Ausbildung zum kirchlichen Dienst in Asien, Nahost, Afrika, Mittel- und Lateinamerika, der Karibik und im pazifischen Raum. In der Regel findet die theologische Ausbildung in kirchlicher Trägerschaft statt (Theologische Seminare, Ordensschulen, Bibelschulen usw.). In nachkolonialer Zeit sind an den Universitäten mancherorts theologische Fakultäten oder Fachbereiche für religionswissenschaftliche Studien eingerichtet worden, an denen römisch-katholische und protestantische Theologie neben nichtchristlichen Religionen unterrichtet werden.

2. In der *Gründungs- und Aufbauphase* der Ausbildungsstätten wurde die wichtigste Aufgabe der theologischen Ausbildung meistens darin gesehen, einheimische Pfarrer und Theologen heranzubilden, um den großen Anteil an ausländischen Mitarbeitern in den höheren Ämtern der Missionskirchen abbauen zu können. Naheliegenderweise orientierte man sich dabei zunächst an den aus westlichen Ländern bekannten Ausbildungsmustern. Der Unterricht fand in der Sprache der Kolonialländer statt; das Lehrmaterial stammte aus den Mutterkirchen und gab die konfessionelle Ausrichtung derselben wieder. Verbreitet waren die Ausbildungszentren mit Internatsbetrieb. Ein Grundproblem der theologischen Ausbildung wurde in der Anfangszeit darin gesehen, daß die verfügbaren Ressourcen bei weitem nicht ausreichten, um ein Ausbildungssystem aufzubauen, das den wissenschaftlichen Maßstäben der theologischen Ausbildung in Nordamerika und Europa genügen konnte.

3. Im Zuge der Reorganisation der Missionskirchen zu strukturell eigenständigen Kirchen und durch das unerwartet rasche Wachstum der Christenheit in Gebieten der Dritten Welt ist zu Beginn der sechziger Jahre ein tiefgreifender Wandel der theologischen Ausbildung eingeleitet worden. Unzulänglichkeiten der bis dahin bekannten Ausbildungskonzepte weiteten sich mancherorts zu einer *Krise der theologischen Ausbildung* aus. Vor allem auf römisch-katholischer Seite - aber nicht nur dort - wurde die Diskrepanz zwischen der geringen Zahl von voll ausgebildeten Priestern und den ständig wachsenden Gemeinden alarmierend hoch. Zweifel an der kirchlichen und gesellschaftlichen Relevanz der Lehrinhalte tauchten auf. Die theologischen Ausbildungsstätten gerieten zunehmend in die Isolation, indem sie von den einheimischen Kirchen als Fremdkörper betrachtet und von den Universitäten wegen Rückständigkeit und mangelndem Bidlungsniveau kritisiert wurden. Im protestantischen Bereich wurde dieses Problem noch verschärft durch die konfessionalistische Selbstisolation.

4. Der *Wandel der theologischen Ausbildung* ist ein langandauernder Prozeß, der heute noch keineswegs abgeschlossen ist und um den sich oft Ausbildungsstätten, Junge Kirchen, Missionswerke und übergreifende ökumenische Einrichtungen (ÖRK, LWB) gemeinsam bemühen. Das Bild der theologischen Ausbildung ist im Zuge dieses Wandels höchst vielfältig geworden; man findet traditionelle Muster, systemimmanente Reformen und alternative Neuerungen teils parallel nebeneinander, teils miteinander vermischt vor. Die Grundtendenzen dieses Wandels seit Beginn der sechziger Jahre lassen sich in vier Punkten zusammenfassen:

4.1 Die Vorbereitung für das Pfarramt ist vielfach eingeschränkt worden zugunsten ergänzender Lehrgänge, die auf andere Zweige des kirchlichen Dienstes vorbereiten. Das Schwergewicht liegt seither stärker auf der Ausbildung von Laienpredigern, Katecheten, Teilzeitpfarrern, Diakonen, Ältesten, Religionslehrern, Sozialarbeitern, Kindergärtnerinnen, Sonntagsschullehrkräften, Kirchenmusikern u.a.m. Durch die Umstrukturierung theologischer Ausbildungsstätten haben dieselben *mehrere Funktionen* übernommen: Sie sind nun nicht selten theologisches Seminar, religions- und sozialpädagogische Schule, Zentrum für Pfarrer- und Ältestenfortbildung und Laienakademie in einem. Hinter diesem Konzept steht ein weit gefaßtes Amtsverständnis (engl. ministry!), das seinem theologischen Ansatz nach an die reformatorische Tradition des Priestertums aller Gläubigen anknüpft. Die Durchführung mehrerer Studiengänge in einem Ausbildungszentrum und der Kontakt zwischen den Studenten aller Lehrgänge - z.B. durch die Gestaltung gemeinsamer Gottesdienste - verleiht dem Verständnis der theologischen Ausbildung als Vorbereitung zum ganzheitlichen Dienst in der Kirche sichtbaren Ausdruck. Im übrigen ist durch diese Neuorientierung der theologischen Ausbildung die herkömmliche Unterscheidung zwischen „theological education" und „Christian education" in Fluß geraten.

4.2 Der Entfremdung der theologischen Ausbildung von der Lebenswirklichkeit Junger Kirchen und von den Existenzbedingungen in Ländern der Dritten Welt wird durch *Indigenisierungsmaßnahmen* entgegengewirkt. Der Unterricht erfolgt nun teilweise in den einheimischen Sprachen; Lehrmaterial wird übersetzt oder von einheimischen Autoren direkt in der Landessprache verfaßt. Fast überall ist eine Abkehr vom wissenschaftlichen Lehrbetrieb hin zu einer stärker berufs- und praxisorientierten Ausbildung zu beobachten. Statt der „theological education" ist die „ministerial formation" zum Leitbild der theologischen Ausbildung geworden. Darüber hinaus bemüht man sich, die Lehrinhalte stärker als früher an den lebenswichtigen Fragen der lokalen Kirchen zu orientieren. Es wird versucht, auf die kontextbedingten Herausforderungen, mit denen Junge Kirchen sich auseinanderzusetzen haben, einzugehen. Manche Ausbildungsstätten übernehmen diesbezüglich sogar eine Vorreiterrolle in ihren Kirchen. Die sog. *Kontextualisierung* (→ kontextuelle Theologie) der theologischen Ausbildung spiegelt sich u.a. darin wider, daß Themen wie lokale Volksfrömmigkeit, religiöser Pluralismus, kulturelle Identität, Analphabetismus, Armut, Menschenrechtsverletzungen, politischer Autoritarismus u.ä. in den Lehrveranstaltungen behandelt werden.

4.3 Viele theologische Ausbildungsstätten in allen Regionen der Dritten Welt beschäftigt in letzter Zeit ein Thema, das als Indiz für eine einschneidende

Neuorientierung der theologischen Ausbildung und der kirchlichen Amtsstruktur gewertet werden könnte: gemeint ist „theology by the people" bzw. „ministry by the people". Dahinter verbirgt sich das Anliegen, die theologische Ausbildung in die *Verantwortung* der christlichen Gemeinde als ganzer zurückzugeben und neu in Erinnerung zu rufen, daß in den Anfängen des Christentums die Unterweisung im Glauben von der Gemeinde getragen und verantwortet worden ist. Mit diesem Neuansatz ist die Kritik daran verbunden, daß Glaubensunterweisung und Verkündigung an einen kleinen Personenkreis delegiert worden ist, der sich zu einer herausgehobenen Berufsgruppe entwickelt hat und oft genug in einem geistlichen und akademischen Herrschaftsverhältnis zur Gemeinde steht. Der eliteorientierten theologischen Ausbildung wird ebenso wie den traditionell entwickelten kirchlichen Lebensvollzügen zum Vorwurf gemacht, daß sie in einem geschützten Raum, d.h. ohne Bezug zum „Volk" stattfinden, welches „draußen vor der Tür" unter den menschenunwürdigsten Bedingungen einen täglichen Kampf ums Überleben führen muß. „Theology by the people" und „ministry by the people" sind Ausdruck des Versuches, neue Formen von Gemeindeleben „draußen vor der Tür" zu beschreiben und - im bildlichen wie im wörtlichen Sinn - die Tore der theologischen Ausbildungsstätten für die Träger lebendiger Kirchengemeinschaft zu öffnen. Die Darstellung von solchen Primärerfahrungen christlicher Existenz werden in der theologischen Ausbildung als unverzichtbar erster Schritt erkannt, auf den die Reflexion übergreifender Zusammenhänge und die Rückbindung an die großen theologischen Traditionen nur als zweiter Schritt folgen können.

4.4 Ein Indigenisierungsversuch besonderer Art ist die sog. *Theological Education by Extension (TEE)*, in der größtmögliche Erhöhung der Studentenzahlen und weitestgehende Anpassung der Lehrgänge an die Vorkenntnisse und Lebensbedingungen der Studenten konsequent und erfolgreich realisiert worden sind. Die TEE kann als eine Art Fernstudium charakterisiert werden, das durch regelmäßig stattfindenden Unterricht in Kleingruppen mit Tutoren oder Dozenten ergänzt wird. Das Lehrmaterial wird nach Möglichkeit in Lektionen aufbereitet, die sich zum Selbststudium eignen (Programmed Texts). Die TEE basiert auf einem Kurssystem, durch das der Student Dauer und Abschluß des Studiums individuell bestimmen kann. Die TEE hat sich vor allem für die formal-theologische Ausbildung von langjährig amtierenden Laienpredigern, von leitenden Mitarbeitern in afrikanischen unabhängigen Kirchen, von kirchlich engagierten Frauen sowie von kirchlichen Mitarbeitern in dünn besiedelten Gebieten bewährt. Nach einer groben Schätzung (Ross Kinsler) gab es Ende der siebziger Jahre weltweit etwa 300 bis 400 TEE-Zentren mit insgesamt vielleicht 100000 Studenten, wobei der weitaus größte Teil dieser Zentren in Ländern der Dritten Welt gegründet worden ist.

4.5 Parallel zu der Popularisierung der theologischen Ausbildung ist in den vergangenen zehn bis zwanzig Jahren auch die *wissenschaftlich-theologische Forschung* gefördert worden. So sind in Ländern der Dritten Welt Strukturen für eine Forschungsarbeit im Entstehen begriffen, die auf die jeweiligen kontextuellen Gegebenheiten abgestimmt sind. Unterstützt wird diese Arbeit durch den Zusammenschluß mehrerer Ausbildungsstätten zu überregionalen theologischen Vereinigungen, die sich zum Ziel gesetzt haben, gemeinsame Forschungsprojekte durchzuführen, theologische Zeitschriften herauszugeben, Konsultationen zu aktuellen Fragen der Theologie zu veranstalten und ein Forum für den Informationsaustausch zwischen Dozenten zu schaffen. Man zählte 1982 in Afrika zehn, in Asien und dem Mittleren Osten 19, in Lateinamerika sechs und im pazifischen Raum drei Vereinigungen theologisher Ausbildungsstätten. Magister- und Promotionsstudien (Post Graduate Studies) bieten einige Ausbildungsstätten in Asien und Afrika gemeinsam an, so z.B. die von allen größeren Ausbildungszentren Südostasiens gemeinsam getragene South East Asia Graduate School of Theology, die Forschungsvorhaben mit einem klar formulierten Bezug zum asiatischen Kontext fördert.

5. Viele *Impulse* zur Überwindung kontextfremder Ausbildungsstrukturen gehen vom Programm für Theologische Ausbildung (PTE) des ÖRK aus. Wie schon der Theologische Ausbildungsfonds (1958-1977) ist das PTE ein wichtiges Forum für den Erfahrungs- und Informationsaustausch über die theologische Ausbildung „in sechs Kontinenten", für die Ausarbeitung neuer Ausbildungsrichtlinien und nicht zuletzt für den Transfer von Erfahrungen und Erkenntnissen theologischer Ausbildung aus der Dritten Welt in die theologischen Bildungseinrichtungen Europas und Nordamerikas. Einen regelmäßigen, teils sehr intensiven *Austausch* durch das PTE nehmen Dozenten aus der Dritten Welt als Gelegenheit wahr, ihr Bemühen um die Verwurzelung der theologischen Ausbildung im lokalen Kontext mit einer Öffnung für die kontextübergreifende Gemeinsamkeit der Weltkirche zu verbinden.

Lit.: East Asia Journal of Theology, 1, 1983, 2 (Themenheft zur theologischen Ausbildung in Asien). - IJT, Vol. 29 Nr. 3 4, Juli-Dezember 1980 (Themenheft zum Theologiestudium im heutigen Indien). - *Lienemann-Perrin, Ch.*, Training for a Relevant Ministry. A Study of the work of the Theological Education Fund, 1981. - Ministerial Formation, hg. v. PTE/ÖRK (Zeitschrift mit laufender Berichterstattung seit 1978 über weltweite Entwicklungen der theologischen Ausbildung). - Ministerial Formation. Report on the Consultation on the meaning of „Ministerial Formation", held in Manila, 1979, hg. v. PTE/ÖRK, 1979. - Philippine Priests Forum, Manila, Vol XI, Nr. 1, 1979 (Mehrere Beiträge zur katholischen theologischen Ausbildung auf den Philippinen). - *Ross Kinsler, F.* (Hrsg.), Ministry by the People. Theological Education by Extension, PTE/ÖRK, 1983.

Chr. Lienemann-Perrin

TOLERANZ, RELIGIONSFREIHEIT

1. Begriffsumfang. 2. Klassische Lehre der Kirche. 3. Zur Geschichte. 4. Theologische Prinzipien.

1. Toleranz als Haltung großzügiger Duldung anderer, fremder Glaubensüberzeugungen und Religionsfreiheit als deren Ergebnis (freie Ausübung der Glaubensüberzeugung) haben verschiedene Dimensionen: Staat und Gesellschaft können/sollen sie den Kirchen und Glaubensgemeinschaften gegenüber praktizieren, Kirchen üben sie gegenseitig, Kirchen gewähren sie anderen → Religionen

gegenüber, oder sie sind die Haltung einzelner den Menschen anderer Glaubensüberzeugungen gegenüber. Toleranz und Religionsfreiheit können Gegenstand des
Staatsrechts, der (Sozial-)Ethik, der Psychologie sein; hier interessiert der Zusammenhang von Toleranz und Religionsfreiheit mit der Evangelisation der noch
nicht oder nicht mehr Gläubigen, die Toleranz der Christen und christlichen Kirchen anderen Religionen und Weltanschauungen gegenüber also.

  2. Die *klassische Lehre der Kirche*, wie sie von Papst Leo XIII. (in der Enzyklika „Immortale Dei", 1885) verkündet worden ist und vorher seit Augustinus
und Thomas von Aquin theologisch gelehrt wurde, stimmt in seltener Einmütigkeit überein gegen die Forderung, die etwa die Französische Revolution erhoben
hatte: „unbegrenzteste Freiheit der Religion". Demgegenüber erachtet es Leo „für
unerlaubt, die verschiedenen Kulte auf die gleiche rechtliche Stufe zu stellen wie
die wahre Religion". „In einer solchen Sicht", so das LThK (Bd. 10, 243), „fällt
die Frage, welche Freiheit andern Religionen, Konfessionen und Kulten außer der
wahren Religion zugebilligt werden könne, mit der Frage der Duldung eines
Übels in der Gesellschaft zusammen ... Daß das bonum commune die öff. Gewalt
dazu führen kann, nach Gottes Vorbild selbst unter gegebenen Umständen ein
Übel nicht zu verhindern, ist eine herkömmliche Lehre." Toleranz ist demnach
ein Kompromiß, der aus dem Zugeständnis an die äußeren Umstände erwächst.
Und nur so ist Toleranz legitim. Eine grundsätzlichere Bejahung wäre ein Fehlverhalten, das ein verkehrtes Wahrheitsverständnis ausdrückt. Seit der Zeit der
Scholastik und ihrer Universalienlehre gilt: ens et verum et bonum (et pulchrum)
convertuntur. Wahrheit ist unteilbar; sie ist universal und umgreifend ($\rightarrow$ Absolutheitsanspruch). Die geoffenbarte Wahrheit der christlichen Glaubensinhalte
setzt die natürliche Vernunft voraus; sie korrespondiert mit ihr, überhöht deren
Einsicht und gibt ihr unüberbietbare Gewißheit. Toleranz als großzügiges Verhalten einer Meinungsvielfalt gegenüber ist daher nicht möglich und nicht erlaubt.
Zu unterscheiden von dieser Strenge gegenüber dem in der Meinungsvielfalt aus-
gesagten Irrtum ist hingegen die Duldung der Person, die den Irrtum vertritt. Sie
kann durchaus subjektive Gründe haben für ihr Verhalten, in dem sie so befangen
ist, daß sie ohne Schuld bleibt. Augustinus fordert daher, daß man „den Irrtum
hassen, den Irrenden aber lieben" soll, daß man gar in der Liebe zum Irrenden
nicht nachlassen dürfe, um ihn auf den rechten Weg zu bringen.

  3. Diese Haltung ist zutiefst *geschichtlich* begründet: Der aus politischen
Gründen liberale *römische Staat* gestattet unterworfenen Völkern die Ausübung
ihrer Kulte, verfolgt aber die Christen, da sie im Interesse der *einen* Wahrheit und
des dahinterstehenden *einen Gottes* den Kaiserkult ablehnen. In der Verfolgung
fordern die Christen mit Berufung auf die jedem Menschen zustehenden Rechte
und Freiheiten Glaubensfreiheit nach innen und außen (so bes. Tertullian). Nach
Erlaß des Mailänder Edikts (313) sind die nunmehr christlichen römischen Kaiser
aus politischen Notwendigkeiten ebenso wie ihre heidnischen Vorgänger bemüht,
die Einheit des Reiches durch die Einheit der Religion zu festigen. Und führende
Kirchenmänner wie Leo der Große und Augustinus rechtfertigen nunmehr die
Bevorzugung der Christen gegenüber den Ansprüchen der Heiden und der Häretiker - das „compelle intrare" (Lk 14,23) wird zum Grundimpuls und zur Dienst-

funktion des Staates für die christliche Wahrheit (auf die man sich kirchlicherseits noch im 19. Jahrhundert beruft).

Im *Mittelalter* differenziert sich diese Meinung: Das Axiom des Thomas wird zentral: Accipere fidem est voluntatis, sed tenere fidem iam acceptam est necessitatis. „Während man sich wegen der Einheit der Kirche und des Reiches, wegen der Absolutheit der Wahrheit und wegen der durch die Taufe übertragenen Pflichten für berechtigt hielt, gegen Häretiker auch mit Gewalt vorzugehen ..., galt hinsichtlich der Nichtchristen das Prinzip, niemand dürfe zum Glauben gezwungen werden. So entstand neben Ketzerverfolgung ... die Absicht, die nichtchristlichen Völker durch gewaltlose Mission zu bekehren" (H. R. Schlette).

Eine letzte Verschärfung erfährt dieser Anspruch in Reformation und Gegenreformation: Die Religionskriege, das nochmalige Zusammenwirken von Kirche und Staat im Prinzip „cuius regio, eius religio" oder der Zwang zur Emigration statt Religionsfreiheit bewirken die Gegenreaktion der Aufklärung.

4. Die „Erfolgsgeschichte" des Christentums (aller großen Kirchen) kennt also Toleranz und Religionsfreiheit nicht als theologische Grundkategorien. Sie teilt hier ihre Ansicht mit den anderen Religionen des „prophetischen Typs", mit den monotheistischen Religionen des Islam und des Judentums: Ablehnung anderer Wahrheitsansprüche, Mitleid mit den Irrenden und Bekehrung durch werbende Mission, höchstens die relative Duldung derer, die in manchen Grundaussagen der eigenen Wahrheit nahestehen, sind die Regel. Erst aus dem → „Dialog", der aus Widerspruch (wie von seiten der Aufklärung) kommt, erwächst Rückbesinnung auf die eigenen Grundlagen und Einsicht in größere theologische Zusammenhänge, die nun zeigen, daß die theologischen Prinzipien immer so waren, „daß sie ohne ihre zeitbedingte Auslegung zu Toleranz und Freiheit hätten führen müssen" (H. R. Schlette).

Einige dieser Prinzipien lauten:

• Der Christ lebt aus der Überzeugung, daß Gott in Jesus ein für allemal und unüberholbar das Heil gebracht hat, auf das die Menschheit wartet. Diese Endgültigkeit und Universalität ist von Gott garantiert, von der kirchlichen Gemeinschaft vermittelt und interpretiert; ihre Wahrheit ist Offenbarungswahrheit und Heilswahrheit für alle. Der Christ hat daher keinen Grund, seinen Glauben zu relativieren.

• Personenwürde, Gewissensfreiheit und Humanität gründen in der Bindung des Menschen an Gottes Absolutheit und Wahrheit, die in Wahrheit und Liebe - den humansten Wesensmerkmalen des Menschen - manifest wird. Der Mensch ist immer auf den Absoluten hingeordnet. Aber er kann Wahrheit und Liebe nur im Relativen realisieren. Der Christ der Gegenwart ist durch Erfahrungen nüchterner geworden. Die *Geschichte* ist kein Kontinuum der Wahrheitsvermittlung, sondern zugleich auch der „garstige Graben" (Lessing), der sie erschwert. *Gemeinschaft* als weltweite „ideale Kommunikationsgemeinschaft" (Habermas, Apel) ist eine Ideologie; Kulturen, Sprachen, Denkkategorien schaffen eine Vielfalt der Wirklichkeit und einen Pluralismus ihrer Deutungen. Dieser Pluralismus ist nicht nur eine vorgegebene Realität; er ist zugleich Index menschlicher Kreatürlichkeit (K. Rahner). Und alle, Christen wie Nichtchristen, leben in dieser Schicksalsgemeinschaft zusammen.

• Das muß Konsequenzen haben: Die Vielfalt der Wahrheitserkenntnis ist in Gottes Schöpfung grundgelegt; alle Menschen aller Religionen haben daran teil. Die Religionen sind daher „auf der Suche nach der Wahrheit", enthalten in ihren Lehren „Spuren des Heils und der Wahrheit" (II. Vaticanum). Die Einsicht in die Bedingtheit unserer eigenen Glaubensaussagen (Dogmen, Bekenntnisse) und der meisten kirchlichen Institutionen veranlaßt darüber hinaus zu gebotener Bescheidenheit. Die Einsicht in die Ungeschuldetheit der Gnade und die Verpflichtung zu Liebe verbieten darüber hinaus jede Intoleranz; vielmehr verpflichten sie zu gegenseitiger Hilfe bei der Suche nach Wahrheit und Liebe.

• Das erfordert grundsätzliche Dialogbereitschaft, gegenseitige Anerkennung und Lernbereitschaft (Rezeption). Das erlaubt aber auch, daß der Christ (wie jeder andere auch) seinen Anspruch geltend macht und in argumentativer und humaner Weise durch „Leistung" rechtfertigt (→ Theologie der Religionen).

• Es ist etwas Richtiges an der Behauptung von G. Sauter, daß nur Glaube - unter den genannten Voraussetzungen und nicht als christliches Spezifikum allein: alle religiösen Menschen leben in diesem „Mythos" gemeinsamer Gottsuche - tolerant ist. Denn der Ausdruck beinhaltet immer auch den Grundsinn von tolerare: das Dulden, das Leiden unter der Erfahrung, das Absolute zu wollen und nur das Endliche vollbringen zu können. Diese Toleranz, die Bescheidenheit, Verständigungsbereitschaft, Solidarität erweckt, ist daher letztlich Abbild der Toleranz Gottes mit uns, die er in der Inkarnation des Sohnes auf sich genommen und „erlöst" hat (G. Ebeling).

• Die Hl. Schrift, die eine „Beziehungsgeschichte" Gottes mit uns Menschen verkündet - als Frohbotschaft - (J. Blattner), kennt daher in den vielen Theologien ihrer Bücher diesen Tatbestand; sie sieht ihn nicht nur als Ausdruck menschlicher Unfähigkeit zur Wahrheit, sondern als Ausdruck von Fülle und Bereicherung. Sie ist nicht in einer einzigen Definition, sondern in der Vielzahl ihrer Theologien norma normans unseres Glaubens. Können Christen dahinter zurückbleiben?

Lit.: *Blattner, J.*, Toleranz als Strukturprinzip, 1985. - *Brugger, W.*, Was ist Toleranz?, in: FS Karl Rahner, Gott in Welt II, 1964, 592-609. - *Höfer, J.*, On Tolerance, in: FS Karl Rahner, Gott in Welt II, 1964, 610-639. - *Lecler, J.*, Geschichte der Religionsfreiheit im Zeitalter der Reformation, 2 Bde, 1965, 287-297. - *Lutz, H.* (Hrsg.), Zur Geschichte der Toleranz und Religionsfreiheit, 1977. - *Mitscherlich, A.*, Toleranz - Überprüfung eines Begriffs, 1974. - *Panikkar, R.*, Toleranz, Ideologie und Mythos, in: ders., Rückkehr zum Mythos, 1985. - *Rahner, K.*, Der Dialog in der pluralistischen Gesellschaft, in: J. B. Metz (Hrsg.), Weltverständnis im Glauben, 1965. - *de Riedmatten, H./Feiner, J.*, Art. Toleranz, in: LThK 10, ²1965, 239-246. - *Schlette, H. R.*, Art. Toleranz, in: HthG, 1970, Bd. 4, 245-253. - *Splett, J.*, Ideologie und Toleranz, in: J. B. Metz (Hrsg.), Weltverständnis im Glauben, 1965, 269-286. - *Wolfinger, F.*, Pluralität und Toleranz. Christliche Grundprinzipien und ihre Bedeutung für den Rechtsstaat, in: E. L. Behrendt (Hrsg.), Rechtsstaat und Christentum II, 1982, 13-30.

F. Wolfinger

TRADITION

1. Tradition als Phänomen. 2. Tradition als Identitätsproblem der Kirche. 3. Tradition als Aufgabe. 4. Tradition und Mission.

1.1 *Allgemein.* Tradition (lat.: traditio = Weitergabe, Überlieferung) ist letztlich mit menschlichem Leben identisch. Nicht nur das Leben selbst wird weitergegeben, vor allem seine kulturelle (durch Sprache und Gebräuche geprägte), gesellschaftliche (in Strukturen und Funktionen geordnete) und politische (durch Gesetze und Organisationen geschützte) Seite ist durch weitergegebene Erfahrung und so durch Wachsen und Reifen, aber auch durch Erstarren und Sterben bestimmt. Tradition verbindet die Generationen in einem Prozeß leiblich-geistiger Kommunikation, bei dem der Vorgang, die ihn tragenden Personen und die in ihm vermittelten Inhalte zu unterscheiden sind. Er wirkt gruppenstiftend und ermöglicht dem Menschen, sich mit seiner Geschichte zu identifizieren, was im Geschichtsbewußtsein gipfelt (Hegel, Scheler). Dieses wirkt seinerseits traditionskritisch, indem es veraltete, dem fortschreitenden Leben hinderliche Inhalte erkennt und verwirft. So wird Tradition in der radikalen Aufklärung zum Inbegriff der Hemmung des Fortschrittes zur autonomen Vernunft (Bacon, Descartes), was sich bis in die klassische Gesellschaftskritik (Marx) und Psychoanalytik (Freud) auswirkt. Das so entwickelte Fortschrittsdenken und das Entstehen der technisierten Welt haben weithin zu einem Traditions(ab)bruch geführt, während die moderne Gesellschaftskritik Tradition in ihrer notwendigen, entlastenden (Gehlen) und ideologiekritischen Funktion (Adorno, Marcuse, Bloch) neu erkennt.

1.2 *In der Religion.* Einerlei ob → Religion als Teil der → Kultur oder (glaubend) als deren Anbindung an die Transzendenz begriffen wird, die genannten Aspekte wird es auch in ihr geben, und sie sind leicht erkennbar. Tradition unterliegt einerseits den aufgezeigten menschlichen Bedingungen, die andererseits von → Gott beeinflußt geglaubt werden, was Tradition (als absolut geschützte) leicht erstarren läßt und umgekehrt eine (als Offenbarung verstandene) prophetische Traditionskritik begünstigt. In Religionen mit schriftlicher Tradition ergibt sich die gleiche Spannung zwischen Text und Auslegung, die selbst wieder schriftlich festgehalten wird (z.B. im Talmud der Juden und in der Sunnah des Islam), was gerade in den Stifter- und Universalreligionen, die aus Protest und Neuschöpfung entstanden, bedeutsam wird.

1.3 *Im AT.* Hier zeigt sich diese Spannung deutlich: Als geschichtliche Offenbarung ist das AT durch die an die Väter ergangene Verheißung Jahwes bestimmt, die weitererzählt und später in der Heiligen Schrift, vor allem in der Tora, fixiert wird. Neben ihr bekommen mündliche Traditionen als das Gesetz auslegende und an ihm gemessene Überlieferungen Gewicht, besonders im Judentum, wo sie in Mischna und Talmud niedergeschrieben werden. Der Protest der Propheten hingegen ist geprägt durch eine Traditionskritik, welche die eigentliche Offenbarungstradition als immer neue Verheißung auf Zukunft hin freilegt, weshalb seine schriftliche Fixierung der Heiligen Schrift zugerechnet wird.

1.4 *Im NT.* Selbst prophetischem Protest entstammend, wird die Botschaft und Geschichte → Jesu, die sich als endgültige Heilserfüllung durch Gott versteht, als das ein für allemal Gültige (Röm 6,10; Hebr 10,10) weitererzählt, bis sie, anfangs sporadisch, in den Paulusbriefen und dann in den Evangelien niedergeschrieben wird. Dabei ist Tradition als Legitimation der Wahrheit eindeutig vermerkt, vor allem bei Paulus (Gal 1 und 2Kor) und bei Lukas (Lk 1,1-4; Apg 1,.1-3). Die Legitimation durch Jesus und die verkündigenden Apostel wahrt den Zusammenhang mit dem Anbruch des Heils, das im Heiligen Geist begriffen und dessen schriftliche Bezeugung in der entstehenden neuen Heiligen Schrift gegen nicht verbindliche Schriften abgegrenzt wird.

2. In der Geschichte der Kirche wird die Frage nach der unverfälschten Verkündigung zur bewußt durchdachten Frage nach der Identität der Kirche, wofür drei markante Positionen typisch sind und maßgebend bleiben:

2.1 *Irenäus von Lyon* (gest. um 202) setzt in seinem Werk „Adversus haereses" gegen die geheimen Traditionen der Gnosis und deren behauptete Gottunmittelbarkeit die Tradition der apostolischen Kirche. Sie hütet die wahre Tradition, weil ihr von Jesus über die Apostel der wahre Glaube anvertraut ist (III, praefatio), was ausgesprochen pragmatisch verstanden und in geschichtlicher Funktion zu greifen ist: in der Lehre der Apostel, die durch die Sukzession der Bischöfe gesichert ist (III,3,1-4); sie wird in der Kirche als die wahre Gnosis bewahrt, wozu auch die Schrift und deren Auslegung gehört (IV,33,8), weshalb in der Wahrheitsfindung der Zusammenhalt mit der Kirche gewahrt bleiben muß und gegebenenfalls der Rekurs an die von den Aposteln gegründeten Gemeinden notwendig wird, vor allem - wegen der einfacheren Möglichkeit und deren größerer Apostolizität - an die Gemeinde von Rom (III,3,1-3). Diese pragmatische Sicht gründet in der glaubenden Überzeugung, daß in den Bischöfen das gleiche Charisma der Wahrheit waltet wie in den Aposteln (IV,26,2.5). Tradition ist so die Weitergabe der Wahrheit durch die Apostel und die Kirche, eindeutig greifbar in der Schrift und im Zeugnis der Bischöfe, getragen von der Kraft des Heiligen Geistes, der in der Kirche lebt und sie jung erhält (III,24,1).

2.2 *Das Konzil von Trient* bringt in seinem Dekret über die Heilige Schrift und die Traditionen (1546) eine Engführung des Problems und des Traditionsbegriffes. Der seit Irenäus erkannte Überhang der Tradition über die Schrift hat in der Kirche zur Anerkennung von nur mündlich überlieferten Glaubensinhalten geführt (Tertullian, Augustinus, Vinzenz von Lerin). Gegen die Ablehnung bestimmter Traditionen als verwerflicher Menschensatzungen durch Luther und gegen seine Beschränkung der Tradition allein auf die Schrift will das Konzil das umfassende Recht der Kirche wahren, die Wahrheit zu leben und weiterzugeben. So lehrt es, daß das reine Evangelium in der Kirche bewahrt wird, und definiert als Dogma, daß seine Wahrheit und Ordnung in der Schrift und in nicht geschriebenen Überlieferungen enthalten sind (DS 1501-1505). Wenn es so einen neben der Schrift liegenden Bereich von Glaubensinhalten feststellt, legt es dennoch mehr Wert auf die Relation von Kirche und Schrift, die beide von einer sie tragenden Kraft umfangen sind, als auf das genaue Erfassen der mündlichen Traditionen (Geiselmann, Ratzinger). So ist auch hier im Begriff des „reinen Evangeliums" (DS 1501) die Position des Irenäus gewahrt, auch wenn der Begriff der Tradition nur im Plural verwendet und auf die mündlichen Überlieferungen beschränkt wird. In der Folge kann sich deshalb der konfessionelle Streit auf die

Existenz und die Inhalte solcher Traditionen konzentrieren, was immer mehr eine
Auseinandersetzung um die inhaltliche Vollständigkeit der Schrift wird.

2.3 *Das II. Vaticanum* betont in seiner dogmatischen Konstitution „Dei Verbum" (1965) ausdrücklich die umfassende Sicht des Irenäus und findet zu einem
dynamischen Verständnis von Tradition, auch wenn die alte Schultheologie manchen Kompromiß bewirkt hat: Die Fülle der Offenbarung in Jesus Christus wird
in seinem Auftrag und aus der Kraft des Heiligen Geistes durch die Apostel in
Predigt, Beispiel und Einrichtungen weitergegeben, was auch die aus der Kraft des
gleichen Geistes verfaßte Schrift umgreift und als Erbe durch die Bischöfe weiter-
getragen wird (II,7). Diese Überlieferung, und in ihr die Schrift als ihr deutlichster
Ausdruck, umfaßt in Lehre, Leben und Kult alles, was die Kirche ist und was sie
glaubt; Tradition ist so mit der Kirche in allen ihren Gliedern und Funktionen
identisch, gehalten von einem ständigen Dialog mit Gott und von der Kraft des
Heiligen Geistes, der sie in die Wahrheit einführt (II,8). Tradition und Schrift sind
der eine Quell (II,9), der eine Schatz von Gottes Wort, wobei das Lehramt als
verbindliche Auslegungsinstanz diesem Wort dient, wodurch Tradition, Schrift
und Lehramt zu einer im Heiligen Geist heilswirksamen Einheit werden (II,10).
Weggeführt von der kontroverstheologischen Enge ist Tradition der anderslauten-
de Begriff der sakramental verstandenen Kirche geworden. Auch wenn die Konstitution keinen Ansatz für eine, besonders ökumenisch notwendige, Traditionskritik nennt, hat sie ein Traditionsverständnis gewonnen, das in seiner Bezogenheit auf die Schrift eigentlich allen Kirchen annehmbar ist und deren Dialog auf
das letztlich trennende Problem der Sakramentalität von Kirche und Lehramt verweist.

3. Phänomen und christliche Deutung von Tradition lassen ihre lebenswich-
tige Funktion erkennen, was einige Konsequenzen zu bedenken gibt:

3.1 *Tradition und Vertrauen.* Die Vorgabe von Leben und Geschichte als
Grunddatum von Tradition, das zudem im Christentum als von Gott her in
menschliche Geschichte einbrechendes Heil begriffen wird, bedingt die vertrauen-
de Annahme des Vorgegebenen, die Glaube heißt. Jeder Versuch, Heil selber zu
wirken, wäre von daher Tod, ob er nun im Verlaß auf das technisch oder politisch Machbare zu einem Traditions(ab)bruch führt oder aber in der enthusiasti-
schen Ungeduld mancher religiösen Bewegung zu einem Ausbruch in eine neue
Gnosis.

3.2 *Tradition und Kritik.* Als angenommene Vorgabe birgt Tradition eine
doppelte Kritik. Einmal muß die Vorgabe selbst in den geschichtlichen Formen,
in denen sie sich Ausdruck schuf, freigelegt werden; andererseits muß die kritisch
freigelegte Tradition als „gefährliche Erinnerung" (Metz, Marcuse) diese Formen
auf ihre Leben vermittelnde Funktion ins Heute und Morgen befragen und sie gegebenenfalls als tot oder fremd bestimmen. Im Bereich des Glaubens ist diese
Kritik Aufgabe einer hermeneutischen Theologie, die als Rede über Gott das ihr
vorgegebene Wort Gottes nachreden muß. Jede Verweigerung solcher Kritik führt
zu Ideologie und Utopie.

3.3 *Tradition und Gemeinschaft.* Die gruppenstiftende Funktion von Tradition verweist auf ihr Eingebundensein in Gemeinschaft, deren Wechselbeziehungen
die Überlieferung steuern, was im christlichen Bekenntnis zudem die in der Ge-

meinschaft führende Kraft des Heiligen Geistes ins Spiel bringt. Glaube und kritische Theologie sind somit nur in der Kirche und deren konkreten Strukturen möglich, die allerdings selbst der genannten Kritik unterliegen. Wo Theologie sich ohne bewußte Einbindung in die Kirche versucht, findet sie leicht in der hermeneutischen Theologie statt der Verheißung die Propaganda, in der politischen Theologie statt der Reform die Revolte, in der ökumenischen Theologie statt der Einheit ein neues Drittes und in der Mission statt der Verkündigung den bloßen Humanismus.

3.4 *Tradition und Zukunft.* Die entlastende Funktion von Tradition zeigt ihre auf Zukunft hin befreiende Kraft, die zudem in der christlichen Botschaft von der Erlösung auf absolute Vollendung drängt. Sie ist der eigentliche Motor kirchlicher Sendung, ob sich diese nun hermeneutisch in der immer neu formulierten alten Botschaft, politisch im Mühen um die Freiheit, ökumenisch im Suchen der vollen Wahrheit oder missionarisch in der Verkündigung an alle verwirklicht. Wo diese auf den wiederkommenden Herrn hindrängende Kraft außer acht bleibt, vollzieht sich Traditionsabbruch nach vorne, der sich dogmatisch im Bewahren leerer Formeln, politisch und ökumenisch im Streit um Besitzstand und missionarisch im pflichtbewußten Angebot des Evangeliums an die Menschheit erschöpft.

V. Hahn (kath.)

4. Die Botschaft begegnet nicht der Tradition eines Volkes als einer abstrakten Größe, sondern in der gelebten Form einer geprägten und von ihr bestimmten Gemeinschaft. Sie hat einen *ganzheitlichen, umfassenden Charakter* und ist vielschichtig. Sie beinhaltet das Seinsverständnis und wird als „vergleichende, ordnende und entscheidende Kraft" bei der Begegnung mit anderen Kulturen, Inhalten und Traditionen tätig. In dieser Begegnung ist der unauflösbaren Einheit der religiösen Traditionen mit den Kulturen und ihrer gegenseitigen Bedingtheit unverkürzt Rechnung zu tragen. Diesem Lebenszusammenhang von Kultur und Religion und der Herausforderung der Religion an die Kultur kann nicht in einer pädagogischen, liturgischen und menschlich geforderten Anpassung voll entsprochen werden, sondern es bedarf eines tieferen Vorganges. Es wurde in diesem Zusammenhang von der Evangelisierung der Kultur und der Kulturen gesprochen (Evangelii nuntiandi 20). Evangelisierung der Kulturen weist auf einen Weg, der über die Vorstellung einer Anpassung weit hinausgeht. Die Gebundenheit des Menschen und der ganzen Gemeinschaft an Kultur und Tradition wird ernst genommen, und mit der Evangelisierung der Kultur ist die Erneuerung eines Volkes untrennbar verbunden. Damit wird die Theologie als die kulturell bedingte und geprägte Antwort auf die Stimme Christi mitausgesagt (Nairobi). In der theoretischen, systematischen Aussage entspricht das dem Begriff der → Inkulturation, die gegenüber der Akkommodation in ihrer dialogischen Struktur etwas Neues darstellt. In diesem dialogischen Bezug von Tradition und christlicher Botschaft wird der Kultur und Religion die Möglichkeit der neuen Schöpfung und des Bestandes für die Zukunft geboten; das Christentum aber wächst zu seiner Vollgestalt und erfährt eine Bereicherung auf dem Wege zu seiner umfassenden Universalität.

In der *Zuordnung von AT und NT* kann man *ein Modell* für den Bezug von christlicher Botschaft und den Traditionen sehen. Es wird in diesem Zueinander eine neue Dimension aufgedeckt. Indem die Christenheit die Schriften Israels als „alt" und die Botschaft Christi als „neu" bezeichnet, vollzieht sich eine Relativierung der bisherigen Tradition. Das NT übernimmt gegenüber dem Alten Bund die Deutefunktion. Das Evangelium hat eine richtende und prophetische Funktion gegenüber den Traditionen. Neben dieser Relativierung wird die bisherige Botschaft des AT aufgewertet. Sie wird durch das neue Volk Gottes universalisiert. Der Geltungsbereich der bisherigen Überlieferungen gewinnt durch die christliche Botschaft eine umfassendere und breitere Geltung. Damit ist aber noch nicht angesprochen, in welcher Weise die alte Überlieferung zu verstehen ist. Das wird im NT erst durch den dritten Gedanken der „Erfüllung" theologisch gedeutet. Hier liegt die Aufgabe der bisherigen Theologie und der Missionstheologie, die Zuordnung und Einordnung der Traditionen in eine christliche Theologie.

H. Rzepkowski (kath.)

Lit.: *Bischofberger, O.*, Die Evangelisierung der Kulturen. Zur Frage der Anpassung in Evangelii Nuntiandi, in: NZM 32, 1976, 315-323. - *Congar, Y.*, Christianisme comme Foi et comme Culture, in: Evangelizzazione e Culture, Atti del Congresso Internazionale scientifico di Missiologica, 1975, 1976, vol. I, 83-103. - *Ders.*, Die Tradition und die Traditionen I, 1965. - *Ebeling, G.*, Tradition VII, in: RGG³ VI, 976-984. - *Ders.*, Wort Gottes und Tradition. Studien zu einer Hermeneutik der Konfessionen, 1964. - *Gadamer, H.-G.*, Tradition I, in: RGG³ VI, 966f. - *Geiselmann, J. R.*, Die Heilige Schrift und die Tradition, 1962. - *Gensichen, H.-W.*, Evangelium und Kultur. Neue Variationen über ein altes Thema, in: ZfM 4, 1978, 134-149. - *Ders.*, Kontextualität und Universalität. Das Christentum im Dialog mit den Kulturen, in: Ders., Mission und Kultur. Gesammelte Aufsätze, 1985, 153-166. - *Goldammer, K.*, Tradition II, in: RGG³ VI, 967f. - *Hahn, V.*, Schrift, Tradition und Primat bei Irenäus, in: TrThZ 70, 1961, 233-243, 292-302. - *Ders.*, Strukturen der Kirche. Zur Identitätsproblematik der Kirche, in: W. Baier u.a. (Hrsg.), Weisheit Gottes - Weisheit der Welt (FS J. Ratzinger), 1987. - *Hilberath, B. I.*, Theologie zwischen Tradition und Kritik. Die philosophische Hermeneutik H.-G. Gadamers als Herausforderung der theologischen Selbstverständnisses, 1978. - *Hoeckmann, R.*, A Missiological Understanding of Tradition, in: Angelicum 61, 1984, 649-670. - *Holstein, H.*, Die Überlieferung in der Kirche, 1967. - *Hünermann, P.*, Evangelisierung und Kultur. Eine systematische Reflexion, in: ThQ 166, 1986, 82-91. - *Kampling, R.*, Tradition, in: NHThG IV, 221-235 (Lit.). - *Kasper, W.*, Tradition als theologisches Erkenntnisprinzip, in: W. Löser u.a. (Hrsg.), Dogmengeschichte und katholische Theologie, 1985, 376-403. - *Lengsfeld, P.*, Überlieferung. Tradition und Schrift in der evangelischen und katholischen Theologie der Gegenwart, 1960. - *Mensching, G.*, Die Religion, 1959. - *Pieper, J.*, Überlieferung, 1970. - *Ratzinger, J.*, Tradition III, in: LThK² 10, 293-299 (Lit.). - *Ders.*, Das Problem der Dogmengeschichte in der Sicht der katholischen Theologie, 1966. - *Ders.*, Einleitung zu „Dei verbum" und Kommentar zu Kapitel II, VI, in: LThK², Das zweite Vatikanische Konzil II, 497-528, 571-581. - *Ders.*, Schrift und Überlieferung, in: ders., Theologische Prinzipienlehre, 1982, 88-159. - *Roest Crollius, A.*, What is so new about inculturation? A concept and its implications, in: Gr. 59, 1978, 721-737 (Lit.). - *Ders.*, Inculturation and the Meaning of Culture, in: Gr. 61, 1980, 253-273 (Lit.). - *Skydsgaard, K. E./Vischer, L.* (Hrsg.), Schrift und Tradition, 1963. - Tradition und Traditionen. Faith and Order Paper 40, 1963. - *Waldenfels, H.*, Kontextuelle Fundamentaltheologie, 1985, 437-448. - *Wanke, G.*, Die Entstehung des AT als Kanon, in: TRE VI, 1-8. - *Weger, K.-H.*, Tradition, in: SaMu IV, 955-965 (Lit.).

UNION(EN)

1. Voraussetzungen. 2. Bestehende Kirchenunionen (chronologisch). 3. Unionsverhandlungen (geographisch).

1. Konnte noch vor wenigen Jahren das 20. Jahrhundert, verglichen mit dem 19., als „das große Jahrhundert der christlichen Einigung" bezeichnet werden (S. C. Neill), so wäre heute eher von einer *Epoche der ekklesiologischen Differenzierung* zu sprechen. Je mehr die römisch-katholische und die orthodoxen Kirchen in die ökumenische Diskussion eingetreten sind (→ Ökumene), desto mehr hat sich der Akzent von der organischen Union als dem eigentlichen Ziel der Einheitsbemühungen auf andere Modelle kirchlicher Gemeinschaft verlagert - Modelle, die nicht primär den Willen zu effektiver Überwindung bestehender Trennungen, sondern eher die real existierende Vielgestaltigkeit kirchlicher Traditionen zur Geltung kommen lassen (→ Ekklesiologie). Konzepte wie das der „konziliaren Gemeinschaft" sind zwar gewiß nicht entworfen worden, um die Sache der sichtbaren Kircheneinheit in den Hintergrund zu drängen. Tatsache ist jedoch, daß in der ökumenischen Diskussion und Praxis die frühere Konzentration auf organische Union einer anderen Ordnung der Prioritäten Platz gemacht hat. Von dieser Entwicklung sind die Kirchen der Dritten Welt in besonderer Weise betroffen. Sie waren und sind es, die sich - spätestens seit dem sog. Tranquebar-Manifest von 1919 - belastet wußten durch die „unseligen" konfessionellen Trennungen innerhalb überschaubarer geographischer Grenzen, Spaltungen, „für die wir nicht verantwortlich waren und die uns gleichsam von außen auferlegt wurden" (Bischof V. C. Azariah von Dornakal), Spaltungen, die nach ihrer Erfahrung offenkundig nicht nur die sichtbare Einheit des Leibes Christi, sondern auch das glaubwürdige evangelistische Zeugnis der Christenheit in Minderheitssituationen beeinträchtigen mußten.

Wie immer die Veränderungen zu beurteilen sind, die seitdem die ökumenische Gesprächslage bestimmen - für die Mehrzahl der nichtkatholischen und nichtorthodoxen Kirchen in Ländern der Dritten Welt ist die Frage der Union im Sinne transkonfessioneller, sichtbarer Kirchenvereinigung innerhalb eines geographischen Raums auch heute nicht erledigt. Ob die „Konvergenz"-Texte von Lima 1982 diese Situation entscheidend geändert haben, wird sich erst später beurteilen lassen.

2. Die folgende Übersicht über Unionen und Unionsverhandlungen in der Dritten Welt beansprucht nicht Vollständigkeit der Aufzählung, sondern beschränkt sich auf die besonders charakteristischen Fälle. Nicht eigens genannt werden Zusammenschlüsse von weniger als drei konfessionsverschiedenen Kirchen sowie ältere Unionspläne, die vorerst als suspendiert zu betrachten sind (z.B. Ostafrika, Nigeria). Eine aktualisierte Übersicht über neue Entwicklungen bringt die ER alle zwei Jahre (zuletzt in Bd. 36, 1984, 404ff).

2.1 *Japan:* Die Kirche Christi in Japan (Nippon Kirisuto Kyodan) ist aus einer 1940 durch ein Staatsgesetz erzwungenen Vereinigung protestantischer kirchlicher Gruppen entstanden. Trotz des Austritts der Lutheraner, der meisten Anglikaner und einiger anderer nach Kriegsende, konnte der Kyodan sich als stärkste protestantische Kirche durchsetzen.

2.2 *Südindien:* Die Church of South India, konstituiert am 27.9.1947, also fast gleichzeitig mit der Unabhängigkeit der Indischen Union, entstand nach jahrzehntelanger Vorbereitungszeit aus anglikanischen und methodistischen Komponenten sowie einer bereits seit 1908 bestehenden congregationalistisch-presbyterianisch-reformierten föderativen Gemeinschaft (South India United Church). Nicht beteiligt waren und sind bis heute die Lutheraner und die Baptisten. Mit heute etwa 1,5 Millionen Christen (bei der Gründung etwa eine Million) ist die CSI die stärkste protestantische Kirche Indiens. Bestimmend für ihren Werdegang wurde die Überzeugung, daß nur in der Einheit die Fülle der Wahrheit zugänglich werde, und daß der Vollzug der Union nur der erste Schritt auf dem Weg zu umfassender Einheit sein könne. Konsequent wurden daher die volle Vereinheitlichung der geistlichen Ämter auf der Grundlage des historischen Episkopats und die Herstellung liturgischer Einheitlichkeit erst für einen bestimmten Zeitpunkt nach Vollzug der Union vorgesehen. Offen gehalten wurde auch die Formulierung eines neuen Glaubensbekenntnisses, da dies nach Meinung der in die Union eintretenden Kirchen ebenfalls längere Erfahrung in der kirchlichen Gemeinschaft voraussetze. Die jahrelang andauernden Lehrgespräche mit den südindischen lutherischen Kirchen haben in dieser Hinsicht der CSI zur Klärung mancher offener Fragen verholfen, wenngleich ein Beitritt der Lutheraner zur Union sich bis heute als unmöglich erwiesen hat; offenbar waren nichttheologische Faktoren stärker als der Lehrkonsens. Während einzelne westliche Kirchen der CSI die volle Anerkennung zunächst versagten, wirkt diese Union heute wie kaum eine andere als ein Vorbild weit über Indien und Asien hinaus.

2.3 *Philippinen:* Unter den zahlreichen protestantischen Gemeinschaften, die insgesamt aber nur einen Bruchteil der Christenheit ausmachen, erfaßt die 1948 konstituierte United Church of Christ lediglich eine Minderheit von überwiegend presbyterianisch-congregationalistischen Gruppen. Der fortdauernde Zustrom nichtökumenischer, meist amerikanischer Missionen und das Wachstum ihrer Gemeinden bedeuten eine zusätzliche Erschwerung der Bemühungen um erweiterte kirchliche Einheit.

2.4 *Nordindien:* Am 29. November 1970 konstituierte sich die Church of North India (CNI). Die Partner kamen im wesentlichen aus denselben Traditionen wie in der südindischen Union, dazu aber noch Baptisten, die Church of the Brethren und die Disciples of Christ. Die Bischöflich-methodistische Kirche blieb der Union fern. Heute zählt die CNI etwa 0,5 Millionen Glieder in 22 Diözesen. Auch in der CNI hat sich das Prinzip des Zusammenwachsens zur Einheit bewährt. Allerdings ist sie in der Frage der Vereinheitlichung der Ämter ihren eigenen Weg gegangen.

2.5 *Pakistan:* Nach gemeinsamer Vorgeschichte mit der nordindischen Union konstituierte sich 1970 die selbständige Church of Pakistan, als Minderheitskirche in überwiegend islamischer Umgebung. Strukturell ist sie von der CNI dadurch unterschieden, daß auch Lutheraner an der Union beteiligt sind.

3.1 *Indien:* Nach der Gründung der CSI und CNI lag es nahe, den Vereinigungsprozeß auf anderer Ebene, diesmal für ganz Indien, weiterzutreiben. Im Jahr

1973 beriefen die beiden Unionskirchen zusammen mit der Mar-Thoma-Kirche (MTK) einen gemeinsamen Theologischen Ausschuß, dessen Arbeit daran anknüpfen konnte, daß einerseits die MTK und die Anglikanische Kirche, andererseits CSI und CNI sich bereits als in „full communion" miteinander stehend betrachteten. Auf der Basis eines neu erarbeiteten Unionsmodells konnte 1978 in Nagpur ein Gemeinsamer Rat (Joint Council) konstituiert werden. Er besteht aus je dreißig Mitgliedern aus jeder der drei Kirchen, und zwar jeweils fünf Bischöfen, zehn Pfarrern und fünfzehn Laien (darunter mindestens fünf Frauen). Der zweite Novembersonntag jeden Jahres wird in den drei Kirchen als „Festival der Union" begangen. Drei regionale Joint Councils haben die Aufgabe, die gemeinsame Verantwortung für eine kommende organische Union durch Fürbitte sowie gemeinsame missionarische und soziale Dienste bis in die Ortsgemeinden hinein lebendig werden zu lassen. Ein Heft mit den Liturgien der drei kooperierenden Kirchen, das auch in den wichtigsten Regionalsprachen benutzt werden kann, soll das Bewußtsein der Gemeinsamkeit im gottesdienstlichen Leben stärken.

3.2 *Malaysia:* Schon als während des Zweiten Weltkriegs die protestantischen Kirchenführer des damaligen Malaya von den Japanern in Singapore interniert waren, entstand unter ihnen der Gedanke einer Kirchenvereinigung. In den siebziger Jahren schlug er sich in einem Unionsplan nieder, der am nordindischen Beispiel orientiert ist und die Beteiligung der Ev.-lutherischen Kirche, der Methodisten, Anglikaner und der Mar-Thoma-Kirche vorsieht. Nach mehrjährigen Verhandlungen konnte 1979 ein Ökumenisches Theologisches College eröffnet werden. Die Lutheraner haben sich allerdings inzwischen aus der Zusammenarbeit zurückgezogen.

3.3 *Sri Lanka:* Unionsverhandlungen wurden schon seit 1940 von den Anglikanern, Methodisten, Baptisten, Presbyterianern und nach 1947 auch der Jaffna-Diözese der CSI geführt. Der seit langem vorliegende Unionsplan entspricht weitgehend dem für Nordindien und unterscheidet sich von der südindischen Union vor allem dadurch, daß auch Baptisten beteiligt sind. Rechtliche Probleme haben den Vollzug der Union immer wieder hinausgezögert. Neuerdings haben auch die Auseinandersetzungen zwischen der singhalesischen Bevölkerungsmehrheit und der tamilischen Minderheit die Bemühungen um Kirchenvereinigung behindert.

3.4 *Ghana:* Die seit langem gründlich vorbereitete Vereinigung der zwei presbyterianischen und zwei methodistischen Kirchen und der Mennoniten in einer Church of Christ in Ghana ist weder, wie zunächst vorgesehen, 1981 noch auch 1983 zustandegekommen. Das dezentralisierte Verfahren - Vorbereitung der Union durch Unionsausschüsse in jeder der geplanten Diözesen - erwies sich als so anspruchsvoll und zeitraubend, daß der zentrale Unionsausschuß den Zeitpunkt immer wieder verschieben mußte. Unterausschüsse blieben jedoch weiter an der Arbeit, darunter auch schon einer zur Vorbereitung der Feierlichkeiten bei der Inauguration der neuen Kirche, einschließlich einer Kleiderordnung für den Festgottesdienst. Für die Vereinigung der Ämter wollte man sich am südindischen Vorbild orientieren und hatte dafür die Unterstützung der Anglikaner erhalten, obwohl diese schon früher aus dem Unionsausschuß ausgeschieden waren. Im Jahr 1983 mußte dann aber der gesamte Plan aufgegeben und der Unionsausschuß vorerst aufgelöst werden, da einer der stärksten Partner, die Presbyterian Church of Ghana, sich für den sofortigen Austritt entschieden hatte. Der Christenrat von Ghana soll nun das zusammenhalten und, wenn möglich, reaktivieren, was in den Kirchen weiterhin an Bereitschaft zur Vereinigung lebendig geblieben ist.

3.5 *Republik Südafrika:* Sowohl die konfessionelle Vielfalt als auch die Rassenproblematik haben die Frage der Kirchenvereinigung seit langem ebenso dringend wie schwierig gemacht. Nach begrenzten Anfängen wurde 1968 eine Church Unity Commission gebildet, in der jetzt Anglikaner, Methodisten, Presbyterianer und Congregationalisten zusammenarbeiten, allerdings mit nur geringfügiger Beteiligung der Schwarzen und Farbigen. Die Kommission selbst beschreibt den von ihr erarbeiteten Unionsplan, bemerkenswert genug, als ein „langweiliges Dokument, das hauptsächlich für Kirchenbürokraten und Ausschüsse von Interesse ist". Immerhin sind in den Gemeinden bereits einheitliche Gottesdienstordnungen versuchsweise in Gebrauch, und die Kommission ist bemüht, für die Notwendigkeit kirchlicher Einheit in weiteren Kreisen Verständnis zu wecken. Neue Impulse verspricht man sich dabei auch von den Lima-Texten.

Lit.: *Grant, J. W.* (Hrsg.), Die unierten Kirchen, 1973. - *Groscurth, R.,* Kirchenunionen und Kirchengemeinschaft, 1971. - *Ders.* (Hrsg.), Wandernde Horizonte auf dem Weg zur kirchlichen Einheit, 1974. - *Ders.,* Art. Union (Unionskirchen), in: Ökumene Lexikon, 1983, 1192-1200. - *Meyer, H.,* Art. Einheit der Kirche I, Einigungsbestrebungen, in: Ökumene Lexion, 1983, 285-303. - Unity in Each Place ... in All Places, Faith & Order Papers No. 118, 1983.

H.-W. Gensichen

VATIKANUM II.

1. Der Stellenwert der Mission im gesamten Konzilswerk. 2. Missionsbegriff und theologische Grundlegung der Mission. 3. Die Struktur der missionarischen Tätigkeit. 4. Die Wirklichkeit der „jungen Kirchen". 5. Heilsmöglichkeit der Nichtchristen und Hochschätzung der nichtchristlichen Religionen. 6. Die Konzeption des Missionars und der Missionsinstitute. 7. Organisatorische Fragen. 8. Mängel im Missionsverständnis des II. Vatikanums. 9. Die weitere Entwicklung nach dem II. Vatikanum.

1. Das II. Vatikanische Konzil (1962-65) weist eine im weitesten Sinne missionarische Ausrichtung auf. Sie zeigt sich schon im grundlegenden Programm des „Aggiornamento", d.h. in einem der heutigen Weltsituation angemessenen Selbstverständnis der Kirche. Dem Konzil ging es jedoch auch um die *Mission im spezifischen Sinn.* Trotz der neuen Wertschätzung der nichtchristlichen Religionen und der Anerkennung der Heilsmöglichkeit für alle Menschen guten Willens wollte das Konzil Sinn und Notwendigkeit der missionarischen Tätigkeit herausstellen. Deshalb ist in den meisten Dokumenten des II. Vatikanums die missionarische Dimension vorhanden, in besonderer Weise aber kommt die missionarische Intention im Missionsdekret Ad gentes zu Wort. Dabei ist das Verhältnis der verschiedenen Konzilsdokumente untereinander kompliziert, weil sie zu verschiedenen Zeitpunkten entstanden sind. Bei der Vorbereitung des Missionsdekrets zeigten sich in der Kommission enorme Schwierigkeiten in bezug auf das Missionsverständnis. Der erste Entwurf mußte dann stark zusammengestrichen werden, weil möglichst viel Material in andere Dokumente, besonders in die Kirchenkonstitution Lumen gentium, integriert werden sollte. Der übriggebliebene klägliche Rest wurde jedoch von den Konzilsvätern abgelehnt, so daß noch relativ spät ein neuer Entwurf erarbeitet werden mußte. Dieser bildete die Grundlage für das am 7.12.1965 angenommene Missionsdekret Ad gentes. Es war zu wenig Zeit geblieben, um das Dokument zu einem Ganzen durchzuarbeiten. Die verschiedenartige Herkunft einzelner Teile ist ersichtlich, es finden sich auch unnötige Wiederholungen. Hingegen konnten Ergebnisse aus anderen bereits vorhandenen Dokumenten eingearbeitet werden, während natürlich der Einfluß von Ad gentes auf das übrige Konzilswerk gering ist. Ad gentes ist kein innovatorischer Entwurf, aber auch keine Wiederholung alter Thesen oder bloße Absegnung traditioneller Missionsarbeit; es ist ein wertvolles Dokument des Übergangs, nimmt auf bisherige Theorien und Ergebnisse Bezug, ohne sich einseitig festzulegen, weist aber auch an wichtigen Stellen in die Zukunft, ohne etwas zu verbauen. Es wäre willkürlich, die „eigentliche" missionarische Aussage des Konzils in anderen Dokumenten, etwa in der Pastoralkonstitution Gaudium et spes, zu suchen.

 2. Das Konzil wollte mit der Vorstellung aufräumen, die Mission sei ein kirchliches Randphänomen, das lediglich das Interessengebiet einiger Spezialisten bildet. Es wollte die Mission als kirchliche Wirklichkeit verstanden wissen, zugleich aber die Kirche als missionarische Größe begreifen. Ad gentes beruht denn auch auf der → Ekklesiologie von Lumen gentium. Die Kirche ist, besonders als das wandernde Volk Gottes, in sich missionarisch, auf die Völkerwelt bezogen (Lumen gentium 9-17). Die Kirche muß als universales Sakrament des → Heils allen Menschen gegenwärtig werden, um diese mit der Heilsbotschaft Christi in Kontakt zu bringen und sie seinem Leib einzugliedern. Angestrebt wird dabei jedoch nicht eine naive Verchristlichung der Welt, sondern eine Erneuerung der Welt im Sinne des Evangeliums. Ad gentes 2-9 baut die theologische Begründung der Mission noch weiter aus. Grundlage bilden die durch die Liebe Gottes motivierten Sendungen des Sohnes und des → Heiligen Geistes. Die Menschwerdung Gottes in Jesus Christus, seine Entscheidung, auf eine neue und endgültige Weise in die Geschichte einzutreten, bildet den eigentlichen Grund für die Sendung der Kirche (vgl. auch Dei Verbum 4: die christliche Heilsordnung ist „unüberholbar"). Die Mission der Kirche ist die Fortführung der Sendung Christi und seiner Jünger sowie die Ausfaltung dessen, was im Pfingstereignis angebrochen ist. Die Mission ist ferner ein eschatologisches Geschehen, Durchführung des Planes Gottes in der Geschichte, sie kommt erst mit der Wiederkunft des Herrn an ihr Ende. Die Mission bedeutet jedoch auch eine Erfüllung des Strebens der menschlichen Natur. In dieser theologischen Begründung sind traditionelle Elemente missionstheologischen Denkens aufgegriffen worden; es zeigen sich darin aber auch Einflüsse aus der neueren evangelischen Missionstheologie, besonders was die eschatologische Perspektive betrifft. Ad gentes 6 versucht eine Klärung des Missionsbegriffs. Prinzipiell bleibt sich die missionarische Aufgabe der Kirche immer gleich, ändert sich jedoch infolge wechselnder Umstände und Bedingungen. Wo Mission konkret wird, spricht Ad gentes von „missionarischer Tätigkeit" (activitas missio-

nalis) bzw. von „Missionen". Bei der Umschreibung der missionarischen Tätigkeit zeigt sich zwar das Bestreben, von einem überholten geographischen Verständnis der Mission loszukommen, andererseits verlangte das historisch Gewordene doch auch nach seinem Recht. Die Definition der „Missionen" sollte offensichtlich den Bedürfnissen der Kongregation de Propaganda Fide gerecht werden:
„Gemeinhin heißen ‚Missionen' die speziellen Unternehmungen, wodurch die von
der Kirche gesandten Boten des Evangeliums in die ganze Welt ziehen und die
Aufgabe wahrnehmen, bei den Völkern oder Gruppen, die noch nicht an Christus
glauben, das Evangelium zu predigen und die Kirche selbst einzupflanzen. Sie
werden durch die missionarische Tätigkeit verwirklicht und meist in bestimmten,
vom Heiligen Stuhl bestätigten Gebieten ausgeübt." (Ad gentes 6). Es ist zu beachten, daß durch die Ausdrücke „gemeinhin" und „meist" die Strenge dieser Definition gelockert wird. Die nachkonziliare Interpretation ist denn auch nicht immer eindeutig; so bezeichnen einige die „Mission de France" als Mission im Sinne des Konzils (G. Schelbert), andere nicht (H. S. Brechter).

3. Ad gentes 10-18 erblickt die verschiedenen, aber eng zusammenhängenden
Elemente der Missiontätigkeit im christlichen Zeugnis, in der Verkündigung des
Evangeliums und der Sammlung des Gottesvolkes sowie im Aufbau der christlichen Gemeinschaft. Unter christlichem Zeugnis ist der gelebte Glaube zu verstehen, der ein offenes und solidarisches Verhältnis zur Umwelt besitzt und im →
Dialog auf das eingeht, was Gott auch außerhalb der Kirche wirkt. Ohne das
grundlegende Zeugnis christlicher Liebe sind alle missionarischen Unternehmungen sinnlos; freilich genügt ein wortloses Zeugnis nicht. Die → Bekehrung wird in
Ad gentes 13 biblisch als wachsende Hinwendung zur christlichen Heilsbotschaft
verstanden und von der Eingliederung in die kirchliche Gemeinschaft unterschieden. In Übereinstimmung mit der Erklärung über die → Religionsfreiheit Digni-
tatis humanae verurteilt Ad gentes 13 jeglichen Zwang und alle unlauteren Wer-
bemittel in der Missionsarbeit. Im Zusammenhang der missionarischen Verkündigung kommt das Katechumenat ausführlich zur Sprache (Ad gentes 14). Die missionarische Tätigkeit gelangt erst zum Abschluß, wenn die „junge Kirche" als le-
bensfähige Gemeinschaft in der entsprechenden gesellschaftlichen und kulturellen
Umwelt situiert ist. Das ist erst dann der Fall, wenn ein einheimischer Klerus sowie einheimische Katechisten, Orden und Kongregationen und eine apostolisch
aktive Laienschaft vorhanden sind. Ad gentes 15 fordert für die „jungen Kirchen"
auch eine ökumenische Ausrichtung. Der Text ist eine kurze Anspielung auf die
in der ökumenischen Bewegung so wichtige Thematik von Mission und Einheit.
Auf den Streit der verschiedenen missionswissenschaftlichen Schulen (besonders
jener von Münster und Löwen) um das spezifische Ziel der Missionstätigkeit ist
das Konzil nicht direkt eingegangen, zumal damals die Auseinandersetzungen bereits ihre frühere Schärfe verloren hatten. Ad gentes 6 bringt die beiden Richtungen zu einer Synthese zusammen: „Das eigentliche Ziel dieser missionarischen
Tätigkeit ist die Evangelisierung und die Einpflanzung der Kirche bei den Völkern
und Gemeinschaften, bei denen sie noch nicht Wurzel gefaßt hat. So sollen aus
dem Samen des Gotteswortes überall auf der Welt wohlbegründete einheimische
Teilkirchen heranwachsen, die mit eigener Kraft und Reife begabt sind."

4. Das vitalste Interesse der konziliaren Missionstheologie bezieht sich auf die „jungen Kirchen" oder Teilkirchen der sog. Missionsländer. Ziel der Missionstätigkeit im Sinne des Konzils ist nicht einfach die Bekehrung einzelner, sondern die Errichtung lebensfähiger Teilkirchen. Diese sind zwar Ergebnis der von den älteren Kirchen ausgegangenen Missionsarbeit, jedoch kein Objekt, sondern nun selbst Subjekt der Mission. Damit hat das Konzil einem kolonialistisch-paternalistischen Missionsverständnis den Abschied gegeben. Dabei war es von großem Vorteil, daß vor und auf dem Konzil so etwas wie eine Wiederentdeckung der → Ortskirche stattgefunden hat. So ließ sich von der Ekklesiologie her die Selbständigkeit der „jungen Kirchen" begründen. Die Teil- oder Ortskirche ist ein Abbild der gesamten Kirche und muß als solche ernstgenommen werden. Die „jungen Kirchen" müssen die volle Reife erlangen. Sofern dazu noch Hilfe von außen notwendig ist, soll dadurch die Reife nicht gehemmt, sondern gefördert werden. Neben den personellen Elementen einer vollständigen Teilkirche (Bischöfe, Priester, → Laien) fordert Ad gentes 22 auch ihre weitgehende → Inkulturation. Unter Verwendung von Bildern zeichnet der Text eine Kirche, die nicht aus importiertem Christentum besteht, sondern sich - gewiß auf der Grundlage des Wortes Gottes und der kirchlichen Überlieferung - neu auferbaut unter Einbeziehung aller Ausdrucksmöglichkeiten, welche die einheimische → Kultur bietet. Damit hat sich das Konzil für einen kirchlichen Pluralismus in kultureller Hinsicht ausgesprochen, der eine der Voraussetzungen für die Entstehung einer wirklichen Weltkirche ist.

5. Obwohl das Konzil die Notwendigkeit der Missionstätigkeit bekräftigen wollte, hat es an der (schon in der vorkonziliaren Theologie feststehenden) Heilsmöglichkeit für die Nichtchristen festgehalten (Lumen gentium 16, Ad gentes 7 u.a.), sich jedoch gehütet, über die Vereinbarkeit beider Aussagen eine Theorie aufzustellen. Während einige Vertreter einer traditionellen Missionstheologie in der optimistischen Sicht des II. Vatikanums eine Gefahr für den missionarischen Elan sehen, ging die Tendenz des Konzils dahin, die Missionstätigkeit auch als eine weiterführende Antwort auf das zu sehen, was Gott außerhalb der Kirche bereits gewirkt hat und wirkt (Ad gentes 6, 11). Die nichtchristlichen Religionen sind dabei weniger unter dem Aspekt der Heilsvermittlung gesehen worden, vielmehr ging es in Nostra aetate darum, im Gegensatz zur Vergangenheit einen grundsätzlich positiven Zugang zu den → Religionen zu eröffnen, was sich in Dialog und Zusammenarbeit mit ihren Anhängern auswirken, das missionarische Bewußtsein in der Kirche jedoch in keiner Weise herabsetzen sollte (Nostra aetate 2). Die scheinbar gegensätzlichen Aussagen des Konzils sind keine Widersprüche, sondern Reaktionen auf die komplexe Wirklichkeit.

6. Ad gentes hat dem → Missionar ein eigenes Kapitel gewidmet (IV). Es versteht ihn hier noch weitgehend nach dem klassischen Modell der Neuzeit als jemanden, der seine Heimat verläßt, um sich anderswo in den Dienst an der Missionsarbeit zu stellen. Grundsätzlich dauert der Missionsberuf auf Lebenszeit. Allerdings gab es im Konzil auch Stimmen dagegen, und manche Stellen implizieren, daß für die Missionsarbeit gar kein geographischer Exodus notwendig ist. Dem Konzil war es indessen ein Anliegen, auch die traditionelle Missionsarbeit zu stützen. Dazu hielt es die Missionsinstitute (darunter sind Orden, Kongregatio-

nen und Missionsgesellschaften zu verstehen) nach wie vor für notwendig. Doch hat das Konzil die Übergangssituation realisiert: das Ius Commissionis, wonach einem Missionsinstitut ein Territorium übergeben wird, geht zu Ende. Die Missionsinstitute und die Missionare haben ihren Einsatz deshalb als Mitarbeit in der bischöflichen Teilkirche zu verstehen.

7. Obwohl das II. Vatikanum es abgelehnt hatte, die Mission vorwiegend institutionell und juridisch anzugehen, mußte es dennoch zahlreiche Fragen der missionarischen Praxis aufgreifen. Dabei wies es jedoch eher in die entsprechende Richtung, statt Patentlösungen vorzulegen. Damit sich die Verkündigung des Evangeliums in Einheit und Ordnung vollzieht, untersteht die Missionstätigkeit (von den unierten Ostkirchen abgesehen) der Leitung der 1622 gegründeten Kongregation de Propaganda Fide (nun auch Kongregation für die Evangelisierung der Völker genannt). Diese zentrale Institution sollte jedoch ein dynamisches Leitungsinstrument werden. Ferner hat das Konzil von allen an der Missionstätigkeit beteiligten Instanzen (Bischöfe, Bischofskonferenzen, Priester, Laien, Missionsinstitute) Zusammenarbeit und Koordinierung ihrer Unternehmungen verlangt. Großen Wert legt das Konzil auch auf die wissenschaftliche Erforschung der mit der Mission verbundenen Fragen. Der gesamtkirchlichen Missionshilfe legt das II. Vatikanum die grundsätzliche missionarische Verpflichtung aller Getauften zugrunde, formuliert sie aber im Hinblick auf einzelne Gruppen noch besonders, z.B. die Bischöfe (Ad gentes 38). Dabei wird von den Bistümern eine jährliche Abgabe zugunsten des Missionswerkes der Kirche verlangt. Personelle und finanzielle Hilfe gegenüber benachteiligten Teilkirchen wird aufgrund der Theologie der Communio als selbstverständlich erachtet.

8. Der an die Adresse des traditionellen missionarischen Denkens gerichtete Vorwurf des Ekklesiozentrismus gilt für das Konzil nur bedingt. Sein Missionsverständns ist zwar grundsätzlich vom Ekklesiologischen her konzipiert, doch wird die Kirche selber nicht als eine in sich geschlossene und auf sich selber konzentrierte Größe betrachtet, sondern als Sakrament und Instrument des Heiles für die Welt und als wanderndes Volk Gottes; als solche ist die Kirche in Bewegung und bleibt auf den Dienst an der Welt ausgerichtet. Mängel sind im Missionsverständnis des Konzils aber doch zu verzeichnen. Eine größere Selbstkritik im Hinblick auf die Missionsgeschichte, besonders bezüglich des Europäismus der Mission und ihrer unkritischen Verbindung mit dem → Kolonialismus, wäre durchaus am Platze gewesen. Die gesellschaftspolitische Dimension der missionarischen Tätigkeit ist zwar im Missionsverständnis des Konzils vorhanden, hätte jedoch stärker zum Vorschein treten dürfen. Dabei ist allerdings in Rechnung zu stellen, daß Themen wie → Entwicklung in der Dritten Welt und → Befreiung erst nach dem Konzil aufgekommen oder tiefer reflektiert worden sind. In dieser Hinsicht muß Ad gentes tatsächlich durch Gaudium et spes ergänzt werden.

9. Am 6.8.1966 wurde das Motu Proprio „Ecclesiae Sanctae" erlassen, das Normen zur Ausführung einiger Konzilsdekrete enthält. Die Ad gentes betreffenden Bestimmungen dringen vor allem auf die Durchführung der praktischen Anweisungen des Konzils. Theologisch bedeutsam ist die Forderung, die → Theologie der Mission solle in die theologischen Lehren eingebaut werden, damit die missionarische Natur der Kirche voll ins Licht trete. Im Missionsrecht ist 1969

das Ius Commissionis durch das Ius Mandati abgelöst worden, wonach die missionarischen Einsätze als vertraglich geregelte Mitarbeit zu verstehen sind; am Vertrag sind die Ortsbischöfe, die Missionsinstitute und die Kongregation für die Evangelisierung der Völker beteiligt. Durch römische Bischofssynoden ist die missionarische Thematik in den nachfolgenden Jahren weiter entfaltet und profiliert worden (1971 über die Gerechtigkeit in der Welt, 1974 über die Evangelisation, 1977 über die Katechese). Die Ergebnisse der Synode von 1974 wurden 1975 aus der Sicht des Papstes, Paul VI., im Apostolischen Schreiben „Evangelii nuntiandi" vorgelegt. Terminologisch ist darin mehr von → Evangelisation als von Mission die Rede. Das Missionsverständnis ist darin bedeutend globaler geworden; Bereiche im entchristlichten Abendland werden der erneuten Evangelisierung bedürftig bezeichnet. Neue Themen wie Befreiung und Basisgemeinden werden positiv aufgenommen. Das Missionsverständnis des Konzils hat Eingang gefunden in das neue Kirchenrecht (CIC von 1983). Can. 781-792 handeln von der Missionstätigkeit der Kirche (de actione Ecclesiae missionali). Can. 781 hält fest, daß die ganze Kirche in ihrem Wesen missionarisch ist und das Werk der Evangelisierung als grundlegende Aufgabe des Volkes Gottes zu betrachten ist. Die weitere missionstheologische Entwicklung hat sich jedoch im neuen CIC nicht mehr niedergeschlagen. Die im Prinzip abendländische Konzeption des Kirchenrechtes gewährt leider auch nicht jene Bedingungen, unter denen sich die Weltkirche pluralistisch inkulturieren könnte.

Lit.: *Bronk, A.,* Zur Begriffsbestimmung von „Mission" im Dekret „Ad Gentes" des II. Vatikanischen Konzils, eine semiotische Analyse, in: Verbum SVD 19, 1978, 322-339. - Das Zweite Vatikanische Konzil. Dokumente und Kommentare, 1966-1968, Bd. 3, 9-125 Ad gentes. - *Evers, G.,* Mission - nichtchristliche Religionen - weltliche Welt, 1974 (Lit.). - *Nunnenmacher, E.,* Missionarisches Selbstverständnis nach dem Konzilsdekret „Ad Gentes" und nach persönlichen Äußerungen von Afrikamissionaren, 1984. - *Rahner, K.,* Theologische Grundinterpretation des II. Vatikanischen Konzils, in: ders., Schriften zur Theologie, 14, 1980, 287-302. - *Schelbert, G.,* Das Missionsdekret des II. Vaticanums im Gesamtwerk des Konzils, 1968. - *Schütte, J.* (Hrsg.), Mission nach dem Konzil, 1967.

F. Kollbrunner

VOLK

1. Begriffsgeschichtlich und umgangssprachlich. 2. Biblisch. 3. Missionswissenschaftlich und ökumenisch.

1. Die Bedeutung des Begriffes Volk hat sich im Laufe der Geschichte in Relation zu den jeweils zur Herrschaft gelangenden gesellschaftlichen und politischen Interessen gewandelt. Insbesondere in der deutschen Sprache handelt es sich um eine vieldeutige historische Kategorie, die über ihre deskriptive Qualität hinaus stets Ausdruck des jeweiligen soziopolitischen Selbstverständnisses ist. Die (auch für die Theologiegeschichte) wichtigsten Quellen des modernen Volksbegriffes liegen *kulturell* in der Romantik (Volk als „organischer" Bestandteil von „Natur" sowie als Träger der Geschichte; Herders Gedanke sprachlich-geschichtlicher Volksindividualität bis hin zu seinem Postulat einer spezifischen „Volksseele"; schließlich die Befreiungskriege als „Nationalerlebnis"), *philosophisch* im Idealismus (Annäherung von deutschem bzw. preußischem „Volksgeist" und „Weltgeist" durch Hegel) und *politisch* in der emanzipativen Programmatik der Französischen Revolution (grundsätzliche Infragestellung von Absolutismus und Ständestaat, Einführung von Volkssouveränität und demokratischer Republik). Die Erfahrungen des 20. Jahrhunderts lassen die Eignung des Volksbegriffes zur Beschreibung des geschichtlichen Prozesses fragwürdig erscheinen: Das Scheitern der (mehr oder weniger biologistisch bzw. „völkisch" bestimmten) europäischen Nationalismen im Ersten Weltkrieg führte zur Gründung des Völkerbundes, wie *Internationalismus* überhaupt zu einer Leitvorstellung in Christentum und Sozialismus heranwuchs; die Usurpation des überlieferten Volksbegriffes durch den Faschismus der NS-Zeit desavouierte nicht allein den Begriffsinhalt, sondern führte historisch in die Zweistaatlichkeit; Telekommunikation, atomare Bedrohung und die vielfältigen Nivellierungstendenzen einer internationalen Massenzivilisation machen die Anwendung des Volksbegriffes zunehmend entbehrlich. Statt dessen hat sich der historisch unbelastete und differenzierungsfähige Begriff der *Gesellschaft* durchgesetzt. Umgangssprachlich schlägt sich die Erfahrung, daß Volk eine geschichtliche, also (auch kulturell) wandelbare Größe ist, darin nieder, daß der Begriff - zumindest in Europa - weniger auf eine rassisch, ethnisch oder auch nur kulturell homogene Gruppe bezogen wird, sondern eine durch gemeinsame Geschichte, Sprache (evtl. eine lingua franca) und Staatlichkeit verbundene Einheit bezeichnet. Der Begriff überschneidet sich daher z.T. mit → Staat, Nation und Bevölkerung. Der Stellenwert, den Volk noch im 19. Jahrhundert hatte, scheint gegenwärtig vom Begriff der *Menschheit* eingenommen zu werden.

2. In der Bibel tritt Volk in unterschiedlicher Bedeutung und Begrifflichkeit auf. Im *AT* lassen sich zwei Linien unterscheiden: Das hebr. *goj* (555 Erwähnungen) bezeichnet zunächst eine räumlich, sprachlich, sippenmäßig oder gegebenenfalls staatlich vorgegebene Einheit (Gen 10) und findet in diesem Sinne vereinzelt auch Anwendung auf Israel (z.B. Gen 12,2). In der Regel bezieht sich goj, vor allem im Plural (gojim), aber auf die Menge der Völker im Unterschied zu Israel. In vornehmlich religiöser Qualifikation stehen dann die gojim als → „Heiden" (etwa Ps 2,1) dem einen und exklusiven Volk Gottes bzw. dem Volk des Eigentums (Ex 19,5) gegenüber. Mit der Phase der Staatenbildung dient hebr. *am* (ca. 1800 Erwähnungen), ursprünglich ein die engere Blutsverwandtschaft angebender Terminus, als Selbstbezeichnung Israels als des Volkes Gottes und des Bundes (Dtn 7,6), wobei nicht eigentlich das Volkhafte das Bestimmende ist, sondern - wie auch in der ntl. Auffassung des Volkes Gottes - die Wahl und Gnade Gottes. Ein eher säkularer, alternativ die Grundbesitzerschicht Israels oder Nichtisraels umfassender Begriff ist *am ha'ares* (Volk des Landes, vgl. Gen 23,7; Jer 1,18; Esr 3,3 oder Neh 10,31). In der rabbinischen Literatur kennzeichnet der Begriff jedoch die breite Unterschicht, die das Gesetz nicht kennt, wodurch am ha'ares dem ntl. ochlos nahekommt. Die z.T. negative Kennzeichnung der Völker hält sich nicht in allen Schriften durch (vgl. Gen 11 mit Dtn 32,8). In der prophetischen Krise werden Völker auch als Werkzeuge von Gottes Zorn oder Liebe ge-

genüber Israel erkannt (Hos 8,10; Am 9,9; Jes 45,1ff). Die prophetische Verkündigung insbesondere stellt eine das Volk als ethnotheologische Kategorie zurückweisende Modifikation der Verhältnisbestimmung von *Völkern und Volk Gottes* dar und erweitert den Volk-Gottes-Begriff im Sinne einer Universalisierung und Eschatologisierung der Heilszusage auf Israel (Rest Israels) mit Einschluß der Gläubigen aus den Völkern (Jes 25,6; Mi 4,1; Sach 8,20).

Die LXX übersetzt goj in der Regel mit dem griech. ethnos (bzw. gojim mit ethne; ca. 1000 Stellen) und am mit (griech.) laos (rd. 2000mal). Diese Begrifflichkeit findet sich mit charakteristischen Verschiebungen auch im *NT*: Mit *ethne*, Menge, Völker (162 Nennungen im NT), sind allgemein die „Heiden" und zwar in ihrem Gegensatz zu Juden oder Christen gemeint (Mt 6,32; Lk 21,24; Gal 2,15). Der heilsgeschichtliche Unterschied zwischen Israel und den Völkern wird nicht eingeebnet, durch das Christusereignis aber überbrückt (Apg 10,35; Eph 2,11ff). Paulus insbesondere vertritt den bleibenden Vorrang Israels als des ursprünglichen Volkes Gottes und begründet zugleich theologisch die gesetzesfreie Berufung auch der Völker (Röm 9-11). Das Volk Gottes ist um die aus den Völkern gesammelte Kirche erweitert - diese tritt also nicht an die Stelle Israels, sondern zu diesem hinzu. Damit aber fällt die ethnische Schranke, die Menschheit als ganze ist Adressat des Heilswillens Gottes und durch Jesus Christus schon im voraus zur Konstituierung des Volkes Gottes bestimmt (K. Rahner). *Laos*, ursprünglich „Mannschaft" im militärischen Sinne (141 Nennungen), bezeichnet in Kontinuität zum AT einerseits Israel (ausdrücklich Apg 4,10). Andererseits werden atl. Ehrentitel wie „Volk Gottes" (laos theou) und „Volk des Eigentums" (laos periousios) auf die christliche Kirche übertragen (Apg 15,14; 2Kor 6,16; Tit 2,14; 1Petr 2,9). Die Kirche versteht sich so als das (neue) eschatologische Volk Gottes und als Trägerin der atl. Verheißungen (Typos) in Richtung auf eine wiedervereinigte Mennschheit (Apg 2), wobei nicht Kriterien der Herkunft, sondern des Glaubens konstitutiv sind (1Kor 12,13; Kol 3,11; → Ökumene). In häufiger Verbindung mit laos steht schließlich der Terminus *ochlos*, Haufe, Leute, niederes Volk (174 Nennungen, insbesondere in den Evangelien und der Apostelgeschichte). Er bezeichnet die Gruppe der von den herrschenden Kreisen als ungebildet oder unbemittelt Verachteten (und Gefürchteten), denen Jesus sich zuwendet (Mt 4,25 u.ö.). Auch die Schar der Jünger wird gegebenenfalls ochlos genannt (Lk 6,17; Apg 1,15), wodurch der Volksbegriff eine auch ekklesiologisch bedenkenswerte soziologische Nuancierung erfährt. Die besondere Ansage des → Reiches Gottes an die Armen, Nichtintegrierten und kultisch-religiös Unterprivilegierten weist darauf hin, daß das Volk Gottes nicht mit den unvermeidlichen Abgrenzungsinteressen kirchlicher Institutionen zu identifizieren ist.

3. Die *Mission* hat es immer schon mit Völkern zu tun gehabt und damit auch mit dem Problem des Verhältnisses zwischen christlicher Botschaft und vorgefundener Religion und Kultur (→ Ritenstreit). Aber erst in Reaktion auf den religiösen Individualismus des Pietismus und seiner Praxis der Einzelbekehrung rückte das Volk unter dem Einfluß des Volkstumgedankens des 19. Jahrhunderts (→ 1) als *Zielgruppe* christlicher Missionsarbeit in den Blick. Vor allem in der deutschen evangelischen Missionsbewegung wurden sog. *bodenständige Volkskirchen* bzw. der Bau der Kirche auf möglichst intakter ethnokultureller Grundlage angestrebt. Die Linie einer eher kollektiven Volkschristianisierung, die G. Warneck, wenn auch abgeschwächt, in seine „Missionslehre" übernommen hat, fand im 20. Jahrhundert ihre praktische Fortsetzung und theoretische Ausarbeitung besonders durch Chr. Keysser und B. Gutmann (Volksorganismus bzw. angeblich „urtümliche" Bindungen). Auf der → Weltmissionskonferenz von Tambaram (1938) setzte sich die deutsche Delegation (u.a. W. Freytag, S. Knak und M. Schlunk) von der ekklesiozentrischen und internationalistischen Grundstimmung der Konferenz durch ein Sondervotum ab. Die „Unterschiede der Völker mit ihren verschiedenen Regierungsformen, die der Rassen mit ihren verschiedenen natürlichen Gaben" wurden hier als gottgegebene Ordnungen von dauernder Gültigkeit bezeichnet. Die Tatsache, daß etwa Schlunk außenpolitische Interessen des „Nationalsozialismus" in Tambaram wahrnahm, bedarf noch der Aufarbeitung. Theologisch aber ist geklärt, was für den Gedanken der Volkschristianisierung generell gilt, daß eine biblisch nicht zu rechtfertigende Überhöhung des Volksgedankens und damit ein Zug zur natürlichen Theologie (→ Theologie der Mission) vorlag. Hinter dem notwendigen Bestreben nach Indigenisierung und → Inkulturation des Evangeliums standen das Interesse an der Konservierung oder der Kreation voraufklärerischer Residuen sowie die Unterschätzung des eschatologischen Vorbehaltes, unter dem sowohl Volk wie auch Kirche stehen. 1895 schon hatte F. M. Zahn darauf aufmerksam gemacht, daß die These der Volkschristianisierung exegetisch den ethne-Begriff mißbrauchte und theologisch eine selbstmächtige Setzung war. Nicht die „christianisierte Volksgemeinschaft", sondern die ökumenisch in Vielheit existierende christliche Kirche sollte das Missionsziel sein - letztlich nicht einmal diese, sondern nur „das Reich Gottes und seine Gerechtigkeit". Grundlegend nicht nur für die Bestimmung des Verhältnisses von Volk und Kirche in der deutschen Missionswissenschaft, sondern auch in Neuauflagen des Volkstumsgedankens wie dem „People Approach" der (evangelikalen) Weltevangelisationskonsultation von Pattaya (Thailand, 1980) ist immer noch J. C. Hoekendijks Arbeit (→ Missionsmethode).

Ökumenegeschichtlich bedeutsam für eine soziologisch wie theologisch veränderte Sicht des Volkes wurden zunächst die in Zusammenhang mit dem → Vaticanum II stehenden kirchlichen Entwicklungen auf dem lateinamerikanischen Kontinent (Bischofskonferenz von Medillín, 1968, → lateinamerikanische Theologie) und nachfolgend die Entstehung → kontextueller Theologien in der weiteren Christenheit der Dritten Welt. Gemeinsamer Ausgangspunkt dieses neuen Verstehens ist die Realität des *unterdrückten und leidenden Volkes*. Diese Wahrnehmung führte in Abgrenzung zur „westlichen" Theologie zu einer als nicht-domestiziert verstandenen Neu-Lektüre („releitura") der Bibel und zur Entdeckung der Inkarnation Christi in die „Keller der Menschheit" (C. Mesters). Der bei den Armen und den Menschen auf der „Rückseite der Geschichte" (→ Theologie der Befreiung) erkannte Christus veranlaßte vielfach die Kirchen ihrereits, sich auf die Seite des leidenden Volkes zu stellen. Das Volk besteht hier also soziologisch vornehmlich aus der breiten, religiös, kulturell und ethnisch nicht unbedingt homogenen Masse der Entrechteten und ist theologisch der bevorzugte Adressat der Zuwendung und Verheißung Gottes. Diese christologisch wie ekklesiologisch folgenreiche Verschiebung des sozialen Standortes von Theologie drückt das Stichwort vom „Gott der Armen" aus, das auf der → Weltmissionskonferenz von Melbourne (1980) im Zentrum stand. In der → *koreanischen Theologie* des seit Jahrhunderten von Fremdherrschaft und Unterdrückung gezeichneten Landes wird die Parteinahme Gottes für das leidende Volk (Minjung: gemeines Volk, Pöbel) mit der vorbehaltlosen Annahme des ntl. ochlos durch Jesus begründet (Ahn, Byung-Mu). Der koreanische ochlos ist hier *eschatologisches Volk Gottes* (laos) und zugleich befreit, innerweltlich *Subjekt seiner eigenen Geschichte* zu werden und so „aufzuerstehen". Angesichts der messianischen Qualität, die dem Volk und dem historischen Befreiungsprojekt insgesamt zukommt, mag sich aus europäischer Sicht die Frage stellen, ob nicht auch hier eine Überhöhung des - freilich theologisch wie politisch ganz anders gelagerten - Volksbegriffes vorliegt. Weil aber die befreiungstheologischen Ansätze Versuche der bedrohten Christenheit sind, dem Rad in die Speichen zu fallen (D. Bonhoeffer), bedürfen sie mehr noch als der Kritik der ökumenischen Solidarität.

Lit.: *Ahn, B.-M.*, Draußen vor dem Tor. Kirche und Minjung in Korea, 1986. - *Bausinger, H./Gustafsson, B./Gensichen, H.-W.*, Art. Volk und Volkstum, RGG³ VI, 1434-1440. - *Bertram, G./Schmidt, K. L.*, Art. ethnos, ThWNT II, 362-370. - *Bietenhard, H.*, Art. Volk, TBLNT II/2, 1971, 1317-1330. - *Exeler, A./Mette, N.* (Hrsg.), Theologie des Volkes, 1978. - *Hoekendijk, J. C.*, Kerk en Volk in de Duitse Zendingswetenschap, 1948 (dt. 1967). - *Mesters, C.*, Die Botschaft des leidenden Volkes, 1982. - *Ders.*, Sechs Tage in den Kellern der Menschheit, 1982. - *Meyer, R./Katz, P.*, Art. ochlos, ThWNT V, 582-591. - *Moltmann, J.* (Hrsg.), Minjung. Theologie des Volkes Gottes in Südkorea, 1984. - *Piepke, J. G.*, Die Kirche auf dem Weg zum Menschen. Die Volk-Gottes-Theologie in der Kirche Brasiliens, 1985. - *Rahner, K.*, Art. Volk Gottes, HTTL VIII, 1973, 65-68. - *Schlunk, M.*, Das Wunder der Kirche unter den Völkern der Erde, 1939 (dazu: Archiv des EMW/ Hamburg, Bestand DMR 137). - *Strathmann, H./Meyer, R.*, Art. laos, ThWNT IV, 29-57. - *Warneck, G.*, Evangelische Missionslehre, 5 Tle, 1892-1903. - *Wendland, H.-D./Blauw, J.*, Art. Volk, EKL, 1672-1679. - *Wiedenmann, L.* (Hrsg.), Herausgefordert durch die Armen. Dokumente der Ökumen. Vereinigung von Dritte-Welt-Theologen 1976-1983, 1983. - *Zahn, F. M.*, Die evangelische Heidenpredigt, in: AMZ 22, 1895, 26-37. - *Ders.*, Nationalität und Internationalität in der Mission, in: AMZ 23, 1896, 49-67.

W. Ustorf

VOLKSFRÖMMIGKEIT

1. Begriff. 2. Ursachen. 3. Inhalt. 4. Strukturen. 5. Pastoral-theologische Aufarbeitung.

1. Der *Begriff* der Volksfrömmigkeit läßt sich aus dem Phänomen der Differenz zwischen einer offiziellen christlichen (auch nichtchristlichen) Glaubensverkündigung und der vom → Volk, d.h. von der breiten Masse der Gläubigen, gelebten → Religion herleiten. Die Volksfrömmigkeit ist eine Antwort der Gläubigen auf Vorgaben, Verordnungen und Verhaltensforderungen, die von einem elitären Kreis religiös „Wissender" an religiös „Unwissende" weitergegeben werden. Daraus entsteht eine latente Spannung zwischen beiden, da einerseits die kirchlich legitimierte Institution dazu neigt, ihr Monopol über die Verwaltung und Anwendung der Heilsmittel zu bewahren und den Einzug anderer religiöser Praktiken zu verhindern, andererseits das Volk nicht unmittelbar einsehen kann, warum dies oder jenes vorgeschrieben wird, und sich deshalb intuitiv einen Freiraum sucht, in dem seine ihm eigenen → Symbole und Riten einsichtig werden und zum Tragen kommen. Die Volksfrömmigkeit stellt somit einen unbewußten, kollektiven Protest gegen die elitäre Rationalisierung der Religion dar, indem sie auf der symbolischen Ebene versucht, die Vorstellung und Realisierung einer heilen Welt im Leben der Gläubigen durchzusetzen. Hierin liegt ihr weltveränderndes Potential, das trotz aller der Volksfrömmigkeit anhaftenden Elemente der Passivität und des Fatalismus im Lauf der Geschichte messianische Bewegungen hervorgebracht hat, die ihre geistige Heimat und ihren gesellschaftlichen Ort in den Trägern der Volksfrömmigkeit besaßen. Die Volksfrömmigkeit ist Bestandteil einer Volkskultur, die dem von elitären Kulturelementen bedrohten Menschen Lebenskraft, Ausdauer und Sinn vermittelt. In ihr kommen ein tiefer Glaube an Gottes Macht und Heilswillen, ein Vertrauen auf die Kraft des Übernatürlichen und die Möglichkeit menschlicher Einflußnahme auf dieselbe zum Ausdruck, wodurch die Welt und → Gott in eins gesetzt werden und Gottes → Heil in dieser Welt konkret erfahren sein will. Fatalismus und gläubiges Vertrauen bilden eine komplexe Einheit, die die Volksfrömmigkeit in ein zweideutiges Licht stellt.

2. Die *Ursachen* des Phänomens der Volksfrömmigkeit sind im spezifischen Anspruch der christlichen Verkündigung zu suchen, über allgemein religiöse Bedürfnisse hinaus das Geheimnis der Person Jesu Christi in Menschwerdung, Tod und Auferstehung in den Mittelpunkt der religiösen Praxis zu stellen. Bereits in den Anfängen der christlichen Verkündigung erwies sich dies als eine Grundvoraussetzung: → Paulus kam nach Athen, sah die vielen Tempel und Altäre der Griechen und lobte ihre Frömmigkeit. Der Altar des „Unbekannten Gottes" aber war ihm ein willkommener Anlaß, den Athenern ihre „religiöse Unwissenheit" vorzuhalten (Apg 17,23), ihren „religiösen Materialismus" zu kritisieren (Apg 17,29) und ein neues Gottesbild, inkarnatorisch und soteriologisch zentriert in Christus, vorzustellen (Apg 17,30-31).

Die christliche Verkündigung ist nämlich nicht in einer ursprünglichen, gewachsenen und kulturell integrierten Religiosität beheimatet, die sie innerhalb eines Kulturkreises oder eines religionsphänomenologischen Bereichs legitimieren könnte. Im Gegenteil, sie stellt jeweils einen sekundären Einbruch in ein bereits bestehendes religiöses System dar, durch den die kulturell abgesicherte Religiosität des Volkes in Frage gestellt, einer radikalen Kritik unterzogen und vom christologischen Ereignis her umgestaltet wird. Dagegen spricht auch nicht die Tatsache, daß das Christentum auf dem Boden der jüdisch-alttestamentlichen Religion entstanden ist und somit Elemente dieses religiösen Kulturkreises übernommen hat. Der Bruch mit dem Judentum war genauso unausweichlich wie derjenige mit dem griechisch-römischen „Heidentum".

In der Folgezeit hat sich dieses Phänomen unter jeweils anderen kulturellen Vorgegebenheiten wiederholt, so daß es selbst in jahrhundertealten christlich geprägten Kulturen bis heute erkennbar ist. Antonio Gramsci hatte in der ersten Hälfte unseres Jahrhunderts bereits darauf hingewiesen, daß die Frömmigkeit des italienischen Volkes keineswegs mit der von der offiziellen römischen Kirche propagierten übereinstimmte, sondern daß das Volk eigene Glaubensformen und religiöse Verhaltensweisen besaß, die seiner gesellschaftlichen Stellung und anti-intellektuellen → Kultur entsprachen. Der durch das Christentum in Besitz genommene geographische und gesellschaftliche Raum wurde und wird durch eine solid institutionalisierte und unbewußt wirkende Gewaltanwendung behauptet, die von einem Standpunkt der dominierenden, zentralen und intellektuellen Kultur die volkstümliche, periphere Kultur nicht zu Wort kommen läßt.

3. *Inhaltlich* lebt die Volksfrömmigkeit aus ihrem je eigenen Sitz im Leben der jeweiligen Kultur, der verschiedenen Ethnizität, der Geschlechterrollen im öffentlichen und privaten Leben, der Erwerbstätigkeit einer Bevölkerungsschicht und ihrem geographischen Ort auf dem Land oder in der Stadt. Sie ist stark geprägt aus der lebendigen Tradition der Familie, die als Ort der primären Sozialisation religiöse Wahrnehmungen, Motivierungen, Verhaltensweisen und Glaubensüberzeugungen vermittelt, die im Unterbewußtsein der Person verankert werden. Diese werden nicht in erster Linie verbal-katechetisch weitergegeben, sondern dringen in das Innere des Menschen durch Bilder, → Symbole, mythologische Elemente und Erzählungen, die mit den Figuren der Mutter und des Vaters identifiziert werden. Diese primäre religiöse Erfahrung nimmt einen zentralen Platz ein, den sie gegen jede spätere intellektuelle Rationalisierung behauptet.

Trotz der großen Verschiedenheit der Symbole, Bilder und Riten in den einzelnen Kulturen der Menschheit liegen überall dieselben Elemente zugrunde, die die großen Fragen der menschlichen Existenz anrühren: der Tod, das Leben, die Fruchtbarkeit, das Weiterleben nach dem Sterben, die Einheit und Gemeinschaft, der Sinn des menschlichen Daseins, das Leid und die Krankheit, die Schuld und die Strafe. Diese Elemente bilden das unbewußte und symbolische Fundament der Volksfrömmigkeit, wobei christliches Gedankengut über Jahrhunderte hinweg assimiliert und angeeignet wurde. Daraus formt sich das Welt- und Gottesbild des Volkes, das instinktiv divergierende Weltanschauungen mit Skepsis und Abwehr betrachtet.

Die Figur Gottes, des Vaters, tritt in den Hintergrund. → Gott ist der ferne Weltenlenker und der allmächtige (auch willkürliche) Herr des menschlichen Schicksals. Ihn gnädig zu stimmen gelingt mit Hilfe der Heiligen, die eine zwischen Gott und dem Menschen vermittelnde Funktion ausüben. Das Christusbild ist stark monophysitisch geprägt. Gott ist in der Menschheit → Jesu auf Erden erschienen, hat mit seiner Allmacht Wunder gewirkt, die Kranken geheilt, die bösen Mächte vertrieben und die Toten auferweckt. Von ihm erwartet man ähnliches für sein eigenes Leben. Jesu Leben und Sterben wurde durch die Tatsache der göttlichen Vorsehung unabänderlich festgelegt. So kann auch das menschliche Schicksal nicht geändert werden, es kann allenfalls durch das direkte Eingreifen der Heiligen Macht punktuell außer Kraft gesetzt werden. Jesu Leben endet definitiv am Kreuz. Sein Tod steht unter dem Zeichen des Sündenbocks, der alle Schuld auf sich nehmen mußte, weil es sein göttlicher Auftrag war. Gottes gerechte Forderung nach Wiedergutmachung durch Blut wurde damit erfüllt. Der Mensch bleibt in der immerwährenden Gesetzmäßigkeit von Verschuldung und Wiedergutmachung verhaftet. Auferstehung in dieser Welt als → Befreiung für ein neues und kreatives Menschsein ist der Volksfrömmigkeit unbekannt. Jesu Auferstehung verbleibt auf der Ebene des wundertätigen, heiligen Mannes - als Beweis seiner Göttlichkeit und zugleich seiner Unfähigkeit, wirklich Mensch sein zu können. Die Rolle des → Heiligen Geistes ist bedeutungslos, da menschliches Tun und göttliche Vorsehung auseinanderklaffen. Das neue Leben im Heiligen Geist, das für den Fortgang dieser Welt verantwortlich sein und von dem Heilsgeschehen Zeugnis geben soll, ist kaum im Bewußtsein gegenwärtig.

Daher ist es folgerichtig, wenn die ekklesiologische Dimension der Erlösung ausfällt. Die Ausgießung des Geistes über alles Fleisch (vgl. Joel 3,1-5), die Errichtung des endgültigen Bundes Gottes mit der Menschheit (vgl. Hebr 8-10), die Neuschöpfung des Kosmos und der Menschheit in der Person des Erstgeborenen (vgl. Kol 1,12-20) sowie die Hoffnung auf die Vollendung der Menschheitsgeschichte in der Fülle des Auferstandenen (vgl. Eph 1,3-14) finden wenig Platz in der Heilserwartung der Volksfrömmigkeit. Daher fehlt auch weitgehend die horizontale Dimension der neuen Gottessohnschaft und solidarischen Brüderlichkeit in Jesus Christus.

4. Drei charakteristische *Strukturen* der Volksfrömmigkeit mit Blick auf die spezifische Heilsvermittlung lassen sich herausheben. Zum ersten ist die Beziehung Mensch-Jenseits von einem direkten Kontakt geprägt. Durch die religiösen Praktiken wird eine persönliche Beziehung mit dem Heiligen hergestellt, die die Form eines Bundesschlusses annimmt und dem Menschen Heil vermitteln soll (devotionale Struktur). Zum zweiten nimmt die Verbindung Gläubiger-Heiliger den Charakter eines auf Zeit und Umstände begrenzten Kontraktes an, der durch ein sogenanntes Versprechen oder Gelübde besiegelt wird. Nach Erlangung des Gnadenerweises muß das Versprechen eingelöst werden, damit der Mensch nicht zum Schuldner der übernatürlichen Macht wird (protektorische Struktur). Zum dritten kann die privatisierte Heilsvermittlung hervorgehoben werden, die von einer ekklesial-sakramentalen Vermittlung dispensiert. Dadurch entzieht sich der Gläubige der kirchlichen Kontrolle über die Heilsmittel und deren ethisch-religiösen Voraussetzungen (autonome Struktur). Diese Grundzüge der Volksfrömmigkeit stehen nicht unbedingt im Widerspruch zur solidarischen Beteiligung am offiziellen Kult. Obwohl die Heilsvermittlung individual-vertikal gedacht wird, nimmt der soziale Aspekt des Mitfeierns einen durchaus breiten Raum ein.

5. Elemente für eine *pastoral-theologische Aufarbeitung* der Volksfrömmigkeit finden sich in ihrer tiefen Gläubigkeit: in ihrem Sinn für das Heilige und Transzendente, in ihrer Fähigkeit zu beten, zu opfern, zu leiden und zu heilen, in dem Sichbescheiden in unabänderlichen Situationen, in dem Gespür für Freundschaft, Liebe und familiären Zusammenhalt. Es gilt, diese Werte der Volksfrömmigkeit in einen echten und aufrichtigen → Dialog mit den Forderungen der offiziellen christlichen Verkündigung zu bringen.

Lit.: *Ahrens, T.*, Volkschristentum und Volksreligion im Pazifik: Wiederentdeckung des Mythos für den christlichen Glauben, 1976. - *Argyle, M./Beit-Hallahmi, B.*, The Social Psychology of Religion, 1975. - *Baumgartner, J.* (Hrsg.), Wiederentdeckung der Volksreligiosität, 1979. - *Bleyler, K.-E.*, Religion und Gesellschaft in Schwarzafrika: sozial-religiöse Bewegungen und koloniale Situation, 1981. - *Brandão, C. R.*, Os Deuses do Povo. Um estudo sobre a religião popular, 1980. - *Büntig, A. J.*, El catolicismo popular en la Argentina, 6 vol., 1969-1972. - *Castillo, F.* (Hrsg.), Theologie aus der Praxis des Volkes, 1978. -

CNBB, Bibliografia sobre religiosidade popular, 1981. - Equipo SELADOC, Religiosidad popular, 1976. - *Exeler, A./Mette, N.* (Hrsg.), Theologie des Volkes, 1978. - *Lanternari, V.*, Festa, carisma, apocalisse, 1983. - *Libânio, J. B.*, O problema da salvação no catolicismo do povo, 1977. - *Llano Ruiz, A.*, Orientación de la religiosidad popular en Colombia: devociones cristológicas, marianas, a los Santos y a los difuntos, 1981. - *Lück, W.*, Die Volkskirche: Kirchenverständnis als Norm kirchlichen Handelns, 1980. - *Maurier, H.*, Philosophie de l'Afrique noire, ²1985. - *Mbiti, J. S.*, Concepts of God in Africa, 1982. - *Morandé, P.*, Synkretismus und offizielles Christentum in Lateinamerika, 1982. - *Parshall, P.*, Bridges to Islam: a Christian perspective on folk Islam, 1983. - *Rahner, K.* (Hrsg.), Volksreligion - Religion des Volkes, 1979. - *Sartori, L.* (Hrsg.), Religiosità popolare e cammino di liberazione, 1978. - Secretariado General del CELAM, Iglesia y religiosidad popular en América Latina, 1977. - *Siebeneichler, F.*, Catolicismo popular-Pentecostismo-Kirche: Religion in Lateinamerika, 1976. - *Süss, G. P.*, Volkskatholizismus in Brasilien, 1978. - *Tenazas, R. C. P.*, The Santo Niño of Cebu in history and legend and in the devotion of the people, 1962. - Verkündigung und Volksfrömmigkeit, in: Ordensnachrichten, 23, 1984, 253-364. - *Vrijhof, P. H./Waardenburg, J.* (Hrsg.), Official and Popular Religion, 1979.

J. G. Piepke

WELTMISSIONSKONFERENZEN

1. Definition und Bedeutung. 2. Edinburgh 1910. 3. Jerusalem 1928. 4. Tambaram/Madras 1938. 5. Whitby/Toronto 1947. 6. Willingen 1952. 7. Achimota/Akkra 1957/58. 8. Mexico City 1963. 9. Bangkok 1973. 10. Melbourne 1980.

1. Als Weltmissionskonferenzen bezeichnet man die bisher neun Versammlungen, auf denen die evangelische Christenheit in unserem Jahrhundert ihre Teilhabe an der Sendung Gottes in seine Welt auf repräsentativer Ebene zum Thema erhob. War das Zustandekommen der ersten Weltmissionskonferenz 1910 in Edinburgh dem überragenden Organisationstalent J. Motts zu verdanken, sind die folgenden Konferenzen ordentliche Vollversammlungen des aus ihr hervorgegangenen Internationalen Missionsrates (IMR) bzw. - seit der Integration von IMR und → Ökumenischem Rat der Kirchen (ÖRK) 1961 - der Kommission für Weltmission und Evangelisation des ÖRK, als dessen Geburtsort ebenfalls Edinburgh 1910 gilt. So sind die Weltmissionskonferenzen von Anfang an Teil der ökumenischen Bewegung (→ Ökumene), mit ihr durch zahlreiche personelle Überschneidungen (u.a. J. Mott, Ch. Brent, V. S. Azariah, W. Temple, J. H. Oldham, W. Paton, P. S. Minear) verbunden, inhaltlich in wachsendem Maße von ihr beeinflußt. Es ist das Verdienst der Weltmissionskonferenzen, massiv und frühzeitig den Führern der „jungen Kirchen" auf internationaler und interkonfessioneller Ebene Stimme gegeben zu haben.

Indem die Weltmissionskonferenzen die bleibende Mission der Kirche (→ Theologie der Mission) im Kontext der jeweils veränderten Zeit in ökumenischer und interkultureller Breite reflektierten, bündelten sie die Spannungen und Lösungen ihrer Epoche. Zugleich strahlten sie das so Gesammelte wieder ab auf die beteiligten Institutionen und Kirchen, so daß - obwohl ohne jede Weisungsbefugnis - ihr Einfluß erheblich war. Zu nahezu allen Sachgebieten der Missionsarbeit haben sie wichtiges Material zusammengetragen und Entwicklungen angeregt. Folgenreich war der Beitrag, den die Weltmissionskonferenzen zur Klärung des spannungsreichen Verhältnisses zwischen den → „Missionsgesellschaften" und den auf deren „Missionsfeldern" entstandenen „jungen Kirchen" geleistet haben. Er führte auf ökumenischer Ebene zur Integration von IMR und ÖRK (1961), im lokalen Bereich gab er sowohl in Übersee wie in den vormals „sendenden" Ländern entscheidende Impulse für die verfassungsmäßig vollzogene (u.a. Übergabe des Missionseigentums an die jungen Kirchen, Entstehung der regionalen Missionswerke in Deutschland), in ihrer theologischen Intention jedoch noch längst nicht eingelösten Integration von Mission und Kirche. Seit 1973 steht die Diskussion um die „Buße" der reichen Kirchen unter dem Stichwort „Evangelium (nur?) für die Armen" im Vordergrund. Dieses als zu „politisch" empfundene Engagement der letzten Weltmissionskonferenzen führte, nachdem es sich schon in der Ablehnung der Integration von IMR und ÖRK angedeutet hatte, zu einer Distanzierung evangelikaler Kreise, die nun mit nahezu gleichzeitigen Konferenzen (1974 Lausanne, 1980 Pattaya) sich eine eigene Struktur aufbauen.

2. *Edinburgh 1910.* Wesentliche inhaltliche Fragen stellen sich nicht den 1365 Bevollmächtigten der verschiedensten Missionsgesellschaften - nur die Orthodoxen und die Katholiken fehlen -, als sie zusammenkommen, um vom christlichen Westen aus den missionarischen Einsatz im nichtchristlichen Osten für die kommenden entscheidenden Jahre zu planen und dazu die Reserven der Heimat zu mobilisieren. Angesichts der „Formbarkeit" der erwachenden Völker des Ostens - die siebzehn anwesenden Asiaten werden als Beweis dafür gesehen -, angesichts der sich abzeichnenden Einheit der Welt und ihrer → Kultur unter westlicher Führung, angesichts der günstigen und schnellen Verkehrsverbindungen, sind sie der gemeinsamen Überzeugung, in der Entscheidungsstunde der Weltmission zu tagen. Alle Energien sind darauf zu konzentrieren, die noch günstige Stunde zu nutzen, um das Evangelium der ganzen Welt in dieser Generation zu bezeugen (Einfluß der Student Volunteer Movement). Das Ziel der Verchristlichung der Welt kann jedoch nur erreicht werden, wenn die durch die Arbeit der Mission entstandenen „jungen Kirchen" auf dem Missionsfeld nun - unter Hilfe und Leitung der älteren christlichen Gemeinschaften - selbst zur Trägerin der Mission in der nichtchristlichen Welt werden. Noch ist das Sendungsbewußtsein des weißen Mannes ungebrochen, können deshalb die Begriffe „missionieren" und „kolonisieren", Ausbreitung des → „Reiches Gottes" und der (westlichen) „Zivilisation" arglos vermischt werden.

3. *Jerusalem 1928.* Der Erste Weltkrieg hat in der angelsächsischen Missionswelt, die gemäß ihrem Missionsaufkommen die große Mehrheit der 231 Teilnehmer stellt, längst nicht die Verunsicherung ausgelöst wie in der kontinentalen Mission. Begeistert von der Vision „einer Christus gleichgestalteten Welt" drängt sie unter dem Einfluß des *social gospels* gegen alles anzugehen, was die Würde des Menschen und seine Selbstentfaltung einschränkt. So sind dem Rassenkonflikt, der Industrialisierung, den Problemen der Landbevölkerung Sektionen gewidmet, der Säkularismus (R. M. Jones) wird als Gegenüber der Mission entdeckt. Die Weltreligionen kommen als mögliche Bundesgenossen beim Aufbau einer besseren Welt in den Blick. Da die Kontinentalen trotz aller Bejahung im einzelnen

den Argwohn nicht loswerden, daß die Amerikaner und die von ihnen beeinflußten „jungen Kirchen" „unsere arme Erde aus eigener Kraft zum Himmelreich
umgestalten möchten" (Schlunk), sie aber ihrerseits bei ihrer Berufung auf den die
Sünder rettenden Heiland der Weltflucht verdächtigt werden, sind die Spannungen
auf der Konferenz groß. Nur mühsam gelingt es, den Bruch, der sich schon im
Vorfeld der Konferenz abzeichnete, durch strikte christologische Konzentration in
der Schlußbotschaft zu verhindern. In der dort u.a. ausgesprochenen Einladung
an die Nichtchristen, mit den Christen zusammen „Jesus Christus in der Heiligen
Schrift zu studieren ... aber zu ihm kommen heißt sich selber aufgeben", sehen einige Kommentatoren die Position des → Vatikanum II vorweggenommen. Eine
deutliche Verschiebung gegenüber Edinburgh zeigt sich auch in dem weit größeren Gewicht der „jungen Kirchen", die nun mit siebzig Delegierten vertreten sind
und mit einem eigenen Papier zur Frage der Einheit der Kirche hervortreten. Ihr
selbstbewußtes Auftreten, z.T. mit nationalkirchlichen Bestrebungen verbunden,
macht deutlich, daß die Missionsarbeit von den „jungen Kirchen" als Zentrum
auszugehen hat (church-centric conception of mission). „Die Beziehungen zwischen den jüngeren und den älteren Kirchen" werden damit zur Lebensfrage der
Mission.

4. *Tambaram/Madras 1938.* Auf dieser „ersten wahrhaft wirklich weltumfas-
senden ökumenischen Tagung der Christenheit in ihrer bald zweitausendjährigen
Geschichte" stellen die Vertreter der jungen Kirchen, unter ihnen zum erstenmal
Südamerikaner und Afrikaner, die knappe Mehrheit der 471 Delegierten. Auch
das Generalthema „The Upbuilding of the Younger Churches as a Part of the Hi-
storic Universal Christian Community" setzt in Aufnahme von Impulsen der
ökumenischen Konferenzen von Oxford und Edinburgh 1937 und unter besonderer Betonung der Ortsgemeinde die ekklesiozentrische Fassung der Mission fort.
Konsequent wird Mission als Aufgabe der ganzen Kirche in der ganzen Welt gesehen, einer Kirche, die nun als die größte Hoffnung der Welt gesehen wird.
Denn angesichts des sich abzeichnenden Zweiten Weltkrieges, des noch andauernden Krieges zwischen Japan und China, der „neuen politischen Religionen" des
Kommunismus, Nationalismus und wissenschaftlichen Skeptizismus, die ihre ab-
göttischen Opfer verlangen, ist die Euphorie Jerusalems verflogen. Um so klarer
wird unter dem Eindruck der innigen Gemeinsamkeit der Delegierten die Kirche
als „Vor-Bild jenes erlösten Volkes Gottes erfahren, zu der er die ganze Menschheit machen will". Von den Vorarbeiten (Theologische Ausbildung, Christliche
Literatur, Strukturen junger Kirchen) löst H. Kraemers Studie „Die christliche
Botschaft in einer nichtchristlichen Welt" (1938), die der IMR zur Abwehr des
religionsgeschichtlichen Liberalismus in der viel gelesenen Laymen's Foreign Missions Inquiry (1932) und der auswertenden Stellungnahme W. E. Hockings in
Auftrag gegeben hatte, eine noch heute lesenswerte Debatte aus. Ein kaum beach-
tetes, aber wieder aktuelles Sondervotum kommt schließlich von der deutschen
Delegation, die eine eschatologische Ausrichtung des Kirchenbegriffes anmahnt.
Kirche müsse „Ungerechtigkeit und soziale Übel bekämpfen" aber weil sie „zwischen den Zeiten" steht, hat sie „kein soziales Programm" für „eine neue Weltordnung".

5. *Whitby/Toronto 1947.* Dankbar stellen die 112 Delegierten aus vierzig Ländern auf der ersten repräsentativen ökumenischen Zusammenkunft nach dem Kriege fest, daß „die geistliche Einheit, die uns in dem einem Leibe Christi verbindet, ... in den Kriegen niemals zerbrochen" ist. Das erneute Erlebnis dieser Einheit in geradezu pfingstlicher Atmosphäre im Gegenüber zu einer „Welt im Umbruch" ermöglicht nicht nur eine wegweisende Erklärung zur Übernationalität der Mission, vor allem führt die Erfahrung des → Heiligen Geistes zusammen mit der Vermutung, daß die nächsten zehn Jahre für die Weltmission entscheidend sein werden, unter dem Stichwort „expectant evangelism" die Konferenz in die Nähe Edinburghs 1910. Der Ruf nach Erweckung ist dabei zugleich der Ruf nach einer wirklich missionarischen Kirche. Weil das so ist, kann man das weiterhin spannungsreiche Verhältnis zwischen den „jüngeren" und „älteren Kirchen" und ihre gemeinsame Verpflichtung zur Mission im Gehorsam gegen das lebendige → Wort Gottes mit der immer wieder bestrittenen, bisher aber nicht übertroffenen Formel „partners in obedience" beschreiben.

6. *Willingen 1952.* Als die 181 Delegierten zusammenkommen, stehen sie, und zwar diesmal auch die Nordamerikaner, unter dem Schock der Schließung Chinas für die Mission. Das gleichzeitig sich abzeichnende Ende der Kolonialreiche in Asien markiert zudem das Ende der „Vasco-da-Gama-Epoche" (Panikkar) der Missionsgeschichte. Die widerstandslose Gleichschaltung der chinesischen Kirche, die auch anderswo aufflammende Feindseligkeit gegen Missionare löst eine „Orgie der Selbstkritik" (Warren) im Missionsdenken aus. „Missions under the Cross" heißt denn auch der offizielle Berichtsband. Nicht nur eine „Reinigung der Missionsmotive" (Dürr) war angesagt, die Berechtigung der Mission schlechthin mußte neu dargestellt werden. Die Antwort gelingt auf der Konferenz nur bedingt. Die Delegierten können sich vor allem wegen der Differenzen in der Deutung der Geschichte und ihrer Beziehung zur Heilsgeschichte nur auf eine Kompromißerklärung einigen, die in betont eschatologischer Fassung mit groben Strichen Elemente der verschiedenen, die zeitgenössischen Theologien voll integrierenden Vorarbeiten aneinanderreiht. Indem diese Erklärung jedoch die Mission in den denkbar weitesten Rahmen der Heilsgeschichte und des trinitarischen Handelns Gottes hineinstellt (→ Vatikanum II) und damit von der bisher geltenden ekklesiozentrischen Fassung abrückt, erweist sie sich in ihrer Wirkungsgeschichte als eine der bedeutsamsten Erklärungen der Weltmissionskonferenzen. Das Verständnis der Mission als Teilhabe an der Sendung des dreieinigen Gottes führt unter dem Stichwort der „missio Dei" zu einer neuen Begründung der Mission, die in den Arbeiten von J. Blauw und D. T. Niles ihre Zusammenfassung findet.

7. *Achimota/Akkra 1957/58.* Gerade die in der Folge Willingens erarbeitete theologische Integration von Mission und Kirche verschärft noch einmal die Krise der Mission, indem diese theologische Lösung nun zu die alten Formen zerbrechenden neuen Strukturen führen muß. Vor allem das Drängen der „jungen Kirchen" auf eine Integration von IMR und ÖRK belastet die in dem gerade selbständig gewordenen Ghana tagende Konferenz mit ihren 68 Delegierten und insgesamt 180 eingeschriebenen Teilnehmern weit mehr, als es das klar bejahende Abstimmungsergebnis ahnen läßt. Weiter kündigt das Bemühen der „jungen Kirchen" um eine direkte Verbindung zu den - zu neuer Verantwortung bereiten - alten Kirchen und deren konfessionellen Weltbünden unter Umgehung der → Missionsgesellschaften einen Umbruch an, der die Teilnehmer an den Einschnitt erinnert, als → Paulus seine Missionsarbeit in Asien für abgeschlossen ansah und die Fortsetzung der Gemeinden überließ. So zeigt Achimota etwas von der Not der bisherigen Träger der westlichen Mission, in der theologisch bejahten, strukturell aber doch gerne vermiedenen Integration in die „jungen" wie in die „alten Kirchen" eine neue Hoffnung und Chance zu sehen.

8. *Mexico City 1963*. Auf dieser ersten Weltmissionskonferenz nach der Integration von IMR und ÖRK in Neu Delhi 1961, zu der etwa zweihundert Vertreter der Kirchen aus aller Welt, unter ihnen zum erstenmal Delegierte der orthodoxen Kirchen und römisch-katholische Beobachter, mit dem Thema „Gottes Mission und unsere Aufgabe" zusammenkommen, steht neben dem Zeugnis der Christen gegenüber Menschen anderer → Religionen und der säkularen Welt „das Zeugnis der Gemeinde in ihrer Nachbarschaft" im Mittelpunkt, wobei besonders die Mitarbeit der → Laien als Ausdruck einer missionarisch verstandenen Ortsgemeinde reflektiert wird. Weiter sucht man Anregungen für ein gemeinsames, überkonfessionelles und übernationales Handeln in der Mission (Joint Action for Mission) zu geben. Von einer Krise ist nicht mehr die Rede. So markiert diese Konferenz den Abschluß einer Entwicklung. Nicht länger Vertreter von Missionsträgern aus dem christlichen Westen beraten mit Vertretern „junger Kirchen" des nichtchristlichen Ostens über den möglichst effektiven Aufbau missionarischer „junger Kirchen", sondern Kirchen aus der ganzen Welt, vertreten durch ihre Spezialisten für Äußere und Innere Mission, ermutigen sich zur Teilhabe an der missio Dei im Wissen, daß die „Mission in sechs Kontinenten" nahezu überall einer nicht- oder nachchristlichen Mehrheit gegenübersteht und nicht Aufgabe einiger Erweckter, sondern die jeder ihrer Einzelfunktionen prägende Lebensäußerung der Kirche ist.

9. *Bangkok 1973*. Diese stark emotional bestimmte „Unkonferenz" mit ihren insgesamt 320 Teilnehmern (einschließlich Beobachter und Presse) rückt unter dem Thema „Das Heil der Welt heute" die Armutsfrage (→ Armut) in das Zentrum der missionstheologischen Debatte. Im Drängen auf Parteilichkeit der Kirchen und in der Ablehnung eines Konsenses über die ewige Wahrheiten unter Ausklammerung konkreter Konflikte dokumentiert die Konferenz den stärker werdenden Einfluß der → kontextuellen Theologien. In noch nie dagewesener Weise finden sich die Vertreter der reichen Kirchen auf der Anklagebank vor, wird von ihnen persönliche Umkehr und von ihren Kirchen eine Befreiung aus der Komplizenschaft mit institutioneller Ungerechtigkeit und die Beteiligung an der Beseitigung der erkennbaren Ursachen des Unheils in der Welt verlangt. Mit den Weltreligionen wird der → Dialog gesucht, um Grundlagen zu einem gemeinsamen Kampf für eine menschlichere Welt zu erkunden. Das Bemühen der Dritte-Welt-Kirchen um eine eigene Identität drückt sich auch in Überlegungen aus, auf Einsatz westlicher Mitarbeiter und Geldmittel dort vorübergehend zu verzichten, wo die Kirchen noch nicht ihre eigenen Prioritäten festgesetzt haben (Moratorium). Die Kontroverse, die die Konferenz in der christlichen Öffentlichkeit des reichen Nordens auslöst, legt den Verdacht nahe, daß die Bereitschaft, eine

Schuldverflochtenheit in die Ausbeutung der Dritten Welt anzuerkennen, wie auch die Fähigkeit, zwischen dem Ende der Mission überhaupt und einer vorübergehenden Einschränkung der Westmission zu unterscheiden, noch wenig entwickelt ist. Umgekehrt wird die Konferenz sich fragen lassen müssen, ob sie in ihrer - an Jerusalem erinnernden - Aufbruchsstimmung deutlich genug ausgesprochen hat, daß Gottes → Heil mehr ist als soziale Gerechtigkeit (Aide-Mémoire, Das Heil in der orthodoxen Theologie).

   10. *Melbourne 1980.* Entgegen den Hoffnungen Bangkoks ist die Unterdrückung der Machtlosen durch die Mächtigen auf nahezu allen Lebensgebieten noch gewachsen. Um so entschiedener drängt die Konferenz mit ihren insgesamt etwa fünfhundert Teilnehmern aus 85 Ländern unter dem Thema „Dein Reich komme" die Kirchen zur Solidarität mit den Armen und ihrer → Befreiung. Weil Gott sich in Christus mit den Armen identifiziert, ihnen zusichert, daß er mit ihnen und für sie ist, ist das Evangelium gute Nachricht für die Armen, für die Reichen dagegen bedeutet diese Botschaft gründliche Buße und Entsagung. Die Kirche, die noch einmal aufgefordert wird, sich aus der Komplizenschaft mit den Mächten der Unterdrückung und Ausbeutung zu befreien und zur Kirche der Armen zu werden, muß das Evangelium vom Kommen des → Reiches Gottes auf das Ringen in dieser Welt beziehen und wirksame Signale des Reiches Gottes setzen. Um der Klarheit der Forderungen willen werden theologische Einseitigkeiten bewußt in Kauf genommen. So lehnt die Mehrheit der Delegierten den Versuch einer Differenzierung zwischen geistlicher und materieller Armut ab, um nicht einer neuen Spiritualisierung Vorschub zu leisten und die dem ganzen Menschen geltende Botschaft (Holismus) zu verkürzen. Ähnlich scheitert das Bemühen, unter Berufung auf das „Noch nicht", eine eindeutige Identifzierung von Kämpfen der Armen mit gegenwärtigen Zeichen des Reiches Gottes zu verhindern. Die Angst ist zu groß, ein eschatologischer Vorbehalt könne als Entschuldigung genutzt werden, nicht alles Menschenmögliche zu tun, das kommende Reich als schon gegenwärtig zu bezeugen. Deshalb muß sich die Konferenz ähnliche Kritik gefallen lassen wie die → Theologie der Befreiung, von der sie weithin bestimmt ist.

Lit.: *Beyerhaus, P.*, Bangkok '73 - Anfang oder Ende der Weltmission?, 1973. - *Buttler, P. G.*, Bangkok 1973 - ein Rückblick im Spiegel der Berichte, in: EvTh 34, 1974, 496-505. - *Freytag, W.* (Hrsg.), Der große Auftrag, 1948. - *Ders.* (Hrsg.), Mission in der gegenwärtigen Weltstunde, 1958 (Weltmission heute 9/10). - *Ders.* (Hrsg.), Mission zwischen Gestern und Morgen, 1952. - *Goodall, N.* (Hrsg.), Missions under the Cross, 1953. - *Günther, W.*, Von Edinburgh nach Mexico City, 1970 (Lit.!). - *Hebly, J. A./Houtepen, A. W.*, Eine mit den Armen solidarische Kirche?, in: ÖR 30, 1981, 84-93. - *van't Hof, I. P. C.*, Op zoek naar het geheim van de zending, 1972 (Lit.!). - *Hogg, W. R.*, Mission und Ökumene, 1954. - *Lehmann-Habeck, M.*, Dein Reich komme, 1980, in: ZfM 5, 1979, 131-195. - *Müller, K.*, Dein Reich komme, in: ZMR 65, 1981, 81-102. - *Müller-Krüger, Th.* (Hrsg.), In sechs Kontinenten, 1964. - *Müller-Römheld, W.*, „Dein Reich komme", in: ÖR 29, 1980, 342-349. - *Orchard, R. K.* (Hrsg.), The Ghana Assembly of the IMC, 1958. - *Ders.* (Hrsg.), Witness in Six Continents, 1964. - *Potter, Ph. A.* (Hrsg.), Das Heil der Welt heute, 1973. - *Ranson, C. W.* (Hrsg.), Renewal and Advance, 1948. - *Raaflaub, F.*, Heil und soziale Gerechtigkeit, in: EMM 1, 1973, 102-112. - *Rouse, R./Neill, St.*, Geschichte der Ökumenischen Bewegung 1517-1948, 2 Bde, 1957f. - Report of the Jerusalem Meeting of the IMC, 1928 I-VIII. - *Rzepkowski, H.*, Puebla und Melbourne, in: Verbum SVD 22, 1981,

127-146. - *Sandner, P.*, Melbourne - Mission und Eucharistie, in: ÖR 29, 1980, 483-496. - *Schlunk, M.* (Hrsg.), Von den Höhen des Ölberges, 1928. - *Ders.*, Das Wunder der Kirche unter den Völkern der Erde, 1939. - *Schreiber, A. W.* (Hrsg.), Die Edinburgher Welt-Missions-Konferenz, 1910. - The Tambaram (Madras) Series I-VII, 1939. - *Viehweger, K.*, Weltmissions-Konferenz Bangkok, 1973. World Missionary Conference, 1910, I-IX, 1910.

W. Günther

WORT GOTTES

1. Theologiegeschichtlicher Überblick. 2. Systematisch-theologische Alternativen.

1.1 Im *Alten Testament* ist das Wort zunächst Weisungswort (Thora). Es gründet im Bund zwischen Jahwe und Israel und wird durch den Priester am Heiligtum verkündet: Jahwe ist Israels Gott, Israel ist Jahwes Volk. Als solches bezeugt es Jahwe auch anderen Völkern und deren Göttern gegenüber als der wahre Gott. Dem Volk ist bei Befolgung der Weisungen Sieg über Feinde, Wohlstand und Frieden verheißen.

Neben dem priesterlichen Weisungswort steht das Prophetenwort. Es setzt die Tradition des Heilshandelns Jahwes zugunsten Israels, auch den Bund und das Gesetz voraus, verkündet aber auch die jetzt relevante Willenskundgebung Jahwes in die geschichtliche Situation des Bundesvolkes hinein. Im Gegensatz zum Priester, der ein festes Amt am Heiligtum innehat, ist der Prophet - wir sehen vom institutionalisierten Kultprophetentum ab - ein spontan zu einem zeitlich begrenzten Auftrag berufener Charismatiker. Seine Autorität wird deshalb leicht angefochten, besonders wenn seine Botschaft der Elite nicht genehm ist. Der Mangel an anerkannter Amtsautorität wird wettgemacht durch den Anspruch, unmittelbar und unausweichlich, oft gegen eigenen Widerstand berufen und mit der absolut gültigen und unaufschiebbaren Botschaft Jahwes betraut worden zu sein. Zu uneingeschränkter Anerkennung kommt das Prophetenwort eigentlich erst nach den nationalen Katastrophen von 720 und 586, als die Unheilsbotschaft zum Beispiel eines Jeremia in Erfüllung gegangen zu sein scheint. Das klassische Prophetenwort versiegt mit dem Verlust der Eigenstaatlichkeit bzw. geht allmählich in die Apokalyptik über. Wir sehen schon hier die Spannung zwischen Amt und Charisma aufbrechen, die die Geschichte des Wort-Gottes-Begriffs seither begleitet.

Das Wort Jahwes ist schöpfungsmächtiges Wort. Entscheidend ist die Auseinandersetzung des Jahweglaubens mit den Kulten seiner Umwelt. Nicht der kanaanäische Baal ist Spender der Fruchtbarkeit, sondern Jahwe. Jahwe ist Herr der Natur und der Geschichte. Heil und Unheil von Jahwe her setzen die Wirklichkeitsmächtigkeit Jahwes voraus.

Das Wort Gottes ist im AT in erster Linie *gesprochenes, verkündetes Wort.* Allerdings gibt es schon früh schriftliche Niederschläge. Die Ladetradition kennt einen auf Steintafeln geschriebenen Dekalog. Die späteren Propheten haben ihre Verkündigung niedergeschrieben oder schreiben lassen. Es entsteht die Vorstellung von himmlischen Schriftrollen. Während und nach dem Exil tritt die Zeit der Sammlung, Sichtung, Redaktion und Kanonisierung der „heiligen Schriften" ein. Die Sehnsucht nach Heilsgewißheit führt zum Postulat eines verbal inspirierten Gesetzestextes, dessen gewissenhafte Einhaltung allein noch Hoffnung auf Teilhabe an der Zukunft Jahwes vermitteln kann. Das Judentum wird Schrift- und Lehrreligion. In der Apokalyptik bleibt die charismatische Unmittelbarkeit erhalten, aber gerade Apokalyptiker geben ihre Werke als unfehlbare Offenbarung aus und belegen Weglassungen oder Änderungen an ihrem Text mit dem Fluch Gottes.

1.2 Die *neutestamentliche* Wende beginnt damit, daß → Jesus das nahe → Reich Gottes verkündet, den Bußfertigen, Geschlagenen und Ausgestoßenen die Zuwendung Gottes gewährt und die Selbstsicheren vor der Unbestechlichkeit des Gottesgerichts warnt. Seine Predigt stellt das religiöse Selbstverständnis und die darauf gründende soziale Ordnung der jüdischen Elite in Frage, was schließlich zu seiner Verwerfung und Verurteilung zum Tode führt. Das Zeugnis von der Begegnung seiner Jünger mit dem Auferstandenen und das Widerfahrnis des Geistes führt zur Sammlung der christlichen Gemeinde. Jesu Worte und die Erinnerungen seiner Tage werden tradiert und gesammelt, wobei auch „Herrenworte", die der Auferstandene durch die Geistesgabe der → Prophetie seiner Gemeinde verkünden läßt, in die Tradition einfließen. Durch das apostolische Zeugnis wird Jesus, der Verkünder und Vermittler des Gottesreiches, zum verkündeten Christus. Damit wird das Wort Gottes zum Evangelium, zur frohen Botschaft: Die eschatologische Zukunft ist in Jesus als dem Christus vorweggenommen und im Glauben durch den → Heiligen Geist für jedermann zugänglich geworden. Sein Kreuzestod schafft Sühne, seine Auferstehung neues Leben mit Gott. Da der Geist durch die Verkündigung selbst den Glauben schafft, wird das missionarische Wort zum Grundgeschehen der Gemeinde Christi. Nach dem Johannesevangelium erschließt Gott sich selbst in der Person, im Wort und Werk Jesu. Im Prolog ist er das fleischgewordene, ewige Wort Gottes. Der hier verwandte frühjüdisch-hellenistische Logosbegriff spielt in der weiteren Geschichte der Christologie und Wort-Gottes-Lehre eine überragende Rolle. Diese Entwicklung impliziert auch, daß der Glaube an die Schöpfungsmächtigkeit des Gotteswortes auf Jesus Christus übertragen wird (Joh 1,3), bzw., daß dem Wort Jesu diese Schöpferkraft zugeschrieben wird (Hebr 1,3). Es ist deutlich, daß in neutestamentlicher Zeit das Wort Gottes vornehmlich verkündetes und im Glauben angenommenes Wort ist. Es ist existentielle → Kommunikation der gnädigen, aber auch richtenden Gegenwart Gottes, die im Glauben angenommen und im → Gebet beantwortet wird. In der Auseinandersetzung mit dem Judentum wird das AT vornehmlich als Schriftbeweis herangezogen, wobei man mit dem ursprünglichen Wortsinn des Textes sehr frei umgeht. Zunächst wird der Wortvermittlung und der Gebetsantwort in einer Fülle von Charismen Raum gegeben. Allmählich kristallisieren sich einige Grundämter heraus, die sich unter dem Eindruck synkretistischer Irrlehren weiter reduzieren. So wird das Wort den wandernden Propheten entzogen und dem Aufseher (episkopos) vorbehalten, aus dem sich schließlich das Bischofsamt entwickelt. Der Inhalt des Wortes wird mit der Formulierung einer Glaubensregel (regula fidei) genormt, die als Taufbekenntnis dient. Für normativ gehaltene Schriften, zum

Beispiel die Paulusbriefe, werden zur Regellektüre in den Gemeinden. Die mündliche Jesustradition schlägt sich allmählich in Einzelschriften nieder, die dann als Quellen unserer Evangelien dienen. Der Prozeß der Sammlung, Sichtung, Redaktion und Kanonisierung der neutestamentlichen Schriften setzt ein. Bei der Wahl spielt der vermeintliche apostolische Ursprung der Schriften eine nicht unbeträchtliche Rolle. Die frühjüdische Inspirationslehre findet in den christlichen Gemeinden einen gewissen Widerhall, allerdings im Sinne der prophetischen Voraussage des Christusgeschehens in den Schriften des AT. Im übrigen ist man selbstverständlich gewiß, daß die Christusverkündigung und das Christuszeugnis vom Geist bewirkt sind.

1.3 Der Gebrauch des Logosbegriffs durch die Gnosis führt in der *alten Kirche* zu einer stärkeren Bindung des Wort-Gottes-Begriffs an die Schrift. Unter dem Eindruck des Wahrheitsgehalts des hellenistisch-philosophischen Erbes sprechen die Apologeten vom *logos spermatikos*, dem die Wahrheit vorchristlichen Denkens zuzuschreiben ist. Im Osten bleibt die Spannung zwischen Wort Gottes als Schrift und Verkündigung einerseits, und Wort Gottes als durch intuitiv-spekulative „Schau" erfaßbarer, inkarnierter Logos andererseits bestehen. Die mystische Theorie und die Epiphanie im Kult wird vor dem wörtlichen Schriftsinn bevorzugt. Im Westen bleibt der Wort-Gottes-Begriff geschichtlicher, personalistischer und stärker auf die Schrift bezogen. Andererseits wird das Wort Gottes zunehmend zu einem Lehrbegriff, der durch Dogma und Tradition abgesichert und ausgebaut wird. Daneben entwickelt sich eine spiritualistisch-mystische Linie, die apokalyptische Offenbarungen (Joachim von Fiore) bzw. innere Erleuchtung über die wörtlichen Aussagen der Schrift stellt. Die aristotelisch beeinflußte Scholastik erkennt die Schrift als Offenbarungsnorm an, ohne eine Spannung zwischen Schrift und Tradition zu sehen. Das Tridentinum schließlich stellt unter dem Eindruck des reformatorischen sola-scriptura-Prinzips die Gleichrangigkeit von Schrift und Tradition fest, wobei die Christologie als Basis für beide dient.

1.4 In der Zeit der *Reformation* wird der Ruf der Renaissance, „zurück zu den Quellen" (ad fontes), gegen die Vorherrschaft der suspekt gewordenen kirchlichen Tradition wichtig. Für Luther dagegen ist das Wort Gottes vor allem verkündetes Wort, die lebendige Stimme des Evangeliums (viva vox Evangelii). Das Evangelium ist auch das Kriterium des Wortes: Zuspruch der rechtfertigenden Gnade Gottes im dialektischen Gegensatz zum Gerechtigkeit fordernden Gesetz. Gesetz und Evangelium unterscheiden sich nicht dem Inhalt, sondern der Funktion nach. Das Gesetz fordert das neue Leben Christi, das Evangelium gewährt es - als Teilhabe an einer „fremden Gerechtigkeit". Das Gesetz tötet den alten Adam, das Evangelium erweckt zum neuen Leben. Beide sind notwendig, auch für den Glaubenden, der in diesem Leben immer gerecht und zugleich noch Sünder ist. Das gleiche Schriftwort kann je nach Wirkung Gesetz oder Evangelium sein, wie Gott will. Das Evangelium, im dialektischen Gegenüber zum Gesetz, ist Kriterium des Wortes auch in der Schrift: „Was Christum treibet!" So unnachgiebig Luther auf die Schrift pochen kann, so frei und kritisch geht er mit der Schrift um, wo seiner Meinung nach die klare Botschaft des Evangeliums nicht hörbar wird. Weil die katholische Tradition im Urteil Luthers gesetzlich geworden ist, beruft er sich - um des Evangeliums willen - auf die Schrift. Aber auch dem linken Flügel

der Reformation („Schwärmern") gegenüber stellt Luther das Kriterium des apostolischen Zeugnisses auf: Das Wort Gottes erreicht mich nicht durch innere Gei-
steserleuchtung, sondern von außen, durch die Verkündigung dessen, was Gott in
Christus für uns getan hat (verbum externum). Das souverän Glauben schaffende
Wort spricht dem Sünder die Gnade Gottes zu, wobei das innere Geisteszeugnis
dem äußeren Wortgehalt entspricht.

Melanchthon verbindet Luthers Wortbegriff mit dem humanistischen Quel-
lenprinzip, definiert den Glauben als Zustimmung zum Wort und reflektiert über
das Verhältnis zwischen Selbsterkenntnis und Erkenntnis des Werkes Christi. Calvin hält am verkündeten, Glauben herausfordernden Wort fest, betont jedoch
stark das lehrhafte Element. Summe aller Lehre ist Gottes- und Selbsterkenntnis.
Gott ist aus der Schöpfung zu erkennen, redet aber in der Schrift. Daraus ergibt
sich ihre Autorität. Die stark biblisch orientierte Theologie Calvins ist bis heute
in vielen reformierten Kreisen die Norm geblieben.

1.5 Der Zug zum Lehrhaften, den wir in Ansätzen bei Melanchthon und
Calvin beobachten können, setzt sich in der Zeit der dogmatischen Streitigkeiten
durch. Die *Protestantische Orthodoxie* entwickelt mit Deduktion und Distinktion
Lehrgebäude, die einer axiomatischen Grundlage bedürfen. Man findet sie in der
Lehre von der Unfehlbarkeit der Schrift als verbal inspiriertem Gotteswort. Der
Pietismus, der die vernachlässigte Unmittelbarkeit der Herzensfrömmigkeit betont, hört in der verbal inspirierten Schrift den lebendigen Gott reden. Die Inspirationslehre wird in der Zeit von Aufklärung, Historismus und Liberalismus zur
Bastion der Rechtgläubigkeit und gelangt als solche über die Erweckungsbewegungen und die Mission in den modernen evangelikalen Flügel des Weltprotestan-
tismus.

Gegen das tote Lehrgebäude der Orthodoxie erhebt sich auch die Aufklärung
mit ihrer Forderung nach rationaler Begründung und Kritik der Glaubensinhalte.
Unabwendbar hat die kopernikanische Wende den Menschen in die Mitte des
Universums gestellt und ihn zum Maß aller Dinge gemacht. Der Idealismus konstruiert noch einmal einen philosophischen Gottesbegriff, der dann durch die ma-
terialistische Reaktion entlarvt wird. Feuerbach sieht in den Objekten religöser
Verehrung entweder Abstraktionen der empirischen Wirklichkeit oder Projektionen unerfüllbarer Wünsche. Karl Marx deutet sie sozialpathologisch und Sig-
mund Freud psychopathologisch. Der Historismus ordnet das Christentum religionsgeschichtlich ein und relativiert es damit. Es wird immer schwieriger, sinnvoll
von Gott oder gar vom Wort Gottes zu reden.

1.6 Karl Barth geht vom Glaubenspostulat eines objektiven Offenbarungsge-
schehens aus. Das Grunddatum der göttlichen Offenbarung stellt alles menschliche, einschließlich der menschlichen Religion grundstürzend in Frage. In Barths
Dialektik folgt auf die „These" des absoluten und heiligen Gotteswortes die „Antithese" des nichtigen und sündhaften Menschenwortes, das jedoch in der „Synthese" vom Gotteswort gnädig umfangen und für das Offenbarungsgeschehen gebraucht wird. Aufgrund dieser christologisch angelegten Dialektik erschließt Barth
zahllosen Predigern wieder die Möglichkeit, vom Wort Gottes zu reden und dieses Wort zu verkündigen. Gleichzeitig findet die *Luther-Renaissance* zu den Tiefen
des lutherischen Wort-Gottes-Begriffs zurück. Dabei wirkt sich die harte Ausein-

andersetzung zwischen Barth und konservativen Lutheranern im Kirchenkampf aus. Werner Elert gegenüber, der die lutherische Dialektik zwischen Gesetz und Evangelium als eine Diastase „zweier Worte Gottes" versteht, betont Barth, daß es nur ein Wort Gottes geben könne, das auf jeden Fall Gnade und also Evangelium sei. Das Gesetz ist Form des Evangeliums und folgt aus diesem.

Anders als Barths Dialektik prägt auch der Existentialismus Rudolf Bultmanns die mittleren Jahrzehnte des 20. Jahrhunderts. Er verbindet historisch-kritische Forschung am NT mit einer radikalen Hermeneutik, in der die mythologischen Ausdrucksformen der biblischen Überlieferung in ein existential verstandenes Kerygma übersetzt werden (Entmythologisierungsprogramm). Der Mensch wird durch die Begegnung mit dem Wort in die Entscheidung über Eigentlichkeit oder Uneigentlichkeit seiner Existenz gestellt. Wie Barth betont Bultmann die Unverfügbarkeit Gottes: Über Gott reden hat gar keinen Sinn, man kann nur von Gott (= als von Gott Betroffener) reden. Die Radikalität der historisch-kritischen Exegese und der existentialen Interpretation neutestamentlicher Texte lockt die vehemente Reaktion konservativer Kreise hervor (Kein anderes Evangelium) - besonders dort, wo das Entmythologisierungsprogramm offenbar folgerichtig zu der noch radikaleren Strömung der Gott-ist-tot-Theologie führt.

1.7 Die Theologie ist der massiv andringenden sozialethischen Problematik nicht mehr gewachsen. Bei Bultmann gibt es Geschichtlichkeit, aber keine Geschichte, Zukünftigkeit, aber keine Zukunft, Existenvollzug, aber keine sozialen Strukturen und Prozesse, Uneigentlichkeit, aber nicht Ungerechtigkeit, Unterdrückung und Elend. Die Worttheologie gerät unter dem Eindruck von Entkolonialisierung, Entwicklungsproblematik, marxistisch inspirierten Befreiungskämpfen, ökologischer Gefährdung und nuklearer Bedrohung in Verruf, die biblische Botschaft individualistisch, personalistisch, spiritualistisch, existentialistisch verkürzt und depotenziert zu haben. Gegen Barths „Offenbarungspositivismus" versucht Pannenberg die Theologie in der Geschichte festzumachen und damit die unerledigten Probleme des 19. Jahrhunderts aufzugreifen. Aber die „politische Theologie" Moltmanns und Metz' enthält stärkeren Zündstoff. Unter dem Eindruck der neo-marxistischen Zukunftsphilosophie Ernst Blochs werden die gesellschaftlichen Zukunftsfragen zum zentralen Thema der Theologie. Einseitig radikalisiert setzt sich diese Entwicklung in der lateinamerikanischen Befreiungstheologie durch.

Die Befreiungstheologie stellt, an der bisherigen abendländischen Theologie gemessen, eine Revolution dar. Der Erkenntnisweg geht nicht von der historisch-kritisch rekonstruierten Intention des Textes zur Anwendung in der Siutation, sondern die Situation ist der Ausgangspunkt und der (unhistorisch gelesene) Text wird danach befragt, ob er die Situation beleuchten kann. An die Stelle der Wortverkündigung treten die Bemühungen, die Unterdrückten bezüglich ihrer Situation und der Möglichkeiten, sie zu verändern, bewußt zu machen (Conscientisation). Ein neuer Kanon im Kanon entsteht, nach dem die Schrift selektiv gelesen und interpretiert wird. So wird der Exodus zur Mitte des AT, aber ohne die Landnahme (in der die soeben Befreiten andere Völkerschaften unterjochen bzw. ihres Landes berauben. Jeus Predigt in Nazareth (Lk 4,16ff) wird zum Schlüssel für das Verständnis Jesu: Er ignoriert die Herrschenden oder greift sie an, während er sich aktiv mit den Beherrschten solidarisiert. Die Theologie des Paulus

oder des Johannes tritt eher in den Hintergrund. Gesetz und Evangelium werden
nach Klassen angewandt: den Unterdrückern wird das Gericht, den Unterdrückten die Gnade zugesprochen. Ferner tritt an die Stelle des hermeneutischen Zirkels in der abendländischen Theologie die Theorie-Praxis-Dialektik. Theorie ist
nur legitim als Reflexion über die Befreiungspraxis. Die Folge ist Aktion-Reflexi-
on, nicht Theorie-Anwendung. Weil Heil als sozialpolitischde Befreiung gesehen
wird, wird Gottes Heilshandeln in der Geschichte überall gesehen, wo Befreiungs-
aktionen stattfinden. Die großen Leistungen der Befreiungstheologie liegen darin,
daß sie von der konventionellen Theologie übersehene oder vernachlässigte Di-
mensonen kraß ins Licht gerückt hat: Der biblische Glaube ist nicht auf ein individuelles Seelenheil, sondern auf die Kulmination der Gesamtgeschichte im Reich
Gottes hin angelegt. Das Reich Gottes wird durch soziale Gerechtigkeit bzw.
durch Zuwendung zu den Schwachen gekennzeichnet. Not jeder Art ist Unheil
und gehört ins Zentrum einer soteriologischen Theologie. Versöhnung mit Gott
und dem Nächsten kann nicht die sozialen Bezüge ausklammern; das Leben ist
unteilbar. Damit kommt die Bedeutung von sozialen Strukturen und geschichtlichen Prozessen in den Blick. Ideologie als kollektive Selbstrechtfertigung von In-
teressenhandhabung muß angeprangert werden. Die Bibel verdammt die fromme
Legitimation oder Übertünchung von Machtmißbrauch und Ausbeutung. Das
sind Einsichten, hinter die keine Theologie mehr zurück kann, wenn sie die umfassende Schau der Bibel nicht verfehlen will. Freilich ist die Frage, ob die Befreiungstheologie nicht selbst eine Ideologie in theologischem Gewand darstellt.
Auch sie ist Legitimation der Handhabung von kollektiven Interessen und ihre
Hermeneutik macht sie immun gegen Anfragen vom verbum externum der Schrift
her. Aber Kritik kann man nur anmelden, wenn man von den eigenen Grundlagen her die anstehenden Probleme sachgemäßer aufzuarbeiten imstande ist. Die
Worttheologie steht vor der Aufgabe, ihre Potenzen in dieser Richtung voll zu
entwickeln.

1.8 In den *„jungen Kirchen"* Afrikas und Asiens wird zunächst die Tradition
der Missionare fortgeführt, die fast durchweg aus den Kreisen des Pietismus und
der Erweckungsbewegungen stammen. Die → Predigt ist auf die Bibel bezogen, -
Ordnungen, Ämter, Kompetenzen und moralische Weisungen stehen jedoch im
Vordergrund. Das liegt an der Verunsicherung, die durch kulturellen Umbruch,
Identitätsverlust und moralische Verwilderung, durch Modernisierung und Urbanisierung entsteht. Die Not der kulturellen Fremdheit des westlich vermittelten
christlichen Glaubens führt besonders in Afrika zu „unabhängigen Kirchen"(→
Afrikanische Unabhängige Kirchen), die sich eine Vermittlung zwischen überkommenen Denk- und Lebensformen einerseits und biblischer Frömmigkeit
schaffen. Oft von Missionaren der dritten Generation angestoßen, fordern junge
Theologen eine Enkulturation oder „Indigenisation" (→ Inkulturation) der Botschaft und der christlichen Lebensgestaltung, zuweilen eine „Confessio Africana".
Aber die Versuche bleiben häufig vereinzelt und elitär. Das schließt nicht aus, daß
in der überwiegend von Laien gehaltenen Predigt, vielleicht unbewußt, eine gewisse kulturelle Vermittlung stattfindet. Ein drittes Phänomen ist die Erfahrung der
Unterdrückung, der wirtschaftlichen Misere und des allgemeinen sozialen Not-
standes, der die pietistisch verengte Predigt nicht gerecht werden kann. Hier wird

in jüngster Zeit zunehmend die Forderung nach „Kontextualisierung" laut. Die christliche Botschaft und die christliche Lebensführung soll sich auf die Situation der sozial Benachteiligten einstellen, welche in der Dritten Welt die übergroße Mehrheit der Bevölkerung darstellen. Im südlichen Afrika hat man in Anlehnung an nordamerikanische Vorbilder eine „Schwarze Theologie" zu entwickeln versucht, aber sie ist selten über die Forderung nach einer „neuen Hermeneutik" hinausgekommen. Es scheint, als habe eine lokale Interpretation der Befreiungstheologie in Südafrika eine größere Chance, in weiteren Kreisen Gehör zu finden.

2. Unser historischer Überblick hat folgende *Alternativen im Bereich der Wort-Gottes-Problematik* herausgestellt:

• Erreicht das Wort den Menschen durch die institutionalisierte Pflege einer historisch verankerten Tradition oder durch charismatische Unmittelbarkeit? Zu beachten ist, daß die charismatische Linie nirgends ohne die Voraussetzung der Tradition auskommt. Andererseits erstarrt die Tradition, wenn sie dem charismatischen Element keinen Raum gewährt.

• Ist das Wort Gottes die lebendige Anrede Gottes in einer Verkündigung, die sich auf das (historisch-kritisch erschlossene) biblische Zeugnis beruft, oder ist es eine verabal inspirierte Schrift, die nur noch der Auslegung bedarf? Wer einmal den historischen Charakter der Schriften eingesehen und gerade darin ihre Lebendigkeit und Relevanz entdeckt hat, wird die Lehre der Verbalinspiration als unnötige und kontraproduktive Belastung empfinden. Sie scheint der Inkarnation des Wortes in die menschlich-geschichtliche Wirklichkeit zu widersprechen, damit aber ein Menschlich-Relatives zu vergöttlichen. Auch muß der Charakter des Wortes als unmittelbare Anrede Gottes, als spezifisch persongerichteter Zuspruch und Anspruch gewahrt bleiben.

• Gibt es eine Dialektik innerhalb des Wortes Gottes zwischen richtendem Gesetz und rettendem Evangelium, oder gibt es nur „ein" Wort Gottes? Die beiden Ansätze sind nicht deckungsgleich, schließen sich aber auch nicht gegenseitig aus. Dabei muß beachtet werden, daß Gesetz und Evangelium sich nicht dem Inhalt, sondern der Funktion nach unterscheiden. Löst man diese Dialektik auf, wird die Predigt entweder gesetzlich, oder sie unterschlägt als reine Gnadenvermittlung den Ernst des göttlichen Anspruchs.

• Bezieht sich das Wort Gottes inhaltlich auf ein individuelles Seelenheil, oder auf das umfassend konzipierte eschatologische Reich Gottes, an dem der Glaubende vorwegnehmend Anteil gewinnt? Es ist keine Frage, daß die erste Ansicht eine Verkürzung der neutestamentlichen Botschaft darstellt und der Elevanz des Wortes in den konkreten Nöten der Geschichte schweren Schaden zufügt. Auch die existentialistische Verengung des Kerygmas ist nicht haltbar.

2.4 In der Hermeneutik dürfte heute die schwerwiegendste Frage darin liegen, ob die historisch-kritisch erschlossene Textausage in die moderne Situation hinein übersetzt werden soll - selbstverständlich unter der Voraussetzung des hermeneutischen Zirkels - oder ob man den rein paradigmatisch gebrauchten Text zur Beleuchtung einer ohnehin schon interpretierten Situation heranziehen kann. So gewiß Fragen, die die Situation stellt, neue Dimensionen der historischen Textaussage erschließen können, und so gewiß man bei der Übersetzung des Wortes über die ursprüngliche Textaussage hinausgehen muß, um die volle Problematik der Situation unter das Wort stellen zu können, so wenig darf man von der Externalität des biblischen Zeugnisses als Anspruch und Zuspruch absehen. Sonst bestätigt man nur seine Vorurteile und ideologischen Legitimationen mit dem Schriftwort.

• Soll die Botschaft in die Denk- und Lebensformen der Hörer übersetzt (enkulturiert, indigenisiert, kontextualisiert) werden, auch wenn dabei synkretistische Mischformen nicht zu umgehen sind, oder soll man danach trachten, eine möglichst „reine Lehre" zu vermitteln? Eine reine Lehre gibt es nicht und hat es noch nie gegeben. Auch was der Protestantismus dafür ausgegeben hat, war kulturgeschichtlich durchwachsen. Man soll gegenüber dem → Synkretismus wachsam sein, man kann ihn aber nicht puristisch ausschließen wollen. Ein lebendiger, weniger orthodoxer Glaube ist in jedem Fall einer verfremdeten und verfremdenden Botschaft, die nur aus Pietät so übernommen und festgehalten wird, vorzuziehen.

• Was zählt: das Wort oder die Tat? Wort Gottes ist → Kommunikation - Kommunikation als Sinngehalt, der eine Wirklichkeit deutet. Ohne das gelebte Wort fehlt die Klarheit des Sinngehalts. Ohne das gelebte Wort fehlt die Wirklichkeit der eschatologischen Botschaft in dieser Welt. Schließlich kann sie auch Illusion, Utopie, Betrug sein. Gemeinschaftsleben und neue Ethik der Christen haben schon in der alten Kirche beeindruckt und die Verkündigung bewahrheitet - und das hat sich in der weiteren Missionsgeschichte vielfach wiederholt. Andererseits ist das Wort Gottes eine Botschaft Gottes an die Welt, deren Vermittlung der Kirche aufgetragen ist. Ohne diese Auftragsgewißheit gibt es keine Mission und ohne Mission hat die Kirche ihr Proprium verloren.

Lit.: *Barth, K.,* Die kirchliche Dogmatik I,1 u. I,2, 1932/²1945. - *Bergmann, J./Lutzmann, H./Schmidt, W. H.,* Art. dabar, in: ThWAT 2, 89-133. - *Bimwenyi-Kweshi, O.,* Alle Dinge erzählen von Gott. Grundlegung afrikanischer Theologie, in: Theologie der Dritten Welt 3, 1982. - *Bring, R.,* Das göttliche Wort. Grundfragen unseres Glaubens, 1964. - *Brunner, E.,* Das Wort Gottes und der moderne Mensch, 1947. - *Bultmann, R.,* Glauben und Verstehen. Gesammelte Aufsätze 1, ⁴1961. - *Delling, G.,* Wort Gottes und Verkündigung im Neuen Testament, 1971. - *Elert, W.,* Gesetz und Evangelium, in: Ein Lehrer der Kirche, hg. v. M. Keller-Hüschmeyer, 1967, 51-75. - *Gutierrez, G.,* Theologie der Befreiung, 1973. - *Kittel, G.,* „Wort" und „Reden" im NT, in: ThWNT 4, 100-140. - *Nürnberger, K.* (Hrsg.), Affluence, Poverty and the Word of God. An Interdisciplinary Study Programme of the Missiological Institute, 1978. - *Ders.,* Das Wort Gottes in einer sozialpolitischen Konfliktsituation, in: EvTh 35, 1975, 249-266. - *Ders.,* Die Relevanz des Wortes im Entwicklungsprozeß. Eine systematisch-theologische Besinnung zum Verhältnis zwischen Theologie und Entwicklungsstrategie (EHS 200), 1982 (Lit.). - *Pannenberg, W.* (Hrsg.), Offenbarung als Geschichte, ²1963. - *Reisach, Ch.,* Das Wort und seine Macht in Afrika. Probleme der Kommunikation und Information für die Verkündigung, in: Münsterschwarzacher Studien 34, 1981. - *Schlier, H.,* Wort Gottes. Eine neutestamentliche Besinnung, 1958. - *Wirsching, J.,* Was ist schriftgemäß? Studien zur Theologie des äußeren Bibelwortes, 1971.

K. Nürnberger

AUTORENLISTE

K. Adloff (Judentum)

B.-M. Ahn (Koreanische Theologie)

P. Antes (Mission in den Religionen)

C. G. Arevalo (Philippinische Theologie)

H. Balz (Ahnenverehrung II; Kommunikation)

H.-J. Becken (Afrikanische Unabhängige Kirchen)

H. Bettscheider (Befreiung; Glaube)

P. Beyerhaus (Missionar I)

K. Blaser (Reich Gottes)

R. Bleistein (Jugend)

D. J. Bosch (Evangelisation) J. Bria (Martyrium)

W. Bühlmann (Spiritualität)

B. Bujo (Polygamie)

A. Camps (Ortskirche)

A. J. Chupungco (Symbol)

E. Dammann (Sprache)

V. Dammertz (Mönchtum II)

H. Döring (Ekklesiologie)

H. Dumont (Europäische Theologie; Heil)

K. Fiedler (Fundamentalismus (Evangelikale Mission); Glaubensmissionen)

H.-J. Findeis (Missionswissenschaft)

R. Friedli (Interkulturelle Theologie)

H.-W. Gensichen (Frieden; Geschichte; Union(en))

W. Gern (Entwicklung; Predigt)

H.-J. Greschat (Neue religiöse Bewegungen)

H. Gründer (Kolonialismus)

A. Grünschloß (Initiation)

W. Günter (Weltmissionskonferenzen)

C. Grundmann (Heilung)

L. Gutheinz (Chinesische Theologie)

H. E. Hamer (Missionsschule I)

F. Hahn (Rechtfertigung)

V. Hahn (Tradition)

W. Henkel (Missionsstatistik)

J. Henninger (Opfer)

W. Hollenweger (Prophetie)

W. Huber (Menschenrechte)

A. Jilek (Liturgie)

L. Karrer (Laie)

K. Kertelge (Paulus)

G. Kirchberger (Amt)

N. Klaes (Christologie)

H.-J. Klimkeit (Religionswissenschaft)

F. Kollbrunner (Vaticanum II)

J. Kuhl (Berufung)

M. Lehmann-Habeck (Ökumenischer Rat der Kirchen)

J. B. Libânio (Lateinamerikanische Theologie; Theologie der Befreiung)

Chr. Lienemann-Perrin (Theologische Ausbildung)

P. Löffler (Industriemission (Urban Rural Mission))

L. J. Luzbetak (Ethnologie und Mission)

S. S. Maimela (Schwarze Theologie)

R. Malek (Ahnenverehrung I)

G. Menzel (Partnerschaft)

H. Mühlen (Geistliche Erneuerung)

K. Müller (Inkulturation; Liturgie; Missionar II; Missionsschule II)

J. Neuner (Taufe)

O. Noggler (Staat)

E. Nunnenmacher (Kultur)

K. Nürnberger (Ethik; Wort Gottes)

J. Piepke (Volksfrömmigkeit)

F. Porsch (Heiliger Geist)

A. Quack (Ethnologie)

C.-H. Ratschow (Theologie der Religionen)

G. Reese (Armut)

K. Rennstich (Mönchtum I)

D. Ritschl (Ökumene; Opfer)

H. Rücker (Gott)

H. Rzepkowski (Evangelische Bruderschaften/Kommunitäten/Orden; Gebet; Katechismus; Missionsfest; Missionsgesellschaften; Missionsmethode; Missionswerke; Schöpfung; Tradition)

Leo Scheffczyk (Abendmahl)

G. M. Setiloane (Afrikanische Theologie)

J. Schmitz (Missionsmethode)

M. R. Spindler (Bibel)

U. Schoen (Dialog)

L. Schreiner (Bekenntnisbildung)

W. Stegemann (Jesus)

Th. Sundermeier (Religion/Religionen; Theologie der Mission)

Y. Terazona (Japanische Theologie)

J. F. Thiel (Kunst)

M. M. Thomas (Indische Theologie)

W. Ustorf (Volk)

E. Voulgarakis (Orthodoxe Mission)

H. Wagner (Bekehrung; Kirchenwachstum/Gemeindewachstumsbewegung)

H. Waldenfels (Kontextuelle Theologie)

B. v. Wartenburg-Potter (Frau)

Th. Weiß (Heiden)

D. Wiederkehr (Eschatologie)

B. Willeke (Ritenstreit)

F. Wolfinger (Absolutheitsanspruch; Toleranz)

E. Zeitler (Ritenstreit)

P. Zepp (Missionsrecht)

Karl Müller
MISSIONSTHEOLOGIE
Eine Einführung
Mit Beiträgen von Hans-Werner Gensichen und Horst Rzepkowski
X und 207 Seiten
Broschiert DM 26,- / ISBN 3-496-00822-9

Nach den langen und kontroversen Diskussionen über das theologische Fundament der Mission, über den Weltbezug der Mission, über Dialog, Entwicklungshilfe, Gerechtigkeit und Frieden, den Heilswert der Religionen, über das Verhältnis der Mission zur Kirche und zur Ökumene, ist diese zusammenfassende Darstellung eine wertvolle Orientierungshilfe für Studenten und interessierte Laien. Da Mission eine Sache der ganzen Kirche und ein Grundwissen über die missiologischen Fragen vor allem für die Theologiestudenten unabdingbar ist, stellt eine solche Darstellung ein notwendiges Arbeitsmittel für die Betreffenden dar.

Georg Kamphausen
HÜTER DES GEWISSENS
Zum Einfluß sozialwissenschaftlichen Denkens in Theologie und Kirche
(Schriften zur Kultursoziologie, Band 6)
XVIII und 336 Seiten
Broschiert DM 58,- / ISBN 3-496-00843-1

Lehren der Human- und Sozialwissenschaften halten zunehmend Einzug in Theologie und Kirche. Experten dieser Disziplinen haben besonders in jüngster Zeit Dienste und Aufgaben in Kirchen und Gemeinden übernommen. Aus dieser Zusammenarbeit von Kirche und Wissenschaft entwickeln sich grundlegend neue Vorstellungen von Menschsein und Lebensführung. Wie weit die Wissenschaften selbst zu den »modernen Hütern des Gewissens« geworden sind, also fast unbemerkt die Rolle der Seelenärzte, Beichtväter, Lebensberater und Ratgeber übernommen haben — diesen Fragen will die Arbeit auf den Grund gehen.

Hartmut Zinser (Hg.)
DER UNTERGANG VON RELIGIONEN
ca. 324 Seiten mit ca. 20 Abbildungen
Broschiert ca. DM 58,- / ISBN 3-496-00842-3

Die Gründe, die zum Untergang von Religionen oder einzelner religiöser Institutionen, Gebräuche und Symbole führen, sind vielfältig: geschichtliche und gesellschaftliche Veränderungen, das Aussterben ihrer Träger oder auch die Übernahme religiöser Funktionen durch andere Bereiche wie Kunst, Wissenschaft und Politik.
Dieser Band enthält Beiträge von 21 Autoren zum Thema Untergang und Wiederkehr von Religionen und der Transformation religiöser Erscheinungen und stellt damit umfassendes Material und interessante Analysen zur Diskussion.

DIETRICH REIMER VERLAG BERLIN

Hans Jantzen
KUNST DER GOTIK

Klassische Kathedralen Frankreichs

Chartres, Reims, Amiens

Mit einem Nachwort von Hans-Joachim Kunst

246 Seiten, mit 67 Abbildungen und 49 Strichzeichnungen
Broschiert ca. DM 29,50 / ISBN 3-496-00898-9

Dieses wichtige Standardwerk zur Architektur gotischer Sakralbauten war seit vielen Jahren vergriffen und steht jetzt endlich wieder zur Verfügung. Leicht verständlich und gut lesbar geschrieben, macht es dem kunstinteressierten Laien wie dem Studenten der Kunstgeschichte die komplizierte Baustruktur gotischer Kathedralen sichtbar.

Josef Franz Thiel / Heinz Helf
CHRISTLICHE KUNST IN AFRIKA

360 Seiten, zweispaltig, mit 513 schwarz-weiß und 90 farbigen Abbildungen
Format 24,5 x 33 cm
Leinen DM 88,- / ISBN 3-496-00745-1

Anhand von über 600 Illustrationen wird das Kunstschaffen der Afrikaner in Geschichte und Gegenwart dargestellt. Es werden vor allem Werke jener Künstler berücksichtigt, die mit afrikanischen Formen und Symbolen christliche Glaubenswahrheiten auszudrücken versuchen und die Botschaft der Bibel von der afrikanischen Wirklichkeit her interpretieren.
Das Buch ist das Ergebnis mehrerer Ausstellungen über christliche Kunst in Afrika und langjähriger Sammlertätigkeit der Verfasser. Eine umfangreiche Bibliographie gibt dem Fachmann den jetzigen Stand der Forschung und dem interessierten Laien die Möglichkeit des Weiterbildens.

GRUNDFRAGEN DER RELIGIONSGEOGRAPHIE

Mit Fallstudien zum Pilgertourismus

Herausgegeben von M.Büttner, K.Hoheisel, U.Köpf, G.Rinschede, A.Sievers

(Geographia Religionum, Band 1)

286 Seiten mit zahlreichen Graphiken und Karten
Broschiert DM 48,- / ISBN 3-496-00832-6

RELIGION UND SIEDLUNGSRAUM

Herausgegeben von M.Büttner, K.Hoheisel, U.Köpf, G.Rinschede, A.Sievers

(Geographia Religionum, Band 2)

268 Seiten mit 43 Abbildungen und 2 Faltkarten
Broschiert DM 38,- / ISBN 3-496-00869-5

DIETRICH REIMER VERLAG   BERLIN